Personal-pron	Personalpronomen	SPORT	Sport
PHYS	Physik	*sth*	something – *etwas*
Pl	Plural	TECH	Technik
POL	Politik	TEL	Telefon
Possessiv-pron	Possessivpronomen	THEAT	Theater
pp	past participle – *Partizip Perfekt*	TV	Fernsehen
		TYPO	Typographie, Buchdruck
Präp	Präposition	*umg*	umgangssprachlich
Pron	Pronomen		
pt	past tense – *Präteritum*	*unbest*	unbestimmt
		unpers	unpersönlich
®	registered trademark – *eingetragene Marke*	*unreg*	unregelmäßig
		US	amerikanisches Englisch
RADIO	Radio	*vhilf*	Hilfsverb
Reflexiv-pron	Reflexivpronomen	*vi*	intransitives Verb
		vr	reflexives Verb
REL	Religion	*vt*	transitives Verb
Relativ-pron	Relativpronomen	*vulg*	vulgär
		WIRTSCH	Wirtschaft
s	Substantiv	*Zahl*	Zahlwort
sb	somebody – *jemand/jemandem/jemanden*	ZOOL	Zoologie
		in Zs	in Zusammensetzungen
SCHIFF	Schifffahrt	~	Tilde
schott	schottisch	→	Verweiszeichen
Sg	Singular		

Langenscheidt
Universal-Wörterbuch Englisch

Englisch – Deutsch
Deutsch – Englisch

Herausgegeben von der
Langenscheidt-Redaktion

Langenscheidt

Berlin · München · Wien · Zürich · New York

Projektleitung:
Heike Pleisteiner

Lexikographische Arbeiten:
Howard Atkinson, Martin Fellermayer, Stuart Fortey,
Heike Pleisteiner, Robin Sawers, Karin Weindl

In der neuen deutschen Rechtschreibung
Stand 2004

Dieses Wörterbuch wurde unter Verwendung von Daten-
banken der HarperCollins Publishers Ltd erstellt.

Ergänzende Hinweise, für die wir jederzeit dankbar sind,
bitten wir zu richten an:
Langenscheidt Verlag, Postfach 40 11 20, 80711 München
redaktion.wb@langenscheidt.de

© 2004 Langenscheidt KG, Berlin und München
Printed in Germany
ISBN-13: 978-3-468-18126-9
ISBN-10: 3-468-18126-4

Inhaltsverzeichnis

Hinweise für die Benutzer.............................. 4

Englisch-deutsches Wörterverzeichnis............... 11

Deutsch-englisches Wörterverzeichnis............... 347

Unregelmäßige englische Verben 617

Zahlwörter 620

Britische und amerikanische Maße und Gewichte ... 622

Temperaturen Fahrenheit – Celsius 623

Englische und amerikanische Währung 624

Wichtige Feiertage in GB und in den USA 625

Mini-Dolmetscher für unterwegs 626

Hinweise für die Benutzer

Wo finde ich was? – alphabetische Anordnung

Das **Universalwörterbuch Englisch** enthält über 36.000 Stichwörter und Wendungen. Die Stichwörter werden in alphabetischer Reihenfolge aufgeführt. Lediglich die **phrasal verbs** durchbrechen diese strikte Alphabetisierung. So finden Sie beispielsweise **keep back, keep off, keep on, keep out, keep to** und **keep up** direkt im Anschluss an das Verb **keep**, jedoch vor dem nächsten Hauptstichwort **keeper**, da ja alphabetisch korrekt zwischen **keep back** und **keep off** eingeordnet werden müsste. Die Umlaute ä, ö, ü werden wie a, o, u behandelt; **träumen** steht hinter **Traum** und vor **traumhaft**.

Wie finde ich was? – Aufbau eines Stichwortartikels

Die Unterteilung eines Stichwortartikels erfolgt im Allgemeinen in beiden Wörterbuchteilen durch arabische Ziffern, die zum einen zwischen Wortarten (Substantiv, Adjektiv, Adverb, Verb usw.) unterscheiden können.

> **search** [sɜːtʃ] **1.** *s* Suche *f* (*for* nach); **do a ~ for** IT suchen nach; **in ~ of** auf der Suche nach **2.** *vi* suchen (*for* nach) **3.** *vt* durchsuchen

zum anderen aber auch zwischen unterschiedlichen Bedeutungen einer Wortart:

> **Druck 1.** *m* PHYS pressure; *fig* (*Belastung*) stress; **jdn unter ~ setzen** put sb under pressure **2.** *m* TYPO (*Vorgang*) printing; (*Produkt, Schriftart*) print

Wie sieht ein Eintrag im Allgemeinen aus?

cash [kæʃ] **1.** *s* Bargeld *n*; *in
~ bar*; *~ on delivery* per
Nachnahme **2.** *vt* (*Scheck*)
einlösen

Dieses Beispiel für das Stichwort **cash** soll die wichtigsten Elemente eines Eintrags veranschaulichen. Wir stellen sie Ihnen Schritt für Schritt vor:

cash	das Stichwort in Fettdruck
[kæʃ]	die Lautschrift in eckigen Klammern
1.	arabische Ziffer zur Unterscheidung verschiedener Wortarten des Stichworts
s	Wortartangabe (*hier:* Substantiv) des englischen Stichworts in *Kursivschrift*
Bargeld	deutsche Entsprechung des englischen Stichworts in Normalschrift
n	Genusangabe (*hier:* neutrum) der deutschen Entsprechung in *Kursivschrift*
;	Strichpunkt zur Abgrenzung von Übersetzung und nachfolgend aufgeführten Wendungen, die den typischen Gebrauch des Stichworts illustrieren
in ~	die Wendung *in cash* in *halbfetter Kursivschrift*
~	die Tilde in der Wendung ersetzt das vorangegangene Stichwort **cash**
bar	deutsche Entsprechung der englischen Wendung in Normalschrift
~ on delivery	die Wendung *cash on delivery* in *halbfetter Kursivschrift*
per Nachnahme	deutsche Entsprechung der englischen Wendung in Normalschrift

2.	arabische Ziffer zur Unterscheidung verschiedener Wortarten des Stichworts
vt	Wortartangabe (*hier*: transitives Verb) des englischen Stichworts in *Kursivschrift*
(Scheck)	mögliches Objekt zu der deutschen Entsprechung (*hier*: „einen Scheck einlösen") als Orientierungshilfe in *Kursivschrift*
einlösen	deutsche Entsprechung des englischen Stichworts in Normalschrift

Sind alle Einträge so einfach aufgebaut?

Jeder Eintrag folgt mehr oder weniger dem eben erläuterten Schema. Durch klare Bedeutungsunterscheidungen findet man leicht die korrekte Übersetzung. Die *kursive* Angabe in Klammern kann ein zugehöriges Objekt oder Subjekt darstellen oder aber einen Bezug zum allgemeinen Verwendungskontext herstellen.

> **break up 1.** *vi* aufbrechen; (*Versammlung*) sich auflösen; (*Ehe*) in die Brüche gehen; (*Paar*) sich trennen

> **breakdown** *s* Panne *f*; (*Maschine*) Störung *f*; (*Person, System etc*) Zusammenbruch *m*

Wie sieht es mit den Ausspracheangaben aus?

Die Aussprache inklusive Betonung des englischen Stichworts steht in eckigen Klammern gleich hinter dem Stichwort und erscheint in den Symbolen der **International Phonetic Association (IPA)** – vgl. hierzu **Erklärung der phonetischen Zeichen** auf der Innenseite des hinteren Buchdeckels.

Wenn sich die Aussprache eines Stichworts im Vergleich zum Hauptstichwort nicht grundlegend ändert, wird aus Platzgründen auf eine Wiederholung der Lautschrift verzichtet.

Welche Funktion hat Kursivgeschriebenes (*Schrägschrift*)?

Oft geben Kommentare in *Schrägschrift* mit oder ohne Klammern zu den einzelnen Bedeutungen des Stichworts zusätzliche präzisierende Hinweise. Wie bereits oben anhand von Beispielen erläutert, können dies Synonyme (bedeutungsähnliche Wörter), mögliche Subjekte, Objekte o. Ä. sein, die den Verwendungsbereich einer gegebenen Übersetzung verdeutlichen.

In *Schrägschrift* erscheinen auch Wortart- und sonstige Grammatikangaben sowie Elemente, die sich vom Stichwort, von der Wendung oder von der Übersetzung abheben sollen. Dazu gehören auch umschreibende Entsprechungen für ein Stichwort, für das es keine direkte Übersetzung gibt:

> **doggie bag** ['dɒgɪ'bæg] *s*
> *Tüte oder Box, in der die Essenreste aus dem Restaurant mit nach Hause genommen werden können*

Hinter den Übersetzungen von Verben finden Sie häufig die Angabe der passenden englischen Präpositionen in *Schrägschrift* mit der dazugehörigen deutschen Entsprechung in Normalschrift und der Angabe, welchen Kasus (Fall) die jeweilige deutsche Präposition verlangt, ebenfalls in *Schrägschrift*:

> **inform** [ɪn'fɔːm] *vt* informieren (*of, about* über + *Akk*); **keep sb ∼ed** jdn auf dem Laufenden halten

Weitere kursive Angaben, die in einem Eintrag vorkommen können, finden Sie unter **Abkürzungen** auf der Innenseite des vorderen Buchdeckels.

Welche Funktion haben die Verweise?

Der Verweis – immer eingeleitet mit → – hat verschiedene Funktionen. Er verweist von einem Stichwort auf ein anderes Stichwort, wenn sich beide Stichwörter in ihrer Bedeutung ähneln oder es sich lediglich um verschiedene Schreibweisen ein und desselben Wortes handelt. Bei dem Stichwort, auf das verwiesen wird, finden Sie dann die Übersetzung(en) und weitere Angaben:

> **Januar** m January; → **Juni**
>
> **Juni** m June; **im ~** in June; **am 4. ~** on 4(th) June, on June 4(th) (*gesprochen:* on *the fourth of June*); **Anfang/Mitte/Ende ~** at the beginning/in the middle/at the end of June; **letzten/nächsten ~** last/next June
>
> **homeopathic** *Adj* (US) → **homoeopathic**
>
> **homoeopathic** [həʊmɪəʊ-'pæθɪk] *Adj* homöopathisch

Wozu dienen die Sachgebietsangaben?

Sachgebietsangaben dienen zur besseren Einordnung der verschiedenen Bedeutungen eines Stichworts:

> **dressing** *s* GASTR Dressing *n*, Soße *f*; MED Verband *m*

9

Die häufigsten Sachgebiete erscheinen in diesem Wörterbuch in KAPITÄLCHEN. Sie finden sie in der Liste **Abkürzungen** auf der Innenseite des vorderen Buchdeckels. Ausgeschriebene Hinweise zu Sachgebieten werden *kursiv* dargestellt:

> ace [eɪs] **1.** *s (Karten, Tennis)* Ass *n* **2.** *Adj* Star-

Wie ist der Sprachgebrauch gekennzeichnet?

Im Wörterbuch werden folgende Sprachgebrauchsangaben verwendet: *fig* (figurativ, übertragen), *pej* (pejorativ, abwertend, verächtlich), *umg* (umgangssprachlich) und *vulg* (vulgär). Sie beziehen sich auf das Stichwort. Die Übersetzung wurde möglichst so gewählt, dass sie auf der gleichen Stilebene wie das Stichwort liegt bzw. den gleichen Sprachgebrauch wie die Ausgangssprache kennzeichnet. Alle Sprachgebrauchsangaben finden Sie in der Liste **Abkürzungen** auf der Innenseite des vorderen Buchdeckels.

Welche grammatischen Hinweise finde ich im Wörterbuch?

Eine Liste der im Wörterbuch enthaltenen **Unregelmäßigen englischen Verben** finden Sie im Anhang des Wörterbuchs auf den Seiten 617–619. Die unregelmäßigen Verbformen stehen zudem direkt im Anschluss an das Verb in *Schrägschrift* und sind auch als einzelne Einträge aufgeführt:

> **swim** (*swam, swum*) [swɪm, swæm, swʌm] **1.** *vi* schwimmen
>
> **swam** [swæm] *pt von* **swim**
>
> **swum** [swʌm] *pp von* **swim**

Unregelmäßige Pluralformen finden Sie ebenfalls direkt im Anschluss an den jeweiligen Eintrag:

tomato (*-es Pl*) [tə'mɑːtəʊ]
s Tomate *f*

child (*children*) [tʃaɪld,
'tʃɪldrən] *s* Kind *n*

children ['tʃɪldrən] *Pl von*
child

Alle Kürzel für Grammatikangaben finden Sie in der Liste **Abkürzungen** auf der Innenseite des vorderen Buchdeckels.

Welche Informationen finde ich in den Anhängen?

Die Anhänge bieten neben dem bereits erwähnten Kapitel zu den **Unregelmäßigen englischen Verben** (Seiten 617-619) Tabellen zu **Zahlwörtern** (Seiten 620-621), **Britischen und amerikanischen Maßen und Gewichten** (Seite 622) sowie zu **Temperaturentsprechungen** (Seite 623). Darüber hinaus finden Sie Zusammenstellungen zu **Englischer und amerikanischer Währung** (Seite 624), zu **Wichtigen Feiertagen in Großbritannien und in den USA** (Seite 625) und einen **Mini-Dolmetscher für unterwegs** (Seiten 626-640), der das Wichtigste für die Kommunikation auf der Reise übersichtlich zusammenstellt.

Wozu dienen die blauen Info-Fenster?

Die Info-Fenster stellen wichtige sprachliche und kulturelle Besonderheiten vor und dienen als anregende Ergänzung zu den eigentlichen Stichworteinträgen.

A

a, an [eɪ, ə, æn, ən] *Art* ein/eine/ein; **~ man** ein Mann; **~ woman** eine Frau; **~n apple** ein Apfel; **he's ~ student** er ist Student; **three times ~ week** dreimal pro Woche/in der Woche

AA *Abk* = **Automobile Association**; britischer Automobilklub, ≈ ADAC *m*

aback *Adv* **taken ~** erstaunt

abandon [ə'bændən] *vt* (*Person*) verlassen; (*Hoffnung, Projekt*) aufgeben

abbey ['æbɪ] *s* Abtei *f*

abbreviation [əbriːvɪ'eɪʃən] *s* Abkürzung *f*

abdication [æbdɪ'keɪʃən] *s* Abdankung *f*

abdomen ['æbdəmən] *s* Unterleib *m*

ability [ə'bɪlɪtɪ] *s* Fähigkeit *f*; **able** [eɪbl] *Adj* fähig; **be ~ to do sth** etw tun können

aboard [ə'bɔːd] *Adv, Präp* an Bord + *Gen*

abolish [ə'bɒlɪʃ] *vt* abschaffen

aborigine [æbə'rɪdʒɪniː] *s* Ureinwohner(in) *m(f)* (*Australiens*)

abortion [ə'bɔːʃən] *s* Abtreibung *f*

about [ə'baʊt] **1.** *Adv* (*räumlich*) herum, umher; (*nicht*

präzise) ungefähr; (*Uhrzeit*) gegen; **be ~ to** im Begriff sein zu; **there are a lot of people ~** es sind eine Menge Leute da **2.** *Präp* (*betreffend*) über + *Akk*; **there is nothing you can do ~ it** da kann man nichts machen

above [ə'bʌv] **1.** *Adv* oben; **children aged 8 and ~** Kinder ab 8 Jahren; **on the floor ~** ein Stockwerk höher **2.** *Präp* über; **~ 40 degrees** über 40 Grad; **~ all** vor allem **3.** *Adj* obig

abroad [ə'brɔːd] *Adv* im Ausland; **go ~** ins Ausland gehen

absent ['æbsənt] *Adj* abwesend; **be ~** fehlen; **absent-minded** *Adj* zerstreut

absolute ['æbsəluːt] *Adj* absolut; (*Unsinn etc*) vollkommen, total; **absolutely** *Adv* absolut; vollkommen; **~! ~** genau!; **you're ~ right** du hast / Sie haben völlig Recht

absorb [əb'zɔːb] *vt* absorbieren; *fig* (*Wissen*) in sich aufnehmen; **absorbed** *Adj* **~ in sth** in etw vertieft; **absorbent** *Adj* absorbierend; **~ cotton** (*US*) Watte *f*; **absorbing** *Adj* *fig* faszinierend, fesselnd

abstract ['æbstrækt] *Adj* abstrakt

abundance [ə'bʌndəns] *s* Reichtum *m* (*of* an + *Dat*)

abuse [ə'bju:s] **1.** *s* (*mit Worten*) Beschimpfungen *Pl*; (*sexuell*) Missbrauch *m* **2.** [ə'bju:z] *vt* missbrauchen; **abusive** [ə'bju:sɪv] *Adj* beleidigend

AC 1. *Abk* = *alternating current*; Wechselstrom *m* **2.** *Abk* = *air conditioning*; Klimaanlage *f*

a/c *Abk* = *account*; Kto.

academic [ækə'demɪk] **1.** *s* Wissenschaftler(in) *m(f)* **2.** *Adj* wissenschaftlich

accelerate [æk'seləreɪt] *vt* (*Auto*) beschleunigen; (*Fahrer*) Gas geben; **acceleration** [æksələ'reɪʃən] *s* Beschleunigung *f*; **accelerator** *s* Gas(pedal) *n*

accent ['æksent] *s* Akzent *m*

accept [ək'sept] *vt* annehmen; akzeptieren; (*Verantwortung*) übernehmen; **acceptable** *Adj* annehmbar

access ['ækses] *s* Zugang *m*; IT Zugriff *m*; **accessible** [æk'sesəbl] *Adj* (*leicht*) zugänglich/erreichbar

accessory [æk'sesərɪ] *s* Zubehörteil *n*

access road *s* Zufahrtsstraße *f*

accident ['æksɪdənt] *s* Unfall *m*; *by ~* zufällig; **accidental** [æksɪ'dentl] *Adj* unbeabsichtigt; (*Treffen*) zufällig; (*Todesfall*) durch Unfall; **accident-prone** *Adj* vom Pech verfolgt

acclimatize [ə'klaɪmətaɪz] *vt ~ oneself* sich gewöhnen (*to* an + *Akk*)

accommodate [ə'kɒmədeɪt] *vt* unterbringen; **accommodation(s)** [əkɒmə'deɪʃən(z)] *s* Unterkunft *f*

accompany [ə'kʌmpənɪ] *vt* begleiten

accomplish [ə'kʌmplɪʃ] *vt* erreichen

accord [ə'kɔːd] *s of one's own ~* freiwillig; *according to Präp* nach, laut + *Dat*

account [ə'kaʊnt] *s* (*Bank*) Konto *n*; (*Beschreibung*) Bericht *m*; *on ~ of* wegen; *on no ~* auf keinen Fall; *take into ~* berücksichtigen, in Betracht ziehen; **accountant** *s* Buchhalter(in) *m(f)*; **account for** *vt* erklären; Rechenschaft ablegen für; **account number** *s* Kontonummer *f*

accurate ['ækjʊrɪt] *Adj* genau

accusation [ækjuː'zeɪʃən] *s* Anklage *f*, Beschuldigung *f*

accuse [ə'kjuːz] *vt* beschuldigen; JUR anklagen (*of* wegen *Gen*); **accused** *s* JUR Angeklagte(r) *mf*

accustom [ə'kʌstəm] *vt* gewöhnen (*to* an + *Akk*); **accustomed** *Adj* gewohnt; *get ~ to sth* sich an etw *Akk* gewöhnen

ace [eɪs] **1.** *s* (*Karten, Tennis*) Ass *n* **2.** *Adj* Star-

ache [eɪk] **1.** *s* Schmerz *m* **2.** *vi* wehtun

achieve [ə'tʃiːv] *vt* erreichen; achievement *s* Leistung *f*

acid ['æsɪd] **1.** *s* Säure *f* **2.** *Adj* sauer

acknowledge [ək'nɒlɪdʒ] *vt* anerkennen; (Fehler) zugeben; (Eingang ein Brief) bestätigen; acknowledgement *s* Anerkennung *f*; (Brief) Empfangsbestätigung *f*

acne ['ækni] *s* Akne *f*

acorn ['eɪkɔːn] *s* Eichel *f*

acoustic [ə'kuːstɪk] *Adj* akustisch; acoustics [ə'kuːstɪks] *npl* Akustik *f*

acquaintance [ə'kweɪntəns] *s* Bekannte(r) *mf*

acquire [ə'kwaɪəʳ] *vt* erwerben, sich aneignen; acquisition [ækwɪ'zɪʃn] *s* (von Fähigkeit) Erwerb *m*; (von Objekt) Anschaffung *f*

across [ə'krɒs] **1.** *Präp* über + *Akk*; he lives ~ the street er wohnt auf der anderen Seite der Straße **2.** *Adv* hinüber, herüber; 100m ~ 100m breit

act [ækt] **1.** *s* (Handlung) Tat *f*; JUR Gesetz *n*; THEAT Akt *m*; be in the ~ of doing sth gerade dabei sein, etw zu tun **2.** *vi* handeln; sich verhalten; THEAT spielen; ~ as (Person) fungieren als; (Gegenstand) dienen als **3.** *vt* (eine Rolle) spielen

action ['ækʃən] *s* (von Film, Roman) Handlung *f*; (in Film) Action *f*; MIL Kampf *m*; take ~ etwas unternehmen; put a plan into ~ einen Plan in die Tat umsetzen; action replay *s* SPORT, TV Wiederholung *f*

active ['æktɪv] *Adj* aktiv; (Kind) lebhaft; activity [æk'tɪvɪti] *s* Aktivität *f*; (Zeitvertreib) Beschäftigung *f*; (organisiert) Veranstaltung *f*

actor ['æktəʳ] *s* Schauspieler(in) *m(f)*; actress ['æktrɪs] *s* Schauspielerin *f*

actual ['æktjʊəl] *Adj* wirklich; actually *Adv* eigentlich; (überrascht) tatsächlich

acupuncture ['ækjupʌŋktʃəʳ] *s* Akupunktur *f*

acute [ə'kjuːt] *Adj* (Schmerz) akut; MATHE (Winkel) spitz

ad [æd] *Abk* = advertisement

AD *Abk* = Anno Domini; nach Christi, n. Chr.

adapt [ə'dæpt] **1.** *vi* sich anpassen (to + Dat) **2.** *vt* anpassen (to + Dat); (neu schreiben) bearbeiten (for für); adaptation *s* Bearbeitung *f*; adapter *s* ELEK Zwischenstecker *m*, Adapter *m*

add [æd] *vt* (Zutat) hinzufügen; (Zahlen) addieren; add up **1.** *vi* (Sinn machen) stimmen **2.** *vt* (Zahlen) addieren

addicted [ə'dɪktɪd] *Adj* ~ to alcohol/drugs alkohol-/ /drogensüchtig

addition [ə'dɪʃən] *s* Zusatz

m; (*zu Rechnung*) Aufschlag *m*; MATHE Addition *f*; **in ~** außerdem, zusätzlich (*to zu*); **additional** *Adj* zusätzlich, weiter; **additive** ['ædɪtɪv] *s* Zusatz *m*; **add-on** ['ædɒn] *s* Zusatzgerät *n*
address [ə'dres] **1.** *s* Adresse *f* **2.** *vt* (*Brief*) adressieren; (*Person*) anreden
adequate ['ædɪkwɪt] *Adj* angemessen; ausreichend
adhesive [əd'hiːsɪv] *s* Klebstoff *m*; **adhesive tape** *s* Klebstreifen *m*
adjacent [ə'dʒeɪsənt] *Adj* benachbart
adjoining [ə'dʒɔɪnɪŋ] *Adj* benachbart, Neben-
adjust [ə'dʒʌst] **1.** *vt* einstellen; richtig stellen; (*Geschwindigkeit etc*) regulieren; (*Position*) verstellen **2.** *vi* sich anpassen (*to + Dat*)
adjustable *Adj* verstellbar
admin [ˈædmɪn] *s umg* Verwaltung *f*; **administration** [ədmɪnɪ'treɪʃən] *s* Verwaltung *f*; POL Regierung *f*
admirable ['ædmərəbl] *Adj* bewundernswert; **admiration** [ædmɪ'reɪʃən] *s* Bewunderung *f*; **admire** [əd'maɪər] *vt* bewundern
admission [əd'mɪʃən] *s* Zutritt *m*; (*an der Uni*) Zulassung *f*; (*in Museum etc*) Eintritt *m*; **admission charge**, **admission fee** *s* Eintrittspreis *m*; **admit** [əd'mɪt] *vt* hereinlassen (*to in + Akk*); (*an der Uni*) zu-

lassen; (*Schuld, Fehler*) zugeben, gestehen; **be ~ted to hospital** ins Krankenhaus eingeliefert werden
adolescent [ædə'lesnt] *s* Jugendliche(r) *mf*
adopt [ə'dɒpt] *vt* (*Kind*) adoptieren; (*Idee*) übernehmen; **adoption** [ə'dɒpʃn] *s* (*von Kind*) Adoption *f*; (*von Plan etc*) Übernahme *f*
adorable [ə'dɔːrəbl] *Adj* entzückend; **adore** [ə'dɔːr] *vt* anbeten; (*Person*) über alles lieben, vergöttern
adult ['ædʌlt] *Adj* erwachsen; (*Film etc*) für Erwachsene **2.** *s* Erwachsene(r) *mf*
adultery [ə'dʌltəri] *s* Ehebruch *m*
advance [əd'vɑːns] **1.** *s* (*Geld*) Vorschuss *m*; (*in der Wissenschaft*) Fortschritt *m*; **in ~** im Voraus; **book in ~** vorbestellen **2.** *vi* vorrücken **3.** *vt* (*Geld*) vorschießen; **advance booking** *s* Reservierung *f*; THEAT Vorverkauf *m*; **advanced** *Adj* (*modern*) fortschrittlich; (*Kurs, Niveau*) für Fortgeschrittene; **advance payment** *s* Vorauszahlung *f*
advantage [əd'vɑːntɪdʒ] *s* Vorteil *m*; **take ~ of** ausnutzen; Nutzen ziehen aus; **it's to your ~** es ist in deinem/Ihrem Interesse
adventure [əd'ventʃər] *s* Abenteuer *n*; **adventure holiday** *s* Abenteuerurlaub *m*; **adventure playground**

s Abenteuerspielplatz *m*

adverse ['ædvɜːs] *Adj (Bedingungen)* ungünstig; *(Effekt, Kommentar)* negativ

advert ['ædvɜːt] *s* Anzeige *f*; **advertise** ['ædvətaɪz] **1.** *vt* werben für; *(in Zeitung)* inserieren; *(Stelle)* ausschreiben **2.** *vi* Reklame machen; **advertisement** [əd'vɜːtɪsmənt] *s* Werbung *f*, Anzeige *f*; **advertising** *s* Werbung *f*

advice [əd'vaɪs] *s* Rat(schlag) *m*; **take my ~** hör auf mich; **advisable** [əd'vaɪzəbl] *Adj* ratsam; **advise** [əd'vaɪz] *vt* raten *(sb jdm)*; **~ sb to do sth/ not to do sth** jdm zuraten/ abraten, etw zu tun

aerial ['eərɪəl] **1.** *s* Antenne *f* **2.** *Adj* Luft-

aerobics [eə'rəʊbɪks] *nsing* Aerobic *n*

aeroplane ['eərəpleɪn] *s* Flugzeug *n*

affair [ə'feə] *s* Sache *f*, Angelegenheit *f*; *(Skandal)* Affäre *f*; *(Liebesaffäre)* Verhältnis *n*

affect [ə'fekt] *vt* (ein)wirken auf + *Akk*; *(Gesundheit, Organ)* angreifen; *(emotional)* berühren; *(gelten für)* betreffen; **affection** [ə'fekʃən] *s* Zuneigung *f*, **affectionate** [ə'fekʃənɪt] *Adj* liebevoll

affluent ['æfluənt] *Adj* wohlhabend

afford [ə'fɔːd] *vt* sich leisten; **I can't ~ it** ich kann es mir nicht leisten; **affordable** [ə'fɔːdəbl] *Adj* erschwinglich

Afghanistan [æf'gænɪstæn] *s* Afghanistan *n*

aforementioned [əfɔː'menʃənd] *Adj* oben genannt

afraid [ə'freɪd] *Adj* **be ~** Angst haben *(of vor + Dat)*; **be ~ that** ...: fürchten, dass ...; **I'm ~ I don't know** das weiß ich leider nicht

Africa ['æfrɪkə] *s* Afrika *n*; **African 1.** *Adj* afrikanisch **2.** *s* Afrikaner(in) *m(f)*; **African American**, **Afro-American** *s* Afroamerikaner(in) *m(f)*

after ['ɑːftə] **1.** *Präp* nach; **ten ~ five** *(US)* zehn nach fünf; **be ~ sb/sth** hinter jdm/etw her sein; **~ all** schließlich **2.** *Konj* nachdem **3.** *Adv* **soon ~** bald danach; **aftercare** *s* Nachbehandlung *f*

afternoon *s* Nachmittag *m*; **in the ~** nachmittags

afters *npl* Nachtisch *m*; **after-sales service** *s* Kundendienst *m*; **after-shave (lotion)** *s* Rasierwasser *n*; **after-sun lotion** *s* After-Sun-Lotion *f*; **afterwards** *Adv* nachher; danach

again [ə'gen] *Adv* wieder; noch einmal; **~ and ~** immer wieder; **the same ~ please** das Gleiche noch mal bitte

against [ə'genst] *Präp* gegen; **~ my will** wider Willen; **~ the law** unrechtmäßig, illegal

age [eɪdʒ] **1.** s Alter n; (*historisch*) Zeitalter n; **at the ~ of four** im Alter von vier (Jahren); **what ~ is she?, what is her ~?** wie alt ist sie?; **under ~** minderjährig **2.** vi altern, alt werden; **aged 1.** *Adj* betagt; **age group** s Altersgruppe f; **age limit** s Altersgrenze f

agency ['eɪdʒənsɪ] s Agentur f

agenda [ə'dʒendə] s Tagesordnung f

agent ['eɪdʒənt] s WIRTSCH Vertreter(in) m(f); (*von Schauspieler*) Agent(in) m(f)

aggression [ə'greʃn] s Aggression f; **aggressive** [ə'gresɪv] *Adj* aggressiv

AGM *Abk* = **Annual General Meeting**; JHV f

ago [ə'gəʊ] *Adv* **two days ~** heute vor zwei Tagen; **not long ~** (erst) vor kurzem

agonize ['ægənaɪz] vi sich den Kopf zerbrechen (*over* über + *Akk*); **agonizing** *Adj* qualvoll; **agony** ['ægənɪ] s Qual f

agree [ə'griː] **1.** vt (*Termin, Preis*) vereinbaren; **~ to do sth** sich bereit erklären, etw zu tun; **~ that ...** sich einig sein, dass ...; be-

schließen, dass ...; zugeben, dass ... **2.** vi übereinstimmen (*with* mit); (*einem Vorschlag etc*) zustimmen; (*Einigung erzielen*) sich einigen (*about, on* auf + *Akk*); (*Essen*) **not ~ with sb** jdm nicht bekommen; **agreement** s Übereinstimmung f; (*Vertrag*) Abkommen n, Vereinbarung f

agricultural [ægrɪ'kʌltʃərəl] *Adj* landwirtschaftlich, Landwirtschafts-; **agriculture** ['ægrɪkʌltʃə*r*] s Landwirtschaft f

ahead [ə'hed] *Adv* **be ~** führen, vorne liegen; **~ of** vor + *Dat*; **be 3 metres ~** 3 Meter Vorsprung haben

aid [eɪd] **1.** s Hilfe f; **in ~ of** zugunsten + *Gen*; **with the ~ of** mithilfe + *Gen* **2.** vt helfen + *Dat*, unterstützen

Aids [eɪdz] *Akr* = **acquired immune deficiency syndrome**; Aids n

aim [eɪm] **1.** vt (*Waffe, Kamera*) richten (*at* auf + *Akk*) **2.** vi **~ at** (*mit Waffe*) zielen auf + *Akk*; *fig* abzielen auf + *Akk*; **~ to do sth** beabsichtigen, etw zu tun **3.** s Ziel n

air [eə*r*] **1.** s Luft f; **in the open ~** im Freien **2.** vt lüften; **airbag** s AUTO Airbag m; **air-conditioned** *Adj* mit Klimaanlage; **air-conditioning** s Klimaanlage f; **aircraft** s Flugzeug n; **airfield** s Flugplatz m; **air**

force *s* Luftwaffe *f*; **airline** *s* Fluggesellschaft *f*; **airmail** *s* Luftpost *f*; **by ~** mit Luftpost; **airplane** *s* (*US*) Flugzeug *n*; **air pollution** *s* Luftverschmutzung *f*; **airport** *s* Flughafen *m*; **airsick** *Adj* luftkrank; **airtight** *Adj* luftdicht; **air-traffic controller** *s* Fluglotse *m*, Fluglotsin *f*

aisle [aɪl] *s* Gang *m*; (in Kirche) Seitenschiff *n*; **~ seat** Sitz *m* am Gang

ajar [əˈdʒɑːʳ] *Adj* (*Tür*) angelehnt

alarm [əˈlɑːm] **1.** *s* Alarm *m*; (*Gerät*) Alarmanlage *f* **2.** *vt* beunruhigen; **alarm clock** *s* Wecker *m*; **alarmed** *Adj* alarmgesichert; **alarming** *Adj* beunruhigend

Albania [ælˈbeɪnɪə] *s* Albanien *n*; **Albanian 1.** *Adj* albanisch **2.** *s* (*Person*) Albaner(in) *m(f)*; (*Sprache*) Albanisch *n*

album [ˈælbəm] *s* Album *n*

alcohol [ˈælkəhɒl] *s* Alkohol *m*; **alcohol-free** *Adj* alkoholfrei; **alcoholic** [ælkəˈhɒlɪk] **1.** *Adj* (*Getränk*) alkoholisch **2.** *s* Alkoholiker(in) *m(f)*

ale [eɪl] *s* Ale *n* (*helles englisches Bier*)

alert [əˈlɜːt] **1.** *Adj* wachsam **2.** *s* Alarm *m* **3.** *vt* warnen (*to* vor + *Dat*)

algebra [ˈældʒɪbrə] *s* Algebra *f*

Algeria [ælˈdʒɪərɪə] *s* Algeri-

en *n*

alibi [ˈælɪbaɪ] *s* Alibi *n*

alien [ˈeɪlɪən] *s* Ausländer(in) *m(f)*; (*aus dem Weltall*) Außerirdische(r) *mf*

alike [əˈlaɪk] *Adj, Adv* gleich; ähnlich

alive [əˈlaɪv] *Adj* lebendig; **keep sth ~** etw am Leben erhalten; **he's still ~** er lebt noch

all [ɔːl] **1.** *Adj* (*mit Pl*) alle; (*mit Sg*) ganz; **~ the children** alle Kinder; **~ the time** die ganze Zeit; **~ his life** sein ganzes Leben; **why me of ~ people?** warum ausgerechnet ich? **2.** *Pron* alles; alle; **~ of** ganz; **~ of them came** sie kamen alle **3.** *s* alles **4.** *Adv* ganz; **it's ~ over** es ist vorbei; **~ along** von Anfang an; **~ at once** auf einmal

allegation [ælɪˈgeɪʃən] *s* Behauptung *f*; **alleged** *Adj* angeblich

allergic [əˈlɜːdʒɪk] *Adj* allergisch (*to* gegen); **allergy** [ˈælədʒɪ] *s* Allergie *f*

alleviate [əˈliːvɪeɪt] *vt* (*Schmerzen*) lindern

alley [ˈælɪ] *s* (*enge*) Gasse; Durchgang *m*; (*Bowling*) Bahn *f*

alliance [əˈlaɪəns] *s* Bündnis *n*

alligator [ˈælɪgeɪtəʳ] *s* Alligator *m*

all-night *Adj* (*Café, Kino*) die ganze Nacht geöffnet

allocate [ˈæləkeɪt] *vt* zuweisen, zuteilen (*to Dat*)

allotment *s* Schrebergarten *m*

allow [əˈlaʊ] *vt* erlauben (*sb jdm*); bewilligen; (*Zeit*) einplanen; **allow for** *vt* berücksichtigen; (*Kosten*) einkalkulieren; **allowance** *s* (*vom Staat*) Beihilfe *f*; (*von Elternteil*) Unterhaltsgeld *n*

all right [ˈɔːlˈraɪt] **1.** *Adj* okay, in Ordnung; **I'm ~** mir geht's gut **2.** *Adv* ganz gut **3.** *Interj* okay

allusion [əˈluːʒn] *s* Anspielung *f* (*to* auf + *Akk*)

all-wheel drive [ˈɔːlwiːl-ˈdraɪv] *s* AUTO Allradantrieb *m*

ally [ˈælaɪ] *s* Verbündete(r) *mf*; HIST Alliierte(r) *mf*

almond [ˈɑːmənd] *s* Mandel *f*

almost [ˈɔːlməʊst] *Adv* fast

alone [əˈləʊn] *Adj*, *Adv* allein

along [əˈlɒŋ] **1.** *Präp* entlang + *Akk*; **~ the river** den Fluss entlang; am Fluss entlang **2.** *Adv* weiter; **~ with** zusammen mit; **all ~** die ganze Zeit; **alongside 1.** *Präp* neben + *Dat* **2.** *Adv* nebenher

aloud [əˈlaʊd] *Adv* laut

alphabet [ˈælfəbet] *s* Alphabet *n*

Alps [ælps] *npl* **the ~** die Alpen

already [ɔːlˈredɪ] *Adv* schon, bereits

Alsace [ˈælsæs] *s* Elsass *n*; **Alsatian** [ælˈseɪʃən] **1.** *Adj* elsässisch **2.** *s* Elsässer(in)

m(f); (*Brit, Hund*) Schäferhund *m*

also [ˈɔːlsəʊ] *Adv* auch

altar [ˈɔːltə*r*] *s* Altar *m*

alter [ˈɔːltə*r*] *vt* ändern; **alteration** [ɔːltəˈreɪʃn] *s* Änderung *f*; **~s** (*bei Gebäude*) Umbau *m*

alternate 1. [ɔːlˈtɜːnət] *Adj* abwechselnd **2.** [ˈɔːltənet] *vi* abwechseln (*with* mit); **alternating current** *s* Wechselstrom *m*

alternative 1. [ɔːlˈtɜːnətɪv] *Adj* Alternativ- **2.** *s* Alternative *f*

although [ɔːlˈðəʊ] *Konj* obwohl

altitude [ˈæltɪtjuːd] *s* Höhe *f*

altogether [ɔːltəˈgeðə*r*] *Adv* insgesamt; ganz und gar

aluminium, aluminum (*US*) [æljʊˈmɪnɪəm, əˈluːmɪnəm] *s* Aluminium *n*

always [ˈɔːlweɪz] *Adv* immer

am [æm] *Präsens von* **be**; bin

am, a.m. *Abk* = **ante meridiem**; vormittags, vorm.

amateur [ˈæmətə*r*] **1.** *s* Amateur(in) *m(f)* **2.** *Adj* Amateur-; (*Theater etc*) Laien-

amazed [əˈmeɪzd] *Adj* erstaunt (*at* über + *Akk*); **amazing** *Adj* erstaunlich

Amazon [ˈæməzən] *s* **~** (*river*) Amazonas *m*

ambassador [æmˈbæsədə*r*] *s* Botschafter *m*

ambiguity [æmbɪˈgjuːɪtɪ] *s* Zweideutigkeit *f*; **ambiguous** [æmˈbɪgjʊəs] *Adj* zweideutig

ambition [æm'bɪʃən] s Ambition f, Ehrgeiz m; **ambitious** [æm'bɪʃəs] Adj ehrgeizig

ambulance ['æmbjʊləns] s Krankenwagen m

America [ə'merɪkə] s Amerika n; **American 1.** Adj amerikanisch **2.** s Amerikaner(in) m(f); **native ~** Indianer(in) m(f)

amiable ['eɪmɪəbl] Adj liebenswürdig

amicable ['æmɪkəbl] Adj freundlich; (Beziehungen) freundschaftlich

amnesia [æm'niːzɪə] s Gedächtnisverlust m

among(st) [ə'mʌŋ(st)] Präp unter + Dat

amount ['əmaʊnt] **1.** s Menge f; (von Geld) Betrag m; **a large/small ~ of** ... ziemlich viel/wenig ... **2.** vi **~ to** sich belaufen auf + Akk

amp, ampere ['æmp, 'æmpeə'] s Ampere n

amplifier ['æmplɪfaɪə'] s Verstärker m

Amtrak® ['æmtræk] s amerikanische Eisenbahngesellschaft

amuse [ə'mjuːz] vt amüsieren; unterhalten; **amused** Adj **I'm not ~** das finde ich gar nicht lustig; **amusement** s (Freude) Vergnügen n; (Zeitvertreib) Unterhaltung f; **amusement park** s Vergnügungspark m; **amusing** Adj amüsant

an [æn, ən] Art ein(e)

anaemic [ə'niːmɪk] Adj blutarm

anaesthetic [ænɪs'θetɪk] s Narkose f; (Substanz) Narkosemittel n

analyse, analyze ['ænəlaɪz] vt analysieren; **analysis** [ə'nælɪsɪs] s Analyse f

anatomy [ə'nætəmɪ] s Anatomie f, Körperbau m

ancestor [æn'sestə'] s Vorfahr m

anchor ['æŋkə'] **1.** s Anker m **2.** vt verankern

anchovy ['æntʃəvɪ] s Sardelle f

ancient ['eɪnʃənt] Adj alt; umg (Person, Kleidung) uralt

and [ænd, ənd] Konj und

Andorra [æn'dɔːrə] s Andorra n

anemic [AS] → **anaemic**

anesthetic s (US) → **anaesthetic**

angel ['eɪndʒəl] s Engel m

anger ['æŋgə'] **1.** s Zorn m **2.** vt ärgern

angina, angina pectoris [æn'dʒaɪnə('pektərɪs)] s Angina Pectoris f

angle ['æŋgl] s Winkel m; fig Standpunkt m

angling ['æŋglɪŋ] s Angeln n

angry ['æŋgrɪ] Adj verärgert; (heftiger) zornig; **be ~ with sb** auf jdn böse sein

angular ['æŋgjʊlə'] Adj eckig; (Gesicht) kantig

animal ['ænɪməl] s Tier n; **animal rights** npl Tierrechte *Pl*

animated ['ænɪmeɪtɪd] *Adj* lebhaft; ~ *film* Zeichentrickfilm *m*

aniseed ['ænɪsiːd] *s* Anis *m*

ankle ['æŋkl] *s* (Fuß)knöchel *m*

annex ['æneks] *s* Anbau *m*

anniversary [ænɪ'vɜːsərɪ] *s* Jahrestag *m*

announce [ə'naʊns] *vt* bekannt geben; RADIO, TV ansagen; **announcement** *s* Bekanntgabe *f*; (*offiziell*) Bekanntmachung *f*; RADIO, TV Ansage *f*; **announcer** *s* RADIO, TV Ansager(in) *m(f)*

annoy [ə'nɔɪ] *vt* ärgern; **annoyance** *s* Ärger *m*; **annoyed** *Adj* ärgerlich; **be ~ with sb (about sth)** sich über jdn (über etw) ärgern; **annoying** *Adj* ärgerlich; (*Person*) lästig, nervig

annual ['ænjʊəl] **1.** *Adj* jährlich **2.** *s* Jahrbuch *n*

anonymous [ə'nɒnɪməs] *Adj* anonym

anorak ['ænəræk] *s* Anorak *m*; (*Brit*) *umg pej* Freak *m*

anorexia [ænə'reksɪə] *s* Magersucht *f*; **anorexic** *Adj* magersüchtig

another [ə'nʌðə] *Adj*, *Pron* ein(e) andere(r, s); (*zusätzlich*) noch eine(r, s); *let me put it a ~ way* lass es mich anders sagen

answer ['ɑːnsə] **1.** *s* Antwort *f* (*to* auf + *Akk*) **2.** *vi* antworten; (*am Telefon*) sich melden **3.** *vt* antwor-

ten + *Dat*; (*Frage, Brief*) beantworten; (*Telefon*) gehen an + *Akk*, abnehmen; (*Tür*) öffnen; **answering machine, answerphone** *s* Anrufbeantworter *m*

ant [ænt] *s* Ameise *f*

Antarctic [ænt'ɑːktɪk] *s* Antarktis *f*; **Antarctic Circle** *s* südlicher Polarkreis

antelope ['æntɪləʊp] *s* Antilope *f*

antenna (*antennae*) [æn'tenə, -tenɪ] *s* ZOOL Fühler *m*; RADIO Antenne *f*

anti- ['æntɪ] *Präfix* Anti-, anti-; **antibiotic** ['æntɪbaɪ'ɒtɪk] *s* Antibiotikum *n*

anticipate [æn'tɪsɪpeɪt] *vt* erwarten, rechnen mit; **anticipation** [æntɪsɪ'peɪʃən] *s* Erwartung *f*

anticlimax [æntɪ'klaɪmæks] *s* Enttäuschung *f*; **anticlockwise** [æntɪ'klɒkwaɪz] *Adv* entgegen dem Uhrzeigersinn; **antifreeze** *s* Frostschutzmittel *n*

Antipodes [æn'tɪpədiːz] *npl* Australien und Neuseeland

antiquarian [æntɪ'kweərɪən] *Adj* ~ *bookshop* Antiquariat *n*

antique [æn'tiːk] **1.** *s* Antiquität *f* **2.** *Adj* antik; **antique shop** *s* Antiquitätengeschäft *n*

antiseptic [æntɪ'septɪk] **1.** *s* Antiseptikum *n* **2.** *Adj* antiseptisch

antlers ['æntləz] *npl* Geweih *n*

anxiety [æŋ'zaɪətɪ] s Sorge f
(about um); **anxious**
['æŋkʃəs] Adj besorgt
(about um); ängstlich

any ['enɪ] **1.** Adj (in Fragen:
unübersetzt) **do you have ~
money?** hast du Geld?;
(verneinend) **I don't have ~
money** ich habe kein Geld;
(egal welche(r, s)) **take ~
card** nimm irgendeine Karte **2.** Pron (in Frage) **do
you want ~?** (im Sg) willst
du etwas (davon)?; (im Pl)
willst du welche?; (ver-
neint) **I don't have ~** ich
habe keine/keinen/keins;
(egal welche(r, s)) **you can
take ~ of them** du kannst
jede(n, s) beliebige(n) nehmen **3.** Adv (in Frage) **are
there ~ more strawber-
ries?** gibt es noch Erdbee-
ren?; **can't you work ~
faster?** kannst du nicht
schneller arbeiten?; (ver-
neint) **not ~ longer** nicht
mehr; **this isn't ~ better**
das ist auch nicht besser;
anybody Pron irgendjemand; jeder; (in Frage) jemand; **anyhow** Adv **I don't
want to talk about it, not
now** ich möchte nicht darüber sprechen, jedenfalls
nicht jetzt; **if I can help
you ~** wenn ich Ihnen irgendwie helfen kann; **they
asked me not to go, but I
went ~** sie baten mich,
nicht hinzugehen, aber ich
bin trotzdem hingegangen;

anyone Pron irgendje-
mand; jeder; (in Frage) jemand; **isn't there ~ you
can ask?** gibt es denn nie-
manden, den du fragen
kannst?; **anyplace** Adv
(US) irgendwo; (Richtung)
irgendwohin; (an jedem
Ort) überall; **anything**
Pron (irgend)etwas; alles; ~
else? sonst noch etwas?; ~
but that alles, nur das
nicht; **she didn't tell me ~**
sie hat mir nichts gesagt;
anytime Adv jederzeit;
anyway Adv **I didn't want
to go there ~** ich wollte da
sowieso nicht hingehen;
thanks ~ trotzdem danke;
~, as I was saying, ... jedenfalls, wie ich schon sagte, ...; **anywhere** Adv irgendwo; (Richtung) irgendwohin; (an jedem Ort)
überall
apart [ə'pɑːt] Adv auseinander; **~ from** außer; **live ~**
getrennt leben
apartment [ə'pɑːtmənt] s
Wohnung f; **apartment
block** s Wohnblock m
ape [eɪp] s (Menschen)affe m
aperitif [ə'perɪtɪf] s Aperitif
m
aperture ['æpətjʊə'] s Öffnung f; FOTO Blende f
apologize [ə'pɒlədʒaɪz] vi
sich entschuldigen; **apology** s Entschuldigung f
apostrophe [ə'pɒstrəfɪ] s
Apostroph m
appalled [ə'pɔːld] Adj ent-

setzt (*at* über + *Akk*); **appalling** *Adj* entsetzlich

apparatus [æpəˈreɪtəs] *s* Apparat *m*, Gerät *n*

apparent [əˈpærənt] *Adj* offensichtlich (*to* für); (*dem Schein nach*) scheinbar; **apparently** *Adv* anscheinend

appeal [əˈpiːl] **1.** *vi* (dringend) bitten (*for* um, *to* + *Akk*); JUR Berufung einlegen; **~ to sb** jdm zusagen **2.** *s* Aufruf *m* (*to* an + *Akk*); JUR Berufung *f*; (*Anziehung*) Reiz *m*; **appealing** *Adj* ansprechend, attraktiv

appear [əˈpɪəʳ] *vi* erscheinen; THEAT auftreten; (*so aussehen, als ob*) scheinen; **appearance** *s* Erscheinen *n*; THEAT Auftritt *m*; (*Äußeres*) Aussehen *n*

appendicitis [əpendɪˈsaɪtɪs] *s* Blinddarmentzündung *f*; **appendix** [əˈpendɪks] *s* Blinddarm *m*; (*in Buch*) Anhang *m*

appetite [ˈæpɪtaɪt] *s* Appetit *m*; *fig* Verlangen *n*; **appetizing** [ˈæpɪtaɪzɪŋ] *Adj* appetitlich

applause [əˈplɔːz] *s* Beifall *m*, Applaus *m*

apple [ˈæpl] *s* Apfel *m*; **apple juice** *s* Apfelsaft *m*; **apple pie** *s* gedeckter Apfelkuchen *m*; **apple puree**, **apple sauce** *s* Apfelmus *n*; **apple tart** *s* Apfelkuchen *m*; **apple tree** *s* Apfelbaum *m*

appliance [əˈplaɪəns] *s* Gerät *n*; **applicable** [əˈplɪkəbl] *Adj* anwendbar; (*auf Formular*) zutreffend; **applicant** [ˈæplɪkənt] *s* Bewerber(in) *m(f)*; **application** [æplɪˈkeɪʃən] *s* (*auf Reisepass, Sozialhilfe etc*) Antrag *m* (*for* auf + *Akk*); (*um Stelle*) Bewerbung *f* (*for* um); **application form** *s* Anmeldeformular *n*; **apply** [əˈplaɪ] **1.** *vi* zutreffen (*to* auf + *Akk*); (*um Stelle*) sich bewerben (*for* um); **2.** *vt* (*Salbe*) auftragen; (*in die Praxis umsetzen*) anwenden; (*Bremse*) betätigen

appoint [əˈpɔɪnt] *vt* ernennen; **appointment** *s* Verabredung *f*; (*beim Arzt, Frisör*) Termin *m*; **by ~** nach Vereinbarung

appreciate [əˈpriːʃɪeɪt] *vt* zu schätzen wissen; (*verstehen*) einsehen **2.** *vi* im Wert steigen; **appreciation** [əpriːʃɪˈeɪʃən] *s* Anerkennung *f*, Würdigung *f*

apprehensive [æprɪˈhensɪv] *Adj* ängstlich

approach [əˈprəʊtʃ] **1.** *vi* sich nähern **2.** *vt* (*Ort*) sich nähern + *Dat*; (*Person*) herantreten an + *Akk*

appropriate [əˈprəʊprɪət] *Adj* passend; (*Verhalten*) angemessen; (*Bemerkung*) treffend; **appropriately** *Adv* passend; treffend

approval [əˈpruːvəl] *s* Anerkennung *f*, Zustimmung *f* (*of* zu); **approve** [əˈpruː-

1. vt billigen **2.** vi ~ **of sth/ sb** etw billigen/von jdm etwas halten; **I don't ~** ich missbillige das

approx [ə'prɒks] = **approximately**; ca.; **approximate** [ə'prɒksɪmɪt] Adj ungefähr; **approximately** Adv ungefähr, circa

apricot ['eɪprɪkɒt] s Aprikose f

April ['eɪprəl] s April m; → **September**

apron ['eɪprən] s Schürze f

aptitude [æptɪtjuːd] s Begabung f

aquaplaning [æ'kwəpleɪnɪŋ] s AUTO Aquaplaning n

aquarium [ə'kweərɪəm] s Aquarium n

Aquarius [ə'kweərɪəs] s ASTR Wassermann m

Arab ['ærəb] s Araber(in) m(f); **Arabian** [ə'reɪbɪən] Adj arabisch; **Arabic** ['ærəbɪk] **1.** s (Sprache) Arabisch n **2.** Adj arabisch

arbitrary ['ɑːbɪtrərɪ] Adj willkürlich

arcade [ɑː'keɪd] s Arkade f; (mit Läden) Einkaufspassage f

arch [ɑːtʃ] s Bogen m

archaeologist, archeologist (US) [ɑːkɪ'ɒlədʒɪst] s Archäologe m, Archäologin f; **archaeology, archeology** (US) [ɑːkɪ'ɒlədʒɪ] s Archäologie f

archaic [ɑː'keɪɪk] Adj veraltet

archbishop [ɑːtʃ'bɪʃəp] s

Erzbischof m

architect ['ɑːkɪtekt] s Architekt(in) m(f); **architecture** [ɑːkɪ'tektʃə] s Architektur f

archive(s) ['ɑːkaɪv(z)] s (Pl) Archiv n

archway ['ɑːtʃweɪ] s Torbogen m

Arctic ['ɑːktɪk] s Arktis f; **Arctic Circle** s nördlicher Polarkreis

are [ə, stressed ɑː[r]] Präsens von **be**

area ['eərɪə] s (Region) Gebiet n, Gegend f; (in Quadratmeter) Fläche f; (innerhalb eines Gebäudes) Bereich m, Zone f; fig (von Arbeit, Studium) Bereich m; **the London** ~ der Londoner Raum; **area code** s (US) Vorwahl f

aren't [ɑːnt] Kontr von **are not**

Argentina [ɑːdʒən'tiːnə] s Argentinien n

argue ['ɑːgjuː] vi streiten (about, over über + Akk); ~ **that** ... behaupten, dass ...; ~ **for/against** ... sprechen für/gegen ...; **argument** s Argument n; (Auseinandersetzung) Streit m; **have an** ~ sich streiten

Aries ['eərɪːz] nsing ASTR Widder m

arise (arose, arisen) [ə'raɪz, ə'rəʊz, ə'rɪzn] vi sich ergeben, entstehen; (Problem, Frage, Wind) aufkommen

aristocracy [ærɪs'tɒkrəsɪ] s Adel m; **aristocrat** ['ærɪs-

tǝkræt] *s* Adlige(r) *mf*; **a-
ristocratic** [ærıstǝ'krætik]
Adj aristokratisch, adlig

arm [a:m] **1.** *s* Arm *m*; (*von
Pulli*) Ärmel *m*; (*von
Stuhl*) Armlehne *f* **2.** *vt* be-
waffnen; **armchair** ['a:m-
tʃeǝ] *s* Lehnstuhl *m*

armed [a:md] *Adj* bewaffnet

armpit ['a:mpit] *s* Achselhöhle *f*

arms [a:mz] *npl* Waffen *Pl*

army ['a:mi] *s* Armee *f*
A road ['eirǝud] *s* (*Brit*) ≈
Bundesstraße *f*

aroma [ǝ'rǝumǝ] *s* Duft *m*,
Aroma *n*; **aromatherapy**
[ǝrǝumǝ'θerǝpi] *s* Aromatherapie *f*

arose [ǝ'rǝuz] *pt von* **arise**

around [ǝ'raund] **1.** *Adv* herum, umher; (*präsent*) hier
(irgendwo); (*annähernd*) ungefähr; (*mit Zeitangabe*) gegen; **he's ~ somewhere** er
ist hier irgendwo in der Nähe **2.** *Präp* (*umschließend*)
um ... (herum); (*innerhalb
von Stadt etc*) in ... herum

arr. *Abk* = **arrival, arrives;**
Ank.

arrange [ǝ'reindʒ] *vt* (an-)
ordnen; (*künstlerisch*) arrangieren; (*Ort, Zeit, Treffen*) vereinbaren, festsetzen; (*organisieren*) planen;
~ that ... es so einrichten,
dass ...; **we ~d to meet at
eight o'clock** wir haben
uns für acht Uhr verabre-
det; **arrangement** *s* Anordnung *f*; (*Abmachung*) Ver-

einbarung *f*, Plan *m*; **make
~s** Vorbereitungen treffen

arrest [ǝ'rest] **1.** *vt* verhaften
2. *s* Verhaftung *f*

arrival [ǝ'raivǝl] *s* Ankunft *f*;
new ~ Neuankömmling *m*;
arrivals *s* Ankunftshalle *f*;
arrive [ǝ'raiv] *vi* ankommen
(*at* bei, in + *Dat*); **~ at a solution** eine Lösung finden

arrogant ['ærǝgǝnt] *Adj* arrogant

arrow ['ærǝu] *s* Pfeil *m*

arse [a:s] *s vulg* Arsch *m*

art [a:t] *s* Kunst *f*; (*Universität*) **~s** *Pl* Geisteswissenschaften *Pl*

artery ['a:tǝri] *s* Schlagader
f, Arterie *f*

art gallery *s* Kunstgalerie *f*,
Kunstmuseum *n*

arthritis [a:'θraitis] *s* Arthritis *f*

artichoke ['a:titʃǝuk] *s* Artischocke *f*

article ['a:tikl] *s* Artikel *m*,
Gegenstand *m*

artificial [a:ti'fiʃǝl] *Adj*
künstlich, Kunst-

artist ['a:tist] *s* Künstler(in)
m(f); **artistic** [a:'tistik]
Adj künstlerisch

as [æz, ǝz] **1.** *Adv* wie; (*in
der Rolle von*) als; **such ~**
(**for example**) ... wie etwa
...; **~ ... ~** so ... wie; **~ soon
~ he comes** sobald er
kommt; **twice ~ much**
zweimal so viel; **~ for ...**
was ... betrifft; **~ of ...** (*mit
Zeitangabe*) ab ... + *Dat* **2.**
Konj (*begründend*) da,

weil; (*zeitlich*) als, während; ~ **if,** ~ **though** als ob; **leave it** ~ **it is** lass es so (wie es ist); ~ **it** we sozusagen

asap [ɛɪeseɪˈpiː, ˈeɪsæp] *Akr* = *as soon as possible*; möglichst bald

ash [æʃ] *s* Asche *f*; (*Baum*) Esche *f*

ashamed [əˈʃeɪmd] *Adj* beschämt; **be** ~ (**of sb/sth**) sich (für jdn/etw) schämen

ashore [əˈʃɔː*r*] *Adv* an Land

ashtray [ˈæʃtreɪ] *s* Aschenbecher *m*

Asia [ˈeɪʃə] *s* Asien *n*; **Asian** **1.** *Adj* asiatisch **2.** *s* Asiat(in) *m(f)*

aside [əˈsaɪd] *Adv* beiseite, zur Seite; ~ **from** (*bes US*) außer

ask [ɑːsk] *vt, vi* fragen; (*Frage*) stellen; (*Gefallen*) bitten um; ~ **sb the way** jdn nach dem Weg fragen; ~ **sb to do sth** jdn darum bitten, etw zu tun; **ask for** *vt* bitten um

asleep [əˈsliːp] *Adj, Adv* **be** ~ schlafen; **fall** ~ einschlafen

asparagus [əsˈpærəgəs] *s* Spargel *m*

aspirin [ˈæsprɪn] *s* Aspirin® *m*

ass [æs] *s a. fig* Esel *m*; (*US*) *vulg* Arsch *m*

assassinate [əˈsæsɪneɪt] *vt* ermorden; **assassination** [əˈsæsɪneɪʃn] *s* Ermordung *f*

assault [əˈsɔːlt] **1.** *s* Angriff *m*; JUR Körperverletzung *f* **2.** *vt* überfallen, herfallen

über + *Akk*

assemble [əˈsembl] **1.** *vt* (*Einzelteile*) zusammensetzen **2.** *vi* sich versammeln; **assembly** [əˈsemblɪ] *s* Versammlung *f*; **assembly hall** *s* Aula *f*

assertion [əˈsɜːʃən] *s* Behauptung *f*

assess [əˈses] *vt* einschätzen; **assessment** *s* Einschätzung *f*

asset [ˈæset] *s* Vermögenswert *m*; *fig* Vorteil *m*; ~**s** *Pl* Vermögen *n*

assign [əˈsaɪn] *vt* zuweisen; **assignment** *s* Aufgabe *f*, Auftrag *m*

assist [əˈsɪst] *vt* helfen + *Dat*; **assistance** *s* Hilfe *f*; **assistant** *s* Assistent(in) *m(f)*, Mitarbeiter(in) *m(f)*; (*in Laden*) Verkäufer(in) *m(f)*

associate [əˈsəʊʃiət] **1.** *s* Partner(in) *m(f)*, Teilhaber(in) *m(f)* **2.** [əˈsəʊʃieɪt] *vt* verbinden (*with* mit); **association** [əsəʊsɪˈeɪʃən] *s* Verband *m*, Vereinigung *f*; **in** ~ **with** ... in Zusammenarbeit mit ...

assorted [əˈsɔːtɪd] *Adj* gemischt; **assortment** *s* Auswahl *f* (*of* an + *Dat*); (*von Süßigkeiten*) Mischung *f*

assume [əˈsjuːm] *vt* annehmen (*that* ... dass ...); (*Amt, Verantwortung*) übernehmen; **assumption** [əˈsʌmpʃən] *s* Annahme *f*

assurance [əˈʃʊərəns] *s* Versicherung *f*; (*Vertrauen*) Zuversichert *f*; **assure** [əˈʃʊəʳ] *vt* versichern + *Dat*; **be ~d of sth** einer Sache sicher sein

asterisk [ˈæstərɪsk] *s* Sternchen *n*

asthma [ˈæsmə] *s* Asthma *n*

astonished [əˈstɒnɪʃt] *Adj* erstaunt (*at* über); **astonishing** *Adj* erstaunlich; **astonishment** *s* Erstaunen *n*

astound [əˈstaʊnd] *vt* sehr erstaunen; **astounding** *Adj* erstaunlich

astray [əˈstreɪ] *Adv* **go ~** (*Brief etc*) verloren gehen; (*Person*) vom Weg abkommen

astrology [əsˈtrɒlədʒɪ] *s* Astrologie *f*

astronaut [ˈæstrənɔːt] *s* Astronaut(in) *m(f)*

astronomy [əsˈtrɒnəmɪ] *s* Astronomie *f*

asylum [əˈsaɪləm] *s* (*Heim*) Anstalt *f*; (*politisch*) Asyl *n*; **asylum seeker** *s* Asylbewerber(in) *m(f)*

at [æt] *Präp* (*örtlich*) **~ the door** an der Tür; **~ home** zu Hause; **~ John's** bei John; **~ school** in der Schule; **~ the theatre/cinema** im Theater/Kino; **~ lunch/work** beim Essen/bei der Arbeit; (*Richtung*) **point ~ sb** auf jdn zeigen; **he looked ~ me** er sah mich an; (*Zeit*) **~ 2 o'clock** um 2 Uhr; **~ Easter/Christmas** zu Ostern/Weihnachten; **~ the moment** im Moment; **~ (the age of) 16** im

Alter von 16 Jahren, mit 16; (*Preis*) **~ £5 each** zu je 5 Pfund; (*Geschwindigkeit*) **~ 20 mph** mit 20 Meilen pro Stunde

ate [et, eɪt] *pt von* **eat**

athlete [ˈæθliːt] *s* Athlet(in) *m(f)*, Leichtathlet(in) *m(f)*; **~'s foot** Fußpilz *m*; **athletic** [æθˈletɪk] *Adj* sportlich; (*Körperbau*) athletisch; **athletics** *npl* Leichtathletik *f*

Atlantic [ətˈlæntɪk] *s* **the ~ (Ocean)** der Atlantik

atlas [ˈætləs] *s* Atlas *m*

ATM *Abk* = **automated teller machine**; Geldautomat *m*

atmosphere [ˈætməsfɪəʳ] *s* Atmosphäre *f*; Stimmung *f*

atom [ˈætəm] *s* Atom *n*; atom(ic) bomb *s* Atombombe *f*; **atomic** [əˈtɒmɪk] *Adj* Atom-; **~ energy** Atomenergie *f*; **~ power** Atomkraft *f*

A to Z® [ˈeɪtəˈzed] *s* Stadtplan *m* (in Buchform)

atrocious [əˈtrəʊʃəs] *Adj* grauenhaft; **atrocity** [əˈtrɒsɪtɪ] *s* Grausamkeit *f*, Gräueltat *f*

attach [əˈtætʃ] *vt* befestigen, anheften (*to* an + *Dat*); **be ~ed to sb/sth** an jdm/etw hängen; **attachment** *s* (*Liebe*) Zuneigung *f*; IT Attachment *n*, Anhang *m*

attack [əˈtæk] **1.** *vt, vi* angreifen **2.** *s* Angriff *m* + *Akk* (*on* auf *m*); MED Anfall *m*

attempt [əˈtempt] **1.** *s* Versuch *m* **2.** *vt* versuchen

attend [ə'tend] **1.** *vt* teilnehmen an + *Dat*; (*Vorlesung*, *Schule*) besuchen **2.** *vi* anwesend sein; **attend to** *vt* sich kümmern um; (*Kunden*) bedienen; **attendance** *s* Anwesenheit *f*; **attendant** *s* (*auf Parkplatz*) Wächter(in) *m(f)*; (*in Museum*) Aufseher(in) *m(f)*

attention [ə'tenʃən] *s* Aufmerksamkeit *f*; (**your**) **~ please** Achtung!; **pay ~ to sth** etw beachten; **pay ~ to sb** jdm aufmerksam zuhören

attic ['ætɪk] *s* Dachboden *m*; (*bewohnt*) Mansarde *f*

attitude ['ætɪtjuːd] *s* Einstellung *f* (*to, towards* zu), Haltung *f*

attorney [ə'tɜːnɪ] *s* (*US*) Rechtsanwalt *m*, Rechtsanwältin *f*

attract [ə'trækt] *vt* anziehen; (*Aufmerksamkeit*) erregen; **be ~ed to od by sb** sich zu jdm hingezogen fühlen; **attraction** [ə'trækʃən] *s* Anziehungskraft *f*; (*für Touristen*) Attraktion *f*; **attractive** *Adj* attraktiv; reizvoll

aubergine ['əʊbəʒiːn] *s* Aubergine *f*

auction ['ɔːkʃən] **1.** *s* Versteigerung *f*, Auktion *f* **2.** *vt* versteigern

audience ['ɔːdɪəns] *s* Publikum *n*; RADIO Zuhörer *Pl*; TV Zuschauer *Pl*

audio ['ɔːdɪəʊ] *Adj* Ton-

audition [ɔː'dɪʃən] *s* Pro-

be *f* **2.** *vi* THEAT vorspielen, vorsingen

auditorium [ɔːdɪ'tɔːrɪəm] *s* Zuschauerraum *m*

August ['ɔːgəst] *s* August *m*; → **September**

aunt [ɑːnt] *s* Tante *f*

au pair [əʊ'peəʳ] *s* Aupairmädchen *n*, Aupairjunge *m*

Australia [ɒ'streɪlɪə] *s* Australien *n*; **Australian 1.** *Adj* australisch **2.** *s* Australier(in) *m(f)*

Austria ['ɒstrɪə] *s* Österreich *n*; **Austrian 1.** *Adj* österreichisch **2.** *s* Österreicher(in) *m(f)*

authentic [ɔː'θentɪk] *Adj* echt; authentisch; **authenticity** [ɔːθen'tɪsɪtɪ] *s* Echtheit *f*

author ['ɔːθəʳ] *s* Autor(in) *m(f)*, Verfasser(in) *m(f)*

authority [ɔː'θɒrɪtɪ] *s* Autorität *f*; **the authorities** *Pl* die Behörden *Pl*; **authorize** ['ɔːθəraɪz] *vt* genehmigen

auto (*-s Pl*) ['ɔːtəʊ] *s* (*US*) Auto *n*

autograph ['ɔːtəgrɑːf] *s* Autogramm *n*

automatic [ɔːtə'mætɪk] **1.** *Adj* automatisch; **~ gear change** (*Brit*), **~ gear shift** (*US*) Automatikschaltung *f* **2.** *s* (*Auto*) Automatikwagen *m*

automobile ['ɔːtəməbiːl] *s* (*US*) Auto(mobil) *n*; **auto-train** ['ɔːtəʊtreɪn] *s* (*US*) Autoreisezug *m*

autumn ['ɔːtəm] *s* (*Brit*)

Herbst *m*

auxiliary [ɔːgˈzɪlɪərɪ] **1.** *Adj* Hilfs- **2.** *s* Hilfskraft *f*

availability [əveɪləˈbɪlɪtɪ] *s* Lieferbarkeit *f*, Verfügbarkeit *f*; **available** *Adj* erhältlich; (*existent*) vorhanden; (*Produkt*) lieferbar; (*Person*) erreichbar; **be/make ~ to sb** jdm zur Verfügung stehen/stellen

avalanche [ˈævəlɑːnʃ] *s* Lawine *f*

Ave *Abk* = **avenue**

avenue [ˈævɪnjuː] *s* Allee *f*

average [ˈævrɪdʒ] **1.** *s* Durchschnitt *m*; **on ~** im Durchschnitt **2.** *Adj* durchschnittlich

aviation [eɪvɪˈeɪʃən] *s* Luftfahrt *f*

avocado (*-s Pl*) [ævəˈkɑːdəʊ] *s* Avocado *f*

avoid [əˈvɔɪd] *vt* vermeiden; **~ sb** jdm aus dem Weg gehen; **avoidable** *Adj* vermeidbar

awake [əˈweɪk] **1.** *vi* (*awoke, awoken*) [əˈwəʊk, əˈwəʊkən] aufwachen **2.** *Adj* wach

award [əˈwɔːd] **1.** *s* Preis *m*,

Auszeichnung *f* **2.** *vt* zuerkennen (*to sb* jdm); verleihen (*to sb* jdm)

aware [əˈweər] *Adj* bewusst; **be ~ of sth** sich einer Sache *Gen* bewusst sein; **I was not ~ that ...** es war mir nicht klar, dass ...

away [əˈweɪ] *Adv* weg; **look ~** wegsehen; **he's ~** er ist nicht da; (*auf Reise*) er ist verreist; (*in der Schule, Arbeit*) er fehlt; sport **they are (playing)** sie spielen auswärts; **three miles ~** drei Meilen (von hier) entfernt

awful [ˈɔːful] *Adj* schrecklich, furchtbar; **awfully** *Adv* furchtbar

awkward [ˈɔːkwəd] *Adj* (*Verhalten*) ungeschickt; (*Situation, Schweigen*) peinlich; (*nicht einfach*) schwierig

awning [ˈɔːnɪŋ] *s* Markise *f*

awoke [əˈwəʊk] *pt von* **awake**; **awoken** [əˈwəʊkən] *pp von* **awake**

ax (*US*), **axe** [æks] *s* Axt *f*

axle [ˈæksl] *s* TECH Achse *f*

B

BA *Abk* = **Bachelor of Arts**
BSc *Abk* = **Bachelor of Science**

babe [beɪb] *s umg* Baby *n*; *umg* Schatz *m*, Kleine(r) *mf*

baby [ˈbeɪbɪ] *s* Baby *n*; (*von*

Tier) Junge(s) *n*; *umg* Schatz *m*, Kleine(r) *mf*; **have a ~** ein Kind bekommen; **baby carriage** *s* (*US*) Kinderwagen *m*; **baby food** *s* Babynahrung *f*; **baby** shower s (US) Party für die werdende Mutter; baby-sit unreg vi babysitten; baby-sitter s Babysitter(in) m(f)

bachelor ['bætʃələʳ] s Junggeselle m; **Bachelor of Arts/Science** erster akademischer Grad, ≈ Magister/Diplom; bachelorette s Junggesellin f; bachelorette party s (US) Junggesellinnenabschied; bachelor party s (US) Junggesellenabschied

back [bæk] 1. s Rücken m; (Haus, Münze) Rückseite f; (Stuhl) Rückenlehne f; (Auto) Rückseite f; (von Zug) Ende n; SPORT Verteidiger(in) m(f); **at the ~ of ...**, (US) **in ~ of** (innen) hinten in ...; (außen) hinter ...; **~ to front** verkehrt herum 2. vt unterstützen; (Auto) rückwärts fahren 3. vi rückwärts gehen od fahren 4. Adj Hinter-; **~ wheel** Hinterrad n 5. Adv zurück; **they're ~** sie sind wieder da; **back down** vi nachgeben; **back up 1.** vi (Auto etc) zurücksetzen 2. vt unterstützen; IT sichern; (Auto) zurückfahren

backache s Rückenschmerzen Pl; backbone s Rückgrat n; backdoor s Hintertür f; backfire vi fehlschlagen; AUTO fehlzünden; background s Hintergrund m; backhand s SPORT Rückhand f; backlog s

(von Arbeit) Rückstand m; backpack s (US) Rucksack m; backpacker s Rucksacktourist(in) m(f); backpacking s Rucksacktourismus m; back seat s Rücksitz m; backside s umg Po m; back street s Seitensträßchen n; backstroke s Rückenschwimmen n; back-up s Unterstützung f, **~ (copy)** IT Sicherungskopie f; backward Adj (Region) rückständig; **~ movement** Rückwärtsbewegung f; backwards Adv rückwärts; backyard s Hinterhof m

bacon ['beɪkən] s Frühstücksspeck m

bacteria [bæk'tɪərɪə] npl Bakterien Pl

bad (worse, worst) [bæd, wɜːs, wɜːst] Adj schlecht, schlimm; (Geruch) übel; **I have a ~ back** mir tut der Rücken weh; **I'm ~ at maths/sport** ich bin schlecht in Mathe/Sport; **go ~** schlecht werden, verderben

badge [bædʒ] s Abzeichen n
badger ['bædʒəʳ] s Dachs m
badly ['bædlɪ] Adv: **~ wounded** schwer verwundet; **need sth ~** etw dringend brauchen; bad-tempered ['bæd'tempəd] Adj schlecht gelaunt

bag [bæg] s Tüte f, Beutel m, Tasche f; **it's not my ~** umg das ist nicht mein Ding

baggage ['bægɪdʒ] s Gepäck n; **baggage (re)claim** s Gepäckrückgabe f

baggy ['bægɪ] Adj (zu) weit; (Hose, Anzug) ausgebeult

bagpipes ['bægpaɪps] npl Dudelsack m

Bahamas [bə'hɑ:məz] npl **the ~** die Bahamas Pl

bail [beɪl] s Kaution f

bait [beɪt] s Köder m

bake [beɪk] vt, vi backen; **baked beans** npl weiße Bohnen in Tomatensoße; **baked potato** (-es Pl) s in der Schale gebackene Kartoffel, Ofenkartoffel f; **baker** s Bäcker(in) m(f); **bakery** ['beɪkərɪ] s Bäckerei f; **baking powder** s Backpulver n

balance ['bæləns] **1.** s Gleichgewicht n **2.** vt ausgleichen; **balance sheet** s Bilanz f

balcony ['bælkənɪ] s Balkon m

bald [bɔ:ld] Adj kahl; **be ~** eine Glatze haben

Balkans ['bɔ:lkənz] npl **the ~** der Balkan, die Balkanländer Pl

ball [bɔ:l] s Ball m; **have a ~** umg sich prima amüsieren

ballet ['bæleɪ] s Ballett n; **ballet dancer** s Balletttänzer(in) m(f)

balloon [bə'lu:n] s (Luft)ballon m

ballot ['bælət] s (geheime) Abstimmung f

ballpoint (pen) ['bɔ:lpɔɪnt] s Kugelschreiber m

ballroom ['bɔ:lru:m] s Tanzsaal m

Baltic ['bɔ:ltɪk] Adj **~ Sea** Ostsee f; **the ~ States** die baltischen Staaten

bamboo [bæm'bu:] s Bambus m; **bamboo shoots** npl Bambussprossen Pl

ban [bæn] **1.** s Verbot n **2.** vt verbieten

banana [bə'nɑ:nə] s Banane f; **he's ~s** er ist völlig durchgeknallt; **banana split** s Bananensplit n

band [bænd] s Gruppe f, Bande f; (Pop, Rock) Band f; (aus Stoff, Gummi) Band n

bandage ['bændɪdʒ] **1.** s Verband m; (elastisch) Bandage f **2.** vt verbinden

B & B Abk = **bed and breakfast**

bang [bæŋ] **1.** s Knall m, Schlag m **2.** vt, vi knallen; (Tür) zuschlagen, zuknallen; **banger** ['bæŋəʳ] s (Brit) umg (Feuerwerk) Knallkörper m; (Essen) Würstchen n; (Auto) Klapperkiste f

bangs [bæŋz] npl (US, von Frisur) Pony m

banish ['bænɪʃ] vt verbannen

banister(s) ['bænɪstəʳ] s (Treppen)geländer n

bank [bæŋk] s FIN Bank f; (Fluss) Ufer n; **bank account** s Bankkonto n; **bank balance** s Kontostand m; **bank card** s Bankkarte f; **bank code** s Bankleitzahl f; **bank holiday** s gesetzlicher Feiertag

bank holiday

Als **bank holiday** wird in Großbritannien ein **gesetzlicher Feiertag** bezeichnet, an dem die Banken geschlossen sind. Die meisten dieser Feiertage, abgesehen von Weihnachten und Ostern, fallen auf Montage im Mai und August. An diesen langen Wochenenden (**bank holiday weekends**) sind viele Briten unterwegs, sodass auf den Straßen, Flughäfen und bei der Bahn sehr viel Betrieb herrscht. Fällt ein **bank holiday** auf ein Wochenende, so wird der freie Tag am darauffolgenden Montag (**bank holiday Monday**) nachgeholt.

bankrupt vt ruinieren; **go ~** Pleite gehen

bank statement s Kontoauszug m

baptism ['bæptɪzəm] s Taufe f; **baptize** ['bæptaɪz] vt taufen

bar [bɑːʳ] **1.** s Bar f, Lokal n; (Eisen) Stange f; (Schokolade) Riegel m, Tafel f; (Seife) Stück n; (Tresen) Theke f **2.** Präp außer; **~ none** ohne Ausnahme

barbecue ['bɑːbɪkjuː] s (Gerät) Grill m; (Feier) Barbecue n, Grillfete f; **have a ~** grillen

bar code ['bɑːkəʊd] s Strichkode m

bare [bɛəʳ] Adj nackt; **~ patch** kahle Stelle; **barefoot** Adj, Adv barfuß; **bareheaded** Adj, Adv ohne Kopfbedeckung; **barely** Adv kaum; (mit Altersangabe) knapp

bargain ['bɑːgɪn] **1.** s günstiges Angebot, Schnäppchen n (Handel) Geschäft n; **what a ~** das ist aber günstig! **2.** vi (ver)handeln

barge [bɑːdʒ] s Lastkahn m, Schleppkahn m

bark [bɑːk] **1.** s (Baum) Rinde f; (Hund) Bellen n **2.** vi bellen

barley ['bɑːlɪ] s Gerste f

barmaid ['bɑːmeɪd] s Bardame f; **barman** (-men Pl) s Barkeeper m

barn [bɑːn] s Scheune f

barometer [bəˈrɒmɪtəʳ] s Barometer n

baroque [bəˈrɒk] Adj barock, Barock-

barracks ['bærəks] npl Kaserne f

barrel ['bærəl] s Fass n; **barrel organ** s Drehorgel f

barrier ['bærɪəʳ] s (Straße) Absperrung f; (Eisenbahnübergang) Schranke f

bartender [bɑːˈtendəʳ] s (US) Barkeeper m

base [beɪs] **1.** s Basis f; (Lampe, Säule) Fuß m; MIL Stützpunkt m **2.** vt gründen (on auf + Akk); **be ~d on sth** auf etw Dat basieren; **baseball** m;

baseball cap s Baseballmütze f; **basement** s Kellergeschoss n

bash [bæʃ] *umg* **1.** s Schlag m; (Feier) Party f **2.** vt hauen

basic ['beɪsɪk] Adj einfach; Grund-; (Unterschied etc) grundlegend; (im Prinzip) grundsätzlich; **basically** Adv im Grunde; **basics** npl **the ~** das Wesentliche

basil ['bæzl] s Basilikum n

basin ['beɪsn] s (Wasch)becken n

basis ['beɪsɪs] s Basis f; **on the ~ of** aufgrund + Gen; **on a monthly ~** monatlich

basket ['bɑːskɪt] s Korb m; **basketball** s Basketball m

Basque [bæsk] **1.** s (Person) Baske m, Baskin f; (Sprache) Baskisch n **2.** Adj baskisch

bass [beɪs] **1.** s MUS Bass m; ZOOL Barsch m **2.** Adj MUS Bass-

bastard ['bɑːstəd] s vulg Arschloch m

bat [bæt] s ZOOL Fledermaus f; SPORT (Cricket, Baseball) Schlagholz n; (Tischtennis) Schläger m

bath [bɑːθ] **1.** s Bad n; (in Badezimmer) Badewanne f; **have a ~** baden **2.** vt (Kind etc) baden

bathe [beɪð] vt, vi (Wunde etc) baden; **bathing cap** s Badekappe f; **bathing costume**, **bathing suit** (US) s Badeanzug m

bathmat ['bɑːθmæt] s Bade-

matte f; **bathrobe** s Bademantel m; **bathroom** s Bad(ezimmer) n; **bath towel** s Badetuch n; **bathtub** s Badewanne f

baton ['bætən] s MUS Taktstock m; (Polizei) Schlagstock m

batter ['bætə] **1.** s Teig m **2.** vt heftig schlagen; **battered** Adj verbeult; (Auto) verbeult; (Frau, Baby) misshandelt

battery ['bætərɪ] s ELEK Batterie f; **battery charger** s Ladegerät n

battle ['bætl] s Schlacht f; fig Kampf m (for um); **battlefield** s Schlachtfeld n

Bavaria [bə'veərɪə] s Bayern n

bay [beɪ] s (am Meer) Bucht f; (Haus) Erker m; (Baum) Lorbeerbaum m; **bay leaf** s Lorbeerblatt n; **bay window** s Erkerfenster n

BBC Abk = **British Broadcasting Corporation**; BBC f

BC Abk = **before Christ** vor Christi Geburt, v. Chr.

be (was/were, been) [bi:, wɒz/wɜː, bi:n] **1.** vi sein; werden; (Lage) liegen; sein; **she's French** sie ist Französin; **he wants to ~ a doctor** er will Arzt werden; **I'm too hot** mir ist zu warm; **she's not well** mir geht's nicht gut; **the book is 5 euros** das Buch kostet 5 Euro; **how much is that**

altogether? was macht das zusammen?; *how long have you been here?* wie lange sind Sie schon da?; *have you ever been to Rome?* warst du/waren Sie schon einmal in Rom?; *there is/are* es gibt, es ist/ sind; *there are two left* es sind noch zwei übrig **2.** *vhilf (Passiv)* werden; *he was run over* er ist überfahren worden, er wurde überfahren; *(Verlaufsform) I was walking on the beach* ich ging am Strand spazieren; *they're coming tomorrow* sie kommen morgen; *(Infinitiv: Vorhaben, Zwang) the car is to ~ sold* das Auto soll verkauft werden; *you are not to mention it* du darfst es nicht erwähnen

beach [biːtʃ] *s* Strand *m*; **beachwear** *s* Strandkleidung *f*

bead [biːd] *s (aus Holz, Glas)* Perle *f; (Wasser)* Tropfen *m*

beak [biːk] *s* Schnabel *m*

beam [biːm] *s* Balken *m*; *(Licht)* Strahl *m* **2.** *vi* strahlen

bean [biːn] *s* Bohne *f;* **bean curd** *s* Tofu *m*

bear [beəʳ] **1.** *vt (bore, borne)* tragen; ertragen **2.** Bär *m;* **bearable** *Adj* erträglich

beard [bɪəd] *s* Bart *m*

beat [biːt] **1.** *vt (beat, beaten)* schlagen; prügeln; ['biːtn] schlagen; *~ sb at tennis* jdn im Tennis schlagen **2.** *s (von Herz, Trommel etc)* Schlag *m;* mus Takt *m;* **beat up** *vt* zusammenschlagen; beaten ['biːtn] *pp von beat; of the ~ track* abgelegen

beautiful ['bjuːtɪfʊl] *Adj* schön; herrlich; **beauty** ['bjuːtɪ] *s* Schönheit *f;* **beauty spot** *s* lohnendes Ausflugsziel

beaver ['biːvəʳ] *s* Biber *m*

became [bɪ'keɪm] *pt von become*

because [bɪ'kɒz] **1.** *Adv, Konj* weil **2.** *Präp ~ of* wegen + *Gen od Dat*

become *(became, become)* [bɪ'kʌm, bɪ'keɪm] *vt* werden; *what's ~ of him?* was ist aus ihm geworden?

bed [bed] *s* Bett *n; (im Garten)* Beet *n;* **bed and breakfast** *s* Übernachtung *f* mit Frühstück; → *S. 34*

bedding *s* Bettzeug *n;* **bed linen** *s* Bettwäsche *f;* **bedroom** *s* Schlafzimmer *n;* **bed-sit(ter)** *s umg* möblierte Einzimmerwohnung; **bedspread** *s* Tagesdecke *f;* **bedtime** *s* Schlafenszeit *f*

bee [biː] *s* Biene *f*

beech [biːtʃ] *s* Buche *f*

beef [biːf] *s* Rindfleisch *n;* **beefburger** *s* Hamburger *m;* **beef tomato** *(-es Pl) s* Fleischtomate *f*

beehive ['biːhaɪv] *s* Bienenstock *m*

been [biːn] *pp von be*

bed and breakfast

Bed and breakfast, oder kurz **B&B**, ist in Großbritannien sehr verbreitet. Oft sind es Privatleute, die einige Zimmer ihres Hauses gegen Bezahlung Übernachtungsgästen zur Verfügung stellen. Im Preis inbegriffen ist meist ein **English breakfast**, bestehend aus Spiegel- oder Rührei, gebratenem Schinkenspeck sowie gebratenen Würstchen, Tomaten und Champignons oder geräuchertem Fisch. Auf Wunsch gibt's auch die abgespeckte Version des **continental breakfast**, das aus Toast, Brötchen oder Croissants, Marmelade und Kaffee oder Tee besteht.

beer [bɪə^r] *s* Bier *n*

beetle ['biːtl] *s* Käfer *m*

beetroot ['biːtruːt] *s* Rote Bete

before [bɪ'fɔː^r] **1.** *Präp* vor; *the year ~ last* vorletztes Jahr; *the day ~ yesterday* vorgestern **2.** *Konj* bevor **3.** *Adv* vorher; *have you been there ~?* waren Sie schon einmal dort?; **beforehand** *Adv* vorher

beg [beg] **1.** *vt ~ sb to do sth* jdn inständig bitten, etw zu tun **2.** *vi* betteln (*for* um)

began [bɪ'gæn] *pt von* **begin**

beggar ['begə^r] *s* Bettler(in) *m(f)*

begin (*began, begun*) [bɪ'gɪn, bɪ'gæn, bɪ'gʌn] *vt, vi* anfangen, beginnen; **beginner** *s* Anfänger(in) *m(f)*; **beginning** *s* Anfang *m*; **begun** [bɪ'gʌn] *pp von* **begin**

behalf [bɪ'hɑːf] *s* **on ~ of, in ~ of** (*US*) im Namen/Auftrag von; **on my ~** für mich

behave [bɪ'heɪv] *vi* sich be-

nehmen; **behavior** (*US*), **behaviour** [bɪ'heɪvjə^r] *s* Benehmen *n*

behind [bɪ'haɪnd] **1.** *Präp* hinter **2.** *Adv* hinten; *be ~ with one's work* mit seiner Arbeit im Rückstand sein **3.** *s umg* Hinterteil *n*

beige [beɪʒ] *Adj* beige

being ['biːɪŋ] *s* (*Existenz*) Dasein *n*; (*Person*) Wesen *n*

Belarus [bela'rʊs] *s* Weißrussland *n*

belch [beltʃ] **1.** *s* Rülpser *m* **2.** *vi* rülpsen

Belgian ['beldʒən] **1.** *Adj* belgisch **2.** *s* Belgier(in) *m(f)*; **Belgium** ['beldʒəm] *s* Belgien *n*

belief [bɪ'liːf] *s* Glaube *m* (*in* an + *Akk*), Überzeugung *f*; *it's my ~ that ...* ich bin der Überzeugung, dass ...; **believe** [bɪ'liːv] *vt* glauben; **believe in** *vi* glauben an + *Akk*

bell [bel] *s* (*Kirche*) Glocke *f*; (*Fahrrad, Tür*) Klingel *f*;

bellboy s (bes US) Page m

bellows ['beləʊz] npl Blase-
balg m

belly ['belɪ] s Bauch m; **bel-
lyache** s Bauchweh n; **belly button** s umg Bauchnabel m; **bellyflop** s umg
Bauchklatscher m

belong [bɪ'lɒŋ] vi gehören
(to sb jdm); (einem Klub
etc) angehören + Dat; **be-
longings** npl Habe f

below [bɪ'ləʊ] **1.** Präp unter
2. Adv unten

belt [belt] **1.** s Gürtel m; (in
Auto) Gurt m **2.** vi umg ra-
sen, düsen; **beltway** s (US)
Umgehungsstraße f

bench [bentʃ] s Bank f

bend [bend] **1.** s Biegung f;
(Straße) Kurve f **2.** vt (bent,
bent) [bent] biegen; (Kopf,
Arm) beugen **3.** vi sich biegen; (Person) sich beugen;
bend down vi sich bücken

beneath [bɪ'niːθ] **1.** Präp unter **2.** Adv darunter

beneficial [benɪ'fɪʃl] Adj
gut, nützlich (to für); **benefit** ['benɪfɪt] **1.** s Vorteil
m, Nutzen m; **for your/his
~** deinetwegen/seinetwegen;
unemployment ~ Arbeitslosengeld n **2.** vt gut tun
+ Dat **3.** vi Nutzen ziehen
(from aus)

Benelux ['benɪlʌks] s Beneluxländer Pl

bent [bent] **1.** pt, pp von
bend 2. Adj krumm; umg
korrupt

Bermuda [bə'mjuːdə] **1.** s

the ~s Pl die Bermudas Pl
2. Adj **~ shorts** Pl Bermudashorts Pl

berry ['berɪ] s Beere f

beside [bɪ'saɪd] Präp neben;
~ the sea/lake am Meer/
See; **besides** [bɪ'saɪdz] **1.**
Präp außer **2.** Adv außerdem

best [best] **1.** Adj beste(r, s);
my ~ friend mein bester od
engster Freund; **the ~ thing
(to do)** das Beste wäre zu ...;
~ before ... mindestens haltbar bis ... **2.** s der/die/das Beste;
all the ~ alles Gute; **make
the ~ of it** das Beste daraus
machen **3.** Adv am besten; **I
like this ~** das mag ich am
liebsten; **best-before date** s
Mindesthaltbarkeitsdatum
n; **best man (men)** s Trauzeuge m

bet [bet] (bet, bet) [bet] **1.** vt, vi
wetten (on auf + Akk); **you
~** umg und ob!; **I ~ he'll be
late** er kommt mit Sicherheit zu spät **2.** s Wette f

betray [bɪ'treɪ] vt verraten

better ['betə*] Adj, Adv besser; **get ~** (nach Krankheit)
sich erholen, wieder ge-
sund werden; (in Fähigkeiten) sich verbessern; **I'm
much ~ today** es geht mir
heute viel besser; **you'd ~
go** du solltest lieber gehen;
a change for the ~ eine
Wendung zum Guten

between [bɪ'twiːn] **1.** Präp
zwischen; unter; **~ you and**

me, ... unter uns gesagt, ...
2. *Adv* (*in*) ~ dazwischen

beverage ['bevərɪdʒ] *s* (*förmlich*) Getränk *n*

beware [bɪ'weə] *vt* ~ **of sth** sich vor etw + *Dat* hüten; **'~ of the dog'** „Vorsicht, bissiger Hund!"

beyond [bɪ'jɒnd] **1.** *Präp* (*räumlich*) jenseits + *Gen*; (*zeitlich*) über + *Akk*; (*von Verantwortung etc*) außerhalb + *Gen*; **it's ~ me** da habe ich keine Ahnung, da bin ich überfragt **2.** *Adv* darüber hinaus

bias ['baɪəs] *s* Vorurteil *n*, Voreingenommenheit *f*; **biased** *Adj* voreingenommen

bib [bɪb] *s* Latz *m*

Bible ['baɪbl] *s* Bibel *f*

bicycle ['baɪsɪkl] *s* Fahrrad *n*

bid [bɪd] **1.** *vt* (*bid*, *bid*) bieten **2.** *s* Versuch *m*; (*bei Auktion*) Gebot *n*

big [bɪg] *Adj* groß; **it's no ~ deal** *umg* es ist nichts Besonderes

Big Ben

Big Ben heißt die 13,5 Tonnen schwere Glocke im Uhrturm des Parlamentsgebäudes in London. Die Glocke wurde 1858 gegossen. Allein der Minutenzeiger der riesigen Uhr ist so groß wie ein Doppeldeckerbus.

big dipper *s* (*Brit*) Achterbahn *f*; **bigheaded** *Adj* ein-

gebildet

bike [baɪk] *s umg* Rad *n*

bikini [bɪ'ki:nɪ] *s* Bikini *m*

bilberry ['bɪlbərɪ] *s* Heidelbeere *f*

bilingual [baɪ'lɪŋgwəl] *Adj* zweisprachig

bill [bɪl] *s* Rechnung *f*; (*US*, *Geld*) Banknote *f*; POL Gesetzentwurf *m*; ZOOL Schnabel *m*; **billfold** ['bɪlfəʊld] *s* (*US*) Brieftasche *f*

billiards ['bɪlɪədz] *nsing* Billard *n*

billion ['bɪlɪən] *s* Milliarde *f*

bin [bɪn] *s* Behälter *m*; (*für Abfall*) (Müll)eimer *m*; (*für Papier*) Papierkorb *m*

bind (*bound*, *bound*) [baɪnd, baʊnd] *vt* binden; zusammenbinden; (*Wunde*) verbinden; **binding** *s* (*Ski*) Bindung *f*; (*Buch*) Einband *m*

binge [bɪndʒ] *s umg* Sauferei *f*; **go on a ~** auf Sauftour gehen

bingo ['bɪŋgəʊ] *s* Bingo *n*

binoculars [bɪ'nɒkjʊlaz] *npl* Fernglas *n*

biological [baɪə'lɒdʒɪkəl] *Adj* biologisch; **biology** [baɪ'ɒlədʒɪ] *s* Biologie *f*

birch [bɜ:tʃ] *s* Birke *f*

bird [bɜ:d] *s* Vogel *m*; (*Brit*) *umg* (*Mädchen*, *Freundin*) Tussi *f*; **bird watcher** *s* Vogelbeobachter(in) *m(f)*

birth [bɜ:θ] *s* Geburt *f*; **birth certificate** *s* Geburtsurkunde *f*; **birthday** *s* Geburtstag *m*; **happy ~** herzlichen Glückwunsch zum Geburts-

tag; **birthday card** s Ge-
burtstagskarte f; **birthday
party** s Geburtstagsfeier f;
birthplace s Geburtsort m

biscuit ['bɪskɪt] s (Brit)
Keks m

bisexual [baɪ'seksjʊəl] Adj
bisexuell

bishop ['bɪʃəp] s Bischof m;
(Schach) Läufer m

bit [bɪt] 1. pt von **bite** 2. s
Stück(chen) n; IT Bit n; **a ~
(of ...)** ein bisschen ...; **a ~
tired** etwas müde; **by ~**
allmählich; **for a ~** ein
Weilchen; **quite a ~** ganz
schön viel

bitch [bɪtʃ] s Hündin f; pej
(Frau) Miststück n,
Schlampe f; **son of a ~**
(US vulg) Hurensohn m,
Scheißkerl m; **bitchy** Adj
gemein, zickig

bite [baɪt] 1. vt, vi (bit, bitten) beißen 2. s (Insekt)
Biss m, Bissen m; (von Insekt) Stich m; **have a ~** eine Kleinigkeit essen; **bitten**
pp von **bite**

bitter ['bɪtər] 1. Adj bitter
(Erinnerung) schmerzlich
2. s (Brit) halbdunkles
Bier; **bitter lemon** s Bitter
Lemon f

black [blæk] Adj schwarz;
blackberry s Brombeere f;
blackbird s Amsel f;
blackboard s (Wand)tafel
f; **black box** s FLUG Flugschreiber m; **blackcurrant**
s Schwarze Johannisbeere;
black eye s blaues Auge

Black Forest s Schwarzwald m; **blackmail** 1. s Erpressung f 2. vt erpressen;
black market s Schwarzmarkt m; **blackout** s MED
Ohnmacht f; **have a ~** ohnmächtig werden; **black
pudding** s ≈ Blutwurst f;
Black Sea s the ~ das
Schwarze Meer; **black-
smith** s Schmied(in) m(f);
black tie s Abendanzug m,
Smoking m; **have a ~** ist/be-
steht da Smokingzwang?

bladder ['blædər] s Blase f

blade [bleɪd] s Klinge f;
(von Propeller) Blatt n;
(von Gras) Halm m

blame [bleɪm] 1. s Schuld f
2. vt **~ sth on sb** jdm die
Schuld an etw Dat geben;
he is to ~ er ist daran
schuld

bland [blænd] Adj (Geschmack) fade; (Kommen-
tar) nichts sagend

blank [blæŋk] Adj leer, un-
beschrieben; (Blick) aus-
druckslos; **~ cheque** Blankoscheck m

blanket ['blæŋkɪt] s (Woll)-
decke f

blast [blɑːst] 1. s Windstoß
m; (Explosion) Druckwelle
f 2. vt sprengen

blatant ['bleɪtənt] Adj offen;
offensichtlich

blaze [bleɪz] 1. vi lodern;
(Sonne) brennen 2. s Brand
m, Feuer n

bleach [bliːtʃ] 1. s Bleich-
mittel n 2. vt bleichen

bleary ['blɪərɪ] *Adj (Augen)* trübe, verschlafen

bleed (*bled, bled*) [bliːd, bled] *vi* bluten

bleep [bliːp] **1.** *s* Piepton *m* **2.** *vi* piepen; **bleeper** *s umg* Piepser *m*

blend [blend] **1.** *s* Mischung *f* **2.** *vt* mischen **3.** *vi* sich mischen; **blender** *s* Mixer *m*

bless [bles] *vt* segnen; ~ **you!** Gesundheit!; **blessing** *s* Segen *m*

blew [bluː] *pt von* **blow**

blind [blaɪnd] **1.** *Adj* blind; (*Ecke*) unübersichtlich; **turn a ~ eye to sth** bei etw ein Auge zudrücken **2.** *s* Rollo *n* **3.** *vt* blenden; **blind alley** *s* Sackgasse *f*; **blind spot** *s* AUTO toter Winkel; *fig* schwacher Punkt

blink [blɪŋk] *vi* blinzeln; (*von Licht*) blinken

bliss [blɪs] *s* Glückseligkeit *f*

blister ['blɪstər] *s* Blase *f*

blizzard ['blɪzəd] *s* Schneesturm *m*

block [blɒk] **1.** *s* (*aus Holz, Stein, Eis*) Block *m*, Klotz *m*; (*Gebäude*) Häuserblock *m*; ~ **of flats** (*Brit*) Wohnblock *m* **2.** *vt* (*Straße*) blockieren; (*Abfluss*) verstopfen; **blockage** ['blɒkɪdʒ] *s* Verstopfung *f*; **blockbuster** ['blɒkbʌstər] *s* Knüller *m*; **block letters** *npl* Blockschrift *f*

bloke [bləʊk] *s* (*Brit*) *umg* Kerl *m*, Typ *m*

blonde [blɒnd] **1.** *Adj* blond

2. *s* Blondine *f*, blonder Typ

blood [blʌd] *s* Blut *n*; **blood count** *s* Blutbild *n*; **blood donor** *s* Blutspender(in) *m(f)*; **blood group** *s* Blutgruppe *f*; **blood poisoning** *s* Blutvergiftung *f*; **blood pressure** *s* Blutdruck *m*; **blood sample** *s* Blutprobe *f*; **bloodsports** *npl* Sportarten, bei denen Tiere getötet werden; **bloody** *Adj* (*Brit*) *umg* verdammt, Scheiß-; (*Hände, Schlacht*) blutig

bloom [bluːm] **1.** *s* Blüte *f* **2.** *vi* blühen

blossom ['blɒsəm] **1.** *s* Blüte *f* **2.** *vi* blühen

blouse [blaʊz] *s* Bluse *f*; **big girl's ~** *umg* Schwächling *m*, femininer Typ

blow [bləʊ] **1.** *s* Schlag *m* **2.** *vi*, *vt* (*blew, blown*) [bluː; bləʊn] (*Wind*) wehen, blasen; (*Trompete etc*) blasen; ~ **one's nose** sich die Nase putzen; **blow out** *vt* ausblasen; **blow up 1.** *vi* explodieren **2.** *vt* sprengen; (*Ballon etc*) aufblasen; FOTO vergrößern; **blow-dry** *vt* föhnen; **blowjob** *s vulg* **give sb a ~** jdm einen blasen; **blown** [bləʊn] *pp von* **blow**

BLT *s Abk* = **bacon, lettuce and tomato sandwich**; mit Frühstücksspeck, Kopfsalat und Tomaten belegtes Sandwich

blue [bluː] *Adj* blau; *umg* (*unglücklich*) trübsinnig, niedergeschlagen; *(Film)* pornografisch; *(Witz)* anzüglich; *(Sprache)* derb; **bluebell** *s* Glockenblume *f*; **blueberry** *s* Blaubeere *f*; **blue cheese** *s* Blauschimmelkäse *m*; **blues** *npl* **the ~** MUS der Blues; **have the ~** *umg* niedergeschlagen sein

blunder ['blʌndə] *s* Schnitzer *m*

blunt [blʌnt] *Adj* *(Messer)* stumpf; *fig* unverblümt; **bluntly** *Adv* geradeheraus

blurred [blɜːd] *Adj* verschwommen, unklar

blush [blʌʃ] *vi* erröten

board [bɔːd] **1.** *s* Brett *n*; *(Komitee)* Ausschuss *m*; *(in Firma)* Vorstand *m*; **~ and lodging** Unterkunft und Verpflegung; **on ~** an Bord **2.** *vt* *(Zug, Bus)* einsteigen in + *Akk*; *(Schiff)* an Bord + *Gen* gehen; **boarder** *s* Pensionsgast *m*; *(Schule)* Internatsschüler(in) *m(f)*; **board game** *s* Brettspiel *n*; **boarding card, boarding pass** *s* Bordkarte *f*, Einsteigekarte *f*; **boarding school** *s* Internat *n*; **board meeting** *s* Vorstandssitzung *f*; **boardroom** *s* Sitzungssaal *m* (des Vorstands)

boast [bəust] **1.** *vi* prahlen *(about* mit*)* **2.** *s* Prahlerei *f*

boat [bəut] *s* Boot *n*, Schiff *n*; **boatman** *s* Bootsverleiher *m*; **boat race** *s* Regatta *f*

bob(sleigh) ['bɒbsleɪ] *s* Bob *m*

bodily ['bɒdɪlɪ] **1.** *Adj* körperlich **2.** *Adv* gewaltsam; **body** ['bɒdɪ] *s* Körper *m*; *(toter Körper)* Leiche *f*; *(Auto)* Karosserie *f*; **bodybuilding** *s* Bodybuilding *n*; **bodyguard** *s* Leibwächter *m*, Leibwache *f*; **body jewellery** *s* Intimschmuck *m*; **body odour** *s* Körpergeruch *m*; **body piercing** *s* Piercing *n*; **bodywork** *s* Karosserie *f*

boil [bɔɪl] **1.** *vt, vi* kochen **2.** *s* MED Geschwür *n*; **boiler** *s* Boiler *m*; **boiling** *Adj* kochend (heiß); **I was ~** *(Temperatur)* mir war fürchterlich heiß; *(Ärger)* ich kochte vor Wut; **boiling point** *s* Siedepunkt *m*

bold [bəuld] *Adj* kühn, mutig; *(Farbe)* kräftig; *(Schrift)* fett

Bolivia [bə'lɪvɪə] *s* Bolivien *n*

bomb [bɒm] **1.** *s* Bombe *f* **2.** *vt* bombardieren

bond [bɒnd] *s* Bindung *f*

bone [bəʊn] *s* Knochen *m*; (*bei Fisch*) Gräte *f*; **boner** *s* (*US*) *umg* Schnitzer *m*; (*Erektion*) Ständer *m*

bonfire ['bɒnfaɪə] *s* Feuer *n* (im Freien)

bonnet ['bɒnɪt] *s* (*Brit*) AUTO Haube *f*; (*Baby*) Häubchen *n*

bonny ['bɒnɪ] *Adj* (*bes schott*) hübsch

bonus ['bəʊnəs] *s* Bonus *m*, Prämie *f*

boo [buː] **1.** *vt* auspfeifen **2.** *vi* buhen **3.** *s* Buhruf *m*

book [bʊk] **1.** *s* Buch *n*; (*Briefmarken etc*) Heft *n* **2.** *vt* bestellen; buchen; **fully ~ed (up)** ausgebucht; (*Vorstellung*) ausverkauft; **book in** *vt* eintragen; **be ~ed in at a hotel** ein Zimmer in einem Hotel bestellt haben; **bookable** *Adj* im Vorverkauf erhältlich; **bookcase** *s* Bücherregal *n*; **booking** *s* Buchung *f*; **booking office** *s* BAHN Fahrkartenschalter *m*; THEAT Vorverkaufsstelle *f*; **booklet** *s* Broschüre *f*; **bookmark** *s a.* IT Lesezeichen *n*; **bookshelf** *s* Bücherbord *n*, **bookshelves** Bücherregal *n*; **bookshop**, **bookstore** *s* (*bes US*) Buchhandlung *f*

boom [buːm] **1.** *s* Boom *m*; (*Geräusch*) Dröhnen *n* **2.** *vi* boomen; *umg* florieren

boomerang ['buːməræŋ] *s* Bumerang *m*

boost [buːst] **1.** *s* Auftrieb *m* **2.** *vt* (*Verkauf etc*) ankurbeln; (*Profit etc*) steigern; **booster** (*injection*) *s* Wiederholungsimpfung *f*

boot [buːt] **1.** *s* Stiefel *m*; (*Brit*) AUTO Kofferraum *m* **2.** *vt* IT laden, booten

booth [buːð] *s* (*auf Markt*) Bude *f*; (*auf Messe*) Stand *m*

booze [buːz] **1.** *s* *umg* Alkohol *m* **2.** *vi* *umg* saufen

border ['bɔːdə] *s* Grenze *f*; (*Ende*, *Kante*) Rand *m*; *north/south of the Border* in Schottland/England; **borderline** *s* Grenze *f*

bore [bɔː] **1.** *pt von* **bear 2.** *vt* (*Loch*) bohren; (*Person*) langweilen **3.** *s* Langweiler(in) *m(f)*; *umg* langweilige Sache; **bored** *Adj* **be ~** sich langweilen; **boredom** *s* Langeweile *f*; **boring** *Adj* langweilig

born [bɔːn] *Adj* **he was ~ in London** er ist in London geboren

borne [bɔːn] *pp von* **bear**

borough ['bʌrə] *s* Stadtbezirk *m*

borrow ['bɒrəʊ] *vt* borgen

Bosnia-Herzegovina ['bɒznɪəhɜːtsəgəʊ'viːnə] *s* Bosnien-Herzegowina *n*; **Bosnian** ['bɒznɪən] **1.** *Adj* bosnisch **2.** *s* Bosnier(in) *m(f)*

boss [bɒs] *s* Chef(in) *m(f)*, Boss *m*

botanical [bə'tænɪkəl] *Adj* botanisch; **~ garden(s)** botanischer Garten

both [bəʊθ] **1.** *Adj* beide; ~ *the books* beide Bücher **2.** *Pron* beide; beides; ~ *(of) the boys* beide Jungs; *I like* ~ *of them* ich mag sie (alle) beide **3.** *Adv* – *X and Y* sowohl X als auch Y

bother ['bɒðər] **1.** *vt* ärgern, belästigen; *it doesn't* ~ *me* das stört mich nicht; *he can't be* ~*ed with details* mit Details gibt er sich nicht ab; *I'm not* ~*ed* das ist mir egal **2.** *vi* sich kümmern *(about* um); *don't* ~ (das ist) nicht nötig, lass es! **3.** *s* Mühe *f*, Ärger *m*

bottle ['bɒtl] **1.** *s* Flasche *f* **2.** *vt* (in Flaschen) abfüllen; **bottle bank** *s* Altglascontainer *m*; **bottled** *Adj* in Flaschen; ~ *beer* Flaschenbier *n*; **bottleneck** *s fig* Engpass *m*; **bottle opener** *s* Flaschenöffner *m*

bottom ['bɒtəm] **1.** *s (von Gefäß etc)* Boden *m*; *(von Gegenstand)* Unterseite *f*; *umg (von Person)* Po *m*; *at the* ~ *of the sea/table/ page* auf dem Meeresgrund/am Tabellenende/unten auf der Seite **2.** *Adj* unterste(r, s); *be* ~ *of the class/league* Klassenletzte(r)/Tabellenletzte(r) sein; ~ *gear* AUTO erster Gang

bought [bɔːt] *pt, pp von* **buy**

bounce [baʊns] *vi (Ball)* springen, aufprallen; ~ *up and down (Person)* herumhüpfen; **bouncy** *Adj (Ball)*

gut springend; *(Person)* munter; **bouncy castle®** *s* Hüpfburg *f*

bound [baʊnd] **1.** *pt, pp von* **bind 2.** *Adj* gebunden; verpflichtet; *be* ~ *to do sth* etw bestimmt tun (werden); etw tun müssen; *it's* ~ *to happen* es muss so kommen; *be* ~ *for* ... auf dem Weg nach ... sein; **boundary** ['baʊndərɪ] *s* Grenze *f*

bouquet [bʊ'keɪ] *s (Blumen)* Strauß *m*; *(Wein)* Blume *f*

bow 1. [bəʊ] *s* Schleife *f*; *(Instrument, Waffe)* Bogen *m* **2.** [baʊ] *vi* sich verbeugen **3.** [baʊ] *s* Verbeugung *f*; *(Schiff)* Bug *m*

bowels ['baʊəlz] *npl* Darm *m*

bowl [bəʊl] **1.** *s* Schüssel *f*, Schale *f*; *(für Tier)* Napf *m* **2.** *vt, vi (Cricket)* werfen

bowling ['bəʊlɪŋ] *s* Kegeln *n*; **bowling alley** *s* Kegelbahn *f*; **bowling green** *s* Rasen *m* zum Bowling-Spiel; **bowls** [bəʊlz] *nsing* Bowling-Spiel *n*

bow tie [bəʊ'taɪ] *s* Fliege *f*

box [bɒks] *s* Schachtel *f*, Karton *m*, Kasten *m*; *(auf Formular)* Kästchen *n*; THEAT Loge *f*; **boxer** *s* Boxer(in) *m(f)*; **boxers, boxer shorts** *npl* Boxershorts *Pl*; **boxing** *s* SPORT Boxen *n*; **Boxing Day** *s* zweiter Weihnachtsfeiertag *m*; **boxing gloves** *npl* Boxhandschuhe *Pl*; **box office** *s* Kasse *f*

Boxing Day

Boxing Day ist die britische Bezeichnung für den zweiten Weihnachtsfeiertag. Der 26. Dezember ist einer der **bank holidays** in Großbritannien. Fällt Weihnachten auf ein Wochenende, ist der darauffolgende Wochentag frei. Der Name geht auf einen alten Brauch zurück. Früher erhielten Händler, Dienstpersonal und Lieferanten an diesem Tag ein Geschenk, die so genannte **Christmas Box**.

boy [bɔɪ] *s* Junge *m*

boycott ['bɔɪkɒt] **1.** *s* Boykott *m* **2.** *vt* boykottieren

boyfriend ['bɔɪfrend] *s* (fester) Freund *m*; **boy scout** *s* Pfadfinder *m*

bra [brɑː] *s* BH *m*

brace [breɪs] *s* TECH Strebe *f*; (für Zähne) Spange *f*

bracelet ['breɪslɪt] *s* Armband *n*

braces ['breɪsɪz] *npl* (Brit) Hosenträger *Pl*

bracket ['brækɪt] **1.** *s* (im Text) Klammer *f*; TECH Träger *m* **2.** *vt* einklammern

brag [bræg] *vi* angeben

brain [breɪn] *s* ANAT Gehirn *n*, Verstand *m*; **~s** *Pl* (Intelligenz) Grips *m*; **brainy** *Adj* schlau, clever

brake [breɪk] **1.** *s* Bremse *f* **2.** *vt* bremsen; **brake fluid**

s Bremsflüssigkeit *f*; **brake light** *s* Bremslicht *n*; **brake pedal** *s* Bremspedal *n*

branch [brɑːntʃ] *s* Ast *m*, Zweig *m*; (von Geschäft, Bank etc) Filiale *f*, Zweigstelle *f*; **branch off** *vi* abzweigen

brand [brænd] *s* WIRTSCH Marke *f*

brand-new ['brænd'njuː] *Adj* (funkel)nagelneu

brandy ['brændɪ] *s* Weinbrand *m*

brass [brɑːs] *s* Messing *n*; (Brit) umg (Geld) Knete *f*; **brass band** *s* Blaskapelle *f*

brave [breɪv] *Adj* tapfer, mutig

brawn [brɔːn] *s* Muskelkraft *f*; GASTR Sülze *f*; **brawny** *Adj* muskulös

Brazil [brə'zɪl] *s* Brasilien *n*; **Brazilian 1.** *Adj* brasilianisch **2.** *s* Brasilianer(in) *m(f)*; **brazil nut** *s* Paranuss *f*

bread [bred] *s* Brot *n*; **breadbin** (Brit), **breadbox** (US) *s* Brotkasten *m*; **breadcrumbs** *npl* Brotkrumen *Pl*; GASTR Paniermehl *n*; **breaded** *Adj* paniert; **breadknife** *s* Brotmesser *n*

breadth [bredθ] *s* Breite *f*

break [breɪk] **1.** *s* (Knochen, Beziehung) Bruch *m*; (Unterbrechung) Pause *f*; (Reise) Kurzurlaub *m*; **give me a ~** hör auf damit! **2.** *vt* (broke, broken) [brəʊk, 'brəʊkən] (Knochen) brechen; (Stock, Porzellan) zerbrechen; (*Gerät*) kaputtmachen; (*Versprechen*) nicht halten; (*Schweigen*) brechen; (*Gesetz*) verletzen; (*Neuigkeit*) mitteilen (*to sb* jdm); *I broke my leg* ich habe mir das Bein gebrochen; *he broke it to her gently* er hat es ihr schonend beigebracht **3.** *vi* (auseinander) brechen; zerbrechen; (*Gerät, Spielzeug*) kaputtgehen; (*Tag*) anbrechen; (*Neuigkeit*) bekannt werden; **break down** *vi* eine Panne haben; (*Maschine*) versagen; (*Person*) zusammenbrechen; **break in** *vi* einbrechen; **break into** *vt* einbrechen in + *Akk*; **break off** *vi, vt* abbrechen; **break out** *vi* ausbrechen; ~ *in a rash* einen Ausschlag bekommen; **break up 1.** *vi* aufbrechen; (*Versammlung*) sich auflösen; (*Ehe*) in die Brüche gehen; (*Paar*) sich trennen; *school breaks up on Friday* am Freitag beginnen die Ferien **2.** *vt* aufbrechen; (*Ehe*) zerstören; (*Versammlung*) auflösen; **breakable** *Adj* zerbrechlich; **breakdown** *s* Panne *f*; (*Maschine*) Störung *f*; (*Person, System etc*) Zusammenbruch *m*; **breakdown service** *s* Pannendienst *m*; **breakdown truck** *s* Abschleppwagen *m* **breakfast** ['brekfəst] *s* Frühstück *n*; **have** ~ frühstücken; → S. 44

break-in ['breɪkɪn] *s* Einbruch *m*; **breakup** ['breɪkʌp] *s* (*Versammlung*) Auflösung *f*; (*Ehe*) Zerrüttung *f* **breast** [brest] *s* Brust *f*; **breastfeed** *vt* stillen; **breaststroke** *s* Brustschwimmen *n* **breath** [breθ] *s* Atem *m*; *out of* ~ außer Atem; **breathalyse**, breathalyze ['breθəlaɪz] *vt* (ins Röhrchen) blasen lassen; breathalyser, breathalyzer *s* Promillemesser *m*; **breathe** [bri:ð] *vt, vi* atmen; **breathe in** *vt, vi* einatmen; **breathe out** *vt, vi* ausatmen; **breathless** ['breθlɪs] *Adj* atemlos; **breath-taking** ['breθteɪkɪŋ] *Adj* atemberaubend **bred** [bred] *pt, pp von* **breed** **breed** [bri:d] **1.** *s* Rasse *f* **2.** *vi* (*bred, bred*) sich vermehren **3.** *vt* züchten; **breeder** *s* Züchter(in) *m(f)*; *umg* Hetero *m*; **breeding** *s* Züchtung *f* **breeze** [bri:z] *s* Brise *f* **brevity** ['brevɪtɪ] *s* Kürze *f* **brew** [bru:] **1.** *vt* (*Bier*) brauen; (*Tee*) kochen; **brewery** *s* Brauerei *f* **bribe** ['braɪb] **1.** *s* Bestechungsgeld *n* **2.** *vt* bestechen; **bribery** ['braɪbərɪ] *s* Bestechung *f* **brick** [brɪk] *s* Backstein *m*; **bricklayer** *s* Maurer(in) *m(f)* **bride** [braɪd] *s* Braut *f*; **bridegroom** *s* Bräutigam

breakfast

Das traditionelle **English breakfast** oder auch **cooked breakfast** besteht aus **fried eggs (Spiegeleiern)** oder **scrambled eggs (Rühreiern)**, **bacon (gebratenem Schinkenspeck)** sowie **sausages (gebratenen Würstchen)**, **tomatoes (Tomaten)** und **mushrooms (Champignons)**. Auch wenn man sich zu Hause höchstens am Wochenende die Mühe macht, wird es in Hotels und Restaurants noch sehr gerne bestellt. Zu einem **full English breakfast** gehören zusätzlich noch **toast (Toast)** und **jam (Marmelade)** oder **marmalade (Orangen- oder Zitronenmarmelade)** sowie **cereals (Cornflakes und Müsli)**. Ein **continental breakfast** besteht nur aus Toast, Brötchen oder Croissants, Marmelade und Kaffee oder Tee. In den USA gehören zu einem Frühstück oft **pancakes (Pfannkuchen)** oder **waffles (Waffeln)**, die beide gerne mit **maple syrup (Ahornsirup)** gegessen werden. Außerdem wird man häufig gefragt, wie die Eier zubereitet werden sollen: **How would you like your eggs, over easy (von beiden Seiten angebraten)** oder **sunny side up (nur von einer Seite angebraten)?**.

m; **bridesmaid** *s* Brautjungfer *f*
bridge [brɪdʒ] *s* Brücke *f*; *(Karten)* Bridge *n*
brief [briːf] **1.** *Adj* kurz **2.** *vt* instruieren *(on* über + *Akk)*; **briefcase** *s* Aktentasche *f*; **briefs** *npl* Slip *m*
bright [braɪt] *Adj* hell; *(Farbe)* leuchtend; *(sonnig)* heiter; *(schlau)* intelligent; *(Idee)* glänzend; **brighten up 1.** *vt* aufhellen; *(Person)* aufheitern **2.** *vi* sich aufheitern; *(Person)* fröhlicher werden
brilliant ['brɪljənt] *Adj* strahlend; *(Person)* brillant; *(Idee)* glänzend; *(Brit)* umg

it was ~ es war fantastisch
brim [brɪm] *s* Rand *m*
bring (**brought, brought**) [brɪŋ, brɔːt] *vt* bringen; mitbringen; **bring about** *vt* herbeiführen, bewirken; **bring back** *vt* zurückbringen; *(Erinnerungen)* wecken; **bring down** *vt* senken; *(Regierung etc)* zu Fall bringen; **bring in** *vt* hereinbringen; *(neues System etc)* einführen; **bring out** *vt* herausbringen; **bring up** *vt* *(Kind)* aufziehen; *(Frage)* zur Sprache bringen
bristle ['brɪsl] *s* Borste *f*
Brit [brɪt] *s* *umg* Brite *m*, Britin *f*; **Britain** ['brɪtn] *s*

Großbritannien n; **British** ['brɪt-ɪʃ] **1.** *Adj* britisch; **the ~ Isles** *Pl* die Britischen Inseln *Pl* **2.** *s the ~ Pl* die Briten *Pl*

brittle ['brɪtl] *Adj* spröde

broad [brɔːd] *Adj* breit; *(Akzent)* stark; **in ~ daylight** am helllichten Tag

B road ['biːrəʊd] *s* ≈ Landstraße *f*

broadcast ['brɔːdkɑːst] **1.** *s* Sendung *f* **2.** *unreg vt, vi* senden; übertragen

broaden ['brɔːdn] *vt* **~ the mind** den Horizont erweitern; **broad-minded** *Adj* tolerant

broccoli ['brɒkəlɪ] *s* Brokkoli *Pl*

brochure ['brəʊʃʊə*r*] *s* Prospekt *m*, Broschüre *f*

broke [brəʊk] **1.** *pt von* **break 2.** *Adj (Brit) umg* pleite; **broken** ['brəʊkən]

pp von **break**; **broken--hearted** *Adj* untröstlich

broker ['brəʊkə*r*] *s* Makler(in) *m(f)*

bronchitis [brɒŋˈkaɪtɪs] *s* Bronchitis *f*

brooch [brəʊtʃ] *s* Brosche *f*

broom [bruːm] *s* Besen *m*

Bros [brɒs] *Abk* = **brothers**; Gebr.

broth [brɒθ] *s* Fleischbrühe *f*

brothel ['brɒθl] *s* Bordell *n*

brother ['brʌðə*r*] *s* Bruder *m*; **~s** *Pl* WIRTSCH Gebrüder *Pl*; **brother-in-law** (**brothers-in-law**) *s* Schwager *m*

brought [brɔːt] *pt, pp von* **bring**

brow [braʊ] *s* (Augen)braue *f*; *(von Kopf)* Stirn *f*

brown [braʊn] *Adj* braun; **brown bread** *s* Mischbrot *n*, Vollkornbrot *n*; **brownie** ['braʊnɪ] *s* GASTR Brownie *m*; *(Brit)* junge Pfadfinderin; **brown paper** *s* Packpapier *n*; **brown rice** *s* Naturreis *m*; **brown sugar** *s* brauner Zucker

browse [braʊz] *vi (in Buch)* blättern; *(in Laden)* herumschauen; **browser** *s* IT Browser *m*

bruise [bruːz] **1.** *s* blauer Fleck **2.** *vt* **~ one's arm** sich einen blauen Fleck (am Arm) holen

brush [brʌʃ] **1.** *s* Bürste *f*, Handbesen *m*; *(zum Malen)* Pinsel *m* **2.** *vt* bürsten; fegen; **~ one's teeth** sich die Zähne putzen; **brush up** vt (*Sprachkenntnisse etc*) auffrischen

Brussels sprouts [brʌsl-'sprauts] npl Rosenkohl m, Kohlsprossen Pl

brutality [bru:'tælɪtɪ] s Brutalität f

BSE Abk = **bovine spongiform encephalopathy**; BSE f

bubble ['bʌbl] s Blase f; **bubble bath** s Schaumbad n; **bubbly** ['bʌblɪ] **1.** Adj sprudelnd; (*Person*) temperamentvoll **2.** s umg Schampus m

buck [bʌk] s (*Tier*) Bock m; (*US*) umg Dollar m

bucket ['bʌkɪt] s Eimer m

buckle ['bʌkl] **1.** s Schnalle f **2.** vi TECH sich verbiegen **3.** vt zuschnallen

bud [bʌd] s Knospe f

Buddhism ['budɪzəm] s Buddhismus m; **Buddhist 1.** Adj buddhistisch **2.** s Buddhist(in) m(f)

buddy ['bʌdɪ] s umg Kumpel m

budgie ['bʌdʒɪ] s umg Wellensittich m

buffalo (-es Pl) ['bʌfələʊ] s Büffel m

buffet ['bʊfeɪ] s (kaltes) Büfett n

bug [bʌg] **1.** s IT Bug m, Programmfehler m; (*zum Abhören*) Wanze f; (*US, Tier*) Insekt n; umg (*Krankheit*) Infektion f **2.** vt umg nerven

bugger ['bʌgə²] **1.** s vulg

Scheißkerl m **2.** Interj vulg Scheiße f; **bugger off** vi vulg abhauen, Leine ziehen

buggy® ['bʌgɪ] s (*für Baby*) Buggy® m; (*US*) Kinderwagen m

build (built, built) [bɪld, bɪlt] vt bauen; **build up** vt aufbauen; **building** s Gebäude n; **building site** s Baustelle f

built pt, pp von **build**; **built-in** Adj (*Schrank etc*) Einbau-, eingebaut

bulb [bʌlb] s BOT (Blumen-) zwiebel f; ELEK Glühbirne f

Bulgaria [bʌl'geərɪə] s Bulgarien n; **Bulgarian 1.** Adj bulgarisch **2.** s (*Person*) Bulgare m, Bulgarin f; (*Sprache*) Bulgarisch n

bulimia [bə'lɪmɪə] s Bulimie f; **bulimic** Adj bulimisch

bulk [bʌlk] s Größe f; (*Arbeit etc*) Großteil m (of + Gen); **in ~** en gros; **bulky** Adj sperrig; (*Person*) stämmig

bull [bʊl] s Stier m; **bulldog** s Bulldogge f; **bulldoze** ['bʊldəʊz] vt planieren; **bulldozer** s Planierraupe f

bullet ['bʊlɪt] s Kugel f

bulletin ['bʊlɪtɪn] s Bulletin n, Bekanntmachung f; MED Krankenbericht m; **bulletin board** s (*US*) IT schwarzes Brett

bullshit ['bʊlʃɪt] s umg Scheiß m

bully ['bʊlɪ] s Tyrann m

bum [bʌm] s umg (*Brit*) Po m; (*US*) Penner m

bumblebee ['bʌmblbi:] s

Hummel f

bump [bʌmp] **1.** s umg Beule f; (Straße) Unebenheit f; (Schlag) Stoß m **2.** vt stoßen; ~ **one's head** sich den Kopf anschlagen (on an + Dat); **bump into** vt stoßen gegen; umg (treffen) (zufällig) begegnen + Dat; **bumper 1.** s AUTO Stoßstange f **2.** Adj Riesen-; Rekord-; **bumpy** ['bʌmpɪ] Adj holp(e)rig

bun [bʌn] s süßes Brötchen n

bunch [bʌntʃ] s (Blumen) Strauß m; umg (Menschen) Haufen m; ~ **of keys** Schlüsselbund m

bundle ['bʌndl] s Bündel n

bungee jumping ['bʌndʒɪdʒʌmpɪŋ] s Bungeejumping n

bunk [bʌŋk] s Koje f; **bunk bed(s)** s (Pl) Etagenbett n

bunker ['bʌŋkəʳ] s Bunker m

bunny ['bʌnɪ] s Häschen n

buoy [bɔɪ] s Boje f; **buoyant** ['bɔɪənt] Adj schwimmend

burden ['bɜːdn] s Last f

bureau ['bjʊərəʊ] s Büro n; (von Regierung) Amt n; **bureaucracy** [bjʊ'rɒkrəsɪ] s Bürokratie f; **bureau de change** ['bjuːrəʊ də 'ʃɒnʒ] s Wechselstube f

burger ['bɜːgəʳ] s Hamburger m

burglar ['bɜːgləʳ] s Einbrecher(in) m(f); **burglar alarm** s Alarmanlage f; **burglarize** vt (US) einbrechen in + Akk; **burglary** s Einbruch m; **burgle** ['bɜːgl] vt einbrechen in + Akk

burial ['berɪəl] s Beerdigung f

burn (burnt or burned, burnt or burned) [bɜːn, bɜːnt, bɜːnd] **1.** vt verbrennen; (Essen) anbrennen; ~ **one's hand** sich die Hand verbrennen **2.** vi brennen **3.** s Brandwunde f; (auf Material) verbrannte Stelle

burp [bɜːp] **1.** vi rülpsen **2.** vt (Baby) aufstoßen lassen

bursary ['bɜːsərɪ] s Stipendium n

burst (burst, burst) [bɜːst] **1.** vt platzen lassen **2.** vi platzen; ~ **into tears** in Tränen ausbrechen

bury ['berɪ] vt begraben; beerdigen; (Schatz) vergraben

bus [bʌs] s Bus m; **bus driver** s Busfahrer(in) m(f)

bush [bʊʃ] s Busch m

business ['bɪznɪs] s Geschäft n, Unternehmen n; (Angelegenheit) Sache f; **I'm here on** ~ ich bin geschäftlich hier; **it's none of your** ~ das geht dich nichts an; **business card** s Visitenkarte f; **business class** s FLUG Businessclass f; **business hours** npl Geschäftsstunden Pl; **businessman** (-men Pl) s Geschäftsmann m; **business studies** npl Betriebswirtschaftslehre f; **businesswoman** (-women Pl) s Geschäftsfrau f

bus service s Busverbindung f; **bus shelter** s Wartehäuschen n; **bus station** s Busbahnhof m; **bus stop** s Bushaltestelle f

bust [bʌst] **1.** s Büste f **2.** Adj kaputt; **go ~** Pleite gehen

busy ['bɪzɪ] Adj beschäftigt; (Straße, Platz) belebt; (bes US, Telefon) besetzt; **~ signal** (US) Besetztzeichen n

but [bʌt, bət] **1.** Konj aber; nur; **not this ~ that** nicht dies, sondern das **2.** Präp außer; **any colour ~ blue** jede Farbe, nur nicht blau; **nothing ~ ...** nichts als ...; **the last/next house ~ one** das vorletzte/übernächste Haus

butcher ['bʊtʃər] s Metzger(in) m(f)

butter ['bʌtər] s Butter f; **buttercup** s Butterblume f; **butterfly** s Schmetterling m

buttocks ['bʌtəks] npl Gesäß n

button ['bʌtn] **1.** s Knopf m **2.** vt zuknöpfen; **buttonhole** s Knopfloch n

buy [baɪ] **1.** s Kauf m **2.** vt (bought, bought) [bɔ:t] kaufen; **buyer** s Käufer(in) m(f)

buzz [bʌz] **1.** s Summen n; **give sb a ~** umg jdn anrufen **2.** vi summen; **buzzer**

['bʌzər] s Summer m

by [baɪ] **1.** Präp (Verfasser) von; (Verkehrsmittel) mit; (in der Nähe von) bei, an; (anhand von) durch; (nicht später als) bis; (gemäß) nach; **go ~ train/bus/car** mit dem Zug/Bus/Auto fahren; **send ~ post** mit der Post® schicken; **a house ~ the river** ein Haus am od beim Fluss; **~ her side** neben ihr, an ihrer Seite; **leave ~ the back door** durch die Hintertür rausgehen; **~ day/night** tags/nachts; **they'll be here ~ five** bis fünf Uhr müssten sie hier sein; **judge ~ appearances** nach dem Äußeren urteilen; **rise ~ 10%** um 10% steigen; **it missed me ~ inches** es hat mich um Zentimeter verfehlt; **divided/multiplied ~ 7** dividiert durch/multipliziert mit 7; **~ oneself** allein **2.** Adv vorbei; **rush ~** vorbeirasen

bye-bye ['baɪ'baɪ] Interj umg Wiedersehen, tschüss

by-election s Nachwahl f; **bypass** s Umgehungsstraße f; MED Bypass m; **byroad** s Nebenstraße f; **bystander** s Zuschauer(in) m(f)

byte [baɪt] s Byte n

C

C [siː] *Abk* = **Celsius**; C

c *Abk* = **circa**; ca

cab [kæb] *s* Taxi *n*

cabbage ['kæbɪdʒ] *s* Kohl *m*

cabin ['kæbɪn] *s* SCHIFF Kajüte *f*; FLUG Passagierraum *m*; (*Holzhaus*) Hütte *f*; **cabin crew** *s* Flugbegleitpersonal *n*

cabinet ['kæbɪnt] *s* Schrank *m*, Vitrine *f*; POL Kabinett *n*

cable ['keɪbl] *s* ELEK Kabel *n*; **cable-car** *s* Seilbahn *f*; **cable television**, **cablevision** (*US*) *s* Kabelfernsehen *n*

cactus ['kæktəs] *s* Kaktus *m*

CAD *Abk* = **computer-aided design**; CAD *n*

Caesarean [siː'zɛərɪən] *Adj* **~ (section)** Kaiserschnitt *m*

café ['kæfeɪ] *s* Café *n*; **cafeteria** [kæfɪ'tɪərɪə] *s* Cafeteria *f*; **cafetiere** [kæfə'tjɛəʳ] *s* Kaffeebereiter *m*

caffein(e) ['kæfiːn] *s* Koffein *n*

cage [keɪdʒ] *s* Käfig *m*

Cairo ['kaɪərəu] *s* Kairo *n*

cake [keɪk] *s* Kuchen *m*; **cake shop** *s* Konditorei *f*

calculate ['kælkjuleɪt] *vt* berechnen, kalkulieren; **calculating** *Adj* berechnend; **calculation** [kælkju'leɪʃən] *s* Berechnung *f*, Kalkulation *f*; **calculator** ['kælkjuleɪtəʳ] *s* Taschenrechner *m*

calendar ['kælɪndəʳ] *s* Kalender *m*

calf (*calves Pl*) [kɑːf, kɑːvz] *s* Kalb *n*; ANAT Wade *f*

California [kælɪ'fɔːnɪə] *s* Kalifornien *n*

call [kɔːl] **1.** *vt* rufen; (*bezeichnen, Namen geben*) nennen; TEL anrufen; IT, FLUG aufrufen; **what's this ~ed?** wie heißt das? **2.** *vi* rufen (*for help* um Hilfe); (*besuchen*) vorbeikommen; **~ at the doctor's** beim Arzt vorbeigehen; (*Zug*) **~ at ...** in ... halten **3.** *s* Ruf *m*; TEL Anruf *m*; IT, FLUG Aufruf *m*; **make a ~** telefonieren; **give sb a ~** jdn anrufen; **be on ~** Bereitschaftsdienst haben; **call back** *vt, vi* zurückrufen; **call for** *vt* (*vom Bahnhof etc*) abholen; (*fordern*) verlangen; **call off** *vt* absagen

call centre *s* Callcenter *n*; **caller** *s* Besucher(in) *m(f)*; TEL Anrufer(in) *m(f)*

calm [kɑːm] **1.** *s* Stille *f*, Ruhe *f*; (*Meer*) Flaute *f* **2.** *vt* beruhigen **3.** *Adj* ruhig; **calm down** *vi* sich beruhigen

calorie ['kælərɪ] *s* Kalorie *f*

calves [kɑːvz] *Pl von* **calf**

Cambodia [kæm'bəudɪə] *s* Kambodscha *f*

camcorder ['kæmkɔːdəʳ] *s* Camcorder *m*

came [keɪm] *pt von* **come**

camel ['kæməl] s Kamel n

camera ['kæmərə] s Fotoapparat m, Kamera f

camomile ['kæməmaɪl] s Kamille f

camouflage ['kæmɒflɑːʒ] s Tarnung f

camp [kæmp] **1.** s Lager n, Zeltplatz m **2.** vi zelten, campen **3.** Adj umg theatralisch, tuntig

campaign [kæm'peɪn] **1.** s Kampagne f; POL Wahlkampf m **2.** vi sich einsetzen (for/against für/gegen)

campbed ['kæmpbed] s Campingliege f; **camper** s (Person) Camper(in) m(f); (Fahrzeug) Wohnmobil n; **camping** s Zelten n, Camping n; **campsite** ['kæmpsait] s Zeltplatz m, Campingplatz m

campus ['kæmpəs] s Universitätsgelände n, Campus m

can (could, been able) [kæn, kʊd, biːn 'eɪbl] **1.** vhlf (Fähigkeit) können; (Erlaubnis) dürfen; I ~not od ~'t see ich kann nichts sehen; ~ I go now? darf ich jetzt gehen? **2.** s Dose f; (für Wasser etc) Kanne f

Canada ['kænədə] s Kanada n; **Canadian** [kə'neɪdjən] **1.** Adj kanadisch **2.** s Kanadier(in) m(f)

canal [kə'næl] s Kanal m

canary [kə'neərɪ] s Kanarienvogel m

cancel ['kænsəl] vt (Pläne) aufgeben; (Treffen) absa-

gen; WIRTSCH (Bestellung) stornieren; IT löschen; FLUG streichen; **be ~led** (Zug, Bus, Vorstellung) ausfallen; **cancellation** [kænsə'leɪʃən] s Absage f; WIRTSCH Stornierung f; FLUG gestrichener Flug

cancer ['kænsə] s MED Krebs m; **Cancer** s ASTR Krebs m

candid ['kændɪd] Adj offen

candidate ['kændɪdət] s Bewerber(in) m(f); POL Kandidat(in) m(f)

candle ['kændl] s Kerze f; **candlelight** s Kerzenlicht n; **candlestick** s Kerzenhalter m

candy ['kændɪ] s (US) Bonbon n, Süßigkeiten Pl; **candy-floss** s (Brit) Zuckerwatte f

canned Adj Dosen-

cannot ['kænɒt] Kontr von **can not**

canoe [kə'nuː] s Kanu n; **canoeing** s Kanufahren n

can opener ['kænəʊpnə] s Dosenöffner m

canopy ['kænəpɪ] s Baldachin m, Markise f; (über Eingang) Vordach n

can't [kɑːnt] Kontr von **can not**

canteen [kæn'tiːn] s Kantine f; (an der Uni) Mensa f

canvas ['kænvəs] s Segeltuch n, Zeltstoff m; (zum Malen) Leinwand f

canvass ['kænvəs] vi um Stimmen werben (for für)

canyon ['kænjən] s Felsen-

schlucht f; **canyoning**
['kænjənɪŋ] s Canyoning n
cap [kæp] s Mütze f; (Flasche
etc) Verschluss m, Deckel m
capability [keɪpə'bɪlɪtɪ] s Fähigkeit f; **capable** ['keɪp-
əbl] Adj fähig; **be ~ of sth**
zu etw fähig (od imstande)
sein
capacity [kə'pæsɪtɪ] s Fassungs-
vermögen n; (Können)
Fähigkeit f; **in his ~ as ...** in
seiner Eigenschaft als ...
cape [keɪp] s Cape n, Umhang m; GEO Kap n
caper ['keɪpə'] s Kaper f
capital ['kæpɪtl] s FIN Kapital n; (in different) Großbuchstabe m; **~ (city)**
Hauptstadt f; **capitalism** s
Kapitalismus m; **capital
punishment** s die Todes-
strafe
Capricorn ['kæprɪkɔːn] s
ASTR Steinbock m
capsule ['kæpsjuːl] s Kapsel
f
captain ['kæptɪn] s Kapitän
m; (Armee) Hauptmann m
captive ['kæptɪv] s Gefange-
ne(r) mf; **capture** ['kæp-
tʃə'] **1.** vt (Person) fassen,
gefangen nehmen; (Stadt)
einnehmen; IT (Daten) er-
fassen **2.** s Gefangennahme
f; IT Erfassung f
car [kaː'] s Auto n; (US)
BAHN Wagen m
carambola [kærəm'bəʊlə] s
Sternfrucht f
caravan ['kærəvæn] s Wohnwagen m; **caravan site** s

Campingplatz m für Wohn-
wagen
caraway (seed) ['kærəweɪ]
s Kümmel m
carbohydrate [kaːbəʊ'haɪ-
dreɪt] s Kohle(n)hydrat n
car bomb s Autobombe f
carbon ['kaːbən] s Kohlen-
stoff m

car boot sales

Unter **car boot sales** versteht man eine Art Floh-
markt aus dem Kofferraum,
wie er in Großbritannien an
Wochenenden und Feierta-
gen stattfindet. Gegen eine
geringe Gebühr für einen
Parkplatz auf einem Schulhof oder dergleichen darf
man alles, was man selbst
nicht mehr braucht, zum
Verkauf anbieten.

carburettor, carburetor (US)
['kaːbjuretə'] s Vergaser m
card [kaːd] s Karte f; (Material) Pappe f; **cardboard** s
Pappe f; **~ (box)** Karton m;
(kleiner) Pappschachtel f;
card game s Kartenspiel n
cardiac ['kaːdɪæk] Adj Herz-
cardigan ['kaːdɪgən] s
Strickjacke f
cardphone ['kaːdfəʊn] s
Kartentelefon n
care [keə'] **1.** s Sorge f, Sorgfalt f; (von alten Menschen,
Kranken) Pflege f; **with ~**
sorgfältig; vorsichtig; **take
~** vorsichtig sein; (bei

Adresse) ~ **of** bei; **take** ~ **of** sorgen für, sich kümmern um **2.** *vi* **I don't** ~ es ist mir egal; ~ **about sth** Wert auf etw *Akk* legen; **he ~s a-bout her** sie liegt ihm am Herzen; **care for** *vt* sorgen für, sich kümmern um; *(gern haben)* mögen

career [kəˈrɪə] *s* Karriere *f*, Laufbahn *f*; **careers advis-er** *s* Berufsberater(in) *m(f)*

carefree [ˈkeəfriː] *Adj* sorgenfrei; **careful, carefully** *Adj, Adv* sorgfältig; *(nicht leichtsinnig)* vorsichtig; **careless, carelessly** *Adj, Adv* nachlässig; *(Fahrer)* leichtsinnig; *(Bemerkung)* unvorsichtig; **carer** [ˈkeərə] *s* Betreuer(in) *m(f)*, Pfleger(in) *m(f)*; **caretaker** [ˈkeəteɪkə] *s* Hausmeister(in) *m(f)*; **careworker** *s* Pfleger(in) *m(f)*

car-ferry [ˈkɑːferɪ] *s* Autofähre *f*

cargo (-(e)s *Pl*) [ˈkɑːgəʊ] *s* Ladung *f*

car hire, car hire company *s* Autovermietung *f*

Caribbean [kærɪˈbiːən] **1.** *s* Karibik *f* **2.** *Adj* karibisch

caring [ˈkeərɪŋ] *Adj* mitfühlend; liebevoll, fürsorglich

car insurance *s* Kraftfahrzeugversicherung *f*

carnation [kɑːˈneɪʃən] *s* Nelke *f*

carnival [ˈkɑːnɪvəl] *s* Volksfest *n*, Karneval *m*

carol [ˈkærəl] *s* Weihnachts-

lied *n*

carp [kɑːp] *s* Karpfen *m*

car park *s (Brit)* Parkplatz *m*; *(mehrstöckig)* Parkhaus *n*

carpenter [ˈkɑːpəntə] *s* Zimmermann *m*; **carpet** [ˈkɑːpɪt] *s* Teppich *m*

car phone *s* Autotelefon *n*; **carpool** *s* Fahrgemeinschaft *f*; *(Fahrzeuge)* Fuhrpark *m*; **car rental** *s* Autovermietung *f*

carriage [ˈkærɪdʒ] *s (Brit)* BAHN Wagen *m*; *(im Zug)* Abteil *n*; *(mit Pferden)* Kutsche *f*; *(Transport)* Beförderung *f*; **carriageway** *s (Brit)* Fahrbahn *f*

carrier [ˈkærɪə] *s* WIRTSCH Spediteur(in) *m(f)*; **carrier bag** *s* Tragetasche *f*

carrot [ˈkærət] *s* Karotte *f*, Möhre *f*

carry [ˈkærɪ] *vt* tragen; *(Passagiere)* befördern; *(mit sich tragen)* bei sich haben; **carry on 1.** *vi* weitermachen; **2.** *vt* fortführen; ~ **on working** weiter arbeiten; **carry out** *vt* ausführen, durchführen

carrycot *s* Babytragetasche *f*

carsick [ˈkɑːsɪk] *Adj* **he gets** ~ ihm wird beim Autofahren übel

cart [kɑːt] *s* Wagen *m*, Karren *m*; *(US, im Supermarkt)* Einkaufswagen *m*

carton [ˈkɑːtən] *s* (Papp)karton *m*; *(Zigaretten)* Stange *f*

cartoon [kɑːˈtuːn] *s* Cartoon *m od n*, Karikatur *f*; *(im Kino)* (Zeichen)trickfilm *m*

cartridge [ˈkɑːtrɪdʒ] *s* (*Film*) Kassette *f*; (*Drucker, Stift*) Patrone *f*; (*Kopierer*) Kartusche *f*

carve [kɑːv] *vt, vi* (*Holz*) schnitzen; (*Stein*) meißeln; (*Fleisch*) schneiden, tranchieren; **carving** *s* (*Holz*) Schnitzerei *f*; (*Stein*) Skulptur *f*; (*Ski*) Carving *n*

car wash *s* Autowaschanlage *f*

case [keɪs] *s* Kiste *f*, Schachtel *f*; (*für Brille*) Etui *n*; JUR Fall *m*; **in ~** falls; **in that ~** in dem Fall; **it's a ~ of ...** es handelt sich hier um ...

cash [kæʃ] **1.** *s* Bargeld *n*; **in ~** bar; **~ on delivery** per Nachnahme **2.** *vt* (*Scheck*) einlösen; **cash desk** *s* Kasse *f*; **cash dispenser** *s* Geldautomat *m*; **cashier** [kæˈʃɪər] *s* Kassierer(in) *m(f)*; **cash machine** *s* (*Brit*) Geldautomat *m*

cashmere [ˈkæʃmɪər] *s* Kaschmirwolle *f*

cash payment *s* Barzahlung *f*; **cashpoint** *s* (*Brit*) Geldautomat *m*

casing [ˈkeɪsɪŋ] *s* Gehäuse *n*

casino (*-s Pl*) [kəˈsiːnəʊ] *s* Kasino *n*

cask [kɑːsk] *s* Fass *n*

casserole [ˈkæsərəʊl] *s* Kasserole *f*; (*Essen*) Schmortopf *m*

cassette [kæˈset] *s* Kassette *f*; **cassette recorder** *s* Kassettenrecorder *m*

cast (*cast, cast*) [kɑːst] **1.** *vt* werfen; THEAT, FILM besetzen; (*Rollen*) verteilen **2.** *s* THEAT, FILM Besetzung *f*; MED Gipsverband *m*

caster [ˈkɑːstər] *s* **~ sugar** Streuzucker *m*

castle [ˈkɑːsl] *s* Burg *f*

casual [ˈkæʒjuəl] *Adj* (*Bemerkung*) beiläufig; (*Verhalten, Art*) (nach)lässig, zwanglos; (*Kleidung*) leger; (*Arbeit etc*) Gelegenheits-; (*Blick etc*) flüchtig; **~ wear** Freizeitkleidung *f*; **~ sex** Gelegenheitssex *m*; **casually** *Adv* (*etw sagen*) beiläufig; (*treffen*) zwanglos; (*gekleidet*) leger

casualty [ˈkæʒjʊəltɪ] *s* Verletzte(r) *f*, Tote(r) *mf*; (*Krankenhaus*) Notaufnahme *f*

cat [kæt] *s* Katze *f*, Kater *m*

catalog (*US*), **catalogue** [ˈkætəlɒg] *s* Katalog *m*

cataract [ˈkætərækt] *s* Wasserfall *m*; MED grauer Star

catarrh [kəˈtɑːʳ] *s* Katarr(h) *m*

catastrophe [kəˈtæstrəfɪ] *s* Katastrophe *f*

catch [kætʃ] **1.** *s* Fang *m* **2.** *vt* (*caught, caught*) [kɔːt] fangen; (*Dieb*) fassen; (*Zug, Bus*) nehmen; (*nicht verpassen*) erreichen; **~ a cold** sich erkälten; **~ fire** Feuer fangen; **I didn't ~ that** das habe ich nicht mitgekriegt; **catch up** *vt, vi* **~ with sb** jdn einholen; **~**

on sth etw nachholen; **catching** Adj ansteckend

category ['kætɪgərɪ] s Kategorie f

cater ['keɪtə^r] vi die Speisen und Getränke liefern (for für); cater for vt eingestellt sein auf + Akk; **catering** s Versorgung f mit Speisen und Getränken, Gastronomie f; **catering service** s Partyservice m

caterpillar ['kætəpɪlə^r] s Raupe f

cathedral [kə'θi:drəl] s Kathedrale f, Dom m

Catholic ['kæθəlɪk] **1.** Adj katholisch **2.** Katholik(in) m(f)

cat nap s (Brit) kurzer Schlaf; **cat's eyes** ['kæts-aɪz] npl (Straßenverkehr) Katzenaugen Pl, Reflektoren Pl

catsup ['kætsəp] s (US) Ketchup n od m

cattle ['kætl] npl Vieh n

caught [kɔ:t] pt, pp von **catch**

cauliflower ['kɒlɪflaʊə^r] s Blumenkohl m; **cauliflower cheese** s Blumenkohl m in Käsesoße

cause [kɔ:z] **1.** s Ursache f (of für), Grund m (for zu); (Angelegenheit, Ziel) Sache f; **for a good ~** für wohltätige Zwecke; **no ~ for alarm/complaint** kein Grund zur Aufregung/Klage **2.** vt verursachen

causeway ['kɔ:zweɪ] s Damm m

caution ['kɔ:ʃən] **1.** s Vorsicht f; JUR, SPORT Verwarnung f **2.** vt (ver)warnen

cautious ['kɔ:ʃəs] Adj vorsichtig

cave [keɪv] s Höhle f

cavity ['kævɪtɪ] s Hohlraum m; (in Zahn) Loch n

cayenne (pepper) [keɪ'en] s Cayennepfeffer m

CCTV Abk = **closed circuit television**; Videoüberwachungsanlage f

CD Abk = **Compact Disc**; CD f; **CD player** s CD-Spieler m; **CD-ROM** Abk = **Compact Disc Read Only Memory**; CD-ROM f

cease [si:s] **1.** vi aufhören **2.** vt beenden; **~ doing sth** aufhören, etw zu tun; **cease fire** s Waffenstillstand m

ceiling ['si:lɪŋ] s Decke f

celebrate ['selɪbreɪt] vt, vi feiern; **celebrated** Adj gefeiert; **celebration** [selɪ'breɪʃən] s Feier f; **celebrity** [sɪ'lebrɪtɪ] s Berühmtheit f, Star m

celeriac [sə'lerɪæk] s (Knollen)sellerie m od f; **celery** ['selərɪ] s (Stangen)sellerie m od f

cell [sel] s Zelle f

cellar ['selə^r] s Keller m

cello ['tʃeləʊ] (-s Pl) s Cello n

cellphone ['selfəʊn], **cellular phone** ['seljʊlə^r 'fəʊn] s Mobiltelefon n, Handy n

Celt [kelt] s Kelte m, Keltin f; **Celtic** ['keltɪk] **1.** Adj keltisch **2.** s (Sprache) Keltisch n

cement [sɪ'ment] s Zement m

cemetery ['semɪtrɪ] s Friedhof m

cent [sent] s (von Dollar, Euro etc) Cent m

center s (US) → **centre**

centiliter (US), centilitre ['sentɪliːtəʳ] s Zentiliter m; centimeter (US), centimetre ['sentɪmiːtəʳ] s Zentimeter m

central ['sentrəl] Adj zentral; Central America s Mittelamerika n; Central Europe s Mitteleuropa n; central heating s Zentralheizung f; centralize vt zentralisieren; central locking s AUTO Zentralverriegelung f; central reservation s (Brit) Mittelstreifen m; central station s Hauptbahnhof m; centre ['sentəʳ] **1.** s Mitte f; (geographisch, von Stadt etc) Zentrum n **2.** vt zentrieren; centre forward s SPORT Mittelstürmer m

century ['sentjʊrɪ] s Jahrhundert n

ceramic [sɪ'ræmɪk] Adj keramisch

cereal ['sɪərɪəl] s (Weizen, Gerste etc) Getreide n; (Cornflakes etc) Frühstücksflocken Pl

ceremony ['serɪmənɪ] s Feier f, Zeremonie f

certain ['sɜːtən] Adj sicher (of + Gen); (Zeitpunkt, Alter etc) bestimmt; **for ~** mit Sicherheit; certainly Adv sicher; bestimmt; **~!** aber sicher!; **~ not** ganz bestimmt nicht!

certificate [sə'tɪfɪkɪt] s Bescheinigung f; (in Schule) Zeugnis n; certify ['sɜːtɪfaɪ] vt, vi bescheinigen

cervical smear ['sɜːvɪkəl smɪəʳ] s Abstrich m

CFC Abk = **chlorofluorocarbon**; FCKW m

chain [tʃeɪn] **1.** s Kette f **2.** vt **~ (up)** anketten

chair [tʃeəʳ] s Stuhl m; (an Universität) Lehrstuhl m; (mit Polstern) Sessel m; (bei Versammlung) Vorsitzende(r) mf; chairlift s Sessellift m; chairman (-men Pl) s Vorsitzende(r) m; (Firma, Komitee) Präsident m; chairperson s Vorsitzende(r) mf; (Firma, Komitee) Präsident(in) m(f); chairwoman (-women Pl) s Vorsitzende f; (Firma, Komitee) Präsidentin f

chalet ['ʃæleɪ] s Berghütte f, Ferienhäuschen n

chalk [tʃɔːk] s Kreide f

challenge ['tʃælɪndʒ] **1.** s Herausforderung f **2.** vt (Person) herausfordern; (Aussage) bestreiten

chambermaid ['tʃeɪmbəʳmeɪd] s Zimmermädchen n

champagne [ʃæm'peɪn] s Champagner m

champion ['tʃæmpɪən] s SPORT Meister(in) m(f);

championship s Meisterschaft f; **Champions League** s Champions League f

chance [tʃɑːns] s (etw Ungeplantes) Zufall m; (Aussicht) Möglichkeit f; (Chance) Gelegenheit f; (Wagnis) Risiko n; **by ~** zufällig; **he doesn't stand a ~** (**of winning**) er hat keinerlei Chancen(, zu gewinnen)

chancellor ['tʃɑːnsələ^r] s Kanzler(in) m(f)

chandelier [ʃændɪ'lɪə^r] s Kronleuchter m

change [tʃeɪndʒ] **1.** vt verändern; ändern; (Geld, Reifen, Windel) wechseln; (wechseln gegen) (um)tauschen; **~ one's clothes** sich umziehen; **~ trains** umsteigen; **~ gear** AUTO schalten **2.** vi sich ändern; sich verändern; (andere Sachen anziehen) sich umziehen **3.** s Veränderung f, Änderung f; (von Einkauf) Wechselgeld n; (Münzen) Kleingeld n; **for a ~** zur Abwechslung; **can you give me ~ for £10?** können Sie mir auf 10 Pfund herausgeben?; **change down** vi (Brit) AUTO herunterschalten; **change over** vi sich umstellen (to auf + Akk); **change up** vi (Brit) AUTO hochschalten

changeable Adj veränderlich, wechselhaft; **change machine** s Geldwechsler

m; **changing room** s Umkleideraum m

channel ['tʃænl] s Kanal m; RADIO, TV Kanal m, Sender m; **the** (**English**) **Channel** der Ärmelkanal; **the Channel Islands** die Kanalinseln; **channel-hopping** s Zappen n

Channel Tunnel

Channel Tunnel heißt der 1994 eröffnete Eisenbahntunnel unter dem Ärmelkanal, der die Küsten Englands und Frankreichs miteinander verbindet. Er ist insgesamt 31 Meilen (≈ 50 km) lang. Von dieser Strecke verlaufen 24 Meilen (≈ 38 km) unter Wasser. Die Fahrt durch den **Channel Tunnel**, bei der die Fahrzeuge von einem **Zug** (**shuttle**) transportiert werden, dauert 35 Minuten.

chaos ['keɪɒs] s Chaos n; **chaotic** [keɪ'ɒtɪk] Adj chaotisch

chap [tʃæp] s (Brit) umg Bursche m, Kerl m

chapel ['tʃæpəl] s Kapelle f

chapped ['tʃæpt] Adj (Lippen) aufgesprungen

chapter ['tʃæptə^r] s Kapitel n

character ['kærəktə^r] s Charakter m, Wesen n; (Theaterstück, Roman) Figur f; TYPO Zeichen n; **he's a real ~** er ist ein echtes Original;

characteristic s typisches Merkmal

charcoal ['tʃɑːkəʊl] s Holzkohle f

charge [tʃɑːdʒ] **1.** s (Geld) Gebühr f; JUR Anklage f; **free of ~** gratis, kostenlos; **be in ~ of** verantwortlich sein für **2.** vt (Geld) verlangen; JUR anklagen; (Batterie) laden

charity ['tʃærɪtɪ] s (Institution) wohltätige Organisation f; **a collection for ~** eine Sammlung für wohltätige Zwecke; **charity shop** s Geschäft einer 'charity', in dem freiwillige Helfer gebrauchte Kleidung, Bücher etc verkaufen

charm [tʃɑːm] **1.** s Charme m **2.** vt bezaubern; **charming** Adj reizend, charmant

chart [tʃɑːt] s Diagramm n; (für Piloten, Segler) Karte f; **the ~s** Pl die Charts, die Hitliste

charter ['tʃɑːtə] **1.** s Urkunde f **2.** vt SCHIFF, FLUG chartern; **charter flight** s Charterflug m

chase [tʃeɪs] **1.** vt jagen, verfolgen **2.** s Verfolgungsjagd f, Jagd f

chassis ['ʃæsɪ] s AUTO Fahrgestell n

chat [tʃæt] **1.** vi plaudern; IT chatten **2.** s Plauderei f; **chat up** vt anmachen, anbaggern; **chatroom** s IT Chatroom m; **chat show** s Talkshow f

chauffeur ['ʃəʊfə] s Chauffeur(in) m(f), Fahrer(in) m(f)

cheap [tʃiːp] Adj billig; (schlechte Qualität) minderwertig

cheat [tʃiːt] vt, vi betrügen; (in Schule, Spiel) mogeln

Chechnya ['tʃetʃnɪə] s Tschetschenien n

check [tʃek] **1.** vt überprüfen (for auf + Akk); TECH kontrollieren; (US, mit Haken versehen) abhaken; FLUG (Gepäck) einchecken; (US, Mantel) abgeben **2.** s Kontrolle f; (US, im Restaurant) Rechnung f; (auf Stoff) Karo(muster) n; (US) → **cheque**; **check in** vt, vi FLUG einchecken; (Hotel) sich anmelden; **check out** vi sich abmelden, auschecken; **check up** vi nachprüfen; **~ on sb** Nachforschungen über jdn anstellen

checkers ['tʃekəz] nsing (US) Damespiel n

check-in ['tʃekɪn] s (Flughafen) Check-in m; (Hotel) Anmeldung f; **check-in desk** s Abfertigungsschalter m; **checking account** s (US) Scheckkonto n; **check list** s Kontrollliste f; **checkout** s (Supermarkt) Kasse f; **check out time** s (Hotel) Abreise(zeit) f; **checkpoint** s Kontrollpunkt m; **checkroom** s (US) Gepäckaufbewahrung f; **checkup** s MED (ärztliche) Untersuchung

cheddar ['tʃedə] s Cheddarkäse m

cheek [tʃiːk] s Backe f, Wange f; (Unverschämtheit) Frechheit f; **what a –** so eine Frechheit!; **cheekbone** s Backenknochen m; **cheeky** Adj frech

cheer [tʃɪə] **1.** s Beifallsruf m; **–s** (beim Trinken) prost!; (Brit) umg danke!; (Brit, Abschied) tschüs **2.** vt zujubeln + Dat **3.** vi jubeln; **cheer up 1.** vt aufmuntern **2.** vi fröhlicher werden; **cheerful** ['tʃɪəful] Adj fröhlich

cheese [tʃiːz] s Käse m; **cheeseboard** s Käsebrett n; (als Gang) (gemischte) Käseplatte; **cheesecake** s Käsekuchen m

chef [ʃef] s Koch m, Küchenchef(in) m(f)

chemical ['kemɪkəl] **1.** Adj chemisch **2.** Chemikalie f; **chemist** ['kemɪst] s Apotheker(in) m(f); (in Labor) Chemiker(in) m(f); **–'s (shop)** Apotheke f; **chemistry** s Chemie f

cheque [tʃek] s (Brit) Scheck m; **cheque account** s (Brit) Girokonto n; **cheque book** s (Brit) Scheckheft n; **cheque card** s (Brit) Scheckkarte f

chequered ['tʃekəd] Adj kariert

cherish ['tʃerɪʃ] vt liebevoll sorgen für; (Hoffnung) he-

gen; (Erinnerung) bewahren

cherry ['tʃerɪ] s Kirsche f; **cherry tomato** (-es Pl) s Kirschtomate f

chess [tʃes] s Schach n; **chessboard** s Schachbrett n

chest [tʃest] s Brust f; (Behälter) Kiste f; **~ of drawers** Kommode f

chestnut ['tʃesnʌt] s Kastanie f

chew [tʃuː] vt, vi kauen; **chewing gum** s Kaugummi m

chick [tʃɪk] s Küken n; **chicken** s Huhn n; (als Essen) Hähnchen n; (Angsthase) Feigling m; **chicken breast** s Hühnerbrust f; **chicken Kiev** s paniertes Hähnchen, mit Knoblauchbutter gefüllt; **chickenpox** s Windpocken Pl; **chickpea** s Kichererbse f

chicory ['tʃɪkərɪ] s Chicorée f

chief [tʃiːf] **1.** s (von Abteilung) Leiter(in) m(f); (Boss) Chef(in) m(f); (von Stamm) Häuptling m **2.** Adj Haupt-; **chiefly** Adv hauptsächlich

child (children) [tʃaɪld, 'tʃɪldrən] s Kind n; **child allowance**, **child benefit** (Brit) s Kindergeld n; **childhood** s Kindheit f; **childish** Adj kindisch; **child lock** s Kindersicherung f; **childproof** Adj kindersicher; **children** ['tʃɪldrən] Pl von *child*; child seat *s* Kindersitz *m*

Chile ['tʃɪlɪ] *s* Chile *n*

chill [tʃɪl] **1.** *s* Kühle *f*; MED Erkältung *f* **2.** *vt* kühlen; chilled *Adj* gekühlt

chilli ['tʃɪlɪ] *s* Pepperoni *Pl*; (*Gewürz*) Chili *m*; chilli con carne ['tʃɪlɪkən'kɑːnɪ] *s* Chili con carne *n*

chilly ['tʃɪlɪ] *Adj* kühl, frostig

chimney ['tʃɪmnɪ] *s* Schornstein *m*; chimneysweep *s* Schornsteinfeger(in) *m(f)*

chimpanzee [tʃɪmpæn'ziː] *s* Schimpanse *m*

chin [tʃɪn] *s* Kinn *n*

china ['tʃaɪnə] *s* Porzellan *n*

China ['tʃaɪnə] *s* China *n*; Chinese [tʃaɪ'niːz] **1.** *Adj* chinesisch **2.** *s* (*Person*) Chinese *m*, Chinesin *f*; (*Sprache*) Chinesisch *n*; Chinese leaves *npl* Chinakohl *m*

chip [tʃɪp] **1.** *s* (*Holz*) Splitter *m*; (*Beschädigung*) angeschlagene Stelle; IT Chip *m*; ~s (*Brit*) Pommes frites *Pl*; (*US*) Kartoffelchips *Pl* **2.** *vt* anschlagen, beschädigen; chippie *umg*, chip shop *s* Frittenbude *f*

chiropodist [kɪ'rɒpədɪst] *s* Fußpfleger(in) *m(f)*

chirp [tʃɜːp] *vi* zwitschern

chisel ['tʃɪzl] *s* Meißel *m*

chives [tʃaɪvz] *npl* Schnittlauch *m*

chlorine ['klɔːriːn] *s* Chlor *n*

chocaholic, chocoholic [tʃɒkə'hɒlɪk] *s* Schokola-

denfreak *m*; choc-ice *s* Eis *n* mit Schokoladenüberzug; chocolate ['tʃɒklɪt] *s* Schokolade *f*; (*Konfekt*) Praline *f*; *a bar of* ~ eine Tafel Schokolade; *a box of* ~*s* eine Schachtel Pralinen; chocolate cake *s* Schokoladenkuchen *m*

choice [tʃɔɪs] **1.** *s* Wahl *f*, Auswahl *f* **2.** *Adj* auserlesen; (*Produkt*) Qualitäts-

choir ['kwaɪə'] *s* Chor *m*

choke [tʃəʊk] **1.** *vi* sich verschlucken; SPORT die Nerven verlieren **2.** *vt* erdrosseln **3.** *s* AUTO Choke *m*

cholera ['kɒlərə] *s* Cholera *f*

cholesterol [kə'lestərɒl] *s* Cholesterin *n*

choose (*chose, chosen*) [tʃuːz, tʃəʊz, 'tʃəʊzn] *vt* wählen; sich aussuchen; *there are three to* ~ *from* es stehen drei zur Auswahl

chop [tʃɒp] **1.** *vt* (zer)hacken; klein schneiden **2.** *s* (*Fleisch*) Kotelett *n*; *get the* ~ gefeuert werden; chopsticks *npl* Stäbchen *Pl*

chorus ['kɔːrəs] *s* Chor *m*; (*von Lied*) Refrain *m*

chose, chosen [tʃəʊz, 'tʃəʊzn] *pt, pp von* **choose**

chowder ['tʃaʊdə'] *s* (*US*) *dicke Suppe mit Meeresfrüchten*

christen ['krɪsn] *vt* taufen; christening *s* Taufe *f*; Christian ['krɪstɪən] **1.** *Adj* christlich **2.** *s* Christ(in) *m(f)*; Christian name *s*

(*Brit*) Vorname *m*

Christmas ['krɪsməs] *s* Weihnachten *Pl*

Christmas

Weihnachten (Christmas) wird in den englischsprachigen Ländern am **1. Weihnachtstag (Christmas Day)** und nicht am **Heiligen Abend (Christmas Eve)** gefeiert. Die Geschenke werden nachts vom **Weihnachtsmann (Father Christmas, Santa Claus** oder einfach nur **Santa)** mithilfe seiner **Rentiere (reindeer)** vom Nordpol aus in alle Welt geliefert. **Santa Claus** kommt durch den Schornstein und füllt die Geschenke u.a. in die zu diesem Zweck vor dem Kamin aufgehängten **Strümpfe (Christmas stockings).**

Christmas card *s* Weihnachtskarte *f*; **Christmas carol** *s* Weihnachtslied *n*

Christmas crackers

Ein **Christmas cracker** ist eine Art **Knallbonbon**, in dem sich ein kleines **Geschenk**, manchmal auch eine **Scherzfrage** oder ein **Rätsel** sowie eine **Papierkrone** verbergen. Sie werden in Großbritannien mit einem großen Knall während des traditionellen Mittagessens am **1. Weihnachtstag (Christmas Day)**, aber oft auch schon auf diversen **Christmas parties** im Dezember von jeweils zwei Leuten auseinander gerissen.

Christmas Day *s* der erste Weihnachtstag; **Christmas Eve** *s* Heiligabend *m*; **Christmas pudding** *s* Plumpudding *m*; **Christmas tree** *s* Weihnachtsbaum *m*

chronic ['krɒnɪk] *Adj* MED chronisch

chubby ['tʃʌbɪ] *Adj* pummelig; rundlich

chuck [tʃʌk] *vt umg* schmeißen; **chuck in** *vt umg* (*Job*) hinschmeißen; **chuck out** *vt umg* rausschmeißen; **chuck up** *vi umg* kotzen

chunk [tʃʌŋk] *s* Klumpen *m*; (*Brot*) Brocken *m*; (*Fleisch*) Batzen *m*; **chunky** *Adj* stämmig

Chunnel ['tʃʌnəl] *s umg* Kanaltunnel *m*

church [tʃɜːtʃ] *s* Kirche *f*; **churchyard** *s* Kirchhof *m*

chute [ʃuːt] *s* Rutsche *f*

chutney ['tʃʌtnɪ] *s* Chutney *m*

CIA *Abk* = **Central Intelligence Agency;** (*US*) CIA *f*

CID *Abk* = **Criminal Investigation Department;** (*Brit*) ≈ Kripo *f*

cider ['saɪdər] *s* ≈ Apfelmost *m*

cigar [sɪ'gɑːr] *s* Zigarre *f*;

cigarette [sɪgəˈret] s Zigarette f

cinema [ˈsɪnəmə] s Kino n

cinnamon [ˈsɪnəmən] s Zimt m

circa [ˈsɜːkə] Präp zirka

circle [ˈsɜːkl] 1. s Kreis m 2. vi kreisen; **circuit** [ˈsɜːkɪt] s Rundfahrt f; (zu Fuß) Rundgang m; (für Rennen) Rennstrecke f; ELEK Stromkreis m; **circular** [ˈsɜːkjuləʳ] 1. Adj (kreis)rund, kreisförmig f 2. s Rundschreiben n; **circulation** [sɜːkjuˈleɪʃən] s Kreislauf m; (Zeitung) Auflage f

circumstances [ˈsɜːkəmstənsəz] npl Umstände Pl; (finanziell) Verhältnisse Pl; **in/under the ~** unter den Umständen; **under no ~** auf keinen Fall

circus [ˈsɜːkəs] s Zirkus m

cissy [ˈsɪsɪ] s umg Weichling m

cistern [ˈsɪstən] s Zisterne f; (Toilette) Spülkasten m

cite [saɪt] vt zitieren

citizen [ˈsɪtɪzn] s Bürger(in) m(f), Staatsangehörige(r) mf; **citizenship** s Staatsangehörigkeit f

city [ˈsɪtɪ] s Stadt f, Großstadt f; **the ~** (Londoner Finanzzentrum) die (Londoner) City; **city centre** s Innenstadt f, Zentrum n

civil [ˈsɪvl] Adj zivil; staatsbürgerlich; (nicht militärisch) zivil; **civil engineering** s Hoch- und Tiefbau m, Bauingenieurwesen n; **civilian** [sɪˈvɪljən] s Zivilist(in) m(f); **civilization** [sɪvɪlaɪˈzeɪʃən] s Zivilisation f, Kultur f; **civilized** [ˈsɪvɪlaɪzd] Adj zivilisiert, kultiviert; **civil partnership** s eingetragene Partnerschaft; **civil rights** npl Bürgerrechte Pl; **civil servant** s (Staats)beamte(r) m, (Staats)beamtin f; **civil service** s Staatsdienst m; **civil war** s Bürgerkrieg m

CJD Abk = **Creutzfeld-Jakob disease**; Creutzfeld-Jakob-Krankheit f

cl Abk = **centilitre(s)**; cl

claim [kleɪm] 1. vt beanspruchen; (Sozialhilfe etc) beantragen; (Schadenersatz etc) fordern; (aussagen) behaupten (that dass) 2. s Forderung f (for für), Anspruch m (to auf + Akk); **~ for damages** Schadenersatzforderung f; **make od put in a ~** (Versicherung) Ansprüche geltend machen; **claimant** s Antragsteller(in) m(f)

clam [klæm] s Venusmuschel f; **clam chowder** s (US) dicke Muschelsuppe (mit Sellerie, Zwiebeln etc)

clap [klæp] vi (Beifall) klatschen

claret [ˈklærɪt] s roter Bordeaux(wein)

clarify [ˈklærɪfaɪ] vt klären

clash [klæʃ] 1. vi zusammenstoßen (with mit); sich auseinandersetzen (with mit); fig (Farben) sich beißen **2.** s Zusammenstoß m; (Streit) Auseinandersetzung f

class [klɑːs]. **1.** s Klasse f **2.** vt einordnen, einstufen

classic ['klæsɪk] **1.** (Fehler, Beispiel) klassisch **2.** s Klassiker m; **classical** ['klæsɪkəl] Adj (Musik, Ballett) klassisch

classification [klæsɪfɪ'keɪʃn] s Klassifizierung f; **classify** ['klæsɪfaɪ] vt klassifizieren; **classified advertisement** Kleinanzeige f

classroom ['klɑːsrʊm] s Klassenzimmer n

classy ['klɑːsɪ] Adj umg nobel, exklusiv

clause [klɔːz] s LING Satz m; JUR Klausel f

claw [klɔː] s Kralle f

clay [kleɪ] s Lehm m; (zum Töpfern) Ton m

clean [kliːn] **1.** Adj sauber; ~ **driving licence** Führerschein ohne Strafpunkte **2.** Adv (völlig) glatt **3.** vt sauber machen; (Teppich etc) reinigen; (Fenster, Schuhe, Gemüse) putzen; (Wunde) säubern; **clean up 1.** vt sauber machen **2.** vi aufräumen; **cleaner** s (Person) Putzmann m, Putzfrau f; (Substanz) Putzmittel n; **'s** Reinigung f

cleanse [klenz] vt reinigen; (Wunde) säubern; **cleanser** s Reinigungsmittel n

clear ['klɪə'] **1.** Adj klar;

deutlich; (Gewissen) rein; (Straße etc) frei; **be ~ about sth** sich über etw im Klaren sein **2.** Adv **stand ~** zurücktreten **3.** vt (Straße, Zimmer) räumen; (Tisch) abräumen; JUR freisprechen (of von) **4.** vi (Nebel) sich verziehen; (Wetter) aufklaren; **clear away** vt wegräumen; (Geschirr) abräumen; **clear off** vi umg abhauen; **clear up 1.** vi aufräumen; (Wetter) sich aufklaren **2.** vt (Zimmer) aufräumen; (Abfall) wegräumen; (Angelegenheit) klären

clearance sale s Räumungsverkauf m; **clearing** s Lichtung f; **clearly** Adv klar; (sprechen etc) deutlich; (offensichtlich) eindeutig; **clearway** s (Brit) Straße f mit Halteverbot

clench [klentʃ] vt (Faust) ballen; (Zähne) zusammenbeißen

clergyman (-men Pl) ['klɜːdʒɪmæn] s Geistliche(r) m

clerk [klɑːk] (US) [klɜːk] s (in Verwaltung etc) Büroangestellte(r) mf; (US, in Geschäft) Verkäufer(in) m(f)

clever ['klevə'] Adj schlau, klug

cliché ['kliːʃeɪ] s Klischee n

click [klɪk] **1.** s Klicken n; IT Mausklick m **2.** vi (beim Sprechen) klicken; **~ on sth** IT etw anklicken; **it ~ed** umg ich hab's/er hat's etc geschnallt; **they**

~ed sie haben sich gleich verstanden; **click on** *vt* anklicken

client ['klaɪənt] *s* Kunde *m*, Kundin *f*; JUR Mandant(in) *m(f)*

cliff [klɪf] *s* Klippe *f*

climate ['klaɪmɪt] *s* Klima *n*

climax ['klaɪmæks] *s* Höhepunkt *m*

climb [klaɪm] **1.** *vi* klettern; (*Flugzeug*) steigen; (*Straße*) ansteigen **2.** *vt* (*Berg*) besteigen; (*Baum*) klettern auf + *Akk* **3.** *s* Aufstieg *m*; **climbing** *s* Klettern *n*, Bergsteigen *n*; **climbing frame** *s* Klettergerüst *n*

cling (*clung, clung*) [klɪŋ, klʌŋ] *vi* sich klammern (*to* an + *Akk*); **cling film®** *s* Frischhaltefolie *f*

clinic ['klɪnɪk] *s* Klinik *f*

clip [klɪp] **1.** *s* Klammer *f* **2.** *vt* anklemmen (*to* an + *Akk*); (*Fingernägel*) schneiden; **clippers** *npl* Schere *f*; (*für Nägel*) Zwicker *m*

cloak [kləʊk] *s* Umhang *m*; **cloakroom** *s* Garderobe *f*

clock [klɒk] *s* Uhr *f*; AUTO *umg* Tacho *m*; **round the ~** rund um die Uhr; **clockwise** *Adv* im Uhrzeigersinn; **clockwork** *s* Uhrwerk *n*

cloister ['klɔɪstə'] *s* Kreuzgang *m*

close 1. [kləʊs] *Adj* nahe (*to* + *Dat*); (*Freund*) eng; (*Ähnlichkeit*) groß; **to the beach** in der Nähe des Strandes; **~ win** knapper

Sieg; **on ~r examination** bei näherer *od* genauerer Untersuchung **2.** [kləʊs] *Adv* dicht; **he lives~ by** er wohnt ganz in der Nähe **3.** [kləʊz] *vt* schließen; (*Straße*) sperren; (*Diskussion*) abschließen **4.** [kləʊz] *vi* schließen **5.** [kləʊz] *s* Ende *n*; **close down 1.** *vi* schließen; (*Fabrik*) stillgelegt werden **2.** *vt* (*Geschäft*) schließen; (*Fabrik*) stilllegen; **closed** *Adj* (*Straße*) gesperrt; (*Geschäft*) geschlossen; **closed circuit television** *s* Videoüberwachungsanlage *f*; **closely** *Adv* eng, nah; (*folgen*) dicht; (*beobachten*) genau

closet ['klɒzɪt] *s* (*bes US*) Schrank *m*

close-up ['kləʊsʌp] *s* Nahaufnahme *f*

closing ['kləʊzɪŋ] *Adj* ~ **date** letzter Termin; Einsendeschluss *m*; ~ **time** (*von Geschäft*) Ladenschluss *m*; (*Brit, in Kneipe*) Polizeistunde *f*

clot [klɒt] **1.** (*blood*) ~ Blutgerinnsel *n*; *umg* (*Idiot*) Trottel *m* **2.** *vi* gerinnen

cloth [klɒθ] *s* (*Material*) Tuch *n*; (*zum Putzen*) Lappen *m*

clothe [kləʊð] *vt* kleiden; **clothes** *npl* Kleider *Pl*, Kleidung *f*; **clothes peg**, **clothespin** (*US*) *s* Wäscheklammer *f*; **clothing** ['kləʊðɪŋ] *s* Kleidung *f*

clotted ['klɒtɪd] *Adj*

cream dicke Sahne (aus erhitzter Milch)

cloud [klaʊd] *s* Wolke *f*; **cloudy** *Adj* (*Himmel*) bewölkt; (*Flüssigkeit*) trüb

clove [kləʊv] *s* Gewürznelke *f*; **~ of garlic** Knoblauchzehe *f*

clover ['kləʊvə] *s* Klee *m*; **cloverleaf** (*-leaves Pl*) *s* Kleeblatt *n*

clown [klaʊn] *s* Clown *m*

club [klʌb] *s* Knüppel *m*; (*Organisation*) Klub *m*, Verein *m*; (*zum Tanzen*) Disko *f*; (*Golf*) Golfschläger *m*; **~s** (*Karten*) Kreuz *n*; **clubbing** *s* **go ~** in die Disko gehen; **club class** *s* FLUG Businessclass *f*

clue [kluː] *s* Anhaltspunkt *m*, Hinweis *m*; **he hasn't a ~** er hat keine Ahnung

clumsy ['klʌmzi] *Adj* unbeholfen, ungeschickt

clung [klʌŋ] *pt*, *pp* von **cling**

clutch [klʌtʃ] *s* AUTO Kupplung *f*

cm *Abk* = **centimetre(s)**; cm

c/o *Abk* = **care of**; bei

Co *Abk* = **company**

coach [kəʊtʃ] **1.** *s* (*Brit*) Reisebus *m*; BAHN (*Personen*)wagen *m*; SPORT Trainer(in) *m(f)* **2.** *vt* Nachhilfeunterricht geben + *Dat*; SPORT trainieren; **coach (class)** *s* FLUG Economyclass *f*; **coach driver** *s* Busfahrer(in) *m(f)*; **coach station** *s* Busbahnhof *m*;

coach trip *s* Busfahrt *f*, Busreise *f*

coal [kəʊl] *s* Kohle *f*

coalition [kəʊə'lɪʃən] *s* POL Koalition *f*

coast [kəʊst] *s* Küste *f*; **coastguard** *s* Küstenwache *f*; **coastline** *s* Küste *f*

coat [kəʊt] *s* Mantel *m*, Jacke *f*; (*bei Tier*) Fell *n*, Pelz *m*; (*Farbe*) Schicht *f*; **~ of arms** Wappen *n*; **coathanger** *s* Kleiderbügel *m*; **coating** *s* Überzug *m*, Schicht *f*

cobble(stone)s ['kɒbl(stəʊn)z] *npl* Kopfsteine *Pl*, Kopfsteinpflaster *n*

cobweb ['kɒbweb] *s* Spinnennetz *n*

cocaine [kə'keɪn] *s* Kokain *n*

cock [kɒk] *s* Hahn *m*; *vulg* (*Penis*) Schwanz *m*

cockle ['kɒkl] *s* Herzmuschel *f*

cockpit ['kɒkpɪt] *s* (*Flugzeug, Rennwagen*) Cockpit *n*; **cockroach** ['kɒkrəʊtʃ] *s* Kakerlake *f*; **cocksure** *Adj* todsicher; **cocktail** ['kɒkteɪl] *s* Cocktail *m*; **cock-up** *s* (*Brit*) *umg* **make a ~ of sth** bei etw Mist bauen; **cocky** ['kɒkɪ] *Adj* großspurig, von sich selbst überzeugt

cocoa ['kəʊkəʊ] *s* Kakao *m*

coconut ['kəʊkənʌt] *s* Kokosnuss *f*

cod [kɒd] *s* Kabeljau *m*

COD *Abk* = **cash on delivery**; per Nachnahme

code [kəʊd] *s* Kode *m*

colourless

coffee ['kɒfɪ] s Kaffee m;
coffee bar s Café n; coffee
break s Kaffeepause f; coffee maker s Kaffeemaschi-
ne f; coffee pot s Kaffeekanne f; coffee shop s Café n; coffee table s
Couchtisch m

coffin ['kɒfɪn] s Sarg m

coil [kɔɪl] s Rolle f, ELEK
Spule f; MED Spirale f

coin [kɔɪn] s Münze f

coincide [kəʊɪn'saɪd] vi zu-
sammenfallen (with mit);
coincidence [kəʊ'ɪnsɪdəns]
s Zufall m

coke [kəʊk] s Koks m;
Coke® s Cola f

cola ['kəʊlə] s Cola f

cold [kəʊld] 1. Adj kalt; I'm
~ mir ist kalt, ich friere 2. s
Kälte f, (Krankheit) Erkältung f, Schnupfen m; catch
a ~ sich erkälten; cold box
s Kühlbox f; coldness s
Kälte f; cold sore s Her-
pes m

coleslaw ['kəʊlslɔː] s Krautsalat m

collaborate [kə'læbəreɪt] vi
zusammenarbeiten (with
mit); collaboration
[kəlæbə'reɪʃən] s Zusam-
menarbeit f, Mitarbeit f

collapse [kə'læps] 1. vi zusammenbrechen; einstür-
zen 2. s Zusammenbruch
m, Einsturz m

collar ['kɒlə] s Kragen m,
(Hund etc) Halsband n; collarbone s Schlüsselbein n

colleague ['kɒliːg] s Kollege

m, Kollegin f

collect [kə'lekt] 1. vt sammeln; abholen 2. vi sich
sammeln; collect call s
(US) R-Gespräch n; col-
lected Adj (Werke etc) ge-
sammelt; (Person) gefasst;
collector s Sammler(in)
m(f); collection [kə'lek-
ʃən] s Sammlung f; REL
Kollekte f; (Briefkasten)
Leerung f

college ['kɒlɪdʒ] s (als Teil
von Universität, mit Wohn-
bereich) College n, Fach-
hochschule f, Berufsschule
f; (US) Universität f; go to
~ (US) studieren

collide [kə'laɪd] vi zusammenstoßen; collision [kə-
'lɪʒən] s Zusammenstoß m

colloquial [kə'ləʊkwɪəl] Adj
umgangssprachlich

Cologne [kə'ləʊn] s Köln n

colon ['kəʊlən] s Doppel-
punkt m

colonial [kə'ləʊnɪəl] Adj Ko-
lonial-; colony ['kɒlənɪ] s
Kolonie f

color [US), colour ['kʌlə]
1. s Farbe f, Hautfarbe f 2.
vt anmalen; färben; col-
our-blind Adj farbenblind;
coloured Adj farbig; ge-
färbt; colour film s Farbfilm m; colourful Adj
bunt; (Leben, Vergangen-
heit) bewegt; colouring s
(bei Lebensmitteln) Farb-
stoff m; (von Haut) Ge-
sichtsfarbe f; colourless
Adj farblos; colour pho-

to(graph) *s* Farbfoto *n*;
colour television *s* Farb-
fernsehen *n*

column ['kɒləm] *s* Säule *f*;
(in Text) Spalte *f*

comb [kəʊm] 1. *s* Kamm *m*
2. *vt* kämmen; **~ one's hair**
sich kämmen

combination [kɒmbɪ'neɪʃən]
s Kombination *f*, Mischung
f (of aus); combine
[kəm'baɪn] *vt* verbinden
(with mit); kombinieren

come (came, come) [kam,
keɪm, kʌm] *vi* kommen;
ankommen; (auf Liste) stehen; (mit Adjektiv) werden;
~ and see us besuchen Sie
uns mal; **coming** (die)
kommend; **~ first/
second** erster/zweiter werden; **~ true** wahr werden; **~
loose** sich lockern; **the
years to ~** die kommenden
Jahre; **there's one more to
~** es kommt noch eins/noch
einer; **how ~ ...?** *umg* wie
kommt es, dass ...?; **~ to
think of it** *umg* wo es mir
gerade einfällt; come a-
cross *vt* stoßen auf + *Akk*;
come back *vi* zurückkom-
men; **I'll ~ to that** ich komme darauf zurück; come
down *vi* herunterkommen;
(Regen, Schnee, Preise) fallen; come from *vt* kommen
von; **where do you ~?** wo
kommen Sie her?; **~ from
London** ich komme aus London; come in *vi* herein-
kommen; ankommen;

come off *vi* (Knopf) abgehen; (Erfolg haben) gelingen; **~ well/badly** gut/
schlecht wegkommen;
come on *vi* vorankommen;
~! komm!; (in Eile) beeil
dich!; (Mut zusprechend)
los!; come out *vi* herauskommen; (Foto) was wird;
(als Homosexueller)
sich outen; come round *vi*
vorbeikommen; (nach
Ohnmacht) wieder zu sich
kommen; come to 1. *vi*
(nach Ohnmacht) wieder
zu sich kommen 2. *vt*
(Summe) sich belaufen auf
+ *Akk*; **when it comes to
...** wenn es um ... geht;
come up *vi* hochkommen;
(Sonne, Mond) aufgehen;
(for discussion) zur Sprache kommen; come up to
vt zukommen auf + *Akk*;
(Wasser) reichen bis zu;
(Vorstellungen) entsprechen
+ *Dat*; come up with *vt*
(Idee) kommen auf +
Akk; (Lösung,
Antwort) kommen auf
+ *Akk*; **~ a suggestion** ei-
nen Vorschlag machen

comedian [kə'miːdɪən] *s*
Komiker(in) *m(f)*; comedy
['kɒmədɪ] *s* Komödie *f*

come-on ['kʌmɒn] *s* **give
sb the ~** *umg* jdn anmachen

comfort ['kʌmfət] 1. *s* Komfort *m*; (Hilfe) Trost *m* 2.
vt trösten; comfortable
Adj bequem; (Einkommen)
ausreichend; (Leben, Tem-

Instapkaart **Einsteigekarte**
Carte d'accès à bord **Tarjeta de embarqu**

Name of passenger

DUNCAN / DEREK

057

From

EDINBURGH / EDI

To

COLOGNE / CGN

Flight	Class	Date	Departure
4U 0363	Y	25NOV	

Gate	Boarding time	Seat	Smoking
	10.45	16D	NO

NON-SMOKING FLIGHT

Boarding Pass

competition [kɒmpɪ'tɪʃən] s Wettbewerb m; WIRTSCH Konkurrenz f (for um); competitive [kəm'petɪtɪv] Adj konkurrenzfähig; competitor s WIRTSCH Konkurrent(in) m(f); SPORT Teilnehmer(in) m(f)

complain [kəm'pleɪn] vi klagen; sich beschweren (about über + Akk); complaint s Klage f, Beschwerde f; MED Leiden n

complement v ergänzen

complete [kəm'pliːt] 1. Adj vollständig; (beendet) fertig; (Reinfall) total; (Glück) vollkommen; are we ~? sind wir vollzählig? 2. vt vervollständigen; (Formular) ausfüllen; completely Adv völlig; not ~ ... nicht ganz ...

complex ['kɒmpleks] 1. Adj kompliziert 2. s Komplex m

complexion [kəm'plekʃən] s Gesichtsfarbe f, Teint m

complicated ['kɒmplɪkeɪtɪd] Adj kompliziert; complication s Komplikation f

compliment ['kɒmplɪmənt] s Kompliment n; complimentary [kɒmplɪ'mentərɪ] Adj lobend; (umsonst) Gratis-; ~ ticket Freikarte f

component [kəm'pəʊnənt] s Bestandteil m

compose [kəm'pəʊz] vt komponieren; ~ oneself sich zusammennehmen; composed Adj gefasst; be ~ of bestehen aus; composition [kɒmpə'zɪʃən] Zu-

sammensetzung f; MUS Komposition f

comprehend [kɒmprɪ'hend] vt verstehen; comprehension s Verständnis n

comprehensive [kɒmprɪ'hensɪv] Adj umfassend; ~ school Gesamtschule f

comprise [kəm'praɪz] vt umfassen, bestehen aus

compromise ['kɒmprəmaɪz] 1. s Kompromiss m 2. vi einen Kompromiss schließen

compulsory [kəm'pʌlsərɪ] Adj obligatorisch

computer [kəm'pjuːtə] s Computer m; computer aided Adj computergestützt; computer-controlled Adj rechnergesteuert; computer game s Computerspiel n; computer-literate Adj be ~ mit dem Computer umgehen können; computer scientist s Informatiker(in) m(f); computing s Informatik f

con [kɒn] umg 1. s Schwindel m 2. vt betrügen (out of um)

conceal [kən'siːl] vt verbergen (from vor + Dat)

conceive [kən'siːv] vt sich vorstellen; (Kind) empfangen

concentrate ['kɒnsəntreɪt] vi sich konzentrieren (on auf + Akk); concentration s Konzentration f

concept ['kɒnsept] s Begriff m

concern [kən'sɜːn] 1. s Angelegenheit f; (Angst) Sorge f; **it's not my ~** das geht mich nichts an; **there's no cause for ~** kein Grund zur Beunruhigung **2.** vt angehen; betreffen; (sich befassen mit) handeln von; **those ~ed** die Betroffenen; **as far as I'm ~ed** was mich betrifft; concerned Adj besorgt; concerning Präp bezüglich, hinsichtlich + Gen

concert ['kɒnsət] s Konzert n; ~ **hall** Konzertsaal m

concession [kən'seʃən] s Zugeständnis n; (reduzierter Preis) Ermäßigung f

conclude [kən'klu:d] vt beenden, (ab)schließen; (logisch) folgern (from aus); ~ **that ...** zu dem Schluss kommen, dass ...; conclusion [kən'klu:ʒən] s Schluss m, Schlussfolgerung f

concrete ['kɒnkri:t] **1.** s Beton m **2.** Adj konkret

concussion [kən'kʌʃən] s Gehirnerschütterung f

condition [kən'dıʃən] s Zustand m; (Voraussetzung) Bedingung f; **on ~ that ...** unter der Bedingung, dass ...; ~**s** Pl Verhältnisse Pl; conditioner s Weichspüler m; (Haar) Pflegespülung f

condo (-s Pl) ['kɒndəʊ] s = **condominium**

condolences [kən'dəʊlənsız] npl Beileid n

condom ['kɒndəm] s Kondom n

condominium [kɒndə'mı-

niəm] s (US) Eigentumswohnung f

conduct **1.** ['kɒndʌkt] s Verhalten n **2.** [kən'dʌkt] vt führen, leiten; (Orchester) dirigieren

cone [kəʊn] s Kegel m; (Eis) Waffeltüte f; (Tanne) (Tannen)zapfen m

conference ['kɒnfərəns] s Konferenz f

confess [kən'fes] vt, vi ~ **that ...** gestehen, dass ...; confession [kən'feʃən] s Geständnis n; REL Beichte f

confidence ['kɒnfıdəns] s Vertrauen n (in zu), Selbstvertrauen n; confident [kən'fıdənt] Adj (optimistisch) zuversichtlich (**that ...** dass ...), überzeugt (**of** von); (selbstbewusst) selbstsicher; confidential [kɒnfı'denʃəl] Adj vertraulich

confine [kən'faın] vt beschränken (**to** auf + Akk)

confirm [kən'fɜ:m] vt bestätigen; confirmation [kɒnfə'meıʃən] s Bestätigung f; REL Konfirmation f; confirmed Adj überzeugt; (Junggeselle) eingefleischt

confuse [kən'fju:z] vt verwirren; verwechseln (**with** mit); (mehrere Dinge) durcheinanderbringen; confused Adj (Person) konfus, verwirrt, (Situation, Gefühle) verworren; confusing Adj verwirrend; confusion [kən'fju:ʒən] s Verwirrung f; (von zwei Dingen)

consideration

Verwechslung *f*; (*Durcheinander*) Chaos *n*
congestion [kən'dʒestʃən] *s* Stau *m*
congratulate [kən'grætjuleit] *vt* gratulieren (*on zu*); **congratulations** [kəngrætju'leiʃənz] *npl* Glückwünsche *Pl*; **~!** gratuliere!, herzlichen Glückwunsch!
congregation [kɒngri'geiʃən] *s* REL Gemeinde *f*
congress ['kɒŋgres] *s* Kongress *m*; (*US*) **Congress** der Kongress; **congressman** (*-men Pl*) *s*, **congresswoman** (*-women Pl*) *s* (*US*) Mitglied *n* des Repräsentantenhauses
conjunction [kən'dʒʌŋkʃən] *s* LING Konjunktion *f*; **in ~ with** in Verbindung mit
connect [kə'nekt] **1.** *vt* verbinden (*with, to* mit); ELEK, TECH anschließen (*to* an + *Akk*) **2.** *vi* (*Zug, Flugzeug*) Anschluss haben (*with* an + *Akk*); **~ing flight** Anschlussflug *m*; **~ing train** Anschlusszug *m*; **connection** [kə'nekʃən] *s* Verbindung *f*, Zusammenhang *m*; (*Zug, Flugzeug, Elektrogerät*) Anschluss *m* (*with, to* an + *Akk*); (*persönlicher Kontakt*) Beziehung *f*; **in ~ with** in Zusammenhang mit; **bad ~** TEL schlechte Verbindung; ELEK Wackelkontakt *m*; **connector** *s* IT Stecker *m*
conscience ['kɒnʃəns] *s*

Gewissen *n*; **conscientious** [kɒnʃi'enʃəs] *Adj* gewissenhaft
conscious ['kɒnʃəs] *Adj* bewusst; MED bei Bewusstsein
consecutive [kən'sekjutiv] *Adj* aufeinander folgend
consent [kən'sent] **1.** *s* Zustimmung *f* **2.** *vi* zustimmen (*to Dat*)
consequence ['kɒnsikwəns] *s* Folge *f*, Konsequenz *f*; **consequently** ['kɒnsikwəntli] *Adv* folglich
conservation [kɒnsə'veiʃən] *s* Erhaltung *f*; (*von Gebäuden*) Denkmalschutz *m*; (*von Natur*) Naturschutz *m*; **conservation area** *s* Naturschutzgebiet *n*; (*in Stadt*) unter Denkmalschutz stehendes Gebiet
Conservative [kən'sɜːvətiv] *Adj* POL konservativ
conservatory [kən'sɜːvətri] *s* Gewächshaus *n*, Wintergarten *m*
consider [kən'sidə*] *vt* nachdenken über, sich überlegen; (*Möglichkeiten etc*) in Betracht ziehen; (*einschätzen*) halten für; **he is ~ed** (*to be*) ... er gilt als ...; **considerable** [kən'sidərəbl] *Adj* beträchtlich; **considerate** [kən'sidərit] *Adj* aufmerksam, rücksichtsvoll; **consideration** [kənsidə'reiʃən] *s* (*gegenüber anderen*) Rücksicht *f*; (*Gedanke*) Überlegung *f*; **take sth into ~** etw in

Betracht ziehen; **considering** [kən'sɪdərɪŋ] **1.** *Präp* in Anbetracht + *Gen* **2.** *Konj* da

consist [kən'sɪst] *vi ~ of ...* bestehen aus

consistent [kən'sɪstənt] *Adj (Handeln)* konsequent; *(Meinungen)* übereinstimmend; *(Argumentation)* folgerichtig; *(Leistung)* beständig

consolation [kɒnsə'leɪʃən] *s* Trost *m*; **console** [kən'səʊl] *vt* trösten

consonant ['kɒnsənənt] *s* Konsonant *m*

conspicuous [kən'spɪkjʊəs] *Adj* auffällig, auffallend

conspiracy [kən'spɪrəsɪ] *s* Komplott *n*

constable ['kʌnstəbl] *s (Brit)* Polizist(in) *m(f)*

Constance ['kɒnstəns] *s* Konstanz *n*; *Lake ~* der Bodensee

constant ['kɒnstənt] *Adj* ständig, dauernd; *(Temperatur etc)* gleich bleibend; **constantly** *Adv* dauernd

consternation [kɒnstə'neɪʃən] *s* Bestürzung *f*

constituency [kən'stɪtjʊənsɪ] *s* Wahlkreis *m*

constitution [kɒnstɪ'tjuːʃən] *s* Verfassung *f*; *(von Person)* Konstitution *f*

construct [kən'strʌkt] *vt* bauen; **construction** [kən'strʌkʃən] *s* Bau *m*, Bauweise *f*; *under ~* im Bau befindlich; **construction**

site *s* Baustelle *f*

consulate ['kɒnsjʊlət] *s* Konsulat *n*

consult [kən'sʌlt] *vt* um Rat fragen; *(Arzt)* konsultieren; *(Wörterbuch etc)* nachschlagen in + *Dat*; **consultant** *s* MED Facharzt *m*, Fachärztin *f*; **consultation** [kɒnsəl-'teɪʃən] *s* Beratung *f*; MED Konsultation *f*

consume [kən'sjuːm] *vt* verbrauchen; *(essen, trinken)* konsumieren; **consumer** *s* Verbraucher(in) *m(f)*

contact ['kɒntækt] **1.** *s (physisch)* Berührung *f*; *(Beziehung)* Kontakt *m*; *(Person)* Kontaktperson *f*; *be/keep in ~ (with sb)* (mit jdm) in Kontakt sein/bleiben **2.** *vt* sich in Verbindung setzen mit; **contact lenses** *npl* Kontaktlinsen *Pl*

contagious [kən'teɪdʒəs] *Adj* ansteckend

contain [kən'teɪn] *vt* enthalten; **container** *s* Behälter *m*, Container *m*

contaminate [kən'tæmɪneɪt] *vt* verunreinigen; *(chemisch etc)* verseuchen; *~d by radiation* strahlenverseucht, verstrahlt; **contamination** [kəntæmɪ'neɪʃən] *s* Verunreinigung *f*; *(durch Radioaktivität)* Verseuchung *f*

contemporary [kən'tempərərɪ] *Adj* zeitgenössisch

contempt [kən'tempt] *s* Verachtung *f*; **contemptuous** *Adj* verächtlich

content [kən'tent] *Adj* zufrieden

content(s) [ˈkɒntent(s)] *s* (*Pl*) Inhalt *m*

contest 1. [ˈkɒntest] *s* (Wett)kampf *m* (*for* um), Wettbewerb *m* **2.** [kənˈtest] *vt* kämpfen um + *Akk*; (*Behauptung etc*) bestreiten; **contestant** [kənˈtestənt] *s* Teilnehmer(in) *m(f)*

context [ˈkɒntekst] *s* Zusammenhang *m*; **out of ~** aus dem Zusammenhang gerissen

continent [ˈkɒntinənt] *s* Kontinent *m*, Festland *n*; **the Continent** (*Brit*) das europäische Festland, der Kontinent; **continental** [kɒntiˈnentl] *Adj* kontinental; **~ breakfast** kleines Frühstück mit Brötchen und Marmelade, Kaffee oder Tee

continual [kənˈtinjʊəl] *Adj* ununterbrochen; dauernd, ständig; **continually** *Adv* dauernd; immer wieder; **continuation** [kəntinjʊˈeɪʃən] *s* Fortsetzung *f*; **continue** [kənˈtinjuː] **1.** *vi* weitermachen (*with* mit); fortfahren (*with* mit); (*Reise*) weiterfahren; (*Bedingungen, Zustand*) fortdauern, anhalten **2.** *vt* fortsetzen; **to be ~d** Fortsetzung folgt; **continuous** [kənˈtinjʊəs] *Adj* ununterbrochen; ständig

contraceptive [kɒntrəˈseptiv] *s* Verhütungsmittel *n*

contract [ˈkɒntrækt] *s* Vertrag *m*

contradict [kɒntrəˈdɪkt] *vt* widersprechen + *Dat*; **contradiction** [kɒntrəˈdɪkʃən] *s* Widerspruch *m*

contrary [ˈkɒntrəri] **1.** *s* Gegenteil *n*; **on the ~** im Gegenteil **2.** *Adj* **~ to** entgegen + *Dat*

contrast 1. [ˈkɒntrɑːst] *s* Kontrast *m*, Gegensatz *m*; **in ~ to** im Gegensatz zu **2.** [kənˈtrɑːst] *vt* entgegensetzen

contribute [kənˈtribjuːt] *vt, vi* beitragen (*to* zu); (*Geld*) spenden (*to* für); **contribution** [kɒntriˈbjuːʃən] *s* Beitrag *m*

control [kənˈtrəʊl] **1.** *vt* beherrschen; (*Gefühle*) im Griff haben, TECH steuern; **~ oneself** sich beherrschen **2.** *s* Kontrolle *f*; (*Gefühle*) Beherrschung *f*; (*Unternehmen*) Leitung *f*, TECH Steuerung *f*; **~s** *Pl* (*Knöpfe, Hebel*) Bedienungselemente *Pl*; (*Fahrzeug, Flugzeug*) Steuerung *f*; **be out of ~** außer Kontrolle sein; **control knob** *s* Bedienungsknopf *m*; **control panel** *s* Schalttafel *f*

controversial [kɒntrəˈvɜːʃəl] *Adj* umstritten

convalesce [kɒnvəˈles] *vi* gesund werden; **convalescence** *s* Genesung *f*

convenience [kənˈviːniəns] *s* Annehmlichkeit *f*; **at**

your ~ wann es Ihnen passt; **with all modern ~s** mit allem Komfort; convenience food *s* Fertiggericht *n*; convenient *Adj* günstig, passend

convent ['kɒnvənt] *s* Kloster *n*

convention [kən'venʃən] *s* Konvention *f*; (*Zusammenkunft*) Konferenz *f*; conventional *Adj* herkömmlich, konventionell

conversation [kɒnvə'seɪʃən] *s* Gespräch *n*, Unterhaltung *f*

conversion [kən'vɜːʃən] *s* Umwandlung *f* (*into* in + *Akk*); (*Gebäude*) Umbau *m* (*into* zu); (*Währung, Maß*) Umrechnung *f*; conversion table *s* Umrechnungstabelle *f*; convert [kən'vɜːt] *vt* umwandeln; (*Person*) bekehren; in + Euro umrechnen; convertible *s* AUTO Kabrio *n*

convey [kən'veɪ] *vt* befördern; (*Eindruck etc*) vermitteln; conveyor belt *s* Förderband *n*, Fließband *n*

convict 1. [kən'vɪkt] *vt* verurteilen (*of* wegen) 2. ['kɒnvɪkt] *s* Strafgefangene(r) *mf*; conviction *s* JUR Verurteilung *f*; (*Glaube*) Überzeugung *f*

convince [kən'vɪns] *vt* überzeugen (*of* von); convincing *Adj* überzeugend

cook [kʊk] 1. *vt*, *vi* kochen

2. *s* Koch *m*, Köchin *f*; cookbook *s* Kochbuch *n*; cooker *s* Herd *m*; cookie *s* (*US*) Keks *m*; cooking *s* (*Essen*) Kochen *n*; (*Küche*) Küche *f*

cool [kuːl] 1. *Adj* kühl, gelassen; *umg* (*toll*) cool, stark 2. *vt*, *vi* (ab)kühlen; ~ **it** reg dich ab! 3. *s* **keep/lose one's ~** *umg* ruhig bleiben/durchdrehen; cool down *vi* abkühlen; (*Person*) sich beruhigen

cooperate [kəu'ɒpəreɪt] *vi* zusammenarbeiten, kooperieren; cooperation [kəuɒpə'reɪʃən] *s* Zusammenarbeit *f*, Kooperation *f*; cooperative [kəu'ɒpərətɪv] 1. *Adj* hilfsbereit 2. *s* Genossenschaft *f*

cop [kɒp] *s* *umg* (*Polizist*) Bulle *m*

cope [kəup] *vi* zurechtkommen, fertig werden (*with* mit)

Copenhagen [kəupən'heɪgən] *s* Kopenhagen *n*

copier ['kɒpɪə] *s* Kopierer *m*

copper ['kɒpə] *s* Kupfer *n*; (*Brit*) *umg* (*Polizist*) Bulle *m*; *umg* (*Geld*) Kupfermünze *f*; ~**s** Kleingeld *n*

copy ['kɒpɪ] 1. *s* Kopie *f*; (*von Buch etc*) Exemplar *n* 2. *vt* kopieren; nachahmen; copyright *s* Urheberrecht *n*

coral ['kɒrəl] *s* Koralle *f*

cord [kɔːd] *s* Schnur *f*; (*Material*) Kordsamt *m*

cordial ['kɔːdɪəl] *Adj* freundlich

cordless ['kɔːdlıs] *Adj* schnurlos

core [kɔːr] *s* Kern *m*; (*von Apfel*) Kerngehäuse *n*; **core business** *s* Kerngeschäft *n*

cork [kɔːk] *s* Kork *m*; (*für Flasche*) Korken *m*; **corkscrew** ['kɔːkskruː] *s* Korkenzieher *m*

corn [kɔːn] *s* Getreide *n*, Korn *n*; (*US*) Mais *m*; (*am Fuß*) Hühnerauge *n*; ~ **on the cob** (gekochter) Maiskolben; **corned beef** *s* Cornedbeef *n*

corner ['kɔːnər] *s* **1.** Ecke *f*; (*von Straße*) Kurve *f*; SPORT Eckstoß *m* **2.** *vt* in die Enge treiben; **corner shop** *s* Laden *m* an der Ecke

cornflakes ['kɔːnfleıks] *npl* Cornflakes *Pl*; **cornflour** ['kɔːnflaʊər] (*Brit*), **cornstarch** ['kɔːnstɑːtʃ] (*US*) *s* Maismehl *n*

Cornish ['kɔːnıʃ] *Adj* kornisch; ~ **pasty** mit Fleisch und Kartoffeln gefüllte Pastete; **Cornwall** ['kɔːnwəl] *s* Cornwall *n*

coronary ['kɒrənərı] *s* MED Herzinfarkt *m*

corporation [kɔːpə'reıʃən] *s* (*US*) WIRTSCH Aktiengesellschaft *f*

corpse [kɔːps] *s* Leiche *f*

correct [kə'rekt] **1.** *Adj* richtig; korrekt **2.** *vt* korrigieren, verbessern; **correction** *s* Korrektur *f*

correspond [kɒrı'spɒnd] *vi* entsprechen (*to Dat*), über-

einstimmen; **corresponding** *Adj* entsprechend

corridor ['kɒrıdɔːr] *s* (*Gebäude*) Flur *m*; (*Zug*) Gang *m*

corrupt [kə'rʌpt] *Adj* korrupt

cosmetic [kɒz'metık] *Adj* kosmetisch; **cosmetics** *npl* Kosmetika *Pl*; **cosmetic surgery** *s* Schönheitschirurgie *f*

cosmopolitan [kɒzmə'pɒlıtən] *Adj* international; weltoffen

cost (*cost, cost*) [kɒst] **1.** *vt* kosten **2.** *s* Kosten *Pl*; **at all** ~**s**, **at any** ~ um jeden Preis; ~ **of living** *s* Lebenshaltungskosten *Pl*; **costly** *Adj* kostspielig

costume ['kɒstjuːm] *s* THEAT Kostüm *n*

cosy ['kəʊzı] *Adj* gemütlich

cot [kɒt] *s* (*Brit*) Kinderbett *n*; (*US*) Campingliege *f*

cottage ['kɒtıdʒ] *s* kleines Haus; Landhäuschen *n*; **cottage cheese** *s* Hüttenkäse *m*; **cottage pie** *s* Hackfleisch mit Kartoffelbrei überbacken

cotton ['kɒtn] *s* Baumwolle *f*; **cotton candy** *s* (*US*) Zuckerwatte *f*; **cotton wool** *s* (*Brit*) Watte *f*

couch [kaʊtʃ] *s* Couch *f*, Sofa *n*; **couchette** [kuː'ʃet] *s* Liegewagen(platz) *m*

cough [kɒf] **1.** *vi* husten **2.** *s* Husten *m*; **cough mixture** *s* Hustensaft *m*; **cough sweet** *s* Hustenbonbon *m*

could [kʊd] *pt von* **can**; konnte; *Konditional* könnte; **~ you come earlier?** könntest du früher kommen?; **couldn't** *Kontr von* **could not**

council ['kaʊnsl] *s* POL Rat *m*; (*von Gemeinde*) Gemeinderat *m*; (*von Stadt*) Stadtrat *m*; **council estate** *s* Siedlung *f* des sozialen Wohnungsbaus; **council house** *s* Sozialwohnung *f*; **council tax** *s* Gemeindesteuer *f*

count [kaʊnt] **1.** *vt* zählen; mitrechnen **2.** *s* Zählung *f*; (*Adelstitel*) Graf *m*; **count on** *vt* sich verlassen auf + *Akk*; (*erwarten*) rechnen mit

counter ['kaʊntə] *s* (*Geschäft*) Ladentisch *m*; (*Lokal*) Theke *f*; (*Bank, Post*®) Schalter *m*; **counter attack 1.** *s* Gegenangriff *m* **2.** *vi* zurückschlagen; **counter-clockwise** *Adv* (*US*) entgegen den Uhrzeigersinn

counterfoil ['kaʊntəfɔɪl] *s* (Kontroll)abschnitt *m*

counterpart ['kaʊntəpɑːt] *s* Gegenstück *n* (*of zu*)

countess *s* Gräfin *f*

countless ['kaʊntlɪs] *Adj* zahllos, unzählig

country ['kʌntrɪ] *s* Land *n*; **in the ~** auf dem Land(e); **in this ~** hierzulande; **country cousin** *s umg* Landei *n*; **country dancing** *s* Volkstanz *m*; **country-**

man *s* Landsmann *m*; **country music** *s* Country-music *f*; **country road** *s* Landstraße *f*; **countryside** *s* Landschaft *f*; (*ländliche Gegend*) Land *n*

county ['kaʊntɪ] *s* (*Brit*) Grafschaft *f*; (*US*) Verwaltungsbezirk *m*; **county town** *s* (*Brit*) ≈ Kreisstadt *f*

couple [kʌpl] *s* Paar *n*; **a ~ of** ein paar

coupon ['kuːpɒn] *s* Gutschein *m*

courage ['kʌrɪdʒ] *s* Mut *m*

courgette [kʊə'ʒet] *s* (*Brit*) Zucchini *f*

courier ['kʊrɪə] *s* (*Tourismus*) Reiseleiter(in) *m(f)*; (*Bote*) Kurier *m*

course [kɔːs] *s* (*um etw zu lernen*) Kurs *m*; (*bei Sportwettbewerb*) Strecke *f*; SCHIFF, FLUG Kurs *m*; (*an der Uni*) Studiengang *m*; (*Teil einer Mahlzeit*) Gang *m*; **of ~** natürlich; **in the ~ of** während

court [kɔːt] *s* SPORT Platz *m*; JUR Gericht *n*

courtesy ['kɜːtəsɪ] *s* Höflichkeit *f*; **~ bus/coach** (gebührenfreier) Zubringerbus *m*

courthouse ['kɔːthaʊs] *s* (*US*) Gerichtsgebäude *n*; **court order** *s* Gerichtsbeschluss *m*; **courtroom** *s* Gerichtssaal *m*

courtyard ['kɔːtjɑːd] *s* Hof *m*

cousin ['kʌzn] *s* Cousin *m*, Cousine *f*

cover ['kʌvəʳ] **1.** vt bedecken (in, with mit); (Strecke) zurücklegen; (Kosten) decken **2.** s (für Bett) Decke f; (Kissen) Bezug m; (Behälter) Deckel m; (Buch) Umschlag m; (**insurance**) Versicherungsschutz m; **cover up** vt zudecken; (Fehler) vertuschen; **coverage** s Berichterstattung f (of über + Akk); **cover charge** s Kosten Pl für ein Gedeck; **covering letter** s Begleitbrief m; **cover story** s Titelgeschichte f

cow [kaʊ] s Kuh f

coward ['kaʊəd] s Feigling m; **cowardly** Adj feig(e)

cowboy ['kaʊbɔɪ] s Cowboy m

cozy ['kəʊzɪ] Adj (US) gemütlich

CPU IT Abk = **central processing unit**; Zentraleinheit f

crab [kræb] s Krabbe f

crabby ['kræbɪ] Adj mürrisch, reizbar

crack [kræk] **1.** s Riss m; (in Glas, Porzellan) Sprung m; (Droge) Crack m; **have a ~ at sth** etw ausprobieren **2.** vi (Tasse, Glas) einen Sprung bekommen; (Wand, Eis etc) einen Riss bekommen; **get ~ing** loslegen **3.** vt (Knochen) anbrechen; (Nuss, Kode) knacken

cracker ['krækəʳ] s (Gebäck) Kräcker m; (für Weihnachten) Knallbonbon m; **crack-**

ers Adj umg verrückt, bekloppt

crackle ['krækl] vi knistern; (Telefonleitung) knacken; **crackling** s GASTR Kruste f (des Schweinebratens)

cradle ['kreɪdl] s Wiege f

craft [krɑːft] s Handwerk n, Kunsthandwerk n; **craftsman** (-men Pl) s Handwerker m

cram [kræm] **1.** vt stopfen (into in + Akk); **be ~med with ...** mit ... voll gestopft sein **2.** vi (für Prüfung) pauken (for für)

cramp [kræmp] s Krampf m

cranberry ['krænbərɪ] s Preiselbeere f

crane [kreɪn] s Kran m; (Vogel) Kranich m

crap [kræp] **1.** s vulg Scheiße f, Mist m **2.** Adj beschissen, Scheiß-

crash [kræʃ] **1.** vi einen Unfall haben; (zwei Fahrzeuge) zusammenstoßen; (Flugzeug, Computer) abstürzen; (Wirtschaft) zusammenbrechen; **~ into sth** gegen etw knallen **2.** vt einen Unfall haben mit **3.** s (Auto) Unfall m; (Zug) Unglück n; (Kollision) Zusammenstoß m; FLUG, IT Absturz m; (Geräusch) Krachen n; **crash barrier** s Leitplanke f; **crash course** s Intensivkurs m; **crash helmet** s Sturzhelm m

crate [kreɪt] s Kiste f; (Bier) Kasten m

crater ['kreɪtər] s Krater m

craving [kreɪvɪŋ] s starkes Verlangen, Bedürfnis n

crawl [krɔ:l] **1.** vi kriechen; (Baby) krabbeln **2.** s (Schwimmen) Kraul n; **crawler lane** s Kriechspur f

crayfish ['kreɪfɪʃ] s Languste f

crayon ['kreɪən] s Buntstift m

crazy ['kreɪzɪ] Adj verrückt (about nach)

cream [kri:m] **1.** s (von Milch) Sahne f, Rahm m; (kosmetisch) Creme f **2.** Adj cremefarben; **cream cake** s Sahnetörtchen n, Sahnetorte f; **cream cheese** s Frischkäse m; **creamer** s Kaffeeweißer m

cream tea

Besucht man am Nachmittag in Großbritannien einen **tearoom**, so ist **cream tea** ein Muss. **Cream tea** besteht aus **scones** (kleinen süßen Hefebrötchen mit oder ohne Rosinen), die man mit **clotted cream** (besonders dicker, sehr fetthaltiger Sahne) und **strawberry jam** (Erdbeermarmelade) isst. Dazu gibt's natürlich **tea** (Tee).

creamy Adj sahnig

crease [kri:s] **1.** s Falte f **2.** vt falten; (Kleidung) zerknittern

create [kri'eɪt] vt schaffen;

(Unsicherheit etc) verursachen; **creative** [kri'eɪtɪv] Adj kreativ; **creature** ['kri:tʃər] s Geschöpf n

crèche [kreɪʃ] s Kinderkrippe f

credible ['kredɪbl] Adj glaubwürdig; **credibility** s Glaubwürdigkeit f

credit ['kredɪt] s FIN Kredit m; (auf Konto) Guthaben n; (für Arbeit, Leistung) Anerkennung f; ~s (von Film) Abspann m; **credit card** s Kreditkarte f

creep (crept, crept) [kri:p, krept] vi kriechen; **creeps** s he gives me the ~ er ist mir nicht ganz geheuer; **creepy** ['kri:pɪ] Adj gruselig, unheimlich

crept [krept] pt, pp von **creep**

cress [kres] s Kresse f

crest [krest] s Kamm m; (symbolisch für Dynastie etc) Wappen n

crew [kru:] s Besatzung f, Mannschaft f

crib [krɪb] s (US) Kinderbett n

cricket ['krɪkɪt] s (Insekt) Grille f; (Sport) Kricket n

crime [kraɪm] s Verbrechen n; **criminal** ['krɪmɪnl] **1.** s Verbrecher(in) m(f) **2.** Adj kriminell, strafbar

crisis (crises Pl) ['kraɪsɪs, -sɪz] s Krise f

crisp [krɪsp] Adj knusprig; **crisps** npl (Brit) Chips Pl; **crispbread** s Knäckebrot n criterion [kraɪˈtɪərɪən] s Kriterium n; critic [ˈkrɪtɪk] s Kritiker(in) m(f); critical Adj kritisch; critically Adv kritisch; **ill/injured** schwer krank/verletzt; criticism [ˈkrɪtɪsɪzəm] s Kritik f; criticize [ˈkrɪtɪsaɪz] vt kritisieren

Croat [ˈkrəʊæt] s Kroate m, Kroatin f; Croatia [krəʊˈeɪʃə] s Kroatien n; Croatian Adj kroatisch

crockery [ˈkrɒkəri] s Geschirr n

crocodile [ˈkrɒkədaɪl] s Krokodil n

crocus [ˈkrəʊkəs] s Krokus m

crop [krɒp] s Ernte f; crops npl Getreide n

croquette [krəˈket] s Krokette f

cross [krɒs] 1. s Kreuz n; **mark sth with a ~** etw ankreuzen 2. vt (Straße) überqueren; (Beine) übereinander schlagen; **it ~ed my mind** es fiel mir ein; **~one's fingers** die Daumen drücken 3. Adj ärgerlich, böse; cross out vt durchstreichen

crossbar s (Fahrrad) Stange f; SPORT Querlatte f; cross-country Adj ~ **running** Geländelauf m; ~ **skiing** Langlauf m; cross-eyed Adj be ~ schielen; crossing s (Straßen)kreuzung f; (über Straße) Fußgängerüberweg m; (mit Schiff) Überfahrt f; crossroads

nsing od Pl Straßenkreuzung f; cross section s Querschnitt m; crosswalk s (US) Fußgängerüberweg m; crossword (puzzle) s Kreuzworträtsel n

crouch [kraʊtʃ] vi hocken

crouton [ˈkruːtɒn] s Croûton m

crow [krəʊ] s Krähe f

crowd [kraʊd] 1. s Menge f 2. vi sich drängen (into in + Akk; round um); crowded Adj überfüllt

crown [kraʊn] 1. s Krone f 2. vt krönen; crown jewels npl Kronjuwelen Pl

crucial [ˈkruːʃəl] Adj entscheidend

crude [kruːd] 1. Adj primitiv; (Sprache, Witz) derb, ordinär 2. s ~ (oil) Rohöl n

cruel [ˈkruːəl] Adj grausam (to zu, gegen); gefühllos; cruelty s Grausamkeit f; ~ **to animals** Tierquälerei f

cruise [kruːz] 1. s Kreuzfahrt f 2. vi (Schiff) kreuzen; (Auto) mit Reiseschwindigkeit fahren; cruise liner s Kreuzfahrtschiff n; cruise missile s Marschflugkörper m

crumb [krʌm] s Krume f

crumble [ˈkrʌmbl] 1. vt, vi zerbröckeln 2. s mit Streuseln überbackenes Kompott

crumpet [ˈkrʌmpɪt] s weiches Hefegebäck zum Toasten; (attraktive Frau) umg Schnecke f

crumple [ˈkrʌmpl] vt zerknittern; **crumple zone** s AUTO Knautschzone f

crunchy ['krʌntʃɪ] Adj (Brit) knusprig

crusade [kruː'seɪd] s Kreuzzug m

crush [krʌʃ] **1.** vt zerdrücken; (Finger) quetschen; (Gewürze) zerstoßen **2.** s **have a ~ on sb** in jdn verknallt sein; **crushing** Adj vernichtend

crust [krʌst] s Kruste f; **crusty** Adj knusprig

crutch [krʌtʃ] s Krücke f

cry [kraɪ] **1.** vi rufen; schreien; (Tränen vergießen) weinen **2.** s Ruf m, Schrei m

crypt [krɪpt] s Krypta f

cub [kʌb] s (Tier) Junge(s) n

Cuba ['kjuːbə] s Kuba f

cube [kjuːb] s Würfel m

cubic ['kjuːbɪk] Adj Kubik-; **cubicle** ['kjuːbɪkl] s Kabine f

cuckoo ['kʊkuː] s Kuckuck m

cucumber ['kjuːkʌmbə'] s Salatgurke f

cuddle ['kʌdl] **1.** vt in den Arm nehmen; schmusen mit **2.** s Liebkosung f, Umarmung f; **have a ~** schmusen; **cuddly** ['kʌdlɪ] Adj verschmust; **cuddly toy** s Plüschtier n

cuff [kʌf] s Manschette f; (US, von Hose) Aufschlag m; **cufflink** s Manschettenknopf m

cuisine [kwɪ'ziːn] s Kochkunst f, Küche f

cul-de-sac ['kʌldəsæk] s (Brit) Sackgasse f

culprit ['kʌlprɪt] s Schuldige(r) mf; Übeltäter(in) m(f)

cult [kʌlt] s Kult m

cultivate ['kʌltɪveɪt] vt LANDW (Land) bebauen; (Getreide) anbauen; **cultivated** Adj (Person) kultiviert, gebildet

cultural ['kʌltʃərəl] Adj kulturell, Kultur-; **culture** s Kultur f; **cultured** Adj gebildet, kultiviert; **culture vulture** umg (Brit) s Kulturfanatiker(in) m(f)

cumbersome ['kʌmbəsəm] Adj unhandlich

cumin ['kʌmɪn] s Kreuzkümmel m

cunning ['kʌnɪŋ] Adj schlau; gerissen

cup [kʌp] s Tasse f; (Trophäe) Pokal m; **it's not his ~ of tea** das ist nicht sein Fall; **cupboard** ['kʌbəd] s Schrank m; **cup final** s Pokalendspiel n

curable ['kjʊərəbl] Adj heilbar

curb [kɜːb] s (US) → **kerb**

curd [kɜːd] s **~ cheese**, **~s** ≈ Quark m

cure [kjʊə'] **1.** s Heilmittel n (for gegen); (von Krankheit) Heilung f **2.** vt heilen; GASTR (Fleisch) räuchern

curious ['kjʊərɪəs] Adj neugierig; (merkwürdig) seltsam

curl [kɜːl] **1.** s Locke f **2.** vi sich kräuseln; **curly** Adj lockig

currant ['kʌrənt] s (getrocknet) Korinthe f; (Rote, Schwarze) Johannisbeere f

currency ['kʌrənsı] s Währung f; **foreign ~** Devisen Pl

current ['kʌrənt] **1.** s (in Wasser) Strömung f; (elektrisch) Strom m **2.** Adj aktuell, gegenwärtig; (Ausdruck) gängig; **current account** s Girokonto n; **currently** Adv zur Zeit

curriculum [kə'rıkjuləm] s Lehrplan m; **curriculum vitae** [kə'rıkjuləm'vi:taı] s (Brit) Lebenslauf m

curry ['kʌrı] s Currygericht n; **curry powder** s Curry(pulver) n

curse [kɜːs] **1.** vi fluchen (at auf + Akk) **2.** s Fluch m

cursor ['kɜːsə²] s IT Cursor m

curtain ['kɜːtn] s Vorhang m; **it was ~s for Benny** für Benny war alles vorbei

curve [kɜːv] s Kurve f; **curved** Adj gebogen

cushion ['kuʃn] s Kissen n

custard ['kʌstəd] s dicke Vanillesoße, die warm oder kalt zu vielen englischen Nachspeisen gegessen wird

custom ['kʌstəm] s Brauch m, Gewohnheit f; **customary** ['kʌstəmrı] Adj üblich; **custom-built** Adj nach Kundenangaben gefertigt; **customer** s Kunde m, Kundin f; **customer loyalty card** s Kundenkarte f; **customer service** s Kundendienst m

customs ['kʌstəmz] npl Zoll m; **pass through ~** durch den Zoll gehen; **customs officer** s Zollbeamte(r) m, Zollbeamtin f

cut [kʌt] **1.** vt (cut, cut) schneiden; (Kuchen) anschneiden; (Ausgaben, Löhne) kürzen; (Preise) heruntersetzen; **I ~ my finger** ich habe mir in den Finger geschnitten **2.** s Schnitt m; (Verletzung) Schnittwunde f; (von Gehalt, staatlicher Leistung) Kürzung f (in Gen); **price/tax ~** Preissenkung/Steuersenkung f; **cut back** vt (Arbeitskräfte etc) reduzieren; **cut down** vt (Baum) fällen; **cut down on sth** etwas einschränken; **cut in** vi AUTO scharf einscheren; **cut off** vt abschneiden; (Gas, Elektrizität) abdrehen, abstellen; TEL **I was ~** ich wurde unterbrochen

cute [kjuːt] Adj putzig, niedlich; (US) clever

cutlery ['kʌtlərı] s Besteck n

cutlet ['kʌtlıt] s Kotelett n, Schnitzel n

cut-price Adj verbilligt

cutting ['kʌtıŋ] **1.** s (aus Zeitung) Ausschnitt m; (Pflanze) Ableger m **2.** Adj (Bemerkung) verletzend

CV Abk = **curriculum vitae**

cwt Abk = **hundredweight**; ≈ Zentner, Ztr.

cybercafé [saıbə'kæfeı] s Internetcafé n; **cyberspace** s Cyberspace m

cyclamen ['sıkləmən] s Alpenveilchen n

cycle ['saıkl] **1.** s Fahrrad n **2.** vi Rad fahren; cycle lane, cycle path s Radweg m; cycling s Radfahren n; cyclist ['saıklıst] s Radfahrer(in) m(f)

cylinder ['sılındəʳ] s Zylinder m

cynical ['sınıkəl] Adj zynisch

cypress ['saıprıs] s Zypresse f

Cypriot ['sıprıət] **1.** Adj zypriotisch **2.** s Zypriote m, Zypriotin f; Cyprus ['saıprəs] s Zypern n

czar [zɑːʳ] s Zar m; czarina [zaˈriːnə] s Zarin f

Czech [tʃek] **1.** Adj tschechisch **2.** s (Person) Tscheche m, Tschechin f; (Sprache) Tschechisch n; Czech Republic s Tschechische Republik, Tschechien n

D

dab [dæb] vt (Wunde, Nase etc) betupfen (with mit)

dad(dy) ['dæd(ı)] s Papa m, Vati m; daddy-longlegs nsing (Brit) Schnake f; (US) Weberknecht m

daffodil ['dæfədıl] s Osterglocke f

daft [dɑːft] Adj umg blöd, doof

daily ['deılı] **1.** Adj, Adv täglich **2.** s Tageszeitung f

dairy ['deərı] s Molkerei f; dairy products npl Milchprodukte Pl

daisy ['deızı] s Gänseblümchen n

dam [dæm] **1.** s Staudamm m **2.** vt stauen

damage ['dæmıdʒ] **1.** s Schaden m; ~s Pl JUR Schadenersatz m **2.** vt beschädigen; (Ruf, Gesundheit) schädigen, schaden + Dat

damn [dæm] **1.** Adj umg verdammt **2.** vt verurteilen; ~ (it)! verflucht! **3.** s he **doesn't give a ~** es ist ihm völlig egal

damp [dæmp] **1.** Adj feucht **2.** s Feuchtigkeit f; dampen vt befeuchten

dance [dɑːns] **1.** s Tanz m, Tanzveranstaltung f **2.** vi tanzen; dance floor s Tanzfläche f; dancer s Tänzer(in) m(f); dancing s Tanzen n

dandelion ['dændılaıən] s Löwenzahn m

dandruff ['dændrəf] s Schuppen Pl

Dane [deın] s Däne m, Dänin f

danger ['deındʒəʳ] s Gefahr f; **be in ~** in Gefahr sein; dangerous Adj gefährlich

Danish ['deınıʃ] **1.** Adj dänisch 2. s (Sprache) Dänisch n; **the ~** Pl die Dänen; Danish pastry s Plundergebäck n

Danube ['dænju:b] s Donau f

dare [deə] vi ~ (**to**) **do sth** es wagen, etw zu tun; **I didn't ~ ask** ich traute mich nicht, zu fragen; **how ~ you** was fällt dir ein!; **daring** Adj (Person) mutig; (Film, Kleidung) gewagt

dark [dɑːk] **1.** Adj dunkel; (Stimmung) düster, trübe; (Blick, Mächte) finster; ~ **chocolate** Bitterschokolade f; ~ **green/blue** dunkelgrün/dunkelblau **2.** s Dunkelheit f; dark glasses npl Sonnenbrille f; darkness s Dunkelheit n

darling ['dɑːlɪŋ] s Schatz m, Liebling m

dart [dɑːts] s Wurfpfeil m; **darts** nsing (Spiel) Darts n

dash [dæʃ] **1.** vi stürzen, rennen **2.** vt ~ **hopes** Hoffnungen zerstören **3.** s (in Text) Gedankenstrich m; (von Flüssigkeit, beim Kochen) Schuss m; **dashboard** s Armaturenbrett n

data ['deɪtə] npl Daten Pl; **data bank, data base** s Datenbank f; **data capture** s Datenerfassung f; **data processing** s Datenverarbeitung f; **data protection** s Datenschutz m

date [deɪt] **1.** s Datum n; (Treffen) Termin m; (geschäftlich) Verabredung f;

(mit Freundin) Date n; (Frucht) Dattel f; **what's the ~ (today)**? der Wievielte ist heute?; **out of ~** Adj veraltet; **up to ~** Adj (Nachricht) aktuell; (Mode) zeitgemäß **2.** vt (Brief) datieren; (in Beziehung) gehen mit; **dated** Adj altmodisch; **date of birth** s Geburtsdatum n; **dating agency** s Partnervermittlung f

daughter ['dɔːtə] s Tochter f; **daughter-in-law** (daughters-in-law) s Schwiegertochter f

dawn [dɔːn] **1.** s Morgendämmerung f **2.** vi dämmern; **it ~ed on me** mir ging ein Licht auf

day [deɪ] s Tag m; **one ~** eines Tages; **by ~** bei Tage; ~ **after ~, ~ by ~** Tag für Tag; **the ~ after** am Tage danach/zuvor; **the ~ before yesterday** vorgestern; **the ~ after tomorrow** übermorgen; **these ~s** heutzutage; **in those ~s** damals; **let's call it a ~** Schluss für heute!; **daydream 1.** s Tagtraum m **2.** vi (mit offenen Augen) träumen; **daylight** s Tageslicht n; **daylight saving time** s Sommerzeit f; **day nursery** s Kindergesstätte f; **day return** s (Brit) BAHN Tagesrückfahrkarte f; **daytrip** s Tagesausflug m

dazzle ['dæzl] vt blenden

dead [ded] **1.** Adj tot; (Zeh

etc) abgestorben **2.** *Adv* genau; *umg* total, völlig; **~ tired** *Adj* todmüde; **~ slow** *(Verkehrsschild)* Schritt fahren; **dead end** *s* Sackgasse *f;* **deadline** *s* Termin *m,* Frist *f;* **~ for applications** Anmeldeschluss *m;* **deadly 1.** *Adj* tödlich **2.** *Adv* **~ dull** todlangweilig

deaf [def] *Adj* taub; **deafen** *vt* taub machen; **deafening** *Adj* ohrenbetäubend

deal [di:l] **1.** *vt, vi* (dealt, dealt) [delt] *(Spielkarten)* geben, austeilen **2.** *s* Geschäft *n;* *(Vereinbarung)* Abmachung *f;* **it's a ~** abgemacht!; **a good/great ~ of** ziemlich/sehr viel; **deal in** *vt* handeln mit; **deal with** *vt* sich beschäftigen mit; *(Buch, Film: als Inhalt)* behandeln; *(mit Person, Problem)* fertig werden mit; *(eine Sache)* erledigen; **dealer** *s* WIRTSCH Händler(in) *m(f);* *(von Rauschgift)* Dealer(in) *m(f)*

dealt [delt] *pt, pp von* **deal**

dear [dɪəʳ] **1.** *Adj* lieb, teuer; **Dear Sir or Madam** Sehr geehrte Damen und Herren; **Dear David** Lieber David **2.** *s* Schatz *m;* *(Anrede)* mein Schatz, Liebling; **dearly** *Adv* *(lieben)* (sehr lieb und) innig; *(bezahlen)* teuer

death [deθ] *s* Tod *m;* *(von Hoffnungen, Projekt)* Ende *n;* **~s** *Pl* Todesfälle; *(bei Unfall)* Todesopfer; **death**

certificate *s* Totenschein *m;* **death penalty** *s* Todesstrafe *f;* **death toll** *s* Zahl *f* der Todesopfer

debatable [dɪˈbeɪtəbl] *Adj* fraglich; *(Frage)* strittig; **debate** [dɪˈbeɪt] **1.** *s* Debatte *f* **2.** *vt* debattieren

debit [ˈdebɪt] **1.** *s* Soll *n* **2.** *vt* *(Konto)* belasten

debris [ˈdebriː] *s* Trümmer *Pl*

debt [det] *s* Schuld *f;* **be in ~** verschuldet sein

decade [ˈdekeɪd] *s* Jahrzehnt *n*

decaff [ˈdiːkæf] *s umg* koffeinfreier Kaffee; **decaffeinated** [diːˈkæfɪneɪtɪd] *Adj* koffeinfrei

decanter [dɪˈkæntəʳ] *s* Dekanter *m,* Karaffe *f*

decay [dɪˈkeɪ] **1.** *s* Verfall *m,* Verwesung *f;* *(Zahn)* Fäule *f* **2.** *vi* verfallen; verwesen; *(Holz)* vermodern; *(Zahn)* faulen; *(Laub)* verrotten

deceased [dɪˈsiːst] *s* **the ~** der/die Verstorbene

deceive [dɪˈsiːv] *vt* täuschen

December [dɪˈsembəʳ] *s* Dezember *m;* **→ September**

decent [ˈdiːsənt] *Adj* anständig

decide [dɪˈsaɪd] **1.** *vt* entscheiden; beschließen; **I can't ~ what to do** ich kann mich nicht entscheiden, was ich tun soll **2.** *vi* sich entscheiden; **~ on sth** sich für etw entscheiden, sich zu etw entschließen; **decided** *Adj* entschieden

(*Verbesserung etc*) deutlich; **decidedly** *Adv* entschieden

decimal ['desɪml] *Adj* Dezimal-; **decimal system** *s* Dezimalsystem *n*

decipher [dɪ'saɪfə] *vt* entziffern

decision [dɪ'sɪʒən] *s* Entscheidung *f* (*on* über + *Akk*); (*von Komitee, Jury etc*) Beschluss *m*; **make a ~** eine Entscheidung treffen; **decisive** [dɪ'saɪsɪv] *Adj* entscheidend; (*Person*) entscheidungsfreudig

deck [dek] *s* SCHIFF Deck *n*; (*von Spielkarten*) Blatt *n*; **deckchair** *s* Liegestuhl *m*

declaration [deklə'reɪʃən] *s* Erklärung *f*; **declare** [dɪ'kleə] *vt* erklären; (*selbstsicher*) behaupten (*that* dass); (*beim Zoll*) **have you anything to ~?** haben Sie etwas zu verzollen?

decline [dɪ'klaɪn] **1.** *s* Rückgang *m* **2.** *vt* (*Einladung, Angebot*) ablehnen **3.** *vi* sinken, abnehmen; (*Gesundheit*) sich verschlechtern

decode [diː'kəʊd] *vt* entschlüsseln

decorate ['dekəreɪt] *vt* (*aus*)schmücken; (*mit Tapete*) tapezieren; (*mit Farbe*) anstreichen; **decoration** [dekə'reɪʃən] *s* Schmuck *m*; (*Vorgang*) Schmücken *n*; (*mit Tapete*) Tapezieren *n*; (*mit Farbe*) Anstreichen *n*; **Christmas ~s** Weihnachtsschmuck *m*;

decorator *s* Maler(in) *m(f)*

decrease 1. ['diːkriːs] *s* Abnahme *f* **2.** [diː'kriːs] *vi* abnehmen

dedicate ['dedɪkeɪt] *vt* widmen (*to sb* jdm); **dedicated** *Adj* (*Person*) engagiert; **dedication** [dedɪ'keɪʃən] *s* Widmung *f*; (*an/für etwas*) Hingabe *f*, Engagement *n*

deduce [dɪ'djuːs] *vt* folgern, schließen (*from* aus, *that* dass)

deduct [dɪ'dʌkt] *vt* abziehen (*from* von); **deduction** [dɪ'dʌkʃən] *s* (*Geld*) Abzug *m*; (*logisch*) (Schluss)folgerung *f*

deed [diːd] *s* Tat *f*

deep [diːp] *Adj* tief; **deepen** *vt* vertiefen; **deep-freeze** *s* Tiefkühltruhe *f*, Gefrierschrank *m*; **deep-fry** *vt* frittieren

deer [dɪə] *s* Reh *n*; (*größer*) Hirsch *m*

defeat [dɪ'fiːt] **1.** *s* Niederlage *f*; **admit ~** sich geschlagen geben **2.** *vt* besiegen

defect ['diːfekt] *s* Defekt *m*, Fehler *m*; **defective** [dɪ'fektɪv] *Adj* fehlerhaft

defence [dɪ'fens] *s* Verteidigung *f*; **defend** [dɪ'fend] *vt* verteidigen; **defendant** *s* JUR Angeklagte(r) *mf*; **defender** *s* SPORT Verteidiger(in) *m(f)*; **defensive** [dɪ'fensɪv] *Adj* defensiv

deficiency [dɪ'fɪʃənsɪ] *s* Mangel *m*; **deficit** ['defɪsɪt] *s* Defizit *n*

define [dɪˈfaɪn] vt definieren; (Pflichten etc) bestimmen; **definite** [ˈdefɪnɪt] Adj (Entscheidung, Antwort) klar, eindeutig; (gewiss) sicher; **it's** ~ es steht fest; **definitely** Adv sicher; **definition** s [defɪˈnɪʃən] s Definition f; FOTO Schärfe f

deflate [diːˈfleɪt] vt die Luft ablassen aus

defrost [diːˈfrɒst] vt (Kühlschrank) abtauen; (Essen) auftauen

degree [dɪˈgriː] s Grad m; (an Universität) akademischer Grad; **to a certain** ~ einigermaßen; **I have a** ~ **in chemistry** ≈ ich habe Chemie studiert

dehydrated [diːhaɪˈdreɪtɪd] Adj (Lebensmittel) getrocknet, Trocken-; (Haut, Körper) ausgetrocknet

de-ice [diːˈaɪs] vt enteisen

delay [dɪˈleɪ] **1.** vt verschieben, aufschieben; **be** ~**ed** (Ereignis, Abfahrt) sich verzögern; **the train/flight was** ~**ed** der Zug/die Maschine hatte Verspätung **2.** vi warten; (unentschlossen) zögern **3.** s Verzögerung f; (von Zug) Verspätung f; **without** ~ unverzüglich; **delayed** Adj (Zug) verspätet

delegation [delɪˈgeɪʃən] s Abordnung f; (von Politikern) Delegation f

delete [dɪˈliːt] vt (aus)streichen; IT löschen; **deletion** s Streichung f; IT Löschung f

deli [ˈdelɪ] s umg Feinkostgeschäft n

deliberate [dɪˈlɪbərət] Adj absichtlich; **deliberately** Adv mit Absicht, extra

delicate [ˈdelɪkət] Adj fein; (Farbe, Person) zart; a. MED empfindlich; (Situation, Sache) heikel

delicatessen [delɪkəˈtesn] nsing Feinkostgeschäft n

delicious [dɪˈlɪʃəs] Adj köstlich, lecker

delight [dɪˈlaɪt] s Freude f; **delighted** Adj sehr erfreut (with über + Akk); **delightful** Adj entzückend; herrlich

deliver [dɪˈlɪvə*] vt liefern (to sb jdm); (Brief, Paket) zustellen; (Rede) halten; (Baby) entbinden; **delivery** s Lieferung f; (Brief, Paket) Zustellung f; (Baby) Entbindung f; **delivery van** s Lieferwagen m

delude [dɪˈluːd] vt täuschen; **don't** ~ **yourself** mach dir nichts vor; **delusion** s Irrglaube m

de luxe [dɪˈlʌks] Adj Luxus-

demand [dɪˈmɑːnd] **1.** vt verlangen (from von); (Zeit, Geduld) erfordern **2.** s Forderung f, Verlangen n (for nach); WIRTSCH (nach Waren) Nachfrage f; **on** ~ auf Wunsch; **very much in** ~ sehr gefragt; **demanding** Adj anspruchsvoll

demerara [deməˈreərə] s ~ (**sugar**) brauner Zucker

demister s Defroster m

demo (-s Pl) ['deməʊ] s
umg Demo f

democracy [dɪ'mɒkrəsɪ] s
Demokratie f; democrat,
Democrat (US) POL
['deməkræt] Demokrat m
m(f); democratic Adj de-
mokratisch; the Democrat-
ic Party (US) POL die De-
mokratische Partei

demolish [dɪ'mɒlɪʃ] vt abreißen; fig zerstören

demonstrate ['demənstreɪt]
vt, vi demonstrieren, be-
weisen; demonstration f
Demonstration f

denationalization ['di:næʃ-
nəlaɪ'zeɪʃən] s Privatisie-
rung f

denial [dɪ'naɪəl] s Leugnung
f; (offiziell) Dementi n

denim ['denɪm] s Jeansstoff
m; denim jacket s Jeansja-
cke f; denims npl Blue-
jeans Pl

Denmark ['denmɑːk] s Dä-
nemark n

denomination [dɪnɒmɪ'neɪʃ-
ən] s REL Konfession f;
WIRTSCH Nennwert m

dense [dens] Adj dicht; umg
(dumm) schwer von Be-
griff; density s Dichte f

dent [dent] s 1. s Beule f, Delle f 2. vt einbeulen

dental ['dentl] Adj Zahn-; ~
care Zahnpflege f; ~ floss
Zahnseide f; dentist s
Zahnarzt m, Zahnärztin f;
dentures ['dentʃəz] npl
Zahnprothese f, Gebiss n

deny [dɪ'naɪ] vt leugnen, be-

streiten; (Bitte) ablehnen

deodorant [di:'əʊdərənt] s
Deo(dorant) n; ~ spray
Deospray m or n

depart [dɪ'pɑːt] vi abreisen;
(Bus, Zug) abfahren (for
nach, from von); (Flug-
zeug) abfliegen (for nach,
from von)

department [dɪ'pɑːtmənt] s
Abteilung f; (an Universität) Institut n; POL Ministerium n; department store
s Kaufhaus n

departure [dɪ'pɑːtʃə] s (von
Mitarbeiter) Weggang m;
(von Person) Abreise f (for
nach); (Zug, Bus) Abfahrt f
(for nach); (Flugzeug) Abflug m (for nach); depar-
ture lounge s FLUG Abflughalle f; departure time s
Abfahrtzeit f, FLUG Abflugzeit f

depend [dɪ'pend] vi it ~s es
kommt darauf an (whether,
if ob); depend on vi ab-
hängen von; (Person) sich
verlassen auf + Akk; (Person, Gegend) angewiesen
sein auf + Akk; it ~s on
the weather es kommt auf
das Wetter an; dependable
Adj zuverlässig; dependent
Adj abhängig (on von)

deplorable [dɪ'plɔːrəbl] Adj
bedauerlich

deport [dɪ'pɔːt] vt ausweisen, abschieben; deporta-
tion [di:pɔː'teɪʃən] s Ab-
schiebung f

deposit [dɪ'pɒzɪt] 1. s (bei

Kauf) Anzahlung *f; (Wohnung)* Kaution *f; (Flasche)* Pfand *n; (auf Konto)* Einzahlung *f; (Metall)* Ablagerung *f* **2.** *vt* abstellen, absetzen; *(auf Konto)* einzahlen; *(etw Wertvolles)* deponieren; **deposit account** *s* Sparkonto *n*

depot ['depəʊ] *s* Depot *n*

depress [dɪ'pres] *vt* deprimieren; **depressed** *Adj* niedergeschlagen, deprimiert; **~ area** Notstandsgebiet *n*; **depressing** *Adj* deprimierend; **depression** [dɪ'preʃən] *s* Depression *f*; METEO Tief *n*

deprive [dɪ'praɪv] *vt* **~ sb of sth** jdn einer Sache berauben; **deprived** *Adj* (sozial) benachteiligt

dept *Abk* = **department**; Abt.

depth [depθ] *s* Tiefe *f*

deputy ['depjʊtɪ] **1.** *Adj* stellvertretend, Vize- **2.** *s* Stellvertreter(in) *m(f)*; *(US)* POL Abgeordnete(r) *mf*

derail [dɪ'reɪl] *vt* entgleisen lassen; **be ~ed** *vi* entgleisen

dermatitis [dɜːmə'taɪtɪs] *s* Hautentzündung *f*

derogatory [dɪ'rɒgətərɪ] *Adj* abfällig

descend [dɪ'send] *vt, vi* hinabsteigen, hinuntergehen; *(Person)* **~ od be ~ed from** abstammen von; **descendant** *s* Nachkomme *m*; **descent** [dɪ'sent] *s* *(von Berg)* Abstieg *m*; *(Her-*

kunft) Abstammung *f*

describe [dɪs'kraɪb] *vt* beschreiben; **description** [dɪ'skrɪpʃən] *s* Beschreibung *f*

desert 1. ['dezət] *s* Wüste *f* **2.** [dɪ'zɜːt] *vt* verlassen; im Stich lassen; **deserted** *Adj* verlassen; *(Straße etc)* menschenleer

deserve [dɪ'zɜːv] *vt* verdienen

design [dɪ'zaɪn] **1.** *s (Plan)* Entwurf *m*; *(Auto, Maschine)* Konstruktion *f*; *(Objekt)* Design *n*; *(Planung)* Gestaltung *f* **2.** *vt* entwerfen; *(Maschine etc)* konstruieren; **~ed for sb/ sth** für jdn/etw konzipiert

designer [dɪ'zaɪnə'] *s* Designer(in) *m(f)*; TECH Konstrukteur(in) *m(f)*; **designer drug** *s* Designerdroge *f*

desirable [dɪ'zaɪərəbl] *Adj* wünschenswert; *(Person)* begehrenswert; **desire** [dɪ'zaɪə'] **1.** *s* Wunsch *m (for* nach); *(sexuell)* Begierde *f (for* nach) **2.** *vt* wünschen; verlangen; **if ~d** auf Wunsch

desk [desk] *s* Schreibtisch *m*; *(Hotel)* Empfang *m*; *(Flughafen)* Schalter *m*; **desktop publishing** *s* Desktoppublishing *n*

despair [dɪs'peə'] **1.** *s* Verzweiflung *f (at* über + *Akk)* **2.** *vi* verzweifeln *(of* an + *Dat)*

despatch [dɪ'spætʃ] → **dispatch**

desperate ['despərɪt] *Adj*

verzweifelt; (*Situation*) hoffnungslos; **be ~ able for sth** etw dringend brauchen, unbedingt wollen; **desperation** [despə'reɪʃən] s Verzweiflung f

despicable [dɪ'spɪkəbl] *Adj* verachtenswert; **despise** [dɪ'spaɪz] *vt* verachten

despite [dɪ'spaɪt] *Präp* trotz + *Gen*

dessert [dɪ'zɜːt] s Nachtisch m; **dessertspoon** s Dessertlöffel m

destination [destɪ'neɪʃən] s (*von Person*) (Reise)ziel n; (*von Ware*) Bestimmungsort m; **destine** *vt* **we're ~d for Hull** wir sind auf dem Weg nach Hull; **destiny** ['destɪnɪ] s Schicksal n

destroy [dɪ'strɔɪ] *vt* zerstören; vernichten; **destruction** [dɪ'strʌkʃən] s Zerstörung f, Vernichtung f; **destructive** [dɪ'strʌktɪv] *Adj* zerstörerisch; destruktiv

detach [dɪ'tætʃ] *vt* abnehmen; (*Formular*) abtrennen; (*Gurt, Lasche*) lösen (*from* von); **detachable** *Adj* abnehmbar; (*Formular*) abtrennbar; **detached** *Adj* distanziert, objektiv; **~ house** Einzelhaus n

detail ['diːteɪl], (*US*) [dɪ'teɪl] s Einzelheit f, Detail n; (*further*) **~s from ...** Näheres erfahren Sie bei ...; **go into ~** ins Detail gehen; **in ~** ausführlich; **detailed** *Adj* detailliert, ausführlich

detain [dɪ'teɪn] *vt* aufhalten; (*Polizei*) in Haft nehmen

detect [dɪ'tekt] *vt* entdecken; (*Rauch etc*) wahrnehmen; **detective** s Detektiv(in) m(f); **detective story** s Detektivroman m, Krimi m

detergent [dɪ'tɜːdʒənt] s Reinigungsmittel n; (*für Kleidung*) Waschmittel n

deteriorate [dɪ'tɪərɪəreɪt] *vi* sich verschlechtern

determination [dɪtɜːmɪ'neɪʃən] s Entschlossenheit f; **determine** [dɪ'tɜːmɪn] *vt* bestimmen; **determined** *Adj* (fest) entschlossen

detest [dɪ'test] *vt* verabscheuen; **detestable** *Adj* abscheulich

detour ['diːtuəʳ] s Umweg m; (*von Verkehr*) Umleitung f

deuce [djuːs] s (*Tennis*) Einstand m

devastate ['devəsteɪt] *vt* verwüsten; **devastating** *Adj* verheerend

develop [dɪ'veləp] **1.** *vt* entwickeln; (*Krankheit*) bekommen **2.** *vi* sich entwickeln; **developing country** s Entwicklungsland n; **development** s Entwicklung f; (*von Land, Gebiet*) Erschließung f

device [dɪ'vaɪs] s Vorrichtung f, Gerät n

devil ['devl] s Teufel m

devoted [dɪ'vəʊtɪd] *Adj* liebend; (*Diener etc*) treu ergeben; **devotion** s Hingabe f

devour [dɪ'vauəʳ] *vt* verschlingen

dew [dju:] *s* Tau *m*

diabetes [daɪə'bi:ti:z] *s* Diabetes *m*, Zuckerkrankheit *f*; **diabetic** [daɪə'betɪk] **1.** *Adj* zuckerkrank; (*Nahrungsmittel*) für Diabetiker **2.** *s* Diabetiker(in) *m(f)*

diagnosis [daɪəg'nəʊsɪs, -siːz] *s* (*diagnoses Pl*) Diagnose *f*

diagonal [daɪ'ægənl] *Adj* diagonal

diagram ['daɪəgræm] *s* Diagramm *n*

dial ['daɪəl] **1.** *s* Skala *f*; (*Uhr*) Zifferblatt *n* **2.** *vt* TEL wählen; **dial code** *s* (*US*) Vorwahl *f*

dialect ['daɪəlekt] *s* Dialekt *m*

dialling code *s* (*Brit*) Vorwahl *f*; **dialling tone** *s* (*Brit*) Amtszeichen *n*

dialogue, dialog (*US*) ['daɪəlɒg] *s* Dialog *m*

dial tone *s* (*US*) Amtszeichen *n*

dialysis [daɪ'æləsɪs] *s* MED Dialyse *f*

diameter [daɪ'æmɪtə'] *s* Durchmesser *m*

diamond ['daɪəmənd] *s* Diamant *m*; (*Karten*) Karo *n*

diaper ['daɪpə'] *s* (*US*) Windel *f*

diarrhoea [daɪə'rɪə] *s* Durchfall *m*

diary ['daɪərɪ] *s* (*Taschen*)*kalender m*; (*für Erlebtes*) Tagebuch *n*

dice [daɪs] *npl* Würfel *Pl*

dictation [dɪk'teɪʃən] *s* Diktat *n*

dictator [dɪk'teɪtə'] *s* Diktator(in) *m(f)*; **dictatorship** [dɪk'teɪtəʃɪp] *s* Diktatur *f*

dictionary ['dɪkʃənrɪ] *s* Wörterbuch *n*

did [dɪd] *pt von* **do**; **didn't** ['dɪdnt] *Kontr von* **did not**

die [daɪ] *vi* sterben (*of an* + *Dat*); (*Pflanze, Tier*) eingehen; (*Motor*) absterben; *be dying to do sth* darauf brennen, etw zu tun; *I'm dying for a drink* ich brauche unbedingt was zu trinken; **die away** *vi* schwächer werden; (*Wind*) sich legen; **die down** *vi* nachlassen; **die out** *vi* aussterben

diesel ['di:zəl] *s* Diesel *m*

diet ['daɪət] **1.** *s* Kost *f*; (*Abnehmen*) Diät *f* **2.** *vi* eine Diät machen

differ ['dɪfə'] *vi* sich unterscheiden; (*nicht übereinstimmen*) anderer Meinung sein; **difference** ['dɪfrəns] *s* Unterschied *m*; *it makes no ~ (to me)* es ist (mir) egal; *it makes a big ~* es macht viel aus; **different** *Adj* andere(r, s); (*mit Pl*) verschieden; *be quite ~* ganz anders sein (*from als*); (*zwei Personen, Dinge*) völlig verschieden sein; **differentiate** [dɪfə'renʃɪeɪt] *vt, vi* unterscheiden; **differently** *Adv* anders (*from als*); unterschiedlich

difficult ['dɪfɪkəlt] *Adj*
schwierig; *I find it* ~ es fällt
mir schwer; difficulty *s*
Schwierigkeit *f*

dig (*dug, dug*) [dɪg, dʌg] *vt,
vi* graben; dig in *vi umg (Essen)* reinhauen; *~!* greif(st)
zu!; dig up *vt* ausgraben

digest [daɪ'dʒest] *vt* verdauen; digestion [dɪ'dʒestʃən]
s Verdauung *f*; digestive
[dɪ'dʒestɪv] *Adj* ~ biscuit
(*Brit*) Vollkornkeks *m*

digit ['dɪdʒɪt] *s* Ziffer *f*; digital ['dɪdʒɪtəl] *Adj* digital

dignified ['dɪgnɪfaɪd] *Adj*
würdevoll; dignity ['dɪgnɪtɪ] *s* Würde *f*

dilapidated [dɪ'læpɪdeɪtɪd]
Adj baufällig

dill [dɪl] *s* Dill *m*

dilute [daɪ'luːt] *vt* verdünnen

dim [dɪm] 1. *Adj* (*Licht*)
schwach; (*Umriss*) undeutlich; (*dumm*) schwer von
Begriff 2. *vt* verdunkeln;
(*US*) AUTO abblenden;
~med headlights (*US*) Abblendlicht *n*

dime [daɪm] *s* (*US*) Zehncentstück *n*

dimension [daɪ'menʃən] *s*
Dimension *f*; *~s Pl* Maße *Pl*

diminish [dɪ'mɪnɪʃ] 1. *vt* verringern 2. *vi* sich verringern

dimple ['dɪmpl] *s* Grübchen *n*

dine [daɪn] *vi* speisen; dine
out *vi* außer Haus essen;
diner *s* Gast *m*; BAHN Speisewagen *m*; (*US*) Speiselokal *n*

dinghy ['dɪŋgɪ] *s* Ding(h)i *n*,
Schlauchboot *n*

dining car ['daɪnɪŋkɑːr] *s*
Speisewagen *m*; dining
room *s* Esszimmer *n*; (*in
Hotel*) Speiseraum *m*

dinner ['dɪnər] *s* Abendessen
n; (*mittags*) Mittagessen *n*;
(*förmlich*) Diner *n*; *be at* ~
beim Essen sein; *have* ~ zu
Abend/Mittag essen; dinner jacket *s* Smoking *m*;
dinnertime *s* Essenszeit *f*

dinosaur ['daɪnəsɔːr] *s* Dinosaurier *m*

dip [dɪp] 1. *vt* tauchen (*in in
+ Akk*); ~ (*one's headlights*) (*Brit*) AUTO abblenden; *~ped headlights* Abblendlicht *n* 2. *s* (*Weg*) Bodensenke *f*; (*Soße*) Dip *m*

diploma [dɪ'pləʊmə] *s* Diplom *n*

diplomatic [dɪplə'mætɪk]
Adj diplomatisch

dipstick ['dɪpstɪk] *s* Ölmessstab *m*

direct [daɪ'rekt] 1. *Adj* direkt; unmittelbar; ~ debit
Einzugsermächtigung *f*; ~
train durchgehender Zug *m*
vt richten (*at, to an + Akk*);
(*Film*) die Regie führen bei;
(*Verkehr*) regeln; direct current *s* ELEK Gleichstrom *m*

direction [daɪ'rekʃən] *s* Richtung *f*; FILM Regie *f*; *in the
~ of ...* in Richtung ...; *~s
Pl for use* Gebrauchsanweisung *f*; *~s Pl* (*zu einem
Ort*) Wegbeschreibung *f*

directly [dɪ'rektlɪ] *Adv* direkt; (*zeitlich*) sofort

director 92

director [dɪˈrektəʳ] s Direktor(in) *m(f)*, Leiter(in) *m(f)*; *(Film)* Regisseur(in) *m(f)*

directory [dɪˈrektərɪ] s Adressbuch *n*; Telefonbuch *n*; **~ enquiries** *od (US)* **assistance** TEL Auskunft *f*

dirt [dɜːt] s Schmutz *m*, Dreck *m*; **dirt cheap** *adj* spottbillig; **dirty** *Adj* schmutzig

disability [dɪsəˈbɪlɪtɪ] s Behinderung *f*; **disabled** [dɪsˈeɪbld] **1.** *Adj* behindert, Behinderten- **2.** *npl* **the ~** die Behinderten

disadvantage [dɪsədˈvɑːntɪdʒ] s Nachteil *m*; **at a ~** benachteiligt; **disadvantageous** [dɪsædvɑːnˈteɪdʒəs] *Adj* nachteilig, ungünstig

disagree [dɪsəˈɡriː] *vi* anderer Meinung sein; *(zwei Menschen)* sich nicht einig sein; *(zwei Aussagen)* nicht übereinstimmen; **disagreeable** *Adj* unangenehm; *(Person)* unsympathisch; **disagreement** *s* Meinungsverschiedenheit *f*

disappear [dɪsəˈpɪəʳ] *vi* verschwinden

disappoint [dɪsəˈpɔɪnt] *vt* enttäuschen; **disappointing** *Adj* enttäuschend; **disappointment** *s* Enttäuschung *f*

disapprove [dɪsəˈpruːv] *vi* missbilligen *(of Akk)*

disarm [dɪsˈɑːm] **1.** *vt* entwaffnen **2.** *vi* POL abrüsten; **disarmament** *s* Abrüstung *f*; **disarming** *Adj* (Lächeln

etc) gewinnend

disaster [dɪˈzɑːstəʳ] s Katastrophe *f*; **disastrous** [dɪˈzɑːstrəs] *Adj* katastrophal

disbelief [dɪsbəˈliːf] s Ungläubigkeit *f*

disc [dɪsk] s Scheibe *f*, CD *f*; → **disk**; ANAT Bandscheibe *f*

discharge **1.** [ˈdɪstʃɑːdʒ] s MED Ausfluss *m* **2.** [dɪsˈtʃɑːdʒ] *vt* *(Patient)* entlassen; *(Gase, Giftstoffe)* ausstoßen; MED ausscheiden

discipline [ˈdɪsɪplɪn] s Disziplin *f*

disc jockey [ˈdɪskdʒɒkɪ] s Diskjockey *m*

disclose [dɪsˈkləʊz] *vt* bekannt geben; enthüllen

disco *(-s Pl)* [ˈdɪskəʊ] s Disko *f*; Diskomusik *f*

discomfort [dɪsˈkʌmfət] s leichte Schmerzen *Pl*, Unbehagen *n*

disconnect [dɪskəˈnekt] *vt* *(Strom, Gerät)* abstellen; **~ the TV (from the mains)** den Stecker des Fernsehers herausziehen; TEL **I've been ~ed** das Gespräch ist unterbrochen worden

discontinue [dɪskənˈtɪnjuː] *vt* einstellen; *(Produkt)* auslaufen lassen

discotheque [ˈdɪskəʊtek] s Diskothek *f*

discount [ˈdɪskaʊnt] s Rabatt *m*

discover [dɪsˈkʌvəʳ] *vt* entdecken; **discovery** *s* Entdeckung *f* discredit [dɪs'kredɪt] 1. vt in Verruf bringen 2. s Misskredit m

discreet [dɪs'kriːt] Adj diskret

discrepancy [dɪs'krepənsɪ] s Unstimmigkeit f, Diskrepanz f

discriminate [dɪs'krɪmɪneɪt] vi unterscheiden; ~ against sb jdn diskriminieren; discrimination [dɪskrɪmɪ'neɪʃən] s Diskriminierung f

discus ['dɪskəs] s Diskus m

discuss [dɪs'kʌs] vt diskutieren, besprechen; discussion [dɪs'kʌʃən] s Diskussion f

disease [dɪ'ziːz] s Krankheit f

disembark [dɪsɪm'bɑːk] vi von Bord gehen

disgrace [dɪs'greɪs] 1. s Schande f 2. vt Schande machen + Dat, Schande bringen über + Akk, blamieren; disgraceful Adj skandalös; it's ~ es ist eine Schande

disguise [dɪs'gaɪz] 1. vt verkleiden; (Stimme) verstellen 2. s Verkleidung f

disgust [dɪs'gʌst] 1. s Abscheu m, Ekel m 2. vt anekeln, anwidern; disgusting Adj widerlich; ekelhaft

dish [dɪʃ] s Schüssel f; (Essen) Gericht n; ~es Pl Geschirr n; do/wash the ~es abwaschen; dishcloth s (Abwasch) Spültuch n; (Abtrocknen) Geschirrtuch n

dishearten [dɪs'hɑːtən] vt entmutigen; don't be ~ed lass den Kopf nicht hängen!

dishonest [dɪs'ɒnɪst] Adj unehrlich

dish towel s (US) Geschirrtuch n; dish washer s Geschirrspülmaschine f

dishy ['dɪʃɪ] Adj (Brit) umg klasse, attraktiv

disillusioned [dɪsɪ'luːʒənd] Adj desillusioniert

disinfect [dɪsɪn'fekt] vt desinfizieren; disinfectant s Desinfektionsmittel n

disk [dɪsk] s IT Diskette f; disk drive s Diskettenlaufwerk n; diskette [dɪ'sket] s Diskette f

dislike [dɪs'laɪk] 1. s Abneigung f 2. vt nicht mögen; ~ doing sth etw ungern tun

dislocate ['dɪsləʊkeɪt] vt MED verrenken, ausrenken

dismal ['dɪzməl] Adj trostlos

dismantle [dɪs'mæntl] vt auseinander nehmen; demontieren

dismay [dɪs'meɪ] s Bestürzung f; dismayed Adj bestürzt

dismiss [dɪs'mɪs] vt entlassen; dismissal s Entlassung f

disobedience [dɪsə'biːdɪəns] s Ungehorsam m; disobedient Adj ungehorsam; disobey [dɪsə'beɪ] vt nicht gehorchen + Dat

disorder [dɪs'ɔːdə] s Unordnung f; (Demo) Aufruhr m; MED Störung f, Leiden n

disorganized [dɪs'ɔːgənaizd] *Adj* chaotisch

disparaging [dɪˈspærɪʃ] *Adj* geringschätzig

dispatch [dɪˈspætʃ] *vt* abschicken, abfertigen

dispensable [dɪˈspensəbl] *Adj* entbehrlich; **dispense** [dɪˈspens] *vt* verteilen; **dispense with** *vt* verzichten auf + Akk; **dispenser** *s* Automat *m*

disperse [dɪˈspɜːs] *vi* sich zerstreuen

display [dɪˈspleɪ] **1.** *s* Ausstellung *f*, Show *f*; (*Schaufenster*) Auslage *f*; TECH Anzeige *f*, Display *n* **2.** *vt* zeigen; (*Ware*) ausstellen

disposable [dɪˈspəʊzəbl] *Adj* Wegwerf-; **~ nappy** Wegwerfwindel *f*; **disposal** [dɪˈspəʊzl] *s* Loswerden *n*; (*Müll*) Beseitigung *f*; **be at sb's ~** jdm zur Verfügung stehen; **dispose of** *vt* loswerden; (*Müll*) beseitigen

dispute [dɪˈspjuːt] **1.** *s* Streit *m*, Auseinandersetzung *f* **2.** *vt* bestreiten

disqualification [dɪskwɒlɪfɪˈkeɪʃən] *s* Disqualifikation *f*; **disqualify** [dɪsˈkwɒlɪfaɪ] *vt* disqualifizieren

disregard [dɪsrɪˈgɑːd] *vt* nicht beachten

disreputable [dɪsˈrepjʊtəbl] *Adj* verrufen

disrespect [dɪsrɪˈspekt] *s* Respektlosigkeit *f*

disrupt [dɪsˈrʌpt] *vt* stören; unterbrechen; **disruption** [dɪsˈrʌpʃən] *s* Störung *f*, Unterbrechung *f*

dissatisfied [dɪsˈsætɪsfaɪd] *Adj* unzufrieden

dissent [dɪˈsent] *s* Widerspruch *m*

dissolve [dɪˈzɒlv] **1.** *vt* auflösen **2.** *vi* sich auflösen

dissuade [dɪˈsweɪd] *vt* **~ sb from doing sth** jdn davon abbringen, etw zu tun

distance [ˈdɪstəns] *s* Entfernung *f*; **in the/from a ~** in/aus der Ferne; **distant** *Adj* fern; (*Verwandter*) entfernt; (*Person*) distanziert

distaste [dɪsˈteɪst] *s* Abneigung *f* (*for* gegen)

distil [dɪsˈtɪl] *vt* destillieren; **distillery** *s* Brennerei *f*

distinct [dɪsˈtɪŋkt] *Adj* verschieden; (*Merkmal etc*) klar, deutlich; **distinction** *s* Unterschied *m*; (*in Prüfung*) Auszeichnung *f*; **distinctive** *Adj* unverkennbar; **distinctly** *Adv* deutlich

distinguish [dɪsˈtɪŋgwɪʃ] *vt* unterscheiden (*sth from* sth etw von etw)

distort [dɪsˈtɔːt] *vt* verzerren; (*Wahrheit*) verdrehen

distract [dɪsˈtrækt] *vt* ablenken; **distraction** [dɪsˈtrækʃən] *s* Ablenkung *f*, Zerstreuung *f*

distress [dɪsˈtres] **1.** *s* Not *f*, Leiden *n*; (*mental*) Qual *f*; (*seelisch*) Kummer *m* **2.** *vt* mitnehmen, erschüttern; **distressed area** *s* Notstandsgebiet *n*

distribute [dɪsˈtrɪbjuːt] *vt* verteilen; WIRTSCH (*Ware*) vertreiben; **distribution** [dɪstrɪˈbjuːʃən] *s* Verteilung *f*; WIRTSCH (*Ware*) Vertrieb *m*; **distributor** *s* AUTO Verteiler *m*; WIRTSCH Händler(in) *m(f)*

district [ˈdɪstrɪkt] *s* Gegend *f*; (*Verwaltung*) Bezirk *m*; **district attorney** *s* (US) Staatsanwalt *m*, Staatsanwältin *f*

distrust [dɪsˈtrʌst] **1.** *vt* misstrauen + *Dat* **2.** *s* Misstrauen *n*

disturb [dɪsˈtɜːb] *vt* stören; beunruhigen; **disturbance** *s* Störung *f*; **disturbing** *Adj* beunruhigend

ditch [dɪtʃ] **1.** *s* Graben *m* **2.** *vt umg* (*Person*) den Laufpass geben + *Dat*; (*Plan*) verwerfen

ditto [ˈdɪtəʊ] *s* dito, ebenfalls

dive [daɪv] **1.** *s* Kopfsprung *m*; FLUG Sturzflug *m*; *umg* zwielichtiges Lokal **2.** *vi* tauchen; **diver** *s* Taucher(in) *m(f)*

diverse [daɪˈvɜːs] *Adj* verschieden; **diversion** [daɪˈvɜːʃən] *s* (*Verkehr*) Umleitung *f*; (*Aufmerksamkeit*) Ablenkung *f*; **divert** [daɪˈvɜːt] *vt* ablenken; (*Verkehr*) umleiten

divide [dɪˈvaɪd] **1.** *vt* teilen; aufteilen **2.** *vi* sich teilen; **dividend** [ˈdɪvɪdend] *s* Dividende *f*

divine [dɪˈvaɪn] *Adj* göttlich

diving [ˈdaɪvɪŋ] *s* (Sport)tau-

chen *n*; (*von Sprungbrett*) Springen *n*; SPORT Kunstspringen *n*; **diving board** *s* Sprungbrett *n*; **diving goggles** *npl* Taucherbrille *f*; **diving mask** *s* Tauchmaske *f*

division [dɪˈvɪʒən] *s* Teilung *f*; MATHE Division *f*; (*Organisation*) Abteilung *f*; SPORT Liga *f*

divorce [dɪˈvɔːs] **1.** *s* Scheidung *f* **2.** *vt* sich scheiden lassen von; **divorced** *Adj* geschieden; **get ~** sich scheiden lassen; **divorcee** [dɪvɔːˈsiː] *s* Geschiedene(r) *mf*

DIY [diːaɪˈwaɪ] *Abk* = **do-it-yourself**; **DIY centre** *s* Baumarkt *m*

dizzy [ˈdɪzɪ] *Adj* schwindlig

DJ [diːˈdʒeɪ] **1.** *Abk* = **dinner jacket**; Smoking **2.** *Abk* = **disc jockey**; Diskjockey *m*, DJ *m*

do (did, done) [duː, dɪd, dʌn] **1.** *vhilf* (*verneinend*) **I don't know** ich weiß es nicht; **he didn't come** er ist nicht gekommen; (*in Fragen*) **does she swim?** schwimmt sie?; (*betonend*) **he does like talking** er redet sehr gern; (*Verb ersetzend*) **they drink more than we do** sie trinken mehr als wir; **please don't!** bitte tun Sie/tu das nicht!; (*zur Bestätigung*) **you know him, don't you?** du kennst ihn doch, oder? **2.** *vt* tun, machen; (*Zimmer*) saubermachen; *(an der Uni)* studieren; AUTO *(Geschwindigkeit)* fahren; *(Entfernung)* zurücklegen; **she has nothing to ~** sie hat nichts zu tun; **~ the dishes** abwaschen; **you can't ~ Cambridge in a day** Cambridge kann man nicht an einem Tag besichtigen **3.** *vi* vorankommen; *(genug sein)* reichen; **well/badly** gut/schlecht vorankommen; *(in Prüfung)* gut/schlecht abschneiden; **how are you doing?** wie geht's denn so?; **that (much) should ~** das dürfte reichen **4.** *s (~s Pl)* Party *f*; do away with *vt* abschaffen; do up *vt (Mantel)* zumachen; *(Paket)* verschnüren; *(sanieren)* wieder herrichten; do with *vt* brauchen; **I could ~ a drink** ich könnte einen Drink gebrauchen; do without *vt* auskommen ohne; **I can ~ your comments** auf deine Kommentare kann ich verzichten

dock [dɒk] *s* Dock *n*; JUR Anklagebank *f*; **dockyard** *s* Werft *f*

doctor ['dɒktə'] *s* Arzt *m*, Ärztin *f*; *(als Titel, akademisch)* Doktor *m*

document ['dɒkjʊmənt] *s* Dokument *n*; **documentary** [dɒkjʊ'mentərɪ] *s* Dokumentarfilm *m*; **documentation** [dɒkjʊmen'teɪʃən] *s* Dokumentation *f*

docusoap ['dɒkjʊsəʊp] *s* Reality-Serie *f*, Dokusoap *f*

dodgy [dɒdʒɪ] *Adj* nicht ganz in Ordnung; *(unzuverlässig, unehrlich)* zwielichtig; **he has a ~ stomach** er hat sich den Magen verdorben

dog [dɒg] *s* Hund *m*; **doggie bag** ['dɒgɪˈbæg] *s* Tüte oder Box, in die Essenreste aus dem Restaurant mit nach Hause genommen werden können

do-it-yourself ['duːɪtjə'self] **1.** *s* Heimwerken *n*, Do-it-yourself *n* **2.** *Adj* Heimwerker-; **do-it-yourselfer** *s* Bastler(in) *m(f)*, Heimwerker(in) *m(f)*

doll [dɒl] *s* Puppe *f*

dollar ['dɒlə'] *s* Dollar *m*

dolphin ['dɒlfɪn] *s* Delphin *m*

domain *s* Domäne *f*; IT Domain *f*

dome [dəʊm] *s* Kuppel *f*

domestic [də'mestɪk] *Adj* häuslich; *(innerhalb des Landes)* Innen-, Binnen--; **domesticated** [də'mestɪkeɪtɪd] *Adj (Person)* häuslich; *(Tier)* zahm; **domestic flight** *s* Inlandsflug *m*

domicile ['dɒmɪsaɪl] *s* (ständiger) Wohnsitz

dominant ['dɒmɪnənt] *Adj* dominierend, vorherrschend

dominoes ['dɒmɪnəʊz] *npl* Domino(spiel) *n*

donate [dəʊ'neɪt] *vt* spenden; **donation** *s* Spende *f*

done [dʌn] **1.** *pp von* **do 2.**
Adj gar; **well ~** durchgebraten

doner (kebab) ['dɒnəkə-
'bæb] *s* Döner (Kebab) *m*

donkey ['dɒŋkɪ] *s* Esel *m*

donor ['dəʊnə] *s* Spender(in)
m(f)

don't [dəʊnt] *Kontr von* **do
not**

door [dɔː] *s* Tür *f*; **doorbell**
s Türklingel *f*; **door handle**
s Türklinke *f*; **doorknob** *s*
Türknauf *m*; **doormat** *s*
Fußabtreter *m*; **doorstep** *s*
Türstufe *f*; **right on our ~**
direkt vor unserer Haustür

dope [dəʊp] SPORT **1.** *s* Aufputschmittel *n* **2.** *vt* dopen;
dopey *Adj* umg bekloppt;
(von Drogen) benebelt;
(nicht bei sich) benommen

dormitory ['dɔːmɪtrɪ] *s*
Schlafsaal *m*; *(US)* Studentenwohnheim *n*

dosage ['dəʊsɪdʒ] *s* Dosie-
rung *f*; **dose** [dəʊs] **1.** *s*
Dosis *f* **2.** *vt* dosieren

dot [dɒt] *s* Punkt *m*; **on the
~** auf die Minute genau

double ['dʌbl] **1.** *Adj, Adv*
doppelt; **~ the quantity** die
zweifache Menge, doppelt
so viel **2.** *vt* verdoppeln **3.** *s*
Doppelgänger(in)   *m(f)*;
FILM Double *n*; **double
bass** *s* Kontrabass *m*; **double bed** *s* Doppelbett *n*;
double-click *vt* IT doppelklicken; **double cream** *s*
Sahne mit hohem Fettgehalt;
doubledecker *s* Doppelde-

cker *m*; **double glazing** *s*
Doppelverglasung *f*; **dou-
ble-park** *vi* in zweiter Reihe
parken; **double room** *s*
Doppelzimmer *n*; **doubles**
npl SPORT Doppel *n*

doubt [daʊt] **1.** *s* Zweifel *m*;
no ~ ohne Zweifel, zweifellos, wahrscheinlich; **have
one's ~s** Bedenken haben
2. *vt* anzweifeln; *(Aussage)*
anzweifeln; **I ~ it** das be-
zweifle ich; **doubtful** *Adj*
zweifelhaft, zweifelnd; **it is
~ whether ...** es ist fraglich, ob ...; **doubtless** *Adv*
ohne Zweifel, sicherlich

dough [dəʊ] *s* Teig *m*;
doughnut *s* Donut *m* *(run-
des Hefegebäck)*

dove [dʌv] *s* Taube *f*

down [daʊn] **1.** *s* Daunen *Pl*,
Flaum *m* **2.** *Adv* unten;
nach unten, herunter; hi-
nunter; **~ here/there** hier/
dort unten; **they came ~
for breakfast** sie kamen
zum Frühstück herunter **3.**
Präp herunter; hinunter;
drive ~ the hill/road den
Berg/die Straße hinunter
fahren; **walk ~ the street**
die Straße entlang gehen;
he's ~ the pub umg er ist
in der Kneipe **4.** *vt* umg
(Getränk) runterkippen **5.**
Adj niedergeschlagen, deprimiert

downcast *Adj* niedergeschlagen; **downfall** *s* Sturz *m*;
down-hearted *Adj* entmu-
tigt; **downhill** *Adv* bergab

Downing Street

Downing Street ist die Straße in London, die von Whitehall zum St James's Park führt, und in der sich der offizielle Wohnsitz des **Prime Minister (Premierministers)** befindet. In den britischen Medien wird **10 Downing Street** oft zu **No 10** bzw. **Number 10** abgekürzt. Im weiteren Sinne bezieht sich der Begriff **Downing Street** auf die britische Regierung.

download ['daʊnləʊd] vt downloaden, herunterladen; **down payment** s Anzahlung f; **downs** npl Hügelland n; **downsize 1.** vt verkleinern **2.** vi sich verkleinern

Down's syndrome ['daʊnz-'sɪndrəʊm] s MED Downsyndrom n

downstairs [daʊn'steəz] Adv unten; (rennen etc) nach unten; **downstream** Adv flussabwärts; **downtown 1.** Adv in der Innenstadt; (gehen, fahren) in die Innenstadt **2.** Adj (US) in der Innenstadt; **~ Chicago** die Innenstadt von Chicago; **down under** Adv umg in/nach Australien; in/ nach Neuseeland; **downwards** Adv, Adj nach unten; (Trend etc) Abwärts-

doze [dəʊz] **1.** vi dösen **2.** s Nickerchen n

dozen ['dʌzn] s Dutzend n

DP Abk = **data processing**; DV f

draft [drɑːft] s Entwurf m; (US) MIL Einberufung f

drag [dræg] **1.** vt schleppen **2.** s umg **be a ~** (langweilig) stinklangweilig sein; (aufwändig) ein ziemlicher Schlauch sein; **drag on** vi sich in die Länge ziehen

dragon ['drægən] s Drache m; **dragonfly** s Libelle f

drain [dreɪn] **1.** s Abfluss m **2.** vt (Wasser, Öl) ablassen; (Gemüse) abgießen; (Land, Gebiet) entwässern, trockenlegen **3.** vi (Wasser) abfließen; **drainpipe** s Abflussrohr n

drama ['drɑːmə] s Drama n; **dramatic** [drə'mætɪk] Adj dramatisch

drank [dræŋk] pt von **drink**

drapes [dreɪps] npl (US) Vorhänge Pl

drastic ['dræstɪk] Adj drastisch

draught [drɑːft] s (Luft)zug m; **there's a ~** es zieht; **on ~** (Bier) vom Fass; **draughts** nsing Damespiel n; **draughty** Adj zugig

draw [drɔː] (drew, drawn) [drɔː, druː, drɔːn] **1.** vt (Menschen) anlocken, anziehen; (Bild) zeichnen **2.** vi SPORT unentschieden spielen **3.** s SPORT Unentschieden n; (von Stadt etc)

Attraktion f; (Lotterie) Ziehung f; draw out vt herausziehen; (Geld) abheben; draw up 1. vt entwerfen; (Liste) erstellen 2. vi (Auto) anhalten; drawback s Nachteil m

drawer ['drɔːɾ] s Schublade f

drawing ['drɔːɪŋ] s Zeichnung f; drawing pin s Reißzwecke f

drawn [drɔːn] pp von draw

dread [dred] 1. s Furcht f (of vor + Dat) 2. vt sich fürchten vor + Dat; dreadful Adj furchtbar; dreadlocks npl Rastalocken Pl

dream (dreamed od dreamt, dreamed od dreamt) [driːm; driːmd, dremt] 1. vt, vi träumen (about von) 2. s Traum m; dreamt [dremt] pt, pp von dream

dreary ['drɪərɪ] Adj (Stadt, Wetter) trostlos; (Buch) langweilig

drench [drentʃ] vt durchnässen

dress [dres] 1. s Kleidung f; (für Frau) Kleid n 2. vt anziehen; MED verbinden; get ~ed sich anziehen; dress up vi sich fein machen; (Kostüm) sich verkleiden (as als); dress circle s THEAT erster Rang; dresser s Anrichte f; (US) (Frisier-)kommode f; dressing s GASTR Dressing n, Soße f; MED Verband m; dressing gown s Morgenmantel m; dressing room s SPORT

Umkleideraum m; THEAT Künstlergarderobe f; dressing table s Frisierkommode f; dress rehearsal s THEAT Generalprobe f

drew [druː] pt von draw

dried [draɪd] Adj getrocknet; (Milch, Blumen) Trocken-; ~ fruit Dörrobst n; drier ['draɪəɾ] s = dryer

drift [drɪft] 1. vi treiben 2. s (Schnee) Verwehung f; fig Tendenz f; if you get my ~ wenn du mich richtig verstehst

drill [drɪl] 1. s Bohrer m 2. vt, vi bohren

drink (drank, drunk) [drɪŋk, dræŋk, drʌŋk] 1. vt, vi trinken 2. s Getränk n; (alkoholisch) Drink m; drink-driving s (Brit) Trunkenheit f am Steuer; drinking water s Trinkwasser n

drip [drɪp] 1. s Tropfen m 2. vi tropfen; dripping 1. s Bratenfett n 2. Adj ~ (wet) tropfnass

drive (drove, driven) [draɪv, drəʊv, 'drɪvn] 1. vt (Fahrzeug, Passagier) fahren; (Viehherde) treiben; TECH antreiben; ~ sb mad jdn verrückt machen 2. vi fahren 3. s Fahrt f; (vor Haus) Einfahrt f, Auffahrt f; IT Laufwerk n; drive away, drive off 1. vi wegfahren 2. vt vertreiben

drive-in Adj Drive-in-; ~ cinema (US) Autokino n

driven ['drɪvn] pp von **drive**
driver ['draɪvə^r] s Fahrer(in)
m(f); rr Treiber m; **~'s li-
cense** (US) Führerschein
m; **~'s seat** Fahrersitz m;
driving ['draɪvɪŋ] s (Auto)-
fahren n; **driving lesson** s
Fahrstunde f; **driving licence** s (Brit) Führerschein
m; **driving school** s Fahrschule f; **driving seat** s
(Brit) Fahrersitz m; **driving
test** s Fahrprüfung f
drizzle ['drɪzl] **1.** s Nieselregen m **2.** vi nieseln
drop [drɒp] **1.** s (Flüssigkeit)
Tropfen m; (Preis, Tempe-
ratur) Rückgang m **2.** vt a.
fig fallen lassen **3.** vi herunterfallen; (Zahlen, Temperatur) sinken, zurückgehen; **drop by, drop in** vi
vorbeikommen; **drop off** vi
einnicken; **drop out** vi aussteigen; (an Uni) das Studium abbrechen; **dropout** s
Aussteiger(in) m(f)
drove [drəʊv] pt von **drive**
drown [draʊn] **1.** vi ertrinken **2.** vt ertränken
drowsy ['draʊzɪ] Adj schläfrig
drug [drʌg] **1.** s MED Medi-
kament n, Arznei f; (illegal) Droge f, Rauschgift n;
be on ~s drogensüchtig
sein **2.** vt (mit Medikamen-
ten) betäuben; **drug addict**
s Rauschgiftsüchtige(r) mf;
drug dealer s Drogenhänd-
ler(in) m(f); **druggist** s
(US) Drogist(in) m(f);

drugstore s (US) Drogerie f
drum [drʌm] **1.** s Trommel f;
~s Pl Schlagzeug n
drunk [drʌŋk] **1.** pp von
drink 2. Adj betrunken; **get
~** sich betrinken **3.** s Be-
trunkene(r) mf; (Alkoholi-
ker) Trinker(in) m(f);
drunk-driving s (US) Trunkenheit f am Steuer; **drunk-
en** Adj betrunken, besoffen
dry [draɪ] **1.** Adj trocken **2.** vt
trocknen; (Geschirr, Hände)
abtrocknen **3.** vi trocknen,
trocken werden; **dry out** vi
trocknen; **dry-clean** vt chemisch reinigen; **dry-clean-
ing** s chemische Reinigung;
dryer s Trockner m; (für
Haare) Föhn m; (über
Kopf) Trockenhaube f
DTP Abk = **desktop publishing**; DTP n
dual ['djʊəl] Adj doppelt; **~
carriageway** (Brit) ≈ zwei-
spurige Schnellstraße; **~
nationality** doppelte
Staatsangehörigkeit; **dual-
-purpose** Adj Mehrzweck-
dubbed [dʌbd] Adj synchronisiert
dubious ['djuːbɪəs] Adj
zweifelhaft
duchess ['dʌtʃəs] s Herzo-
gin f
duck [dʌk] s Ente f
dude [duːd] s (US) umg Typ
m; **a cool ~** ein cooler Typ
due [djuː] **1.** Adj (Bezahlung) fällig; (Sorgfalt) angemessen; **in ~ course** zu ge-
gebener Zeit; **~ to** infolge

+ *Gen*, wegen + *Gen* **2.** *Adv*
~ south/north etc direkt
nach Süden/Norden etc

dug [dʌg] *pt, pp von* **dig**

duke [dju:k] *s* Herzog *m*

dull [dʌl] *Adj* (*Wetter*) trübe;
(*Film, Leben*) langweilig

duly ['dju:lɪ] *Adv* ordnungs-
gemäß; wie erwartet

dumb [dʌm] *Adj* stumm;
umg (*dumm*) doof, blöde

dumb-bell ['dʌmbel] *s* Hantel *f*

dummy ['dʌmɪ] **1.** *s* Attrap-
pe *f*; (*in Geschäft*) Schau-
fensterpuppe *f*; (*Brit, für
Baby*) Schnuller *m*; *umg*
(*Person*) Dummkopf *m* **2.**
Adj unecht, Schein-; **~ run**
Testlauf *m*

dump [dʌmp] **1.** *s* Abfall-
haufen *m*; *umg* (*Ort*) Kaff
n **2.** *vt* abladen; *umg* **he
~ed her** er hat mit ihr
Schluss gemacht

dumpling ['dʌmplɪŋ] *s* Kloß
m, Knödel *m*

dune [dju:n] *s* Düne *f*

dung [dʌŋ] *s* Dung *m*, Mist *m*

dungeon ['dʌndʒən] *s* Ker-
ker *m*

duplex ['dju:pleks] *s* zwei-
stöckige Wohnung; (*US*)
Doppelhaushälfte *f*

duplicate 1. ['dju:plɪkɪt] *s*
Duplikat *n* **2.** ['dju:plɪkeɪt]
vt kopieren; wiederholen

durable ['djʊərəbl] *Adj* haltbar; **duration** [djʊə'reɪʃən]
s Dauer *f*

during ['djʊərɪŋ] *Präp* während + *Gen*

dusk [dʌsk] *s* Abenddäm-
merung *f*

dust [dʌst] **1.** *s* Staub *m* **2.** *vt*
abstauben; **dustbin** *s* (*Brit*)
Mülleimer *m*; **dustcart** *s*
(*Brit*) Müllwagen *m*; **duster**
s Staubtuch *n*; **dustman** *s*
(*Brit*) Müllmann *m*; **dustpan** *s* Kehrschaufel *f*;
dusty *Adj* staubig

Dutch [dʌtʃ] **1.** *Adj* holländisch **2.** *s* (*Sprache*) Holländisch *n*; **speak/talk double
~** *umg* Quatsch reden; **the
~** *Pl* die Holländer; **Dutch-
man** (*-men Pl*) *s* Holländer
m; **Dutchwoman** (*-women
Pl*) *s* Holländerin *f*

duty ['dju:tɪ] *s* Pflicht *f*; (*Arbeit*) Aufgabe *f*; (*auf
Waren*) Zoll *m*; **on/off ~** im
Dienst/nicht im Dienst; **be
on ~** Dienst haben; **duty-
-free** *Adj* zollfrei; **~ shop**
s Dutyfreeshop *m*

duvet ['du:veɪ] *s* Federbett *n*

DVD *s Abk* = **digital versatile disk**; DVD *f*

dwarf (*dwarves Pl*) [dwɔ:f,
dwɔ:vz] *s* Zwerg(in) *m(f)*

dwelling ['dwelɪŋ] *s* Wohnung *f*

dye [daɪ] **1.** *s* Farbstoff *m* **2.**
vt färben

dynamo ['daɪnəməʊ] *s* Dynamo *m*

dyslexia [dɪs'leksɪə] *s* Le-
gasthenie *f*; **dyslexic** *Adj*
legasthenisch; **be ~** Legas-
theniker(in) sein

dyspepsia [dɪs'pepsɪə] *s*
Verdauungsstörung *f*

E

E111 form s ≈ Auslandskrankenschein m

each [iːtʃ] **1.** Adj jeder/jede/jedes **2.** Pron jeder/jede/jedes; **I'll have one of ~** ich nehme von jedem eins; **they ~ have a car** jeder von ihnen hat ein Auto; **~ other** einander, sich; **for/against ~ other** füreinander/gegeneinander **3.** Adv je; **they cost 10 euros ~** sie kosten 10 Euro das Stück

eager ['iːgə'] Adj eifrig; **be ~ to do sth** darauf brennen, etw zu tun

eagle ['iːgl] s Adler m

ear [ɪə'] s Ohr n; **earache** s Ohrenschmerzen Pl; **eardrum** s Trommelfell n

earl [ɜːl] s Graf m

early ['ɜːlɪ] Adj, Adv früh; **be 10 minutes ~** 10 Minuten zu früh kommen; **at the earliest** frühestens; **in ~ June/2008** Anfang Juni/2008; **~ retirement** vorzeitiger Ruhestand; **~ warning system** Frühwarnsystem n

earn [ɜːn] vt verdienen

earnings ['ɜːnɪŋz] npl Verdienst m, Einkommen n

earphones ['ɪəfəʊnz] npl Kopfhörer m; **earplug** s Ohrenstöpsel m, Ohropax n; **earring** s Ohrring m

earth [ɜːθ] s **1.** s Erde f; **what on ~ ...?** was in aller Welt ...? **2.** vt erden; **earthquake** s Erdbeben n

ease [iːz] **1.** vt (Schmerz, Qual) lindern **2.** s Leichtigkeit f; **feel at ~** sich wohl fühlen; **feel ill at ~** sich nicht wohl fühlen; **easily** ['iːzɪlɪ] Adv leicht; **he is ~ the best** er ist mit Abstand der Beste

east [iːst] **1.** s Osten m; **to the ~ of** östlich von **2.** Adv (Bewegung, Richtung) nach Osten **3.** Adj Ost-; **~ wind** Ostwind m; **eastbound** Adj (in) Richtung Osten

Easter ['iːstə'] s Ostern n; **at ~** zu Ostern; **Easter egg** s Osterei n; **Easter Sunday** s Ostersonntag m

eastern ['iːstən] Adj Ost-, östlich; **Eastern Europe** Osteuropa n; **East Germany** s Ostdeutschland n; **eastwards** ['iːstwədz] Adv nach Osten

easy ['iːzɪ] Adj leicht; (Aufgabe, Lösung) einfach; (Leben) bequem; (Art) ungezwungen; **easy-care** Adj pflegeleicht; **easy-going** Adj gelassen

eat (ate, eaten) [iːt, et, 'iːtn] vt essen; (Tier) fressen; **eat out** vi zum Essen ausgehen; **eat up** vt aufessen

eaten ['iːtn] pp von **eat**

eavesdrop ['iːvzdrɒp] vi (heimlich) lauschen; **~ on**

sb jdn belauschen

eccentric [ɪkˈsentrɪk] *Adj* exzentrisch

echo [ˈekəʊ] **1.** (*-es Pl*) *s* Echo *n* **2.** *vi* widerhallen

ecological [iːkəˈlɒdʒɪkl] *Adj* ökologisch; ~ **disaster** Umweltkatastrophe *f*; **ecology** [ɪˈkɒlədʒɪ] *s* Ökologie *f*

economic [iːkəˈnɒmɪk] *Adj* wirtschaftlich, Wirtschafts-; **economical** *Adj* wirtschaftlich; (*Mensch*) sparsam; **economics** *nsing od Pl* Wirtschaftswissenschaft *f*; **economist** [ɪˈkɒnəmɪst] *s* Wirtschaftswissenschaftler(in) *m(f)*; **economize** [ɪˈkɒnəmaɪz] *vi* sparen (*on* an + *Dat*); **economy** [ɪˈkɒnəmɪ] *s* (*von Land*) Wirtschaft *f*; (*beim Ausgeben*) Sparsamkeit *f*; **economy class** *s* FLUG Economyclass *f*

ecstasy [ˈekstəsɪ] *s* Ekstase *f*; (*Droge*) Ecstasy *f*

eczema [ˈeksɪmə] *s* Ekzem *n*

edge [edʒ] *s* Rand *m*; (*Messer*) Schneide *f*; **on** ~ nervös; **edgy** *Adj* nervös

edible [ˈedɪbl] *Adj* essbar

Edinburgh [ˈedɪnbərə] *s* Edinburg *n*

edit [ˈedɪt] *vt* (*Zeitung*) herausgeben; (*Text*) redigieren; (*Film*) schneiden; *vt* editieren; **edition** [ɪˈdɪʃən] *s* Ausgabe *f*; **editor** *s* Redakteur(in) *m(f)*; (*von Buch*) Herausgeber(in) *m(f)*

educate [ˈedjʊkeɪt] *vt* (*Kind*) erziehen; (*an*

Schule, Uni) ausbilden; (*Öffentlichkeit*) aufklären; **educated** *Adj* gebildet; **education** [edjʊˈkeɪʃən] *s* Erziehung *f*; (*Studium etc*) Ausbildung *f*; (*als Studienfach*) Pädagogik *f*; (*Schulsystem*) Schulwesen *n*; (*Wissen*) Bildung *f*; **educational** *Adj* pädagogisch; ~ **television** Schulfernsehen *n*

eel [iːl] *s* Aal *m*

eerie [ˈɪərɪ] *Adj* unheimlich

effect [ɪˈfekt] *s* Wirkung *f* (*on* auf + *Akk*); **come into** ~ in Kraft treten; **effective** *Adj* wirksam, effektiv

efficiency [ɪˈfɪʃənsɪ] *s* Leistungsfähigkeit *f*; (*Methode*) Wirksamkeit *f*; **efficient** *Adj* TECH leistungsfähig; (*Methode*) wirksam, effizient

effort [ˈefət] *s* Anstrengung *f*, (*Bemühung*) Versuch *m*; **make an** ~ sich anstrengen; **effortless** *Adj* mühelos

eg *Abk* = **exempli gratia** (*for example*); z. B.

egg [eg] *s* Ei *n*; **eggcup** *s* Eierbecher *m*; **eggplant** *s* (*US*) Aubergine *f*; **eggshell** *s* Eierschale *f*

ego (*-s Pl*) [ˈiːgəʊ] *s* Ich *n*; (*Selbstvertrauen*) Selbstbewusstsein *n*

Egypt [ˈiːdʒɪpt] *s* Ägypten *n*; **Egyptian** [ɪˈdʒɪpʃən] **1.** *Adj* ägyptisch **2.** *s* Ägypter(in) *m(f)*

eiderdown [ˈaɪdədaʊn] *s* Daunendecke *f*

eight [eɪt] **1.** *Zahl* acht; **at**

the age of ~ im Alter von acht Jahren; **it's ~ (o'clock)** es ist acht Uhr **2.** *s (Busline etc)* Acht *f*; *(Ruderboot)* Achter *m*; **eighteen** [eɪ'tiːn] **1.** *Zahl* achtzehn **2.** *s* Achtzehn *f*; → **eight**; **eighteenth** *Adj* achtzehnte(r, s); → **eighth**; **eighth** [eɪtθ] **1.** *Adj* achte(r, s); **the ~ of June** der achte Juni **2.** *s* Achtel *n*; **an ~ of a litre** ein Achtelliter; **eighth** ['eɪtɪθ] *Adj* achtzigste(r, s); → **eighth**; **eighty** ['eɪtɪ] **1.** *Zahl* achtzig **2.** *s* Achtzig *f*; → **eight**

Eire ['ɛərə] *s* die Republik Irland

either ['aɪðə'] **1.** *Konj* **~ ... or** entweder ... oder **2.** *Pron* **~ of the two** eine(r, s) von beiden **3.** *Adj* **on ~ side** auf beiden Seiten **4.** *Adv* **I won't go ~** ich gehe auch nicht

elaborate [ɪ'læbərət] **1.** *Adj (System, Prozedur)* kompliziert; *(Plan)* ausgeklügelt; *(Dekoration)* kunstvoll **2.** *vi* [ɪ'læbəreɪt] **could you ~ on that?** könntest du mehr darüber sagen?

elastic [ɪ'læstɪk] *Adj* elastisch; **~ band** Gummiband *n*

elbow ['elbəʊ] *s* Ellbogen *m*

elder ['eldə'] **1.** *Adj (von zweien/beiden)* älter *m*; **~** Ältere(r, s) *mf*; bot Holunder *m*; **elderly** *Adj* ältere(r, s) **2.** *s* **the ~** die älteren Leute; **eldest** ['eldɪst] *Adj* älteste(r, s)

elect [ɪ'lekt] *vt* wählen; **he was ~ed chairman** er wurde zum Vorsitzenden gewählt; **election** [ɪ'lekʃən] *s* Wahl *f*; **election campaign** *s* Wahlkampf *m*

electric [ɪ'lektrɪk] *Adj* elektrisch; *(Auto, Motor, Rasierer)* Elektro-; **~ blanket** Heizdecke *f*; **~ cooker** Elektroherd *m*; **~ current** elektrischer Strom; **~ shock** Stromschlag *m*; **~ electrical** *Adj* elektrisch; **~ goods/appliances** Elektrogeräte; **electrician** [ɪlek'trɪʃən] *s* Elektriker(in) *m(f)*; **electricity** [ɪlek'trɪsɪtɪ] *s* Elektrizität *f*; **electronic** [ɪlek'trɒnɪk] *Adj* elektronisch

elegant ['elɪgənt] *Adj* elegant

element ['elɪmənt] *s* Element *n*; **an ~ of truth** ein Körnchen Wahrheit; **elementary** [elɪ'mentərɪ] *Adj* einfach; grundlegend; **~ stage** Anfangsstadium *n*; **~ school** *(US)* Grundschule *f*; **~ maths/French** Grundkenntnisse in Mathematik/ Französisch

elephant ['elɪfənt] *s* Elefant *m*

elevator ['elɪveɪtə'] *s (US)* Fahrstuhl *m*

eleven [ɪ'levn] **1.** *Zahl* elf **2.** *s (Team, Bus etc)* Elf *f* → **eight**; **eleventh** [ɪ'levnθ] **1.** *Adj* elfte(r, s) **2.** *s* Elftel *n* → **eighth**

eligible ['elɪdʒəbl] *Adj* in

empire

Frage kommend; (*für Stipendium etc*) berechtigt; **~ bachelor** begehrter Junggeselle

eliminate [ɪ'lɪmɪneɪt] *vt* ausschließen (*from* aus), ausschalten; (*Problem*) beseitigen

elm [elm] *s* Ulme *f*

elope [ɪ'ləup] *vi* durchbrennen (*with sb* mit jdm)

eloquent ['eləkwənt] *Adj* redegewandt

else [els] *Adv* **anybody/anything ~** (*zusätzlich*) sonst (noch) jemand/etwas; (*anders*) ein anderer/etwas anderes; **somebody ~** jemand anders; **everyone ~** alle anderen; **or ~** sonst; **elsewhere** *Adv* anderswo, woanders; (*Richtung*) woandershin

ELT *Abk* = **English Language Teaching**

e-mail E-Mail ['iːmeɪl] **1.** *vi*, *vt* mailen (*sth to sb* jdm etw) **2.** *s* E-Mail *f*; **e-mail address** *s* E-Mail-Adresse *f*

embankment [ɪm'bæŋkmənt] *s* Böschung *f*, Bahndamm *m*

embargo (*-es Pl*) [ɪm'bɑːgəu] *s* Embargo *n*

embark [ɪm'bɑːk] *vi* an Bord gehen

embarrass [ɪm'bærəs] *vt* in Verlegenheit bringen; **embarrassed** *Adj* verlegen; **embarrassing** *Adj* peinlich

embassy ['embəsɪ] *s* Botschaft *f*

embrace [ɪm'breɪs] **1.** *vt* um-

armen **2.** *s* Umarmung *f*

embroider [ɪm'brɔɪdə*r*] *vt* besticken; **embroidery** *s* Stickerei *f*

embryo (*-s Pl*) ['embrɪəu] *s* Embryo *m*

emerge [ɪ'mɜːdʒ] *vi* auftauchen; **it ~d that ...** es stellte sich heraus, dass ...

emergency [ɪ'mɜːdʒənsɪ] **1.** *s* Notfall *m* **2.** *Adj* Not-; **~ exit** Notausgang *m*; **~ room** (*US*) Unfallstation *f*; **~ service** Notdienst *m*; **~ stop** Vollbremsung *f*

emigrate ['emɪgreɪt] *vi* auswandern

emotion [ɪ'məuʃən] *s* Emotion *f*, Gefühl *n*; **emotional** *Adj* emotional; (*Moment, Szene*) ergreifend

emperor ['empərə*r*] *s* Kaiser *m*

emphasis ['emfəsɪs] *s* Betonung *f*; **emphasize** ['emfəsaɪz] *vt* betonen; **emphatic**, **emphatically** [ɪm'fætɪk, -lɪ] *Adj*, *Adv* nachdrücklich

empire ['empaɪə*r*] *s* Reich *n*

Empire State Building

Das **Empire State Building** auf der **Fifth Avenue** in New York wurde 1931 nach gerade mal einem Jahr und 45 Tagen Bauzeit offiziell eingeweiht. Mit einer Höhe von über 440 Metern war es mit seinen 103 Stockwerken bis Anfang der Siebzigerjahre das höchste Hochhaus der Welt. Millionen von Besuchern genießen jedes Jahr die Aussicht vom **observation deck** (**Aussichtsplattform**) auf der 86. Etage. Seit der Zerstörung des **World Trade Center** durch einen terroristischen Anschlag am 11. September 2001 ist das **Empire State Building** wieder das höchste Gebäude New Yorks.

employ [ɪm'plɔɪ] vt beschäftigen; (*neue Mitarbeiter*) anstellen; (*Methode, Taktik*) anwenden; **employee** [emplɔɪ'iː] s Angestellte(r) mf; **employer** s Arbeitgeber(in) m(f); **employment** s Beschäftigung f; (*Arbeitsstelle*) Stellung f

empress ['emprɪs] s Kaiserin f

empty ['emptɪ] **1.** Adj leer **2.** vt leeren; ausleeren

enable [ɪ'neɪbl] vt ~ **sb to do sth** es jdm ermöglichen, etw zu tun

enamel [ɪ'næməl] s Email n; (*Zahn*) Zahnschmelz m

enchanting [ɪn'tʃɑːntɪŋ] Adj bezaubernd

enclose [ɪn'kləʊz] vt einschließen; (*einen Brief*) beilegen (*in, with Dat*); **enclosure** [ɪn'kləʊʒəʳ] s (*für Tiere*) Gehege n; (*in Brief*) Anlage f

encore ['ɒŋkɔːʳ] s Zugabe f

encounter [ɪn'kaʊntəʳ] **1.** s

Begegnung f **2.** vt (*Person etc*) begegnen + Dat; (*Schwierigkeiten*) stoßen auf + Akk

encourage [ɪn'kʌrɪdʒ] vt ermutigen; **encouragement** s Ermutigung f

encyclopaedia [ensaɪkləʊ'piːdɪə] s Lexikon n, Enzyklopädie f

end [end] **1.** s Ende n, Schluss m; (*Absicht*) Zweck m; **at the ~ of May** Ende Mai; **in the ~** schließlich; **come to an ~** zu Ende gehen **2.** vt beenden **3.** vi enden; **end up** vi enden

endanger [ɪn'deɪndʒəʳ] vt gefährden; **~ed species** vom Aussterben bedrohte Art

ending ['endɪŋ] s (*Story*) Ausgang m, Schluss m; (*Wort*) Endung f

endive ['endaɪv] s Endiviensalat m

endless ['endlɪs] Adj endlos; (*Möglichkeiten*) unendlich

endurance [ɪn'djʊərəns] s Ausdauer f; **endure** [ɪn'djʊəʳ] vt ertragen

enemy ['enɪmɪ] **1.** s Feind(in) m(f) **2.** Adj feindlich

energetic [enə'dʒetɪk] Adj energiegeladen; (*tatkräftig*) aktiv; **energy** ['enədʒɪ] s Energie f

enforce [ɪn'fɔːs] vt durchsetzen; erzwingen

engage [ɪn'geɪdʒ] vt (*Arbeitskräfte*) einstellen; (*Künstler*) engagieren; **engaged** Adj verlobt; (*Toi-*

lette, Telefon) besetzt; **get ~** sich verloben (*to* mit); engaged tone *s* (*Brit*) TEL Belegtzeichen *n*; engagement *s* Verlobung *f*

engine ['endʒɪn] *s* AUTO Motor *m*; BAHN Lokomotive *f*; **~ failure** AUTO Motorschaden *m*; **~ trouble** AUTO Defekt *m* am Motor; engineer [endʒɪ'nɪəʳ] *s* Ingenieur(in) *m(f)*; (*US*) BAHN Lokomotivführer(in) *m(f)*; engineering [endʒɪ'nɪərɪŋ] *s* Technik *f*; Maschinenbau *m*; (*Studienfach*) Ingenieurwesen *n*; engine immobilizer *s* AUTO Wegfahrsperre *f*

England ['ɪŋglənd] *s* England *n*; English *s* England *n*; English: **he's ~** er ist Engländer; **the ~ Channel** der Ärmelkanal **2.** *s* (*Sprache*) Englisch *n*; **in ~** auf Englisch; **translate into ~** ins Englische übersetzen; (*Volk*) **the ~** Pl die Engländer; Englishman (*-men* Pl) *s* Engländer *m*; Englishwoman (*-women* Pl) *s* Engländerin *f*

engrave [ɪn'greɪv] *vt* eingravieren; engraving *s* Stich *m*

engrossed [ɪn'grəʊst] *Adj* vertieft (*in sth* in etw *Akk*)

enjoy [ɪn'dʒɔɪ] *vt* genießen; **I ~ reading** ich lese gern; **he ~s teasing her** es macht ihm Spaß, sie aufzuziehen; **did you ~ the film?** hat dir der Film gefallen?; enjoyable *Adj* angenehm;

(*Film, Buch*) unterhaltsam; enjoyment *s* Vergnügen *n*; Freude *f* (*of* an + *Dat*)

enlarge [ɪn'lɑːdʒ] *vt* vergrößern; (*Wissen*) erweitern; enlargement *s* Vergrößerung *f*

enormous, enormously [ɪ'nɔːməs, -lɪ] *Adj, Adv* riesig, ungeheuer

enough [ɪ'nʌf] **1.** *Adj* genug; **that's ~** das reicht!; Schluss damit!; **I've had ~** das hat mir gereicht; (*beim Essen*) ich bin satt **2.** *Adv* genug, genügend

enquire [ɪn'kwaɪəʳ] *vi* sich erkundigen (*about* nach); enquiry *s* Anfrage *f*, Erkundigung *f* (*about* über + *Akk*); (*von Kommission*) Untersuchung *f*; **'Enquiries'** „Auskunft"

enrol [ɪn'rəʊl] *vi* sich einschreiben; (*für Kurs, an Schule*) sich anmelden; enrolment *s* Einschreibung *f*; (*Schule*) Anmeldung *f*

en suite [on'swiːt] *Adj, s* **room with ~** (*bathroom*) Zimmer *n* mit eigenem Bad

ensure [ɪn'ʃʊəʳ] *vt* sicherstellen

enter ['entəʳ] **1.** *vt* eintreten in + *Akk*, betreten; einfahren in + *Akk*; (*in Land*) einreisen in + *Akk*; (*in Liste*) eingeben; IT eingeben; (*an Rennen, bei Wettbewerb*) teilnehmen an + *Dat* **2.** *vi* (*zu jdm*) hereinkommen; (*irgendwohin*) hineingehen

enterprise ['entəpraiz] s WIRTSCH Unternehmen n

entertain [entə'tein] vt (Gäste) bewirten; (Kinder, Gäste) unterhalten; entertaining Adj unterhaltsam; entertainment s Unterhaltung f

enthusiasm [in'θju:ziæzəm] s Begeisterung f; enthusiastic [inθju:zi'æstik] Adj begeistert (about von)

entire, entirely [in'taiə, -li] Adj, Adv ganz

entitle [in'taitl] vt berechtigen (to zu); (Namen geben) betiteln

entrance ['entrəns] s Eingang m, Eintritt m; (Vorgang) Eintritt m; THEAT Auftritt m; entrance exam s Aufnahmeprüfung f; entrance fee s Eintrittsgeld n

entrust [in'trast] vt **~ sb with sth** jdm etw anvertrauen

entry ['entri] s Eingang m; (Vorgang) Eintritt m; (mit Fahrzeug) Einfahrt f; (in Land) Einreise f; (Zugangserlaubnis) Zutritt m; (in Tagebuch) Eintrag m; **'no ~'** „Eintritt verboten"; (für Fahrzeuge) „Einfahrt verboten"; entry phone s Türsprechanlage f

envelope ['envələup] s (Brief)umschlag m

enviable ['enviəbl] Adj beneidenswert; envious ['enviəs] Adj neidisch

environment [in'vaiərən-mənt] s Umgebung f; (Ökologie) Umwelt f; environmental [invaiərən'mentəl] Adj Umwelt-; environmentalist s Umweltschützer(in) m(f)

envy ['envi] **1.** s Neid m (of auf + Akk) **2.** vt beneiden (sb sth jdm etw)

epidemic [epi'demik] s Epidemie f

epilepsy ['epilepsi] s Epilepsie f; epileptic [epi'leptik] Adj epileptisch

episode ['episəud] s Episode f; TV Fortsetzung f, Folge f

epoch ['i:pɒk] s Zeitalter n, Epoche f

equal ['i:kwl] **1.** Adj gleich (to + Dat) **2.** s Gleichgestellte(r) mf **3.** vt gleichen; (qualitätsmäßig) gleichkommen + Dat; **two times two ~s four** zwei mal zwei ist gleich vier; equality [i'kwɒliti] s Gleichheit f; (von Frauen, Farbigen) Gleichberechtigung f; equalize vi SPORT ausgleichen; equalizer s SPORT Ausgleichstreffer m; equally Adv gleich; (einschränkend) andererseits; equation [i'kweiʒən] s MATHE Gleichung f

equator [i'kweitər] s Äquator m

equilibrium [i:kwi'libriəm] s Gleichgewicht n

equip [i'kwip] vt ausrüsten; (Küche) ausstatten; equipment s Ausrüstung f; (für

Küche etc) Ausstattung *f;* **e-lectrical ~** Elektrogeräte *Pl*

equivalent [ɪˈkwɪvələnt] **1.** *Adj* gleichwertig (*to Dat*); *(Menge etc)* entsprechend (*to Dat*) **2.** *s* Äquivalent *n;* *(Betrag)* gleiche Menge; *(Geld)* Gegenwert *m*

era [ˈɪərə] *s* Ära *f,* Zeitalter *n*

erase [ɪˈreɪz] *vt* ausradieren; *(Band, Datei)* löschen; **eraser** *s* Radiergummi *m*

erect [ɪˈrekt] **1.** *Adj* aufrecht **2.** *vt (Gebäude, Denkmal)* errichten; *(Zelt)* aufstellen; **erection** *s* Errichtung *f;* ANAT Erektion *f*

erotic [ɪˈrɒtɪk] *Adj* erotisch

err [ɜːʳ] *vi* sich irren

erratic [ɪˈrætɪk] *Adj (Verhalten)* unberechenbar; *(Busverkehr)* unregelmäßig; *(Leistung)* unbeständig

error [ˈerəʳ] *s* Fehler *m;* **error message** *s* IT Fehlermeldung *f*

erupt [ɪˈrʌpt] *vi* ausbrechen

escalator [ˈeskəleɪtəʳ] *s* Rolltreppe *f*

escalope [ˈeskələp] *s* Schnitzel *n*

escape [ɪˈskeɪp] **1.** *s* Flucht *f;* *(aus Gefängnis)* Ausbruch *m;* **there's no ~** es gibt keinen Ausweg; **have a narrow ~** gerade noch davonkommen **2.** *vt (den Verfolgern)* entkommen + *Dat;* *(einer Strafe)* entgehen + *Dat* **3.** *vi (bei Verfolgung)* entkommen (*from Dat*); *(aus Gefängnis)* ausbrechen

(from Dat); (Gas) ausströmen; *(Wasser)* auslaufen

escort 1. *s (Person)* Begleiter(in) *m(f);* *(zur Bewachung)* Eskorte *f* **2.** [ɪˈskɔːt] *vt* begleiten

especially [ɪˈspeʃəlɪ] *Adv* besonders

espionage [ˈespɪənɑːʒ] *s* Spionage *f*

essay [ˈeseɪ] *s* Aufsatz *m;* *(literarischer)* Essay *m*

essential [ɪˈsenʃəl] **1.** *Adj* unentbehrlich, unverzichtbar; *(Teil von etwas)* wesentlich **2.** *s* **the ~s** *Pl* das Wesentliche; **essentially** *Adv* im Wesentlichen

establish [ɪˈstæblɪʃ] *vt (Firma)* gründen; *(neue Methode)* einführen; *(Beziehungen)* aufnehmen; *(Fakten, Unschuld)* nachweisen; **~ that …** feststellen, dass …; **establishment** *s* Institution *f;* *(Firma)* Unternehmen *n*

estate [ɪˈsteɪt] *s* Gut *n;* *(Häuser)* Siedlung *f; (Landgut)* Landsitz *m;* **estate agent** *s (Brit)* Grundstücksmakler(in) *m(f),* Immobilienmakler(in) *m(f);* **estate car** *s (Brit)* Kombiwagen *m*

estimate 1. [ˈestɪmət] *s* Schätzung *f;* WIRTSCH Kostenvoranschlag *m* **2.** [ˈestɪmeɪt] *vt* schätzen

estuary [ˈestjʊərɪ] *s* Mündung *f*

etching [ˈetʃɪŋ] *s* Radierung *f*

eternal, eternally [ɪˈtɜːnl, -nəlɪ] *Adj, Adv* ewig; **eter-**

nity *s* Ewigkeit *f*

ethical ['eθɪkəl] *Adj* ethisch; **ethics** ['eθɪks] *npl* Ethik *f*

Ethiopia [iːθɪ'əʊpɪə] *s* Äthiopien *n*

ethnic ['eθnɪk] *Adj* ethnisch; (*Kleidung, Essen*) landesüblich; ~ **minority** ethnische Minderheit

EU *Abk* = **European Union**; EU *f*

euro (*-s Pl*) ['jʊərəʊ] *s* FIN Euro *m*; **Eurocheque** ['jʊərəʊtʃek] *s* Euroscheck *m*; **Europe** ['jʊərəp] *s* Europa *n*; **European** [jʊərə'piːən] **1.** *Adj* europäisch; ~ **Parliament** Europäisches Parlament; ~ **Union** Europäische Union **2.** *s* Europäer(in) *m(f)*; **Eurosceptic** ['jʊərəʊskeptɪk] *s* Euroskeptiker(in) *m(f)*; **Eurotunnel** *s* Eurotunnel *m*

evacuate [ɪ'vækjʊeɪt] *vt* (*Platz, Ort*) räumen; (*Menschen*) evakuieren

evaluate [ɪ'væljʊeɪt] *vt* auswerten

evaporate [ɪ'væpəreɪt] *vi* verdampfen; *fig* verschwinden; ~**d milk** Kondensmilch *f*

even ['iːvən] **1.** *Adj* (*Fläche*) eben; (*Verteilung, Atem*) gleichmäßig; (*Temperatur, Entfernung, Menge*) gleich; (*Zahl*) gerade; **the score is** ~ es steht unentschieden **2.** *Adv* sogar; ~ **you** selbst (*od* sogar) du; ~ **if** selbst wenn, wenn auch; ~ **though** obwohl; **not** ~

nicht einmal; ~ **better** noch besser; **even out** *vi* (*Preise*) sich einpendeln

evening ['iːvnɪŋ] *s* Abend *m*; **in the** ~ abends, am Abend; **this** ~ heute Abend; **evening class** *s* Abendkurs *m*; **evening dress** *s* Abendkleidung *f*; (*von Frauen*) Abendkleid *n*

evenly ['iːvənlɪ] *Adv* gleichmäßig

event [ɪ'vent] *s* Ereignis *n*; (*organisiert*) Veranstaltung *f*; SPORT Disziplin *f*; **in the** ~ **of** im Falle + *Gen*

eventual [ɪ'ventʃʊəl] *Adj* letztendlich; **eventually** *Adv* am Ende; schließlich

ever ['evə] *Adv* je(mals); **don't** ~ **do that again** tu das ja nie wieder; **he's the best** ~ er ist der Beste, den es je gegeben hat; **have you** ~ **been to the States?** bist du schon einmal in den Staaten gewesen?; **for** ~ (für) immer; **for** ~ **and** ~ auf immer und ewig; ~ **so** ... *umg* äußerst ...; ~ **so drunk** ganz schön betrunken

every ['evrɪ] *Adj* jeder/jede/jedes; ~ **day** jeden Tag; ~ **other day** jeden zweiten Tag; ~ **five days** alle fünf Tage; **I have** ~ **reason to believe that** ... ich habe allen Grund anzunehmen, dass ...; **everybody** *Pron* jeder, alle *Pl*; **everyday** *Adj* (*Dinge, Leben*) alltäglich; (*Kleidung, Sprache*) Alltags-; everyone *Pron* jeder, alle *Pl*; everything *Pron* alles; everywhere *Adv* überall; (*Richtung*) überallhin

evidence ['evɪdəns] *s* Beweise *Pl*; (*einzelner*) Beweis *m*; (*von Zeuge*) Aussage *f*; evident, evidently *Adj, Adv* offensichtlich

evil ['iːvl] **1.** *Adj* böse **2.** *s* Böse(s) *n*

evolution [iːvə'luːʃən] *s* Entwicklung *f*, Evolution *f*; evolve [ɪ'vɒlv] *vi* sich entwickeln

ex- [eks] *Präfix* Ex-, ehemalig; ~*wife* frühere Frau, Ex-Frau *f*; ~ *s umg* Verflossene(r) *mf*, Ex *mf*

exact [ɪg'zækt] *Adj* genau; exactly *Adv* genau; **not ~ fast** nicht gerade schnell

exaggerate [ɪg'zædʒəreɪt] *vt, vi* übertreiben; exaggerated *Adj* übertrieben; exaggeration *s* Übertreibung *f*

exam [ɪg'zæm] *s* Prüfung *f*, examination [ɪgzæmɪ'neɪʃən] *s* MED Untersuchung *f*; (*Schule*) Prüfung *f*; (*Universität*) Examen *n*; (*Zoll*) Kontrolle *f*; examine [ɪg'zæmɪn] *vt* untersuchen (*for* auf *n Akk*); (*Gepäck*) kontrollieren; (*Schule*) prüfen; examiner *s* Prüfer(in) *m(f)*

example [ɪg'zɑːmpl] *s* Beispiel *n*; **for ~** zum Beispiel

excavation [ekskə'veɪʃən] *s* Ausgrabung *f*

exceed [ɪk'siːd] *vt* überschreiten; übertreffen; ex-

ceedingly *Adv* äußerst

excel [ɪk'sel] **1.** *vt* übertreffen **2.** *vi* sich auszeichnen (*in* in *n Dat, at* bei); excellent, excellently ['eksələnt, -lɪ] *Adj, Adv* ausgezeichnet

except [ɪk'sept] **1.** *Präp* ~ außer *n Dat*; ~ **for** abgesehen von **2.** *vt* ausnehmen; exception [ɪk'sepʃən] *s* Ausnahme *f*; exceptional, exceptionally [ɪk'sepʃənl, -nəlɪ] *Adj, Adv* außergewöhnlich

excess [ek'ses] *s* Übermaß *n* (*of* an *n Dat*); excess baggage *s* Übergepäck *n*; excess fare *s* Nachlösegebühr *f*; excessive, excessively *Adj, Adv* übermäßig; excess weight *s* Übergewicht *n*

exchange [ɪks'tʃeɪndʒ] **1.** *s* Austausch *m* (*for* gegen); Umtausch *m* (*for* gegen); FIN Wechsel *m*; TEL Vermittlung *f*, Zentrale *f* **2.** *vt* austauschen; (*Waren*) tauschen; (*Gekauftes*) umtauschen (*for* gegen); (*Geld*) wechseln; exchange rate *s* Wechselkurs *m*

excited [ɪk'saɪtɪd] *Adj* aufgeregt; exciting *Adj* aufregend; spannend

exclamation [eksklə'meɪʃən] *s* Ausruf *m*; exclamation mark, exclamation point (*US*) *s* Ausrufezeichen *n*

exclude [ɪks'kluːd] *vt* ausschließen; exclusion [ɪks-

'klu:ʒən] s Ausschluss m;
exclusive [ɪks'klu:sɪv] Adj
(Hotel etc) exklusiv; (Rechte auf Buch etc) ausschließlich; exclusively Adv ausschließlich

excruciating [ɪks'kru:ʃieɪtɪŋ] Adj fürchterlich, entsetzlich

excursion [ɪks'kɜ:ʃən] s Ausflug m

excuse 1. [ɪks'kju:z] vt entschuldigen; ~ me Entschuldigung! 2. [ɪks'kju:s] s Entschuldigung f, Ausrede f

ex-directory [eksdaɪ'rektərɪ] Adj be ~ (Brit) TEL nicht im Telefonbuch stehen

execution [eksɪ'kju:ʃən] s Hinrichtung f; executive [ɪg'zekjutɪv] s leitender Angestellter, leitende Angestellte

exemplary [ɪg'zemplərɪ] Adj beispielhaft

exercise ['eksəsaɪz] s (Schule, Sport) Übung f; (körperlich) Bewegung f; get more ~ mehr Sport treiben

exert [ɪg'zɜ:t] vt (Einfluss) ausüben

exhaust [ɪg'zɔ:st] s Abgase Pl; AUTO Auspuff m; exhausted Adj erschöpft; exhausting Adj anstrengend

exhibit [ɪg'zɪbɪt] s Ausstellungsstück n; exhibition [eksɪ'bɪʃən] s Ausstellung f

exhilarating [ɪg'zɪləreɪtɪŋ] Adj belebend, erregend

exile ['eksaɪl] 1. s Exil n; (Person) Verbannte(r) mf

2. vt verbannen

exist [ɪg'zɪst] vi existieren; (überleben) leben (on von); existence s Existenz f; come into ~ entstehen; existing Adj bestehend

exit ['eksɪt] s Ausgang m; (für Fahrzeuge) Ausfahrt f

exotic [ɪg'zɒtɪk] Adj exotisch

expand [ɪks'pænd] 1. vt ausdehnen, erweitern 2. vi sich ausdehnen; expansion [ɪks'pænʃən] s Expansion f, Erweiterung f

expect [ɪk'spekt] 1. vt erwarten; (vermuten) annehmen; he ~s me to do it er erwartet, dass ich es mache; I ~ it'll rain es wird wohl regnen; I ~ so ich denke schon 2. vi be ~ing ein Kind erwarten

expenditure [ɪk'spendɪtʃər] s Ausgaben Pl

expense [ɪk'spens] s Kosten Pl; (einzeln) Ausgabe f; (business) ~s Pl Spesen Pl; at sb's ~ auf jds Kosten; expensive Adj teuer

experience [ɪk'spɪərɪəns] s Erfahrung f; Erlebnis n; by/from ~ aus Erfahrung 2. vt erfahren, erleben; (Schlimmes) durchmachen; experienced Adj erfahren

experiment [ɪk'sperɪmənt] 1. s Versuch m, Experiment n 2. vi experimentieren

expert ['ekspɜ:t] 1. s Experte m, Expertin f; Fachmann m, Fachfrau f; JUR Sachverständige(r) mf 2. Adj fach-

männisch; **expertise** [eks-
pə'ti:z] s Sachkenntnis f
expire [ɪk'spaɪə'] vi (Pass,
Vertrag) ablaufen; **expiry
date** [ɪk'spaɪərɪdeɪt] s Verfallsdatum n
explain [ɪk'spleɪn] vt erklären (sth to sb jdm etw); **explanation** [eksplə'neɪʃən] s
Erklärung f
explicit [ɪk'splɪsɪt] Adj ausdrücklich, deutlich
explode [ɪk'spləud] vi explodieren
exploit [ɪk'splɔɪt] vt ausbeu-
ten
explore [ɪk'splɔː'] vt erforschen
explosion [ɪk'spləuʒən] s
Explosion f; **explosive**
[ɪk'spləusɪv] **1.** Adj explo-
siv **2.** s Sprengstoff m
export 1. [ɪk'spɔːt] vt, vi exportieren **2.** ['ekspɔːt] s
Export m **3.** Adj Export-
expose [ɪk'spəuz] vt (Gefah-
ren etc) aussetzen (to Dat);
(sichtbar machen) freilegen;
(Dieb, Lügner) entlarven;
exposed Adj (Lage) unge-
schützt; **exposure** [ɪk-
'spəuʒə'] s MED Unterküh-
lung f; FOTO Belichtung(s-
zeit) f; **24 ~s** 24 Aufnahmen
express [ɪk'spres] **1.** Adj
(Bus, Train) Express-,
Schnell-; **~ delivery** Eilzustellung f **2.** s BAHN Schnell-
zug m **3.** vt ausdrücken **4.** vr
~ oneself sich ausdrücken;
expression [ɪk'spreʃən] s

(sprachlicher) Ausdruck m;
(im Gesicht) Gesichtsaus-
druck m; **expressway** s
(US) Schnellstraße f
extend [ɪk'stend] vt (Arme)
ausstrecken; (Vertrag, Visum) verlängern; (Gebäude)
vergrößern, ausbauen; (Geschäft) erweitern; **extension** [ɪk'stenʃən] s (Vertrag,
Visum) Verlängerung f;
(Gebäude) Anbau m; TEL
Anschluss m; **extensive**
[ɪk'stensɪv] Adj (Wissen)
umfangreich; (Gebrauch)
häufig; **extent** [ɪk'stent] s
(Kabel, Netz etc) Länge f;
(Gegend, Straße) Länge f;
Ausdehnung f; (Grad, Ausmaß)
Umfang m, Ausmaß n; **to a
certain/large ~** in gewis-
sem/hohem Maße
exterior [ek'stɪərɪə'] s Äuße-
re(s) n
external [ek'stɜːnl] Adj äu-
ßere(r, s), Außen-; **exter-
nally** Adv äußerlich
extinct [ɪk'stɪŋkt] Adj (Arten) ausgestorben
extinguish [ɪk'stɪŋgwɪʃ] vt
löschen; **extinguisher** s
Löschgerät n
extra ['ekstrə] **1.** Adj zusätzlich; **~ charge** Zuschlag m;
~ time SPORT Verlängerung
f **2.** Adv besonders; **~ large**
(Kleidung) übergroß **3.** npl
~s zusätzliche Kosten Pl;
(beim Essen) Beilagen Pl;
(bei Gerät) Zubehör n; (bei
Auto etc) Extras Pl
extract 1. [ɪk'strækt] vt he-

rausziehen (*from* aus);
(*Zahn*) ziehen **2.** ['eks-
trækt] *s* (*Buch*) Auszug *m*
extraordinary [ık'strɔ:dnrı]
Adj außerordentlich; (*merkwürdig*) ungewöhnlich;
(*Leistung*) erstaunlich
extreme [ık'stri:m] **1.** *Adj*
äußerste(r, s); (*Ansichten,
Maßnahmen*) extrem **2.** *s*
Extrem *n*; extremely *Adv*
äußerst, höchst; extreme
sports *npl* Extremsportar-
ten *Pl*; extremist
[ık'stri:mıst] **1.** *Adj* extre-
mistisch **2.** *s* Extremist *m*
extrovert ['ekstrəvз:t] *Adj*

extrovertiert
exultation [egzʌl'teıʃən] *s*
Jubel *m*
eye [aı] **1.** *s* Auge *n*; keep
an ~ on sb/sth auf jdn/etw
aufpassen **2.** *vt* mustern;
eyebrow *s* Augenbraue *f*;
eyelash *s* Wimper *f*; eyelid
s Augenlid *n*; eyeliner *s*
Eyeliner *m*; eyeopener *s*
that was an ~ das hat mir
die Augen geöffnet; eye-
shadow *s* Lidschatten *m*;
eyesight *s* Sehkraft *f*; eye-
sore *s* Schandfleck *m*; eye
witness *s* Augenzeuge *m*,
Augenzeugin *f*

F

fabric ['fæbrık] *s* Stoff *m*
fabulous ['fæbjʊləs] *Adj* sa-
genhaft
façade [fə'sɑːd] *s* Fassade *f*
face [feıs] **1.** *s* Gesicht *n*;
(*Uhr*) Zifferblatt *n*; (*Berg*)
Wand *f*; in the ~ of trotz
+ *Gen*; be ~ to ~ (*Men-
schen*) einander gegenüberstehen **2.** *vt*, *vi* (*Person*) gegenüberstehen + *Dat*; (*am
Tisch*) gegenübersitzen
+ *Dat*; ~ north (*Zimmer*)
nach Norden gehen; ~ (up
to) the facts den Tatsachen
ins Auge sehen; be ~d with
sth mit etw konfrontiert
sein; face cream *s* Ge-
sichtscreme *f*
facet ['fæsıt] *s fig* Aspekt *m*

face value *s* Nennwert *m*
facial ['feıʃəl] **1.** *Adj* Ge-
sichts- **2.** *s umg* (kosmeti-
sche) Gesichtsbehandlung
facilitate [fə'sılıteıt] *vt* er-
leichtern
facility [fə'sılıtı] *s* Einrichtung *f*; Möglichkeit *f*
fact [fækt] *s* Tatsache *f*; as a
matter of ~, in ~ eigentlich,
tatsächlich
factor ['fæktə'] *s* Faktor *m*
factory ['fæktərı] *s* Fabrik *f*;
factory outlet *s* Fabrikver-
kauf *m*
factual ['fæktjʊəl] *Adj* sachlich
faculty ['fækəltı] *s* Fähigkeit
f; (*an Universität*) Fakultät
f; (*US*) Lehrkörper *m*

fade [feɪd] *vi* verblassen

fag [fæg] *s* (*Brit*) *umg* (*Zigarettenstummel*) Kippe *f*; (*US*) *umg* (*pej* Schwule(r) *m*

Fahrenheit ['færənhaɪt] *s* Fahrenheit

fail [feɪl] **1.** *vt* (*Prüfung*) nicht bestehen **2.** *vi* versagen; (*Plan, Ehe*) scheitern; (*Student, Schüler*) durchfallen; (*Sehkraft*) nachlassen; **words ~ me** ich bin sprachlos; **failure** ['feɪljə'] *s* (*Person*) Versager(in) *m(f)*; (*Geschehen*) Versagen *n*; (*Maschine*) Ausfall *m*; (*Plan, Ehe*) Scheitern *n*

faint [feɪnt] **1.** *Adj* schwach; (*Geräusch*) leise; *umg* **I haven't the ~est (idea)** ich habe keine Ahnung **2.** *vi* ohnmächtig werden (*with* vor + *Dat*); **faintness** *n* MED Schwächegefühl *n*

fair [feə'] **1.** *Adj* (*Haare*) blond; (*Haut*) hell; (*Behandlung*) gerecht, fair; (*Qualität*) ganz ordentlich; (*in Schule*) befriedigend; (*Wetter*) schön; (*Wind*) günstig; **a ~ number/amount of** ziemlich viele/viel **2.** *Adv* **play ~** fair spielen; *fig* fair sein; **~ enough** in Ordnung! **3.** *s* Jahrmarkt *m*; WIRTSCH Messe *f*; **~-haired** *Adj* blond; **fairly** *Adv* (*behandeln*) fair; (*verstärkend*) ziemlich

fairy ['feərɪ] *s* Fee *f*; **fairy tale** *n* Märchen *n*

faith [feɪθ] *s* Vertrauen *n* (*in sb* zu jdm); REL Glaube *m*; **faithful, faithfully** *Adj, Adv* treu; **Yours ~ly** Hochachtungsvoll

fake [feɪk] **1.** *s* Fälschung *f* **2.** *Adj* vorgetäuscht **3.** *vt* fälschen

fall [fɔːl] **1.** *vi* (*fell, fallen*) [fel, 'fɔːlən] fallen; (*aus größerer Höhe; schwer*) stürzen; **~ ill** krank werden; **~ asleep** einschlafen; **~ in love** sich verlieben **2.** *s* Fall *m*; (*Unfall; von Regierung*) Sturz *m*; (*Abnahme*) Sinken *n* (*in* + *Gen*); (*US*) Herbst *m*; **fall apart** *vi* auseinanderfallen; **fall behind** *vi* zurückbleiben; in Rückstand geraten; **fall down** *vi* (*Person*) hinfallen; **fall off** *vi* herunterfallen; (*abnehmen*) zurückgehen; **fall out** *vi* herausfallen; sich streiten; **fall over** *vi* hinfallen; **fall through** *vi* (*Plan etc*) ins Wasser fallen

fallen ['fɔːlən] *pp von* **fall**

false [fɔːls] *Adj* falsch; (*Gebiss etc*) künstlich; **false alarm** *s* blinder Alarm; **false start** *s* SPORT Fehlstart *m*; **false teeth** *npl* (künstliches) Gebiss

fame [feɪm] *s* Ruhm *m*

familiar [fə'mɪlɪə'] *Adj* vertraut, bekannt; **be ~ with** vertraut sein mit, gut kennen; **familiarity** [fəmɪlɪ'ærɪtɪ] *s* Vertrautheit *f*

family ['fæmɪlɪ] *s* Familie *f*; (*alle Verwandten*) Verwandtschaft f; **family man** s Familienvater m; **family name** s Familienname m, Nachname m

famine ['fæmɪn] s Hungersnot f

famous ['feɪməs] Adj berühmt

fan [fæn] s Fächer m; ELEK Ventilator m; (begeisterter Anhänger) Fan m

fanatic [fə'nætɪk] s Fanatiker(in) m(f)

fancy ['fænsɪ] **1.** Adj (Design, Stil) kunstvoll; (Geschmack) ausgefallen **2.** vt (mögen) gern haben; **he fancies her** er steht auf sie; ~ **that** stell dir vor!, so was!; fancy dress s Kostüm n, Verkleidung f

fan heater s ['fænhi:tə'] s Heizlüfter m

fantasise ['fæntəsaɪz] vi träumen (about von); **fantastic** [fæn'tæstɪk] Adj fantastisch; **that's** ~ **umg** das ist ja toll!; **fantasy** ['fæntəzɪ] s Fantasie f

far (further od farther, furthest od farthest) ['fɑː', 'fɑːðə', 'fɜːðɪst] **1.** Adj weit; **the** ~ **end of the room** das andere Ende des Zimmers; **the Far East** der Ferne Osten **2.** Adv weit; ~ **better** viel besser; **by** ~ **the best** bei weitem der/die/ das Beste; **as** ~ **as** ... bis zum od zur ...; (mit Ortsnamen) bis nach ...; **as** ~ **as I'm concerned**

mich betrifft, von mir aus; **so** ~ soweit, bisher; **faraway** Adj weit entfernt; (Blick) verträumt

fare [feə'] s Fahrpreis m

farm [fɑːm] s Bauernhof m, Farm f; **farmer** s Bauer m, Bäuerin f, Landwirt(in) m(f); **farmhouse** s Bauernhaus n; **farming** s Landwirtschaft f; **farmland** s Ackerland n; **farmyard** s Hof m

far-reaching ['fɑːriːtʃɪŋ] Adj weit reichend; **far--sighted** Adj weitsichtig

fart [fɑːt] **1.** s umg Furz m; **old** ~ pej (Person) alter Sack **2.** vi umg furzen

farther ['fɑːðə'] Adj, Adv Komparativ von **far**, → **further**; **farthest** ['fɑːðɪst] Adj, Adv Superlativ von **far**, → **furthest**

fascinating ['fæsɪneɪtɪŋ] Adj faszinierend; **fascination** s Faszination f

fashion ['fæʃən] s (Kleidung) Mode f; (Stil) Art (und Weise) f; **be in** ~ (in) Mode sein; **out of** ~ unmodisch; **fashionable, fashionably** Adj modisch

fast [fɑːst] **1.** Adj schnell; (Farbe) waschecht; **be** ~ (Uhr) vorgehen **2.** Adv schnell; fest; **be** ~ **asleep** fest schlafen **3.** s Fasten n **4.** vi fasten

fasten ['fɑːsn] vt befestigen (to an + Dat); (Knopf, Kleid) zumachen; ~ **your seatbelts** bitte anschnal-

len; fastener, fastening *s*
Verschluss *m*

fast food *s* Fast Food *n*; fast
forward *s* Schnellvorlauf *m*;
fast lane *s* Überholspur *f*

fat [fæt] **1.** *Adj* dick;
(Fleisch) fett **2.** *s* Fett *m*

fatal ['feɪtl] *Adj* tödlich

fate [feɪt] *s* Schicksal *n*

father ['fɑːðəʳ] **1.** *s* Vater *m*;
(Priester) Pfarrer *m* **2.** *vt*
(Kind) zeugen; Father
Christmas *s* der Weih-
nachtsmann; father-in-law
(fathers-in-law) *s* Schwie-
gervater *m*

fatigue [fəˈtiːg] *s* Ermüdung *f*

fattening ['fætɪŋ] *Adj* **be ~**
dick machen; fatty ['fætɪ]
Adj (Essen) fettig

faucet ['fɔːsɪt] *s (US)* Wasserhahn *m*

fault [fɔːlt] *s* Fehler *m*; TECH
Defekt *m*; ELEK Störung *f*;
(persönlich) Schuld *f*; *it's
your ~* du bist daran
schuld; faulty *Adj* fehlerhaft; TECH defekt

favor *(US)*, favour ['feɪvəʳ]
1. *s* Gunst *f*; Gefallen *m*;
in ~ of für; *I'm in ~ (of going)* ich bin dafür (dass
wir gehen); *do sb a ~* jdm
einen Gefallen tun **2.** *vt*
(bevorzugen) vorziehen; favourite ['feɪvərɪt] **1.** *s*
Liebling *m*, Favorit(in)
m(f) **2.** *Adj* Lieblings-

fax [fæks] **1.** *vt* faxen **2.** *s*
Fax *n*; fax number *s* Faxnummer *f*

FBI *Abk* = **Federal Bureau**

of Investigation; FBI *n*

fear [fɪəʳ] **1.** *s* Angst *f (of*
vor + *Dat)* **2.** *vt* befürchten;
I ~ that most davor habe
ich am meisten Angst;
fearful *Adj* ängstlich,
furchtsam; *(Angst einflö-
ßend)* fürchterlich

feasible ['fiːzəbl] *Adj* machbar

feast [fiːst] *s* Festessen *n*

feather ['feðəʳ] *s* Feder *f*

feature ['fiːtʃəʳ] **1.** *s (Ge-
sichts)zug m; (typisches)*
Merkmal *n; (von Auto etc)*
Ausstattungsmerkmal *n;
(in Zeitung, Film)* Feature
n **2.** *vt* bringen, (als Besonderheit) zeigen; feature
film *s* Spielfilm *m*

February ['februərɪ] *s* Februar *m*; → **September**

fed [fed] *pt, pp von* **feed**

federal ['fedərəl] *Adj* Bun-
des-; *the Federal Republic
of Germany* die Bundesre-
publik Deutschland

fed-up ['fed'ʌp] *Adj* **be ~
with sth** etw satt haben;
I'm ~ ich habe die Nase voll

fee [fiː] *s* Gebühr *f; (Arzt,
Rechtsanwalt)* Honorar *n*

feeble ['fiːbl] *Adj* schwach

feed [fiːd, fed] (fiːd, fed) **1.**
vt (Baby, Tier) füttern;
(Familie: sorgen für) ernähren **2.** *s (für Baby)* Mahlzeit *f; (für Tiere)* Futter *n*;
IT *(Papierzufuhr)* Zufuhr *f*;
feed in *vt (Daten)* eingeben; feedback *s (Rückmel-
dung)* Feed-back *n*

feel 118

feel (*felt, felt*) [fi:l, felt] **1.** *vt* fühlen; (*Schmerz*) empfinden; (*denken*) meinen **2.** *vi* sich fühlen; **I ~ cold** mir ist kalt; **do you ~ like a walk?** hast du Lust, spazieren zu gehen?; **feeling** *s* Gefühl *n*

feet [fi:t] *Pl von* **foot**

fell [fel] **1.** *pt von* **fall 2.** *vt* (*Baum*) fällen

fellow ['feləʊ] *s* Kerl *m*, Typ *m*; **~ citizen** Mitbürger(in) *m(f)*

female ['fi:meɪl] **1.** *s* (*von Tieren*) Weibchen *n* **2.** *Adj* weiblich; **~ doctor** Ärztin *f*; **~ dog** Hündin *f*; **feminine** ['feminin] *Adj* weiblich

fence [fens] *s* Zaun *m*

fencing *s* SPORT Fechten *n*

fender ['fendər] *s* (*US*) AUTO Kotflügel *m*

fennel ['fenl] *s* Fenchel *m*

fern [fɜ:n] *s* Farn *m*

ferocious [fə'rəʊʃəs] *Adj* wild

ferry ['feri] **1.** *s* Fähre *f* **2.** *vt* übersetzen

festival ['festivəl] *s* REL Fest *n*; KUNST, MUS Festspiele *Pl*, Festival *n*; **festive** ['festiv] *Adj* festlich; **festivities** [fe'stivitiz] *s* Feierlichkeiten *Pl*

fetch [fetʃ] *vt* holen; (*von Schule, Bahnhof etc*) abholen; (*Geld*) einbringen; **fetching** *Adj* reizend

fetish ['fetiʃ] *s* Fetisch *m*

fetus ['fi:təs] *s* (*US*) Fötus *m*

fever ['fi:vər] *s* Fieber *m*; **feverish** *Adj* MED fiebrig; *fig* fieberhaft

few [fju:] *Adj, Pron Pl* wenige *Pl*; **a ~ Pl** ein paar; **fewer** *Adj* weniger; **fewest** *Adj* wenigste(r, s)

fiancé [fi'ɒnseɪ] *s* Verlobte(r) *m*; **fiancée** *s* Verlobte *f*

fiber (*US*), fibre ['faɪbər] *s* Faser *f*, Faserstoff *m*

fiction ['fɪkʃən] *s* Prosaliteratur *f*; **fictional, fictitious** [fɪk'tɪʃəs] *Adj* erfunden

fiddle ['fɪdl] **1.** *s* Geige *f*; (*Trick, Schwindelei*) Betrug *m* **2.** *vt* (*Konten, Ergebnisse*) frisieren; **fiddle with** *vt* herumfummeln an + *Dat*

fidelity [fɪ'delɪtɪ] *s* Treue *f*

fidget ['fɪdʒɪt] *vi* zappeln; **fidgety** *Adj* zappelig

field [fi:ld] *s* Feld *n*, Wiese *f*; *fig* (*Arbeits*)gebiet *n*

fierce [fɪəs] *Adj* heftig; (*Tier, Aussehen*) wild; (*Kritik*) scharf

fifteen [fɪf'ti:n] **1.** *Zahl* fünfzehn **2.** *s* Fünfzehn *f*; → **eight**; **fifteenth** *Adj* fünfzehnte(r, s); → **eight**; **fifth** [fɪfθ] **1.** *Adj* fünfte(r, s) **2.** *s* Fünftel *n*; → **eighth**

Fifth Avenue

Die **Fifth Avenue** entlang der Ostseite des **Central Park** ist eine der bekanntesten Straßen New Yorks, die den Bezirk **Manhattan** in zwei Teile teilt, die **West Side** und die **East Side**. **Shopaholics (Kaufsüchtige)** können sich dort an zahlreichen Geschäften und Kaufhäusern erfreuen. Daneben gibt es viele Luxushotels. Außerdem befinden sich auf der **Fifth Avenue** die **Museum Mile (Museumsmeile)** mit ihren zahlreichen Museen, das **Empire State Building**, die **St. Patrick's Cathedral** und das **Rockefeller Center**, in dem alljährlich der berühmteste Weihnachtsbaum New Yorks aufgestellt wird.

fifty ['fɪftɪ] **1.** *Zahl* fünfzig **2.** *s* Fünfzig *f*; → **eight**; fiftieth *Adj* fünfzigste(r, s); → **eighth**

fig [fɪg] *s* Feige *f*

fight [faɪt] **1.** (fought, fought) *vi* kämpfen (*with, against* gegen; *for, over* um) **2.** *vt* (*Person*) kämpfen mit; *fig* (*Krankheit, Feuer*) bekämpfen **3.** *s* Kampf *m*; Schlägerei *f*; Streit *m*; **fight back** *vi* zurückschlagen; **fight off** *vt* abwehren

figurative ['fɪgərətɪv] *Adj* übertragen

figure ['fɪgər] **1.** *s* (*Person*) Gestalt *f*; (*von Person*) Figur *f*; (*einzelne*) Zahl *f*, Ziffer *f*; (*Summe*) Betrag *m*; **a four-figure sum** eine vierstellige Summe **2.** *vt* (*US, denken*) glauben **3.** *vi* (*auf-*

tauchen, vorkommen) erscheinen; figure out *vt* herausbekommen; **I can't figure him out** ich werde aus ihm nicht schlau; figure skating *s* Eiskunstlauf *m*

file [faɪl] **1.** *s* (*Werkzeug*) Feile *f*; (*Dokument*) Akte *f*; IT Datei *f*; (*für Dokumente*) Aktenordner *m*; **on ~** in den Akten **2.** *vt* (*Metall, Fingernägel*) feilen; (*Dokumente*) ablegen (*unter* unter)

fill [fɪl] *vt* füllen; (*Zahn*) plombieren; (*Stelle, Posten*) besetzen; **fill in** *vt* (*Loch*) auffüllen; (*Formular*) ausfüllen; (*aufklären*) informieren (*on* über); fill out *vt* (*Formular*) ausfüllen; fill up *vt* AUTO volltanken

fillet ['fɪlɪt] *s* Filet *n*

filling ['fɪlɪŋ] *s* GASTR Füllung *f*; (*Zahn*) Plombe *f*; filling station *s* Tankstelle *f*

film [fɪlm] **1.** *s* Film *m* **2.** *vt* filmen; film star *s* Filmstar *m*; film studio *s* Filmstudio *n*

filter ['fɪltə] **1.** *s* Filter *m*; Abbiegespur *f* **2.** *vt* filtern

filth [fɪlθ] *s* Dreck *m*; filthy *Adj* dreckig

fin [fɪn] *s* Flosse *f*

final ['faɪnl] **1.** *Adj* letzte(r, s); (*Stadium, Runde*) End-*f*; (*Entscheidung, Version*) endgültig; **~ score** Schlussstand *m* **2.** *s* SPORT Endspiel *n*; (*bei Wettbewerb*) Finale *n*; **~s** *Pl* (*Schule*) Abschlussexamen *n*; finalize *vt* die endgültige Form geben + *Dat*; **finally** *Adv* zuletzt; schließlich, endlich

finance [faɪˈnæns] **1.** *s* Finanzwesen *n*; **~s** *Pl* Finanzen *Pl* **2.** *vt* finanzieren; **financial** [faɪˈnænʃəl] *Adj* finanziell; Finanz-

find (found, found) [faɪnd, faʊnd] *vt* finden; **he was found dead** er wurde tot aufgefunden; **~ myself in difficulties** ich befinde mich in Schwierigkeiten; **she ~s it difficult/easy** es fällt ihr schwer/leicht; **find out** *vt* herausfinden; **findings** *npl* JUR Ermittlungsergebnis *n*; MED Befund *m*

fine [faɪn] **1.** *Adj* (*Linie*) dünn, fein; (*Essen, Wein*) gut; (*hervorragend*) herrlich; (*Wetter*) schön; **I'm ~** es geht mir gut; **that's ~** das ist OK **2.** *Adv* gut **3.** *s* JUR Geldstrafe *f* **4.** *vt* JUR mit einer Geldstrafe belegen; **fine arts** *npl* **the ~** die schönen Künste *Pl*

finger [ˈfɪŋgər] **1.** *s* Finger *m* **2.** *vt* herumfingern an + *Dat*; **fingernail** *s* Fingernagel *m*; **fingerprint** *s* Fingerabdruck *m*; **fingertip** *s* Fingerspitze *f*

finicky [ˈfɪnɪkɪ] *Adj* (*Person*) pingelig; (*Arbeit*) knifflig

finish [ˈfɪnɪʃ] **1.** *s* Ende *n*; SPORT Finish *n*; (*Linie*) Ziel *n*; (*von Produkt*) Verarbeitung *f* **2.** *vt* beenden; (*Buch etc*) zu Ende lesen; (*Essen*) aufessen; (*Getränk*) aus-

trinken **3.** *vi* zu Ende gehen; enden; (*Person: mit etw*) fertig sein; aufhören; **have you ~ed?** bist du fertig?; **~ first/second** SPORT als erster/zweiter durchs Ziel gehen; finishing line *s* Ziellinie *f*

Finland [ˈfɪnlənd] *s* Finnland *n*; **Finn** *s* Finne *m*, Finnin *f*; **Finnish 1.** *Adj* finnisch **2.** *s* (*Sprache*) Finnisch *n*

fir [fɜːr] *s* Tanne *f*

fire [faɪər] **1.** *s* Feuer *n*; Brand *m*; **set ~ to sth** etw in Brand stecken; **be on ~** brennen **2.** *vt* (*Schüsse, Raketen*) abfeuern; *etw* (*entlassen*) feuern **3.** *vi* AUTO (*Motor*) zünden; **~ at sth** auf jdn schießen; **fire alarm** *s* Feuermelder *m*; **fire brigade** *s* Feuerwehr *f*; **fire engine** *s* Feuerwehrauto *n*; **fire escape** *s* Feuerleiter *f*; **fire extinguisher** *s* Feuerlöscher *m*; **firefighter** *s* Feuerwehrmann *m*, Feuerwehrfrau *f*; **fireman** *s* Feuerwehrmann *m*, Feuerwehrfrau *f*; **fireplace** *s* (*offener*) Kamin *m*; **fireproof** *Adj* feuerfest; **fire station** *s* Feuerwache *f*; **fireworks** *npl* Feuerwerk *n*

firm [fɜːm] **1.** *Adj* fest; **be ~** entschlossen auftreten **2.** *s* Firma *f*

first [fɜːst] **1.** *Adj* erste(r, s) **2.** *Adv* zuerst; erstens; (*ankommen, fertig sein*) als erste(r); (*sich ereignen*) zum ersten Mal; **~ of all** zualler-

erst 3. s (Person) Erste(r) mf; AUTO erster Gang; **at ~** zuerst, anfangs; **first aid** s erste Hilfe; **first-class 1.** Adj (Abteil, Fahrkarte) erster Klasse; **~ mail** (Brit) bevorzugt beförderte Post s **2.** Adv (reisen) erster Klasse; **first floor** s (Brit) erster Stock; (US) Erdgeschoss n; **first lady** s (US) Frau f des Präsidenten; **firstly** Adv erstens; **first name** s Vorname m; **first night** s THEAT Premiere f; **first-rate** Adj erstklassig

fir tree s Tannenbaum m

fish [fɪʃ] **1.** s Fisch m **2.** vi fischen; angeln; **go ~ing** fischen/angeln gehen

fish and chips

Fish and chips - auch **fish 'n' chips** geschrieben - gehört nach wie vor zu den beliebtesten Gerichten in Großbritannien. Es besteht aus einem **panierten Fischfilet**, beispielsweise **cod (Kabeljau)**, **plaice (Scholle)** oder **haddock (Schellfisch)**, und grob geschnittenen **chips (Pommes frites)**, die mit **salt (Salz)** und **vinegar (Essig)** gegessen werden.

fishbone s Gräte f; **fish farm** s Fischzucht f; **fish finger** s (Brit) Fischstäbchen n; **fishing** ['fɪʃɪŋ] s Fischen n, Angeln n; **fishing**

boat s Fischerboot n; **fishing line** s Angelschnur f; **fishing rod** s Angelrute f; **fishmonger** ['fɪʃmʌŋgəʳ] s Fischhändler(in) m(f); **fish stick** (US) Fischstäbchen n; **fish tank** s Aquarium n; **fishy** ['fɪʃɪ] Adj umg (verdächtig) faul

fist [fɪst] s Faust f

fit [fɪt] **1.** Adj MED gesund; SPORT in Form, fit; **keep ~** sich in Form halten **2.** vt passen an s Dat; (montieren) anbringen (to an + Dat); (in Auto, Gerät etc) einbauen (in in + Akk) **3.** vi passen; (in Lücke) hineinpassen **4.** s (Kleidungsstück) Sitz m; MED Anfall m; **it's a good ~** es passt gut; **fit in 1.** vt (terminlich) unterbringen; (Patienten) einschieben **2.** vi (in Lücke) hineinpassen; (Ideen) passen; **he doesn't ~ (here)** er passt nicht hierher; **~ with sb's plans** sich mit jds Plänen vereinbaren lassen; **fitness** s MED Gesundheit f; SPORT Fitness f; **fitted carpet** s Teppichboden m; **fitted kitchen** s Einbauküche f; **fitting 1.** Adj passend **2.** s (von Kleid etc) Anprobe f; **~s** Pl Ausstattung f

five [faɪv] **1.** Zahl Wort s Fünf f; → **eight**; **fiver** s (Brit) umg Fünfpfundschein m

fix [fɪks] vt befestigen (to an + Dat); (Termin) festsetzen;

(*Ort, Zeit*) ausmachen; (*Kaputtes*) reparieren; **fixer** s (*Drogenabhängiger*) Fixer(in) m(f); **fixture** ['fɪkstʃəʳ] s ~s (**and fittings**) *Pl* Ausstattung f

fizzy ['fɪzɪ] *Adj* sprudelnd; ~ **drink** Limo f

flabbergasted ['flæbəɡɑːstɪd] *Adj um* platt

flabby ['flæbɪ] *Adj* wabbelig

flag [flæɡ] s Fahne f

flake [fleɪk] **1.** s Flocke f **2.** vi ~ (**off**) abblättern

flamboyant [flæm'bɔɪənt] *Adj* extravagant

flame [fleɪm] s Flamme f; (*Person*) **an old ~** eine alte Liebe

flan [flæn] s Obstkuchen m

flannel ['flænl] **1.** s Flanell m; (*Brit*) Waschlappen m **2.** vi herumlabern

flap [flæp] **1.** s Klappe f; **umg be in a ~** (*head*) rotieren; vt (*Flügel*) schlagen mit **3.** vi flattern

flared [fleəd] *Adj* (*Hosen*) mit Schlag; **flares** *npl* Schlaghose f

flash [flæʃ] **1.** s Blitz m; (*Nachrichten*) Kurzmeldung f; FOTO Blitzlicht n; **in a ~** im Nu **2.** vt ~s (**head**)-**lights** die Lichthupe betätigen **3.** vi aufblinken; (*heller*) aufblitzen; **flashback** s Rückblende f; **flashlight** s PHOTO Blitzlicht n; (*US*) Taschenlampe f; **flashy** *Adj* grell, schrill; *pej* protzig

flat [flæt] **1.** *Adj* flach; eben;

(*Getränk*) abgestanden; (*Reifen*) platt; (*Batterie*) leer; (*Weigerung*) glatt **2.** s (*Brit*) Wohnung f; AUTO Reifenpanne f; **flat screen** s IT Flachbildschirm m; **flatten** vt platt machen, einebnen

flatter ['flætəʳ] vt schmeicheln + *Dat*; **flattering** *Adj* schmeichelhaft

flatware ['flætwɛə] s (*US*) Besteck n

flavor (*US*), **flavour** ['fleɪvəʳ] **1.** s Geschmack m **2.** vt Geschmack geben + *Dat*, würzen; **flavouring** s Aroma n

flaw [flɔː] s Fehler m; **flawless** *Adj* fehlerlos; (*Aussehen*) makellos

flea [fliː] s Floh m

fled [fled] *pt, pp von* **flee**

flee (*fled, fled*) [fliː, fled] vi fliehen

fleece [fliːs] s (*von Schaf*) Vlies n; (*Stoff*) Fleece m; Fleecejacke f

fleet [fliːt] s Flotte f

flesh [fleʃ] s Fleisch n

flew [fluː] *pt von* **fly**

flex [fleks] s (*Brit*) ELEK Schnur f

flexibility [fleksɪ'bɪlɪtɪ] s Biegsamkeit f; *fig* Flexibilität f; **flexible** ['fleksɪbl] *Adj* biegsam; (*Person*) flexibel; **flexitime** s gleitende Arbeitszeit, Gleitzeit f

flicker ['flɪkəʳ] vi flackern; TV flimmern

flies [flaɪz] *Pl von* **fly 2**

flight [flaɪt] s Flug m; (*vor*

foam

Polizei etc) Flucht *f*; **~ of
stairs** Treppe *f*; **flight attendant** *s* Flugbegleiter(in)
m(f); **flight recorder** *s*
Flugschreiber *m*

flimsy ['flɪmzɪ] *Adj* leicht
gebaut, nicht stabil; (*Material*) hauchdünn; (*Ausrede*)
fadenscheinig

fling (*flung, flung*) [flɪŋ,
flʌŋ] 1. *vt* schleudern 2. **to
have a ~** eine (kurze) Affäre
haben

flint [flɪnt] *s* Feuerstein *m*

flip [flɪp] *vt* schnippen; **~ a
coin** eine Münze werfen;
flip through *vt* (*Buch*)
durchblättern; **flipchart** *s*
Flipchart *f*

flipper ['flɪpər] *s* Flosse *f*

flirt [flɜːt] *vi* flirten

float [fləʊt] *vi* schwimmen;
schweben

flock [flɒk] *s* (*Schafe*; *Gemeinde*) Herde *f*; (*Vögel*)
Schwarm *m*; (*Leute*) Schar *f*

flood [flʌd] 1. *s* Hochwasser
n, Überschwemmung *f*; *fig*
Flut *f* 2. *vt* überschwem-
men; **floodlight** *s* Flutlicht
n; **floodlit** *Adj* angestrahlt

floor [flɔːr] *s* Fußboden *m*;
(*Geschoss*) Stock *m*; **ground
~** (*Brit*), **first ~** (*US*) Erdgeschoss *n*; **first ~** (*Brit*), **second ~** (*US*) erster Stock

flop [flɒp] 1. *s umg* Reinfall
m, Flop *m* 2. *vi* misslingen,
floppen

floppy disk ['flɒpɪ'dɪsk] *s*
Diskette *f*

Florence ['flɒrəns] *s* Florenz

flounder ['flaʊndər] *s* (*Fisch*)
Flunder *f*

flour [flaʊər] *s* Mehl *n*

flourish ['flʌrɪʃ] 1. *vi* gedeihen; (*Geschäft*) gut laufen;
(*boomen*) florieren 2. *vt*
(*winken mit*) schwenken;
flourishing *Adj* blühend

flow [fləʊ] 1. *s* Fluss *m*; **go
with the ~** mit dem Strom
schwimmen 2. *vi* fließen

flower ['flaʊər] 1. *s* Blume *f*
2. *vi* blühen; **flower bed** *s*
Blumenbeet *n*; **flowerpot** *s*
Blumentopf *m*

flown [fləʊn] *pp von* **fly**

flu [fluː] *s umg* Grippe *f*

fluent *Adj* (*Sprache*) fließend; **be ~ in German** fließend Deutsch sprechen

fluid ['fluːɪd] 1. *s* Flüssigkeit
f 2. *Adj* flüssig

flung [flʌŋ] *pt, pp von* **fling**

flush [flʌʃ] *s* (*Toilette*) Wasserspülung *f*; (*auf Wangen*)
Röte *f* 2. *vt* (*Toilette*) spülen

flute [fluːt] *s* Flöte *f*

fly [flaɪ] 1. *vt, vi* (*flew,
flown*) [fluː, fləʊn] fliegen;
how time flies wie die Zeit
vergeht! 2. *s* (*Insekt*) Fliege
f; **~flies** *Pl* Hosenschlitz
m; **fly-drive** *s* Urlaub *m*
mit Flug und Mietwagen;
flyover *s* (*Brit*) Straßen-
überführung *f*, Eisenbahn-
überführung *f*; **flysheet** *s*
Überzelt *n*

foal [fəʊl] *s* Fohlen *n*

foam [fəʊm] 1. *s* Schaum *m*
2. *vi* schäumen

focus 124

focus ['fəʊkəs] **1.** s Brennpunkt m; **in/out of** ~ (Foto) scharf/unscharf **2.** vt (Kamera) scharf stellen **3.** vi sich konzentrieren (on auf + Akk)

foetus ['fi:təs] s Fötus m

fog [fɒg] s Nebel m; **foggy** Adj neblig; fog light s AUTO Nebelschlussleuchte f

foil [fɔɪl] s Folie f

fold [fəʊld] **1.** vt falten **2.** vi umg (Firma, Geschäft) eingehen **3.** s Falte f; **fold up 1.** vt (Karte) zusammenfalten; (Stuhl) zusammenklappen **2.** vi (Firma, Geschäft) eingehen; **folder** s Aktenmappe f, Broschüre f; IT Ordner m; **folding** Adj zusammenklappbar; (Fahrrad, Stuhl) Klapp-

folk [fəʊk] **1.** s Leute Pl; MUS Folk m; **my ~s** Pl umg meine Leute **2.** Adj Volks-

follow ['fɒləʊ] **1.** vt folgen + Dat; verfolgen; (verstehen) folgen können + Dat; (Nachrichten) verfolgen; **as ~s** wie folgt **2.** vi folgen; (Ergebnis) sich ergeben (from aus); **follow up** vt (Gerücht) nachgehen + Dat, weiter verfolgen; **follower** s Anhänger(in) m(f); **following 1.** Adj folgend; **the ~ day** am (darauf)folgenden Tag **2.** Präp nach

fond [fɒnd] Adj **be ~ of** gern haben; **fondly** Adv liebevoll; **fondness** s Vorliebe f, Zuneigung f

fondue ['fɒndu:] s Fondue n

font [fɒnt] s Taufbecken n; TYPO Schriftart f

food [fu:d] s Essen n; Lebensmittel Pl; (für Tiere) Futter n; **food poisoning** s Lebensmittelvergiftung f; **food processor** s Küchenmaschine f; **foodstuff** s Lebensmittel n

fool [fu:l] s Idiot m, Narr m; **make a ~ of oneself** sich blamieren **2.** vt (täuschen) hereinlegen **3.** vi **~ around** herumalbern; (ohne viel zu tun) herumtrödeln; **foolish** Adj dumm; **foolproof** Adj idiotensicher

foot [fʊt] **1.** s (feet) [fi:t] Fuß m; (Maßeinheit) Fuß m (30,48 cm); **on ~** zu Fuß **2.** vt (Rechnung) bezahlen; **foot-and-mouth disease** s Maul- und Klauenseuche f; **football** s Fußball m; **footballer** s (US) Fußball m; **footballer** s Fußballspieler(in) m(f); **footbridge** s Fußgängerbrücke f; **footing** s (beim Klettern) Halt m; **footnote** s Fußnote f; **footpath** s Fußweg m; **footprint** s Fußabdruck m; **footwear** s Schuhwerk n

for [fɔ:] **1.** Präp für; **I'm all ~ it** ich bin ganz dafür; **what ~?** wozu?; **~ pleasure** zum Vergnügen; **what's ~ lunch?** was gibt es zum Mittagessen?; **the train ~ London** der Zug nach London; (wegen) **~ this reason** aus diesem Grund; **famous** ~ bekannt für, berühmt wegen; *(mit Zeitangabe)* **we talked ~ two hours** wir redeten zwei Stunden lang; *(bis jetzt)* **we have been talking ~ two hours** wir reden seit zwei Stunden; *(Entfernung)* **miles (and miles)** meilenweit; **bends ~ 2 miles** kurvenreich auf 2 Meilen; **as ~ ...** was ... betrifft **2.** Konj denn

forbade [fə'bæd] pt von **forbid**

forbid (forbade, forbidden) [fə'bɪd, fə'bæd,..fə'bɪdn,] vt verbieten

force [fɔːs] **1.** s Kraft f; Gewalt m; **come into** ~ in Kraft treten; **the Forces** Pl die Streitkräfte **2.** vt zwingen; forced Adj *(Lächeln)* gezwungen

forceps ['fɔːseps] npl Zange f

forearm ['fɔːrɑːm] s Unterarm m

forecast ['fɔːkɑːst] **1.** vt voraussagen; *(Wetter)* vorhersagen **2.** s Vorhersage f

forefinger ['fɔːfɪŋgə'] s Zeigefinger m

foreground ['fɔːgraʊnd] s Vordergrund m

forehand ['fɔːhænd] s SPORT Vorhand f

forehead ['fɔːhed, 'fɒrɪd] s Stirn f

foreign ['fɒrən] Adj ausländisch; **foreigner** s Ausländer(in) m(f); foreign ex-change s Devisen Pl; foreign language s Fremdsprache f; foreign minister, foreign secretary s Außenminister(in) m(f)

foremost ['fɔːməʊst] Adj erste(r, s); *(Spitze)* führend

forerunner ['fɔːrʌnə'] s Vorläufer(in) m(f)

foresee [fɔː'siː] unreg vt vorhersehen; **foreseeable** Adj absehbar

forest ['fɒrɪst] s Wald m; **forestry** s Forstwirtschaft f

forever [fə'revə'] Adv für immer

forgave [fə'geɪv] pt von **forgive**

forge [fɔːdʒ] **1.** s Schmiede f **2.** vt schmieden; *(Geld, Unterschrift)* fälschen; **forgery** s Fälschung f

forget (forgot, forgotten) [fə'get, fə'gɒt, fə'gɒtn] vt, vi vergessen; ~ **about sth** etw vergessen; **forgetful** Adj vergesslich; **forget-me--not** s Vergissmeinnicht n

forgive (forgave, forgiven) [fə'gɪv, fə'geɪv, fə'gɪvn] unreg vt vergeben; ~ **sb for sth** jdm etw verzeihen

forgot [fə'gɒt] pt von **forget**

forgotten [fə'gɒtn] pp von **forget**

fork [fɔːk] **1.** s Gabel f; *(Straße)* Gabelung f **2.** vi *(Straße)* sich gabeln

form [fɔːm] **1.** s Form f; *(Schule)* Klasse f; *(Dokument)* Formular n; *(Person)* **be in (good)** ~ in Form sein 2. vt bilden

formal ['fɔːməl] Adj förmlich; formell; formality [fɔː'mælɪtɪ] s Formalität f

format ['fɔːmæt] 1. s Format n 2. vt formatieren

former ['fɔːmə] Adj frühere(r, s); (bei Erwähnung von zweien) erstere(r, s); formerly Adv früher

formula ['fɔːmjʊlə] s Formel f

forth [fɔːθ] Adv and so ~ und so weiter; forthcoming [fɔːθ'kʌmɪŋ] Adj kommend, bevorstehend

fortieth ['fɔːtɪəθ] Adj vierzigste(r, s); → eighth

fortnight ['fɔːtnaɪt] s vierzehn Tage Pl

fortress ['fɔːtrɪs] s Festung f

fortunate ['fɔːtʃənɪt] Adj glücklich; I was ~ ich hatte Glück; fortunately Adv zum Glück; fortune ['fɔːtʃən] s (Geld) Vermögen n; good ~ Glück n; fortune-teller s Wahrsager(in) m(f)

forty ['fɔːtɪ] 1. Zahl vierzig 2. s Vierzig f; → eight

forward ['fɔːwəd] 1. Adv vorwärts 2. s SPORT Stürmer(in) m(f) 3. vt (Post) nachsenden; IT weiterleiten; forwards Adv vorwärts

foster child ['fɒstətʃaɪld] s Pflegekind n; foster parents npl Pflegeeltern Pl

fought [fɔːt] pt, pp von fight

foul [faʊl] 1. Adj (Wetter)

schlecht; (Geruch) übel 2. s SPORT Foul n

found [faʊnd] 1. pt, pp von find 2. vt (Firma etc) gründen; foundations [faʊn'deɪʃənz] npl Fundament n

fountain ['faʊntɪn] s Springbrunnen m; fountain pen s Füller m

four [fɔː] 1. Zahl vier 2. s Vier f; → eight; fourteen ['fɔː'tiːn] 1. Zahl vierzehn 2. s Vierzehn f; → eight; fourteenth ['fɔː'tiːnθ] Adj vierzehnte(r, s); → eighth; fourth [fɔːθ] Adj vierte(r, s); → eighth

four-wheel drive s Allradantrieb m; (Auto) Geländewagen m

fowl [faʊl] s Geflügel n

fox [fɒks] s Fuchs m

fraction ['frækʃən] s MATHE Bruch m; (kleiner Teil) Bruchteil m; fracture ['fræktʃə] 1. s MED Bruch m 2. vt brechen

fragile ['frædʒaɪl] Adj zerbrechlich

fragment ['frægmənt] s Bruchstück n

fragrance ['freɪgrəns] s Duft m; fragrant Adj duftend

frail [freɪl] Adj gebrechlich

frame [freɪm] 1. s Rahmen m; (Brille) Gestell n; ~ of mind Verfassung f 2. vt einrahmen; framework s Rahmen m, Struktur f

France [frɑːns] s Frankreich n

frank [fræŋk] *Adj* offen

frankfurter ['fræŋkfɜ:tə*] *s* (Frankfurter) Würstchen *nt*

frankly ['fræŋklɪ] *Adv* offen gesagt; *quite ~* ganz ehrlich

frantic ['fræntɪk] *Adj* (*Aktivität*) hektisch; (*Anstrengungen*) verzweifelt; *~ with worry* krank vor Sorge

fraud [frɔ:d] *s* Betrug *m*; (*Person*) Schwindler(in) *m(f)*

freak [fri:k] **1.** *s* Anomalie *f*; (*Tier, Person*) Missgeburt *f*; *umg* (*Computerbegeisterter etc*) Fan *m*, Freak *m* **2.** *Adj* (*Unfall, Wetter*) außergewöhnlich, seltsam; **freak out** *vi umg* ausflippen

freckle ['frekl] *s* Sommersprosse *f*

free [fri:] **1.** *Adj, Adv* frei; gratis, kostenlos; *for ~* umsonst **2.** *vt* befreien; **freebie** ['fri:bɪ] *s umg* Werbegeschenk *nt*; **freedom** ['fri:dəm] *s* Freiheit *f*; **freefone** ['fri:fəʊn] *Adj* **a** *~ number* eine gebührenfreie Nummer; **free kick** *s* SPORT Freistoß *m*

freelance ['fri:lɑ:ns] **1.** *Adj* freiberuflich tätig; freischaffend **2.** *s* Freiberufler(in) *m(f)*

free-range ['fri:reɪndʒ] *Adj* (*Hühner*) frei laufend; *~ eggs* *Pl* Freilandeier *Pl*

freeway ['fri:weɪ] *s* (US) (gebührenfreie) Autobahn

freeze (*froze, frozen*) [fri:z, frəʊz, 'frəʊzn] **1.** *vi* (*Per-son*) frieren; (*See*) zufrieren; (*Wasser*) gefrieren **2.** *vt* einfrieren; **freezer** *s* Tiefkühltruhe *f*; (*in Kühlschrank*) Gefrierfach *nt*; **freezing** *Adj* eiskalt; *I'm ~* mir ist eiskalt; **freezing point** *s* Gefrierpunkt *m*

freight [freɪt] *s* Fracht *f*, Frachtgebühr *f*; **freight car** *s* (US) Güterwagen *m*; **freight train** *s* (US) Güterzug *m*

French [frentʃ] **1.** *Adj* französisch **2.** *s* (*Sprache*) Französisch *nt*; *the ~* *Pl* die Franzosen; **French bean** *s* grüne Bohne; **French bread** *s* Baguette *f*; **French dressing** *s* Vinaigrette *f*; **French fries** (US) *npl* Pommes frites *Pl*; **French kiss** *s* Zungenkuss *m*; **Frenchman** (*-men* *Pl*) *s* Franzose *m*; **French toast** *s* (US) in Ei und Milch getunktes gebratenes Brot; **French window(s)** *s* (Pl) Balkontür *f*, Terrassentür *f*; **Frenchwoman** (*-women* *Pl*) *s* Französin *f*

frequency ['fri:kwənsɪ] *s* Häufigkeit *f*; PHYS Frequenz *f*; **frequent** *Adj* häufig; **frequently** *Adv* häufig

fresco (*-es* *Pl*) ['freskəʊ] *s* Fresko *n*

fresh [freʃ] *Adj* frisch; (*Anfang, Laken*) neu; **freshen** *vi ~ (up)* (*Person*) sich frisch machen; **freshman** (*-men* *Pl*) *s* Erstsemester *nt*; **freshwater fish** *s* Süßwasserfisch m

Fri *Abk* = **Friday**; Fr

friction ['frɪkʃən] s Reibung f

Friday ['fraɪdeɪ] s Freitag m; → **Tuesday**

fridge [frɪdʒ] s Kühlschrank m

fried [fraɪd] *Adj* gebraten; ~ **potatoes** Bratkartoffeln *Pl*; ~ **egg** Spiegelei n; ~ **rice** gebratener Reis

friend [frend] s Freund(in) m(f); (*weniger eng*) Bekannte(r) mf; **make** ~**s with sb** sich mit jdm anfreunden; **we're good** ~**s** wir sind gut befreundet; **friendly 1.** *Adj* freundlich **2.** s SPORT Freundschaftsspiel n; **friendship** ['frendʃɪp] s Freundschaft f

fright [fraɪt] s Schrecken m; **frighten** *vt* erschrecken; **be** ~**ed** Angst haben; **frightening** *Adj* beängstigend

frill [frɪl] s Rüsche f; ~**s** *umg* Schnickschnack

fringe [frɪndʒ] s (*Stadt*) Rand m; (*an Schal*) Fransen *Pl*; (*Frisur*) Pony m

frizzy ['frɪzɪ] *Adj* kraus

frog [frɒg] s Frosch m

from [frɒm] *Präp von*; (*örtlich*) aus; **travel** ~ **A to B** von A nach B fahren; **the train** ~ **Bath** der Zug aus Bath; **where does she come** ~? woher kommt sie?; **it's ten miles** ~ **here** es ist zehn Meilen von hier (entfernt); ~ **May 5th (onwards)** ab

dem 5. Mai

front [frʌnt] **1.** s Vorderseite f, Fassade f; (*Krieg, Luftmassen*) Front f; (*am Meer*) Promenade f; **in** ~**, at the** ~ vorne; **in** ~ **of** vor; **up** ~ vorher, im Voraus **2.** *Adj* vordere(r, s), Vorder-; (*ganz vorne*) vorderste(r, s); ~ **door** Haustür f; ~ **page** Titelseite f; ~ **seat** Vordersitz m; ~ **wheel** Vorderrad n

frontier ['frʌntɪə] s Grenze f

front-wheel drive s AUTO Frontantrieb m

frost [frɒst] s Frost m; Reif m; **frosting** s (*US*) Zuckerguss m; **frosty** *Adj* frostig

froth [frɒθ] s Schaum m

frown [fraʊn] *vi* die Stirn runzeln

froze [frəʊz] *pt von* **freeze**

frozen ['frəʊzn] **1.** *pp von* **freeze 2.** *Adj* (*Lebensmittel*) tiefgekühlt, Tiefkühl-

fruit [fruːt] s Obst n; (*einzelne*) Frucht f; **fruit machine** s Spielautomat m; **fruit salad** s Obstsalat m

frustrated [frʌˈstreɪtɪd] *Adj* frustriert; **frustration** s Frustration f, Frust m

fry [fraɪ] *vt* braten; **frying pan** s Bratpfanne f

fuchsia ['fjuːʃə] s Fuchsie f

fuck [fʌk] *vt vulg* ficken; ~ **off** verpiss dich!; **fucking** *Adj vulg* Scheiß-

fudge [fʌdʒ] s weiche Karamellsüßigkeit

fuel [fjʊəl] s Kraftstoff m, Brennstoff m; fuel consumption s Kraftstoffverbrauch m; **fuel gauge** s Benzinuhr f

fugitive ['fju:dʒɪtɪv] s Flüchtling m

fulfil [fʊl'fɪl] vt erfüllen

full [fʊl] Adj voll; (nach Essen) satt; (Mitglied, Beschäftigung) Voll(zeit)-; (komplett) vollständig; ~ **of** ... voller ... Gen; **full beam** s AUTO Fernlicht n; **full moon** s Vollmond m; **full stop** s Punkt m; **full-time** Adj ~ **job** Ganztagsarbeit f; **fully** Adv völlig; (gesund werden) voll und ganz; (diskutieren) ausführlich

fumble ['fʌmbl] vi herumfummeln (with, at an + Dat)

fumes [fju:mz] npl Dämpfe Pl; (Auto etc) Abgase Pl

fun [fʌn] s Spaß m; **for** ~ zum Spaß; **it's** ~ es macht Spaß; **make** ~ **of** sich lustig machen über + Akk

function ['fʌŋkʃən] **1.** s Funktion f; (große Party) Feier f; (offiziell) Empfang m **2.** vi funktionieren

fund [fʌnd] s Fonds m; ~**s** Pl Geldmittel Pl

fundamental [fʌndə'mentl] Adj grundlegend; **fundamentally** Adv im Grunde

funding ['fʌndɪŋ] s finanzielle Unterstützung

funeral ['fju:nərəl] s Beerdigung f

funfair ['fʌnfeə'] s Jahrmarkt m

fungus (fungi od funguses Pl) ['fʌŋgəs, 'fʌŋgɪ] s Pilz m

funnel ['fʌnl] s Trichter m; (von Schiff) Schornstein m

funny ['fʌnɪ] Adj (witzig) komisch, lustig; (merkwürdig) seltsam

fur [fɜ:'] s Pelz m; (Tier a.) Fell n

furious ['fjʊəriəs] Adj wütend (with sb auf jdn)

furnished ['fɜ:nɪʃd] Adj möbliert; **furniture** ['fɜ:nɪtʃə'] s Möbel Pl; **piece of** ~ Möbelstück n

further ['fɜ:ðə'] Komparativ von **far 1.** Adj weitere(r, s); ~ **education** Weiterbildung f; **until** ~ **notice** bis auf weiteres **2.** Adv weiter; **furthest** ['fɜ:ðɪst] Superlativ von **far 1.** Adj am weitesten entfernt **2.** Adv am weitesten

fury ['fjʊərɪ] s Wut f

fuse [fju:z] **1.** s ELEK Sicherung f **2.** vi ELEK durchbrennen; **fuse box** s Sicherungskasten m

fuss [fʌs] s; **make a** ~ ein Theater machen; **fussy** Adj schwierig, kompliziert; pingelig

future ['fju:tʃə'] **1.** Adj künftig **2.** s Zukunft f

fuze (US) → **fuse**

fuzzy ['fʌzɪ] Adj (unscharf) verschwommen; (Haare) kraus

G

gable ['geɪbl] s Giebel m

gadget ['gædʒɪt] s Vorrichtung f, Gerät n

Gaelic ['geɪlɪk] **1.** Adj gälisch **2.** s (Sprache) Gälisch n

gain [geɪn] **1.** vt (Zeit, Unterstützung) gewinnen; (Vorteil, Respekt) sich verschaffen; (Wohlstand, Wissen) erwerben; (Gewicht) zunehmen **2.** vi (besser werden) gewinnen (in an + Dat); (Uhr) vorgehen **3.** s Gewinn m (in an + Dat)

gale [geɪl] s Sturm m

gall bladder ['gɔːlblædə^r] s Gallenblase f

gallery ['gælərɪ] s Galerie f, Museum n

gallon ['gælən] s Gallone f (Brit 4,546 l) (US 3,79 l)

gallop ['gæləp] **1.** s Galopp m **2.** vi galoppieren

gallstone ['gɔːlstəʊn] s Gallenstein m

Gambia ['gæmbɪə] s Gambia n

gamble ['gæmbl] **1.** vi um Geld spielen, wetten **2.** s *it's a ~* es ist riskant; **gambling** s Glücksspiel n

game [geɪm] s Spiel n; (Tiere) Wild n; **~s** (in Schule) Sport m

gammon ['gæmən] s geräucherter Schinken

gang [gæŋ] s (Kriminelle) Bande f; (Jugendliche)

Gang f, Clique f

gangster ['gæŋstə^r] s Gangster m

gangway ['gæŋweɪ] s (Brit, zwischen Sitzreihen) Gang m; (Schiff) Gangway f

gap [gæp] s Lücke f; (zeitlich) Pause f; (altersmäßig, Geschmack) Unterschied m

gape [geɪp] vi (mit offenem Mund) starren

gap year s Jahr zwischen Schulabschluss und Studium, das oft zu Auslandsaufenthalten genutzt wird

garage ['gærɑːʒ] s Garage f, (Auto)werkstatt f

garage sales

Garage sales sind kleine private **Flohmärkte**, die in den USA in der **Garage** oder im **Garten** stattfinden. Man verkauft Möbel, altes Spielzeug, alte Kleidung, Bücher – also all die Dinge, die man selbst nicht mehr braucht.

garbage ['gɑːbɪdʒ] s (US) Müll m; umg (Unsinn) Quatsch m; **garbage can** s (US) Mülleimer m; (draußen) Mülltonne f; **garbage truck** s (US) Müllwagen m; **garbled** ['gɑːbld] Adj (Geschichte) verdreht

garden ['gɑːdn] s Garten m;
(**public**) **~s** Park m; garden
centre s Gartencenter n;
gardener s Gärtner(in)
m(f); gardening s Garten-
arbeit f

gargle ['gɑːgl] vi gurgeln

gargoyle ['gɑːgɔɪl] s Wasser-
speier m

garlic ['gɑːlɪk] s Knoblauch
m; garlic bread s Knob-
lauchbrot n; garlic butter s
Knoblauchbutter f

gas [gæs] s Gas m; (US) Benzin n; **step on the ~** Gas geben; gas cooker s Gasherd
m; gas cylinder s Gasfla-
sche f; gas fire s Gasofen m

gasket ['gæskɪt] s Dichtung f

gas lighter s Gasfeuerzeug
n; gas mask s Gasmaske f;
gas meter s Gaszähler m

gasoline ['gæsəliːn] s (US)
Benzin n

gasp [gɑːsp] vi keuchen;
nach Luft schnappen

gas pedal s (US) Gaspedal
n; gas pump s (US) Zapf-
säule f; gas station s (US)
Tankstelle f; gas tank s
(US) Benzintank m

gastric ['gæstrɪk] Adj Ma-
gen-; **~ flu** Magen-Darm-
-Grippe f; **~ ulcer** Magengeschwür n

gasworks ['gæswɜːks] s
Gaswerk n

gate [geɪt] s Tor n; (Sperre)
Schranke f; FLUG Gate n,
Flugsteig m

gateau ['gætəu] s Torte f

gateway s Tor n

gather ['gæðə'] **1.** vt sammeln; **~ speed** beschleunigen **2.** vi sich versammeln;
(Folgerungen ziehen)
schließen (from aus); gath-
ering s Versammlung f

gauge [geɪdʒ] s Meßgerät n

gauze [gɔːz] s Gaze f; (für
Verband) Mull m

gave [geɪv] pt von **give**

gay [geɪ] Adj schwul

gaze [geɪz] **1.** s Blick m **2.** vi
starren

GCSE Abk = **general certificate of secondary educa-
tion**; (Schule) Abschluss-
prüfung f der Sekundarstu-
fe, ≈ mittlere Reife

gear [gɪə'] s AUTO Gang m,
Ausrüstung f; (Kleidung)
Klamotten Pl; **change ~**
schalten; gearbox s Getriebe n; gear change, gear
shift (US) s Gangschaltung
f; gear lever, gear stick
(US) s Schalthebel m

geese [giːs] Pl von **goose**

gel [dʒel] **1.** s Gel n **2.** vi ge-
lieren; **they really ...led** sie
verstanden sich auf Anhieb

gelatine [dʒelətiːn] s Gelatine f

gem [dʒem] s Edelstein m;
fig Juwel n

Gemini ['dʒemɪniː] nsing
ASTR Zwillinge Pl

gender ['dʒendə'] s Ge-
schlecht n

gene [dʒiːn] s Gen n

general ['dʒenərəl] Adj allgemein; **~ knowledge** All-
gemeinbildung f; **~ elec-**

***tion** Parlamentswahlen *Pl*;
generalize ['dʒenrəlaız] *vt*
verallgemeinern; **generally**
['dʒenrəlı] *Adv* im Allgemeinen

generation [dʒenə'reıʃən] *s*
Generation *f*; **generation
gap** *s* Generationsunter-
schied *m*

generosity [dʒenə'rosıtı] *s*
Großzügigkeit *f*; **generous**
['dʒenərəs] *Adj* großzügig;
(Menge) reichlich

genetic [dʒı'netık] *Adj* ge-
netisch; **genetically modified** *Adj* gentechnisch ver-
ändert, genmanipuliert; → **GM**

Geneva [dʒı'niːvə] *s* Genf *m*;
Lake ~ der Genfer See

genitals ['dʒenıtlz] *npl* Ge-
schlechtsteile *Pl*

genius ['dʒiːnıəs] *s* Genie *n*

gentle ['dʒentl] *Adj* sanft;
zart; **gentleman** ['dʒentl-
mən] *s* *(-men Pl)*
s Herr *m*; Gentleman *m*

gents [dʒents] *s* '~' *(Toilette)*
„Herren"; **the ~** *Pl* die
Herrentoilette

genuine ['dʒenjuın] *Adj* echt

geographical [dʒıə'græfık-
əl] *Adj* geografisch; **geography** [dʒı'ɒgrəfı] *s* Geografie *f*; *(Schulfach)* Erdkunde *f*

geometry [dʒı'ɒmıtrı] *s*
Geometrie *f*

geranium [dʒı'reınıəm] *s*
Geranie *f*

germ [dʒɜːm] *s* Keim *m*;
MED Bazillus *m*

German ['dʒɜːmən] **1.** *Adj*

deutsch; **she's ~** sie ist
Deutsche; **~ shepherd**
Deutscher Schäferhund **2.**
s (Person) Deutsche(r) *mf*;
(Sprache) Deutsch *n*; **in ~**
auf Deutsch; German mea-
sles *s Sg* Röteln *Pl*; **Germany** ['dʒɜːmənı] *s*
Deutschland *n*

gesture ['dʒestʃə] *s* Geste *f*

get *(got, got od US gotten)*
[get, gɒt, 'gɒtn] **1.** *vt* bekommen, kriegen; **~ a
cold/flu** sich erkälten/eine
Grippe bekommen; *(gegen
Geld)* kaufen; *(in Geschäft)*
sich besorgen; *(Haustier)*
sich anschaffen; **~ sb sth**
jdm etw besorgen; *(her-
bringen)* jdm etw holen;
**where did you ~ that
(from)?** woher hast du
das?; **~ a taxi** ein Taxi nehmen; *(überreden)* **~ sb to
do sth** jdn dazu bringen,
etw zu tun; *(zustande
bringen)* **~ sth to work** etw
zum Laufen bringen; **~ sth
done** *(selbst)* etw machen;
(andere) etw machen lassen; *(zum Ziel bringen)*
**this isn't ~ting us any-
where** so kommen wir
nicht weiter; *(verstehen)*
don't ~ me wrong versteh
mich nicht falsch! **2.** *vi*
werden; **~ old** alt werden;
it's ~ting dark es wird dunkel; **~ dressed/washed**
sich anziehen/waschen; **I'll
~ ready** ich mache mich
fertig; **~ lost** sich verirren;

(ankommen) **we got to Dover at 5** wir kamen um 5 in Dover an; ~ **somewhere/nowhere** *fig (im Beruf)* zu etwas/nichts bringen; *(mit Arbeit, in Diskussion)* weiterkommen/nicht weiterkommen; **get across** *vi* ~ **sth** über etw *Akk* kommen; **get sth across** etw klarmachen; **get along** *vi (mit Situation)* zurechtkommen; *(mit Leuten)* gut auskommen *(with* mit); **get at** *vt (erreichen)* herankommen an + *Akk*; **what are you getting at?** worauf wollen Sie hinaus?, was meinst du damit?; **get away** *vi (von Party etc)* wegkommen; *(Verbrecher)* entkommen *(from* Dat); **he got away with it** er kam ungeschoren davon; **get back 1.** *vi* zurückkommen; TEL ~ **to sb** jdn zurückrufen **2.** *vt* **get sth back** etw zurückbekommen; **get by** *vi* auskommen *(on* mit); **get down 1.** *vi* heruntersteigen; ~ **to business** zur Sache kommen **2.** *vt* **get sth down** etw aufschreiben; **it gets me down** *umg* es macht mich fertig; **get in** *vi* heimkommen; *(in Auto)* einsteigen; **get into** *vt (Auto, Bus)* einsteigen in + *Akk*; *(Wut, Panik)* geraten in + *Akk*; ~ **trouble** in Schwierigkeiten kommen; **get off** *vi, vt (aus Zug)* aus-

steigen *(aus)*; *(von Pferd)* absteigen *(von)*; **umg** ~ **on sth** auf etw abfahren; **get on 1.** *vi* vorankommen; *(sich gut verstehen)* auskommen *(with* mit); **be getting** ~ alt werden **2.** *vi, vt (in Zug)* einsteigen (in + *Akk*); *(auf Pferd)* aufsteigen (auf + *Akk*); **get out 1.** *vi* herauskommen; *(aus Fahrzeug)* aussteigen *(of* aus); ~*! raus!* **2.** *vt (Taschentuch etc)* herausholen; *(Fleck, Nagel)* herausbekommen; **get over** *vt (Enttäuschung etc)* hinwegkommen über + *Akk*; *(Krankheit)* sich erholen von; *(Verlust)* sich abfinden mit; **get through** *vi* durchkommen; **get up** *vi* aufstehen; **get-together** *s* Treffen *n*

Ghana ['gɑːnə] *s* Ghana *n*

gherkin ['gɜːkɪn] *s* Gewürzgurke *f*

ghetto *(-es Pl)* ['getəʊ] *s* Ghetto *n*

ghost [gəʊst] *s* Gespenst *n*; Geist *m*

giant ['dʒaɪənt] **1.** *s* Riese *m* **2.** *Adj* riesig

giblets ['dʒɪblɪts] *npl* Geflügelinnereien *Pl*

Gibraltar [dʒɪ'brɔːltər] *s* Gibraltar *n*

giddy ['gɪdɪ] *Adj* schwindlig

gift [gɪft] *s* Geschenk *n*; *(Talent)* Begabung *f*; **gifted** *Adj* begabt; **giftwrap** *vt* als Geschenk verpacken

gigantic [dʒaɪ'gæntɪk] *Adj*

riesig

giggle ['gɪgl] **1.** vi kichern **2.** s Gekicher n

gill [gɪl] s (Fisch) Kieme f

gimmick ['gɪmɪk] s (für in Werbung) Gag m

gin [dʒɪn] s Gin m

ginger ['dʒɪndʒə^r] **1.** s Ingwer m **2.** Adj (Haare) kupferrot; (Katze) rötlichgelb; **ginger ale** s Gingerale n; **ginger beer** s Ingwerlimonade f; **gingerbread** s Lebkuchen m (mit Ingwergeschmack); **ginger(-haired)** Adj rotblond; **gingerly** Adv vorsichtig

giraffe [dʒɪ'rɑːf] s Giraffe f

girl [gɜːl] s Mädchen n; **girlfriend** s (feste) Freundin f; **girl guide** s (Brit), **girl scout** s (US) Pfadfinderin f

gist [dʒɪst] s **get the ~ (of it)** das Wesentliche verstehen

give (gave, given) [gɪv, 'gɪvn] **1.** vt geben, schenken (to sb jdm); (Namen) angeben; (Rede) halten; (Blut, Geld) spenden; **~ sb sth** jdm etw geben/schenken **2.** vi (Brücke, Geländer) nachgeben; **give away** vt verschenken; (Geheimnis) verraten; **give back** vt zurückgeben; **give in** vi aufgeben; **give up** vt, vi aufgeben; **give way** vi (Brücke, Geländer) nachgeben; (im Straßenverkehr) die Vorfahrt beachten

given ['gɪvn] **1.** pp von **give** **2.** Adj (Termin) festgesetzt;

(nicht beliebig) bestimmt; **~ name** (US) Vorname m **3.** Konj **~ that** ... angesichts der Tatsache, dass ...

glacier ['glæsɪə^r] s Gletscher m

glad [glæd] Adj froh (about über); **I was ~ (to hear) that** ... es hat mich gefreut, dass ...; **gladly** Adv gerne

glance [glɑːns] **1.** s Blick m **2.** vi einen Blick werfen (at auf + Akk)

gland [glænd] s Drüse f; **glandular fever** s Drüsenfieber n

glare [gleə^r] **1.** s grelles Licht; stechender Blick **2.** vi **~ at sb** jdn böse anstarren

glass [glɑːs] s Glas n; **~es** Pl Brille f

glen [glen] s (schott) (enges) Bergtal n

glide [glaɪd] vi gleiten, (Flugzeug, Vogel a.) schweben; **glider** s Segelflugzeug n; **gliding** s Segelfliegen n

glimpse [glɪmps] s flüchtiger Blick

glitter ['glɪtə^r] vi glitzern; (Augen) funkeln

glitzy ['glɪtsɪ] Adj umg glanzvoll, Schickimicki-

global ['gləʊbəl] Adj global, Welt-; **~ warming** die Erwärmung die Erdatmosphäre; **globe** [gləʊb] s Kugel f, Erdball m; Globus m

gloomily ['gluːmɪlɪ], **gloomy** Adv, Adj düster

glorious ['glɔːrɪəs] Adj (Sieg) ruhmreich; (Wetter,

Tag) herrlich; **glory** ['glɔːrɪ] *s* Herrlichkeit *f*

gloss [glɒs] *s* Glanz *m*

glossary ['glɒsərɪ] *s* Glossar *n*

glossy ['glɒsɪ] **1.** *Adj* glänzend **2.** *s* Hochglanzmagazin *n*

glove [glʌv] *s* Handschuh *m*; **glove compartment** *s* Handschuhfach *n*

glow [gləʊ] *vi* glühen

glucose ['gluːkəʊs] *s* Traubenzucker *m*

glue [gluː] **1.** *s* Klebstoff *m* **2.** *vt* kleben

glutton ['glʌtn] *s* Vielfraß *m*; **a ~ for punishment** *umg* Masochist *m*

GM *Abk* = **genetically modified**; Gen~; **~ foods** gentechnisch veränderte Lebensmittel

GMT *Abk* = **Greenwich Mean Time**; WEZ *f*

go [gəʊ] **1.** *vi* (went, gone) [went, gɒn] gehen; *(in Fahrzeug)* reisen; fahren; *(Flugzeug)* fliegen; *(Straße)* führen (*to* nach); *(Zug, Bus)* (ab)fahren; *(Person)* (fort)gehen; *(plötzlich)* verschwinden; *(Zeit)* vergehen; *(Uhr, Gerät)* gehen, funktionieren; *(Maschine)* laufen; *(Farbe, Geschmack, Stil)* passen (*with* zu); *(Schmerz)* nachlassen; **I have to ~ to the doctor/to London** ich muss zum Arzt/nach London; **~ shopping** einkaufen gehen; **~**

for a walk/swim spazieren/schwimmen gehen; **has he gone yet?** ist er schon weg?; **the wine ~es in the cupboard** der Wein kommt in den Schrank; **get sth ~ing** etw in Gang setzen; **keep ~ing** weitermachen; *(Maschine)* weiterlaufen; **how's the job ~ing?** was macht der Job?; **~ deaf/mad/grey** taub/verrückt/grau werden **2.** *vhilf* **be ~ing to do sth** etw tun werden; **I was ~ing to do it** ich wollte es tun **3.** *s* (*-es Pl*) Versuch *m*; **can I have another ~?** darf ich noch mal (probieren)?; **it's my ~** ich bin dran; **in one ~** auf einen Schlag; *(austrinken)* in einem Zug; **go after** *vi* nachlaufen + *Dat*; *(mit Auto)* nachfahren + *Dat*; **go ahead** *vi* vorausgehen; *(beginnen)* anfangen; **go away** *vi* weggehen; verreisen; **go back** *vi* *(Person)* zurückgehen; **go by** **1.** *vi* vorbeigehen; *(Fahrzeug)* vorbeifahren; *(Jahre, Zeit)* vergehen **2.** *vt* (*urteilen)* gehen nach; **go down** *vi* *(Sonne, Schiff)* untergehen; *(Überschwemmung, Temperaturen)* zurückgehen; *(Preise)* sinken; **~ well/badly** gut/schlecht ankommen; **go in** *vi* hineingehen; **go into** *vt* *(eintreten)* hineingehen in + *Akk*; *(Auto bei Zusammenstoß)* fahren gegen, hineinfahren in + *Akk*; ~ **teaching/politics/the army** Lehrer werden/in die Politik gehen/zum Militär gehen; **go off 1.** *vi* (*Person*) weggehen; (*in Fahrzeug*) wegfahren; (*Lichter*) angehen; (*Milch*) sauer werden; (*Alarm*) losgehen **2.** *vt* (*jdn/etw*) nicht mehr mögen; **go on** *vi* (*Diskussion*) weitergehen; (*Licht*) angehen; ~ **with** *od* **doing sth** etw weitermachen; **go out** *vi* (*Person*) hinausgehen; (*Licht, Feuer*; *Person: abends*) ausgehen; ~ **for a meal** essen gehen; **go up** *vi* (*Temperatur, Preise*) steigen; (*Aufzug*) hochfahren; **go without** *vt* verzichten auf + *Akk*; (*Essen, Schlaf*) auskommen ohne

go-ahead ['gəʊəhɛd] **1.** *Adj* (*Firma etc*) fortschrittlich **2.** *s* grünes Licht

goal [gəʊl] *s* (*Absicht*) Ziel *n*; SPORT Tor *n*; **goalie, goalkeeper** *s* Torwart *m*; **goalpost** *s* Torpfosten *m*

goat [gəʊt] *s* Ziege *f*

gob [gɒb] **1.** *s* (*Brit*) *umg* Maul *n*; **shut your ~** halt's Maul! **2.** *vi* spucken; **gobsmacked** *umg* (*überrascht*) platt

god [gɒd] *s* Gott *m*; **thank God** Gott sei Dank; **godchild** (*-children Pl*) *s* Patenkind *n*; **goddaughter** *s* Patentochter *f*; **goddess** ['gɒdɛs] *s* Göttin *f*; **godfa-**

ther *s* Pate *m*; **godmother** *s* Patin *f*; **godson** *s* Patensohn *m*

goggles *npl* Schutzbrille *f*, Skibrille *f*, Taucherbrille *f*

going ['gəʊɪŋ] *Adj* (*Preis, Gehalt*) üblich; **goings-on** *npl* Vorgänge *Pl*

go-kart ['gəʊkɑːt] *s* Gokart *m*

gold [gəʊld] **1.** *s* Gold *n* **2.** *Adj* golden; **goldfish** *s* Goldfisch *m*; **gold-plated** *Adj* vergoldet

golf [gɒlf] *s* Golf *n*; **golf ball** *s* Golfball *m*; **golf club** *s* Golfschläger *m*; Golfklub *m*; **golf course** *s* Golfplatz *m*

gone [gɒn] **1.** *pp von* **go**; **he's ~** er ist weg **2.** *Präp* **just ~ three** gerade drei Uhr vorbei

good [gʊd] **1.** *s* Wohl *n*; (*moralisch*) Gute(s) *n*; **it's for your own ~** es ist zu deinem Besten *od* Vorteil; **it's no ~** (*doing sth*) es hat keinen Sinn *od* Zweck; (*Sache, Gerät*) es taugt nichts; **for ~** für immer **2.** *Adj* (*better, best*) gut; (*geeignet*) passend; (*ausgiebig*) gründlich; (*artig*) brav; (*höflich*) nett, lieb; **be ~ at sport/maths** gut in Sport/ Mathe sein; **be no ~ at sport/maths** schlecht in Sport/Mathe sein; **too ~ to be true** zu schön, um wahr zu sein; **this is just not ~ enough** so geht das nicht;

a ~ three hours gute drei Stunden; **~ morning/evening** guten Morgen/Abend; **~ night** gute Nacht; **have a ~ time** sich gut amüsieren

goodbye [gʊdˈbaɪ] *Interj* auf Wiedersehen

Good Friday *s* Karfreitag *m*

good-looking *Adj* gut aussehend

goods [gʊdz] *npl* Waren *Pl*, Güter *Pl*; **goods train** *s* (*Brit*) Güterzug *m*

goose (**geese**) [guːs, giːs] *s* Gans *f*; **gooseberry** [ˈgʊzbərɪ] *s* Stachelbeere *f*; **goose bumps** *s*, **goose pimples** *npl* Gänsehaut *f*

gorge [gɔːdʒ] *s* Schlucht *f*

gorgeous [ˈgɔːdʒəs] *Adj* wunderschön; **he's ~** er sieht toll aus

gorilla [gəˈrɪlə] *s* Gorilla *m*

gossip [ˈgʊsɪp] **1.** *s* Klatsch *m*; (*Person*) Klatschtante *f* **2.** *vi* klatschen, tratschen

got [gɒt] *pt, pp von* **get**

gotten [ˈgɒtn] (*US*) *pp von* **get**

govern [ˈgʌvən] *vt* regieren; (*Provinz*) verwalten; **government** *s* Regierung *f*; **governor** *s* Gouverneur(in) *m(f)*; **govt** *Abk* = **government**; Regierung *f*

gown [gaʊn] *s* Abendkleid *n*; (*von Richter etc*) Robe *f*

GP *Abk* = **General Practitioner**; praktischer Arzt

GPS *s* *Abk* = **global positioning system**; GPS *n*

grab [græb] *vt* packen; (*Person*) schnappen

graceful [ˈgreɪsfʊl] *Adj* anmutig

grade [greɪd] *s* Niveau *n*; (*von Waren*) Güteklasse *f*; (*Schule*) Note *f*; (*US, Jahrgangsstufe*) Klasse *f*; **make the ~** es schaffen; **grade crossing** *s* (*US*) Bahnübergang *m*; **grade school** *s* (*US*) Grundschule *f*

gradient [ˈgreɪdɪənt] *s* (*aufwärts*) Steigung *f*; (*abwärts*) Gefälle *n*

gradual, gradually [ˈgrædjʊəl, -lɪ] *Adj, Adv* allmählich

graduate 1. [ˈgrædjʊɪt] *s* Uniabsolvent(in) *m(f)*, Akademiker(in) *m(f)* **2.** [ˈgrædjʊeɪt] *vi* einen akademischen Grad erwerben

grain [greɪn] *s* Getreide *n*; (*von Getreide*) Korn *n*

gram [græm] *s* Gramm *n*

grammar [ˈgræmə] *s* Grammatik *f*; **grammar school** *s* (*Brit*) ≈ Gymnasium *n*

gran [græn] *s umg* Oma *f*

grand [grænd] **1.** *Adj pej* hochnäsig; (*aussehen etc*) vornehm **2.** *s umg* 1000 Pfund bzw. 1000 Dollar

grand(d)ad *s umg* Opa *m*; **granddaughter** *s* Enkelin *f*; **grandfather** *s* Großvater *m*; **grandma** *s umg* Oma *f*; **grandmother** *s* Großmutter *f*; **grandpa** *s umg* Opa *m*; **grandparents** *npl* Großeltern *Pl*; **grandson** *s* Enkel *m*

grandstand *s* SPORT Tribüne *f*

granny ['grænɪ] s umg Oma f

grant [grɑːnt] **1.** vt gewähren (sb sth jdm etw); **take sb/ sth for ~ed** jdn/etw als selbstverständlich hinnehmen **2.** s Subvention f, finanzielle Unterstützung f; (für Studium) Stipendium n

grape [greɪp] s Weintraube f; **grapefruit** s Grapefruit f; **grape juice** s Traubensaft m

graph [grɑːf] s Diagramm n; **graphic** ['græfɪk] Adj grafisch; (Erklärung) anschaulich

grasp [grɑːsp] vt ergreifen; (verstehen) begreifen

grass [grɑːs] s Gras n, Rasen m; **grasshopper** s Heuschrecke f

grate [greɪt] **1.** s Feuerrost m **2.** vi kratzen **3.** vt (Käse) reiben

grateful, gratefully ['greɪtful, -fəlɪ] Adj, Adv dankbar

grater ['greɪtər] s Reibe f

gratifying ['grætɪfaɪɪŋ] Adj erfreulich

gratitude ['grætɪtjuːd] s Dankbarkeit f

grave [greɪv] **1.** s Grab n **2.** Adj ernst; (Fehler) schwer

gravel ['grævəl] s Kies m

graveyard ['greɪvjɑːd] s Friedhof m

gravity ['grævɪtɪ] s Schwerkraft f; (der Lage) Ernst m

gravy ['greɪvɪ] s Bratensoße f

gray [greɪ] Adj (US) grau

graze [greɪz] **1.** vi (Kühe etc) grasen **2.** vt streifen; MED abschürfen **3.** s MED Ab-

schürfung f

grease [griːs] **1.** s (Braten, Kochen) Fett n; (Maschine) Schmiere f **2.** vt einfetten; TECH schmieren; **greasy** Adj fettig; (Hände, Werkzeug) schmierig; umg (Person) schleimig

great [greɪt] Adj groß; umg großartig, super; **a ~ deal of** viel; **Great Britain** ['greɪt'brɪtn] s Großbritannien n; **great-grandfather** s Urgroßvater m; **great-grandmother** s Urgroßmutter f; **greatly** Adv sehr; **~ disappointed** zutiefst enttäuscht

Greece [griːs] s Griechenland n

greed [griːd] s Gier f (for nach), Gefräßigkeit f; **greedy** Adj gierig; gefräßig

Greek [griːk] **1.** Adj griechisch **2.** s (Person) Grieche m, Griechin f; (Sprache) Griechisch n

green [griːn] **1.** Adj grün **2.** s Grün n; (in Dorfmitte) Dorfwiese f; **~s** grünes Gemüse; **the Greens, the Green Party** POL die Grünen; **green card** s (US) Arbeitserlaubnis f; (Brit, für Auto) grüne Versicherungskarte; **greengage** s Reneklode f; **greengrocer** s Obst- und Gemüsehändler(in) m(f); **greenhouse** s Gewächshaus n; **~ effect** Treibhauseffekt m; **Greenland** s Grönland n; **green**

grow

pepper s grüner Paprika;
green salad s grüner Salat

greet [griːt] vt grüßen;
greeting s Gruß m

grew [gruː] pt von **grow**

grey [grei] Adj grau; grey-
-haired Adj grauhaarig;
greyhound s Windhund m

grid [grid] s Gitter n; grid-
lock s Verkehrsinfarkt m;
gridlocked Adj (Straßen)
völlig verstopft; (Verhandlungen) festgefahren

grief [griːf] s Kummer m;
(über Verlust) Trauer f

grievance ['griːvəns] s Beschwerde f

grieve [griːv] vi trauern (for
um)

grill [gril] 1. s (Gerät) Grill
m 2. vt grillen

grim [grim] Adj (Gesicht,
Lachen) grimmig; (Lage,
Aussichten) trostlos

grin [grin] 1. s Grinsen n 2.
vi grinsen

grind (ground, ground)
[graind, graund] vt mah-
len; (Messer) schleifen;
(US, Fleisch) durchdrehen

grip [grip] s Griff m; **get
a** ~ nimm dich zusammen!;
get to ~s with sth etw in
den Griff bekommen 2. vt
packen

gristle ['grisl] s Knorpel m

groan [grəun] vi stöhnen
(with vor + Dat)

grocer ['grəusə*] s Lebens-
mittelhändler(in) m(f); gro-
ceries npl Lebensmittel Pl

groin [groin] s ANAT Leiste

f; groin strain s MED Leistenbruch m

groom [gruːm] 1. s Bräutigam m 2. vt well ~ed ge-
pflegt

groovy ['gruːvi] Adj umg
cool

grope [grəup] 1. vi tasten 2.
vt (sexuell belästigen) be-
fummeln

gross [grəus] Adj (beleidigend) derb; (Fahrlässigkeit,
Fehler) grob; (widerlich)
ekelhaft; WIRTSCH brutto; ~
salary Bruttogehalt n

grotty ['groti] Adj umg
mies, vergammelt

ground [graund] 1. pt, pp
von **grind** 2. s Boden m,
Erde f; SPORT Platz m; ~s
Pl (um Haus herum) (Gar-
ten)anlagen Pl; (für Verhalten, Tat) Gründe Pl; (von
Kaffee) Satz m; **on (the) ~s
of** aufgrund von; ground
floor s (Brit) Erdgeschoss
n; ground meat s (US)
Hackfleisch n

group [gruːp] s Gruppe f

grouse (~ Pl) [graus] s
Schottisches Moorhuhn n;
(Beschwerden) Nörgelei f

grow (grew, grown) [grəu,
gruː, grəun] 1. vi wachsen;
(Anzahl, Sorgen, Interesse)
zunehmen (in an); (Zu-
stand erreichen) werden; ~
old alt werden; ~ **into** ...
sich entwickeln zu ... 2. vt
(Pflanzen) ziehen; (kom-
merziell) anbauen; **I'm ~ing
a beard** ich lasse mir einen

Bart wachsen; **grow up** *vi* aufwachsen; erwachsen werden; **growing** *Adj* wachsend; **a ~ number of people** immer mehr Leute

growl [graul] *vi* knurren

grown [grəun] *pp von* **grow**

grown-up [grəun'ʌp] **1.** *Adj* erwachsen **2.** *s* Erwachsene(r) *mf*; **growth** [grəuθ] *s* Wachstum *n*; (*von Menge, Interesse*) Zunahme *f*; MED Wucherung *f*

grubby ['grʌbɪ] *Adj* schmuddelig

grudge [grʌdʒ] **1.** *s* Abneigung *f* (*against* gegen) **2.** *vt* **~ sb sth** jdm etw nicht gönnen

gruelling ['gruəlɪŋ] *Adj* aufreibend; (*Tempo*) mörderisch

gruesome ['gru:səm] *Adj* grausig

grumble ['grʌmbl] *vi* murren (*about* über + *Akk*)

grumpy ['grʌmpɪ] *Adj umg* mürrisch, grantig

grunt [grʌnt] *vi* grunzen

G-string ['dʒi:strɪŋ] *s* ≈ Tanga *m*

guarantee [gærən'ti:] **1.** *s* Garantie *f* (*of* für) **2.** *vt* garantieren

guard [gɑ:d] **1.** *s* Wache *f*; (*in Gefängnis*) Wärter(in) *m(f)*; (*Brit*) BAHN Schaffner(in) *m(f)* **2.** *vt* bewachen

guardian ['gɑ:dɪən] *s* Vormund *m*; **~ angel** Schutzengel *m*

guess [ges] **1.** *s* Vermutung

---

f; (*von Betrag, Zahl*) Schätzung *f*; **have a ~** rate mal! **2.** *vt, vi* raten; (*Betrag, Menge*) schätzen; **I ~ you're right** du hast wohl recht; **I ~ so** ich glaube schon; **guesstimate** ['gestɪmɪt] *s umg* grobe Schätzung

guest [gest] *s* Gast *m*; **be my ~** nur zu!; **guest-house** *s* Pension *f*; **guest room** *s* Gästezimmer *n*

guidance ['gaɪdəns] *s* Leitung *f*; (*Hilfe*) Rat *m*; (*für Beruf, Karriere*) Beratung *f*; **for your ~** zu Ihrer Orientierung; **guide** [gaɪd] **1.** *s* (*Person*) Führer(in) *m(f)*; (*auf Reise*) Reiseleiter(in) *m(f)*; (*Buch*) Führer *m* **2.** *vt* führen; **guidebook** *s* Reiseführer *m*; **guide dog** *s* Blindenhund *m*; **guided tour** *s* Führung *f* (*of* durch); **guidelines** *npl* Richtlinien *Pl*

guilt [gɪlt] *s* Schuld *f*; **guilty** *Adj* schuldig (*of* Gen); (*Blick*) schuldbewusst; **have a ~ conscience** ein schlechtes Gewissen haben

guinea pig ['gɪnɪ pɪg] *s* Meerschweinchen *n*; (*Person*) Versuchskaninchen *n*

guitar [gɪ'tɑ:ʳ] *s* Gitarre *f*

gulf [gʌlf] *s* Golf *m*; **Gulf States** *npl* Golfstaaten *Pl*

gull [gʌl] *s* Möwe *f*

gullible ['gʌlɪbl] *Adj* leichtgläubig

gulp [gʌlp] **1.** *s* (*kräftiger*) Schluck **2.** *vi* schlucken gum [gʌm] s (meist Pl) Zahnfleisch n; (zum Kauen) Kaugummi m

gun [gʌn] s Schusswaffe f, Gewehr n, Pistole f; gun-

Gunpowder Plot

The **Gunpowder Plot** (1605) war eine Verschwörung englischer Katholiken unter der Führung von Guy Fawkes gegen König James I., der samt dem Parlament mit **Schießpulver (gunpowder)** in die Luft gesprengt werden sollte. Der Plan misslang. Diese Vereitelung feiern die Briten mit Feuerwerk und **bonfires (Freudenfeuern)** jedes Jahr am 5. November (**Guy Fawkes Night** oder **Bonfire Night**).

fire s Schüsse Pl; gunpowder s Schießpulver n

gush [gʌʃ] vi (heraus)strömen (from aus)

gut [gʌt] s Darm m; ~s Pl (in Bauch) Eingeweide; (Mut) Mumm m

gutter ['gʌtə^r] s Dachrinne f; Rinnstein m, Gosse f

guy [gaɪ] s (Mann) Typ m, Kerl m; ~s Pl (US) Leute Pl

gym [dʒɪm] s Turnhalle f, Fitnesscenter n; gymnasium [dʒɪm'neɪzɪəm] s Turnhalle f; gymnastics [dʒɪm'næstɪks] nsing Turnen n; gym-toned Adj durchtrainiert

gynaecologist [gaɪnɪ'kɒlədʒɪst] s Frauenarzt m, Frauenärztin f, Gynäkologe m, Gynäkologin f; gynaecology s Gynäkologie f

H

habit ['hæbɪt] s Gewohnheit f; habitual [hə'bɪtjʊəl] Adj gewohnt; (Trinker, Lügner) gewohnheitsmäßig

hack [hæk] vt hacken; hacker s IT Hacker(in) m(f)

had [hæd] pt, pp von have

haddock ['hædək] s Schellfisch m

hadn't ['hædnt] Kontr von had not

haemophiliac, hemophiliac (US) [hi:məʊ'fɪlɪæk] s

Bluter(in) m(f); haemorrhage, hemorrhage (US) ['heməridʒ] 1. s Blutung f 2. vi bluten; haemorrhoids, hemorrhoids (US) ['hemərɔɪdz] npl Hämorrhoiden Pl

haggis ['hægɪs] s (schott) mit gehackten Schafsinnereien und Haferschrot gefüllter Schafsmagen

hail [heɪl] 1. s Hagel m 2. vi hagelns vt ~ sb as sth 3. jdn als etw feiern; hail-

stone s Hagelkorn n; hail-
storm s Hagelschauer m
hair [heə] s Haar n, Haare
Pl; get one's ~ cut sich die
Haare schneiden lassen;
hairbrush s Haarbürste f;
hair conditioner s Haarspü-
lung f; haircut s Haar-
schnitt m; hairdo (-s Pl) s
Frisur f; hairdresser s Friseur m, Friseuse f; hair-
dryer s Haartrockner m,
Fön® m, Trockenhaube f;
hair gel s Haargel n; hair
remover s Enthaarungsmit-
tel n; hair spray s Haar-
spray n; hair style s Frisur
f; hairy Adj haarig, behaart;
umg (Situation) brenzlig
hake [heik] s Seehecht m

half [hɑːf] 1. s (halves Pl)
Hälfte f; SPORT Halbzeit f;
cut in ~ halbieren 2. Adj
halb; three and a ~
pounds dreieinhalb Pfund;
~ an hour eine halbe Stunde; one and a ~ einein-
halb, anderthalb 3. Adv

halb, zur Hälfte; ~ asleep
fast eingeschlafen; ~ as big
(as) halb so groß (wie)
half board s Halbpension f;
half fare s halber Fahr-
preis; half-hearted Adj
halbherzig; half-hour s halbe Stunde; half moon s
Halbmond m; half pint s ≈
Viertelliter m od n; half
price s (at) ~ zum halben
Preis; half-term s (in
Schule) Ferien Pl in der
Mitte des Trimesters; half-
time s (Sport) Halbzeit f; halfway
Adv auf halbem Wege;
halfwit s umg Trottel m
halibut ['hælɪbət] s Heilbutt
m
hall [hɔːl] s Halle f; (für
Publikum) Saal m; (Ein-
gangsbereich) Flur m; (größer) Diele f; ~ of residence
Studentenwohnheim n
hallo [hʌ'ləʊ] Interj hallo

Dazu sagen sie **Trick or treat! (Streich oder Belohnung!)**. Ursprünglich wurde den Leuten, die keine Süßigkeiten verschenkten, ein Streich gespielt. Heutzutage ist es häufig schon so, dass die Kinder nur noch dort klingeln, wo die Außenbeleuchtung als Willkommensgruß eingeschaltet ist und es klar ist, dass sie Süßigkeiten bekommen.

halt [hɔːlt] 1. *s* Pause *f*, Halt *m*; **come to a ~** zum Stillstand kommen 2. *vt, vi* anhalten

halve [hɑːv] *vt* halbieren

ham [hæm] *s* Schinken *m*

hamburger ['hæmbɜːgə^r] *s* GASTR Hamburger *m*

hammer ['hæmə^r] 1. *s* Hammer *m* 2. *vt, vi* hämmern

hammock ['hæmɒk] *s* Hängematte *f*

hamper ['hæmpə^r] 1. *vt* behindern 2. *s* Geschenkkorb *m*, Picknickkorb *m*

hamster ['hæmstə^r] *s* Hamster *m*

hand [hænd] 1. *s* Hand *f*; (*Uhr*) Zeiger *m*; (*Kartenspiel*) Blatt *n*; **~s off!** Finger weg!; **on the one ~ ...**, **on the other ~ ...** einerseits ..., andererseits ...; **give sb a ~** jdm helfen (*mit* bei); **it's in his ~s** er hat es in der Hand; **be in good ~s** gut aufgehoben sein; **get out of ~** außer Kontrolle

geraten 2. *vt* (*weitergeben*) reichen (*to sb* jdm); **hand down** *vt* (*Tradition, Brauch*) überliefern; (*Erbstück*) vererben; **hand in** *vt* einreichen; abgeben; **hand out** *vt* verteilen; **hand over** *vt* übergeben

handbag *s* Handtasche *f*; **handbook** *s* Handbuch *n*; **handbrake** *s* Handbremse *f*; **hand cream** *s* Handcreme *f*; **handcuffs** *npl* Handschellen *Pl*; **handheld** PC *s* Handheld *m*

handicap ['hændɪkæp] 1. *s* Behinderung *f*, Handikap *n* 2. *vt* benachteiligen; **handicapped** *Adj* behindert; **the ~** die Behinderten

handicraft ['hændɪkrɑːft] *s* Kunsthandwerk *n*

handkerchief ['hæŋkətʃɪf] *s* Taschentuch *n*

handle ['hændl] 1. *s* Griff *m*; (*an Tür*) Klinke *f*; (*an Tasse*) Henkel *m*; (*zum Kurbeln*) Kurbel *f* 2. *vt* (*mit den Händen*) anfassen; (*Angelegenheit*) sich befassen mit; (*mit Leuten, Maschine*) umgehen mit; (*Problem*) fertig werden mit; **handlebars** *npl* Lenkstange *f*

hand luggage ['hændlʌgɪdʒ] *s* Handgepäck *n*; **handmade** *Adj* handgefertigt; **be ~** Handarbeit sein; **handout** *s* Handout *n*, Thesenpapier *n*; **handset** *s* Hörer *m*; **please replace the ~** bitte legen Sie auf;

hands-free phone s Freisprechanlage f; **handshake** s Händedruck m

handsome ['hænsəm] Adj (Mann) gut aussehend

hands-on ['hændz'ɒn] Adj praxisorientiert; **~ experience** praktische Erfahrung

handwriting ['hændraɪtɪŋ] s Handschrift f

handy ['hændɪ] Adj (nützlich) praktisch

hang (hung, hung) [hæŋ, hʌŋ] 1. vt (auf)hängen; (bei Bedeutung „erhängen": hanged, hanged) hängen 2. vi hängen 3. s **he's got the ~ of it** er hat den Dreh raus; **hang about** vi sich herumtreiben, rumhängen; **hang on** vi sich festhalten (to an + Dat); umg warten; **~ to sth** etw behalten; **hang up** 1. vi TEL auflegen 2. vt aufhängen

hanger ['hæŋə^r] s Kleiderbügel m

hang glider ['hæŋglaɪdə^r] s (Flug)drachen m; (Person) Drachenflieger(in) m(f); **hang-gliding** s Drachenfliegen n

hangover ['hæŋəʊvə^r] s (durch Alkohol) Kater m; (aus der Vergangenheit) Überbleibsel n

hankie ['hæŋkɪ] s umg Taschentuch n

happen ['hæpən] vi geschehen; passieren; **if anything should ~ to me** wenn mir etwas passieren sollte; **it**

won't ~ again es wird nicht wieder vorkommen; **I ~ed to be passing** ich kam zufällig vorbei; **happening** s Ereignis n

happily ['hæpɪlɪ] Adv fröhlich, glücklich; (zum Glück) glücklicherweise; **happiness** ['hæpɪnɪs] s Glück n; **happy** ['hæpɪ] Adj glücklich; (zufrieden) **~ with sth** mit etw zufrieden; (gerne bereit) **~ to do sth** etw gerne tun; **Happy Christmas** fröhliche Weihnachten!; **Happy New Year** ein glückliches Neues Jahr!; **Happy Birthday** herzlichen Glückwunsch zum Geburtstag!; **happy hour** s Happy Hour f

harass ['hærəs] vt (ständig) belästigen; **harassment** s Belästigung f; (am Arbeitsplatz) Mobbing n; **sexual ~** sexuelle Belästigung

harbor (US), **harbour** ['hɑ:bə^r] s Hafen m

hard [hɑ:d] 1. Adj hart; (Frage, Aufgabe) schwer, schwierig; (Person) hart(herzig); **don't be ~ on him** sei nicht zu streng zu ihm; **it's ~ to believe** es ist kaum zu glauben 2. Adv (arbeiten) schwer; (laufen) schnell; (regnen, schneien) stark; **try ~er** sich große/mehr Mühe geben; **hardback** s gebundene Ausgabe; **hard-boiled** Adj (Ei) hart gekocht; **hard copy** s

have

IT Ausdruck m; **hard disk** s
IT Festplatte f; **harden 1.** vt
härten **2.** vi hart werden;
hardly ['hɑːdlɪ] Adv kaum;
~ ever fast nie; **hardship**
['hɑːdʃɪp] s Not f; **hard
shoulder** s (Brit) Standspur f; **hardware** s IT Hardware f; Haushalts- und Ei-
senwaren Pl; **hard-working**
Adj fleißig, tüchtig

hare [heər] s Hase m

harm [hɑːm] **1.** s Schaden m;
(am Körper) Verletzung f; **it
wouldn't do any ~** es würde
nicht schaden **2.** vt schaden
+ Dat; (Person, Tier) verletzen; **harmful** Adj schädlich;
harmless Adj harmlos

harp [hɑːp] s Harfe f

harsh [hɑːʃ] Adj (Klima,
Stimme) rau; (Licht, Töne)
grell; (Kritik) hart, streng

harvest ['hɑːvɪst] **1.** s Ernte
f, Erntezeit f **2.** vt ernten

has [hæz] pres von **have**

hash [hæʃ] s GASTR Haschee
n; umg Haschisch n; **make
a ~ of sth** etw vermasseln;
hash browns npl (US) ≈
Kartoffelpuffer Pl

hassle ['hæsl] **1.** s Ärger m;
(Trubel) Theater n; **no ~**
kein Problem **2.** vt bedrän-
gen

hasn't ['hæznt] Abk von
has not

haste [heɪst] s Eile f; **hast-
ily, hasty** Adv, Adj hastig;
vorschnell

hat [hæt] s Hut m

hatch [hætʃ] s SCHIFF Luke

f; (Küche) Durchreiche f;
hatchback ['hætʃbæk] s
Wagen m mit Hecktür

hate [heɪt] **1.** vt hassen; **I ~
doing this** ich mache das
sehr ungern **2.** s Hass m
(of auf + Akk)

haul [hɔːl] **1.** vt ziehen,
schleppen **2.** s (Fang; von
Dieben usw) Beute f; **haul-
age** ['hɔːlɪdʒ] s Transport
m, Spedition f

haunted Adj **a ~ house** ein
Haus, in dem es spukt

have (had, had) [hæv, həd]
1. vt haben; **~ you got od
do you ~ a light?** haben
Sie Feuer?; (bekommen)
**I've just had a letter from
...** ich habe soeben einen
Brief von ... erhalten; **~ a
baby** ein Kind bekommen;
(essen/trinken) **what are
you having?** was möchten
Sie (essen/trinken)?; **I had
too much wine** ich habe
zu viel Wein getrunken; **~
lunch/dinner** zu Mittag/
Abend essen; **~ a party** eine Party geben; **~ a bath/
shower** ein Bad nehmen/
duschen; **~ sth done** etw
machen lassen; **they had a
good time** sie haben sich
gut amüsiert; **I won't ~ it**
das lasse ich mir nicht bieten!; **we've had it** umg wir
sind geliefert **2.** v hilf (zur
Bildung des Perfekt) ha-
ben/sein; **he has seen** er
hat es gesehen; **she has
come** sie ist gekommen; **~**

(*got*) *to do sth* etw tun müssen; *you don't ~ to go* du musst nicht gehen; (*in Frageanhängseln*) *you've been there, ~n't you?* du bist mal dort gewesen, nicht wahr?; have on *vt* (*Kleidung*) anhaben; (*geplant haben*) vorhaben; (*Brit*) *you're having me on* das meinst du nicht ernst

Hawaii [hə'waɪiː] *s* Hawaii *n*

hawk [hɔːk] *s* Habicht *m*

hay [heɪ] *s* Heu *n*; **hay fever** *s* Heuschnupfen *m*

hazard ['hæzəd] *s* Gefahr *f*, Risiko *n*; **hazardous** *Adj* gefährlich; **~ waste** Sondermüll *m*; **hazard warning lights** *npl* Warnblinkanlage *f*

haze [heɪz] *s* Dunst *m*

hazelnut ['heɪzlnʌt] *s* Haselnuss *f*

hazy ['heɪzɪ] *Adj* dunstig; (*Erinnerung*) verschwommen

he [hiː] *Pron* er

head [hed] **1.** *s* Kopf *m*; (*von Abteilung etc*) Leiter(in) *m(f)*; (*an Schule*) Schulleiter(in) *m(f)*; **~ of state** Staatsoberhaupt *n*; (*Münze*) **~s or tails?** Kopf oder Zahl? **2.** *Adj* (*oberste(r, s*)) Ober-; **~ boy** Schulsprecher *m*; **~ girl** Schulsprecherin *f* **3.** *vt* anführen; (*Organisation etc*) leiten; **head for** *vt* zusteuern auf + *Akk*; **he's heading for trouble** er wird Ärger be-

kommen

headache ['hedeɪk] *s* Kopfschmerzen *Pl*, Kopfweh *n*; **header** *s* (*Fußball*) Kopfball *m*; (*in Wasser*) Kopfsprung *m*; **headfirst** *Adj* kopfüber; **headhunt** *vt* WIRTSCH abwerben; **heading** *s* Überschrift *f*; **headlamp, headlight** *s* Scheinwerfer *m*; **headline** *s* Schlagzeile *f*; **headmaster** *s* Schulleiter *m*; **headmistress** *s* Schulleiterin *f*; **headphones** *npl* Kopfhörer *m*; **headquarters** *npl* (*von Firma etc*) Zentrale *f*; **headrest, head restraint** *s* Kopfstütze *f*; **headscarf** (*-scarves Pl*) *s* Kopftuch *n*; **head teacher** *s* Schulleiter(in) *m(f)*

heal [hiːl] *vt, vi* heilen

health [helθ] *s* Gesundheit *f*; **good/bad for one's ~** gesund/ungesund; **health centre** *s* Ärztezentrum *n*; **health club** *s* Fitnesscenter *n*; **health food** *s* Reformkost *f*; **~ store** Bioladen *m*; **health insurance** *s* Krankenversicherung *f*; **health service** *s* Gesundheitswesen *n*; **healthy** *Adj* gesund

heap [hiːp] **1.** *s* Haufen *m*; **~s of** *umg* jede Menge **2.** *vt, vi* häufen

hear (*heard, heard*) [hɪəʳ, hɜːd] *vt, vi* hören; **~ about** *sth* von etw erfahren; **I've ~d of it/him** ich habe schon davon/von ihm gehört;

hearing s Gehör n; JUR Verhandlung f; hearing aid s Hörgerät n; hearsay s *from ~* vom Hörensagen

heart [hɑ:t] s Herz n; *loose/take ~* den Mut verlieren/Mut fassen; *learn by ~* auswendig lernen; (Kartenspiel) *~s* Herz n; *queen of ~s* Herzdame f; heart attack s Herzanfall m; heartbeat s Herzschlag m; heartbreaking Adj herzzerreißend; heartbroken Adj todunglücklich, untröstlich; heartburn s Sodbrennen n; heart failure s Herzversagen n; heartfelt Adj tief empfunden; heart-throb s umg Schwarm m; heart--to-heart s offene Aussprache; hearty [hɑ:tɪ] Adj (Mahl, Appetit) herzhaft; (Empfang) herzlich

heat [hi:t] s Hitze f; (allgemein a.) Wärme f; (ansteigende etc) Temperatur f; SPORT Vorlauf m 2. vt heizen; *heat up* 1. vi warm werden 2. vt aufwärmen; heated Adj beheizt; fig hitzig; heater s Heizofen m; AUTO Heizung f

heath [hi:θ] s (Brit) Heide f; heather ['heðə] s Heidekraut n

heating ['hi:tɪŋ] s Heizung f; heatstroke s Hitzschlag m

heaven ['hevn] s Himmel m; heavenly Adj himmlisch

heavily ['hevɪlɪ] Adv (regnen etc) stark; heavy ['hevɪ]

Adj schwer; (Regen, Verkehr, Raucher etc) stark

Hebrew ['hi:bru:] 1. Adj hebräisch 2. s (Sprache) Hebräisch n

hectic ['hektɪk] Adj hektisch

he'd [hi:d] Kontr von *he had; he would*

hedge [hedʒ] s Hecke f

hedgehog ['hedʒhɒg] s Igel m

heel [hi:l] s ANAT Ferse f; (von Schuh) Absatz m

hefty ['heftɪ] Adj schwer; (Person) stämmig; (Strafe, Summe) saftig

height [haɪt] s Höhe f; (von Mensch) Größe f

heir [eə'] s Erbe m; heiress ['eərɪs] s Erbin f

held [held] pt, pp von *hold*

helicopter ['helɪkɒptə'] s Hubschrauber m; heliport ['helɪpɔ:t] s Hubschrauberlandeplatz m

hell [hel] 1. s Hölle f; *go to ~* scher dich zum Teufel; *that's a ~ of a lot of money* das ist verdammt viel Geld 2. Interj verdammt

he'll [hi:l] Kontr von *he will; he shall*

hello [hʌ'ləʊ] Interj hallo

helmet ['helmɪt] s Helm m

help [help] 1. s Hilfe f 2. vt, vi helfen + Dat (with bei); *~ sb (to) do sth* jdm helfen, etw zu tun; *can I ~?* kann ich (Ihnen) behilflich sein?; *I couldn't ~ laughing* ich musste einfach lachen; *I can't ~ it* ich kann nichts dafür; **~ yourself** bedienen Sie sich; **helpful** *Adj* *(Person)* hilfsbereit; *(Sache, Tipp etc)* nützlich; **helping** *s* Portion *f*; **helpless** *Adj* hilflos

hem [hem] *s* Saum *m*

hemophiliac [hiːməʊˈfɪliæk] *s (US)* Bluter *m*; **hemorrhage** [ˈhemərɪdʒ] *s (US)* Blutung *f*; **hemorrhoids** [ˈhemərɔɪdz] *npl (US)* Hämorrhoiden *Pl*

hen [hen] *s* Henne *f*; **hen night** *s (Brit)* Junggesellinnenabschied

hence [hens] *Adv* daher

hepatitis [hepəˈtaɪtɪs] *s* Hepatitis *f*

her [hɜː] **1.** *Adj* ihr; **she's hurt ~ leg** sie hat sich das Bein verletzt **2.** *Pron (direktes Objekt)* sie; *(indirektes Objekt)* ihr; **do you know ~?** kennst du sie?; **can you help ~?** kannst du ihr helfen?; **it's ~** sie ist's

herb [hɜːb] *s* Kraut *n*

herd [hɜːd] *s* Herde *f*

here [hɪə] *Adv* hier; hierher; **come ~** komm her; **I won't be ~ for lunch** ich bin zum Mittagessen nicht da

hereditary [hɪˈredɪtəri] *Adj* erblich; **hereditary disease** *s* Erbkrankheit *f*; **heritage** [ˈherɪtɪdʒ] *s* Erbe *n*

hernia [ˈhɜːnɪə] *s* Leistenbruch *m*, Eingeweidebruch *m*

hero (*-es Pl*) [ˈhɪərəʊ] *s* Held *m*

heroin [ˈherəʊɪn] *s* Heroin *n*

heroine [ˈherəʊɪn] *s* Heldin *f*

herring [ˈherɪŋ] *s* Hering *m*

hers [hɜːz] *Pron* ihre(r, s); **this is ~** das gehört ihr; **a friend of ~** ein Freund von ihr

herself [hɜːˈself] *Pron* sich; **she's bought ~ a flat** sie hat sich eine Wohnung gekauft; *(verstärkend)* **she did it ~** sie hat es selbst gemacht; *(all) by ~* allein

he's [hiːz] *Kontr von* **he is**; **he has**

hesitate [ˈhezɪteɪt] *vi* zögern; **don't ~ to ask** fragen Sie ruhig; **hesitation** *s* Zögern *n*; **without ~** ohne zu zögern

heterosexual [hetərəʊˈsekʃʊəl] *Adj* heterosexuell

hi [haɪ] *Interj* hi, hallo

hiccup [ˈhɪkʌp] *s* Schluckauf *m*

hid [hɪd] *pt von* **hide**

hidden [ˈhɪdn] *pp von* **hide**

hide [haɪd] **1.** *(hid, hidden)* [hɪd, ˈhɪdn] *vt* verstecken *(from vor + Dat)*; *(Gefühle)* verbergen; *(von Baum etc)* verdecken **2.** *vi* sich verstecken *(from vor + Dat)*

hideous [ˈhɪdɪəs] *Adj* scheußlich

hiding [ˈhaɪdɪŋ] *s* Tracht *f* Prügel; *(Versteck)* **be in ~** sich versteckt halten; **hiding place** *s* Versteck *n*

hi-fi [ˈhaɪfaɪ] *s* Hi-Fi *n*, Hi-Fi-Anlage *f*

high [haɪ] **1.** *Adj* hoch; *(Wind)* stark; *(nach Dro-*

genkonsum) high **2.** *Adv* hoch **3.** *s* METEO Hoch *n*; highchair *s* Hochstuhl *m*; higher *Adj* höher; higher education *s* Hochschulbildung *f*; high heels *npl* Stöckelschuhe *Pl*; high jump *s* Hochsprung *m*; Highlands *npl* (schottisches) Hochland *n*; highlight **1.** *s* (*im Haar*) Strähnchen *n* **2.** *vt* (*mit Leuchtstift*) hervorheben; highlighter *s* Textmarker *m*; highly *Adj* hoch, sehr; ~ **paid** hoch bezahlt; **I think** ~ **of him** ich habe eine hohe Meinung von ihm; high pressure *s* Hochdruck *m*; high school *s* (*US*) Highschool *f*, ≈ Gymnasium *n*; high-speed *Adj* Schnell-; ~ **train** Hochgeschwindigkeitszug *m*; high street *s* Hauptstraße *f*; high tech **1.** *Adj* Hightech- **2.** *s* Hightech *n*; high tide *s* Flut *f*; highway *s* (*US*) Autobahn *f*, (*Brit*) Landstraße *f*

hijack ['haɪʤæk] *vt* entführen, hijacken; hijacker *s* Entführer(in) *m(f)*, Hijacker *m*

hike [haɪk] **1.** *vi* wandern **2.** *s* Wanderung *f*; hiker *s* Wanderer *m*, Wanderin *f*; hiking *s* Wandern *n*

hilarious [hɪ'lɛərɪəs] *Adj* zum Schreien komisch

hill [hɪl] *s* Hügel *m*, (*höher*) Berg *m*; hilly *Adj* hügelig

him [hɪm] *Pron* (*direktes*

Objekt) ihn; (*indirektes Objekt*) ihm; **do you know** ~? kennst du ihn?; **can you help** ~? kannst du ihm helfen?; **it's** ~ er ist's; ~ **too** er auch

himself [hɪm'self] *Pron* sich; **he's bought** ~ **a flat** er hat sich eine Wohnung gekauft; (*verstärkend*) **he did it** ~ er hat es selbst gemacht; (**all**) **by** ~ allein

hinder ['hɪndə] *vt* behindern; hindrance ['hɪndrəns] *s* Behinderung *f*

Hindu ['hɪnduː] **1.** *Adj* hinduistisch **2.** *s* Hindu *m*; Hinduism ['hɪnduːɪzəm] *s* Hinduismus *m*

hinge [hɪnʤ] *s* Scharnier *n*; (*an Türstock*) Angel *f*

hint [hɪnt] **1.** *s* Wink *m*, Andeutung *f* **2.** *vi* andeuten (*at Akk*)

hip [hɪp] **1.** *s* Hüfte *f* **2.** *Adj* (*CD, Kleidung, Meinung etc*) hip, trendy

hippopotamus [hɪpə'pɒtəməs] *s* Nilpferd *n*

hire ['haɪə] **1.** *vt* (*Arbeitnehmer*) anstellen; (*Auto etc*) mieten **2.** *s* Miete *f*; **for** ~ (*Taxi*) frei; hire(d) car *s* Mietwagen *m*; hire purchase *s* Ratenkauf *m*

his [hɪz] **1.** *Adj* sein; **he's hurt** ~ **leg** er hat sich das Bein verletzt **2.** *Pron* seine(r, s); **it's** ~ es gehört ihm; **a friend of** ~ ein Freund von ihm

historic [hɪ'stɒrɪk] *Adj* (*Er-*

eignis) historisch; **historical**
Adj (Monument etc) historisch; *(Studien etc)* geschichtlich; **history** ['hɪstərɪ] *s* Geschichte *f*

hit [hɪt] **1.** *s* Schlag *m*; *(mit Gewehr etc)* Treffer *m*; *(Film, CD etc)* Erfolg *m*; MUS Hit *m* **2.** *(hit, hit) vt schlagen; *(Ziel etc)* treffen; **the car ~ the tree** das Auto fuhr gegen einen Baum; **~ one's head on sth** sich den Kopf an etw *Dat* stoßen; **hit (up)on** *vt* stoßen auf + *Akk*; **hit-and-run** *Adj* **~ accident** Unfall *m* mit Fahrerflucht

hitch-hike ['hɪtʃhaɪk] *vi* trampen; **hitch-hiker** *s* Tramper(in) *m(f)*; **hitchhiking** *s* Trampen *n*

HIV *Abk* = *human immunodeficiency virus*; HIV *n*; **~ positive/negative** HIV-positiv/negativ

hive [haɪv] *s* Bienenstock *m*

HM *Abk* = *His/Her Majesty*

HMS *Abk* = *His/Her Majesty's Ship*

hoarse [hɔːs] *Adj* heiser

hoax [həʊks] *s* Streich *m*, Jux *m*; blinder Alarm

hob [hɒb] *s (von Herd)* Kochfeld *n*

hobble ['hɒbl] *vi* humpeln

hobby ['hɒbɪ] *s* Hobby *n*

hobo ['həʊbəʊ] *s (-es Pl* ['həʊbəʊ] *s (US)* Penner(in) *m(f)*

hockey ['hɒkɪ] *s* Hockey *n*

hold [həʊld] **1.** *(held, held)* [held] *vt* halten; *(Paket etc)* enthalten; *(Platz bieten*

Hogmanay ['hɒgmənei] sagt man in Schottland und Nordengland für den **Silvesterabend (New Year's Eve)**. Die Schotten sind dafür bekannt, besonders ausgelassen zu feiern. Seit einigen Jahren findet auf den Straßen Edinburghs eine riesige Silvesterparty mit Live-Bands und Feuerwerk statt, zu der die Tausende von Besuchern anreisen.

---

für) fassen; *(Amt)* innehaben; *(Wert)* behalten; *(Treffen)* abhalten; *(Person)* gefangen halten; **~ one's breath** den Atem anhalten; **~ hands** Hände halten; **~ the line** TEL bleiben Sie am Apparat **2.** *vi* halten; *(Wetter)* sich halten **3.** *s (fester Griff/Tritt)* Halt *m*; *(von Schiff etc)* Laderaum *m*; **hold back** *vt* zurückhalten; verheimlichen; **hold on** *vi* sich festhalten; TEL dranbleiben; **~ to sth** etw festhalten; **hold out 1.** *vt* ausstrecken; *(Hand etc)* hinhalten; *(Chance etc)* bieten **2.** *vi* durchhalten; **hold up** *vt* hochhalten; *(Dach etc)* stützen; *(jdn, Verkehr)* aufhalten; **holdall** *s* Reisetasche *f*; **holder** *s (von Pass, Weltrekord)* Inhaber(in) *m(f)*; **holdup** *s (im*

Straßenverkehr) Stau *m*; (*Raub*) Überfall *m*

hole ['həʊl] *s* Loch *n*; (*von Fuchs etc*) Bau *m*; **~ in the wall** Geldautomat *m*

holiday ['hɒlɪdeɪ] *s* (*Urlaubstag*) freier Tag; (*öffentlich*) Feiertag *m*; (*länger*) Urlaub *m*; (*in Schule*) Ferien *Pl*; **on ~** im Urlaub; **go on ~** Urlaub machen; **holiday camp** *s* Ferienlager *n*; **holiday home** *s* Ferienhaus *n*, Ferienwohnung *f*; **holidaymaker** *s* Urlauber(in) *m(f)*; **holiday resort** *s* Ferienort *m*

Holland ['hɒlənd] *s* Holland *n*

hollow ['hɒləʊ] **1.** *Adj* hohl; (*Worte*) leer **2.** *s* Vertiefung *f*

holly ['hɒlɪ] *s* Stechpalme *f*

holy ['həʊlɪ] *Adj* heilig; **Holy Week** *s* Karwoche *f*

home [həʊm] **1.** *s* Zuhause *n*, Heimat *f*; (*Institution*) Heim *n*; **at ~** zu Hause; **make oneself at ~** es sich bequem machen; **away from ~** verreist **2.** *Adv* **go ~** nach Hause gehen/fahren; **home address** *s* Heimatadresse *f*; **home country** *s* Heimatland *n*; **home game** *s* SPORT Heimspiel *n*; **homeless** *Adj* obdachlos; **homely** *Adj* häuslich; (*US, Person*) unscheinbar; **home-made** *Adj* selbst gemacht; **Home Office** *s* (*Brit*) Innenministerium *n*

homeopathic *Adj* (*US*) → **homoeopathic**

home page ['həʊmpeɪdʒ] *s* IT Homepage *f*; **Home Secretary** *s* (*Brit*) Innenminister(in) *m(f)*; **homesick** *Adj* **be ~** Heimweh haben; **homework** *s* Hausaufgaben *Pl*

homicide ['hɒmɪsaɪd] *s* (*US*) Totschlag *m*

homoeopathic [həʊmɪəʊ'pæθɪk] *Adj* homöopathisch

homosexual [hɒməʊ'sekʃʊəl] *Adj* homosexuell

Honduras [hɒn'djʊərəs] *s* Honduras *n*

honest ['ɒnɪst] *Adj* ehrlich; **honesty** *s* Ehrlichkeit *f*

honey ['hʌnɪ] *s* Honig *m*; **honeydew melon** *s* Honigmelone *f*; **honeymoon** *s* Flitterwochen *Pl*

Hong Kong [hɒŋ 'kɒŋ] *s* Hongkong *n*

honor (*US*) → **honour**, **honorary** ['ɒnərəri] *Adj* (*Mitglied etc*) Ehren-, ehrenamtlich; **honour** [ˈɒnə] **1.** *vt* ehren; (*von Bank: Scheck*) einlösen; (*Vertrag*) einhalten **2.** *s* Ehre *f*; **in ~ of** zu Ehren von; **honourable** *Adj* ehrenhaft; **honours degree** *s* akademischer Grad mit Prüfung im Spezialfach

hood [hʊd] *s* Kapuze *f*; AUTO Verdeck *n*; (*US*) AUTO Kühlerhaube *f*

hoof (*hooves Pl*) [hu:f, hu:vz] *s* Huf *m*

hook [hʊk] *s* Haken *m*; **hooked** *Adj* besessen (*on* von); (*von Drogen*) abhängig sein (*on* von)

hooligan ['hu:lɪgən] *s* Hooligan *m*

hoot [hu:t] *vi* AUTO hupen

Hoover® ['hu:və] *s* Staubsauger *m*; **hoover** *vi*, *vt* staubsaugen

hop [hɒp] **1.** *vi* hüpfen **2.** *s* BOT Hopfen *m*

hope [həʊp] **1.** *vi*, *vt* hoffen (*for* auf + Akk); **I ~ so/~ not** hoffentlich/hoffentlich nicht; **I ~ (that) we'll meet** ich hoffe, dass wir uns sehen werden **2.** *s* Hoffnung *f*; **there's no ~** es ist aussichtslos; **hopeful** *Adj* hoffnungsvoll; **hopefully** *Adv* hoffnungsvoll; (*wie ich hoffe*) hoffentlich; **hopeless** *Adj* hoffnungslos; miserabel

horizon [hə'raɪzn] *s* Horizont *m*; **horizontal** [hɒrɪ'zɒntl] *Adj* horizontal

hormone ['hɔ:məʊn] *s* Hormon *n*

horn [hɔ:n] *s* Horn *n*; AUTO Hupe *f*

hornet ['hɔ:nɪt] *s* Hornisse *f*

horny ['hɔ:nɪ] *Adj* umg geil

horoscope ['hɒrəskəʊp] *s* Horoskop *n*

horrible, **horribly** ['hɒrɪbl] *Adj*, *Adv* schrecklich; **horrid**, **horridly** ['hɒrɪd] *Adj*, *Adv* abscheulich; **horrify** ['hɒrɪfaɪ] *vt* entsetzen; **horror** ['hɒrə] *s* Entsetzen *n*; **~s** (*des Krieges*) Schrecken *Pl*

hors d'oeuvre [ɔ:'dɜ:vr] *s* Vorspeise *f*

horse [hɔ:s] *s* Pferd *n*; **horse chestnut** *s* Rosskastanie *f*; **horsepower** *s* Pferdestärke *f*, PS *n*; **horse racing** *s* Pferderennen *n*; **horseradish** *s* Meerrettich *m*; **horse riding** *s* Reiten *n*; **horseshoe** *s* Hufeisen *n*

hose, **hosepipe** [həʊz, 'həʊzpaɪp] *s* Schlauch *m*

hospitable [hɒ'spɪtəbl] *Adj* gastfreundlich

hospital ['hɒspɪtl] *s* Krankenhaus *n*

hospitality [hɒspɪ'tælɪtɪ] *s* Gastfreundschaft *f*

host [həʊst] **1.** *s* Gastgeber *m*; TV Moderator(in) *m(f)*, Talkmaster(in) *m(f)* **2.** *vt* (*Party*) geben; TV moderieren

hostage ['hɒstɪdʒ] *s* Geisel *f*

hostel ['hɒstəl] *s* Wohnheim *n*, Jugendherberge *f*

hostess ['həʊstɪs] *s* (*von Party*) Gastgeberin *f*

hostile ['hɒstaɪl] *Adj* feindlich; **hostility** [hɒs'tɪlɪtɪ] *s* Feindseligkeit *f*

hot [hɒt] *Adj* heiß; (*Getränk etc*) warm; (*stark gewürzt*) scharf; **I'm (feeling) ~** mir ist heiß; **hot dog** *s* Hotdog *m*

hotel [həʊ'tel] *s* Hotel *n*; **hotel room** *s* Hotelzimmer *n*

hothouse *s* Treibhaus *n*; **hotline** *s* Hotline *f*; **hotplate** *s* Kochplatte *f*; **hotpot** *s* Fleischeintopf mit Kartoffeleinlage; **hot-water bottle** *s* Wärmflasche *f*

hour ['aʊə] *s* Stunde *f*; **wait for ~s** stundenlang warten

~s Pl (von Läden etc) Geschäftszeiten Pl; **hourly** Adj stündlich
house 1. (houses Pl) [haʊs, 'haʊzɪz] s Haus n; **at my ~** bei mir (zu Hause); **to my ~** zu mir (nach Hause); **on the ~** auf Kosten des Hauses; **the House of Commons/Lords** das britische Unterhaus/Oberhaus; **the Houses of Parliament** das britische Parlamentsgebäude **2.** [haʊz] vt unterbringen; **houseboat** s Hausboot n; **household** s Haushalt m; **~ appliance** Haushaltsgerät n; **house-husband** s Hausmann m; **housekeeping** s Haushaltung f, Haushaltsgeld n; **house-trained** Adj stubenrein; **house-warming (party)** s Einzugsparty f; **housewife** (-wives Pl) s Hausfrau f; **house wine** s Hauswein m; **housework** s Hausarbeit f
housing ['haʊzɪŋ] s Wohnungen Pl, Wohnungsbau m; **housing benefit** s Wohngeld n; **housing development**, **housing estate** (Brit) s Wohnsiedlung f
hover ['hɒvər] vi schweben; **hovercraft** s Luftkissenboot n
how [haʊ] Adv wie; **~ many** wie viele; **~ much** wie viel; **~ are you?** wie geht es Ihnen?; **~ are things?** wie geht's?; **~'s work?** was macht die Arbeit?; **~ about**

...? wie wäre es mit ...?; **however** [haʊ'evər] **1.** Konj jedoch, aber **2.** Adv wie ... auch; **~ much it costs** wie viel es auch kostet
howl [haʊl] vi heulen; **howler** ['haʊlər] s umg grober Schnitzer
HQ Abk = **headquarters**
hubcap ['hʌbkæp] s Radkappe f
hug [hʌg] **1.** vt umarmen **2.** s Umarmung f
huge [hjuːdʒ] Adj riesig
hum [hʌm] vi, vt summen
human ['hjuːmən] **1.** Adj menschlich; **~ rights** Menschenrechte Pl **2.** s (**~ being**) Mensch m; **humanitarian** [hjuːmænɪ'teərɪən] Adj humanitär; **humanity** [hjuː'mænɪtɪ] s Menschheit f; (Einstellung) Menschlichkeit f; **humanities** Geisteswissenschaften Pl
humble ['hʌmbl] Adj demütig; bescheiden
humid ['hjuːmɪd] Adj feucht; **humidity** [hjuː'mɪdɪtɪ] s (Luft)feuchtigkeit f
humiliate [hjuː'mɪlɪeɪt] vt demütigen; **humiliation** [hjuːmɪlɪ'eɪʃn] s Erniedrigung f, Demütigung f
humor (US) → **humour**; **humorous** ['hjuːmərəs] Adj humorvoll; (Geschichte) lustig, witzig; **humour** ['hjuːmər] s Humor m; **sense of ~** Sinn m für Humor
hump [hʌmp] s Buckel m

hundred ['hʌndrəd] *Zahl* **one ~, a ~** (ein)hundert; *a ~ and one* hundert(und)eins; *two ~* zweihundert; **hundredth 1.** *Adj* hundertste(r, s) **2.** *s* Hundertstel *n*; **hundredweight** *s* Zentner *m (50,8 kg)*

hung [hʌŋ] *pt, pp von* **hang**

Hungarian [hʌŋ'gɛəriən] **1.** *Adj* ungarisch **2.** *s (Person)* Ungar(in) *m(f); (Sprache)* Ungarisch *n*; **Hungary** ['hʌŋgəri] *s* Ungarn *n*

hunger ['hʌŋgə*] *s* Hunger *m*; **hungry** ['hʌŋgri] *Adj* hungrig; *be ~* Hunger haben

hunk [hʌŋk] *s umg* gut aussehender Mann

hunt [hʌnt] **1.** *s* Jagd *f; (nach Arbeit, Wohnung)* Suche *f (for* nach) **2.** *v/t, v/i* jagen; *(Arbeit etc)* suchen *(for* nach); **hunting** *s* Jagen *n*, Jagd *f*

hurdle ['hɜːdl] *s a. fig* Hürde *f; the 400m ~s* der 400m-Hürdenlauf

hurl [hɜːl] *v/t* schleudern

hurray [hʊ'rei] *Interj* hurra

hurricane ['hʌrikən] *s* Orkan *m*

hurried ['hʌrid] *Adj* eilig; **hurry** ['hʌri] **1.** *s* Eile *f; be in a ~* es eilig haben; *there's no ~* es eilt nicht **2.** *v/i* sich beeilen; *~ (up)* mach schnell! **3.** *v/t* antreiben

hurt *(hurt, hurt)* [hɜːt] **1.** *v/t* wehtun + *Dat; (jdn, jds Gefühle)* verletzen; *I've ~ my*

arm ich habe mir am Arm wehgetan **2.** *v/i* wehtun; *my arm ~s* mir tut der Arm weh

husband ['hʌzbənd] *s* Ehemann *m*

husky ['hʌski] **1.** *Adj* rau **2.** *s* Schlittenhund *m*

hut [hʌt] *s* Hütte *f*

hyacinth ['haiəsinθ] *s* Hyazinthe *f*

hybrid ['haibrid] *s* Kreuzung *f*

hydroelectric ['haidrəui'lektrik] *Adj ~ power station* Wasserkraftwerk *n*

hydrofoil ['haidrəufɔil] *s* Tragflächenboot *n*

hydrogen ['haidrədʒən] *s* Wasserstoff *m*

hygiene ['haidʒiːn] *s* Hygiene *f*; **hygienic** [hai'dʒiːnik] *Adj* hygienisch

hymn [him] *s* Kirchenlied *n*

hypermarket ['haipəmɑːkit] *s* Großmarkt *m*; **hypersensitive** *Adj* überempfindlich

hyphen ['haifən] *s* Bindestrich *m*

hypnosis [hip'nəusis] *s* Hypnose *f*; **hypnotize** ['hipnətaiz] *v/t* hypnotisieren

hypochondriac [haipəu'kɒndriæk] *s* eingebildete(r) Kranke(r)

hypocrisy ['hi'pɒkrəsi] *s* Heuchelei *f*; **hypocrite** ['hipəkrit] *s* Heuchler(in) *m(f)*

hypodermic [haipə'dɜːmik] *Adj, s ~ (needle)* Spritze *f*

hypothetical [haipəu'θetikəl] *Adj* hypothetisch

hysteria [hɪ'stɪərɪə] s Hysterie f; hysterical [hɪ'sterɪkəl]

Adj hysterisch; *(äußerst lustig)* zum Totlachen

I

I [aɪ] *Pron* ich

ice [aɪs] **1.** *s* Eis **n 2.** *vt (Kuchen)* glasieren; **iceberg** *s* Eisberg **m**; **icebox** *s* (US) Kühlschrank **m**; **icecold** *Adj* eiskalt; **ice cream** *s* Eis **n**; **ice cube** *s* Eiswürfel **m**; **iced** *Adj* eisgekühlt; *(Kaffee etc)* -; *(Kuchen)* glasiert; **ice hockey** *s* Eishockey **n**

Iceland ['aɪslənd] *s* Island **n**; **Icelander** *s* Isländer(in) **m(f)**; **Icelandic** [aɪs'lændɪk] **1.** *adj* isländisch **2.** *s* *(Sprache)* Isländisch **n**

ice lolly ['aɪslɒlɪ] *s (Brit)* Eis **n** am Stiel; **ice rink** *s* Kunsteisbahn **f**; **ice skating** *s* Schlittschuhlaufen **n**; **icing** ['aɪsɪŋ] *s (auf Kuchen)* Zuckerguss **m**

icon ['aɪkɒn] *s* Ikone **f**; IT Icon **n**, Programmsymbol **n**

icy ['aɪsɪ] *Adj* vereist; eisig

I'd [aɪd] *Kontr von* **I would**; **I had**

ID *Abk* = **identification**; Ausweis **m**

idea [aɪ'dɪə] *s* Idee **f**; *(I've) no* ~ (ich habe) keine Ahnung; *that's my* ~ *of* ... so stelle ich mir ... vor

ideal [aɪ'dɪəl] **1.** *s* Ideal **n 2.** *Adj* ideal; **ideally** *Adv* idealerweise

identical [aɪ'dentɪkəl] *Adj* identisch; ~ *twins* eineiige Zwillinge

identify [aɪ'dentɪfaɪ] *vt* identifizieren; **identity** [aɪ'dentɪtɪ] *s* Identität **f**; **identity card** *s* Personalausweis **m**

idiom ['ɪdɪəm] *s* Redewendung **f**; **idiomatic** *Adj* idiomatisch

idiot ['ɪdɪət] *s* Idiot(in) **m(f)**

idle ['aɪdl] *Adj* untätig; *(Person)* faul; *(Drohung)* leer

idol ['aɪdl] *s* Idol **n**; **idolize** ['aɪdəlaɪz] *vt* vergöttern

idyllic [ɪ'dɪlɪk] *Adj* idyllisch

i.e. *Abk* = **id est**; d. h.

if [ɪf] *Konj* wenn, falls; *(in Fragen)* ob; ~ *so* wenn ja; ~ *I were you* wenn ich du wäre; *I don't know* ~ *he's coming* ich weiß nicht, ob er kommt

ignition [ɪg'nɪʃən] *s* Zündung **f**; **ignition key** *s* AUTO Zündschlüssel **m**

ignorance ['ɪgnərəns] *s* Unwissenheit **f**; **ignorant** *Adj* unwissend; **ignore** [ɪg'nɔːr] *vt* ignorieren, nicht beachten

I'll [aɪl] *Kontr von* **I will**; **I shall**

ill [ɪl] *Adj* krank; ~ *at ease* unbehaglich

illegal [ɪˈliːgəl] *Adj* illegal

illegitimate [ɪlɪˈdʒɪtɪmət] *Adj* unzulässig; (*Kind*) unehelich

illiterate [ɪˈlɪtərət] *Adj* **be** ~ Analphabet(in) sein

illness [ˈɪlnəs] *s* Krankheit *f*

illuminate [ɪˈluːmɪneɪt] *vt* beleuchten; illuminating *Adj* (*Bemerkung*) aufschlussreich

illusion [ɪˈluːʒən] *s* Illusion *f*; **be under the ~ that ...** sich einbilden, dass ...

illustrate [ˈɪləstreɪt] *vt* illustrieren; illustration *s* Abbildung *f*, Bild *n*

I'm [aɪm] *Kontr von* I am

image [ˈɪmɪdʒ] *s* Bild *n*, Image *n*; imagination [ɪˌmædʒɪˈneɪʃən] *s* Fantasie *f*, Einbildung *f*; imaginative [ɪˈmædʒɪnətɪv] *Adj* fantasievoll; imagine [ɪˈmædʒɪn] *vt* sich vorstellen, sich einbilden; ~**!** stell dir vor!

imitate [ˈɪmɪteɪt] *vt* nachahmen, nachmachen; imitation **1.** *s* Nachahmung *f* **2.** *Adj* imitiert; ~ **leather** Kunstleder *n*

immaculate [ɪˈmækjʊlɪt] *Adj* tadellos; makellos

immature [ɪməˈtjʊəʳ] *Adj* unreif

immediate [ɪˈmiːdɪət] *Adj* unmittelbar; sofortig; (*Antwort*) umgehend; immediately *Adv* sofort

immense, immensely [ɪˈmens] *Adj*, *Adv* riesig, enorm

immersion heater [ɪˈmɜːʃən hiːtə] *s* Boiler *m*

immigrant [ˈɪmɪgrənt] *s* Einwanderer *m*, Einwanderin *f*; immigration [ɪmɪˈgreɪʃən] *s* Einwanderung *f*; (*am Flughafen etc*) Einwanderungskontrolle *f*

immobilize [ɪˈməʊbɪlaɪz] *vt* lähmen; immobilizer *s* AUTO Wegfahrsperre *f*

immoral [ɪˈmɒrəl] *Adj* unmoralisch

immortal [ɪˈmɔːtl] *Adj* unsterblich

immune [ɪˈmjuːn] *Adj* MED immun (*from, to* gegen); immune system *s* Immunsystem *n*

impact [ˈɪmpækt] *s* Aufprall *m*; (*von Beschluss etc*) Auswirkung *f* (*on* auf + *Akk*)

impatience [ɪmˈpeɪʃəns] *s* Ungeduld *f*; impatient, impatiently *Adj*, *Adv* ungeduldig

impede [ɪmˈpiːd] *vt* behindern

imperfect [ɪmˈpɜːfɪkt] *Adj* unvollkommen; (*Ware etc*) fehlerhaft

imperial [ɪmˈpɪərɪəl] *Adj* kaiserlich, Reichs-; imperialism *s* Imperialismus *m*

impertinence [ɪmˈpɜːtɪnəns] *s* Unverschämtheit *f*, Zumutung *f*; impertinent *Adj* unverschämt

implant [ɪmˈplɑːnt] *s* MED Implantat *n*

implausible [ɪmˈplɔːzəbl] *Adj* unglaubwürdig

implement 1. ['ımplımənt] s Werkzeug n, Gerät n **2.** [ımplı'ment] vt durchführen

implication [ımplı'keıʃən] s Folge f, Auswirkung f, Schlussfolgerung f; **implicit** [ım'plısıt] Adj implizit, unausgesprochen

imply [ım'plaı] vt (anspielen auf) andeuten; bedeuten; **are you ~ing that ...** wollen Sie damit sagen, dass ...

impolite [ımpə'laıt] Adj unhöflich

import 1. [ım'pɔːt] vt einführen, importieren **2.** ['ımpɔːt] s Einfuhr f, Import m

importance [ım'pɔːtəns] s Bedeutung f; **of no ~** unwichtig; **important** [ım'pɔːtənt] Adj wichtig (to sb für jdn); bedeutend, einflussreich

import duty [ım'pɔːtdjuːtı] s Einfuhrzoll m; **import licence** s Einfuhrgenehmigung f

impose [ım'pəʊz] vt (Bedingungen etc) auferlegen (on Dat); (Strafe, Sanktionen) verhängen (on gegen); **imposing** [ım'pəʊzıŋ] Adj eindrucksvoll, imposant

impossible [ım'pɒsəbl] Adj unmöglich

impotence ['ımpətəns] s Machtlosigkeit f; (sexuell) Impotenz f; **impotent** [ım'pəʊtənt] Adj machtlos; (sexuell) impotent

impractical [ım'præktıkəl] Adj unpraktisch; (Plan) undurchführbar

impress [ım'pres] vt beeindrucken; **impression** [ım'preʃən] s Eindruck m; **impressive** Adj eindrucksvoll

imprison [ım'prızn] vt inhaftieren; **imprisonment** s Inhaftierung f

improper [ım'prɒpəʳ] Adj (Benehmen) unanständig; (Gebrauch) unsachgemäß

improve [ım'pruːv] **1.** vt verbessern **2.** vi sich verbessern, besser werden; (Patient, Schüler) Fortschritte machen; **improvement** s Verbesserung f (in + Gen; on gegenüber), Verschönerung f

improvise ['ımprəvaız] vt, vi improvisieren

impulse ['ımpʌls] s Impuls m; **impulsive** [ım'pʌlsıv] Adj impulsiv

in 1. [ın] Präp in + Dat; (Richtung, Bewegung) in + Akk; (im Falle von) bei; **put it ~ the drawer** tu es in die Schublade; **~ the army** beim Militär; **~ itself** an sich; (zeitlich) **~ the morning/afternoon/evening** am Morgen/Nachmittag/Abend; **at three ~ the afternoon** um drei Uhr nachmittags; **~ 2007** (im Jahre) 2007; **~ July** im Juli; **~ a week** in einer Woche; **~ writing** schriftlich; **~ German** auf Deutsch; **one ~ ten** einer von zehn, jeder zehnte; **~ all** insgesamt **2.** Adv (gehen) hinein; (kom-

inch

Trotz der Einführung des metrischen Systems vor vielen Jahren sind die alten Maßeinheiten im britischen und amerikanischen Alltagsleben noch präsent. So wird beispielsweise die Bundweite und Beinlänge von Jeans in **inches** angegeben. Ein **inch** entspricht 2,54 cm. Die Größe 32/34 bedeutet Bundweite 32 **inches**, also 32 x 2,54 cm = 81,28 cm und Beinlänge 34 **inches**, also 34 x 2,54 cm = 85,36 cm. Auch die Körpergröße gibt man in **feet** und **inches** an. 12 **inches** ergeben einen **foot** (Fuß). Dementsprechend entspricht 1 **foot** 30,48 cm. Ist jemand **six feet six tall** (sechseinhalb Fuß groß), so misst er ca. **1,98 m**. Daneben findet sich **inch** auch in Wendungen wie **give sb an inch (and they'll take a mile/yard)**, was dem deutschen **jdm den kleinen Finger reichen (woraufhin derjenige gleich die ganze Hand nimmt)** entspricht.

men) herein; **be ~ at** home sein; *(in Mode)* in sein, modisch sein; *(Zug etc)* angekommen sein; **sb is ~ for sth** jdm steht etw bevor; jmd kann sich auf etw *Akk* gefasst machen; **be ~ on sth** an etw *Dat* beteiligt sein

inability [ɪnəˈbɪlɪtɪ] *s* Unfähigkeit *f*

inaccessible [ɪnækˈsesəbl] *Adj a. fig* unzugänglich

inaccurate [ɪnˈækjʊrɪt] *Adj* ungenau

inadequate [ɪnˈædɪkwət] *Adj* unzulänglich

inappropriate [ɪnəˈprəʊprɪət] *Adj* unpassend; *(Kleidung etc)* ungeeignet; *(Bemerkung)* unangebracht

incapable [ɪnˈkeɪpəbl] *Adj* unfähig *(of* zu); **be ~ of doing sth** nicht imstande

sein, etw zu tun

incense [ˈɪnsens] *s* Weihrauch *m*

incentive [ɪnˈsentɪv] *s* Anreiz *m*

incessant, incessantly [ɪnˈsesnt, -lɪ] *Adj, Adv* unaufhörlich

incest [ˈɪnsest] *s* Inzest *m*

inch [ɪntʃ] *s* Zoll *m* (2,54 cm)

incident [ˈɪnsɪdənt] *s* Vorfall *m*; *(unangenehm)* Zwischenfall *m*; **incidentally** [ɪnsɪˈdentlɪ] *Adv* nebenbei bemerkt, übrigens

inclination [ɪnklɪˈneɪʃən] *s* Neigung *f*; **inclined** [ɪnˈklaɪnd] *Adj* **be ~ to do sth** dazu neigen, etw zu tun

include [ɪnˈkluːd] *vt* einschließen; *(in Liste, Gruppe)* aufnehmen; **including** *Präp* einschließlich (+ *Gen)*; **not**

~ service Bedienung nicht inbegriffen; **inclusive** [ɪn-ˈkluːsɪv] *Adj* einschließlich (*of* + Gen); Pauschal-

incoherent [ɪnkəʊˈhɪərənt] *Adj* zusammenhanglos

income [ˈɪnkʌm] *s* Einkommen *n*; (*aus Geschäften*) Einkünfte *Pl*; **income tax** *s* Einkommensteuer *f*; (*auf Löhne, Gehälter*) Lohnsteuer *f*; **incoming** [ˈɪn-kʌmɪŋ] *Adj* ankommend; (*Post*) eingehend

incompatible [ɪnkəmˈpæt-əbl] *Adj* unvereinbar; (*Personen*) unverträglich; ɪт nicht kompatibel

incompetent [ɪnˈkɒmpɪtənt] *Adj* unfähig

incomplete [ɪnkəmˈpliːt] *Adj* unvollständig

incomprehensible [ɪnkɒm-prɪˈhensəbl] *Adj* unverständlich

inconceivable [ɪnkən-ˈsiːvəbl] *Adj* unvorstellbar

inconsiderate [ɪnkən-ˈsɪdərət] *Adj* rücksichtslos

inconsistency [ɪnkən-ˈsɪstənsɪ] *s* Inkonsequenz *f*; (*von Aussage, Verhalten*) Widersprüchlichkeit *f*; **in-consistent** [ɪnkənˈsɪstənt] *Adj* inkonsequent; (*Aussagen, Verhalten*) widersprüchlich; (*Arbeitsleistung*) unbeständig

inconvenience [ɪnkənˈviː-nɪəns] *s* Unannehmlichkeit *f*; (*organisatorischer Art*) Umstände *Pl*; **inconvenient** *Adj* ungünstig, unbe-

quem; (*zeitlich*) **it's ~ for me** es kommt mir ungelegen; **if it's not too ~ for you** wenn es dir passt

incorporate [ɪnˈkɔːpəreɪt] *vt* aufnehmen (*into* in + *Akk*); (*beinhalten*) enthalten

incorrect [ɪnkəˈrekt] *Adj* falsch; (*nicht passend, unangebracht*) inkorrekt

increase [ˈɪnkriːs] *s* **1.** *s* Zunahme *f* (*in* an + *Dat*); (*von Menge, Tempo*) Erhöhung *f* (*in* + Gen); **~ in size** Vergrößerung *f* **2.** [ɪnˈkriːs] *vt* (*Preise, Tempo etc*) erhöhen; (*Wohlstand*) vermehren; (*Zahl*) vergrößern **3.** *vi* zunehmen (*in* an + *Dat*); (*Preise*) steigen; (*an Größe*) größer werden; (*an Zahl*) sich vermehren; **increasingly** [ɪnˈkriːsɪŋlɪ] *Adv* zunehmend

incredible, incredibly [ɪn-ˈkredəbl] *Adj, Adv* unglaublich; (*sehr gut*) fantastisch

incredulous [ɪnˈkredjʊləs] *Adj* ungläubig, skeptisch

incriminate [ɪnˈkrɪmɪneɪt] *vt* belasten

incubator [ˈɪnkjʊbeɪtəʳ] *s* Brutkasten *m*

incurable [ɪnˈkjʊərəbl] *Adj* unheilbar

indecent [ɪnˈdiːsnt] *Adj* unanständig

indecisive [ɪndɪˈsaɪsɪv] *Adj* (*Person*) unentschlossen; (*Ergebnis*) nicht entscheidend

indeed [ɪnˈdiːd] *Adv* tatsächlich; (als Antwort) allerdings; *very hot* ~ wirklich sehr heiß

indefinite [ɪnˈdefɪnɪt] *Adj* unbestimmt; **indefinitely** *Adv* endlos; (verschieben) auf unbestimmte Zeit

independence [ɪndɪˈpendəns] *s* Unabhängigkeit *f*

Independence Day

Der **Independence Day** oder **Fourth of July**, der 4. Juli, ist in den USA ein gesetzlicher Feiertag zum Gedenken an die **Unabhängigkeitserklärung (Declaration of Independence)** am 4. Juli 1776, mit der die 13 amerikanischen Kolonien ihre Freiheit und Unabhängigkeit von Großbritannien erklärten. Zu den Feierlichkeiten an diesem Gedenktag gehören Umzüge, Grillpartys, Picknicks und ein Feuerwerk.

independent [ɪndɪˈpendng ig (of von); (Person) selbständig

indescribable [ɪndɪˈskraɪbəbl] *Adj* unbeschreiblich

index [ˈɪndeks] *s* Index *m*, Verzeichnis *n*; **index finger** *s* Zeigefinger *m*

India [ˈɪndɪə] *s* Indien *n*; **Indian** [ˈɪndɪən] **1.** *Adj* indisch; indianisch **2.** *s* Inder(in) *m(f)*; Indianer(in) *m(f)*; **Indian Ocean** *s* Indi-

scher Ozean; **Indian summer** *s* Spätsommer *m*, Altweibersommer *m*

indicate [ˈɪndɪkeɪt] **1.** *vt* zeigen; (Gerät) anzeigen; hinweisen auf + *Akk* **2.** *vi* AUTO blinken; **indication** [ɪndɪˈkeɪʃn] *s* Anzeichen *n* (of für); **indicator** [ˈɪndɪkeɪtəʳ] *s* AUTO Blinker *m*

indifferent [ɪnˈdɪfrənt] *Adj* gleichgültig (to, towards gegenüber); mittelmäßig

indigestible [ɪndɪˈdʒestəbl] *Adj* unverdaulich; **indigestion** [ɪndɪˈdʒestʃən] *s* Verdauungsstörung *f*

indignity [ɪnˈdɪgnɪtɪ] *s* Demütigung *f*

indirect, indirectly [ɪndɪˈrekt] *Adj, Adv* indirekt

indiscreet [ɪndɪˈskriːt] *Adj* indiskret

indispensable [ɪndɪˈspensəbl] *Adj* unentbehrlich

indisposed [ɪndɪˈspəʊzd] *Adj* unwohl

indisputable [ɪndɪˈspjuːtəbl] *Adj* unbestreitbar; (Beweise) unanfechtbar

individual [ɪndɪˈvɪdjʊəl] **1.** *s* Einzelne(r) *mf* **2.** *Adj* einzeln; eigen, individuell; ~ **case** Einzelfall *m*; **individually** *Adv* einzeln

Indonesia [ɪndəʊˈniːzjə] *s* Indonesien *n*

indoor [ˈɪndɔːʳ] *Adj* (Schuhe) Haus–; (Pflanzen etc) Zimmer–; SPORT (Fußball, Meisterschaften, Rekord etc) Hallen–; **indoors** *Adv* drin-

inform

nen, im Haus

indulge [ɪn'dʌldʒ] vi ~ **in sth** sich etw gönnen; **indulgence** s Nachsicht f; (unmäßig) (übermäßiger) Genuss; Luxus m; **indulgent** Adj nachsichtig (with gegenüber)

industrial [ɪn'dʌstrɪəl] Adj Industrie-, industriell; ~ **estate** Industriegebiet n; **industry** ['ɪndʌstrɪ] s Industrie f

inedible [ɪn'edɪbl] Adj nicht essbar, ungenießbar

ineffective [ɪnɪ'fektɪv] Adj unwirksam, wirkungslos; **inefficient** Adj unwirksam; (Gebrauch, Maschine) unwirtschaftlich; (Methode etc) unrationell

inequality [ɪnɪ'kwɒlɪtɪ] s Ungleichheit f

inevitable [ɪn'evɪtəbl] Adj unvermeidlich; **inevitably** Adv zwangsläufig

inexcusable [ɪnɪks'kju:zəbl] Adj unverzeihlich

inexpensive [ɪnɪks'pensɪv] Adj preisgünstig

inexperience [ɪnɪks'pɪərɪəns] s Unerfahrenheit f; **inexperienced** Adj unerfahren

inexplicable [ɪnɪks'plɪkəbl] Adj unerklärlich

infallible [ɪn'fæləbl] Adj unfehlbar

infamous ['ɪnfəməs] Adj (Person) berüchtigt (for wegen); (Tat) niederträchtig

infancy ['ɪnfənsɪ] s frühe Kindheit; **infant** ['ɪnfənt] s Säugling m; (Kind) Kleinkind n; **infant school** s Vorschule f

infatuated [ɪn'fætjʊeɪtɪd] Adj vernarrt od verknallt (with in + Akk)

infect [ɪn'fekt] vt (Person) anstecken; (Wunde) infizieren; **infection** [ɪn'fekʃən] s Infektion f; **infectious** [ɪn'fekʃəs] Adj ansteckend

inferior [ɪn'fɪərɪə] Adj (Qualität) minderwertig; (Rangfolge) untergeordnet; **inferiority** [ɪnfɪərɪ'ɒrɪtɪ] s Minderwertigkeit f

infertile [ɪn'fɜ:taɪl] Adj unfruchtbar

inflame [ɪn'fleɪm] vt MED entzünden; **inflammation** [ɪnflə'meɪʃən] s MED Entzündung f

inflatable [ɪn'fleɪtəbl] Adj aufblasbar; **inflate** [ɪn'fleɪt] vt aufpumpen; aufblasen; (Preise) hochtreiben

inflation [ɪn'fleɪʃən] s Inflation f

inflexible [ɪn'fleksəbl] Adj unflexibel

in-flight [ɪn'flaɪt] Adj (Verpflegung, Magazin) Bordfluent

influence ['ɪnflʊəns] 1. s Einfluss m (on auf + Akk) 2. vt beeinflussen; **influential** [ɪnflʊ'enʃəl] Adj einflussreich

influenza [ɪnflʊ'enzə] s Grippe f

inform [ɪn'fɔ:m] vt informieren (of, about über

+ *Akk*); **keep sb ~ed** jdn auf dem Laufenden halten

informal [ɪnˈfɔːməl] *Adj* zwanglos, ungezwungen

information [ɪnfəˈmeɪʃən] *s* Auskunft *f*, Informationen *Pl*; **for your ~** zu Ihrer Information; **further ~** weitere Informationen, weiteres; **information desk** *s* Auskunftsschalter *m*; **information technology** *s* Informationstechnik *f*; **informative** [ɪnˈfɔːmətɪv] *Adj* aufschlussreich

infra-red [ˈɪnfrəˈred] *Adj* infrarot

infrastructure *s* Infrastruktur *f*

infuriate [ɪnˈfjʊərɪeɪt] *vt* wütend machen; **infuriating** *Adj* äußerst ärgerlich

infusion [ɪnˈfjuːʒən] *s* (*von Kräutern*) Aufguss *m*; MED Infusion *f*

ingenious [ɪnˈdʒiːnɪəs] *Adj* (*Person*) erfinderisch; (*Vorrichtung, Gerät*) raffiniert; (*Idee*) genial

ingredient [ɪnˈgriːdɪənt] *s* GASTR Zutat *f*

inhabit [ɪnˈhæbɪt] *vt* bewohnen; **inhabitant** *s* Einwohner(in) *m(f)*

inhale [ɪnˈheɪl] *vt* einatmen; (*Zigaretten*) MED inhalieren; **inhaler** *s* Inhalationsgerät *n*

inherit [ɪnˈherɪt] *vt* erben; **inheritance** *s* Erbe *n*

in-house [ˈɪnhaʊs] *Adj* intern

inhuman [ɪnˈhjuːmən] *Adj* unmenschlich

initial [ɪˈnɪʃəl] **1.** *Adj* anfänglich; **~ stage** Anfangsstadium *n* **2.** *vt* mit Initialen unterschreiben; **initially** *Adv* anfangs; **initials** *npl* Initialen *Pl*

initiative [ɪˈnɪʃətɪv] *s* Initiative *f*

inject [ɪnˈdʒekt] *vt* (*Arzneimittel, Droge* MED) einspritzen; **~ sb with sth** jdm etw (ein)spritzen; **injection** *s* Spritze *f*, Injektion *f*

injure [ˈɪndʒə] *vt* verletzen; **~ one's leg** sich das Bein verletzen; **injury** [ˈɪndʒərɪ] *s* Verletzung *f*

injustice [ɪnˈdʒʌstɪs] *s* Ungerechtigkeit *f*

ink [ɪŋk] *s* Tinte *f*; **ink-jet printer** *s* Tintenstrahldrucker *m*

inland [ˈɪnlənd] **1.** *Adj* Binnen- **2.** *Adv* landeinwärts; **inland revenue** *s* (*Brit*) Finanzamt *n*

in-laws [ˈɪnlɔːz] *npl umg* Schwiegereltern *Pl*

inline skates [ˈɪnlaɪnskeɪts] *npl* Inlineskates *Pl*, Inliner *Pl*

inmate [ˈɪnmeɪt] *s* Insasse *m*

inn [ɪn] *s* Gasthaus *n*

inner [ˈɪnə] *Adj* innere(r, s); **~ city** Innenstadt *f*

innocence [ˈɪnəsns] *s* Unschuld *f*; **innocent** *Adj* unschuldig

innovation [ɪnəʊˈveɪʃən] *s* Neuerung *f*

innumerable [ɪˈnjuːmərəbl]

Adj unzählig

inoculate [ɪ'nɒkjuleɪt] *vt* impfen (*against* gegen); **inoculation** [ɪnɒkju'leɪʃən] *s* Impfung *f*

in-patient ['ɪnpeɪʃənt] *s* stationärer Patient, stationäre Patientin

input ['ɪnput] *s* (*von Person*) Beitrag *m*; IT Eingabe *f*

inquire [ɪn'kwaɪəʳ] → **en-quire**; **inquiry** [ɪn'kwaɪərɪ] → **enquiry**

insane [ɪn'seɪn] *Adj* wahnsinnig; MED geisteskrank; **insanity** [ɪn'sænɪtɪ] *s* Wahnsinn *m*

insatiable [ɪn'seɪʃəbl] *Adj* unersättlich

inscription [ɪn'skrɪpʃən] *s* Inschrift *f*

insect ['ɪnsekt] *s* Insekt *n*

insecure [ɪnsɪ'kjuəʳ] *Adj* (*Person*, *Job*) unsicher; (*Regal etc*) instabil

insensitive [ɪn'sensɪtɪv] *Adj* unempfindlich (*to* gegen); gefühllos

inseparable [ɪn'sepərəbl] *Adj* unzertrennlich

insert [ɪn'sɜːt] **1.** *vt* einfügen; (*Münze*) einwerfen; (*Karte etc*) hineinstecken **2.** *s* (*Zeitung*) Beilage *f*; **insertion** *s* Einfügen *n*

inside [ɪn'saɪd] **1.** *s* the ~ das Innere; die Innenseite; *from the* ~ von innen **2.** *Adj* innere(r, s), Innen-; *~* **lane** AUTO Innenspur *f*; SPORT Innenbahn *f* **3.** *Adv* (*Ort*) innen; (*Richtung*) hinein; **go**

~ hineingehen **4.** *Präp* (*Ort*) in + *Dat*; (*Richtung*) in + *Akk* ... hinein; (*zeitlich*) innerhalb + *Gen*; **inside out** *Adv* verkehrt herum; (*kennen*) in- und auswendig; **insider** *s* Eingeweihte(r) *mf*, Insider(in) *mf*

insight ['ɪnsaɪt] *s* Einblick *m* (*into* in + *Akk*)

insincere [ɪnsɪn'sɪəʳ] *Adj* unaufrichtig, falsch

insinuation [ɪnsɪnju'eɪʃən] *s* Andeutung *f*

insist [ɪn'sɪst] *vi* darauf bestehen; *~* **on sth** auf etw *Dat* bestehen; **insistent** *Adj* hartnäckig

insomnia [ɪn'sɒmnɪə] *s* Schlaflosigkeit *f*

inspect [ɪn'spekt] *vt* prüfen, kontrollieren; **inspection** *s* Prüfung *f*; (*Eintrittskarten etc*) Kontrolle *f*; **inspector** *s* (*bei Polizei*) Inspektor(in) *m(f)*; (*höherer Rang*) Kommissar(in) *m(f)*; (*in Bus etc*) Kontrolleur(in) *m(f)*

inspiration [ɪnspɪ'reɪʃən] *s* Inspiration *f*; **inspire** [ɪn-'spaɪəʳ] *vt* (*Respekt*) einflößen (*in Dat*); (*jdn*) inspirieren

install [ɪn'stɔːl] *vt* (*Software*) installieren

installment, instalment [ɪn-'stɔːlmənt] *s* Rate *f*; (*von Geschichte*) Folge *f*; **pay in** *~***s** auf Raten zahlen; **installment plan** *s* (*US*) Ratenkauf *m*

instance ['ɪnstəns] *s* Fall *m*,

Beispiel n; **for ~** zum Beispiel

instant ['ɪnstənt] **1.** s Augenblick m **2.** Adj sofortig; **instant coffee** s Instantkaffee m; **instantly** Adv sofort

instead [ɪn'sted] Adv stattdessen; **instead of** Präp (an)statt + Gen

instinct ['ɪnstɪŋkt] s Instinkt m; **instinctive, instinctively** [ɪn'stɪŋktɪv, -lɪ] Adj, Adv instinktiv

institute ['ɪnstɪtjuːt] s Institut n; **institution** [ɪnstɪ'tjuːʃən] s Institution f, Einrichtung f; (als Gebäude, Heim) Anstalt f

instruct [ɪn'strʌkt] vt anweisen; **instruction** [ɪn'strʌkʃən] s (bei Kursen) Unterricht m; (von Vorgesetztem) Anweisung f; **~s for use** Gebrauchsanweisung f; **instructor** s Lehrer(in) m(f); (US) Dozent(in) m(f)

instrument ['ɪnstrʊmənt] s Instrument n; **instrument panel** s Armaturenbrett n

insufficient [ɪnsə'fɪʃənt] Adj ungenügend

insulate ['ɪnsjʊleɪt] vt ELEK isolieren; **insulating tape** s Isolierband n; **insulation** [ɪnsjʊ'leɪʃən] s Isolierung f

insulin ['ɪnsjʊlɪn] s Insulin n

insult 1. ['ɪnsʌlt] s Beleidigung f **2.** [ɪn'sʌlt] vt beleidigen; **insulting** [ɪn'sʌltɪŋ] Adj beleidigend

insurance [ɪn'ʃʊərəns] s Versicherung f; **~ company**

Versicherungsgesellschaft f; **~ policy** Versicherungspolice f; **insure** [ɪn'ʃʊə] vt versichern (against gegen)

intake ['ɪnteɪk] s Aufnahme f

integrate ['ɪntɪgreɪt] vt integrieren (into in + Akk)

integrity [ɪn'tegrətɪ] s Integrität f, Ehrlichkeit f

intellect ['ɪntɪlekt] s Intellekt m; **intellectual** [ɪntɪ'lektjʊəl] Adj intellektuell; (Interessen etc) geistig

intelligence [ɪn'telɪdʒəns] s Intelligenz f; **intelligent** Adj intelligent

intend [ɪn'tend] vt beabsichtigen; **~ to do sth** vorhaben, etw zu tun

intense [ɪn'tens] Adj intensiv; (Druck) enorm; (Konkurrenz) heftig; **intensity** s Intensität f; **intensive** Adj intensiv; **intensive care unit** s Intensivstation f

intention [ɪn'tenʃən] s Absicht f; **intentional, intentionally** Adj, Adv absichtlich

interact [ɪntər'ækt] vi aufeinander einwirken; **interaction** s Interaktion f, Wechselwirkung f; **interactive** Adj interaktiv

interchange ['ɪntətʃeɪndʒ] s Autobahnkreuz n; **interchangeable** [ɪntə'tʃeɪndʒəbl] Adj austauschbar

intercity [ɪntə'sɪtɪ] s Intercityzug m, IC m

intercom ['ɪntəkɒm] s (Gegen)sprechanlage f

intercourse ['ɪntəkɔːs] s
Geschlechtsverkehr m
interest ['ɪntrɪst] **1.** s Interesse n; FIN (*für angelegtes Geld*) Zinsen Pl; WIRTSCH
Anteil m; be ~ of ~ von Interesse sein (*to* für) **2.** vt interessieren; interested: interessiert (*in* an + *Dat*);
be ~ed in sich interessieren
für; **are you ~ in coming?**
hast du Lust, mitzukommen?; **interesting** Adj interessant; **interest rate** s
Zinssatz m
interface ['ɪntəfeɪs] s IT
Schnittstelle f
interfere [ɪntə'fɪə] vi sich
einmischen (*with, in* in
+ *Akk*); **interference** s
Einmischung f; TV, RAD
Störung f
interior [ɪn'tɪərɪə] **1.** Adj Innen- **2.** s Innere(s) n; (*Innenraum* m; (*Haus, Auto*)
Innenausstattung f
intermediate [ɪntə'miːdɪət]
Adj Zwischen-
intermission [ɪntə'mɪʃən] s
Pause f
intern [ɪn'tɜːn] s Assistent(in) m(f)
internal [ɪn'tɜːnl] Adj innere(r, s); (*Flug*) Inlands-; **~
revenue** (*US*) Finanzamt
n; **internally** Adv innen;
(*im Körper*) innerlich
international [ɪntə'næʃnəl] **1.**
Adj international; **~ match**
Länderspiel n; **~ flight** Auslandsflug m **2.** s SPORT Nationalspieler(in) m(f)

Internet ['ɪntənet] s IT Internet n; **Internet banking** s
Onlinebanking n; **Internet
café** s Internetcafé n; **Internet provider** s Internetprovider m
interpret [ɪn'tɜːprɪt] vi, vt
dolmetschen; (*auslegen*) interpretieren; **interpretation**
[ɪntɜːprɪ'teɪʃən] s Interpretation f; **interpreter** [ɪn'tɜːprɪtə] s Dolmetscher(in) m(f)
interrogate [ɪn'terəgeɪt] vt
verhören; **interrogation** s
Verhör n
interrupt [ɪntə'rʌpt] vt unterbrechen; **interruption** [ɪntə'rʌpʃən] s Unterbrechung f
intersection [ɪntə'sekʃən] s
(*von Straßen*) Kreuzung f
interstate [ɪntə'steɪt] s (*US*)
zwischenstaatlich; **~ highway** s Bundesautobahn f
interval ['ɪntəvl] s (*räumlich, zeitlich*) Abstand m;
(*im Theater etc*) Pause f
intervene [ɪntə'viːn] vi eingreifen (*in* in); **intervention**
[ɪntə'venʃən] s Eingreifen n; POL Intervention f
interview ['ɪntəvjuː] **1.** s Interview n; (*bei Bewerbung*)
Vorstellungsgespräch n **2.**
vt interviewen; (*Bewerber*)
ein Vorstellungsgespräch
führen mit; **interviewer** s
Interviewer(in) m(f)
intestine [ɪn'testɪn] s Darm
m; **~s** Pl Eingeweide Pl
intimate ['ɪntɪmət] Adj
(*Freunde*) vertraut, eng;

(*Atmosphäre*) gemütlich; (*sexuell*) intim

intimidate [ɪn'tɪmɪdeɪt] *vt* einschüchtern; **intimidation** *s* Einschüchterung *f*

into ['ɪntu] *Präp in + Akk*; (*krachen*) gegen; *translate ~ French* ins Französische übersetzen; *be ~ sth* umg auf etw *Akk* stehen

intolerable [ɪn'tɒlərəbl] *Adj* unerträglich

intolerant [ɪn'tɒlərənt] *Adj* intolerant

intoxicated [ɪn'tɒksɪkeɪtɪd] *Adj* betrunken; *fig* berauscht

intricate ['ɪntrɪkət] *Adj* kompliziert

intrigue [ɪn'triːg] *vt* faszinieren; **intriguing** *Adj* faszinierend, fesselnd

introduce [ɪntrə'djuːs] *vt* (*Person*) vorstellen (*to sb* jdm); (*etw Neues*) einführen (*to in + Akk*); **introduction** [ɪntrə'dʌkʃən] *s* Einführung *f* (*to in + Akk*); (*in Buch*) Einleitung *f* (*to zu*); (*von Person*) Vorstellung *f*

introvert ['ɪntrəʊvɜːt] *s* Introvertierte(r) *mf*

intuition [ɪntjuː'ɪʃn] *s* Intuition *f*

invade [ɪn'veɪd] *vt* einfallen in + *Akk*

invalid 1. ['ɪnvəlɪd] *s* Kranke(r) *mf*; (*durch Unfall etc*) Invalide *m* **2.** [ɪn'vælɪd] *Adj* ungültig

invaluable [ɪn'væljʊəbl] *Adj* äußerst wertvoll, unschätz-

bar

invariably [ɪn'veərɪəblɪ] *Adv* ständig; jedes Mal, ohne Ausnahme

invasion [ɪn'veɪʒən] *s* Invasion *f* (*of in + Akk*)

invent [ɪn'vent] *vt* erfinden; **invention** [ɪn'venʃn] *s* Erfindung *f*; **inventor** *s* Erfinder(in) *m(f)*

inverted commas [ɪn'vɜːtɪd 'kɒməz] *npl* Anführungszeichen *Pl*

invest [ɪn'vest] *vt, vi* investieren (*in in + Akk*)

investigate [ɪn'vestɪgeɪt] *vt* untersuchen; **investigation** [ɪnvestɪ'geɪʃən] *s* Untersuchung *f* (*into + Gen*)

investment [ɪn'vestmənt] *s* Investition *f*; *it's a good ~* es ist eine gute Anlage

invigorating [ɪn'vɪgəreɪtɪŋ] *Adj* erfrischend, belebend; (*Gebräu*) stärkend

invisible [ɪn'vɪzəbl] *Adj* unsichtbar

invitation [ɪnvɪ'teɪʃən] *s* Einladung *f*; **invite** [ɪn'vaɪt] *vt* einladen

invoice ['ɪnvɔɪs] *s* Rechnung *f*

involuntary [ɪn'vɒləntərɪ] *Adj* unbeabsichtigt

involve [ɪn'vɒlv] *vt* verwickeln (*in sth* in etw *Akk*); (*viel Arbeit etc*) zur Folge haben; *be ~d in sth* an etw *Dat* beteiligt sein; *I'm not ~d* ich bin nicht betroffen

inward ['ɪnwəd] *Adj* innere(r, s); **inwardly** *Adv* innerlich; **inwards** *Adv* nach innen

iodine ['aɪədiːn] *s* Jod *n*

IOU [aɪəʊˈjuː] *Abk* = **I owe you**; Schuldschein *m*

IQ *Abk* = **intelligence quotient**; IQ *m*

Iran [ɪˈrɑːn] *s* der Iran

Iraq [ɪˈrɑːk] *s* der Irak

Ireland ['aɪələnd] *s* Irland *n*

iris ['aɪrɪs] *s* Schwertlilie *f*; (*im Auge*) Iris *f*

Irish ['aɪrɪʃ] **1.** *Adj* irisch; **~ coffee** Irishcoffee *m*; **the ~ Sea** die Irische See **2.** *s* (*Sprache*) Irisch *n*; **the** *Pl* die Iren *Pl*; **Irishman** (*-men Pl*) *s* Ire *m*; **Irishwoman** (*-women Pl*) *s* Irin *f*

iron ['aɪən] **1.** *s* Eisen *n*; (*zum Bügeln*) Bügeleisen *n* **2.** *Adj* eisern **3.** *vt* bügeln

ironic(al) [aɪˈrɒnɪk(əl)] *Adj* ironisch

ironing board *s* Bügelbrett *n*

irony ['aɪrənɪ] *s* Ironie *f*

irrational [ɪˈræʃənl] *Adj* irrational

irregular [ɪˈregjʊlə*] *Adj* unregelmäßig

irrelevant [ɪˈreləvənt] *Adj* belanglos, irrelevant

irreplaceable [ɪrɪˈpleɪsəbl] *Adj* unersetzlich

irresistible [ɪrɪˈzɪstəbl] *Adj* unwiderstehlich

irresponsible [ɪrɪˈspɒnsəbl] *Adj* verantwortungslos

irretrievable [ɪrɪˈtriːvəbl] *Adv* unwiederbringlich; (*Verlust*) unersetzlich

irritable ['ɪrɪtəbl] *Adj* reiz-

bar; **irritate** ['ɪrɪteɪt] *vt* ärgern; (*bewusst*) reizen; **irritation** [ɪrɪˈteɪʃən] *s* Ärger *m*; MED Reizung *f*

is [ɪz] *Präsens von be*; ist

Islam ['ɪzlɑːm] *s* Islam *m*; **Islamic** [ɪzˈlæmɪk] *Adj* islamisch

island ['aɪlənd] *s* Insel *f*; **Isle** [aɪl] *s* (*in Namen*) **the ~ of Man** die Insel Man; **the British ~s** die Britischen Inseln

isn't ['ɪznt] *Kontr von* **is not**

isolate ['aɪsəleɪt] *vt* isolieren; **isolated** *Adj* (*Haus*) abgelegen; **isolation** [aɪsəˈleɪʃən] *s* Isolierung *f*

Israel ['ɪzreɪl] *s* Israel *n*; **Israeli** [ɪzˈreɪlɪ] **1.** *Adj* israelisch **2.** *s* Israeli *m of d*

issue ['ɪʃuː] **1.** *s* (*Angelegenheit*) Frage *f*; (*ungeklärtes*) Problem *n*; (*für Diskussion*) Ausgabe *f*; **that's not the ~** darum geht es nicht **2.** *vt* ausgeben; (*Pass etc*) ausstellen; (*Aufträge etc*) erteilen; (*Buch*) herausgeben

it [ɪt] *Pron* (*als Subjekt*) er/sie/es; (*als direktes Objekt*) ihn/sie/es; (*als indirektes Objekt*) ihm/ihr/ihm; **the worst thing about ~** das Schlimmste daran; **who is ~?** **~'s me/~'s him** wer ist da? ich bin's/er ist's; **~'s your turn** du bist dran; **that's ~** ja genau!; **~'s raining** es regnet; **~'s Charlie here** (*am Telefon*) hier spricht Charlie

IT *Abk* = **information technology**; IT *f*

Italian [ɪ'tæljən] **1.** *Adj* italienisch **2.** *s* Italiener(in) *m(f)*; *(Sprache)* Italienisch *n*

italic [ɪ'tælɪk] **1.** *Adj* kursiv **2.** *npl* **in ~s** kursiv

Italy [ɪ'təlɪ] *s* Italien *n*

itch [ɪtʃ] **1.** *s* Juckreiz *m*; **I have an ~** mich juckt es **2.** *vi* jucken; **he is ~ing to ...** es juckt ihn, zu ...; **itchy** *Adj* juckend

it'd ['ɪtd] *Kontr von* **it would**; **it had**

item ['aɪtəm] *s* Gegenstand *m*; *(in Katalog)* Artikel *m*; *(auf Liste)* Posten *m*; *(der Tagesordnung)* Punkt *m*;

(in Nachrichten) Bericht *m*; TV *(Radio)* Meldung *f*

itinerary [aɪ'tɪnərərɪ] *s* Reiseroute *f*

it'll ['ɪtl] *Kontr von* **it will**; **it shall**

its [ɪts] *Pron* sein; *(weibliche Form)* ihr

it's [ɪts] *Kontr von* **it is**; **it has**

itself [ɪt'self] *Pron* sich; *(verstärkend)* **the house ~ is OK** das Haus selbst *od* an sich ist in Ordnung; **by ~** allein; **the door closes (by) ~** die Tür schließt sich von selbst

I've [aɪv] *Kontr von* **I have**

ivory ['aɪvərɪ] *s* Elfenbein *n*

ivy ['aɪvɪ] *s* Efeu *m*

J

jab [dʒæb] **1.** *vt* *(Nadel, Messer)* stechen *(into in + Akk)* **2.** *s* *umg* Spritze *f*

jack [dʒæk] *s* AUTO Wagenheber *m*; *(Karten)* Bube *m*; **jack in** *vt umg* aufgeben, hinschmeißen; **jack up** *vt* *(Auto etc)* aufbocken

jacket ['dʒækɪt] *s* Jacke *f*; *(von Anzug)* Jackett *n*; *(von Buch)* Schutzumschlag *m*; **jacket potato** *(-es Pl)* *s* (in der Schale) gebackene Kartoffel

jack-knife *(jack-knives Pl)* ['dʒæknaɪf] **1.** *s* Klappmesser *n* **2.** *vi* *(LKW etc)* sich

quer stellen

jacuzzi® [dʒə'ku:zɪ] *s* Whirlpool® *m*

jail [dʒeɪl] **1.** *s* Gefängnis *n* **2.** *vt* einsperren

jam [dʒæm] **1.** *s* Konfitüre *f*, Marmelade *f*; *(Verkehr, Drucker)* Stau *m* **2.** *vt* *(Straße)* verstopfen; **be ~med** *(Schublade etc)* klemmen; **~ on the brakes** eine Vollbremsung machen

Jamaica [dʒə'meɪkə] *s* Jamaika *n*

jam-packed *Adj* proppenvoll

janitor ['dʒænɪtəʳ] *s* *(US)*

Hausmeister(in) *m(f)*

January ['dʒænjʊərı] *s* Januar *m*

Japan [dʒə'pæn] *s* Japan *n*; **Japanese** [dʒæpə'niːz] **1.** *Adj* japanisch **2.** *s* Japaner(in) *m(f)*; (Sprache) Japanisch *n*

jar [dʒɑː] *s* Glas *n*

jaundice ['dʒɔːndɪs] *s* Gelbsucht *f*

javelin ['dʒævlɪn] *s* Speer *m*; SPORT Speerwerfen *n*

jaw [dʒɔː] *s* Kiefer *m*

jazz [dʒæz] *s* Jazz *m*

jealous ['dʒeləs] *Adj* eifersüchtig (*of* auf + *Akk*); **don't make me ~** mach mich nicht neidisch!; **jealousy** *s* Eifersucht *f*

jeans [dʒiːnz] *npl* Jeans *Pl*

jelly ['dʒelɪ] *s* Gelee *n*; (*Dessert*) Götterspeise *f*; (*US*) Marmelade *f*; **jelly baby** *s* Gummibärchen *n*; **jellyfish** *s* Qualle *f*

jeopardize ['dʒepədaɪz] *vt* gefährden

jerk [dʒɜːk] **1.** *s* Ruck *m*; *umg* Trottel *m* **2.** *vt* ruckartig bewegen **3.** *vi* (*Seil*) rucken; (*Muskeln*) zucken

Jerusalem [dʒə'ruːsələm] *s* Jerusalem *n*

jet [dʒet] *s* (*Wasser*) Strahl *m*; (*Öffnung*) Düse *f*; (*Flugzeug*) Düsenflugzeug *n*; **jet foil** *s* Tragflächenboot *n*; **jet lag** *s* Jetlag *m* (*Müdigkeit nach langem Flug*)

jetty ['dʒetɪ] *s* Landesteg *m*; (*größer*) Landungsbrücke *f*

Jew [dʒuː] *s* Jude *m*, Jüdin *f*

jewel ['dʒuːəl] *s* Edelstein *m*; *fig* Juwel *n*; **jeweller**, **jeweler** (*US*) *s* Juwelier(in) *m(f)*; **jewellery**, **jewelery** (*US*) *s* Schmuck *m*

Jewish ['dʒuːɪʃ] *Adj* jüdisch; **she's ~** sie ist Jüdin

jigsaw (puzzle) ['dʒɪgsɔː(pʌzl)] *s* Puzzle *n*

jilt [dʒɪlt] *vt* den Laufpass geben + *Dat*

jitters ['dʒɪtəz] *npl umg* **have the ~** Bammel haben; **jittery** *Adj umg* ganz nervös

job [dʒɒb] *s* Arbeit *f*, Aufgabe *f*; (*bei Firma*) Stellung *f*, Job *m*; **what's your ~?** was machen Sie beruflich?; **jobcentre** *s* Arbeitsvermittlungsstelle *f*, Arbeitsamt *n*; **job-hunting** *s* **go ~** auf Arbeitssuche gehen; **jobless** *Adj* arbeitslos; **job seeker** *s* Arbeitssuchende(r) *m/f*; **jobseeker's allowance** *s* Arbeitslosengeld *n*; **job-sharing** *s* Arbeitsplatzteilung *f*

jockey ['dʒɒkɪ] *s* Jockey *m*

jog [dʒɒg] **1.** *vt* (*Person*) anstoßen **2.** *vi* (*als Sport*) joggen; **jogging** *s* Jogging *n*; **go ~** joggen gehen

john [dʒɒn] *s* (*US*) *umg* Klo *n*

join [dʒɔɪn] **1.** *vt* verbinden (*to* mit); (*Klub etc*) beitreten + *Dat*; **~ sb** sich jdm anschließen; (*an* Tisch) sich zu jdm setzen **2.** *vi* sich vereinigen; (*Flüsse*) zusammenfließen; **join in** *vi*, *vt* mitmachen (*sth bei etw*)

joinery ['dʒɔɪnərɪ] s Schreinerei f

joint [dʒɔɪnt] **1.** s (*Knochen*) Gelenk n; (*Rohr*) Verbindungsstelle f; (*Fleisch*) Braten m; (*Marihuana*) Joint m **2.** Adj gemeinsam; **joint account** s Gemeinschaftskonto n; **jointly** Adv gemeinsam

joke [dʒəʊk] **1.** s Witz m; Streich m; **for a ~** zum Spaß; **it's no ~** das ist nicht zum Lachen **2.** vi Witze machen; **you must be joking** das ist ja wohl nicht dein Ernst!

jolly ['dʒɒlɪ] Adj lustig, vergnügt

Jordan ['dʒɔːdən] s (*Land*) Jordanien n; (*Fluss*) Jordan m

jot down [dʒɒt daʊn] vt sich notieren; **jotter** s Notizbuch n

journal ['dʒɜːnl] s (*persönliche Aufzeichnungen*) Tagebuch n; (*Fach-, wissenschaftliche*) Zeitschrift f; **journalism** s Journalismus m; **journalist** s Journalist(in) m(f)

journey ['dʒɜːnɪ] s Reise f; (*im Auto, Zug*) Fahrt f

joy [dʒɔɪ] s Freude f (*at über + Akk*); **joystick** s joystick m; FLUG Steuerknüppel m

teilen (*by nach*) **3.** vi urteilen (*by nach*); **judg(e)ment** s JUR Urteil n; (*Meinung*) Ansicht f; **an error of ~** Fehleinschätzung f

judo ['dʒuːdəʊ] s Judo n

jug [dʒʌg] s Krug m

juggle ['dʒʌgl] vi jonglieren (*with mit*)

juice [dʒuːs] s Saft m; **juicy** Adj saftig

July [dʒuːˈlaɪ] s Juli m; → **September**

jumble ['dʒʌmbl] **1.** s Durcheinander n **2.** vt ~ (*up*) durcheinander werfen; (*Fakten*) durcheinander bringen; **jumble sale** s Wohltätigkeitsbasar m

jump [dʒʌmp] **1.** vi springen; (*ängstlich*) zusammenzucken; **~ to conclusions** voreilige Schlüsse ziehen **2.** vt überspringen; **~ the lights** bei Rot über die Kreuzung fahren; **~ the queue** sich vordrängen **3.** s Sprung m; (*für Pferde*) Hindernis n; **jumper** s Pullover m; (*US*) Trägerkleid n; (*Person, Pferd*) Springer(in) m(f); **jumper cables** npl (*US*), **jump leads** npl (*Brit*) AUTO Starthilfekabel n

junction ['dʒʌŋkʃən] s (*von Straßen*) Kreuzung f; BAHN Knotenpunkt m

June [dʒuːn] s Juni m; → **September**

jungle ['dʒʌŋgl] s Dschungel m

junior ['dʒuːnɪər] **1.** Adj jünger; *(Stellung)* untergeordnet *(to sb* jdm) **2.** *s* **she's two years my** ~ sie ist zwei Jahre jünger als ich; **junior high** *(school) s (US)* ≈ Mittelschule *f*; **junior school** *s (Brit)* Grundschule *f*

junk [dʒʌŋk] *s* Plunder *m*; **junkfood** *s* Nahrungsmittel *Pl* mit geringem Nährwert, Junkfood *n*; **junkie** *s ung* Junkie *m*, Fixer(in) *m(f)*; *fig (Fan)* Freak *m*; **junk mail** *s* Reklame *f*; *rr* Junkmail *f*; **junk shop** *s* Trödelladen *m*

jury [ˈdʒʊərɪ] *s* Geschworene *Pl*; *(Wettkampf etc)* Jury *f*

just [dʒʌst] **1.** *Adj* gerecht **2.** *Adv (soeben)* gerade; *(exakt)* genau; ~ **as expected** genau wie erwartet; ~ **as nice** genauso nett; *(nur knapp)* ~ **in time** gerade noch rechtzei-

tig; *(unmittelbar)* ~ **before/after …** gleich vor/nach …; *(in geringer Entfernung)* ~ **round the corner** gleich um die Ecke; *(ein wenig)* ~ **over an hour** etwas mehr als eine Stunde; *(nur)* ~ **the two of us** nur wir beide; ~ **a moment** Moment mal; *(absolut)* **it was** ~ **fantastic** es war einfach klasse; ~ **about** so etwa; *(eingrenzend)* mehr oder weniger; ~ **about ready** fast fertig

justice [ˈdʒʌstɪs] *s* Gerechtigkeit *f*; **justifiable** [dʒʌstɪˈfaɪəbl] *Adj* berechtigt; **justifiably** *Adv* zu Recht; **justify** [ˈdʒʌstɪfaɪ] *vt* rechtfertigen

juvenile [ˈdʒuːvənaɪl] *s* **1.** *Adj* Jugend-, jugendlich **2.** *s* Jugendliche(r) *mf*

K

k *Abk* = **thousand**; **15k** 15 000

K *Abk* = **kilobyte**; KB

kangaroo [kæŋɡəˈruː] *s* Känguru *n*

karaoke [kærɪˈəʊkɪ] *s* Karaoke *n*

karate [kəˈrɑːtɪ] *s* Karate *n*

kart [kɑːt] *s* Gokart *m*

kayak [ˈkaɪæk] *s* Kajak *m* od *n*

Kazakhstan [kæzækˈstɑːn] *s* Kasachstan *n*

kebab [kəˈbæb] *s* Schaschlik

n od m; *(Döner)* Kebab *m*

keel [kiːl] *s* SCHIFF Kiel *m*; **keel over** *vi (Boot)* kentern; *(Person)* umkippen

keen [kiːn] *Adj* begeistert *(on* von); *(fleißig)* eifrig; *(Verstand)* scharf; *(Interesse etc)* stark; **be** ~ **on sb** auf jdm angetan sein; **she's** ~ **on riding** sie reitet gern; **be** ~ **to do sth** darauf erpicht sein, etw zu tun

keep *(kept, kept)* [kiːp, kept] **1.** *vt* behalten; *(Geheimnis)*

keep back 172

für sich behalten; (*Regeln etc*) einhalten; (*Versprechen*) halten; (*Tagebuch etc*) führen; (*Tiere*) halten; (*Familie etc*) unterhalten, versorgen; (*Sache*) aufbewahren; **~ sb waiting** jdn warten lassen; **~ sb from doing sth** jdn davon abhalten, etw zu tun; **~ sth clean/secret** etw sauber/geheim halten; **~ clear** „(bitte) freihalten"; **~ this to yourself** behalten Sie das für sich **2.** *vi* (*Lebensmittel*) sich halten; (*mit Adjektiv*) bleiben; **~ quiet** sei ruhig!; **~ left** links fahren; **~ doing sth** etw immer wieder tun; **~ at it** mach weiter so!; **it ~s happening** es passiert immer wieder; **keep back 1.** *vi* zurückbleiben **2.** *vt* zurückhalten; (*Informationen*) verschweigen (*from sb* jdm); (*Person, Tier*) fernhalten; **~ off the grass'** „Betreten des Rasens verboten"; **keep on 1.** *vi* weitermachen, (*walking*) weitergehen, (*driving*) weiterfahren; **~ doing sth** etw immer wieder tun **2.** *vt* (*Mantel etc*) anbehalten; **keep out 1.** *vt* nicht hereinlassen **2.** *vi* draußen bleiben; **~** (*auf Schild*) Eintritt verboten; **keep to** *vt* (*Straße*) bleiben auf + *Dat*; (*Plan*) sich halten an + *Akk*; **~ the point** bei der

Sache bleiben; **keep up 1.** *vi* Schritt halten (*with mit*) **2.** *vt* aufrechterhalten; (*Geschwindigkeit*) halten; **~ appearances** den Schein wahren; **keep it up!** *umg* weiter so!

keeper *s* (*in Museum*) Aufseher(in) *m(f)*; (*bei Ballspielen*) Torwart *m*; (*in Zoo*) Tierpfleger(in) *m(f)*; **keep-fit** *s* Fitnesstraining *n*; **~ exercises** Gymnastik *f*

kennel ['kenl] *s* Hundehütte *f*; **kennels** *s* Hundepension *f*

Kenya ['kenjə] *s* Kenia *n*

kept [kept] *pt, pp von* **keep**

kerb ['kɜːb] *s* Randstein *m*

kerosene ['kerəsiːn] *s* (*US*) Petroleum *n*

ketchup ['ketʃʌp] *s* Ket-(s)chup *n od m*

kettle ['ketl] *s* Kessel *m*

key [kiː] **1.** *s* Schlüssel *m*; (*von Tastatur*) Taste *f*; MUS Tonart *f*; (*Landkarte etc*) Zeichenerklärung *f* **2.** *vt* ~ (*in*) IT eingeben **3.** *Adj* entscheidend; **keyboard** *s* (*Computer*) Tastatur *f*; **keyhole** *s* Schlüsselloch *n*; **keypad** *s* IT Nummernblock *m*; **keyring** *s* Schlüsselring *m*

kick [kik] **1.** *s* Tritt *m*; SPORT Stoß *m* **2.** *vt, vi* treten; **kick out** *vt* *umg* rausschmeißen (*of aus*); **kick-off** *s* SPORT Anstoß *m*

kid [kid] **1.** *s* Kind *n* **2.** *vt* (*necken*) auf den Arm nehmen **3.** *vi* Witze machen; **you're ~ding** das ist doch nicht dein Ernst!; **no ~ding** aber echt!

kidnap ['kɪdnæp] *vt* entführen; **kidnapper** *s* Entführer(in) *m(f)*; **kidnapping** *s* Entführung *f*

kidney ['kɪdnɪ] *s* Niere *f*; **kidney machine** *s* künstliche Niere

kill [kɪl] *vt* töten; (*mit Absicht*) umbringen; (*Unkraut*) vernichten; **killer** *s* Mörder(in) *m(f)*

kilo (*-s Pl*) ['kiː:ləu] *s* Kilo *n*; **kilobyte** *s* Kilobyte *n*; **kilogramme** *s* Kilogramm *n*; **kilometer** (*US*), **kilometre** *s* Kilometer *m*; **~s per hour** Stundenkilometer *Pl*; **kilowatt** *s* Kilowatt *n*

kilt [kɪlt] *s* Schottenrock *m*

kind [kaɪnd] **1.** *Adj* nett, freundlich (*to* zu) **2.** *s* Art *f*; (*Käse etc*) Sorte *f*; **what ~ of ...?** was für ein(e) ...?; **this ~ of ...** so ein(e) ...; **~ of ...** so ein(e) ...; **~ of ...** so ein(e) ...

kindergarten ['kɪndəgɑːtn] *s* Kindergarten *m*

kindly ['kaɪndlɪ] **1.** *Adj* nett, freundlich **2.** *Adv* liebenswürdigerweise

king [kɪŋ] *s* König *m*; **kingdom** *s* Königreich *n*; **king-size** *Adj* im Großformat; (*Bett*) extra groß

kipper ['kɪpə'] *s* Räucherhering *m*

kiss [kɪs] **1.** *s* Kuss *m*; **~ of life** Mund-zu-Mund-Beatmung *f* **2.** *vt* küssen

kit [kɪt] *s* Ausrüstung *f*; *umg*

Sachen *Pl*; (*Sport*) Sportsachen *Pl*; (*zum Zusammenbauen*) Bausatz *m*

kitchen ['kɪtʃɪn] *s* Küche *f*; **kitchen foil** *s* Alufolie *f*; **kitchen scales** *s* Küchenwaage *f*; **kitchenware** *s* Küchengeschirr *n*

kite [kaɪt] *s* Drachen *m*

kitten ['kɪtn] *s* Kätzchen *n*

kiwi ['kiː:wiː] *s* (*Frucht*) Kiwi *f*

km *Abk* = **kilometres**; km

knack [næk] *s* Dreh *m*, Trick *m*; **get/have got the ~** den Dreh herauskriegen/heraushaben; **knackered** ['nækəd] *Adj* (*Brit*) *umg* fix und fertig, kaputt

knee [niː] *s* Knie *n*; **kneecap** *s* Kniescheibe *f*; **knee-jerk** *Adj* (*Reaktion*) reflexartig; **kneel** (*knelt od kneeled*, *knelt od kneeled*) [niːl, nelt, niːld] *vi* (*niederknien*) sich hinknien

knelt [nelt] *pt*, *pp von* **kneel**

knew [njuː] *pt von* **know**

knickers ['nɪkəz] *npl* (*Brit*) Schlüpfer *m*

knife (*knives Pl*) [naɪf, naɪvz] *s* Messer *n*

knight [naɪt] *s* Ritter *m*; (*Schach*) Pferd *n*, Springer *m*

knit [nɪt] *vt*, *vi* stricken; **knitting** *s* (*Produkt*) Strickarbeit *f*; (*Tätigkeit*) Stricken *n*; **knitwear** *s* Strickwaren *Pl*

knob [nɒb] *s* (*an Tür*) Knauf *m*; (*an Radio etc*) Knopf *m*

knock [nɒk] **1.** *vt* schlagen; (*versehentlich*) stoßen; **~**

one's head sich den Kopf anschlagen **2.** *vi* klopfen (*on, at* an + *Akk*) **3.** *s* Schlag *m*; (*an Tür etc*) Klopfen *n*; **there was a ~ (at the door)** es hat geklopft; **knock down** *vt* (*Gegenstand*) umstoßen; (*Person*) niederschlagen; (*mit Auto etc*) anfahren; (*Gebäude*) abreißen; **knock out** *vt* bewusstlos schlagen; (*Boxer*) k.o. schlagen

knot [nɒt] *s* Knoten *m*

know (*knew, known*) [nəʊ, njuː, nəʊn] *vt, vi* wissen; (*Ort etc*) kennen; (*jdn/etw*) erkennen; (*Sprache*) können; ***I'll let you ~*** ich sage dir Bescheid; ***I ~ some French*** ich kann etwas Französisch; **get to ~ sb** jdn kennen lernen; **be ~n as** bekannt sein als; **know of** *vt* kennen; **not that I ~** nicht dass ich wüsste;

know-all *s umg* Klugscheißer *m*; **know-how** *s* Kenntnis *f*, Know-how *n*; **knowing** *Adj* vielsagend; (*Blick etc*) wissend; **knowledge** ['nɒlɪdʒ] *s* Wissen *n*; (*eines Faches*) Kenntnisse *Pl*; **to (the best of) my ~** meines Wissens

known [nəʊn] *pp von* **know**

knuckle ['nʌkl] *s* (*Finger-*) knöchel *m*; GASTR Hachse *f*; **knuckle down** *vi* sich an die Arbeit machen

Koran [kɒˈrɑːn] *s* Koran *m*

Korea [kəˈrɪə] *s* Korea *n*

Kosovo ['kɒsəvəʊ] *s* der Kosovo

kph *Abk* = **kilometres per hour**; km/h

Kremlin ['kremlɪn] *s* **the ~** der Kreml

Kurd [kɜːd] *s* Kurde *m*, Kurdin *f*; **Kurdish** *Adj* kurdisch

Kuwait [kʊˈweɪt] *s* Kuwait *n*

L

L *Abk* (*Brit*) AUTO = **learner**

LA *Abk von* **Los Angeles**

lab [læb] *s umg* Labor *n*

label ['leɪbl] **1.** *s* Etikett *n*; (*an Tasche etc*) Anhänger *m*; (*klebend*) Aufkleber *m*; (*Plattenfirma*) Label *n* **2.** *vt* etikettieren; *pej* abstempeln

laboratory [ləˈbɒrətəri] *s* Labor *n*

laborious [ləˈbɔːrɪəs] *Adj*

mühsam; **labor** (*US*), **labour** ['leɪbə] **1.** *s* Arbeit *f*; MED Wehen *Pl*; **be in ~** in den Wehen liegen **2.** *Adj* POL Labour-; **~ Party** Labour Party *f*; **labor union** *s* (*US*) Gewerkschaft *f*; **labourer** *s* Arbeiter(in) *m(f)*

lace [leɪs] **1.** *s* (*Stoff*) Spitze *f*; (*Schuh*) Schnürsenkel *m* **2.** *vt* **~ (up)** zuschnüren

lack [læk] **1.** *vt, vi* **be ~ing** fehlen; **we ~ the time** uns fehlt die Zeit **2.** *s* Mangel *m*; **for ~ of** aus Mangel an + *Dat*

lacquer ['lækə*r*] *s* Lack *m*; (*Brit*) Haarspray *n*

lad [læd] *s* Junge *m*

ladder ['lædə*r*] *s* Leiter *f*; (*in Strumpfhose*) Laufmasche *f*

laddish ['lædɪʃ] *Adj* (*Brit*) machohaft

laden ['leɪdn] *Adj* beladen (**with** mit)

ladies ['leɪdɪz], **ladies' room** *s* Damentoilette *f*; **lady** ['leɪdɪ] *s* Dame *f*; (*als Titel*) Lady *f*; **ladybird, ladybug** (*US*) *s* Marienkäfer *m*

lag [læg] **1.** *vi* ~ (**behind**) zurückliegen **2.** *vt* (*Rohre*) isolieren

lager ['lɑ:gə*r*] *s* helles Bier; ~ **lout** betrunkener Rowdy

laid [leɪd] *pt, pp von* **lay**; **laid-back** *Adj* *umg* cool, gelassen

lain [leɪn] *pp von* **lie**

lake [leɪk] *s* See *m*

lamb [læm] *s* Lamm *n*; Lammfleisch *n*; **lamb chop** *s* Lammkotelett *n*

lame [leɪm] *Adj* lahm; (*Ausrede*) faul; (*Argument*) schwach

lament [lə'ment] **1.** *s* Klage *f* **2.** *vt* beklagen

laminated ['læmɪneɪtɪd] *Adj* beschichtet

lamp [læmp] *s* Lampe *f*; (*auf Straße*) Laterne *f*; (*von Auto*) Licht *n*, Scheinwerfer *m*

land [lænd] *s* Land *n* **2.** *vi*

(*Person*) an Land gehen; FLUG landen; **landing** *s* Landung *f*; (*auf Treppe*) Treppenabsatz *m*; **landing stage** *s* Landesteg *m*; **landing strip** *s* Landebahn *f*

landlady *s* Hauswirtin *f*, Vermieterin *f*; **landlord** *s* (*von Haus*) Hauswirt *m*, Vermieter *m*; (*von Gaststätte*) Gastwirt *m*; **landowner** *s* Grundbesitzer(in) *m(f)*; **landscape** *s* Landschaft *f*; (*Ausdruck*) Querformat *m*; **landslide** *s* GEO Erdrutsch *m*

lane [leɪn] *s* enge Landstraße, Weg *m*; (*in Stadt*) Gasse *f*; (*Autobahn etc*) Spur *f*; SPORT Bahn *f*; **get in ~** (*Autofahrer*) sich einordnen

language ['læŋgwɪdʒ] *s* Sprache *f*

lantern ['læntən] *s* Laterne *f*

lap [læp] *s* **1.** Schoß *m*; (*bei Rennen*) Runde *f* **2.** *vt* (*bei Rennen*) überholen

lapse [læps] *s* **1.** (*Fehler*) Irrtum *m*; (*moralisch*) Fehltritt *m* **2.** *vi* ablaufen

laptop ['læptɒp] *s* Laptop *m*

large [lɑ:dʒ] *Adj* groß; **by and ~** im Großen und Ganzen; **largely** *Adv* zum größten Teil; **large-scale** *Adj* groß angelegt, Groß-

lark [lɑ:k] *s* (*Vogel*) Lerche *f*

larynx ['lærɪŋks] *s* Kehlkopf *m*

laser ['leɪzə*r*] *s* Laser *m*; **laser printer** *s* Laserdrucker *m*

lash [læʃ] *vt* peitschen; **lash**

lash out

out *vi* um sich schlagen; (*Geld ausgeben*) sich in Unkosten stürzen (*on* mit)

lass [lɑːs] *s* Mädchen *n*

last [lɑːst] **1.** *Adj* letzte(r, s); **the ~ but one** der/die/das vorletzte; **~ night** gestern Abend; **~ but not least** nicht zuletzt **2.** *Adv* zuletzt; das letzte Mal; **at ~** endlich **3.** *s* (*Person*) Letzte(r) *mf*; (*Sache*) Letzte(s) *n*; **he was the ~ to leave** er ging als Letzter **4.** *vi* dauern; (*Person*) durchhalten; (*Nahrung*) sich halten; (*Geld, Vorräte*) ausreichen; **lasting** *Adj* dauerhaft; (*Eindrücke*) nachhaltig; **lastly** *Adv* schließlich; **last-minute** *Adj* in letzter Minute; **last name** *s* Nachname *m*

late [leɪt] **1.** *Adj* spät; zu spät; (*Zug*) verspätet; (*Ehemann etc*) verstorben; **be ~** zu spät kommen; (*Flugzeug etc*) Verspätung haben **2.** *Adv* spät; (*ankommen*) zu spät; **late availability flight** *s* Last-Minute-Flug *m*; **lately** *Adv* in letzter Zeit; **late opening** *s* verlängerte Öffnungszeiten *Pl*; **later** [leɪtər] *Adj, Adv* später; **see you** **~** bis später; **latest** [leɪtɪst] **1.** *Adj* späteste(r, s); (*Nachrichten*) neueste(r, s) **2.** *s* **the ~** das Neueste; **at the ~** spätestens

Latin [læ tin] **1.** *s* Latein *n* **2.** *Adj* lateinisch; **Latin America** *s* Lateinamerika *n*; **Lat-**

in-American **1.** *Adj* lateinamerikanisch **2.** *s* Lateinamerikaner(in) *m(f)*

latitude [lætɪtjuːd] *s* GEO Breite *f*

latter [lætər] *Adj* (*von zweien*) letztere(r, s); (*Teil, Jahre*) letzte(r, s), später

Latvia [lætvɪə] *s* Lettland *n*

laugh [lɑːf] **1.** *s* Lachen *n*; **for a ~** aus Spaß **2.** *vi* lachen (*at, about* über + *Akk*); **~ at sb** sich über jdn lustig machen; **it's no ~ing matter** es ist nicht zum Lachen; **laughter** [lɑːftər] *s* Gelächter *n*

launch [lɔːntʃ] **1.** *s* (*Schiff*) Stapellauf *m*; (*Rakete*) Abschuss *m*; (*Produkt*) Markteinführung *f*; (*Festivität*) Eröffnungsfeier *f* **2.** *vt* (*Schiff*) vom Stapel lassen; (*Rakete*) abschießen; (*Produkt*) einführen; (*Projekt*) in Gang setzen

laundrette [lɔːndret] *s* (*Brit*), **laundromat** [lɔːndrəmæt] *s* (*US*) Waschsalon *m*; **laundry** [lɔːndrɪ] *s* (*Betrieb*) Wäscherei *f*; (*schmutzige Kleidung*) Wäsche *f*

lavatory [lævətrɪ] *s* Toilette *f*

lavender [lævɪndər] *s* Lavendel *m*

lavish [lævɪʃ] *Adj* verschwenderisch; (*Ausstattung*) üppig; (*Geschenk*) großzügig

law [lɔː] *s* Gesetz *n*; (*Rechtssystem*) Recht *n*; (*Studienfach*) Jura; (*von Sportart*

learn

Regel f; **against the ~** gesetzwidrig; law-abiding Adj gesetzestreu; law court s Gerichtshof m; lawful Adj rechtmäßig

lawn [lɔːn] s Rasen m; lawnmower s Rasenmäher m

lawsuit ['lɔːsuːt] s Prozess m; lawyer ['lɔːjər] s Rechtsanwalt m, Rechtsanwaltanwältin f

laxative ['læksətɪv] s Abführmittel n

lay [leɪ] 1. pt von **lie** 2. (laid, laid) [leɪd] vt legen; (Tisch) decken; vulg poppen, bumsen; (Ei) legen 3. Adj Laien-; lay down vt hinlegen; lay down vt (Essen, Gastfreundschaft) anbieten; (organisieren) veranstalten, bereitstellen; layabout s Faulenzer(in) m(f)

layer ['leɪər] s Schicht f

layman ['leɪmən] s Laie m

layout ['leɪaʊt] s Gestaltung f; (von Buch etc) Lay-out n

laze [leɪz] vi faulenzen; laziness ['leɪzɪnɪs] s Faulheit f; lazy ['leɪzɪ] Adj faul; (Tag, Zeit) gemütlich

lb Abk = **pound**; Pfd.

lead 1. [led] s Blei n 2. (led, led) [liːd, led] vt u vi führen; leiten; **~ the way** vorangehen 3. [liːd] s Führung f, Vorsprung m (over vor + Dat); THEAT Hauptrolle f; (Hund) Leine f; ELEK Leitung f; lead astray vt irreführen; lead away vt wegführen; lead back vi zu-

rückführen; lead to vt hinführen nach; führen zu; lead up to vt führen zu

leaded ['ledɪd] Adj verbleit

leader ['liːdər] s Führer(in) m(f), Vorsitzende(r) mf, Leiter(in) m(f); SPORT der/ die Erste; Tabellenführer m; leadership ['liːdəʃɪp] s Führung f

lead-free ['led'friː] Adj bleifrei

leading ['liːdɪŋ] Adj führend, wichtig

leaf (leaves Pl) [liːf, liːvz] s Blatt n; leaflet ['liːflɪt] s Prospekt m, Flugblatt n, Merkblatt n

league [liːg] s Bund m; SPORT Liga f

leak [liːk] 1. s undichte Stelle; Leck n 2. vi undicht sein; auslaufen; leaky Adj undicht

lean [liːn] 1. Adj mager 2. (leant od leaned, leant od leaned) [lent, liːnd] vi u vi neigen; **~ against sth** sich an etw Akk lehnen; **~ on sth** sich auf etw Akk stützen 3. vt lehnen (on, against an + Akk); lean back vi zurücklehnen; lean towards vi tendieren zu

leant [lent] pt, pp von **lean**

leap [liːp] 1. s Sprung m 2. (leapt od leaped, leapt od leaped) [lept, liːpd] vi springen; leap year s Schaltjahr n

learn (learnt od learned, learnt od learned) [lɜːn,

lɜːnt, lɜːnd] *vt, vi* lernen; erfahren; **~ (how) to swim** schwimmen lernen; **learned** ['lɜːnɪd] *Adj* gelehrt; **learner** *s* Anfänger(in) *m(f)*; (Brit) Fahrschüler(in) *m(f)*

learnt [lɜːnt] *pt, pp von* **learn**

lease [liːs] **1.** *s* Pacht *f*, Pachtvertrag *m*, Miete *f*, Mietvertrag *m* **2.** *vt* pachten; mieten; **lease out** *vt* vermieten; **leasing** ['liːsɪŋ] *s* Leasing *n*

least [liːst] **1.** *Adj* wenigste(r, s) (*Sorge etc*) geringste(r, s) **2.** *Adv* am wenigsten; **~ expensive** billigste(r, s) **3.** *s* **the ~** das Mindeste; **not in the ~** nicht im geringsten; **at ~** wenigstens; (*mit Zahl*) mindestens

leather ['leðə^r] **1.** *s* Leder *n* **2.** *Adj* ledern, Leder-

leave [liːv] **1.** *s* Urlaub *m*; **on ~** auf Urlaub; **take one's ~** Abschied nehmen (*of von*) **2.** (*left, left*) [left] *vt* (*Ort, Person*) verlassen; (*Nachricht, Narbe etc*) hinterlassen; (*nach Tod*) hinterlassen (*to sb* jdm); (*anvertrauen*) überlassen (*to sb* jdm); **be left** übrig bleiben; **~ me alone** lass mich in Ruhe!; **don't ~ it to the last minute** warte nicht bis zur letzten Minute **3.** *vi* (*weggehen, etc*) (*fahren*) (*bei Reise*) abreisen; (*Bus, Zug*) abfahren (*for* nach); **leave behind** *vt* zurücklassen

(*Narbe*) hinterlassen; **leave out** *vt* auslassen; (*Person*) ausschließen (*of von*)

leaves [liːvz] *Pl von* **leaf**

leaving do [liːvɪndu:] *s* Abschiedsfeier *f*

Lebanon ['lebənən] *s* **the ~** der Libanon

lecture ['lektʃə^r] *s* Vortrag *m*; (*an Universität*) Vorlesung *f*; **give a ~** einen Vortrag/eine Vorlesung halten; **lecturer** *s* Dozent(in) *m(f)*; **lecture theatre** *s* Hörsaal *m*

led [led] *pt, pp von* **lead**

LED *Abk* = **light-emitting diode**; Leuchtdiode *f*

leek [liːk] *s* Lauch *m*

left [left] **1.** *pt, pp von* **leave** **2.** *Adj* linke(r, s) **3.** *Adv* links; (*Bewegung, Richtung*) nach links **4.** *s* linke Seite; **the Left** POL die Linke; **on/to the ~** links (*of von*); **left-hand** *Adj* linke(r, s); **~ bend** Linkskurve *f*; **~ drive** Linkssteuerung *f*; **left-handed** *Adj* linkshändig; **left-hand side** *s* linke Seite **left-luggage locker** *s* Gepäckschließfach *n*; **left-luggage office** *s* Gepäckaufbewahrung *f*

left-overs *npl* Reste *Pl*

left wing *s* linker Flügel; **left-wing** *Adj* POL linksgerichtet

leg [leg] *s* Bein *n*; (*von Fleisch*) Keule *f*

legacy ['legəsɪ] *s* Erbe *n*, Erbschaft *f*

legal ['liːgəl] *Adj* Rechts-

rechtlich; *(erlaubt)* legal; *(Obergrenze, Alter)* gesetzlich; **~ aid** Rechtshilfe *f*; **legalize** *vt* legalisieren; **legally** *Adv* legal

legible, legibly ['ledʒəbl, -blɪ] *Adj, Adv* leserlich

legislation [ledʒɪs'leɪʃn] *s* Gesetze *Pl*

legitimate [lɪ'dʒɪtɪmət] *Adj* rechtmäßig, legitim

legroom ['legrum] *s* Platz *m* für die Beine

leisure ['leʒə^r] **1.** *s* Freizeit *f* **2.** *Adj* Freizeit-; **~ centre** Freizeitzentrum *n*; **leisurely** ['leʒəlɪ] *Adj* gemächlich

lemon ['lemən] *s* Zitrone *f*; **lemonade** [lemə'neɪd] *s* Limonade *f*; **lemon curd** *s* Brotaufstrich aus Zitronen, Butter, Eiern und Zucker; **lemon juice** *s* Zitronensaft *m*; **lemon sole** *s* Seezunge *f*

lend [lend] *pt, pp* lent, lent, lent] *vt* leihen; **~ sb sth** jdm etw leihen

length [leŋθ] *s* Länge *f*; **4 metres in ~** 4 Meter lang; **what ~ is it?** wie lange ist es?; **lengthy** *Adj* sehr lange; *(Behandlung)* langwierig

lenient ['liːnɪənt] *Adj* nachsichtig

lens [lenz] *s* Linse *f*; FOTO Objektiv *n*

lent [lent] *pt, pp* von **lend**

Lent [lent] *s* Fastenzeit *f*

lentil ['lentɪl] *s* BOT Linse *f*

Leo (*-s Pl*) ['liːəʊ] *s* ASTR Löwe *m*

leopard ['lepəd] *s* Leopard *m*

lept [lept] *pt, pp* von **leap**

lesbian ['lezbɪən] **1.** *Adj* lesbisch **2.** *s* Lesbe *f*

less [les] *Adj, Adv* s weniger; **~ and ~** immer weniger; *(vorkommen)* immer seltener; **lessen** ['lesn] **1.** *vi* abnehmen, nachlassen **2.** *vt* verringern; *(Schmerzen)* lindern; **lesser** ['lesə^r] *Adj* geringer; *(Betrag)* kleiner

lesson ['lesn] *s* *(in Schule)* Stunde *f*; Lektion *f*; *fig* Lehre *f*; REL Lesung *f*; **~s start at 9** der Unterricht beginnt um 9

let *(let, let)* *vt* lassen; *(Wohnung, Haus)* vermieten; **~ sb have sth** jdm etw geben; **~'s go** gehen wir; **~ go (of sth)** (etw) loslassen; **let down** *vt* herunterlassen; im Stich lassen, enttäuschen; **let in** *vt* hereinlassen; **let out** *vt* hinauslassen; *(Geheimnis)* verraten; *(Schrei)* ausstoßen

lethal ['liːθəl] *Adj* tödlich

let's *Abk* = **let us**

letter ['letə^r] *s* Buchstabe *m*; *(Postsendung)* Brief *m*; *(offiziell)* Schreiben *n*; **letterbox** *s* Briefkasten *m*

lettuce ['letɪs] *s* Kopfsalat *m*

leukaemia, leukemia (*US*) [luːˈkiːmɪə] *s* Leukämie *f*

level ['levl] **1.** *Adj* *(horizontal)* waagerecht; *(Boden)* eben; *(Läufer etc)* auf selber Höhe; **~ on points** punktgleich **2.** *Adv* *(laufen etc)* auf gleicher Höhe, gleich auf; **draw ~** (in Rennen) gleichziehen (with mit); (Fußball etc) ausgleichen **3.** s Höhe f; (Standard) Niveau n; **be on a ~ with** auf gleicher Höhe sein mit **4.** vt (Boden) einebnen; **level crossing** s (Brit) (schienengleicher) Bahnübergang m; **level-headed** Adj vernünftig

lever ['li:və'] (US) ['levə'] s Hebel m; fig Druckmittel n; **lever up** vt hochstemmen

liability [laɪə'bɪlɪtɪ] s Haftung f; (Problem) Belastung f; (Pflicht; finanziell: Schuld) Verpflichtung f; **liable** ['laɪəbl] Adj **be ~ for sth** für etw haften

liar ['laɪə'] s Lügner(in) m(f)

liberal ['lɪbərəl] Adj (Portion etc) großzügig; (tolerant; a. politisch) liberal; **Liberal Democrat 1.** s (Brit) POL Liberaldemokrat(in) m(f) **2.** Adj liberaldemokratisch; **the ~ Party** die Liberaldemokratische Partei

liberate ['lɪbəreɪt] vt befreien; **liberation** [lɪbə'reɪʃn] s Befreiung f

liberty ['lɪbətɪ] s Freiheit f

Libra ['li:brə] s ASTR Waage f

library ['laɪbrərɪ] s Bibliothek f; Bücherei f

Libya ['lɪbɪə] s Libyen n

lice [laɪs] Pl von **louse**

licence ['laɪsəns] s Genehmigung f; WIRTSCH Lizenz f; (Fahrerlaubnis) Führerschein m; **license** ['laɪsəns]

1. s (US) → **licence 2.** vt genehmigen; licensed Adj (Restaurant etc) mit Schankerlaubnis; **license plate** s (US) AUTO Nummernschild n; **licensing hours** npl Ausschankzeiten Pl

lick [lɪk] **1.** vt lecken **2.** s Lecken n

licorice ['lɪkərɪs] s Lakritze f

lid [lɪd] s Deckel m; (am Auge) Lid n

lie [laɪ] **1.** s Lüge f; **~ detector** Lügendetektor m **2.** vi lügen; **~ to sb** jdn belügen **3.** (lay, lain) [leɪ, leɪn] vi (an Ort, Stelle) liegen; (auf Liege) sich legen; (Schnee) liegen bleiben; **be lying third** an dritter Stelle liegen; lie about vi herumliegen; lie down vi sich hinlegen

lie in [laɪ'ɪn] s **have a ~** ausschlafen

life (lives Pl) [laɪf, laɪvz] s Leben n; **get ~** lebenslänglich bekommen; **life assurance** s Lebensversicherung f; **lifebelt** s Rettungsring m; **lifeboat** s Rettungsboot m; **lifeguard** s Bademeister(in) m(f), Rettungsschwimmer(in) m(f); **life insurance** s Lebensversicherung f; **life jacket** s Schwimmweste f; **lifeless** Adj leblos; **lifelong** Adj lebenslang; **life preserver** s (US) Rettungsring m; **life-saving** Adj lebensrettend; **life-size(d)** Adj in Lebensgröße; **life span** s Lebensspan-

ne *f*; **life style** *s* Lebensstil
m; **lifetime** *s* Lebenszeit *f*
lift [lɪft] **1.** *vt* (hoch)heben;
(*Verbot*) aufheben **2.** *s* (*Brit*)
Aufzug *m*, Lift *m*; **give sb a**
~ jdn im Auto mitnehmen;
lift up *vt* hochheben
ligament ['lɪgəmənt] *s* Band
n
light [laɪt] **1.** (*lit od* **lighted**,
lit od **lighted**) *vt* beleuchten; (*Feuer*) anzünden **2.** *s* Licht *n*; Lampe
f; **~s** *Pl* AUTO Beleuchtung
f; (*Straßenverkehr*) Ampel
f; **in the ~ of** angesichts
+ *Gen* **3.** *Adj* hell; (*nicht*
schwer) leicht; (*Strafe*) milde; (*Steuern*) niedrig; **~**
blue/green hellblau/hell-
grün; **light up 1.** *vt* beleuchten **2.** *vi* (*Lichter, Au-*
gen etc) aufleuchten
light bulb *s* Glühbirne *f*
lighten ['laɪtn] **1.** *vi* hell werden **2.** *vt* erhellen; (*Last*)
leichter machen; *fig* er-
leichtern
lighter ['laɪtə'] *s* Feuerzeug *n*
light-hearted *Adj* unbe-
schwert; **lighthouse** *s*
Leuchtturm *m*; **lighting** *s*
Beleuchtung *f*; **lightly** *Adv*
leicht; **light meter** *s* FOTO
Belichtungsmesser *m*
lightning ['laɪtnɪŋ] *s* Blitz *m*.
like [laɪk] **1.** *vt* mögen, gern
haben; **he ~s swimming** er
schwimmt gern; **would you**
~ ...? hätten Sie gern ...?;
I'd ~ to go home ich möchte nach Hause (gehen); **I**

don't ~ the film der Film
gefällt mir nicht **2.** *Präp*
wie; **what's it/he ~?** wie ist
es/er?; **he looks ~ you** er
sieht dir ähnlich; **~ that/**
this so; **likeable** ['laɪkəbl]
Adj sympathisch
likelihood ['laɪklɪhʊd] *s*
Wahrscheinlichkeit *f*; **likely**
['laɪklɪ] *Adj* wahrscheinlich;
the bus is ~ to be late der
Bus wird wahrscheinlich
Verspätung haben
like-minded [laɪk'maɪndɪd]
Adj gleich gesinnt
likewise ['laɪkwaɪz] *Adv*
ebenfalls; **do ~** das Gleiche
tun
liking ['laɪkɪŋ] *s* (*zu Person*)
Zuneigung *f*, Vorliebe *f*
(*for* für)
lilac ['laɪlək] **1.** *s* Flieder *m*
2. *Adj* fliederfarben
lily ['lɪlɪ] *s* Lilie *f*; **~ of the**
valley Maiglöckchen *n*
limb [lɪm] *s* Glied *n*
limbo ['lɪmbəʊ] *s* **in ~** (*Plä-*
ne) auf Eis gelegt
lime [laɪm] *s* (*Baum*) Linde
f; (*Frucht*) Limone *f*;
(*Substanz*) Kalk *m*; **lime**
juice *s* Limonensaft *m*;
limelight *s* *fig* Rampenlicht
n; **limestone** *s* Kalkstein *m*
limit ['lɪmɪt] **1.** *s* Grenze *f*;
(*Schadstoffe*) Grenzwert *m*;
drive over the ~ das Tempolimit überschreiten;
that's the ~! jetzt reicht's!,
das ist die Höhe! **2.** *vt* beschränken (*to* auf + *Akk*);
(*Ausgaben*) einschränken;

limitation [lɪmɪ'teɪʃən] *s*
Beschränkung *f*; Einschränkung *f*; **limited** *Adj* begrenzt; **~ liability company**
Gesellschaft *f* mit beschränkter Haftung, GmbH
f; **public ~ company** Aktiengesellschaft *f*

limp [lɪmp] **1.** *vi* hinken **2.**
Adj schlaff

line [laɪn] **1.** *s* Linie *f*; (von
Text) Zeile *f*; (*im Gesicht*)
Falte *f*; (von *Menschen,
Bäumen etc*) Reihe *f*; (*US,
von Wartenden*) Schlange *f*;
BAHN Bahnlinie *f*; **TEL** Leitung *f*; (von *Artikeln*) Kollektion *f*; **hold the ~** bleiben Sie am Apparat; **stand
in ~** Schlange stehen;
something along those ~s
etwas in dieser Art; **drop
me a ~** schreib mir ein
paar Zeilen; **~s THEAT** Text
m **2.** *vt* (*Kleidung*) füttern;
(*Straßen*) säumen; **lined**
Adj (*Papier*) liniert; (*Gesicht*) faltig; **line up** *vi* sich
aufstellen; (*US, in Warteschlange*) sich anstellen

linen ['lɪnɪn] *s* Leinen *n*;
(*Betttücher etc*) Wäsche *f*

liner ['laɪnəʳ] *s* Überseedampfer *m*, Passagierschiff *n*

linesman [*-men Pl*] ['laɪnzmən] *s* **SPORT** Linienrichter
m

lingerie ['lænʒəriː] *s* Damenunterwäsche *f*

lining ['laɪnɪŋ] *s* (von *Kleidung*) Futter *n*; (von
Bremse) Bremsbelag *m*

link [lɪŋk] **1.** *s* Verbindung *f*;
(von *Kette*) Glied *n*; (*zu
Person*) Beziehung *f* (*with*
zu); (*zwischen Ereignissen*)
Zusammenhang *m* **2.** *vt*
verbinden

lion ['laɪən] *s* Löwe *m*

lip [lɪp] *s* Lippe *f*; **lipstick** *s*
Lippenstift *m*

liqueur [lɪ'kjʊəʳ] *s* Likör *m*

liquid ['lɪkwɪd] **1.** *s* Flüssigkeit *f* **2.** *Adj* flüssig

liquor ['lɪkəʳ] *s* Spirituosen *Pl*

liquorice ['lɪkərɪs] *s* Lakritze *f*

Lisbon ['lɪzbən] *s* Lissabon *n*

lisp [lɪsp] *vt, vi* lispeln

list [lɪst] **1.** *s* Liste *f* **2.** *vt*
auflisten, aufzählen; **~ed
building** unter Denkmalschutz stehendes Gebäude

listen ['lɪsn] *vi* zuhören; **listen to** *vt* (*jdm*) zuhören
+ *Dat*; (*Radio*) hören; (*Rat*)
hören auf; **listener** *s* Zuhörer(in) *m(f)*; (*Radio*) Hörer(in) *m(f)*

lit [lɪt] *pt, pp* von **light**

liter ['liːtəʳ] *s* (*US*) Liter *m*

literacy ['lɪtərəsɪ] *s* Fähigkeit *f* zu lesen und zu
schreiben; **literal** ['lɪtərəl]
Adj (*Bedeutung*) wörtlich;
(*rein*) buchstäblich; **literally**
Adv (*übersetzen etc*) wörtlich; **literary** ['lɪtərərɪ] *Adj*
literarisch; (*Kritiker, Zeitschrift etc*) Literatur-; **literature** ['lɪtrətʃəʳ] *s* Literatur *f*; (*Broschüren*) Informationsmaterial *n*

Lithuania [lɪθjuː'eɪnjə] *s* Li-

local

tauen n
litre ['li:tər] s Liter n
litter ['lɪtər] **1.** s Abfälle Pl; (von Tieren) Wurf m **2.** vt be **~ed** with übersät sein mit; litter bin s Abfalleimer m
little ['lɪtl] **1.** Adj (smaller, smallest) klein; (mengenmäßig) wenig; **a ~ while ago** vor kurzer Zeit **2.** Adv, s (fewer, fewest) wenig; **a ~** ein bisschen, ein wenig; **as ~ as possible** so wenig wie möglich; **for as ~ as £5** ab nur 5 Pfund; I **see very ~ of them** ich sehe sie sehr selten; **~ by ~** nach und nach; little finger s kleiner Finger
live **1.** [laɪv] Adj lebendig; ELEK geladen, unter Strom; TV live; **~ broadcast/programme** f **2.** [lɪv] vi leben; (am Leben bleiben) überleben; (in Ort, in Haus) wohnen; **you ~ and learn** man lernt nie aus **3.** vt (ein Leben) führen; live on **1.** vi weiterleben **2.** vi + sth von etw leben; sich von etw ernähren; **earn enough to ~** genug verdienen, um davon zu leben; **live together** vi zusammenleben; live up to vt (seinem Ruf) gerecht werden + Dat; (Erwartungen) entsprechen + Dat; live with vt (Eltern) zusammen wohnen bei; (Partner) zusammenleben mit; (Schwierigkeiten) **you'll just have to ~**

it du musst dich eben damit abfinden
liveliness ['laɪvlɪnɪs] s Lebhaftigkeit f; lively ['laɪvlɪ] Adj lebhaft
liver ['lɪvər] s Leber f
lives [laɪvz] Pl von life
livestock ['laɪvstɒk] s Vieh n
living ['lɪvɪŋ] **1.** s Lebensunterhalt m; **what do you do for a ~?** was machen Sie beruflich? **2.** Adj lebend; living room s Wohnzimmer n
lizard ['lɪzəd] s Eidechse f
load [ləʊd] **1.** s Last f; (von LKW etc) Ladung f; TECH fig Belastung f; **~s of** umg massenhaft; **it was a ~ of rubbish** umg es war grottenschlecht **2.** vt (Fahrzeug etc) beladen; IT laden; (Film in Kamera) einlegen
loaf (loaves Pl) [ləʊf, ləʊvz] s **~ (of bread)** Brot n; loaf about vi faulenzen
loan [ləʊn] **1.** s Leihgabe f; FIN Darlehen n; **on ~** geliehen **2.** vt **~ sth to sb jdm** loathe [ləʊð] vt verabscheuen
loaves [ləʊvz] Pl von loaf
lobby ['lɒbɪ] s Vorhalle f; POL Lobby f
lobster ['lɒbstər] s Hummer m
local ['ləʊkəl] **1.** Adj (Verkehr, Zeit etc) Orts-; (Radio, Zeitung) Lokal-; (Behörden) Kommunal-; (Betäubung) örtlich; **~ call** TEL Ortsgespräch n; **~ elections** Kommunalwahlen Pl; **~ time** Ortszeit f; **~**

train Nahverkehrszug *m*; **the ~ shops** die Geschäfte am Ort **2.** *s* (*Gaststätte*) Stammlokal *n*; **the ~s** *Pl* die Ortsansässigen *Pl*; **locally** *Adv* örtlich, am Ort

locate [ləʊ'keɪt] *vt* (*Lage*) ausfindig machen; (*an einem Ort*) errichten; **be ~d** sich befinden (*in, at* in + *Dat*); **location** [ləʊ'keɪʃən] *s* (*Position*) Lage *f*; FILM Drehort *m*

loch [lɒx] *s* (*schott*) See *m*

lock [lɒk] **1.** *s* Schloss *n*; SCHIFF Schleuse *f*; (*von Haar*) Locke *f* **2.** *vt* (*Tür etc*) abschließen **3.** *vi* (*Tür etc*) sich abschließen lassen; (*Räder*) blockieren; **lock in** *vt* einschließen, einsperren; **lock out** *vt* aussperren; **lock up** *vt* (*Haus etc*) abschließen; (*Person*) einsperren

locker ['lɒkə'] *s* Schließfach *n*; **locker room** *s* (*US*) Umkleideraum *m*

locksmith ['lɒksmɪθ] *s* Schlosser(in) *m(f)*

locust ['ləʊkəst] *s* Heuschrecke *f*

lodge [lɒdʒ] **1.** *s* (*von Landgut etc*) Pförtnerhaus *n*; (*in College etc*) Pförtnerloge *f* **2.** *vi* in Untermiete wohnen (*with* bei); **lodger** *s* Untermieter(in) *m(f)*; **lodging** *s* Unterkunft *f*

loft [lɒft] *s* Dachboden *m*

log [lɒg] *s* Klotz *m*; SCHIFF Log *n*; **keep a ~ of sth**

über etw Buch führen; **log in** *vi* IT sich einloggen; **log off** *vi* IT sich ausloggen; **log on** *vi* IT sich einloggen; **log out** *vi* IT sich ausloggen

logic ['lɒdʒɪk] *s* Logik *f*; **logical** *Adj* logisch

logo (*-s Pl*) ['ləʊgəʊ] *s* Logo *n*

loin [lɔɪn] *s* Lende *f*

loiter ['lɔɪtə'] *vi* sich herumtreiben

lollipop ['lɒlɪpɒp] *s* Lutscher *m*; **~ man/lady** (*Brit*) Schülerlotse *m*; Schülerlotsin *f*

lolly ['lɒlɪ] *s* Lutscher *m*; *umg* (*Geld*) Knete *f*

London ['lʌndən] *s* London *n*

loneliness ['ləʊnlɪnɪs] *s* Einsamkeit *f*; **lonely** ['ləʊnlɪ], (*bes US*) **lonesome** ['ləʊnsəm] *Adj* einsam

long [lɒŋ] *Adj* lang; (*Entfernung*) weit; **it's a ~ way** es ist weit (*to* nach); **for a ~ time** lange; **how ~ is the film?** wie lange dauert der Film?; **in the ~ run** auf die Dauer **2.** *Adv* lange; **not for ~** nicht lange; **~ ago** vor langer Zeit; **before ~** bald; **all day ~** den ganzen Tag; **no ~er** nicht mehr; **as ~ as** solange **3.** *vi* sich sehnen (*for* nach); (*auf Rückkehr etc*) sehnsüchtig warten (*for* auf); **long-distance call** *s* Ferngespräch *n*; **long drink** *s* Longdrink *m*; **long-haul flight** *s* Langstreckenflug *m*; **longing** *s* Sehnsucht *f* (*for* nach); **longingly** *Adv* sehnsüchtig; **longitude**

['lɒŋgɪtjuːd] s Länge f; long jump s Weitsprung m; long-life milk s H-Milch f; long-range Adj Langstrecken-, Fern-; ~ missile Langstreckenrakete f; long--sighted Adj weitsichtig; long-standing Adj alt, langjährig; long-term Adj langfristig; (Parkplatz etc) Langzeit-; ~ unemployment Langzeitarbeitslosigkeit f

loo [luː] s (Brit) umg Klo n

look [lʊk] 1. s Blick m; ~(s) Pl Aussehen n; I'll have a ~ ich schau mal nach; have a ~ at sth etw ansehen; can I have a ~? darf ich mal sehen? 2. vi schauen, gucken; (kontrollierend) nachsehen; (gut, schlecht etc) aussehen; (I'm) just ~ing ich schaue nur; it ~s like rain es sieht nach Regen aus 3. vt ~ what you've done sieh dir mal an, was du da angestellt hast; (aussehen) he ~s his age man sieht ihm sein Alter an; ~ one's best sehr vorteilhaft aussehen; look after vt sorgen für; (Kind etc) aufpassen auf + Akk; look at vt ansehen, anschauen; look back vt sich umsehen; (fig) zurückblicken; look down on vt fig herabsehen auf + Akk; look for vt suchen; look forward to vt sich freuen auf + Akk; look into vt (Verbrechen etc) un-

tersuchen; look out vi hinaussehen (of the window zum Fenster); Ausschau halten (for nach); ~! Vorsicht!; look up 1. vi aufsehen 2. vt (Wort) nachschlagen; look up to vt aufsehen zu

loop [luːp] s Schleife f

loose [luːs] Adj locker; (Knopf) lose; loosen vt lockern; (Knoten) lösen

loot [luːt] s Beute f

lop-sided ['lɒp'saɪdɪd] Adj schief

lord [lɔːd] s (Herrscher) Herr m; (Brit, Titel) Lord m; the Lord (God) Gott der Herr; the (House of) Lords (Brit) das Oberhaus

lorry ['lɒrɪ] s (Brit) Lastwagen m

lose (lost, lost) [luːz, lɒst] 1. vt verlieren; ~ weight abnehmen; ~ one's life umkommen 2. vi verlieren; (Uhr) nachgehen; loser s Verlierer(in) m(f); loss [lɒs] s Verlust m; lost [lɒst] 1. pt, pp von lose; we're ~ wir haben uns verlaufen 2. Adj verloren; lost-and-found (US), lost property (office) s Fundbüro n

lot [lɒt] s umg Menge f; Haufen m; a ~ viel(e); a ~ of money viel Geld; ~s of people viele Leute; the (whole) ~ alles; (von Leuten) alle; (parking) ~ (US) Parkplatz m

lotion ['ləʊʃən] s Lotion f

lottery ['lɒtəri] s Lotterie f

loud [laʊd] Adj laut; (Farbe) schreiend; **loudspeaker** s Lautsprecher m; (von Stereoanlage) Box f

lounge [laʊndʒ] **1.** s Wohnzimmer n; (im Hotel) Aufenthaltsraum m; (Flughafen) Warteraum m **2.** vi sich herumlümmeln

louse (lice) [laʊs, laɪs] s Laus f; **lousy** ['laʊzɪ] Adj umg lausig

lout [laʊt] s Rüpel m

lovable ['lʌvəbl] Adj liebenswert

love [lʌv] **1.** s Liebe f (of zu); (Anrede) Liebling m, Schatz m; SPORT null; **be in ~** verliebt sein (with sb in jdn); **fall in ~** sich verlieben (with sb in jdn); **make ~** (sexuell) sich lieben; **make ~ to od (with) sb** mit jdm schlafen; **give her my ~** grüße sie von mir; **Tom** liebe Grüße, Tom **2.** vt lieben; (Tätigkeit etc) sehr gerne mögen; **~ to do sth** etw für sein Leben gerne tun; **I'd ~ a cup of tea** ich hätte liebend gern eine Tasse Tee; **love affair** s (Liebes)verhältnis n; **love letter** s Liebesbrief m; **love life** s Liebesleben n; **lovely** ['lʌvlɪ] Adj schön, wunderschön; (voller Charme) reizend; **we had a ~ time** es war sehr schön; **lover** s Liebhaber(in)

m(f); **loving** Adj liebevoll

low [ləʊ] **1.** Adj niedrig; (Stimme, Ausschnitt etc) tief; (Qualität) schlecht; (Stimme, Musik) leise; (psychisch) niedergeschlagen; **we're ~ on petrol** wir haben kaum noch Benzin **2.** METEO Tief n; **low-calorie** Adj kalorienarm; **low-emission** Adj schadstoffarm; **lower** ['ləʊə] **1.** Adj niedriger; (Stockwerk etc) untere(r, s) **2.** vt herunterlassen; (Augen, Preise) senken; (Druck) verringern; **low-fat** Adj fettarm; **low tide** s [ləʊ'taɪd] s Ebbe f

loyal ['lɔɪəl] Adj treu; **loyalty** s Treue f

lozenge ['lɒzɪndʒ] s Pastille f

L-Plates

Als **L-Plates** werden in Großbritannien die weißen Schilder mit einem roten L bezeichnet, die man häufig an Fahrzeugen sieht. Sie bedeuten, dass das Auto von einem **Fahrer ohne Führerschein** (learner) gesteuert wird.

Ltd Abk = **limited**; ≈ GmbH f

luck [lʌk] s Glück n; **bad ~** Pech n; **luckily** Adv glücklicherweise, zum Glück; **lucky** Adj (Zahl, Tag etc) Glücks-; **be ~** Glück haben

ludicrous ['luːdɪkrəs] Adj grotesk

luggage ['lʌgɪdʒ] s Gepäck n; **luggage compartment** s Gepäckraum m; **luggage rack** s Gepäcknetz n

lukewarm ['lu:kwɔ:m] Adj lauwarm

lullaby ['lʌləbaɪ] s Schlaflied n

lumbago [lʌm'beɪgəʊ] s Hexenschuss m

luminous ['lu:mɪnəs] Adj leuchtend

lump [lʌmp] s Klumpen m; MED Schwellung f; (in Brust) Knoten m; (Zucker) Stück n; **lump sum** s Pauschalsumme f

lunacy ['lu:nəsɪ] s Wahnsinn m; **lunatic** ['lu:nətɪk] 1. Adj wahnsinnig 2. s Wahn-

sinnige(r) mf

lunch, luncheon [lʌntʃ, -ən] s Mittagessen n; **have ~** zu Mittag essen; **lunch break,** **lunch hour** s Mittagspause f; **lunchtime** s Mittagszeit f

lung [lʌŋ] s Lunge f

lurk [lɜ:k] vi lauern

lust [lʌst] s (sinnliche) Begierde (for nach)

luster (US), **lustre** ['lʌstə*] s Glanz m

Luxembourg ['lʌksəmbɜ:g] s Luxemburg n

luxurious [lʌg'ʒʊərɪəs] Adj luxuriös, Luxus-; **luxury** ['lʌkʃərɪ] s Luxus m; **~** **goods** Luxusgüter Pl

lynx [lɪŋks] s Luchs m

lyrics npl Liedtext m

M

m Abk = **metre**; m

M Abk = **Motorway**; A; (Größe) = **medium**; M

ma [mɑ:] s umg Mutti f

mac [mæk] s (Brit) umg Regenmantel m

Macedonia [mæʃə'dəʊnɪə] s Mazedonien n

machine [mə'ʃi:n] s Maschine f; **machine gun** s Maschinengewehr n; **machinery** [mə'ʃi:nərɪ] s Maschinen Pl; fig Apparat m

mackerel ['mækrəl] s Makrele f

macro (-s Pl) ['mækrəʊ] s IT Makro n

mad [mæd] Adj wahnsinnig, verrückt; (Hund) tollwütig; (verärgert) wütend, sauer (at auf + Akk); umg **a-** **bout** verrückt nach; **work** **like ~** wie verrückt arbeiten; **are you ~?** spinnst du?

madam ['mædəm] s gnädige Frau

mad cow disease [mæd-'kaʊdɪ'zi:z] s Rinderwahnsinn m; **maddening** Adj zum Verrücktwerden

made [meɪd] pt, pp von **make**

made-to-measure ['meɪdtə'meʒə*] Adj nach Maß; **~** **suit** Maßanzug m

madly ['mædlɪ] *Adv* wie verrückt; (*total, extrem*) wahnsinnig; **madman** (*-men Pl*) *s* Verrückte(r) *m*; **madwoman** (*-women Pl*) *s* Verrückte *f*; **madness** ['mædnɪs] *s* Wahnsinn *m*

magazine ['mægəzi:n] *s* Zeitschrift *f*

maggot ['mægət] *s* Made *f*

magic ['mædʒɪk] **1.** *s* Magie *f*, Zauberei *f*; *fig* Zauber *m*; **as if by ~** wie durch Zauberei **2.** *Adj* Zauber-; (*Kräfte*) magisch; **magician** [mə'dʒɪʃən] *s* Zauberer *m*, Zaub(r)erin *f*

magnet ['mægnɪt] *s* Magnet *m*; **magnetic** [mæg'netɪk] *Adj* magnetisch

magnificent, magnificently [mæg'nɪfɪsənt, -lɪ] *Adj*, *Adv* herrlich, großartig

magnify ['mægnɪfaɪ] *vt* vergrößern; **magnifying glass** *s* Vergrößerungsglas *n*, Lupe *f*

magpie ['mægpaɪ] *s* Elster *f*

maid [meɪd] *s* Dienstmädchen *n*; **maiden name** *s* Mädchenname *m*; **maiden voyage** *s* Jungfernfahrt *f*

mail [meɪl] **1.** *s* Post *f*; (*Internet*) Mail *f* **2.** *vt* (*as Post*) aufgeben; (*versenden*) mit der Post® schicken (*to* an + *Akk*); **mailbox** *s* (*US*) Briefkasten *m*; it Mailbox *f*; **mailing list** *s* Adressenliste *f*; **mailman** (*-men Pl*) *s* (*US*) Briefträger *m*; **mail order** *s* Bestellung *f* per Post®; **mail**

order firm *s* Versandhaus *n*

main [meɪn] **1.** *Adj* Haupt-; **~ course** Hauptgericht *n*; **the ~ thing** die Hauptsache **2.** *s* (*Rohr*) Hauptleitung *f*; **mainframe** *s* Großrechner *m*; **mainland** *n* Festland *n*; **mainly** *Adv* hauptsächlich; **main road** *s* Hauptverkehrsstraße *f*; **main street** *s* (*US*) Hauptstraße *f*

maintain [meɪn'teɪn] *vt* (*Beziehung etc*) aufrechterhalten; (*Maschine, Straße*) instand halten; (*Flugzeug etc*) warten; **maintenance** ['meɪntənəns] *s* Instandhaltung *f*; tech Wartung *f*

maize [meɪz] *s* Mais *m*

majestic [mə'dʒestɪk] *Adj* majestätisch; **majesty** ['mædʒɪstɪ] *s* Majestät *f*; **his/her Majesty** seine/ihre Majestät

major ['meɪdʒə*r*] **1.** *Adj* größer; (*Stadt etc*) bedeutend; **~ part** Großteil *m*; (*bei Projekt etc*) wichtige Rolle; **~ road** *s* Hauptverkehrsstraße *f*; mus **A ~** A-Dur *n* **2.** *vi* (*US*) **~ in sth** etw als Hauptfach studieren

Majorca [mə'jɔ:kə] *s* Mallorca *n*

majority [mə'dʒɒrɪtɪ] *s* Mehrheit *f*; **be in the ~** in der Mehrzahl sein

make [meɪk] **1.** *s* Marke *f* **2.** (*made, made*) (*machen*) *vt* machen; (*Produkt*) herstellen; (*Kleidung*) anfertigen; (*Kleid*) machen; (*Suppe etc*) zubereiten; *(Kuchen etc)* backen; *(Tee etc)* kochen; *(Rede)* halten; *(Geld)* verdienen; *(Entscheidung)* treffen; *it's made of gold* es ist aus Gold; ~ *sb do sth* jdn dazu bringen, etw zu tun; *(mit Gewalt, Druck)* jdn zwingen, etw zu tun; *she made us wait* sie ließ uns warten; *what ~s you think that?* wie kommen Sie darauf?; *he never really made it* er hat es nie zu etwas gebracht; *she didn't ~ the night* sie hat die Nacht nicht überlebt; *(berechnen)* I ~ *it £5/a quarter to six* nach meiner Rechnung kommt es auf 5 Pfund/nach meiner Uhr ist es dreiviertel sechs; *he's just made for this job* er ist für diese Arbeit wie geschaffen; make for *vt* zusteuern auf + *Akk*; make of *vt (denken über)* halten von; *I couldn't ~ anything of it* ich wurde daraus nicht schlau; make off *vi* sich davonmachen *(with mit)*; make out *vt (Scheck)* ausstellen; *(Liste)* aufstellen; *(begreifen)* verstehen; *(sehen)* ausmachen; ~ *(that)* ... es so hinstellen, als ob ...; make up *vt* 1. *vi (Team etc)* bilden; *(Gesicht)* schminken; *(Geschichte)* erfinden; ~ *one's mind* sich entscheiden; *make it up with sb* sich mit jdm aussöhnen 2. *vi* sich versöhnen; make up for *vt* ausgleichen; *(Zeit)* aufholen

make-believe *Adj* Fantasie-; makeover *s* gründliche Veränderung, Verschönerung *f*; maker *s* WIRTSCH Hersteller(in) *m(f)*; makeshift *Adj* behelfsmäßig; make-up *s* Make-up *n*, Schminke *f*; making [ˈmeɪkɪŋ] *s* Herstellung *f*

malaria [məˈlɛərɪə] *s* Malaria *f*

Malaysia [məˈleɪzɪə] *s* Malaysia *n*

male [meɪl] 1. *s* Mann *m*; *(Tier)* Männchen *n* 2. *Adj* männlich; ~ *chauvinist* Chauvi *m*, Macho *m*; ~ *nurse* Krankenpfleger *m*

malfunction [mælˈfʌŋkʃən] 1. *vi* nicht richtig funktionieren 2. *s* Defekt *m*

malice [ˈmælɪs] *s* Bosheit *f*; malicious [məˈlɪʃəs] *Adj* boshaft; *(Beschädigung)* mutwillig

malignant [məˈlɪɡnənt] *Adj* bösartig

mall [mɔːl] *s* (US) Einkaufszentrum *n*

---

mall/The Mall

Mall oder **shopping mall** nennt man, insbesondere in den USA, ein großes, meist überdachtes **Einkaufszentrum**. Daneben gibt es in Washington D.C. **The National Mall**, die oft einfach nur **The Mall** genannt wird. Das riesige Parkgelände erstreckt sich, je nach Auslegung, vom **Washington Monument** oder vom **Lincoln Memorial** bis zum **Kapitol** (**Capitol**), dem Sitz der amerikanischen Regierung. Rechts und links des kilometerlangen Grünstreifens befinden sich zahlreiche Museen und Denkmäler.

malnutrition [mælnjuˈtriʃən] s Unterernährung f

malt [mɔːlt] s Malz n

Malta [ˈmɔːltə] s Malta n; **Maltese** [mɔːlˈtiːz] **1.** Adj maltesisch **2.** s (Person) Malteser(in) m(f); (Sprache) Maltesisch n

maltreat [mælˈtriːt] vt schlecht behandeln; (brutal) misshandeln

mammal [ˈmæml] s Säugetier n

mammoth [ˈmæməθ] Adj Mammut-, Riesen-

man (men) [mæn, men] **1.** s Mann m; (Menschheit) der Mensch, die Menschen Pl; (Schach etc) Figur f **2.** vt besetzen

manage [ˈmænɪdʒ] **1.** vi zurechtkommen; **can you ~?** schaffst du es?; **~ without sth** ohne etw auskommen, auf etw verzichten können **2.** vt (Geschäft etc) leiten; (Sportler etc) managen; (Problem etc) fertig werden

mit; (Arbeit etc) schaffen; **~ to do sth** es schaffen, etw zu tun; **manageable** Adj (Gegenstand) handlich; (Aufgabe) zu bewältigen; **management** s Leitung f; (Unternehmen) Direktion f; (Studienfach) Management n, Betriebswirtschaft f; **management consultant** s Unternehmensberater(in) m(f); **manager** s Geschäftsführer(in) m(f), Abteilungsleiter(in) m(f), Filialleiter(in) m(f); (von Sportler etc) Manager(in) m(f); **managing director** s Geschäftsführer(in) m(f)

mane [meɪn] s Mähne f

maneuver (US) → **manoeuvre**

Manhattan

Manhattan ist der kleinste der fünf Bezirke von New York City. Die anderen sind **The Bronx**, **Brooklyn**, **Queens** und **Staten Island**. Manhattan ist eine Insel im Mündungsgebiet des Hudson River und bildet das Wirtschafts- und Kulturzentrum der Stadt. In Manhattan befinden sich die weltberühmten Wolkenkratzer, wie z.B. das **Empire State Building**, aber auch andere Sehenswürdigkeiten wie die **Fifth Avenue**, der **Central Park** und der **Broadway**.

mango (*-es Pl*) ['mæŋgəʊ] *s* Mango *f*

man-hour *s* Arbeitsstunde *f*

manhunt *s* Fahndung *f*

mania ['meɪnɪə] *s* Manie *f*; **maniac** ['meɪnɪæk] *s* Wahnsinnige(r) *mf*; (*Fan*) Fanatiker(in) *m(f)*

manicure ['mænɪkjʊəʳ] *s* Maniküre *f*

manipulate [mə'nɪpjʊleɪt] *vt* manipulieren

mankind [mæn'kaɪnd] *s* Menschheit *f*

manly ['mænlɪ] *Adj* männlich

man-made ['mænmeɪd] *Adj* (*Produkt*) künstlich

manner ['mænəʳ] *s* Art *f*; **in this ~** auf diese Art und Weise; **~s** *Pl* Manieren *Pl*

manoeuvre [mə'nuːvəʳ] **1.** *s* Manöver *n* **2.** *vt, vi* manövrieren

manor ['mænəʳ] *s* ~ (**house**) Herrenhaus *n*

manpower ['mænpaʊəʳ] *s* Arbeitskräfte *Pl*

mansion ['mænʃən] *s* Villa *f*, Herrenhaus *n*

manslaughter ['mænslɔːtəʳ] *s* Totschlag *m*

manual ['mænjʊəl] *Adj* **1.** *Adj* manuell, Hand- **2.** *s* Handbuch *n*

manufacture [mænjʊ'fæktʃəʳ] **1.** *vt* herstellen **2.** *s* Herstellung *f*; **manufacturer** *s* Hersteller *m*

manure [mə'njʊəʳ] *s* Dung *m*; (*a. künstlich hergestellter*) Dünger *m*

many (*more, most*) ['menɪ, mɔːʳ, məʊst] *Adj, Pron* viele; **~ times** oft; **not ~ people** nicht viele Leute; **too ~ problems** zu viele Probleme

map [mæp] *s* Landkarte *f*; (*von Stadt*) Stadtplan *m*

maple ['meɪpl] *s* Ahorn *m*

marathon ['mærəθən] *s* Marathon *m*

marble ['mɑːbl] *s* Marmor *m*; (*Glaskugel*) Murmel *f*

march [mɑːtʃ] **1.** *vi* marschieren **2.** *s* Marsch *m*; (*Protest*) Demonstration *f*

March [mɑːtʃ] *s* März *m*; → **September**

mare [meəʳ] *s* Stute *f*

margarine [mɑːdʒə'riːn] *s* Margarine *f*

margin ['mɑːdʒɪn] *s* Rand *m*; (*finanziell etc*) Spielraum *m*; WIRTSCH Gewinnspanne *f*; **marginal** *Adj* (*Unterschied etc*) geringfügig

marijuana [mærjʊ'ɑːnə] *s* Marihuana *f*

marinade ['mærɪneɪd] *s* GASTR Marinade *f*; **marinated** ['mærɪneɪtɪd] *Adj* mariniert

marine [mə'riːn] *Adj* Meeres-

marital ['mærɪtl] *Adj* ehelich; **~ status** Familienstand *m*

maritime ['mærɪtaɪm] *Adj* See-

marjoram ['mɑːdʒərəm] *s* Majoran *m*

mark [mɑːk] **1.** *s* (*Schmutz etc*) Fleck *m*; (*Schule*) Note *f*; (*Symbol etc*) Zeichen *n*

2. vt (anzeigen) markieren; (Schularbeit) benoten, korrigieren; (dreckig machen) Flecken machen auf + Akk; **marker** s (in Buch) Lesezeichen n; (Leuchtstift) Marker m

market ['ma:kɪt] **1.** s Markt m **2.** vt WIRTSCH (Produkt) auf den Markt bringen; (Waren) vertreiben; **marketing** s Marketing n; **market leader** s Marktführer m; **market place** s Marktplatz m; **market research** s Marktforschung f

marmalade ['ma:məleɪd] s Orangenmarmelade f

maroon [mə'ru:n] Adj rötlich braun

marquee [ma:'ki:] s großes Zelt

marriage ['mærɪdʒ] s Ehe f; (Ereignis) Heirat f (to mit); **married** ['mærɪd] Adj verheiratet

marrow ['mærəʊ] s Knochenmark n; (Gemüse) Kürbis m

marry ['mærɪ] **1.** vt heiraten; (Ehepaar) trauen; **2.** vi ~ / **get married** heiraten

marsh [ma:ʃ] s Marsch f, Sumpf m

marshal ['ma:ʃəl] s (bei Veranstaltung) Ordner m; (US) Bezirkspolizeichef m

martial arts ['ma:ʃəl:a:ts] npl Kampfsportarten Pl

martyr ['ma:tə'] s Märtyrer(in) m(f)

marvel ['ma:vəl] **1.** s Wunder n **2.** vi staunen (at über

+ Akk); **marvellous, marvelous** (US) Adj wunderbar

mascara [mæ'ska:rə] s Wimperntusche f

mascot ['mæskɒt] s Maskottchen n

masculine ['mæskjʊlɪn] Adj männlich

mashed [mæʃt] Adj ~ **potatoes** Pl Kartoffelbrei m, Kartoffelpüree n

mask [ma:sk] **1.** s Maske f **2.** vt (Gefühle) verbergen

masochist ['mæsəʊkɪst] s Masochist(in) m(f)

mason ['meɪsn] s Steinmetz(in) m(f); **masonry** s Mauerwerk n

mass [mæs] s Masse f; (von Menschen) Menge f; REL Messe f; **~es of** massenhaft

massacre ['mæsəkə'] s Blutbad n

massage ['mæsɑ:ʒ] **1.** s Massage f **2.** vt massieren

massive ['mæsɪv] Adj (Zunahme etc) gewaltig; (Mauer etc) riesig

mass media ['mæs'mi:dɪə] npl Massenmedien Pl; **mass production** s Massenproduktion f

master ['ma:stə'] **1.** s Herr m; (von Hund) Besitzer m, Herrchen n; (Handwerker, fig) Meister m **2.** vt meistern; (Sprache etc) beherrschen; **masterly** Adj meisterhaft; **masterpiece** s Meisterwerk n

masturbate ['mæstəbeɪt] vi masturbieren

mat [mæt] s Matte f; (für Tisch) Untersetzer m

match [mætʃ] **1.** s Streichholz n; SPORT Wettkampf m; (Ballspiele) Spiel n; (Tennis) Match n **2.** vt (Farben etc) passen zu; (jdm) gleichkommen + Dat **3.** vi zusammenpassen; **matchbox** s Streichholzschachtel f; **matching** Adj (eine Sache) passend; (mehrere Sachen) zusammenpassend

mate [meɪt] **1.** s Kumpel m; (Tier) Weibchen n, Männchen n **2.** vi sich paaren

material [mə'tɪərɪəl] s Material n; (Tuch; fig: für Buch) Stoff m; **materialistic** [mətɪərɪə'lɪstɪk] Adj materialistisch; **materialize** [mə'tɪərɪəlaɪz] vi zustande kommen; (Hoffnungen) wahr werden

maternal [mə'tɜːnl] Adj mütterlich; maternity [mə'tɜːnɪtɪ] Adj ~ **dress** Umstandskleid n; ~ **leave** Elternzeit f (der Mutter); ~ **ward** Entbindungsstation f

math [mæθ] s (US) umg Mathe f; mathematical [mæθə-'mætɪkəl] Adj mathematisch; mathematics [mæθə-'mætɪks] nsing Mathematik f; **maths** [mæθs] nsing (Brit) umg Mathe f

matter ['mætəʳ] **1.** s (Stoff) Materie f; (Angelegenheit) Sache f; **a personal** ~ eine persönliche Angelegenheit; **a** ~ **of taste** eine Frage des Geschmacks; **no** ~ **how/**

what egal wie/was; **what is the** ~? was ist los?; **as a** ~ **of fact** eigentlich; **a** ~ **of time** eine Frage der Zeit **2.** vi darauf ankommen, wichtig sein; **it doesn't** ~ es macht nichts; **matter-of-fact** Adj sachlich, nüchtern

mattress ['mætrəs] s Matratze f

mature [mə'tjʊəʳ] **1.** Adj reif **2.** vi reif werden; maturity [mə'tjʊərɪtɪ] s Reife f

maximum ['mæksɪməm] **1.** Adj Höchst-, höchste(r, s); ~ **speed** Höchstgeschwindigkeit f **2.** s Maximum n

may (might) [meɪ, maɪt] vhilf (möglich sein) können; (die Erlaubnis haben) dürfen; **it** ~ **rain** es könnte regnen; ~ **I smoke?** darf ich rauchen?; **we** ~ **as well go** wir können ruhig gehen

May [meɪ] s Mai m; → **September**

maybe ['meɪbiː] Adv vielleicht

mayo ['meɪəʊ] (US) umg, mayonnaise [meɪə'neɪz] s Mayo f, Mayonnaise f, Majonäse f

mayor [mɛəʳ] s Bürgermeister m

maze [meɪz] s Irrgarten m; fig Wirrwarr m

MB Abk = **megabyte**; MB n

me [miː] Pron (direktes Objekt) mich; (indirektes Objekt) mir; **it's** ~ ich bin's

meadow ['mɛdəʊ] s Wiese f

meal [miːl] s Essen n, Mahlzeit *f*; **go out for a ~** essen gehen; **meal pack** *s* (*US*) tiefgekühltes Fertiggericht; **meal time** *s* Essenszeit *f*

mean [miːn] **1.** *vt* (*meant, meant*) [ment] bedeuten; (*der Meinung*/*Überzeugung sein*) meinen; (*beabsichtigen*) vorhaben; **I ~ it** ich meine das ernst; **what do you ~ (by that)?** was willst du damit sagen?; **~ to do sth** etw tun wollen; **it was ~t for you** es war für dich bestimmt (*od* gedacht); **it was ~t to be a joke** es sollte ein Witz sein **2.** *vi* **he ~s well** er meint es gut **3.** *Adj* (*mit Geld*) geizig; (*boshaft*) gemein (*to* zu); **meaning** ['miːnɪŋ] *s* Bedeutung *f*; (*des Lebens, von Gedicht etc*) Sinn *m*; **meaningful** *Adj* sinnvoll; **meaningless** *Adj* ohne Sinn

means (*means Pl*) [miːnz] *s* Mittel *n*; (*finanziell*) Mittel *Pl*; **by ~ of** durch, mittels; **by all ~** selbstverständlich; **by no ~** keineswegs; **~ of transport** Beförderungsmittel

meant [ment] *pt, pp* von **mean**

meantime [miːnˈtaɪm] *Adv* **in the ~** inzwischen; **meanwhile** [miːnˈwaɪl] *Adv* inzwischen

measles ['miːzlz] *nsing* Masern *Pl*; **German ~** Röteln *Pl*

measure ['meʒə*r*] **1.** *vt, vi* messen **2.** *s* (*Maßeinheit,*

Messlatte etc) Maß *n*; (*Initiative, Schritt*) Maßnahme *f*; **take ~s** Maßnahmen ergreifen; **measurement** *s* (*Höhe, Breite etc*) Maß *n*

meat [miːt] *s* Fleisch *n*; **meatball** *s* Fleischbällchen *n*

mechanic [mɪˈkænɪk] *s* Mechaniker(in) *m(f)*; **mechanical** *Adj* mechanisch; **mechanics** *nsing* Mechanik *f*; **mechanism** ['mekənɪzəm] *s* Mechanismus *m*

medal ['medl] *s* Medaille *f*; Orden *m*; **medalist** (*US*), **medallist** ['medəlɪst] *s* Medaillengewinner(in) *m(f)*

media ['miːdɪə] *npl* Medien *Pl*

median strip ['miːdɪən strɪp] *s* (*US*) Mittelstreifen *m*

mediate ['miːdɪeɪt] *vi* vermitteln

medical ['medɪkəl] **1.** *Adj* medizinisch; (*Behandlung etc*) ärztlich; **~ student** Medizinstudent(in) *m(f)* **2.** *s* Untersuchung *f*; **Medicare** ['medɪkeə*r*] *s* (*US*) Krankenkasse *f* für ältere Leute; **medication** [medɪˈkeɪʃən] *s* Medikamente *Pl*; **be on ~** Medikamente nehmen; **medicinal** [meˈdɪsɪnl] *Adj* Heil-; **~ herbs** Heilkräuter *Pl*; **medicine** ['medsɪn] *s* Arznei *f*; (*Wissenschaft*) Medizin *f*

medieval [medɪˈiːvəl] *Adj* mittelalterlich

mediocre [miːdɪˈəʊkə*r*] *Adj* mittelmäßig

meditate ['mediteit] vi meditieren; fig nachdenken (on über + Akk)

Mediterranean [meditə'reiniən] s Mittelmeer n; Mittelmeerraum m

medium ['mi:diəm] 1. Adj (Qualität, Größe) mittlere(r, s); (Steak) halbdurch; ~ (dry) (Wein, Sherry) halbtrocken; ~ sized mittelgroß; ~ wave Mittelwelle f 2. s (media) Medium n, Mittel n

meet (met, met) [mi:t, met] 1. vt treffen; (Verabredung) sich treffen mit; (Schwierigkeiten) stoßen auf + Akk; (Leute) kennen lernen; (Anforderungen) gerecht werden + Dat; (Termin) einhalten; pleased to ~ you sehr angenehm!; ~ sb at the station jdn vom Bahnhof abholen 2. vi sich treffen; sich kennen lernen; we've met (before) wir kennen uns schon; meet up vi sich treffen (with mit); meet with vt (Gruppe) zusammenkommen mit; (Schwierigkeiten, Widerstand etc) stoßen auf + Akk; meeting s Treffen n; (geschäftlich) Besprechung f; (von Komitee etc) Sitzung f; (offiziell) Versammlung f; meeting place, meeting point s Treffpunkt m

megabyte ['megəbait] s Megabyte n

melody ['melədi] s Melodie f

melon ['melən] s Melone f

melt [melt] vt, vi schmelzen

member ['membər] s Mitglied n; (von Stamm etc) Angehörige(r) mf; **Member of Parliament** Parlamentsabgeordnete(r) mf; membership s Mitgliedschaft f; membership card s Mitgliedskarte f

memo (-s Pl) ['meməʊ] s Mitteilung f, Memo n; memo pad s Notizblock m

memorable ['memərəbl] Adj unvergesslich; memorial [mi'mɔ:riəl] s Denkmal n (to für); memorize ['meməraiz] vt sich einprägen, auswendig lernen; memory ['meməri] s Gedächtnis n; IT Speicher m; (an Ereignis) Erinnerung f; in ~ of zur Erinnerung an + Akk

men [men] Pl von man

menace ['menis] s Bedrohung f; (Gefährdung) Gefahr f

mend [mend] 1. vt reparieren; (Kleidung) flicken 2. s be on the ~ auf dem Wege der Besserung sein

meningitis [menin'dʒaitis] s Hirnhautentzündung f

menopause ['menəʊpɔ:z] s Wechseljahre Pl

mental ['mentl] Adj geistig; ~ hospital psychiatrische Klinik; mentality [men'tæliti] s Mentalität f; mentally ['mentəli] Adv geistig; ~ handicapped geistig behindert; ~ ill geisteskrank mention ['menʃən] **1.** s Erwähnung f **2.** vt erwähnen (to sb jdm gegenüber); **don't ~ it** bitte sehr, gern geschehen

menu ['menjuː] s Speisekarte f; IT Menü n

merchandise ['mɜːtʃəndaɪz] s Handelsware f; merchant ['mɜːtʃənt] Adj Handels-

merciful ['mɜːsɪful] Adj gnädig; mercifully Adv glücklicherweise

mercury ['mɜːkjʊrɪ] s Quecksilber n

mercy ['mɜːsɪ] s Gnade f

mere [mɪəʳ] Adj bloß; merely ['mɪəlɪ] Adv bloß, lediglich

merge [mɜːdʒ] vi verschmelzen; AUTO sich einfädeln; WIRTSCH fusionieren; merger s WIRTSCH Fusion f

meringue [məˈræŋ] s Baiser n

merit ['merɪt] s Verdienst n; (von Sache, Angelegenheit) Vorzug m

merry ['merɪ] Adj fröhlich; umg (leicht betrunken) angeheitert; **Merry Christmas** Fröhliche Weihnachten!; merry-go-round s Karussell n

mess [mes] s Unordnung f, Durcheinander n; (schmutzig) Schweinerei f; (Ärger) Schwierigkeiten Pl; **in a ~** (ungeordnet) durcheinander; (nicht sauber) unordentlich; fig (Person) in der Klemme; **make a ~ of sth** etw verpfuschen; mess

about vi herummurksen (with an + Dat); (mit Worten) herumalbern; (untätig) herumgammeln; mess up vt verpfuschen; in Unordnung bringen; schmutzig machen

message ['mesɪdʒ] s Mitteilung f, Nachricht f; **can I give him a ~?** kann ich ihm etwas ausrichten?; **please leave a ~** (auf Anrufbeantworter) bitte hinterlassen Sie eine Nachricht; **I get the ~** ich hab's verstanden

messenger ['mesɪndʒəʳ] s Bote m

messy ['mesɪ] Adj unordentlich; (Situation) verfahren

met [met] pt, pp von **meet**

metal ['metl] s Metall n; metallic [mɪˈtælɪk] Adj metallisch

meteorology [miːtɪəˈrɒlədʒɪ] s Meteorologie f

meter ['miːtəʳ] s Zähler m; (für Autos) Parkuhr f; (US) → **metre**

method ['meθəd] s Methode f; meticulous [mɪˈtɪkjʊləs] Adj (peinlich) genau

metre ['miːtəʳ] s Meter m od n; metric ['metrɪk] Adj metrisch; **~ system** Dezimalsystem n

Mexico ['meksɪkəʊ] s Mexiko n

mice [maɪs] Pl von **mouse**

mickey ['mɪkɪ] s **take the ~ (out of sb)** umg (jdn) auf den Arm nehmen

milk

microchip ['maɪkrəʊtʃɪp] s
IT Mikrochip m; micro-
phone s Mikrofon n; mi-
croscope s Mikroskop n;
microwave (oven) s Mikro-
welle(nherd) f(m)

mid [mɪd] Adj in ~ January
Mitte Januar; he's in his ~
forties er ist Mitte vierzig

midday ['mɪddeɪ] s Mittag
m; at ~ mittags

middle ['mɪdl] 1. s Mitte f; in
the ~ of mitten in + Dat; be
in the ~ of doing sth gerade dabei sein, etw zu tun 2.
Adj mittlere(r, s); Mittel-;
middle-aged Adj mittleren
Alters; Middle Ages npl
the ~ das Mittelalter; middle-class Adj mittelstän-
disch; (Familie, Wohnbe-
zirk) bürgerlich; middle
classes npl the ~ der Mittelstand; Middle East s the
~ der Nahe Osten; middle
name s zweiter Vorname

Midlands ['mɪdləndz] npl
the ~ Mittelengland n

midnight ['mɪdnaɪt] s Mitternacht f

midst [mɪdst] s in the ~ of
mitten in + Dat

midsummer ['mɪdsʌmər] s
Hochsommer m; Midsum-
mer's Day Sommersonnen-
wende f

midway [mɪd'weɪ] Adv auf
halbem Wege; ~ through
the film nach der Hälfte
des Films; midweek [mɪd-
'wiːk] Adj, Adv in der Mitte der Woche

midwife (-wives Pl) ['mɪd-
waɪf] s Hebamme f

midwinter [mɪd'wɪntər] s
tiefster Winter

might [maɪt] 1. pt von may;
(Möglichkeit) könnte; dürfte; (Annahme) würde; they
~ still come sie könnten
noch kommen; I thought
she ~ change her mind
ich dachte schon, sie würde
sich anders entscheiden 2.
s Macht f, Kraft f

mighty ['maɪtɪ] Adj gewaltig;
(Person, Land) mächtig

migraine ['miːgreɪn] s Migräne f

migrant ['maɪgrənt] s Zug-
vogel m; ~ worker Gastar-
beiter(in) m(f); migrate
[maɪ'greɪt] vi abwandern;
(Vögel) nach Süden ziehen

mike [maɪk] s umg Mikro m

Milan [mɪ'læn] s Mailand n

mild [maɪld] Adj mild; (Person) sanft; mildly Adv put
it ~ gelinde gesagt; mild-
ness s Milde f

mile [maɪl] s Meile f (= 1,609
km); for ~s (and ~s) ≈ kilo-
meterweit; ~s per hour
Meilen pro Stunde; ~s better than hundertmal besser
als; mileage s Meilen f/pl,
Meilenzahl f; mileometer
['maɪlɒmɪtər] s ≈ Kilome-
terzähler m; milestone s a.
fig Meilenstein m

militant ['mɪlɪtənt] Adj militant; military ['mɪlɪtərɪ]
Adj Militär-, militärisch

milk [mɪlk] 1. s Milch f 2. vt

melken; **milk chocolate** s Vollmilchschokolade f; **milkman** (**-men** Pl) s Milchmann m; **milk shake** s Milkshake m, Milchmixgetränk n

mill [mɪl] s Mühle f; (Werk) Fabrik f

millennium [mɪˈlenɪəm] s Jahrtausend n

millet [ˈmɪlɪt] s Hirse f

milligramme [ˈmɪlɪgræm] s Milligramm n; **millilitre** (US), **millilitre** s Milliliter m; **millimeter** (US), **millimetre** s Millimeter m

million [ˈmɪljən] s Million f; **five ~** fünf Millionen; **~s of people** Millionen von Menschen; **millionaire** [ˌmɪljəˈneər] s Millionär(in) m(f)

mime [maɪm] s Pantomime f 2. vt, vi mimen; **mimic** [ˈmɪmɪk] 1. s Imitator(in) m(f) 2. vt, vi nachahmen; **mimicry** [ˈmɪmɪkrɪ] s Nachahmung f

mince [mɪns] 1. vt (zer)hacken 2. s Hackfleisch n; **mincemeat** s süße Gebäckfüllung aus Rosinen, Äpfeln, Zucker, Gewürzen und Talg; **mince pie** s mit 'mincemeat' gefülltes Weihnachtsgebäck

mind [maɪnd] 1. s Verstand m; (a. Person) Geist m; **out of sight, out of ~** aus den Augen, aus dem Sinn; **he is out of his ~** er ist nicht bei Verstand; **keep sth in ~** etw im Auge behalten; **I've a lot on my ~** mich be-

schäftigt so vieles im Moment; **change one's ~** es sich anders überlegen 2. vt (Baby etc) aufpassen auf + Akk; (nicht mögen) etwas haben gegen; **~ you, ...** allerdings ...; **I wouldn't ~ ...** ich hätte nichts gegen ...; **'~ the step'** "Vorsicht Stufe!" 3. vi etwas dagegen haben; **do you ~ if I ...** macht es Ihnen etwas aus, wenn ich ...; **I don't ~** es ist mir egal, meinetwegen; **never ~** macht nichts

mine [maɪn] 1. Pron meiner(r, s); **this is ~** das gehört mir; **a friend of ~** ein Freund von mir 2. s Bergwerk n; MIL Mine f; **miner** s Bergarbeiter m

mineral [ˈmɪnərəl] s Mineral n; **mineral water** s Mineralwasser n

mingle [ˈmɪŋgl] vi sich mischen (with unter + Akk)

minibar [ˈmɪnɪbɑːr] s Minibar f; **minibus** s Kleinbus m; **minicab** s Kleintaxi n

minimal [ˈmɪnɪml] Adj minimal; **minimize** [ˈmɪnɪmaɪz] vt auf ein Minimum reduzieren; **minimum** [ˈmɪnɪməm] 1. s Minimum n 2. Adj Mindest-

mining [ˈmaɪnɪŋ] s Bergbau m

miniskirt s Minirock m

minister [ˈmɪnɪstər] s POL Minister(in) m(f); REL Pastor(in) m(f), Pfarrer(in) m(f); **ministry** [ˈmɪnɪstrɪ] s

POL Ministerium *n*

minor ['maɪnə'] **1.** *Adj* kleiner; (*Rolle etc*) unbedeutend; (*Eingriff*, *Delikt*) harmlos; **~ road** Nebenstraße *f*; MUS **A** ~ a-Moll *n* **2.** *s* (*Brit*) Minderjährige(r) *mf*;

minority [maɪ'nɒrɪtɪ] *s* Minderheit *f*

mint [mɪnt] *s* Minze *f*; (*Süßigkeit*) Pfefferminz(bonbon) *n*; **mint sauce** *s* Minzsoße *f*

minus ['maɪnəs] *Präp* minus; ohne

minute 1. [maɪ'nju:t] *Adj* winzig; **in ~ detail** genauestens **2.** ['mɪnɪt] *s* Minute *f*; **just a ~** Moment mal!; **any ~** jeden Augenblick; **~s** *Pl* (*von Sitzung*) Protokoll *n*

miracle ['mɪrəkl] *s* Wunder *n*; **miraculous** [mɪ'rækjuləs] *Adj* unglaublich

mirage ['mɪrɑ:ʒ] *s* Fata Morgana *f*, Luftspiegelung *f*

mirror ['mɪrə'] *s* Spiegel *m*

misbehave [mɪsbɪ'heɪv] *vi* sich schlecht benehmen

miscalculation [mɪskælkju-'leɪʃən] *s* Fehlkalkulation *f*; (*von Lage etc*) Fehleinschätzung *f*

miscarriage [mɪs'kærɪdʒ] *s* MED Fehlgeburt *f*

miscellaneous [mɪsɪ'leɪnɪəs] *Adj* verschieden

mischief ['mɪstʃɪf] *s* Unfug *m*; **mischievous** ['mɪstʃɪvəs] *Adj* (*Person*) durchtrieben; (*Lächeln*) verschmitzt

misconception [mɪskən'sep-

ʃən] *s* falsche Vorstellung

misconduct [mɪs'kɒndʌkt] *s* Vergehen *n*

miser ['maɪzə'] *s* Geizhals *m*

miserable ['mɪzərəbl] *Adj* (*Person*) todunglücklich; (*Bedingungen*, *Leben*) elend; (*Bezahlung*, *Wetter*) miserabel

miserly ['maɪzəlɪ] *Adj* geizig

misery ['mɪzərɪ] *s* Elend *n*; (*Leid*) Qualen *Pl*

misfit ['mɪsfɪt] *s* Außenseiter(in) *m(f)*

misfortune [mɪs'fɔ:tʃən] *s* Pech *n*

misguided [mɪs'gaɪdɪd] *Adj* irrig; (*Optimismus*) unangebracht

misinform [mɪsɪn'fɔ:m] *vt* falsch informieren

misinterpret [mɪsɪn'tɜ:prɪt] *vt* falsch auslegen

misjudge [mɪs'dʒʌdʒ] *vt* falsch beurteilen

mislay [mɪs'leɪ] *unreg vt* verlegen

mislead [mɪs'li:d] *unreg vt* irreführen; **misleading** *Adj* irreführend

misprint ['mɪsprɪnt] *s* Druckfehler *m*

mispronounce [mɪsprə-'naʊns] *vt* falsch aussprechen

miss [mɪs] **1.** *vt* (*Ziel*) verfehlen; (*Ereignis*) nicht mitbekommen; (*Veranstaltung*) verpassen; (*Chance*) versäumen; (*Freunde etc*) vermissen; **I ~ you** du fehlst mir **2.** *vi* nicht treffen; (*mit Ge-*

wehr etc) danebenschießen; (*Ball, Schuss etc*) danebengehen; **miss out 1.** *vt* auslassen **2.** *vi* **~ on sth** etw verpassen

Miss [mɪs] *s* Fräulein *n*

missile [ˈmɪsaɪl] *s* Geschoss *n*; (*Angriffswaffe*) Rakete *f*

missing [ˈmɪsɪŋ] *Adj* (*Person*) vermißt; (*Sache*) fehlend; **be/go ~** vermißt werden, fehlen

mission [ˈmɪʃən] *s* POL, MIL, REL Auftrag *m*, Mission *f*; **missionary** [ˈmɪʃənrɪ] *s* Missionar(in) *m(f)*

mist [mɪst] *s* (*feiner*) Nebel *m*, Dunst *m*; **mist over, mist up** *vi* sich beschlagen

mistake [mɪˈsteɪk] **1.** *s* Fehler *m*; **by ~** aus Versehen **2.** (*mistook, mistaken*) *unreg vt* falsch verstehen; (*etw mit etw, jdn mit jdm*) verwechseln (*with* mit); **mistaken** *Adj* (*Annahme, Ansicht etc*) falsch; **be ~** sich irren, falsch liegen

mistletoe [ˈmɪsltəʊ] *s* Mistel *f*

mistreat [mɪsˈtriːt] *vt* schlecht behandeln; **mistress** [ˈmɪstrɪs] *s* Geliebte *f*

mistrust [mɪsˈtrʌst] **1.** *s* Misstrauen *n* (*of* gegen) **2.** *vt* misstrauen + *Dat*

misty [ˈmɪstɪ] *Adj* neblig, dunstig

misunderstand [mɪsʌndə-ˈstænd] *unreg vt, vi* falsch verstehen; **misunderstand-**

-ing *s* Missverständnis *n*; (*kleinerer Streit*) Differenz *f*

mitten [ˈmɪtn] *s* Fausthandschuh *m*

mix [mɪks] **1.** *s* Mischung *f* **2.** *vt* mischen; vermischen (*with* mit); (*Drinks etc*) mixen; **~ business with pleasure** das Angenehme mit dem Nützlichen verbinden **3.** *vi* (*Flüssigkeiten*) sich vermischen lassen; **mix up** *vt* zusammenmischen; (*irrtümlicherweise*) verwechseln (*with* mit); **mixed** *Adj* gemischt; **a ~ bunch** eine bunt gemischte Truppe; **~ grill** Mixedgrill *m*; **~ vegetables** Mischgemüse *n*; **mixer** *s* Mixer *m*; **mixture** [ˈmɪkstʃə] *s* Mischung *f*; MED Saft *m*; **mix-up** *s* Durcheinander *n*

ml *Abk* = **millilitre**; ml

mm *Abk* = **millimetre**; mm

moan [məʊn] **1.** *s* Stöhnen *n*; (*Beschwerde*) Gejammer *n* **2.** *vi* stöhnen; (*klagen*) jammern, meckern (*about* über + *Akk*)

mobile [ˈməʊbaɪl] **1.** *Adj* beweglich; (*auf Rädern*) fahrbar **2.** *s* (*Telefon*) Handy *n*; **mobile phone** *s* Mobiltelefon *n*, Handy *n*

mobility [məʊˈbɪlɪtɪ] *s* Beweglichkeit *f*

mock [mɒk] **1.** *vt* verspotten **2.** *Adj* Schein-; **mockery** *s* Spott *m*

mod cons [ˈmɒdˈkɒnz] *Abk* = **modern conveniences**;

(moderner) Komfort

mode [məʊd] *s* Art *f*; IT Modus *m*

model ['mɒdl] **1.** *s* Modell *n*; *(positives Beispiel)* Vorbild *n*; *(Mode)* Model *n* **2.** *Adj* *(Eisenbahn)* Modell-; *(vorbildlich)* Muster- **3.** *vt (Figur aus Ton etc)* formen **4.** *vi* **she ~s for Versace** sie arbeitet als Model bei Versace

modem ['məʊdem] *s* Modem *n*

moderate 1. *Adj* mäßig; *(Ansichten, Politik)* gemäßigt; *(Einkommen, Erfolg)* mittelmäßig **2.** *s* POL Gemäßigte(r) *mf* **3.** ['mɒdəreɪt] *vt* mäßigen

modern ['mɒdən] *Adj* modern; **~ history** neuere Geschichte; **~ Greek** Neugriechisch *n*; **modernize** ['mɒdənaɪz] *vt* modernisieren

modest ['mɒdɪst] *Adj* bescheiden; **modesty** *s* Bescheidenheit *f*

modification [mɒdɪfɪ'keɪʃən] *s* Abänderung *f*; **modify** ['mɒdɪfaɪ] *vt* abändern

moist [mɔɪst] *Adj* feucht; **moisten** ['mɔɪsn] *vt* befeuchten; **moisture** ['mɔɪstʃəʳ] *s* Feuchtigkeit *f*; **moisturizer** *s* Feuchtigkeitscreme *f*

molar ['məʊləʳ] *s* Backenzahn *m*

mold (US) → **mould**

mole [məʊl] *s (auf Haut)* Leberfleck *m*; *(Tier)* Maulwurf *m*

molecule ['mɒlɪkjuːl] *s* Molekül *n*

molest [məʊ'lest] *vt* belästigen

molt (US) → **moult**

molten ['məʊltən] *Adj* geschmolzen

mom [mɒm] *s* (US) Mutti *f*

moment ['məʊmənt] *s* Moment *m*, Augenblick *m*; **just a ~** Moment mal; **at** *(od* **for)** **the ~** im Augenblick; **in a ~** gleich

momentous [məʊ'mentəs] *Adj* bedeutsam

Monaco ['mɒnəkəʊ] *s* Monaco *n*

monarchy ['mɒnəkɪ] *s* Monarchie *f*

monastery ['mɒnəstrɪ] *s (für Mönche)* Kloster *n*

Monday ['mʌndeɪ] *s* Montag *m*; → **Tuesday**

monetary ['mʌnɪtərɪ] *Adj (Reform etc)* Währungs-; **~ unit** Geldeinheit *f*

money ['mʌnɪ] *s* Geld *n*

monitor ['mɒnɪtəʳ] **1.** *s (Bildschirm)* Monitor *m* **2.** *vt (Fortschritte)* überwachen

monk [mʌŋk] *s* Mönch *m*

monkey ['mʌŋkɪ] *s* Affe *m*; **~ business** Unfug *m*

monsoon [mɒn'suːn] *s* Monsun *m*

monster ['mɒnstəʳ] **1.** *s (Tier, Sache)* Monstrum *n* **2.** *Adj* Riesen-; **monstrosity** [mɒn'strɒsɪtɪ] *s* Monstrosität *f*; *(Sache)* Ungetüm *n*

month [mʌnθ] *s* Monat *m*; **monthly 1.** *Adj* monatlich;

Monats- **2.** *Adv* monatlich
3. *s* Monats(zeit)schrift *f*

monty ['mɒntɪ] *s* **go the full
~ umg** (*sich ausziehen*) alle
Hüllen fallen lassen; (*alles
riskieren*) aufs Ganze gehen

monument ['mɒnjʊmənt] *s*
Denkmal *n* (*to* für); **monu-
mental** [mɒnjʊ'mentl] *Adj*
gewaltig

mood [muːd] *s* (*von Person*)
Laune *f*, Stimmung *f*; **be in
a good/bad ~** gute/schlechte
Laune haben, gut/
schlecht drauf sein; **be in
the ~ for sth** zu etw aufgelegt sein; **moody** *Adj* launisch

moon [muːn] *s* Mond *m*; **be
over the ~ umg** überglücklich sein; **moonlight 1.** *s*
Mondlicht *n* **2.** *vi* schwarz-
arbeiten; **moonlit** *Adj*
mondhell

moor [mɔːʳ] **1.** *s* Moor *n* **2.**
vt, vi festmachen; **moor-
ings** *npl* Liegeplatz *m*;
moorland *s* Moorland *n*,
Heideland *n*

moose [muːs] *s* Elch *m*

mop [mɒp] *s* Mopp *m*; **mop
up** *vt* aufwischen

moped ['məʊped] *s* (*Brit*)
Moped *n*

moral ['mɒrəl] **1.** *Adj* moralisch; (*Werte*) sittlich **2.** *s*
Moral *f*; **~s** *Pl* Moral *f*; **mo-
rale** [mɒ'rɑːl] *s* Stimmung *f*,
Moral *f*; **morality** [mɒ'rælɪ-
tɪ] *s* Moral *f*, Ethik *f*

more [mɔːʳ] *Adj, Pron Adv*
mehr; (*zusätzlich*) noch;

three ~ noch drei; **some ~
tea?** noch etwas Tee?; **are
there any ~?** gibt es noch
welche?; **I don't go there
any ~** ich gehe nicht mehr
hin; (*Komparativ*) **~ important** wichtiger; **~ slowly**
langsamer; **~ and ~** immer
mehr; **~ and ~ beautiful**
immer schöner; **~ or less**
mehr oder weniger; **more-
ish** *Adj* (*Nahrungsmittel*)
these crisps are really ~
ich kann mit diesen Chips
einfach nicht aufhören;
moreover *Adv* außerdem

morgue [mɔːg] *s* Leichen-
schauhaus *n*

morning ['mɔːnɪŋ] **1.** *s* Morgen *m*; **in the ~** am Morgen, morgens; (*tags dar-
auf*) morgen früh; **this ~**
heute morgen **2.** *Adj* Mor-
gen-; Früh-; (*Spaziergang
etc*) morgendlich; **morning
after pill** *s* die Pille danach; **morning sickness** *s*
Schwangerschaftsübelkeit *f*

Morocco [mə'rɒkəʊ] *s* Marokko *n*

moron ['mɔːrɒn] *s* Idiot(in)
m(f)

morphine ['mɔːfiːn] *s* Morphium *n*

morsel ['mɔːsl] *s* Bissen *m*

mortal ['mɔːtl] **1.** *Adj* sterb-
lich; (*Wunde*) tödlich **2.** *s*
Sterbliche(r) *mf*; **mortality**
[mɔː'tælɪtɪ] *s* Sterblich-
keitsziffer *f*

mortgage ['mɔːgɪdʒ] **1.** *s*
Hypothek *f* **2.** *vt* mit einer

Hypothek belasten
mosaic [məʊˈzeɪɪk] s Mosaik n

Moscow [ˈmɒskəʊ] s Moskau n

Moslem [ˈmɒzləm] *Adj, s* → **Muslim**

mosque [mɒsk] s Moschee f

mosquito (*-es Pl*) [mɒˈskiːtəʊ] s (Stech)mücke f; (*in Tropen*) Moskito m; ~ **net** Moskitonetz n

moss [mɒs] s Moos n

most [məʊst] **1.** *Adj* meiste *Pl*, die meisten; **in ~ cases** in den meisten Fällen **2.** *Adv* (*mit Verben*) am meisten; (*mit Adjektiven*) ...ste; (*mit Adverbien*) am ...sten; (*sehr*) äußerst, höchst; **he ate (the)** ~ er hat am meisten gegessen; **the ~ beautiful/interesting** der/die/das schönste/interessanteste; ~ **interesting** hochinteressant! **3.** *s* das meiste, der größte Teil; (*Leute*) die meisten; ~ **of the money/players** das meiste Geld/ die meisten Spieler; **for the ~ part** zum größten Teil; **five at the ~** höchstens fünf; **make the ~ of sth** etw voll ausnützen; **mostly** *Adv* (*zeitlich*) meistens; (*in erster Linie*) hauptsächlich; (*überwiegend*) größtenteils

MOT *Abk* = **Ministry of Transport;** ~ **(test)** ≈ TÜV m

motel [məʊˈtel] s Motel n

moth [mɒθ] s Nachtfalter m;

(*in Wolle*) Motte f; **mothball** s Mottenkugel f

mother [ˈmʌðəʳ] **1.** s Mutter f **2.** vt bemuttern; **mother-in-law** (*mothers-in-law*) → Schwiegermutter f; **mother-to-be** (*mothers-to-be*) s werdende Mutter

motion [ˈməʊʃən] s Bewegung f; (*in Sitzung etc*) Antrag m

motivate [ˈməʊtɪveɪt] vt motivieren

motor [ˈməʊtəʳ] **1.** s Motor m; *umg* Auto n **2.** *Adj* Motor-; **Motorail train**® (*Brit*) Autoreisezug m; **motorbike** s Motorrad n; **motorboat** s Motorboot n; **motorcycle** s Motorrad n; **motorist** [ˈməʊtərɪst] s Autofahrer(in) m(f); **motor oil** s Motorenöl n; **motor racing** s Autorennsport m; **motor scooter** s Motorroller m; **motor vehicle** s Kraftfahrzeug n; **motorway** s (*Brit*) Autobahn f

mould [məʊld] **1.** s Form f; (*auf Essen*) Schimmel m **2.** vt formen; **mouldy** *Adj* schimmelig

mount [maʊnt] **1.** vt (*auf Pferd*) steigen auf + Akk; (*Ausstellung etc*) organisieren; (*Gemälde*) mit einem Passepartout versehen **2.** vi ~ (**up**) (an)steigen **3.** s Passepartout m

mountain [ˈmaʊntɪn] s Berg m; **mountaineer** [maʊntɪˈnɪəʳ] s Bergsteiger(in) *m(f)*; **mountaineering** *s* Bergsteigen *n*; **mountainside** *s* Berghang *m*

mourn [mɔːn] **1.** *vt* betrauern **2.** *vi* trauern (*for* um); **mourning** *s* Trauer *f*; **be in ~** trauern (*for* um)

mouse (*mice*) [maus, maɪs] *s a.* IT Maus *f*; **mouse mat, mouse pad** (*US*) *s* Mauspad *n*; **mouse trap** *s* Mausefalle *f*

mousse [muːs] *s* GASTR Creme *f*; (*für Haare*) Schaumfestiger *m*

moustache [mə'stɑːʃ] *s* Schnurrbart *m*

mouth [mauθ] *s* Mund *m*; (*Tier*) Maul *n*; (*Höhle*) Eingang *m*; (*Flasche*) Öffnung *f*; (*Fluss*) Mündung *f*; **keep one's ~ shut** *umg* den Mund halten; **mouthful** *s* (*Getränk*) Schluck *m*; (*Essen*) Bissen *m*; **mouth organ** *s* Mundharmonika *f*; **mouthwash** *s* Mundwasser *n*; **mouthwatering** *Adj* appetitlich, lecker

move [muːv] **1.** *s* Bewegung *f*; (*Brettspiel*) Zug *m*; (*Maßnahme, Aktion*) Schritt *m*; (*in neue Wohnung etc*) Umzug *m*; **make a ~** (*in Brettspiel*) ziehen; (*aufbrechen*) sich auf den Weg machen; **get a ~ on (with sth)** sich (*mit etw*) beeilen **2.** *vt* bewegen; (*Gegenstand, Möbel*) rücken; (*Auto*) wegfahren; (*Waren*) befördern; (*Menschen*) transportieren;

(*an andere Dienststelle etc*) versetzen; (*emotional*) bewegen, rühren; **I can't ~ it** ich bringe es nicht von der Stelle; **~ house** umziehen **3.** *vi* sich bewegen; (*Personen*) gehen; (*Fahrzeug*) fahren; (*in andere Stadt*) umziehen; (*Brettspiel*) ziehen; **move about** *vi* sich bewegen; (*reisen*) unterwegs sein; **move away** *vi* weggehen; (*von einem Ort*) wegziehen; **move in** *vi* (*in Haus*) einziehen; **move on** *vi* weitergehen; (*Fahrzeug etc*) weiterfahren; **move out** *vi* ausziehen; **move up** *vi* (*in Warteschlange*) aufrücken; **movement** *s* Bewegung *f*

movie ['muːvɪ] *s* Film *m*; **the ~s** das Kino

moving ['muːvɪŋ] *Adj* (*Film etc*) ergreifend, berührend

mow (*mowed, mown old mowed*) [məʊ, məʊd, məʊn] *vt* mähen; **mower** *s* Rasenmäher *m*

mown [məʊn] *pp von* **mow**

Mozambique [məʊzæm-'biːk] *s* Mosambik *n*

MP *Abk* = **Member of Parliament**; Parlamentsabgeordnete(r) *mf*

mph *Abk* = **miles per hour**; Meilen pro Stunde

Mr [ˈmɪstə] *s* (*Anrede*) Herr

Mrs [ˈmɪsɪz] *s* (*Anrede*) Frau

Ms [məz] *s* (*Anrede für verheiratete oder ledige Frau*) Frau

Mt *Abk* = **Mount**; Berg *m*

much (*more, most*) [mʌtʃ, mɔːⁱ, mɒʊst] **1.** *Adj* viel; **we haven't got ~ time** wir haben nicht viel Zeit **2.** *Adv* viel; sehr; **~ better** viel besser; **I like it very ~** es gefällt mir sehr gut; **I don't like it ~** ich mag es nicht besonders; **thank you very ~** danke sehr; **~ as I like him** so sehr ich ihn mag; **we don't see them ~** wir sehen sie nicht sehr oft; **~ the same** fast gleich **3.** *s* viel; **as ~ as you want** so viel du willst; **he's not ~ of a cook** er ist kein großer Koch

muck [mʌk] *s umg* Dreck *m*; **muck about** *vi umg* herumalbern; **muck up** *vt umg* dreckig machen; (*Pläne, Prüfung etc*) vermasseln; **mucky** *Adj* dreckig

mucus [ˈmjuːkəs] *s* Schleim *m*

mud [mʌd] *s* Schlamm *m*

muddle [ˈmʌdl] **1.** *s* Durcheinander *n*; **be in a ~** ganz durcheinander sein **2.** *vt* **~ (up)** durcheinander bringen; **muddled** *Adj* konfus

muddy [ˈmʌdɪ] *Adj* schlammig; (*Schuhe etc*) schmutzig; **mudguard** *s* [ˈmʌdgɑːd] *s* Schutzblech *n*

muesli [ˈmuːzlɪ] *s* Müsli *m*

muffin [ˈmʌfɪn] *s* Muffin *m*; (*Brit*) *weiches, flaches Milchbrötchen aus Hefeteig, das meist getoastet und mit Butter gegessen wird*

muffle [ˈmʌfl] *vt* (*Lärm etc*) dämpfen; **muffler** *s* (*US*) Schalldämpfer *m*

mug [mʌg] **1.** *s* (*große Tasse*) Becher *m*; *umg* Trottel *m* **2.** *vt* (*Person*) überfallen; **mugging** *s* Raubüberfall *m*

mule [mjuːl] *s* Maulesel *m*

mulled [mʌld] *Adj* **~ wine** Glühwein *m*

multicolored (*US*), multicoloured [ˈmʌltɪˈkʌləd] *Adj* bunt; **multicultural** *Adj* multikulturell; **multigrade** *Adj* **~ oil** Mehrbereichsöl *n*; **multilingual** *Adj* mehrsprachig

multiple [ˈmʌltɪpl] **1.** *s* Vielfache(s) *n* **2.** *Adj* mehrfach; (*mit Substantiv im Pl*) mehrere; **multiple-choice (method)** *s* Multiple-Choice-Verfahren *n*

multiplex [ˈmʌltɪpleks] *Adj*, *s* **~ (cinema)** Multiplexkino *n*

multiply [ˈmʌltɪplaɪ] **1.** *vt* multiplizieren (*by* mit) **2.** *vi* sich vermehren

multi-purpose [ˈmʌltɪˈpɜːpəs] *Adj* Mehrzweck-; **multistorey (car park)** *s* Parkhaus *n*

mum [mʌm] *s umg* Mutti *f*, Mami *f*

mumble [ˈmʌmbl] *vt, vi* murmeln

mummy [ˈmʌmɪ] *s* Mumie *f*; *umg* Mutti *f*, Mami *f*

mumps [mʌmps] *nsing* Mumps *m*

munch [mʌntʃ] *vt, vi* mampfen

Munich ['mjuːnɪk] s München n

municipal [mjuːˈnɪsɪpəl] Adj städtisch

murder ['mɜːdər] **1.** s Mord m; **the traffic was ~** der Verkehr war die Hölle **2.** vt ermorden; **murderer** s Mörder(in) m(f)

murky ['mɜːkɪ] Adj düster; (Wasser) trüb

murmur ['mɜːmər] vt, vi murmeln

muscle ['mʌsl] s Muskel m; **muscular** ['mʌskjʊlər] Adj muskulös; (Schmerzen, Krampf etc) Muskel-

museum [mjuːˈzɪəm] s Museum n

mushroom ['mʌʃruːm] s (essbarer) Pilz; Champignon m

mushy ['mʌʃɪ] Adj breiig

music ['mjuːzɪk] s Musik f; **musical 1.** Adj (Stimme, Klang) melodisch; (Person) musikalisch; **~ instrument** Musikinstrument n **2.** s Musical n; **musically** Adv musikalisch; **musician** [mjuːˈzɪʃən] s Musiker(in) m(f)

Muslim ['mʊzlɪm] **1.** Adj moslemisch **2.** s Moslem m, Muslime f

mussel ['mʌsl] s Miesmuschel f

must (had to, had to) [mʌst], hæd tə] **1.** vhilf müssen; (bei Verneinung) dürfen; **I ~n't forget that** ich darf das nicht vergessen; (bei hoher Wahrscheinlichkeit)

he ~ be there by now er ist inzwischen bestimmt schon da; (bei Vermutung) **I ~ have lost it** ich habe es wohl verloren; **~ you?** muss das sein? **2.** s Muss n

mustache ['mʌstæʃ] s (US) Schnurrbart m

mustard ['mʌstəd] s Senf m

mustn't ['mʌsnt] Kontr von must not

mute [mjuːt] Adj stumm

mutter ['mʌtər] vt, vi murmeln

mutton ['mʌtn] s Hammelfleisch n

mutual ['mjuːtjʊəl] Adj gegenseitig; **by ~ consent** in gegenseitigem Einvernehmen

my [maɪ] Adj mein; **I've hurt ~ leg** ich habe mir das Bein verletzt

Myanmar ['maɪænmɑː] s Myanmar n

myself [maɪˈself] Pron Akk mich; Dat mir; **I've hurt ~** ich habe mich verletzt; **I've bought ~ a flat** ich habe mir eine Wohnung gekauft; (verstärkend) **I did it ~** ich habe es selbst gemacht; **(all) by ~** allein

mysterious [mɪˈstɪərɪəs] Adj geheimnisvoll, mysteriös; (unerklärlich) rätselhaft; **mystery** ['mɪstərɪ] s Geheimnis n; (unerklärlich) Rätsel n

myth [mɪθ] s Mythos m; fig Märchen n; **mythology** [mɪˈθɒlədʒɪ] s Mythologie f

N

nag [næg] *vt, vi* herumnörgeln (*sb* an jdm); **nagging** *s* Nörgelei *f*

nail [neɪl] **1.** *s* Nagel *m* **2.** *vt* nageln (*to* an); **nail down** *vt* festnageln; **nailbrush** *s* Nagelbürste *f*; **nail clippers** *npl* Nagelknipser *m*; **nailfile** *s* Nagelfeile *f*; **nail polish** *s* Nagellack *m*; **nail polish remover** *s* Nagellackentferner *m*; **nail scissors** *npl* Nagelschere *f*; **nail varnish** *s* Nagellack *m*

naive [naɪˈiːv] *Adj* naiv

naked [ˈneɪkɪd] *Adj* nackt

name [neɪm] **1.** *s* Name *m*; **his ~ is ...** er heißt ...; **what's your ~?** wie heißen Sie?; **have a good/bad ~** einen guten/schlechten Ruf haben **2.** *vt* nennen (*after* nach); benennen; (*für Posten*) ernennen (*as* als/zu); **a boy ~d ...** ein Junge namens ...; **namely** *Adv* nämlich; **name plate** *s* Namensschild *n*

nan bread [ˈnɑːnbred] *s* (*warm serviertes*) *indisches Fladenbrot*

nanny [ˈnænɪ] *s* Kindermädchen *n*

nap [næp] *s* **have a ~** ein Nickerchen machen

napkin [ˈnæpkɪn] *s* Serviette *f*

Naples [ˈneɪplz] *s* Neapel *n*

nappy [ˈnæpɪ] *s* (*Brit*) Windel *f*

narrow [ˈnærəʊ] **1.** *Adj* eng, schmal; (*Sieg etc*) knapp; **have a ~ escape** mit knapper Not davonkommen **2.** *vi* sich verengen; **narrow down** *vt* einschränken (*to* sth auf etw *Akk*); **narrow-minded** *Adj* engstirnig

nasty [ˈnɑːstɪ] *Adj* ekelhaft; (*Person*) fies; (*Bemerkung*) gehässig; (*Unfall, Wunde etc*) schlimm

nation [ˈneɪʃən] *s* Nation *f*; **national** [ˈnæʃənl] **1.** *Adj* national; **~ anthem** Nationalhymne *f*; **National Health Service** (*Brit*) staatlicher Gesundheitsdienst; **~ insurance** (*Brit*) Sozialversicherung *f*; **~ park** Nationalpark *m* **2.** *s* Staatsbürger(in) *m(f)*; **nationality** [næʃˈnælɪtɪ] *s* Staatsangehörigkeit *f*, Nationalität *f*; **nationwide** *Adj, Adv* landesweit

native [ˈneɪtɪv] **1.** *Adj* einheimisch; (*Charakterzug*) angeboren, natürlich; **Native American** Indianer(in) *m(f)*; **~ country** Heimatland *n*; **a ~ German** ein gebürtiger Deutscher, eine gebürtige Deutsche; **~ language** Muttersprache *f*; **~ speaker** Muttersprachler(in) *m(f)* **2.** *s* Einheimische(r) *mf*, Eingeborene(r) *mf*

nativity play [nəˈtɪvɪtɪpleɪ] *s* Krippenspiel *n*

NATO [ˈneɪtəʊ] *Akr* = **North Atlantic Treaty Organization**; Nato *f*

natural [ˈnætʃrəl] *Adj* natürlich; Natur-; (*als Charakterzug*) angeboren; ~ **resources** Bodenschätze *Pl*; **naturally** *Adv* natürlich; von Natur aus

nature [ˈneɪtʃə] *s* Natur *f*; (*Wesen, Charakter*) Art *f*; **by** ~ von Natur aus; **nature reserve** *s* Naturschutzgebiet *n*

naughty [ˈnɔːtɪ] *Adj* (*Kind*) ungezogen; frech

nausea [ˈnɔːsɪə] *s* Übelkeit *f*

nautical [ˈnɔːtɪkəl] *Adj* nautisch; ~ **mile** Seemeile *f*

nave [neɪv] *s* Hauptschiff *n*

navel [ˈneɪvəl] *s* Nabel *m*

navigate [ˈnævɪgeɪt] *vi* navigieren; (*im Auto*) lotsen, dirigieren; **navigation** [nævɪˈgeɪʃən] *s* Navigation *f*; (*im Auto*) Lotsen *n*

navy [ˈneɪvɪ] *s* Marine *f*

near [nɪə] **1.** *Adj* nahe; **my ~est relations** meine nächsten Verwandten; **in the ~ future** in nächster Zukunft; **that was a ~ miss** (*od thing*) das war knapp; (*bei Preisen*) ... **or ~est offer** Verhandlungsbasis ... **2.** *Adv* in der Nähe; **come ~er** näher kommen; (*Veranstaltung etc*) näher rücken **3.**

Präp ~ **(to)** (*dicht neben*) nahe an + *Dat*; in der Nähe + *Gen*; ~ **the station** in der Nähe des Bahnhofs, in Bahnhofsnähe; **nearby 1.** *Adj* nahe gelegen **2.** *Adv* in der Nähe; **nearly** *Adv* fast; **near-sighted** *Adj* kurzsichtig

neat [niːt] *Adj* ordentlich; (*Arbeit, Schrift*) sauber; (*Whisky etc*) pur

necessarily [nesəˈserəlɪ] *Adv* notwendigerweise; **not** ~ nicht unbedingt; **necessary** [ˈnesəsərɪ] *Adj* notwendig, nötig; **it's** ~ **to** ... man muss ... ; **it's not** ~ **for him to come** er braucht nicht mitzukommen; **necessity** [nɪˈsesɪtɪ] *s* Notwendigkeit *f*; **the bare necessities** das absolut Notwendigste

neck [nek] *s* Hals *m*; (*Größenangabe*) Halsweite *f*; **necklace** [ˈneklɪs] *s* Halskette *f*; **necktie** *s* (*US*) Krawatte *f*

nectarine [ˈnektərɪn] *s* Nektarine *f*

née [neɪ] *Adj* geborene

need [niːd] **1.** *s* Bedürfnis *n* (*for* für); (*Erfordernis*) Notwendigkeit *f*; (*Armut*) Not *f*; **be in** ~ **of sth** etw brauchen; **if ~(s) be** wenn nötig **2.** *vt* brauchen; **I ~ to speak to you** ich muss mit dir reden; **you ~n't go** du brauchst nicht (zu) gehen, du musst nicht gehen

needle ['niːdl] s Nadel f

needless, needlessly ['niːdlɪs, -lɪ] Adj, Adv unnötig; ~ **to say** selbstverständlich

negative ['negətɪv] **1.** s LING Verneinung f; FOTO Negativ n **2.** Adj negativ; (Antwort) verneinend

neglect [nɪ'glekt] **1.** s Vernachlässigung f **2.** vt vernachlässigen; **negligence** ['neglɪdʒəns] s Nachlässigkeit f; **negligent** Adj nachlässig

negotiate [nɪ'gəʊʃɪeɪt] vi verhandeln; **negotiation** [nɪgəʊʃɪ'eɪʃən] s Verhandlung f

neigh [neɪ] vi (Pferd) wiehern

neighbor (US), **neighbour** ['neɪbə] s Nachbar(in) m(f); **neighbo(u)rhood** s Nachbarschaft f

neighbo(u)ring Adj benachbart

neither ['naɪðə] **1.** Adj, Pron keine(r, s) von beiden; ~ **of you/us** keiner von euch/uns beiden **2.** Adv ~ ... **nor** ... weder ... noch ... **3.** Konj **I'm not going - ~ am I** ich gehe nicht - ich auch nicht

nephew ['nefjuː] s Neffe m

nerd [nɜːd] s umg Schwachkopf m; **he's a real computer ~** er ist ein totaler Computerfreak

nerve [nɜːv] s Nerv m; **he gets on my ~s** er geht mir auf die Nerven; **keep/lose one's ~** die Nerven behalten/verlieren; **have the ~ to do sth** die Frechheit besitzen, etw zu tun; **nerve-racking** Adj nervenaufreibend; **nervous** ['nɜːvəs] Adj ängstlich; nervös; **nervous breakdown** s Nervenzusammenbruch m

nest [nest] **1.** s Nest n **2.** vi nisten

net [net] **1.** s Netz n; **the Net** das Internet; **on the ~** im Netz **2.** Adj (Preis, Gewicht) Netto-; ~ **profit** Reingewinn m

Netherlands ['neðələndz] npl **the ~** die Niederlande Pl

network ['netwɜːk] s Netz

n; TV, RADIO Sendenetz *n*;
IT Netzwerk *n*

neurosis [njʊəˈrəʊsɪs] *s*
Neurose *f*; **neurotic** [njʊə-
ˈrɒtɪk] *Adj* neurotisch

neuter [ˈnjuːtəʳ] *Adj* BIO ge-
schlechtslos; LING sächlich

neutral [ˈnjuːtrəl] **1.** *Adj*
neutral **2.** *s* (*bei Gangschaltung*) Leerlauf *m*

never [ˈnevəʳ] *Adv* nie(-
mals); ~ **before** noch nie; ~
mind macht nichts!; **never-
-ending** *Adj* endlos; **nevertheless** [nevəðəˈles] *Adv*
trotzdem

new [njuː] *Adj* neu; **this is
all ~ to me** das ist für mich
noch ungewohnt

New England [njuːˈɪŋglənd]
s Neuengland *n*

Newfoundland [ˈnjuːfənd-
lənd] *s* Neufundland *n*

newly [ˈnjuːlɪ] *Adv* neu; ~
made (*Kuchen etc*) frisch
gebacken; **newly-weds** *npl*
Frischvermählte *Pl*; **new
moon** *s* Neumond *m*

news [njuːz] *nsing* Nachricht *f*; RADIO, TV Nachrichten *Pl*; **good** ~ eine erfreu-
liche Nachricht; **what's the
~?** was gibt's Neues?; **have
you heard the ~?** hast du
das Neueste
gehört?;
newsagent, **news
dealer**
(*US*) *s* Zeitungshändler(in)
m(f); **news bulletin** *s*
Nachrichtensendung
f;
news flash *s* Kurzmeldung
f; **newsgroup** *s* IT Diskus-
sionsforum *n*, Newsgroup

f; **newsletter** *s* Mitteilungs-
blatt *n*; **newspaper** [ˈnjuːs-
peɪpəʳ] *s* Zeitung *f*

New Year [ˈnjuːˈjɪəʳ] *s* das
neue Jahr; **Happy ~** (ein)
frohes Neues Jahr!; (*Trink-
spruch*) Prosit Neujahr!; **~'s
Day** Neujahr *n*, Neujahrs-
tag *m*; **~'s Eve** Silvesterabend *m*; **~'s resolution**
guter Vorsatz fürs neue Jahr

New York [njuːˈjɔːk] *s* New
York *n*

New Zealand [njuːˈziːlənd]
1. *s* Neuseeland *n* **2.** *Adj*
neuseeländisch; **New Zea-
lander** *s* Neuseeländer(in)
m(f)

next [nekst] **1.** *Adj* nächste(r,
s); **the week after ~** über-
nächste Woche; **~ time I
see him** wenn ich ihn das
nächste Mal sehe; **you're ~**
du bist jetzt dran **2.** *Adv* als
Nächstes; dann, darauf; ~
to neben + *Dat*; ~ **to last**
vorletzte(r, s); ~ **to impossible** nahezu unmöglich; **the
~ best thing** das Nächstbes-
te; ~ **door** nebenan

NHS *Abk* = **National Health
Service**

Niagara Falls [naɪˈægrə-
ˈfɔːlz] *npl* Niagarafälle *Pl*

nibble [ˈnɪbl] *vt* knabbern
an + *Dat*; **nibbles** *npl*
Knabberzeug *n*

Nicaragua [nɪkəˈrægjʊə] *s*
Nicaragua *n*

nice [naɪs] *Adj* nett, sympathisch; (*von Essen*) gut;
(*Wetter*) schön; **have a ~**

day (*US*) schönen Tag noch!; nicely *Adv* nett; gut; *that'll do ~* das genügt vollauf

nick [nɪk] *vt umg* klauen

nickel ['nɪkl] *s* CHEM Nickel *n*; (*US*, *Münze*) Nickel *m*

nickname ['nɪkneɪm] *s* Spitzname *m*

nicotine ['nɪkətiːn] *s* Nikotin *n*; nicotine patch *s* Nikotinpflaster *n*

niece [niːs] *s* Nichte *f*

Nigeria [naɪ'dʒɪəriə] *s* Nigeria *n*

night [naɪt] *s* Nacht *f*; (*vor dem Schlafengehen*) Abend *m*; *good ~* gute Nacht!; *at* (*od by*) *~* nachts; *have an early ~* früh schlafen gehen; nightcap *s* Schlummertrunk *m*; nightclub *s* Nachtklub *m*; nightdress *s* Nachthemd *n*; nightie ['naɪti] *s umg* Nachthemd *n*

nightingale *s* ['naɪtɪŋgeɪl] *s* Nachtigall *f*

night life [naɪtlaɪf] *s* Nachtleben *n*; nightly *Adv* jeden Abend; jede Nacht; nightmare *s* ['naɪtmeər] *s* Albtraum *m*; nighttime *s* Nacht *f*; *at ~* nachts

nil [nɪl] *s* SPORT null

Nile [naɪl] *s* Nil *m*

nine [naɪn] **1.** *Zahl* neun; *~ times out of ten* so gut wie immer **2.** *s* (*a. Buslinie etc*) Neun *f*; → *eight*; nineteen [naɪn'tiːn] **1.** *Zahl* neunzehn **2.** *s* (*a. Buslinie etc*) Neunzehn *f*; → *eight*;

nineteenth *Adj* neunzehnte(r, s); → *eighth*; ninetieth ['naɪntɪəθ] *Adj* neunzigste(r, s); → *eighth*; ninety ['naɪnti] **1.** *Zahl* neunzig **2.** *s* Neunzig *f*; → *eight*; ninth [naɪnθ] **1.** *Adj* neunte(r, s) **2.** *s* Neuntel *n*; → *eighth*

nipple ['nɪpl] *s* Brustwarze *f*

nitrogen ['naɪtrədʒən] *s* Stickstoff *m*

no [nəʊ] **1.** *Adv* nein; (*nach Komparativ*) nicht; *I can wait ~ longer* ich kann nicht länger warten; *I have ~ more money* ich habe kein Geld mehr **2.** *Adj* kein; *in ~ time* im Nu; *~ way umg* keinesfalls; *it's ~ use* (*od good*) es hat keinen Zweck; *~ smoking* Rauchen verboten **3.** *s* (*-es Pl*) Nein *n*

nobody ['nəʊbədi] **1.** *Pron* niemand; keiner; *~ knows* keiner weiß es; *~ else* sonst niemand, kein anderer **2.** *s* Niemand *m*

no-claims bonus [nəʊ-'kleɪmzbəʊnəs] *s* Schadenfreiheitsrabatt *m*

nod [nɒd] *vt* nicken ; nod off *vi* einnicken

noise [nɔɪz] *s* Lärm *m*; Geräusch *n*; noisy *Adj* laut; (*Menge etc*) lärmend

nominate ['nɒmɪneɪt] *vt* (*für Wahl*) aufstellen; (*für Amt*) ernennen

non- [nɒn] *Präfix* Nicht-; (*mit Adj*) nicht-, un-; non-alcoholic *Adj* alkoholfrei

none [nʌn] *Pron* keine(r, s); **~ of them** keiner von ihnen; **~ of it is any use** nichts davon ist brauchbar; **there are ~ left** es sind keine mehr da; (*mit Komparativ*) **be ~ the wiser** auch nicht schlauer sein

nonetheless [ˌnʌnðə'les] *Adv* nichtsdestoweniger

non-fiction *s* Sachbücher *Pl*; **non-resident** *s* **'open to ~s'** „auch für Nichthotelgäste"; **non-returnable** *Adj* **~ bottle** Einwegflasche *f*

nonsense ['nɒnsəns] *s* Unsinn *m*

non-smoker [nɒn'sməukə] *s* Nichtraucher(in) *m(f)*; **non--smoking** *Adj* Nichtraucher-; **non-standard** *Adj* nicht serienmäßig; **nonstop 1.** *Adj* (*Zug*) durchgehend; (*Flug*) Nonstop- **2.** *Adv* (*reden*) ununterbrochen; (*fliegen*) ohne Zwischenlandung

noodles ['nuːdlz] *npl* Nudeln *Pl*

noon [nuːn] *s* Mittag *m*; **at ~** um 12 Uhr mittags

no one ['nəuwʌn] *Pron* niemand; keiner; **~ else** sonst niemand, kein anderer

nor [nɔː] *Konj* weder ... noch ...; *I don't smoke*, **~ does he** ich rauche nicht, er auch nicht

normal ['nɔːml] *Adj* normal; **get back to ~** sich wieder normalisieren; **normally** *Adv* normalerweise

north [nɔːθ] **1.** *s* Norden *m*;

to the ~ of nördlich von **2.** *Adv* (*Richtung*) nach Norden **3.** *Adj* Nord-; **North America** *s* Nordamerika *n*; **northbound** *Adj* (*in*) Richtung Norden; **northeast 1.** *s* Nordosten *m*; **to the ~ of** nordöstlich von **2.** *Adv* (*Richtung*) nach Nordosten **3.** *Adj* Nordost-; **northern** ['nɔːðən] *Adj* nördlich; **~ France** Nordfrankreich *n*; **Northern Ireland** *s* Nordirland *n*; **North Pole** *s* Nordpol *m*; **North Sea** *s* Nordsee *f*; **northwards** *Adv* nach Norden; **northwest 1.** *s* Nordwesten *m*; **to the ~ of** nordwestlich von **2.** *Adv* (*Richtung*) nach Nordwesten **3.** *Adj* Nordwest-

Norway ['nɔːwei] *s* Norwegen *n*; **Norwegian** [nɔː'wiːdʒən] **1.** *Adj* norwegisch **2.** *s* (*Person*) Norweger(in) *m(f)*; (*Sprache*) Norwegisch *n*

nose [nəuz] *s* Nase *f*; **nose-bleed** *s* Nasenbluten *n*; **nose-dive** *s* Sturzflug *m*

nosey ['nəuzi] → **nosy**

nostril ['nɒstril] *s* Nasenloch *n*

nosy ['nəuzi] *Adj* neugierig

not [nɒt] *Adv* nicht; **~ one of them** kein einziger von ihnen; **I told him ~ to (do it)** ich sagte ihm, er solle es nicht tun; **~ at all** überhaupt nicht, keineswegs; (*Antwort auf Dank*) gern geschehen; **~ yet** noch nicht

notable ['nəʊtəbl] *Adj* bemerkenswert; **note** [nəʊt] **1.** *s* Notiz *f*; *(kurzer Brief)* paar Zeilen *Pl*; *(in Buch etc)* Anmerkung *f*; *(Banknote)* Schein *m*; MUS *(Notenzeichen)* Note *f*; *(konkret)* Ton *m*; **make a ~ of sth** sich etw notieren; **~s** Aufzeichnungen *Pl*; **take ~s** sich Notizen machen (*of* über + *Akk*) **2.** *vt (wahrnehmen)* bemerken (*that* dass); *(niederschreiben)* notieren; **notebook** *s* Notizbuch *n*; IT Notebook *n*; **notepad** *s* Notizblock *m*; **notepaper** *s* Briefpapier *n*

nothing ['nʌθɪŋ] *s* nichts; **~ but ...** lauter ...; **for ~** umsonst; **he thinks ~ of it** er macht sich nichts daraus

notice ['nəʊtɪs] **1.** *s* Bekanntmachung *f* *(auf schwarzem Brett etc)* Anschlag *m*; *(Aufmerksamkeit)* Beachtung *f*; *(Vorinformation)* Ankündigung *f*; *(von Arbeitsplatz, Wohnung)* Kündigung *f*; **at short ~** kurzfristig; **until further ~** bis auf weiteres; **give sb ~** jdm kündigen; **hand in one's ~** kündigen; **take (no) ~ of (sth)** etw (nicht) beachten **2.** *vt* bemerken; **noticeable** *Adj* erkennbar; sichtbar; **be ~** auffallen; **notice board** *s* Anschlagtafel *f*

notification [nəʊtɪfɪ'keɪʃən] *s* Benachrichtigung *f* (*of* von); **notify** ['nəʊtɪfaɪ] *vt* benachrichtigen (*of* von)

notorious [nəʊ'tɔːrɪəs] *Adj* berüchtigt

nought [nɔːt] *s* Null *f*

noun [naʊn] *s* Substantiv *n*

novel ['nɒvl] **1.** *s* Roman *m* **2.** *Adj* neuartig; **novelty** *s* Neuheit *f*

November [nəʊ'vembər] *s* November *m*; → **September**

novice ['nɒvɪs] *s* Neuling *m*

now [naʊ] *Adv* jetzt; *(einleitend)* also; **right ~** jetzt gleich; **just ~** gerade; **by ~** inzwischen; **from ~ on** ab jetzt; **~ and again** (*or then*) ab und zu; **nowadays** *Adv* heutzutage

nowhere ['nəʊweər] *Adv* nirgends; **we're getting ~** wir kommen nicht weiter; **~ near** noch lange nicht

nozzle ['nɒzl] *s* Düse *f*

nuclear ['njuːklɪər] *Adj* *(Energie)* Kern-; **~ power station** Kernkraftwerk *n*

nude [njuːd] **1.** *Adj* nackt **2.** *s (Person)* Nackte(r) *mf*; *(Gemälde)* Akt *m*; **nudist** *s* Nudist(in) *m(f)*, FKK-Anhänger(in) *m(f)*; **nudist beach** *s* FKK-Strand *m*

nuisance ['njuːsns] *s* Ärgernis *n*; *(Person)* Plage *f*; **what a ~** wie ärgerlich!

numb [nʌm] **1.** *Adj* taub, gefühllos **2.** *vt* betäuben

number ['nʌmbər] **1.** *s* Nummer *f*; MATHE Zahl *f*; *(Menge)* (An)zahl *f*; **in small/large ~s** in kleinen/großen

Mengen: *a ~ of times* mehrmals **2.** *vt* nummerieren; *(dazugehören)* zählen *(among zu)*; *his days are ~ed* seine Tage sind gezählt; number plate *s (Brit)* AUTO Nummernschild *n*

numeral ['nju:mərəl] *s* Ziffer *f*; numerical [nju:'merikəl] *Adj* numerisch; *(Überlegenheit)* zahlenmäßig; numerous ['nju:mərəs] *Adj* zahlreich

nun [nʌn] *s* Nonne *f*

Nuremberg ['njuərəmbɜːg] *s* Nürnberg *n*

nurse [nɜːs] **1.** *s* Krankenschwester *f*; *(Mann)* Krankenpfleger *m* **2.** *vt (Patient)* pflegen; *(Baby)* stillen; nursery *s* Kinderzimmer *n*; *(für Pflanzen)* Gärtnerei *f*; *(für Bäume)* Baumschule *f*; nursery rhyme *s* Kinderreim *m*; nursery school *s* Kindergarten *m*; *~ teacher*

Kindergärtner(in) *m(f)*, Erzieher(in) *m(f)*; nursing *s (Beruf)* Krankenpflege *f*; *~ home* Privatklinik *f*

nut [nʌt] *s* Nuss *f*; TECH *(für Schraube)* Mutter *f*; nutcase *s* *umg* Spinner(in) *m(f)*; nutcracker *s*, nutcrackers *npl* Nussknacker *m*

nutmeg ['nʌtmeg] *s* Muskat *m*, Muskatnuss *f*

nutrition [nju:'trɪʃən] *s* Ernährung *f*; nutritious [nju:'trɪʃəs] *Adj* nahrhaft

nuts [nʌts] *Adj* **1.** *umg* verrückt; *be ~ about sth* nach etw verrückt sein **2.** *npl (Hoden)* Eier *Pl*

nutshell ['nʌtʃel] *s* Nussschale *f*; *in a ~* kurz gesagt

nutter ['nʌtər] *s* *umg* Spinner(in) *m(f)*; nutty ['nʌti] *Adj* *umg* verrückt

nylon® ['naɪlɒn] **1.** *s* Nylon® *n* **2.** *Adj* Nylon-

O

O [əʊ] *s* TEL Null *f*

oak [əʊk] **1.** *s* Eiche *f* **2.** *Adj* Eichen-

OAP *Abk* = *old-age pensioner*; Rentner(in) *m(f)*

oar [ɔːr] *s* Ruder *n*

oasis (oases *Pl*) [əʊ'eɪsɪs, -siːz] *s* Oase *f*

oath [əʊθ] *s* Eid *m*

oats [əʊts] *npl* Hafer *m*; GASTR Haferflocken *Pl*

obedience [ə'biːdɪəns] *s* Gehorsam *m*; obedient *Adj* gehorsam; obey [ə'beɪ] *vt*, *vi* gehorchen + *Dat*

object *s* **1.** ['ɒbdʒekt] *s* Gegenstand *m*; Objekt *n*; *(von Wünschen, Verhandlungen etc)* Ziel *n* **2.** [əb'dʒekt] *vi* dagegen sein; Einwände erheben *(to gegen)*; *(moralisch)* Anstoß nehmen (to an + *Dat*); **do you ~ to my smoking?** haben Sie etwas dagegen, wenn ich rauche?; objection [əb'dʒekʃən] *s* Einwand *m*

objective [əb'dʒektɪv] **1.** *s* Ziel *n* **2.** *Adj* objektiv; objectivity [ɒbdʒek'tɪvɪtɪ] *s* Objektivität *f*

obligation [ɒblɪ'geɪʃən] *s* Pflicht *f*, Verpflichtung *f*; **no ~** unverbindlich; obligatory [ə'blɪgətərɪ] *Adj* obligatorisch; oblige [ə'blaɪdʒ] *vt* ~ **sb to do sth** jdn (dazu) zwingen, etw zu tun; **he felt ~d to accept the offer** er fühlte sich verpflichtet, das Angebot anzunehmen

oblong ['ɒblɒŋ] **1.** *s* Rechteck *n* **2.** *Adj* rechteckig

oboe ['əubəu] *s* Oboe *f*

obscene [əb'siːn] *Adj* obszön

observation [ɒbzə'veɪʃən] *s* Beobachtung *f*; (*Kommentar*) Bemerkung *f*; observe [əb'zɜːv] *vt* (*wahrnehmen*) bemerken; beobachten; (*Regeln, Bräuche*) einhalten

obsessed [əb'sest] *Adj* besessen (*with an idea etc* von einem Gedanken etc); obsession *s* Manie *f*

obsolete ['ɒbsəliːt] *Adj* veraltet

obstacle ['ɒbstəkl] *s* Hindernis *n* (*to* für)

obstinate ['ɒbstɪnət] *Adj* hartnäckig

obstruct [əb'strʌkt] *vt* versperren; (*Rohr*) verstopfen; (*Entwicklung*) behindern, aufhalten; obstruction [əb-'strʌkʃən] *s* Blockierung *f*; (*von Rohr*) Verstopfung *f*; (*Gegenstand*) Hindernis *n*

obtain [əb'teɪn] *vt* erhalten; obtainable *Adj* erhältlich

obvious ['ɒbvɪəs] *Adj* offensichtlich; **it was ~ to me that ...** es war mir klar, dass ...; obviously *Adv* offensichtlich

occasion [ə'keɪʒən] *s* Gelegenheit *f*; (*speziell*) (großes) Ereignis *n*; **on the ~ of** anlässlich + *Gen*; **special ~** besonderer Anlass; occasional, occasionally *Adj*, *Adv* gelegentlich

occupant ['ɒkjupənt] *s* Bewohner(in) *m(f)*; (*von Fahrzeug*) Insasse *m*, Insassin *f*; occupation [ɒkju-'peɪʃən] *s* Beruf *m*; (*Tätigkeit*) Beschäftigung *f*; (*von Land etc*) Besetzung *f*; occupied *Adj* (*Land, Sitzplatz, Toilette*) besetzt; (*Person*) beschäftigt; **keep sb/oneself ~** jdn/sich beschäftigen; occupy ['ɒkjupaɪ] *vt* (*Land etc*) besetzen; (*Zeit*) beanspruchen; (*Person*) beschäftigen

occur [ə'kɜːʳ] *vi* vorkommen; **~ to sb** jdm einfallen

ocean ['əuʃən] *s* Ozean *m*; (*US, allgemein*) das Meer

o'clock [ə'klɒk] *Adv* **5 ~** 5 Uhr; **at 10 ~** um 10 Uhr

octagon ['ɒktəgən] *s* Achteck *n*

October [ɒk'təubə'] *s* Oktober *m*; → **September**

octopus ['ɒktəpəs] *s* Tintenfisch *m*

odd [ɒd] *Adj* sonderbar; (*Zahl*) ungerade; (*Schuh etc*) einzeln; **be the ~ one out** nicht dazugehören; **odds** *npl* Chancen *Pl*; **against all ~** entgegen allen Erwartungen

odometer [əu'dɒmətə'] *s* (*US*) AUTO Meilenzähler *m*

odor, odour (*US*) ['əudə'] *s* Geruch *m*

of [ɒv, əv] *Präp* Gen *von*; (*Material*) aus; **the name ~ the hotel** der Name des Hotels; **the works ~ Shakespeare** Shakespeares Werke; **a friend ~ mine** ein Freund von mir; **the fourth ~ June** der vierte Juni; (*zur Mengenangabe*) **a glass ~ water** ein Glas Wasser; **a litre ~ wine** ein Liter Wein; **a girl ~ ten** ein zehnjähriges Mädchen; (*US, bei Zeitangaben*) **it's five ~ three** es ist fünf vor drei; (*zur Nennung der Ursache*) **die ~ cancer** an Krebs sterben

off [ɒf] **1.** *Adv* weg, fort; (*bei Urlaub*) frei; (*Gerät etc*) ausgeschaltet; (*Milch*) sauer; **a mile ~** eine Meile entfernt; **I'll be ~ now** ich gehe jetzt; **have the day/ Monday ~** heute/Montag

freihaben; **the lights are ~** die Lichter sind aus; **the concert is ~** das Konzert fällt aus; **I got 10% ~** ich habe 10% Nachlass bekommen **2.** *Präp* (*Richtungsangabe*) *von*; **jump/fall ~ the roof** vom Dach springen/ fallen; **get ~ the bus** aus dem Bus aussteigen; **he's ~ work/school** er hat frei/ schulfrei; **take £20 ~ the price** den Preis um 20 Pfund herabsetzen

offence [ə'fens] *s* (*Verbrechen*) Straftat *f*; Vergehen *n*; (*von Gefühl*) Kränkung *f*; **cause/take ~** Anstoß erregen/nehmen; **offend** [ə-'fend] *vt* kränken; (*das Auge, Ohr*) beleidigen; **offender** *s* Straffällige(r) *mf*; **offense** (*US*) → **offence**; **offensive** [ə'fensɪv] **1.** *Adj* anstößig; beleidigend; (*Geruch*) übel, abstoßend **2.** *s* MIL Offensive *f*

offer ['ɒfə'] **1.** *s* Angebot *n*; **on ~** WIRTSCH im Angebot **2.** *vt* anbieten (*to sb* jdm); (*Geld, Chance etc*) bieten

offhand [ɒf'hænd] **1.** *Adj* lässig **2.** *Adv* (*sagen, zugeben*) auf Anhieb

office ['ɒfɪs] *s* Büro *n*; (*Stellung*) Amt *n*; **doctor's ~** (*US*) Arztpraxis *f*; **office block** *s* Bürogebäude *n*; **office hours** *npl* Dienstzeit *f*; Geschäftszeiten *Pl*; **officer** ['ɒfɪsə'] *s* MIL Offizier(in) *m(f)*; Polizeibeamte(r) *m*,

Polizeibeamtin *f*; **office worker** ['bɪsfɪswɜːkə] *s* Büroangestellte(r) *mf*; **official** [ə'fɪʃəl] **1.** *Adj* offiziell *(Bericht)* amtlich; ~ **language** Amtssprache *f* **2.** *s* Beamte(r) *m*, Beamtin *f*, Repräsentant(in) *m(f)*

off-licence ['ɒflaɪsəns] *s (Brit)* Wein- und Spirituosenhandlung *f*; **off-line** *Adj* IT offline; **off-peak** *Adj* außerhalb der Stoßzeiten; *(Tarif, Fahrkarte)* verbilligt; **off-putting** *Adj (Person, Verhalten)* abstoßend; **off-season** *Adj* außerhalb der Saison

offshore ['ɒfʃɔː] *Adj* küstennah, Küsten-; *(Bohrinsel)* im Meer; **offside** ['ɒfsaɪd] *s* AUTO Fahrerseite *f*; SPORT Abseits *n*

often ['ɒfən] *Adv* oft; **every so** ~ von Zeit zu Zeit

oil [ɔɪl] **1.** *s* Öl *n* **2.** *vt* ölen; **oil level** *s* Ölstand *m*; **oil painting** *s* Ölgemälde *n*; **oil-rig** *s* (Öl)bohrinsel *f*; **oil slick** *s* Ölteppich *m*; **oil tanker** *s* Öltanker *m*; *(Fahrzeug)* Tankwagen *m*; **oily** *Adj* ölig; *(Haut, Haare)* fettig

ointment ['ɔɪntmənt] *s* Salbe *f*

OK, okay [əʊ'keɪ] *Adj umg* okay, in Ordnung; **that's ~ by** *(od* **with)** *me* das ist mir recht

old [əʊld] *Adj* alt; **old age** *s* Alter *n*; ~ **pensioner** Rent-

ner(in) *m(f)*; **old-fashioned** *Adj* altmodisch; **old people's home** *s* Altersheim *n*

olive ['ɒlɪv] *s* Olive *f*; **olive oil** *s* Olivenöl *n*

Olympic [əʊ'lɪmpɪk] *Adj* olympisch; **the ~ Games, the ~s** *Pl* die Olympischen Spiele *Pl*, die Olympiade

omelette ['ɒmlət] *s* Omelett *n*

omit [əʊ'mɪt] *vt* auslassen

on [ɒn] **1.** *Präp (Position)* auf + *Dat*; *(mit Bewegung, Richtung)* auf + *Akk*; *(bei Wand etc, Tag)* an + *Dat*; *(mit Bewegung)* an + *Akk*; **it's ~ the table** es ist auf dem Tisch; **hang it ~ the wall** häng es an die Wand; **I haven't got it ~ me** ich habe es nicht bei mir; **~ TV** im Fernsehen; **~ the left** links; **~ the right** rechts; **~ the train/bus** im Zug/Bus; **~ the twelfth** am zwölften; **~ Sunday** am Sonntag; **~ Sundays** sonntags **2.** *Adj, Adv* TV, ELEK *what's ~ at the cinema?* was läuft im Kino?; *I've nothing ~ (nichts geplant)* ich habe nichts vor; *(keine Kleider an)* ich habe nichts an; **leave the light ~** das Licht brennen lassen

once [wʌns] **1.** *Adv* einmal; **at ~** sofort; *(zur gleichen Zeit)* gleichzeitig; **~ more** noch einmal; **for ~** ausnahmsweise (einmal); **~ in a while** ab und zu mal **2.**

Konj wenn … einmal; **~ you've got used to it** so-bald Sie sich daran ge-wöhnt haben

oncoming ['ɒnkʌmɪŋ] *Adj* entgegenkommend; **~ traffic** Gegenverkehr *m*

one [wʌn] **1.** *Zahl* eins **2.** *Adj* ein, eine, eins; (*nur die-se(r, s) eine*) einzige(r, s); **~ day** eines Tages; **the ~ and only** ~ der/die unver-gleichliche … **3.** *Pron* ei-ne(r, s); (*die Leute im All-gemeinen*) man; **the ~ who/ that** ~ der(jenige), der/ die(jenige), die/das(jenige), das …; **this ~, that** ~ die-ser/diese/dieses; **the blue** ~ der/die/das Blaue; **which ~?** welcher/welche/wel-ches?; **~ another** einander; **one-off 1.** *Adj* einmalig **2.** *s a* etwas Einmaliges; **one-parent family** *s* Einel-ternfamilie *f*; **one-piece** *Adj* einteilig; **oneself** *Pron* sich; **cut** ~ sich schneiden; **one-way** *Adj* **~ street** Ein-bahnstraße *f*; **~ ticket** (*US*) einfache Fahrkarte

onion ['ʌnjən] *s* Zwiebel *f*

on-line ['ɒnlaɪn] *Adj* IT on-line; **~ banking** Homeban-king *n*

only ['əʊnlɪ] **1.** *Adv* nur; (*mit Zeitangabe*) erst; **~ yester-day** erst gestern; **he's ~ four** er ist erst vier; **~ just arrived** gerade erst ange-kommen **2.** *Adj* einzige(r, s); **~ child** Einzelkind *n*

o.n.o. *Abk* = **or nearest of-fer;** VB

onside [ɒn'saɪd] *Adv* SPORT nicht im Abseits

onto ['ɒntʊ] *Präp* auf + *Akk*; (*bei senkrechter Fläche*) an + *Akk*

onwards ['ɒnwədz] *Adv* vo-ran, vorwärts; **from today** ~ von heute an, ab heute

opaque [əʊ'peɪk] *Adj* un-durchsichtig

open ['əʊpən] **1.** *Adj* offen; **in the ~ air** im Freien; **to the public** für die Öffent-lichkeit zugänglich; **the shop is ~ all day** das Ge-schäft hat den ganzen Tag offen **2.** *vt* öffnen, aufma-chen; (*Konferenz, Konto etc*) eröffnen; (*Straße*) dem Verkehr übergeben **3.** *vi* (*Tür, Fenster etc*) aufgehen, sich öffnen; (*Geschäft, Bank etc*) öffnen, aufma-chen; (*beginnen*) anfangen (*with* mit); **open day** *s* Tag *m* der offenen Tür; **open-ing** *s* Öffnung *f*; (*von Buch, Film etc*) Anfang *m*; (*offiziell*) Eröffnung *f*; **~ hours** (*od* **times**) Öff-nungszeiten *Pl*; **openly** *Adv* offen; **open-minded** *Adj* aufgeschlossen; **open-plan** *Adj* **~ office** Groß-raumbüro *n*

opera ['ɒpərə] *s* Oper *f*; **op-era glasses** *npl* Opernglas *n*; **opera house** *s* Oper *f*, Opernhaus *n*

operate ['ɒpəreɪt] **1.** *vt* (*Ma-*

schine etc) bedienen; (Bremse etc) betätigen **2.** vi (Maschine) laufen; (Bus etc) verkehren (between zwischen); **~ (on sb)** MED (jdn) operieren; operating theatre s Operationssaal m; operation [ɔpəˈreɪʃən] s (von Maschine etc) Bedienung f; MED Operation f (on an + Dat); (Aktion) Unternehmen n; **in ~** (Maschine, Gerät) in Betrieb; **have an ~** operiert werden (for wegen)

opinion [əˈpɪnjən] s Meinung f (on zu); **in my ~** meiner Meinung nach

opponent [əˈpəʊnənt] s Gegner(in) m(f)

opportunity [ˌɔpəˈtjuːnɪtɪ] s Gelegenheit f

oppose [əˈpəʊz] vt sich widersetzen + Dat; (Idee etc) ablehnen; opposed Adj **be ~ to sth** gegen etw sein; **as ~ to** im Gegensatz zu; opposing Adj (Mannschaft) gegnerisch; (Standpunkt) entgegengesetzt

opposite [ˈɔpəzɪt] **1.** Adj (Haus) gegenüberliegend; (Richtung) entgegengesetzt; **the ~ sex** das andere Geschlecht **2.** Adv gegenüber **3.** Präp gegenüber; **~ me** mir gegenüber **4.** s Gegenteil n

opposition [ˌɔpəˈzɪʃən] s Widerstand m (to gegen); POL Opposition f

oppress [əˈpres] vt unterdrücken

opt [ɔpt] vi **~ for sth** sich für etw entscheiden

optician [ɔpˈtɪʃən] s Optiker(in) m(f)

optimist [ˈɔptɪmɪst] s Optimist(in) m(f); optimistic [ˌɔptɪˈmɪstɪk] Adj optimistisch

optimum [ˈɔptɪməm] Adj optimal

option [ˈɔpʃən] s Möglichkeit f; WIRTSCH Option f; **have no ~** keine Wahl haben; optional Adj freiwillig; **~ extras** AUTO Extras Pl

or [ɔː] Konj oder; (ansonsten) sonst; **hurry up, ~ (else) we'll be late** beeil dich, sonst kommen wir zu spät

oral [ˈɔːrəl] **1.** Adj mündlich; **~ sex** Oralverkehr m **2.** s (Prüfung) Mündliche(s) n

orange [ˈɔrɪndʒ] **1.** s Orange f **2.** Adj orangefarben; orange juice s Orangensaft m

orbit [ˈɔːbɪt] s Umlaufbahn f **2.** vt umkreisen

orchard [ˈɔːtʃəd] s Obstgarten m

orchestra [ˈɔːkɪstrə] s Orchester n; (US) THEAT Parkett n

orchid [ˈɔːkɪd] s Orchidee f

ordeal [ɔːˈdiːl] s Tortur f; (psychische) Qual f

order [ˈɔːdə] **1.** s Reihenfolge f; (System) Ordnung f; (Anweisung) Befehl m; JUR Anordnung f; (Aussehen) Zustand m; (von Ware, im Restaurant) Bestellung f; **out of ~** (von Gerät etc) außer Betrieb; (*unschicklich*) nicht angebracht; *in* ~ (*Gegenstände*) richtig geordnet; (*funktionierend*) in Ordnung; *in* ~ *to do sth* um etw zu tun **2.** *vt* (*Papiere etc*) ordnen; (*als Vorgesetzter etc*) befehlen; ~ *sb to do sth* jdm befehlen, etw zu tun; (*Essen, Waren*) bestellen; **order form** *s* Bestellschein *m*

ordinary ['ɔːdnrɪ] *Adj* gewöhnlich, normal

ore [ɔːʳ] *s* Erz *n*

organ ['ɔːgən] *s* MUS Orgel *f*; ANAT Organ *n*

organic [ɔːˈgænɪk] *Adj* organisch; (*Anbau, Gemüse etc*) Bio-, Öko-; ~ *farmer* Biobauer *m*, Biobäuerin *f*; ~ *food* Biokost *f*

organization [ɔːgənaɪˈzeɪʃən] *s* Organisation *f*; (*Anordnung*) Ordnung *f*; **organize** ['ɔːgənaɪz] *vt* organisieren; **organizer** *s* (*elektronisches*) Notizbuch

orgasm ['ɔːgæzəm] *s* Orgasmus *m*

oriental [ɔːrɪˈentəl] *Adj* orientalisch

orientation ['ɔːrɪenteɪʃən] *s* Orientierung *f*

origin ['brɪdʒɪn] *s* Ursprung *m*; (*von Person*) Herkunft *f*; **original** [əˈrɪdʒɪnl] **1.** *Adj* ursprünglich; (*Gemälde*) original; (*Idee*) originell **2.** *s* Original *n*; **originally** *Adv* ursprünglich

Orkneys ['ɔːknɪz] *npl, Ork-* ney Islands *npl* Orkneyinseln *Pl*

ornamental [ɔːnəˈmentl] *Adj* dekorativ

orphan ['ɔːfən] *s* Waise *f*, Waisenkind *n*; **orphanage** ['ɔːfənɪdʒ] *s* Waisenhaus *n*

orthodox ['ɔːθədɒks] *Adj* orthodox

orthopaedic, **orthopedic** (*US*) [ɔːθəʊˈpiːdɪk] *Adj* orthopädisch

ostrich ['ɒstrɪtʃ] *s* ZOOL Strauß *m*

other ['ʌðəʳ] *Adj*, *Pron* andere(r, s); *any* ~ *questions?* sonst noch Fragen?; *the* ~ *day* neulich; *every* ~ *day* jeden zweiten Tag; *someone/something or* ~ irgend jemand/irgend etwas; *otherwise Adv* sonst; (*von der Art her*) anders

OTT *Adj Abk* = *over the top*; übertrieben

otter ['ɒtəʳ] *s* Otter *m*

ought [ɔːt] *vhilf* (*Verpflichtung*) sollte; (*Wahrscheinlichkeit*) dürfte; (*stärker*) müsste; *you* ~ *to do that* Sie sollten das tun; *that* ~ *to do* das müsste (*od dürfte*) reichen

ounce [aʊns] *s* Unze *f* (*28,35 g*)

our [aʊəʳ] *Adj* unser; **ours** *Pron* unsere(r, s); *this is* ~ das gehört uns; *a friend of* ~ ein Freund von uns; **ourselves** *Pron* uns; *we enjoyed* ~ wir haben uns amüsiert; *we've got the*

***house to* ~** wir haben das
Haus für uns; (*verstärkend*)
***we did it* ~** wir haben es
selbst gemacht; **(*all*) by ~**
allein

out [aut] *Adv* hinaus/heraus;
draußen; (*Person*) nicht zu
Hause; (*Licht, Feuer*) aus;
(*ohnmächtig*) bewusstlos;
(*Buch*) herausgekommen;
(*Ergebnisse*) bekannt geworden; **have you been ~ yet?**
waren Sie schon draußen?;
I was ~ when they called
ich war nicht da, als sie
vorbeikamen; **be ~ and a-
bout** unterwegs sein; ***the
fire is* ~** das Feuer ist aus-
gegangen

outback ['autbæk] *s* (*in Australien*) **the ~** das Hinterland

outboard ['autbɔːd] *Adj* **~
motor** Außenbordmotor *m*

outbreak ['autbreik] *s* Ausbruch *m*

outcome ['autkʌm] *s* Ergebnis *n*

outcry ['autkrai] *s* Protest-
welle *f* (*against* gegen)

outdo [aut'duː] *unreg vt*
übertreffen

outdoor ['autdɔː*r*] *Adj* Au-
ßen-; SPORT im Freien; **~
swimming pool** Freibad *n*;
outdoors [aut'dɔːz] *Adv*
draußen, im Freien

outer ['autə*r*] *Adj* äußere(r,
s); **outer space** *s* Weltraum
m

outfit ['autfit] *s* Ausrüstung
f; Kleidung *f*

outgoing ['autgəuiŋ] *Adj*

kontaktfreudig

outgrow [aut'grəu] *unreg vt*
(*aus Kleidung*) herauswach-
sen aus

outing ['autiŋ] *s* Ausflug *m*

outlet ['autlet] *s* Auslass *m*,
Abfluss *m*; (*US*) Steckdose
f; (*Geschäft*) Verkaufsstelle *f*

outline ['autlain] *s* Umriss
m; (*kurze Zusammenfas-
sung*) Abriss *m*

outlive [aut'liv] *vt* überleben

outlook ['autluk] *s* Aus-
sicht(en) *f* (*Pl*); (*Haltung*)
Einstellung *f* (*on* zu)

outnumber [aut'nʌmbə*r*] *vt*
zahlenmäßig   überlegen
sein + *Dat*; **~ed** zahlenmäßig unterlegen

out of ['autɒv] *Präp* aus;
(*Positionsangabe*) außerhalb + *Gen*; **~ danger/
sight/breath** außer Gefahr/
Sicht/Atem; **made ~ wood**
aus Holz gemacht; **we are
~ bread** wir haben kein
Brot mehr; **out-of-date** *Adj*
veraltet;   **out-of-the-way**
Adj abgelegen

outpatient ['autpeiʃənt] *s*
ambulanter Patient, ambu-
lante Patientin

output ['autput] *s* Produktion
f; (*von Maschine*) Leistung *f*; IT Ausgabe *f*

outrage ['autreidʒ] *s* (*über
Beschluss etc*) Empörung *f*
(*at* über); Schandtat *f*, Verbrechen *n*; Skandal *m*; **out-
rageous** [aut'reidʒəs] *Adj*
unerhört; (*Auftreten etc*)

unmöglich, schrill

outright ['aʊtraɪt] **1.** *Adv* sofort **2.** *Adj* total; (*Ablehnung, Leugnen*) völlig; (*Sieger*) unbestritten

outside [aʊt'saɪd] **1.** *s* Außenseite f; **on the ~** außen **2.** *Adj* äußere(r, s), Außen-; (*Chance*) sehr gering **3.** *Adv* außen; **go ~** nach draußen gehen **4.** *Präp* außerhalb + *Gen*; **outsider** *s* Außenseiter(in) m(f)

outsize ['aʊtsaɪz] *Adj* übergroß; (*Kleidung*) in Übergröße

outskirts ['aʊtskɜːts] *npl* (*von Stadt*) Stadtrand m

outstanding [aʊt'stændɪŋ] *Adj* hervorragend; (*Schulden etc*) ausstehend

outward ['aʊtwəd] *Adj* äußere(r, s); **~ journey** Hinfahrt f; **outwardly** *Adv* nach außen hin; **outwards** *Adv* nach außen

oval ['əʊvl] *Adj* oval

ovary ['əʊvərɪ] *s* Eierstock m

ovation [əʊ'veɪʃən] *s* Ovation f, Applaus m

oven ['ʌvn] *s* Backofen m; **ovenproof** *Adj* feuerfest

over ['əʊvər] **1.** *Präp* (*Position*) über + *Dat*; (*Bewegung*) über + *Akk*; **they spent a long time ~ it** sie haben lange dazu gebraucht; **from all ~ England** aus ganz England; **~ £20** mehr als 20 Pfund; **~ the phone/radio** am Telefon/im Radio; **talk ~ a** *glass of wine* sich bei einem Glas Wein unterhalten; **~ the summer** während des Sommers **2.** *Adv* (*Richtung*) hinüber/herüber; (*Veranstaltung, Sommer etc*) vorbei; (*Spiel, Kampf etc*) zu Ende; (*als Rest*) übrig; **there/in America** da drüben/drüben in Amerika; **~ to you** Sie sind dran; **it's (all) ~ between us** es ist aus zwischen uns; **~ and ~ again** immer wieder; **start (all) ~ again** noch einmal von vorn anfangen; **children of 8 and ~** Kinder von 8 Jahren und darüber

over- ['əʊvər] *Präfix* über-

overall ['əʊvərɔːl] **1.** *s* (*Brit*) Kittel m **2.** *Adj* (*Lage etc*) allgemein; (*Länge etc*) Gesamt-; **~ majority** absolute Mehrheit **3.** *Adv* insgesamt; **overalls** *npl* Overall m

overboard ['əʊvəbɔːd] *Adv* über Bord

overbooked [əʊvə'bʊkt] *Adj* überbucht

overcharge [əʊvə'tʃɑːdʒ] *vt* zu viel verlangen von

overcome [əʊvə'kʌm] *unreg vt* überwinden; **~ by sleep/ emotion** von Schlaf/Rührung übermannt

overcooked [əʊvə'kʊkt] *Adj* zu lange gekocht; (*Fleisch*) zu lange gebraten

overcrowded [əʊvə'kraʊdɪd] *Adj* überfüllt

overdo [əʊvə'duː] *unreg vt*

übertreiben; **you're ~ing it** du übertreibst es; **overdone** *Adj* übertrieben; (*Essen*) zu lange gekocht; (*Fleisch*) zu lange gebraten

overdose ['əʊvədəʊs] *s* Überdosis *f*

overdraft ['əʊvədrɑːft] *s* Kontoüberziehung *f*; **overdrawn** [əʊvə'drɔːn] *Adj* überzogen

overdue [əʊvə'djuː] *Adj* überfällig

overestimate [əʊvər'estimeit] *vt* überschätzen

overexpose [əʊvəriks'pəʊz] *vt* FOTO überbelichten

overflow [əʊvə'fləʊ] *vi* überlaufen

overhead 1. ['əʊvəhed] *Adj* **~ locker** FLUG Gepäckfach *n*; **~ projector** Overheadprojektor *m*; **~ railway** Hochbahn *f* **2.** [əʊvə'hed] *Adv* oben

overhear [əʊvə'hɪə^r] *unreg vt* zufällig mit anhören

overheat [əʊvə'hiːt] *vi* (*Maschine, Motor*) heiß laufen

overjoyed [əʊvə'dʒɔɪd] *Adj* überglücklich (*at* über)

overland ['əʊvələnd] *Adj* Überland- **2.** [əʊvə'lænd] *Adv* (*reisen*) über Land

overlap [əʊvə'læp] *vi* (*Termine etc*) sich überschneiden; (*Gegenstände*) sich teilweise decken

overload [əʊvə'ləʊd] *vt* überladen

overlook [əʊvə'lʊk] *vt* überblicken; (*nicht bemerken*) über-

übersehen; (*wohlwollend*) hinwegsehen über + *Akk*

overnight [əʊvə'naɪt] **1.** *Adj* (*Zug etc*) Nacht-; **~ bag** Reisetasche *f*; **~ stay** Übernachtung *f* **2.** *Adv* über Nacht

overpass ['əʊvəpɑːs] *s* Überführung *f*

overpay [əʊvə'peɪ] *vt* überbezahlen

overrule [əʊvə'ruːl] *vt* verwerfen; (*Beschluss*) aufheben

overseas [əʊvə'siːz] **1.** *Adj* (*reisen*; *umg* Auslands-; **~ students** Studenten aus Übersee **2.** *Adv* (*reisen*) nach Übersee; (*leben, arbeiten*) in Übersee

oversee [əʊvə'siː] *unreg vt* beaufsichtigen

overshadow [əʊvə'ʃædəʊ] *vt* überschatten

oversight ['əʊvəsaɪt] *s* Versehen *n*

oversimplify [əʊvə'sɪmplɪfaɪ] *vt* zu sehr vereinfachen

oversleep [əʊvə'sliːp] *unreg vi* verschlafen

overtake [əʊvə'teɪk] *unreg vt*, *vi* überholen

overtime ['əʊvətaɪm] *s* Überstunden *Pl*

overturn [əʊvə'tɜːn] *vt*, *vi* umkippen

overweight [əʊvə'weɪt] *Adj* **be ~** Übergewicht haben

overwhelm [əʊvə'welm] *vt* überwältigen; **overwhelming** *Adj* überwältigend

overwork [əʊvə'wɜːk] **1.**

Überarbeitung f **2.** vi sich überarbeiten; **overworked** Adj überarbeitet

owe [əʊ] vt schulden; **~ sth to sb** (Geld) jdm etw schulden; (Gefallen etc) jdm etw verdanken; **how much do I ~ you?** was bin ich Ihnen schuldig?; owing to Präp wegen + Gen

owl [aʊl] s Eule f

own [əʊn] **1.** vt besitzen **2.** Adj eigen; **on one's ~** allein; **he has a flat of his ~** er hat eine eigene Wohnung; **owner** s Besitzer(in)

m(f); (von Firma etc) Inhaber(in) m(f); **ownership** s Besitz m; **under new ~** unter neuer Leitung

ox (oxen) [ɒks, 'ɒksn] s Ochse m; **oxtail** ['ɒksteɪl] s Ochsenschwanz m; **~ soup** Ochsenschwanzsuppe f

oxygen ['ɒksɪdʒən] s Sauerstoff m

oyster ['ɔɪstər] s Auster f

oz Abk = **ounces**; Unzen Pl

Oz ['ɒz] s umg Australien n

ozone ['əʊzəʊn] s Ozon n; **~ layer** Ozonschicht f

P

p 1. Abk = **page**; S. **2.** s Abk = **penny, pence**

p.a. Abk = **per annum**

pace [peɪs] s (Geschwindigkeit) Tempo n; (mit Fuß) Schritt m; **pacemaker** s MED Schrittmacher m

Pacific [pə'sɪfɪk] s **the ~** (Ocean) der Pazifik

pacifier ['pæsɪfaɪə] s (US) Schnuller m

pack [pæk] **1.** s (Karten) Spiel n; (bes US, Zigaretten) Schachtel f; (Gang) Bande f; (US, zum Tragen) Rucksack m **2.** vt (Tasche etc) packen; (Kleidung etc) einpacken **3.** vi packen; **pack in** vt (Brit) umg (Arbeit) hinschmeißen; **package** ['pækɪdʒ] s Paket n;

package deal s Pauschalangebot n; **package holiday, package tour** s Pauschalreise f; **packaging** s Verpackung f; **packed lunch** s (Brit) Lunchpaket n; **packet** s Päckchen n; (Zigaretten) Schachtel f

pad [pæd] s Schreibblock m; (von Kleidungsstück) Polster n; **padded envelope** s wattierter Umschlag; **padding** s Polsterung f

paddle ['pædl] **1.** s Paddel n **2.** vi paddeln; **paddling pool** s (Brit) Planschbecken n

padlock ['pædlɒk] s Vorhängeschloss n

page [peɪdʒ] s (Buch) Seite f

pager ['peɪdʒər] s Piepser m

paid [peɪd] **1.** *pt, pp von* **pay**
2. *Adj* bezahlt

pain [peɪn] *s* Schmerz *m*; **be**
in ~ Schmerzen haben;
she's a (real) ~ sie nervt;
painful *Adj* schmerzhaft;
painkiller *s* schmerzstillendes Mittel

painstaking *Adj* sorgfältig

paint [peɪnt] **1.** *s* Farbe *f* **2.**
vt anstreichen; (*Bild*) malen; **paintbrush** *s* Pinsel *m*;
painter *s* Maler(in) *m(f)*;
painting *s* Bild *n*, Gemälde
n

pair [peəʳ] *s* Paar *n*; **a ~ of**
shoes ein Paar Schuhe; **a**
~ of scissors eine Schere;
a ~ of trousers eine Hose

pajamas [pə'dʒɑːməz] *npl*
(*US*) Schlafanzug *m*

Pakistan [pɑːkɪ'stɑːn] *s* Pakistan *n*

pal [pæl] *s* *umg* Kumpel *m*

palace ['pæləs] *s* Palast *m*

pale [peɪl] *Adj* (*Gesicht*)
blass, bleich; (*Farbe*) hell

palm [pɑːm] *s* Handfläche *f*; ~
(**tree**) Palme *f*; **palmtop**
(**computer**) *s* Palmtop(computer) *m*

pamper ['pæmpəʳ] *vt* verhätscheln

pan [pæn] *s* (*zum Kochen*)
Topf *m*; (*zum Braten*) Pfanne *f*; **pancake** ['pænkeɪk] *s*
Pfannkuchen *m*; **Pancake**
Day *s* (*Brit*) Fastnachtsdienstag *m*

panda ['pændə] *s* Panda *m*

pane [peɪn] *s* Scheibe *f*

panel ['pænl] *s* (*aus Holz*)

Tafel *f*; (*in Diskussion*) Diskussionsteilnehmer *Pl*

panic ['pænɪk] **1.** *s* Panik *f*
2. *vi* in Panik geraten; **panicky** ['pænɪkɪ] *Adj* panisch

pansy ['pænzɪ] *s* (*Blume*)
Stiefmütterchen *n*

panties ['pæntɪz] *npl* (Damen)slip *m*

pantomime ['pæntəmaɪm] *s*
(*Brit*) um die Weihnachtszeit aufgeführte Märchenkomödie

pants [pænts] *npl* Unterhose
f; (*bes US*) Hose *f*

pantyhose ['pæntɪhəʊz] *npl*
(*US*) Strumpfhose *f*; **panty-liner** *s* Slipeinlage *f*

paper ['peɪpəʳ] **1.** *s* Papier *n*;
Zeitung *f*; (*Prüfung*) Klausur *f*; (*Vortrag*) Referat *n*;
~s *Pl* (*Ausweis*) Papiere *Pl*;
~ bag Papiertüte *f*; **~ cup**
Pappbecher *m* **2.** *vt* tapezieren; **paperback** *s* Taschenbuch *n*; **paper clip** *s*
Büroklammer *f*; **paper**
feed *s* (*Drucker etc*) Papiereinzug *m*; **paperwork** *s*
Schreibarbeit *f*

parachute ['pærəʃuːt] **1.** *s*
Fallschirm *m* **2.** *vi* abspringen

paracetamol [pærə'siːtəmɒl]
s (*Tablette*) Paracetamoltablette *f*

parade [pə'reɪd] **1.** *s* (*bei*
Fest) Umzug *m*; *Mil* Parade
f **2.** *vi* vorbeimarschieren

paradise ['pærədaɪs] *s* Paradies *n*

paragliding ['pærəglaɪdɪŋ] *s*

Gleitschirmfliegen n

paragraph ['pærəgrɑ:f] s Absatz m

parallel ['pærəlel] 1. Adj parallel 2. s MATHE fig Parallele f

paralyze ['pærəlaɪz] vt lähmen; fig lahm legen

paranoid ['pærənɔɪd] Adj paranoid

paraphrase ['pærəfreɪz] vt umschreiben; anders ausdrücken

parasailing ['pærəseɪlɪŋ] s Parasailing n

parasol ['pærəsɒl] s Sonnenschirm m

parcel ['pɑ:sl] s Paket n

pardon ['pɑ:dn] s JUR Begnadigung f; **me/I beg your ~** verzeihen Sie bitte; (Einwand) aber ich bitte Sie; **I beg your ~?/~ me?** wie bitte?

parent ['peərənt] s Elternteil m; ~s Pl Eltern Pl; **~s-in-law** Pl Schwiegereltern Pl; **parental** [pəˈrentl] Adj elterlich, Eltern-

parish ['pærɪʃ] s Gemeinde f

park [pɑ:k] 1. s Park m 2. vt, vi parken; **parking** s Parken n; **'no ~'** "Parken verboten"; **parking disc** s Parkscheibe f; **parking fine** s Geldbuße f für falsches Parken; **parking lights** npl (US) Standlicht n; **parking lot** s (US) Parkplatz m; **parking meter** s Parkuhr f; **parking place, parking space** s Parkplatz m; **park-**

ing ticket s Strafzettel m

parliament ['pɑ:ləmənt] s Parlament n

parrot ['pærət] s Papagei m

parsley ['pɑ:slɪ] s Petersilie f

parsnip ['pɑ:snɪp] s Pastinake f (längliches, weißes Wurzelgemüse)

part [pɑ:t] 1. s Teil m; (Maschine etc) Teil n; THEAT Rolle f; (US, Haar) Scheitel m; **take ~** teilnehmen (in an + Dat); **for the most ~** zum größten Teil 2. vt Teil- 3. vt (Haar) scheiteln 4. vi (Personen) sich trennen

partial ['pɑ:ʃəl] Adj teilweise, Teil-; (voreingenommen) parteiisch

participant [pɑ:ˈtɪsɪpənt] s Teilnehmer(in) m(f); **participate** [pɑ:ˈtɪsɪpeɪt] vi teilnehmen (in an + Dat)

particular [pəˈtɪkjʊlə*] 1. Adj (speziell) bestimmt; (exakt) genau; (pingelig) eigen; **in ~** insbesondere 2. ~s Pl (Details) Einzelheiten Pl; (von Person) Personalien Pl; **particularly** Adv besonders

parting ['pɑ:tɪŋ] s Abschied m; (Brit, Haar) Scheitel m

partly ['pɑ:tlɪ] Adv teilweise

partner ['pɑ:tnə*] s Partner(in) m(f); **partnership** s Partnerschaft f

partridge ['pɑ:trɪdʒ] s Rebhuhn n

part-time ['pɑ:t'taɪm] 1. Adj Teilzeit- 2. Adv **work**

Teilzeit arbeiten
party ['pɑːtɪ] **1.** s Party f;
POL, JUR Partei f; (von
Wanderern etc) Gruppe f **2.**
vi feiern

pass [pɑːs] **1.** vt vorbeigehen an + Dat; vorbeifahren
an + Dat; (Zeit) verbrin-
gen; (Prüfung) bestehen;
(Gesetz) verabschieden; ~
sth to sb, ~ **sb sth** jdm
etw reichen; ~ **the ball to
sb** jdm den Ball zuspielen
2. vi vorbeigehen; vorbeifahren; (Zeit) vergehen;
(bei Prüfung) bestehen **3.** s
(Dokument) Ausweis m;
SPORT Pass m; **pass away**
vi (sterben) verscheiden;
pass by 1. vi vorbeigehen;
vorbeifahren **2.** vt vorbeigehen an + Dat; vorbeifahren an + Dat; **pass on** vt
weitergeben (to an + Akk);
(Krankheit) übertragen (to
auf + Akk); **pass out** vi
ohnmächtig werden; **pass
round** vt herumreichen
passage ['pæsɪdʒ] s (zwischen Zimmern) Gang m;
(in Buch etc) Passage f; pas-
sageway s Durchgang m
passenger ['pæsɪndʒə] s
Passagier(in) m(f); (Bus,
Zug etc) Fahrgast m; (Zug)
Reisende(r) mf; (in Auto)
Mitfahrer(in) m(f)
passer-by (passers-by Pl)
['pɑːsə'baɪ] s Passant(in)
m(f)
passion ['pæʃən] s Leidenschaft f; **passionate** ['pæʃ-

ənɪt] Adj leidenschaftlich;
passion fruit s Passions-
frucht f
passive ['pæsɪv] **1.** Adj passiv **2.** s ~ **(voice)** LING Passiv n
passport ['pɑːspɔːt] s (Reise)pass m; **passport control** s Passkontrolle f
password ['pɑːswɜːd] s IT
Passwort n
past [pɑːst] **1.** s Vergangenheit f **2.** Adv vorbei; **it's
five** ~ es ist fünf nach **3.**
Adj vergangen; ehemalig;
in the ~ **two months** in
den letzten zwei Monaten
4. Präp (zeitlich) nach; **it's
half** ~ **10** es ist halb 11; **go**
~ **sth** an etw Dat vorbeige-
hen/-fahren
pasta ['pæstə] s Nudeln Pl
paste [peɪst] **1.** vt kleben; IT
einfügen **2.** s Kleister m
pastime ['pɑːstaɪm] s Zeitvertreib m
pastry ['peɪstrɪ] s Teig m;
(Gebäck) Stückchen n
pasty ['pæstɪ] s (Brit) Pastete f
patch [pætʃ] **1.** s (Stelle)
Fleck m; (auf Kleidung etc)
Flicken m **2.** vt flicken
pâté ['pæteɪ] s Pastete f
paternal [pə'tɜːnl] Adj väterlich; ~ **grandmother** Großmutter f väterlicherseits; **paternity leave** [pə'tɜːnɪtɪliːv]
s Elternzeit f (Vaters)
path [pɑːθ] s a. IT Pfad m; a.
fig Weg m
pathetic [pə'θetɪk] Adj kläg-

lich, erbärmlich; **it's ~** es ist zum Heulen

patience ['peɪʃəns] s Geduld f; (Brit) (Karten) Patience f; **patient 1.** Adj geduldig **2.** s Patient(in) m(f)

patio ['pætɪəʊ] s Terrasse f

patriotic [pætrɪ'ɒtɪk] Adj patriotisch

patrol car [pə'trəʊlkɑ:r] s Streifenwagen m; **patrolman** (**-men** Pl) s (US) Streifenpolizist m

patron ['peɪtrən] s (Sponsor) Förderer m, Förderin f; (in Geschäft) Kunde m, Kundin f

patronize ['pætrənaɪz] vt von oben herab behandeln; **patronizing** Adj (Art) herablassend

pattern ['pætən] s Muster n

pause [pɔ:z] **1.** s Pause f **2.** vi (beim Sprechen etc) innehalten

pavement s (Brit) Bürgersteig m

pay (paid, paid) [peɪ, peɪd] **1.** vt bezahlen; **he paid (me) £20 for it** er hat (mir) 20 Pfund dafür gezahlt; **~ attention** (to) Acht geben (to auf + Akk); **~ sb a visit** jdn besuchen **2.** vi bezahlen; sich bezahlt machen; **~ for sth** etw bezahlen **3.** s Bezahlung f, Lohn m; **pay back** vt zurückzahlen; **pay in** vt (auf Konto) einzahlen; **payable** Adj zahlbar; (Rückzahlung) fällig; **payday** s Zahltag m; **payee**

[peɪ'i:] s Zahlungsempfänger(in) m(f); **payment** s Bezahlung f; (Geldbetrag) Zahlung f; **pay phone** s Münzfernsprecher m

PC 1. Abk = **personal computer**; PC m **2.** Abk = **politically correct**; politisch korrekt

PDA Abk = **personal digital assistant**; PDA m

PE Abk = **physical education**; (Schule) Sport m

pea [pi:] s Erbse f

peace [pi:s] s Frieden m; **peaceful** Adj friedlich

peach [pi:tʃ] s Pfirsich m

peacock ['pi:kɒk] s Pfau m

peak [pi:k] s (Berg) Gipfel m; fig Höhepunkt m; **peak period** s Stoßzeit f, Hochsaison f

peanut ['pi:nʌt] s Erdnuss f; **peanut butter** s Erdnussbutter f

pear [peə'] s Birne f

pearl [pɜ:l] s Perle f

pebble ['pebl] s Kiesel m

pecan [pɪ'kæn] s Pekannuss f

peck [pek] vt, vi picken; **peckish** Adj (Brit) umg ein bisschen hungrig

peculiar [pɪ'kju:lɪə'] Adj seltsam; **~ to** charakteristisch für; **peculiarity** [pɪkju:lɪ'ærɪtɪ] s Besonderheit f, Eigenartigkeit f

pedal ['pedl] s Pedal n

pedestrian [pɪ'destrɪən] s Fußgänger(in) m(f); **pedestrian crossing** s Fußgängerüberweg m

pee [piː] *vi umg* pinkeln

peel [piːl] **1.** *s* Schale *f* **2.** *vt* schälen **3.** *vi* (*Farbe etc*) abblättern; (*Haut etc*) sich schälen

peer [pɪəʳ] **1.** *s* Gleichaltrige(r) *mf* **2.** *vi* starren

peg [peg] *s* (für Kleider etc) Haken *m*; (clothes) ~ (Wäsche)klammer *f*

pelvis ['pelvɪs] *s* Becken *n*

pen [pen] *s* Kuli *m*, Kugelschreiber *m*; Füller *m*

penalize ['piːnəlaɪz] *vt* bestrafen; penalty ['penltɪ] *s* Strafe *f*; (Fußball) Elfmeter *m*

pence [pens] *Pl von* **penny**

pencil ['pensl] *s* Bleistift *m*; pencil sharpener *s* (Bleistift)spitzer *m*

penetrate ['penɪtreɪt] *vt* durchdringen; eindringen in + Akk

penfriend ['penfrend] *s* Brieffreund(in) *m*(*f*)

penguin ['peŋgwɪn] *s* Pinguin *m*

penicillin [penɪ'sɪlɪn] *s* Penizillin *n*

peninsula [pɪ'nɪnsjʊlə] *s* Halbinsel *f*

penis ['piːnɪs] *s* Penis *m*

penknife ['pennaɪf] (penknives *Pl* 'pennaɪvz] *s* Taschenmesser *n*

penny (pence *od* pennies *Pl* ['penɪ, pens]) *s* (*Brit*) Penny *m*; (*US*) Centstück *n*

pension ['penʃən] *s* Rente *f*; (von Beamten) Pension *f*;

pensioner *s* Rentner(in) *m*(*f*); pension plan, pension scheme *s* Rentenversicherung *f*

penultimate [pɪ'nʌltɪmət] *Adj* vorletzte(r, s)

people ['piːpl] *npl* (*Personen*) Leute *Pl*, Volk *n*; (*Einwohner*) Bevölkerung *f*; people carrier *s* Minivan *m*

pepper ['pepəʳ] *s* Pfeffer *m*; (*Gemüse*) Paprika *m*; peppermint *s* Pfefferminz *n*

per [pɜːʳ] *Präp* pro; ~ annum pro Jahr; ~ cent Prozent *n*

percentage [pə'sentɪdʒ] *s* Prozentsatz *m*

percolator ['pɜːkəleɪtəʳ] *s* Kaffeemaschine *f*

percussion [pə'kʌʃən] *s* MUS Schlagzeug *n*

perfect ['pɜːfɪkt] **1.** *Adj* perfekt; (*Stille etc*) völlig **2.** [pə'fekt] *vt* vervollkommnen; perfectly *Adv* perfekt; (*absolut*) völlig

perform [pə'fɔːm] **1.** *vt* (*Aufgabe*) ausführen; (*Theaterstück*) aufführen; MED (*Operation*) durchführen **2.** *vi* THEAT auftreten; performance *s* (*in Theater etc*) Vorstellung *f*; (*bei Arbeit, von Motor etc*) Leistung *f*

perfume ['pɜːfjuːm] *s* Duft *m*; (*Kosmetik*) Parfüm *n*

perhaps [pə'hæps] *Adv* vielleicht

peril ['peril] *s* Gefahr *f*

period ['pɪərɪəd] *s* (*Zeitspanne*) Zeit *f*; (*historisch*) Zeitalter *n*; (*Schule*) Stunde *f*; MED Periode *f*; (*US, Satzzeichen*) Punkt *m*; **for a ~ of three years** für einen Zeitraum von drei Jahren; **periodical** [ˌpɪərɪ-'ɒdɪkəl] *s* Zeitschrift *f*

peripheral [pə'rɪfərəl] *s* IT Peripheriegerät *n*

perish [ˈperɪʃ] *vi* (*Lebewesen*) umkommen; (*Lebensmittel*) verderben

perjury [ˈpɜːdʒərɪ] *s* Meineid *m*

perm [pɜːm] *s* Dauerwelle *f*

permanent, permanently [ˈpɜːmənənt, -lɪ] *Adj, Adv* ständig

permission [pə'mɪʃən] *s* Erlaubnis *f*; **permit** [ˈpɜːmɪt] **1.** *s* Genehmigung *f* **2.** [pə'mɪt] *vt* erlauben, zulassen; **~ sb to do sth** jdm erlauben, etw zu tun

persecute [ˈpɜːsɪkjuːt] *vt* verfolgen

perseverance [ˌpɜːsɪ'vɪərəns] *s* Ausdauer *f*

Persian [ˈpɜːʃən] *Adj* persisch

persist [pə'sɪst] *vi* (*überzeugungsmäßig*) bleiben (*in* bei); (*Regen etc*) andauern; **persistent** *Adj* beharrlich

person [ˈpɜːsn] *s* Mensch *m*; Person *f*; **in ~** persönlich; **personal** *Adj* persönlich; privat; **personality** [ˌpɜːsə'nælɪtɪ] *s* Persönlichkeit *f*; **personal organizer** *s* Organizer *m*; **personal stereo** (*-s Pl*) *s* Walkman® *m*; **personnel** [ˌpɜːsə'nel] *s*

Personal *n*

perspective [pə'spektɪv] *s* Perspektive *f*

perspire [pə'spaɪər] *vi* schwitzen

persuade [pə'sweɪd] *vt* überreden; (*völlig umstimmen*) überzeugen; **persuasive** [pə'sweɪsɪv] *Adj* überzeugend

perverse [pə'vɜːs] *Adj* pervers; (*hartnäckig beharrend*) eigensinnig; **pervert** [ˈpɜːvɜːt] **1.** *s* Perverse(r) *mf* **2.** [pə'vɜːt] *vt* (*moralisch*) verderben

pessimist [ˈpesɪmɪst] *s* Pessimist(in) *m(f)*; **pessimistic** [ˌpesɪ'mɪstɪk] *Adj* pessimistisch

pest [pest] *s* (*Insekt*) Schädling *m*; *fig* Nervensäge *f*; (*Zustand*) Plage *f*; **pester** [ˈpestər] *vt* plagen; **pesticide** [ˈpestɪsaɪd] *s* Schädlingsbekämpfungsmittel *n*

pet [pet] *s* (*Tier*) Haustier *n*; (*Person*) Liebling *m*

petition [pə'tɪʃən] *s* Petition *f*

petrol [ˈpetrəl] *s* (*Brit*) Benzin *n*; **petrol pump** *s* Zapfsäule *f*; **petrol station** *s* Tankstelle *f*; **petrol tank** *s* Benzintank *m*

pharmacy [ˈfɑːməsɪ] *s* Apotheke *f*

phase [feɪz] *s* Phase *f*

PhD *Abk* = **Doctor of Philosophy**; Dr. phil; (*schriftliche Arbeit*) Doktorarbeit *f*; **do one's ~** promovieren

pheasant [ˈfeznt] *s* Fasan *m*

phenomenon (*phenomena*) [fɪ'nɒmɪnən, fɪ'nɒmɪnə] *s* Phänomen *n*

Philippines ['fɪlɪpiːnz] *npl* Philippinen *Pl*

philosophical [fɪlə'sɒfɪkəl] *Adj* philosophisch; *fig* gelassen; **philosophy** [fɪ'lɒsəfɪ] *s* Philosophie *f*

phone [fəʊn] **1.** *s* Telefon *n* **2.** *vt, vi* anrufen; **phone book** *s* Telefonbuch *n*; **phone bill** *s* Telefonrechnung *f*; **phone booth, phone box** (*Brit*) *s* Telefonzelle *f*; **phonecall** *s* Telefonanruf *m*; **phonecard** *s* Telefonkarte *f*; **phone number** *s* Telefonnummer *f*

photo (*-s Pl*) ['fəʊtəʊ] *s* Foto *n*; **photo booth** *s* Fotoautomat *m*; **photocopier** ['fəʊtəʊ'kɒpɪə] *s* Kopiergerät *n*; **photocopy** ['fəʊtəʊkɒpɪ] **1.** *s* Fotokopie *f* **2.** *vt* fotokopieren; **photograph** ['fəʊtəʊgrɑːf] **1.** *s* Fotografie *f*, Aufnahme *f* **2.** *vt* fotografieren; **photographer** [fə'tɒgrəfə] *s* Fotograf(in) *m(f)*; **photography** [fə'tɒgrəfɪ] *s* Fotografie *f*

phrase [freɪz] **1.** *s* Redewendung *f*, Ausdruck *m*; **phrase book** *s* Sprachführer *m*

physical ['fɪzɪkəl] **1.** *Adj* körperlich, physisch **2.** *s* ärztliche Untersuchung; **physically** *Adv* körperlich, physisch; **~ handicapped** körperbehindert

physician [fɪ'zɪʃən] *s* Arzt *m*, Ärztin *f*

physics ['fɪzɪks] *nsing* Physik *f*

physiotherapy [fɪzɪə'θerəpɪ] *s* Physiotherapie *f*

physique [fɪ'ziːk] *s* Körperbau *m*

piano (*-s Pl*) ['pjɑːnəʊ] *s* Klavier *n*

pick [pɪk] *vt* pflücken; (*einzelne Dinge, Personen*) auswählen; (*Team etc*) aufstellen; **pick out** *vt* auswählen; **pick up** *vt* (*vom Boden etc*) aufheben; (*Personen, Paket*) abholen; (*Neues*) lernen

pickle ['pɪkl] **1.** *s* (*eingelegtes Gemüse*) (Mixed) Pickles *Pl* **2.** *vt* einlegen

pickpocket ['pɪkpɒkɪt] *s* Taschendieb(in) *m(f)*

picnic ['pɪknɪk] *s* Picknick *n*

picture ['pɪktʃə] *s* Bild *n*; **go to the ~s** (*Brit*) ins Kino gehen **2.** *vt* (*gedanklich*) sich vorstellen; **picture book** *s* Bilderbuch *n*; **picturesque** [pɪktʃə'resk] *Adj* malerisch

pie [paɪ] *s* (*mit Fleisch*) Pastete *f*; (*mit Obst*) Kuchen *m*

piece [piːs] *s* Stück *n*, Teil *n*; (*Schach*) Figur *f*; (*Damespiel*) Stein *m*; **a ~ of cake** ein Stück Kuchen; **fall to ~s** auseinanderfallen

pier [pɪə] *s* Pier *m*

pierce [pɪəs] *vt* durchstechen, durchbohren; (*Kälte, Geräusch*) durchdringen; **pierced** *Adj* (*Körperteil*) gepierct; **piercing** *Adj*

durchdringend
pig [pɪg] s Schwein n
pigeon ['pɪdʒən] s Taube f
piggy ['pɪgɪ] Adj ung verfressen; **pigheaded** ['pɪg-'hedɪd] Adj dickköpfig; **piglet** ['pɪglɪt] s Ferkel n; **pigsty** ['pɪgstaɪ] s Schweinestall m; **pigtail** ['pɪgteɪl] s Zopf m
pile [paɪl] s Haufen m; Stapel m; **pile up** vi sich anhäufen
pile-up ['paɪlʌp] s AUTO Massenkarambolage f
pill [pɪl] s Tablette f; **the ~** die (Antibaby)pille; **be on the ~** die Pille nehmen
pillar ['pɪlə*] s Pfeiler m
pillow ['pɪləʊ] s (Kopf)kissen n; **pillowcase** s (Kopf)kissenbezug m
pilot ['paɪlət] s FLUG Pilot(in) m(f)
pimple ['pɪmpl] s Pickel m
pin [pɪn] **1.** s Nadel f; (zum Heften) Stecknadel f; TECH Stift m; **I've got ~s and needles in my leg** mein Bein ist mir eingeschlafen **2.** vt (mit Stecknadel) heften (on + Akk)
PIN [pɪn] Akr = **personal identification number**; **~ (number)** PIN f, Geheimzahl f
pincers ['pɪnsəz] npl Kneifzange f
pinch [pɪntʃ] **1.** s (Salz) Prise f **2.** vt zwicken; umg klauen **3.** vi (Schuh) drücken

pine [paɪn] s Kiefer f
pineapple ['paɪnæpl] s Ananas f
pink [pɪŋk] Adj rosa
pint [paɪnt] s Pint n (Brit: 0,57 l, US: 0,473l); (Brit, großes Glas Bier) Bier n
pious ['paɪəs] Adj fromm
pip [pɪp] s (von Frucht) Kern m
pipe [paɪp] s (zum Rauchen) Pfeife f; (für Flüssigkeit, Gas) Rohrleitung f
pirate ['paɪərɪt] s Pirat(in) m(f); **pirated copy** s Raubkopie f
Pisces ['paɪsiːz] nsing ASTR Fische Pl; **she's a ~** sie ist Fisch
piss [pɪs] **1.** vi vulg pissen **2.** s vulg Pisse f; **take the ~ out of sb** jdn verarschen; **piss off** vi vulg sich verpissen; **pissed** Adj (Brit) umg (völlig betrunken) sturzbesoffen; (US) umg (total verärgert) stocksauer
pistachio (**~s** Pl) [pɪ'stɑːʃɪəʊ] s Pistazie f
piste [piːst] s (Ski) Piste f
pistol ['pɪstl] s Pistole f
pit [pɪt] s Grube f; (Kohlengrube) Zeche f; **the ~s** (im Rennsport) die Box; **be the ~s** umg grottenschlecht sein
pitch [pɪtʃ] **1.** s SPORT Spielfeld n; MUS (von Instrument) Tonlage f; (von Stimme) Stimmlage f **2.** vt (Zelt) aufschlagen; (Ball) werfen; **pitch-black** Adj

play down

pechschwarz

pitcher ['pɪtʃə'] *s* (US) Krug *m*

pitiful ['pɪtɪful] *Adj* jämmerlich

pitta bread ['pɪtəbred] *s* Pittabrot *n*

pity ['pɪtɪ] **1.** *s* Mitleid *n*; **what a ~** wie schade; **it's a ~** es ist schade **2.** *vt* Mitleid haben mit

pizza ['piːtsə] *s* Pizza *f*

place [pleɪs] **1.** *s* Stelle *f*; (Stadt etc) Ort; (Wohnstätte) Haus *n*; (Sitzplatz) Platz *m*; **~ of birth** Geburtsort *m*; **at my ~** bei mir; **in third ~** auf dem dritten Platz; **out of ~** nicht an der richtigen Stelle; (Bemerkung) unangebracht; **in ~ of** anstelle von; **in the first ~** erstens; (ohne Aufschub) gleich; (sowieso) überhaupt **2.** *vt* stellen, setzen; legen; (Annonce) setzen (in *in* + *Akk*) WIRTSCH (Bestellung) aufgeben;

place mat *s* Set *n*

plague [pleɪg] *s* Pest *f*

plaice [pleɪs] *s* Scholle *f*

plain [pleɪn] **1.** *Adj* klar, deutlich; (schlicht) einfach; (Person) unattraktiv; (Joghurt, Brit, Schokolade) (Zart)bitter- **2.** *s* Ebene *f*; **plainly** *Adv* offen; (schlicht) einfach; (offensichtlich) eindeutig

plait [plæt] **1.** *s* Zopf *m* **2.** *vt* flechten

plan [plæn] **1.** *s* Plan *m*; Konzept *n* **2.** *vt* planen; **~ to do**

sth, ~ on doing sth vorhaben, etw zu tun **3.** *vi* planen

plane [pleɪn] *s* Flugzeug *n*; (Werkzeug) Hobel *m*; MATHE Ebene *f*

planet ['plænɪt] *s* Planet *m*

plank [plæŋk] *s* Brett *n*

plant [plaːnt] **1.** *s* Pflanze *f*; (Fabrik) Werk *n* **2.** *vt* pflanzen; **plantation** [plæn-'teɪʃən] *s* Plantage *f*

plaque [plæk] *s* Gedenktafel *f*; (Zähne) Zahnbelag *m*

plaster ['plaːstə'] *s* (Brit) MED Pflaster *n*; (an Wand) Verputz *m*; **to have one's arm in ~** den Arm in Gips haben

plastered ['plaːstəd] *Adj* umg besoffen; **get (absolutely) ~** sich besaufen

plastic ['plæstɪk] **1.** *s* Kunststoff *m*; **pay with ~** mit Kreditkarte bezahlen **2.** *Adj* Plastik-; **plastic bag** *s* Plastiktüte *f*; **plastic surgery** *s* plastische Chirurgie

plate [pleɪt] *s* Teller *m*; (aus Stein, Metall etc) Platte *f*; (Gedenktafel etc) Tafel *f*

platform ['plætfɔːm] *s* BAHN Bahnsteig *m*

platinum ['plætɪnəm] *s* Platin *n*

play [pleɪ] **1.** *s* Spiel *n*; THEAT (Theater)stück *n* **2.** *vt* spielen; spiele gern; **~ the piano** Klavier spielen **3.** *vi* spielen; gern; **what are you ~ing at?** was soll das?; **play back** *vt* abspielen; **play down** *vt* herunterspielen

playacting s Schauspielerei f; **playback** s Wiedergabe f; **player** s Spieler(in) m(f); **playful** Adj (Person) verspielt; (Bemerkung) scherzhaft; **playground** s Spielplatz m; (in Schule) Schulhof m; **playgroup** s Spielgruppe f; **playing card** s Spielkarte f; **playing field** s Sportplatz m; **playmate** s Spielkamerad(in) m(f); **playwright** s Dramatiker(in) m(f)

plc Abk = **public limited company**; AG f

plea [pliː] s Bitte f (for um)

plead [pliːd] vi dringend bitten (with sb jdn); JUR ~ **guilty** sich schuldig bekennen

pleasant, pleasantly ['pleznt, -lɪ] Adj, Adv angenehm

please [pliːz] **1.** Adv bitte; **more tea? - yes, ~** noch Tee? - ja, bitte **2.** vt gefallen + Dat; ~ **yourself** wie du willst; **pleased** Adj zufrieden; erfreut; ~ **to meet you** freut mich, angenehm; **pleasing** Adj erfreulich; **pleasure** ['pleʒə*] s Vergnügen n, Freude f; **it's a ~** gern geschehen

pledge [pledʒ] **1.** s Versprechen n **2.** vt versprechen

plenty ['plentɪ] **1.** s ~ **of** eine Menge, viel(e); **be ~** genug sein, reichen; **I've got ~** ich habe mehr als genug **2.** Adv (US) umg ganz schön

plimsolls ['plɪmsəlz] npl

(Brit) Turnschuhe Pl

plonk [plɒŋk] **1.** s (Brit) umg billiger Wein **2.** vt ~ **sth (down)** etw hinknallen

plot [plɒt] **1.** s Handlung f; (Verschwörung) Komplott n; (Grundstück) Stück n Land, Grundstück n **2.** vi ein Komplott schmieden

plough, plow (US) [plau] **1.** s Pflug m **2.** vt, vi LANDW pflügen; **ploughman's lunch** s (Brit) in einer Kneipe serviertes Gericht aus Käse, Brot, Mixed Pickles etc

pluck [plʌk] vt (Augenbrauen etc) zupfen; (Hühnchen) rupfen; **pluck up** vt ~ **(one's) courage** Mut aufbringen

plug [plʌg] **1.** s (für Abfluss) Stöpsel m; ELEK Stecker m; AUTO (Zünd)kerze f **2.** umg Schleichwerbung f **2.** umg Reklame machen für; **plug in** vt anschließen

plum [plʌm] **1.** s Pflaume f **2.** Adj umg Super-

plumber ['plʌmə*] s Klempner(in) m(f)

plump [plʌmp] Adj rundlich

plunge [plʌndʒ] **1.** vt (Messer etc) stoßen; (in Wasser) tauchen **2.** vi stürzen; (in Wasser) tauchen

plural ['pluərəl] s Plural m

plus [plʌs] **1.** Präp plus; und **2.** Adj Plus-; **20 ~** mehr als **3.** s fig Plus n

plywood ['plaɪwud] s Sperrholz n

pm Abk = **post meridiem**; at

3 ~ um 3 Uhr nachmittags; *at 8* ~ um 8 Uhr abends

pneumonia [nju:'məʊnɪə] *s* Lungenentzündung *f*

poached [pəʊtʃt] *Adj* (*Ei*) pochiert, verloren

PO Box *Abk* = **post office box**; Postfach *n*

pocket ['pɒkɪt] **1.** *s* Tasche *f* **2.** *vt* einstecken; **pocketbook** *s* (*US*) Brieftasche *f*; **pocket calculator** *s* Taschenrechner *m*; **pocket money** *s* Taschengeld *n*

poem ['pəʊəm] *s* Gedicht *n*; **poet** ['pəʊɪt] *s* Dichter(in) *m(f)*; **poetic** [pəʊ'etɪk] *Adj* poetisch; **poetry** ['pəʊɪtrɪ] *s* Dichtung *f*, Gedichte *Pl*

point [pɔɪnt] **1.** *s* Punkt *m*, Stelle *f*, Spitze *f*; (*zeitlich*) Zeitpunkt *m*; (*Sinn*) Zweck *m*; (*in Diskussion etc*) Argument *n*; (*statt Komma*) Dezimalstelle *f*; **~s** *Pl* BAHN Weiche *f*; *~ of view* Standpunkt *m*; *three ~ two* drei Komma zwei; *at some ~* irgendwann (*mal*); *get to the ~* zur Sache kommen; *there's no ~* es hat keinen Sinn; *I was on the ~ of leaving* ich wollte gerade gehen **2.** *vt* (*Gewehr etc*) richten (*at* auf + *Akk*); *~ one's finger at* mit dem Finger zeigen auf + *Akk* **3.** *vi* zeigen (*at, to* auf + *Akk*); **point out** *vt* aufzeigen; hinweisen auf + *Akk*; **pointed** *Adj* spitz; (*Frage*) gezielt; **pointer** *s*

Zeiger *m*; (*Tipp*) Hinweis *m*; **pointless** *Adj* sinnlos

poison ['pɔɪzn] **1.** *s* Gift *n* **2.** *vt* vergiften; **poisonous** *Adj* giftig

poke [pəʊk] *vt* stoßen, stupsen; (*Nase, Kopf etc*) stecken

Poland ['pəʊlənd] *s* Polen *n*

polar ['pəʊlə] *Adj* Polar-, pole; *~ bear* Eisbär *m*

pole [pəʊl] *s* Stange *f*, GEO, ELEK Pol *m*

Pole [pəʊl] *s* Pole *m*, Polin *f*

pole vault *s* Stabhochsprung *m*

police [pə'li:s] *s* Polizei *f*; **police car** *s* Polizeiwagen *m*; **policeman** (*-men Pl*) *s* Polizist *m*; **police station** *s* (Polizei)wache *f*; **policewoman** (*-women Pl*) *s* Polizistin *f*

policy ['pɒlɪsɪ] *s* Politik *f*; (*Prinzip*) Grundsatz *m*; (Versicherungs)police *f*

polio ['pəʊlɪəʊ] *s* Kinderlähmung *f*

polish ['pɒlɪʃ] **1.** *s* (*für Möbel*) Politur *f*; (*für Fußböden*) Wachs *n*; (*für Schuhe*) Creme *f*, Glanz *m*; *fig* Schliff *m* **2.** *vt* polieren; (*Schuhe*) putzen; *fig* den letzten Schliff geben + *Dat*

Polish ['pəʊlɪʃ] **1.** *Adj* polnisch **2.** *s* Polnisch *n*

polite [pə'laɪt] *Adj* höflich; **politeness** *s* Höflichkeit *f*

political, politically [pə'lɪtɪkəl, -ɪ] *Adj, Adv* politisch; *~ly correct* politisch korrekt; **politician** [pɒlɪˈtɪʃən] s Politiker(in) m(f); **politics** [ˈpɒlɪtɪks] nsing od Pl Politik f

poll [pəʊl] s Wahl f, Umfrage f

pollen [ˈpɒlən] s Pollen m, Blütenstaub m; **pollen count** s Pollenflug m

polling station [ˈpəʊlɪŋsteɪʃən] s Wahllokal n

pollute [pəˈluːt] vt verschmutzen; **pollution** [pəˈluːʃən] s Verschmutzung f

pompous [ˈpɒmpəs] Adj aufgeblasen; (Sprache) geschwollen

pond [pɒnd] s Teich m

ponder [ˈpɒndər] vt nachdenken über + Akk

pony [ˈpəʊnɪ] s Pony n; **ponytail** s Pferdeschwanz m

pool [puːl] 1. s Schwimmbad n, Swimmingpool m; (Spiel) Poolbillard n 2. vt (Geld etc) zusammenlegen

poor [pɔːr] 1. Adj arm; (Qualität) schlecht 2. npl **the ~** die Armen Pl; **poorly** 1. Adv schlecht 2. Adj (Brit) krank

pop [pɒp] 1. s (Musik) Pop m; (Geräusch) Knall m 2. vt stecken; (Luftballon) platzen lassen 3. vi (Luftballon) platzen; (Korken) knallen; **~ in** (Person) vorbeischauen; **popcorn** s Popcorn n

Pope [pəʊp] s Papst m

poppy [ˈpɒpɪ] s Mohn m

Popsicle® [ˈpɒpsɪkl] s (US)

Eis n am Stiel

popular [ˈpɒpjʊlər] Adj beliebt (with bei); (Meinungen, Ansichten) weit verbreitet

population [pɒpjʊˈleɪʃən] s Bevölkerung f; (von Stadt etc) Einwohner Pl

porcelain [ˈpɔːslɪn] s Porzellan n

porch [pɔːtʃ] s Vorbau m; (US) Veranda f

porcupine [ˈpɔːkjʊpaɪn] s Stachelschwein n

pork [pɔːk] s Schweinefleisch n; **pork chop** s Schweinekotelett n; **pork pie** s Schweinefleischpastete f

porn [pɔːn] s Porno m; **pornographic** [pɔːnəˈgræfɪk] Adj pornografisch; **pornography** [pɔːˈnɒgrəfɪ] s Pornografie f

porridge [ˈpɒrɪdʒ] s Haferbrei m

port [pɔːt] s Hafen m; SCHIFF Backbord n; (Wein) Portwein m; IT Anschluss m

portable [ˈpɔːtəbl] Adj tragbar; (Radio) Koffer-

portal [ˈpɔːtl] s IT Portal n

porter [ˈpɔːtər] s Pförtner(in) m(f); (für Gepäck) Gepäckträger m

porthole [ˈpɔːthəʊl] s Bullauge n

portion [ˈpɔːʃən] s Teil m; (Essen) Portion f

portrait [ˈpɔːtrɪt] s Porträt n

Portugal [ˈpɔːtʃʊgl] s Portugal n; **Portuguese** [pɔːtʃʊˈgiːz] 1. Adj portugiesisch

2. s Portuguese m, Portugiesin f; (Sprache) Portugiesisch n
pose [pəʊz] **1.** s Haltung f **2.** vi posieren **3.** vt (Problem etc) darstellen
posh [pɒʃ] Adj umg piekfein
position [pə'zɪʃən] **1.** s Stellung f, Position f, Lage f; (Job) Stelle f; (Überzeugung) Standpunkt m; **be in a ~ to do sth** in der Lage sein, etw zu tun f; **2.** vt aufstellen; IT (Cursor) positionieren
positive ['pɒzɪtɪv] Adj positiv; (überzeugt) sicher; (unzweifelhaft) eindeutig
possess [pə'zes] vt besitzen; **possession** [pə'zeʃən] s **~(s Pl)** Besitz m
possibility [pɒsə'bɪlɪtɪ] s Möglichkeit f; **possible** ['pɒsəbl] Adj möglich; **if ~** wenn möglich; **as big/soon as ~** so groß/bald wie möglich; **possibly** Adv vielleicht; **I've done all I ~ can** ich habe mein Möglichstes getan
post [pəʊst] **1.** s (Briefe etc) Post f; (aus Holz, Metall) Pfosten m; (Job) Stelle f **2.** vt (Brief) aufgeben; **keep sb ~ed** jdn auf dem Laufenden halten; **postage** ['pəʊstɪdʒ] s Porto n; **postal** Adj Post-; **postbox** s Briefkasten m; **postcard** s Postkarte f; **postcode** s (Brit) Postleitzahl f

poster ['pəʊstər] s Plakat n, Poster n
postgraduate [pəʊst'grædjuɪt] s jmd, der seine Studien nach dem ersten akademischen Grad weiterführt
postman (-men Pl) ['pəʊstmən] s Briefträger m; **postmark** s Poststempel m
postmortem [pəʊst'mɔːtəm] s Autopsie f
post office ['pəʊstɒfɪs] s Post® f; **post office box** s Postfach n
postpone [pə'spəʊn] vt verschieben (till auf + Akk)
posture ['pɒstʃər] s Haltung f
pot [pɒt] **1.** s Topf m; (für Tee, Kaffee) Kanne f **2.** vt (Pflanze) eintopfen
potato (-es Pl) [pə'teɪtəʊ] s Kartoffel f
potential [pəʊ'tenʃəl] **1.** Adj potenziell **2.** s Potenzial n; **potentially** Adv potenziell
pottery ['pɒtərɪ] s Töpferwaren Pl
potty ['pɒtɪ] **1.** Adj (Brit) umg verrückt **2.** s Töpfchen n
poultry ['pəʊltrɪ] s Geflügel n
pound [paʊnd] s (Währung) Pfund n; (Gewichtseinheit) Pfund n (0,454 kg); **a ~ of cherries** ein Pfund Kirschen; **ten-~ note** Zehnpfundschein m
pour [pɔːr] vt gießen; (Zucker, Mehl etc) schütten; **~ sb sth** jdm etw eingießen; **pouring** Adj (Regen) strömend

poverty ['pɒvətɪ] s Armut f

powder ['paʊdə^r] s Pulver n, Puder m; **powder room** s Damentoilette f

power ['paʊə^r] **1.** s Macht f; (Veranlagung) Fähigkeit f; (Kraft) Stärke f; ELEK Strom m; **be in ~** an der Macht sein **2.** vt betreiben, antreiben; **power-assisted steering** s Servolenkung f; **power cut** s Stromausfall m; **powerful** Adj mächtig; stark; (Argument) durchschlagend; **powerless** Adj machtlos; **power station** s Kraftwerk n

p&p Abk = **postage and packing**

PR 1. Abk = **public relations 2.** Abk = **proportional representation**

practical, **practically** ['præktɪkəl, -ɪ] Adj, Adv praktisch; **practice** ['præktɪs] **1.** s Übung f, Gewohnheit f; (von Arzt, Anwalt) Praxis f; **in ~** (Realität) in der Praxis; **out of ~** außer Übung; **put sth into ~** etw in die Praxis umsetzen **2.** vt, vi (US) → **practise**; **practise** ['præktɪs] **1.** vt üben; (Beruf) ausüben **2.** vi üben; (Arzt, Anwalt) praktizieren

Prague [prɑːg] s Prag n

praise [preɪz] **1.** s Lob n **2.** vt loben

pram [præm] s (Brit) Kinderwagen m

prawn [prɔːn] s Garnele f,

Krabbe f; **prawn crackers** npl Krabbenchips Pl

pray [preɪ] vi beten; **prayer** ['preə^r] s Gebet n

pre- [priː] Präfix vor-, prä-

preach [priːtʃ] vi predigen

precaution [prɪ'kɔːʃən] s Vorsichtsmaßnahme f

precede [prɪ'siːd] vt vorausgehen + Dat; **preceding** Adj vorhergehend

precinct ['priːsɪŋkt] s (Brit, verkehrsberuhigt) Fußgängerzone f; (Brit, mit Geschäften) Einkaufsviertel n; (US, Verwaltung) Bezirk m

precious ['preʃəs] Adj kostbar; **~ stone** Edelstein m

précis ['preɪsiː] s Zusammenfassung f

precise, **precisely** [prɪ'saɪs, -lɪ] Adj, Adv genau

precondition [priːkən'dɪʃən] s Vorbedingung f

predecessor ['priːdɪsesə^r] s Vorgänger(in) m(f)

predict [prɪ'dɪkt] vt voraussagen; **predictable** Adj vorhersehbar; (Person) berechenbar

predominant [prɪ'dɒmɪnənt] Adj vorherrschend; **predominantly** Adv überwiegend

preface ['prefɪs] s Vorwort n

prefer [prɪ'fɜː^r] vt vorziehen (to Dat), lieber mögen (to als); **~ to do sth** etw lieber tun; **preferably** ['prefrəblɪ] Adv vorzugsweise, am liebsten; **preference** ['prefərəns] s Vorliebe f; prefer-

ential [prefə'renʃəl] Adj
get ~ treatment bevorzugt
behandelt werden

prefix ['pri:fiks] s TEL
Vorwahl f

pregnancy ['pregnənsı] s
Schwangerschaft f; **pregnant** ['pregnənt] Adj
schwanger; **two months ~**
im zweiten Monat schwan-
ger

prejudice ['predʒudıs] s
Vorurteil n; **prejudiced** Adj
(Person) voreingenommen

preliminary [prı'lımınərı]
Adj vorbereitend; (Ergeb-
nisse) vorläufig; (Bemer-
kungen) einleitend

premature ['prematʃʊə']
Adj vorzeitig; voreilig

premiere ['premıeə'] s Premiere f

premises ['premısız] npl
Räumlichkeiten Pl; (von
Fabrik, Schule) Gelände n

premium-rate ['pri:mıəm-
reıt] Adj TEL zum Höchst-
tarif

preoccupied [pri:'ɒkjupaıd]
Adj **be ~ with sth** mit etw
sehr beschäftigt sein

prepaid [pri:'peıd] Adj vo-
rausbezahlt; (Brief) fran-
kiert

preparation [prepə'reıʃən] s
Vorbereitung f; **prepare**
[prı'peə'] **1.** vt vorbereiten
(for auf + Akk); (Essen)
zubereiten; **be ~d to do
sth** bereit sein, etw zu tun
2. vi sich vorbereiten (for
auf + Akk)

prerequisite [pri:'rekwızıt]
s Voraussetzung f

prescribe [prı'skraıb] vt vorschreiben; MED verschrei-
ben; **prescription**
[prı'skrıpʃən] s Rezept n

presence ['prezns] s Gegenwart f; **present** [preznt] **1.**
Adj anwesend (at bei); gegenwärtig; **~ tense** Gegenwart f, Präsens n **2.** s Gegenwart f; (zum Geburtstag
etc) Geschenk n; **at ~** zurzeit **3.** [prı'zent] vt TV, RA-
DIO präsentieren; (Prob-
lem) darstellen; (Bericht)
vorlegen; **present-day** Adj
heutig; **presently** Adv
bald; zurzeit

preservative [prı'zɜ:vətıv] s
Konservierungsmittel n;
preserve [prı'zɜ:v] vt erhalten; (Nahrungsmittel)
einmachen, konservieren

president ['prezıdənt] s Prä-
sident(in) m(f); **presiden-
tial** [prezı'denʃəl] Adj Prä-
sidenten-; (Wahl) Präsi-
dentschafts-

press [pres] **1.** s Presse f **2.**
vt drücken; **~ a button** auf
einen Knopf drücken **3.** vi
drücken; **pressing** Adj
dringend; **press-stud** s
Druckknopf m; **press-up** s
(Brit) Liegestütz m; **pressure** ['preʃə'] s Druck m;
be under ~ unter Druck
stehen; **put ~ on sb** jdn unter Druck setzen; **pressure
cooker** s Schnellkochtopf
m; **pressurize** ['preʃəraız]

vt unter Druck setzen

presumably [prɪˈzjuːməblɪ] *Adv* vermutlich; **presume** [prɪˈzjuːm] *vt, vi* annehmen

presumptuous [prɪˈzʌmptʃʊəs] *Adj* anmaßend

presuppose [priːsəˈpəʊz] *vt* voraussetzen

pretend [prɪˈtend] **1.** *vt* ~ **that** so tun als ob; ~ **to do sth** vorgeben, etw zu tun **2.** *vi* **she's** ~**ing** sie tut nur so

pretentious [prɪˈtenʃəs] *Adj* anmaßend; (*Person*) wichtigtuerisch

pretty [ˈprɪtɪ] **1.** *Adj* hübsch **2.** *Adv* ziemlich

prevent [prɪˈvent] *vt* verhindern; ~ **sb from doing sth** jdn daran hindern, etw zu tun

preview [ˈpriːvjuː] *s* FILM Voraufführung *f*; (*Trailer*) Vorschau *f*

previous, previously [ˈpriːvɪəs, -lɪ] *Adj, Adv* früher

prey [preɪ] *s* Beute *f*

price [praɪs] **1.** *s* Preis *m* **2.** *vt* **it's** ~**d at £10** es ist mit 10 Pfund ausgezeichnet; **priceless** *Adj* unbezahlbar; **price list** *s* Preisliste *f*; **price tag** *s* Preisschild *n*

prick [prɪk] **1.** *s* Stich *m*; *vulg* (*Penis*) Schwanz *m*; *vulg* (*Person*) Arsch *m* **2.** *vt* stechen in + *Akk*; ~ **one's finger** sich in den Finger stechen; **prickly** [ˈprɪklɪ] *Adj* stachelig

pride [praɪd] *s* Stolz *m*, Hochmut *m* **2.** *vt* ~ **oneself**

on sth auf etw *Akk* stolz sein

priest [priːst] *s* Priester *m*

primarily [ˈpraɪmərɪlɪ] *Adv* vorwiegend; **primary** [ˈpraɪmərɪ] *Adj* Haupt-; ~ **school** Grundschule *f*

prime [praɪm] **1.** *Adj* Haupt-; (*Qualität*) erstklassig **2.** *s* **in one's** ~ in den besten Jahren; **prime minister** *s* Premierminister(in) *m(f)*; **prime time** *s* TV Hauptsendezeit *f*

primitive [ˈprɪmɪtɪv] *Adj* primitiv

prince [prɪns] *s* Prinz *m*; (*als Herrscher*) Fürst *m*; **princess** [prɪnˈses] *s* Prinzessin *f*; (*Frau eines Fürsten*) Fürstin *f*

principal [ˈprɪnsɪpəl] **1.** *Adj* Haupt-, wichtigste(r, s) **2.** *s* (*Schule*) Rektor(in) *m(f)*

principle [ˈprɪnsəpl] *s* Prinzip *n*; **in** ~ im Prinzip; **on** ~ aus Prinzip

print [prɪnt] **1.** *s* Druck *m*; FOTO Abzug *m*; (*von Füßen, Fingern*) Abdruck *m*; **out of** ~ vergriffen **2.** *vt* drucken; (*Foto*) abziehen; **print out** *vt* IT ausdrucken; **printed matter** *s* Drucksache *f*; **printer** *s* Drucker *m*; **printout** *s* IT Ausdruck *m*

prior [ˈpraɪə] *Adj* früher; **a** ~ **engagement** eine vorher getroffene Verabredung

priority [praɪˈɒrɪtɪ] *s* Priorität *f*

prison [ˈprɪzn] *s* Gefängnis *n*; **prisoner** *s* Gefangene(r) *m(f)*

profound

privacy ['prɪvəsɪ] s Privatleben n; private ['praɪvɪt] **1.** Adj privat; vertraulich **2.** s einfacher Soldat; **in~** privat; privately Adv privat; vertraulich; privatize ['praɪvətaɪz] vt privatisieren

privilege ['prɪvɪlɪdʒ] s Privileg n; privileged Adj privilegiert

prize [praɪz] s Preis m; prize money ~ s Preisgeld n; prizewinner s Gewinner(in) m(f); prizewinning Adj preisgekrönt

pro (-s Pl) [prəʊ] s Profi m; **the ~s and cons** Pl das Für und Wider

pro- [prəʊ] Präfix pro-

probability [probə'bɪlətɪ] s Wahrscheinlichkeit f; probable, probably ['probəbl] Adj, Adv wahrscheinlich

probation [prə'beɪʃən] s Probezeit f; JUR Bewährung f

probe [prəʊb] **1.** s Untersuchung f **2.** vt untersuchen

problem ['probləm] s Problem n; **no ~** kein Problem!

procedure [prə'siːdʒər] s Verfahren n

proceed [prə'siːd] **1.** vi fortfahren; (in Angriff nehmen) vorgehen **2.** vt ~ **to do sth** anfangen, etw zu tun; proceedings npl JUR Verfahren n; proceeds ['prəʊsiːdz] npl Erlös m

process ['prəʊses] **1.** s Prozess m, Vorgang m; Verfahren n **2.** vt bearbeiten; ver-

arbeiten; (Film) entwickeln

procession [prə'seʃən] s Umzug m

processor ['prəʊsesər] s IT Prozessor m; GASTR Küchenmaschine f

produce [prə'djuːs] **1.** s LANDW Produkte Pl, Erzeugnisse Pl **2.** [prə'djuːs] vt herstellen, produzieren; (Agrarprodukt) erzeugen; (Film etc) produzieren; (als Ursache) hervorrufen; producer s Hersteller(in) m(f); (von Film etc) Produzent(in) m(f); product ['prodʌkt] s Produkt n, Erzeugnis n; production [prə'dʌkʃən] s Produktion f; THEAT Inszenierung f; productive [prə'dʌktɪv] Adj produktiv; ertragreich

prof [prof] s umg Professor(in) m(f)

profession [prə'feʃən] s Beruf m; professional [prə'feʃənl] **1.** s Profi m **2.** Adj beruflich; fachlich, Berufs-

professor [prə'fesər] s Professor(in) m(f); (US) Dozent(in) m(f)

proficient [prə'fɪʃənt] Adj kompetent (in in + Dat)

profile ['prəʊfaɪl] s Profil n; **keep a low ~** sich rar machen

profit ['profɪt] **1.** s Gewinn m **2.** vi profitieren (by, from von); profitable Adj rentabel

profound [prə'faʊnd] Adj tief; tiefgründig, profund

program ['prəʊɡræm] **1.** *s* IT Programm *n*; *(US)* → **programme 2.** *vt* IT programmieren; *(US)* → **programme**

programme ['prəʊɡræm] **1.** *s* Programm *n*; TV, RADIO Sendung *f* **2.** *vt* IT programmieren; **programmer** *s* Programmierer(in) *m(f)*; **programming** *s* IT Programmieren *n*; ~ **language** Programmiersprache *f*

progress 1. *s* ['prəʊɡres] Fortschritt *m*; **make** ~ Fortschritte machen **2.** [prə'ɡres] *vi* (*Arbeit, Krankheit etc*) fortschreiten; (*besser werden*) Fortschritte machen; **progressive** [prə'ɡresɪv] *Adj* fortschrittlich; **progressively** [prə'ɡresɪvlɪ] *Adv* zunehmend

prohibit [prə'hɪbɪt] *vt* verbieten

project ['prɒdʒekt] *s* Projekt *n*

prolong [prə'lɒŋ] *vt* verlängern

prom [prɒm] *s* Promenade *f*; *(Brit)* Konzert *n* (*bei dem ein Großteil des Publikums im Parkett Stehplätze hat*); *(US, Tanzveranstaltung)* Ball für die Schüler und Studenten von Highschools oder Colleges

prominent ['prɒmɪnənt] *Adj* prominent; *(Eigenschaft etc)* auffallend

promise ['prɒmɪs] **1.** *s* Ver-

sprechen *n* **2.** *vt* versprechen; ~ **sb sth** jdm etw versprechen; ~ **to do sth** versprechen, etw zu tun **3.** *vi* versprechen; **promising** *Adj* viel versprechend

promote [prə'məʊt] *vt* befördern; fördern; WIRTSCH werben für; **promotion** [prə'məʊʃən] *s* Beförderung *f*; WIRTSCH Werbung *f* (*of* für)

prompt [prɒmpt] **1.** *Adj* prompt; pünktlich **2.** *Adv* **at two o'clock** ~ Punkt zwei Uhr **3.** *vt* THEAT soufflieren + *Dat*

prone [prəʊn] *Adj* **be** ~ **to sth** zu etw neigen

pronounce [prə'naʊns] *vt* (*Wort*) aussprechen; **pronunciation** [prənʌnsɪ'eɪʃən] *s* Aussprache *f*

proof [pruːf] *s* Beweis *m*; (*von Whisky etc*) Alkoholgehalt *m*

prop [prɒp] **1.** *s* Stütze *f*; THEAT Requisit *n* **2.** *vt* ~ **sth against sth** etw gegen etw lehnen; **prop up** *vt* stützen; *fig* unterstützen

proper ['prɒpə[r]] *Adj* richtig; anständig

property ['prɒpətɪ] *s* Eigentum *n*; (*charakterisierend*) Eigenschaft *f*

proportion [prə'pɔːʃən] *s* Verhältnis *n*; (*Menge von etw*) Teil *m*; ~**s** *Pl* Proportionen *Pl*; **in** ~ **to** im Verhältnis zu; **proportional** *Adj* proportional; ~ **repre-**

sentation Verhältniswahl-
recht *n*

proposal [prə'pəuzl] *s* Vorschlag *m*; **~ (of marriage)**
(Heirats)antrag *m*; **propose**
[prə'pəuz] **1.** *vt* vorschlagen
2. *vi* einen Heiratsantrag
machen (*to sb* jdm)

proprietor [prə'praiətər] *s*
Besitzer(in) *m(f)*; (*Hotel
etc*) Inhaber(in) *m(f)*

prose [prəuz] *s* Prosa *f*

prosecute ['prɒsikju:t] *vt*
verfolgen (*for* wegen)

prospect ['prɒspekt] *s* Aussicht *f*

prosperity [prɒ'speriti] *s*
Wohlstand *m*; **prosperous**
Adj wohlhabend; (*Ge-
schäft*) gut gehend

prostitute ['prɒstitju:t] *s*
Prostituierte(r) *mf*

protect [prə'tekt] *vt* schützen (*from*, *against* vor
+ *Dat*, gegen); **protection**
[prə'tekʃən] *s* Schutz *m*
(*from*, *against* vor + *Dat*,
gegen); **protective** *Adj* be-
schützend; Schutz-

protein ['prəuti:n] *s* Protein
n, Eiweiß *n*

protest ['prəutest] **1.** *s* Protest *m*, Protestkundgebung
f **2.** [prə'test] *vi* protestieren (*against* gegen); demonstrieren

Protestant ['prɒtistənt] **1.**
Adj protestantisch **2.** *s* Pro-
testant(in) *m(f)*

proud, proudly [praud, -li]
Adj, Adv stolz (*of* auf
+ *Akk*)

prove [pru:v] *vt* beweisen;
sich erweisen als

proverb ['prɒvɜ:b] *s* Sprichwort *n*

provide [prə'vaid] *vt* zur
Verfügung stellen; (*Ge-
tränke etc*) sorgen für; (*Person*) versorgen (*with* mit);
provide for *vt* (*Familie*)
sorgen für; **provided** *Konj*
~ (that) vorausgesetzt, dass;
provider *s* IT Provider *m*

provision [prə'viʒən] *s* Bestimmung *f*; **~s** *Pl* (*Verpflegung*) Proviant *m*

provoke [prə'vəuk] *vt* provozieren; hervorrufen

proximity [prɒk'simiti] *s*
Nähe *f*

prudent ['pru:dənt] *Adj*
klug; umsichtig

prudish ['pru:diʃ] *Adj* prüde

prune [pru:n] **1.** *s* Back-
pflaume *f* **2.** *vt* (*Baum etc*)
zurechtstutzen

PS *Abk* = **postscript**; PS *n*

pseudo- ['sju:dəu] *Adj* pseu-
do-, Pseudo-; **pseudonym**
['sju:dənim] *s* Pseudonym *n*

psychiatric [saiki'ætrik] *Adj*
psychiatrisch; (*Krankheit*)
psychisch; **psychiatrist**
[sai'kaiətrist] *s* Psychia-
ter(in) *m(f)*; **psychiatry**
[sai'kaiətri] *s* Psychiatrie *f*;
psychic ['saikik] *Adj* über-
sinnlich; **I'm not ~** ich kann
keine Gedanken lesen;
psychoanalysis [saikəu-
ə'næləsis] *s* Psychoanalyse *f*;
psychoanalyst [saikəu-
'ænəlist] *s* Psychoanalyti-

pub

Pubs sind aus dem Leben der Briten nicht wegzudenken. Meist hat man seine Stammkneipe um die Ecke, die man **the local** nennt. Man trifft sich auf ein **pint of lager** gerne nach der Arbeit oder auch am Wochenende. Der Besuch im **pub** gehört zum **socialising** (geselliges Beisammensein) einfach dazu. Die meisten **pubs** bieten neben alkoholischen und nicht alkoholischen Getränken, die man sich immer selbst vom Tresen holt und sofort bezahlt, auch kleine warme Mahlzeiten und Snacks an. Diese bestellt man häufig an einer anderen Theke. Man erhält einen Zettel mit einer Nummer, die aufgerufen wird, sobald das Essen abgeholt werden kann: **Order number 71, please!**. Die meisten **pubs** haben trotz liberalisierter Öffnungszeiten weiterhin nur bis 23 Uhr geöffnet. Kurz vorher ruft der **landlord (Wirt)** oder die **landlady (Wirtin) last orders (letzte Bestellung)** aus, was meist nochmal zu einem ziemlichen Gedränge an der Theke führt. Der Ausruf **time** fordert die Besucher auf, auszutrinken und zu gehen.

ker(in) *m(f)*; **psychological** [saɪkə'lɒdʒɪkəl] *Adj* psychologisch; **psychology** [saɪ'kɒlədʒɪ] *s* Psychologie *f*; **psychopath** ['saɪkəʊpæθ] *s* Psychopath(in) *m(f)*

pto *Abk* = **please turn over**; b.w.

pub [pʌb] *s* (*Brit*) Kneipe *f*
puberty ['pjuːbətɪ] *s* Pubertät *f*
public ['pʌblɪk] **1.** *s* the (*general*) ~ die (breite) Öffentlichkeit; **in** ~ in der Öffentlichkeit **2.** *Adj* öffentlich; (*staatlich*) Staats- *f*; ~ **convenience** (*Brit*) öffentliche Toilette; ~ **holiday** gesetzlicher Feiertag; ~ **opinion** die öffentliche Mei-

nung; ~ **relations** *Pl* Öffentlichkeitsarbeit *f*, Public Relations *Pl*; ~ **school** (*Brit*) Privatschule *f*; **publication** [pʌblɪ'keɪʃən] *s* Veröffentlichung *f*; **publicity** [pʌb'lɪsɪtɪ] *s* Publicity *f*; (*für Produkt*) Werbung *f*; **publish** ['pʌblɪʃ] *vt* veröffentlichen; **publisher** *s* Verleger(in) *m(f)*; (*Firma*) Verlag *m*; **publishing** *s* Verlagswesen *n*

pudding ['pʊdɪŋ] *s* Nachtisch *m*

pudding

Pudding bedeutet zunächst mal ganz allgemein **süße**

Nachspeise. Besonders in Großbritannien findet man **pudding** auch in Zusammensetzungen mit anderen Wörtern, z.B. **bread and butter pudding**, **Christmas pudding** etc. Hier bezeichnet es ein **warmes Dessert**, das mit Eis, Sahne oder **custard**, einer Art sehr dickflüssiger Vanillesoße, gegessen wird. Außerdem gibt es auch nicht süße **puddings** wie den **Yorkshire pudding**, eine traditionelle Beilage zum Roastbeef, die aus Milch, Eiern und Mehl hergestellt wird. Das, was man in Deutschland **Pudding** nennt, heißt auf Englisch **blancmange** [bləˈmɒndʒ].

puddle [ˈpʌdl] s Pfütze f
puff [pʌf] vi schnaufen
puffin [ˈpʌfɪn] s Papageientaucher m
puff paste (US), **puff pastry** [ˈpʌfˌpeɪstrɪ] s Blätterteig m
pull [pol] 1. s Ziehen n; **give sth a** ~ an etw Dat ziehen 2. vt ziehen; (Seil etc) ziehen an + Dat; umg (Frau, Liebhaber) abschleppen; ~ **a muscle** sich einen Muskel zerren; ~ **sb's leg** jdn auf den Arm nehmen 3. vi ziehen; **pull apart** vt auseinander ziehen; **pull down** vt herunterziehen; (Haus) abreißen; **pull in** vi hinein-

fahren; (Bus, Auto) anhalten; **pull off** vt (Kleidung) ausziehen; (Geschäft, Deal) zuwege bringen; **pull on** vt (Kleidung) anziehen; **pull out 1.** vi (Auto etc) ausscheren; (Zug) abfahren; (sich zurückziehen) aussteigen (of aus) 2. vt herausziehen; (Zahn) ziehen; (Truppen) abziehen; **pull up 1.** vt (Rollo, Hose etc) hochziehen; (Stuhl) heranziehen 2. vi anhalten
pullover [ˈpʊləʊvə] s Pullover m
pulp [pʌlp] s Brei m; (von Frucht) Fruchtfleisch n
pulpit [ˈpʊlpɪt] s Kanzel f
pulse [pʌls] s Puls m
pump [pʌmp] s Pumpe f; (Tankstelle) Zapfsäule f; **pump up** vt (Reifen etc) aufpumpen
pumpkin [ˈpʌmpkɪn] s Kürbis m
pun [pʌn] s Wortspiel n
punch [pʌntʃ] 1. s (Faust)schlag m; (im Büro) Locher m; (heißes Getränk) Punsch m; (kaltes Getränk) Bowle f 2. vt schlagen; (Papier, Fahrkarte) lochen
punctual, punctually [ˈpʌŋktjʊəl, -ɪ] Adj, Adv pünktlich
punctuation [ˌpʌŋktjʊˈeɪʃən] s Interpunktion f; **punctuation mark** s Satzzeichen n
puncture [ˈpʌŋktʃə] s Reifenpanne f
punish [ˈpʌnɪʃ] vt bestrafen; **punishment** s Strafe f, Be-

strafung f

pupil ['pju:pl] s (Schule) Schüler(in) m(f)

puppet ['pʌpɪt] s Puppe f; (mit Fäden) Marionette f

puppy ['pʌpɪ] s junger Hund

purchase ['pɜ:tʃɪs] 1. s Kauf m 2. vt kaufen

pure [pjuəʳ] Adj rein; sauber, pur; **purely** ['pjuəlɪ] Adv rein; **purify** ['pjuərɪfaɪ] vt reinigen; **purity** ['pjuərɪtɪ] s Reinheit f

purple ['pɜ:pl] Adj violett

purpose ['pɜ:pəs] s Zweck m, Absicht f; **on ~** absichtlich

purr [pɜ:ʳ] vi (Katze) schnurren

purse [pɜ:s] s Geldbeutel m; (US) Handtasche f

pursue [pə'sju:] vt verfolgen; (Hobby etc) nachgehen + Dat

pus [pʌs] s Eiter m

push [puʃ] 1. s Stoß m 2. vt stoßen; (Wagen etc) schieben; (Druckknopf, Tür) drücken; (Drogen) dealen 3. vi (in Menge) drängeln; **push in** vi sich vordrängeln; **push off** vi umg abhauen; **push on** vi (mit Tätigkeit) weitermachen; **push up** vt (Preise) hochtreiben; **pushchair** s (Brit) Sportwagen m; **pusher** s (Drogen) Dealer(in) m(f); **push-up** s (US) Liegestütz m; **pushy** Adj umg aufdringlich, penetrant

put (put, put) [put] vt tun; (aufrecht) stellen; (flach)

legen; (mit Worten) ausdrücken; (schriftlich) schreiben; **he ~ his hand in his pocket** er steckte die Hand in die Tasche; **he ~ his hand on her shoulder** er legte ihr die Hand auf die Schulter; **~ money into one's account** Geld auf sein Konto einzahlen; **put aside** vt (Geld) zurücklegen; **put away** vt wegräumen; **put back** vt zurücklegen; (Uhr) zurückstellen; **put down** vt (Notizen etc) aufschreiben; (Brit, Tier) einschläfern; (Aufstand) niederschlagen; **put the phone down** (den Hörer) auflegen; **put one's name down for sth** sich für etw eintragen; **put forward** vt vorbringen; (Namen) vorschlagen; (Uhr) vorstellen; **put off** vt (Licht, Fernseher) ausschalten; (Termin, Treffen) verschieben; **put sb off doing sth** jdn davon abbringen, etw zu tun; **put on** vt (Licht etc) anmachen; (Kleidung) anziehen; (Brille) aufsetzen; (Make-up, CD) auflegen; **put the kettle on** Wasser aufsetzen; **put weight on** zunehmen; **put out** vt (Hand) ausstrecken; (Licht, Zigarette) ausmachen; **put up** vt (Hand) hochheben; (Bild) aufhängen; (Zelt) aufstellen; (Gebäude) errichten; (Preis) erhöhen;

(Person) unterbringen; ~ **with** sich abfinden mit; **I won't ~ with it** das lasse ich mir nicht gefallen

putt [pʌt] *vt, vi* SPORT putten

puzzle ['pʌzl] **1.** *s* Rätsel *n*, Geduldsspiel *n*; *(jigsaw)* ~ Puzzle *n* **2.** *vt* vor ein Rät-

sel stellen; *it ~s me* es ist mir ein Rätsel; **puzzling** *Adj* rätselhaft

pyjamas [pɪ'dʒɑːməz] *npl* Schlafanzug *m*

pylon ['paɪlən] *s* Mast *m*

pyramid ['pɪrəmɪd] *s* Pyramide *f*

Q

quack [kwæk] *vi* quaken

quaint [kweɪnt] *Adj* kurios; *(Dorf etc)* malerisch

qualification [kwɒlɪfɪ'keɪʃən] *s* Qualifikation *f*; *(von Schule, Uni)* Abschluss *m*; **qualified** ['kwɒlɪfaɪd] *Adj* qualifiziert; **qualify 1.** *vt (Äußerung etc)* einschränken; **be qualified to do sth** berechtigt sein, etw zu tun **2.** *vi (beruflich)* seine Ausbildung abschließen; SPORT sich qualifizieren

quality ['kwɒlɪtɪ] *s* Qualität *f*; *(von Person)* Eigenschaft *f*

quantity ['kwɒntɪtɪ] *s* Menge *f*, Quantität *f*

quarantine ['kwɒrəntiːn] *s* Quarantäne *f*

quarrel ['kwɒrəl] **1.** *s* Streit *m* **2.** *vi* sich streiten; **quarrelsome** *Adj* streitsüchtig

quarter ['kwɔːtə] **1.** *s* Viertel *n*, Vierteljahr *n*; *(US)* Vierteldollar *m*; **a ~ of an hour** eine Viertelstunde **2.** *vt* vierteln

---

quarter

Bei der Zeitangabe mit **quarter** besteht ein Unterschied zwischen britischem und amerikanischem Englisch. In Großbritannien heißt *Viertel vor zwei* (a) **quarter to two.** In den USA kann man dies ebenfalls sagen, es ist jedoch auch (a) **quarter of two** geläufig. *Viertel nach zwei* heißt in Großbritannien (a) **quarter past two,** in den USA (a) **quarter after two.**

---

quarter final *s* Viertelfinale *n*

quartet [kwɔː'tet] *s* Quartett *n*

quay [kiː] *s* Kai *m*

queen [kwiːn] *s* Königin *f*; *(Karten, Schach)* Dame *f*

queer [kwɪə] **1.** *Adj* seltsam, sonderbar; *pej* schwul **2.** *s pej* Schwule(r) *m*

quench [kwentʃ] *vt (Durst)* löschen

query ['kwɪərɪ] **1.** s Frage f **2.** vt in Frage stellen; (*Rechnung*) reklamieren

question ['kwestʃən] **1.** s Frage f; **that's out of the ~** das kommt nicht in Frage **2.** vt befragen; verhören; (*Behauptung etc*) bezweifeln; **questionable** *Adj* zweifelhaft; fragwürdig; **question mark** s Fragezeichen n; **questionnaire** [kwestʃə-'neə'] s Fragebogen m

queue [kju:] **1.** s (*Brit*) Schlange f; **jump the ~** sich vordrängeln **2.** vi ~ (**up**) Schlange stehen

quibble ['kwɪbl] vi kleinlich sein; (*über Kleinigkeiten*) streiten

quiche [ki:ʃ] s Quiche f

quick [kwɪk] *Adj* schnell; (*Blick etc*) kurz; **be ~** mach schnell!; **quickly** *Adv* schnell

quid [kwɪd] (*quid Pl*) s (*Brit*) *umg* Pfund n

quiet ['kwaɪət] **1.** *Adj* leise; still, ruhig; **be ~** sei still!; **keep ~ about sth** über etw

Akk nichts sagen **2.** s Stille f, Ruhe f; **quietly** *Adv* leise; ruhig

quilt [kwɪlt] s (Stepp)decke f

quit (*quit od quitted, quit od quitted*) [kwɪt] **1.** vt verlassen; (*Job*) aufgeben; **~ doing sth** aufhören, etw zu tun **2.** vi aufhören; (*Arbeitsstelle*) kündigen

quite [kwaɪt] *Adv* ziemlich; ganz, völlig; **I don't ~ understand** ich verstehe das nicht ganz; **~ a few** ziemlich viele; **~ so** richtig!

quits [kwɪts] *Adj* **be ~ with sb** mit jdm quitt sein

quiver ['kwɪvə'] vi zittern

quiz [kwɪz] s Quiz n

quota ['kwəʊtə] s Anteil m; WIRTSCH, POL Quote f

quotation [kwəʊ'teɪʃən] s Zitat n; (*preislich*) Kostenvoranschlag m; **quotation marks** *npl* Anführungszeichen *Pl*; **quote** [kwəʊt] **1.** vt zitieren; (*Preis*) nennen **2.** s Zitat n; (*preislich*) Kostenvoranschlag m; **in ~s** in Anführungszeichen

R

rabbi ['ræbaɪ] s Rabbiner m

rabbit ['ræbɪt] s Kaninchen n

rabies ['reɪbi:z] *nsing* Tollwut f

raccoon [rə'ku:n] s Waschbär m

race [reɪs] **1.** s Rennen n;

(*Menschen*) Rasse f **2.** vt um die Wette laufen/fahren **3.** vi rennen; **racecourse** s Rennbahn f; **racetrack** s Rennbahn f

racial ['reɪʃəl] *Adj* Rassen-; **~ discrimination** Rassendiskriminierung f

racing ['reɪsɪŋ] s (horse) ~
Pferderennen n; (motor) ~
Autorennen n; racing car s
Rennwagen m

racism ['reɪsɪzm] s Rassismus m; **racist 1.** s Rassist(in)
m(f) **2.** Adj rassistisch

rack [ræk] **1.** s Ständer m, Gestell n **2.** vt ~ one's brains
sich den Kopf zerbrechen

racket ['rækɪt] s SPORT Schläger m; (Lärm) Krach m

radar ['reɪdɑː] s Radar n od
m

radiation [reɪdɪ'eɪʃən] s
Strahlung f

radiator ['reɪdɪeɪtə] s Heizkörper m; AUTO Kühler m

radical ['rædɪkəl] Adj radikal

radio (-s Pl) ['reɪdɪəʊ] s
Rundfunk m, Radio n

radioactivity [reɪdɪəʊæk'tɪ-
vɪtɪ] s Radioaktivität f

radio alarm ['reɪdɪəʊə'lɑːm]
s Radiowecker m; **radio
station** s Rundfunkstation f

radiotherapy [reɪdɪəʊ'θerə-
pɪ] s Strahlenbehandlung f

radish ['rædɪʃ] s Radieschen
n

radius ['reɪdɪəs] s Radius m;
within a five-mile ~ im
Umkreis von fünf Meilen
(of um)

raffle ['ræfl] s Tombola f;
raffle ticket s Los n

raft [rɑːft] s Floß n

rag [ræg] s Lumpen m, Lappen m

rage [reɪdʒ] **1.** s Wut f; be

all the ~ der letzte Schrei
sein **2.** vi toben; (Krankheit) wüten

raid [reɪd] **1.** s Überfall m
(on auf + Akk); (von Polizei) Razzia f (on gegen) **2.**
vt überfallen; (Polizei) eine
Razzia machen in + Dat

rail [reɪl] s Geländer n; (auf
Schiff) Reling f; (railcard s (Brit
≈ Bahncard® f; **railing** s
Geländer n; ~s Pl Zaun m;
railroad s (US) Eisenbahn
f; **railroad station** s (US)
Bahnhof m; **railway** s
(Brit) Eisenbahn f; **railway
station** s Bahnhof m

rain [reɪn] **1.** s Regen m **2.** vi
regnen; it's ~ing es regnet;
rainbow s Regenbogen m;
raincoat s Regenmantel m;
rainforest s Regenwald m;
rainy Adj regnerisch

raise [reɪz] **1.** s (US) Gehalts-/Lohnerhöhung f **2.** vt
hochheben; (Preis, Gehalt)
erhöhen; (Kinder) großzie-
hen; (Vieh) züchten; (Geld)
aufbringen; (Einspruch) erheben; ~ one's voice laut
werden

raisin ['reɪzən] s Rosine f

rally ['rælɪ] s POL Kundge-
bung f; AUTO Rallye f

RAM [ræm] Akr = random
access memory; RAM m

ramble ['ræmbl] **1.** s Wanderung f **2.** vi wandern;
(Überflüssiges) schwafeln

ramp [ræmp] s Rampe f

ran [ræn] pt von run

ranch [rɑːntʃ] s Ranch f

rancid ['rænsɪd] Adj ranzig

random ['rændəm] **1.** Adj willkürlich 2. s **at** ~ willkürlich; ziellos

randy ['rændɪ] Adj (Brit) umg geil, scharf

rang [ræŋ] pt von **ring**

range [reɪndʒ] **1.** s Auswahl f (of an + Dat); WIRTSCH Sortiment n (of an + Dat); (Teleskop) Reichweite f; (Berge) Kette f; **in this price** ~ in dieser Preisklasse **2.** vi ~ **from ... to ...** liegen zwischen ... und ...

rank [ræŋk] **1.** s Rang m; Stand m **2.** vt einstufen **3.** vi ~ **among** zählen zu

ransom ['rænsəm] s Lösegeld n

rap [ræp] s MUS Rap m

rape [reɪp] **1.** s Vergewaltigung f **2.** vt vergewaltigen

rapid, rapidly ['ræpɪd, -lɪ] Adj, Adv schnell

rapist ['reɪpɪst] s Vergewaltiger m

rare [reə] Adj selten, rar; vortrefflich; (Steak) blutig; **rarely** Adv selten; **rarity** ['reərɪtɪ] s Seltenheit f

rash [ræʃ] **1.** Adj unbesonnen **2.** s MED (Haut)ausschlag m

rasher ['ræʃə] s ~ (**of ba-con**) (Speck)scheibe f

raspberry ['rɑːzbərɪ] s Himbeere f

rat [ræt] s Ratte f

rate [reɪt] **1.** s Rate f; (Geschwindigkeit) Tempo n; ~ (**of exchange**) (Wechsel)kurs m; ~ **of interest** Zinssatz m; **at any** ~ auf jeden Fall **2.** vt einschätzen (as als)

rather ['rɑːðə] Adv lieber; ziemlich; **I'd** ~ **stay here** ich würde lieber hier bleiben; **I'd** ~ **not** lieber nicht; **or** ~ vielmehr

ratio (-s Pl) ['reɪʃɪəʊ] s Verhältnis n

rational ['ræʃənl] Adj rational; **rationalize** ['ræʃnəlaɪz] vt rationalisieren

rattle ['rætl] **1.** s Rassel f **2.** vt klimpern mit; (jdn) durcheinander bringen **2.** vi (Fenster) klappern; (Gläser etc) klirren; **rattle off** vt herunterrasseln; **rattlesnake** s Klapperschlange f

rave [reɪv] **1.** vi (im Fieber etc) fantasieren; (Person) toben; schwärmen (about von) **2.** s (Brit) Raveparty f

raven ['reɪvn] s Rabe m

raving ['reɪvɪŋ] Adv ~ **mad** total verrückt

ravishing ['rævɪʃɪŋ] Adj hinreißend

raw [rɔː] Adj roh; (Haut) wund; (Klima) rau

ray [reɪ] s (Licht) Strahl m; ~ **of hope** Hoffnungsschimmer m

razor ['reɪzə] s Rasierapparat m; **razor blade** s Rasierklinge f

Rd Abk = **road**; Str.

re [riː] Präp betreffs + Gen

reach [riːtʃ] **1.** s **within/out of (sb's)** ~ in/außer (jds)

Reichweite; *within easy ~ of the shops* nicht weit von den Geschäften 2. *vt* erreichen; (*Ausdehnung*) reichen bis zu; *can you ~ it?* kommen Sie dran?; *reach* *vt* greifen nach; *reach out* *vi* die Hand ausstrecken; ~ *for* greifen nach

react [riːˈækt] *vi* reagieren (*to* auf + *Akk*); reaction [riːˈækʃən] *s* Reaktion *f* (*to* auf + *Akk*); reactor [riːˈæktə*] *s* Reaktor *m*

read (*read, read*) [riːd, red] 1. *vt* lesen; (*Messgerät etc*) ablesen; ~ *sth to sb* jdm etw vorlesen 2. *vi* lesen; ~ *to sb* jdm vorlesen; *it ~s well* es liest sich gut; *it ~s as follows* es lautet folgendermaßen; *read out* *vt* vorlesen; *read through* *vt* durchlesen; *read up on* *vt* nachlesen über + *Akk*; readable *Adj* (*Buch*) lesenswert; (*Schrift*) lesbar; reader *s* Leser(in) *m(f)*

readily [ˈredɪlɪ] *Adv* bereitwillig; ~ *available* leicht erhältlich

reading [ˈriːdɪŋ] *s* Lesen *n*; (*Messgerät*) Zählerstand *m*; reading glasses *npl* Lesebrille *f*; reading lamp *s* Leselampe *f*; reading matter *s* Lektüre *f*

readjust [riːəˈdʒʌst] 1. *vt* (*Uhr, Gerät*) neu einstellen 2. *vi* sich wieder anpassen (*to* an + *Akk*)

ready [ˈredɪ] *Adj* fertig, bereit; *be ~ to do sth* (*a. gewillt*) bereit sein, etw zu tun; *are you ~ to go?* bist du so weit?; *get sth ~* etw fertig machen; *get (oneself) ~* sich fertig machen; ready cash *s* Bargeld *n*; ready-made *Adj* Fertig-; (*Kleidung*) Konfektions-; ~ *meal* Fertiggericht *n*

real [rɪəl] 1. *Adj* wirklich; eigentlich, echt; (*Genie*) richtig; *for ~* echt; *this time it's for ~* diesmal ist es ernst; *get ~* sei realistisch! 2. *Adv* *umg* (*bes US*) echt; real estate *s* Immobilien *Pl*

realistic, realistically [rɪəˈlɪstɪk, -əlɪ] *Adj, Adv* realistisch; reality [rɪˈælɪtɪ] *s* Wirklichkeit *f*; *in ~* in Wirklichkeit; realization [rɪəlaɪˈzeɪʃən] *s* Erkenntnis *f*; realize [ˈrɪəlaɪz] *vt* begreifen; (*Plan*) realisieren; *I ~d (that)* ... mir wurde klar, dass ...

really [ˈrɪəlɪ] *Adv* wirklich

real time [rɪəlˈtaɪm] *s* IT *in ~* in Echtzeit

realtor [ˈrɪəltə*] *s* (*US*) Grundstücksmakler(in) *m(f)*

reappear [riːəˈpɪə*] *vi* wieder erscheinen

rear [rɪə*] 1. *Adj* hintere(r, s), Hinter- 2. *s* hinterer Teil; *at the ~ of* hinter + *Dat*; (*innen*) hinten in + *Dat*; rear light *s* AUTO Rücklicht *n*

rearm [riːˈɑːm] *vi* wieder aufrüsten

rearrange [riːəˈreɪndʒ] *vt*

umstellen; (*Konferenz etc*) verlegen (*for auf + Akk*)

rear-view mirror ['rɪəvjuː-'mɪrə] *s* Rückspiegel *m*; **rear window** *s* AUTO Heckscheibe *f*

reason ['riːzn] **1.** *s* Grund *m* (*for* für); Verstand *m*, Vernunft *f*; **for some ~** aus irgendeinem Grund **2.** *vi* **~ with sb** mit jdm vernünftig reden; **reasonable** *Adj* vernünftig; (*Angebot*) akzeptabel; (*Chance*) reell; (*Essen*) ganz gut; **reasonably** *Adv* vernünftig; (*in hohem Maße*) ziemlich

reassure [riːə'ʃʊə] *vt* beruhigen; **she ~d me that ...** sie versicherte mir, dass ...

rebel ['rebl] **1.** *s* Rebell(in) *m(f)* **2.** [rɪ'bel] *vi* rebellieren; **rebellion** [rɪ'beljən] *s* Aufstand *m*

reboot [riː'buːt] *vt, vi* IT rebooten

rebuild [riː'bɪld] *unreg vt* wieder aufbauen

recall [rɪ'kɔːl] *vt* sich erinnern an + *Akk*; (*Produkt etc*) zurückrufen

recap ['riːkæp] *vt, vi* rekapitulieren

receipt [rɪ'siːt] *s* Quittung *f*; (*von Waren etc*) Empfang *m*; **~s** *Pl* Einnahmen *Pl*

receive [rɪ'siːv] *vt* erhalten, bekommen; (*Leute*) empfangen; **receiver** *s* TEL Hörer *m*; RADIO Empfänger *m*

recent ['riːsnt] *Adj* vor kurzem stattgefunden; (*Foto*)

neueste(r, s); (*aktuell*) neu; **in ~ years** in den letzten Jahren; **recently** *Adv* vor kurzem; in letzter Zeit

reception [rɪ'sepʃən] *s* Empfang *m*; **receptionist** *s* (*Hotel*) Empfangschef *m*, Empfangsdame *f*; (*Firma*) Empfangsdame *f*; MED Sprechstundenhilfe *f*

recess [rɪ'ses] *s* (*Wand*) Nische *f*; (*US, Schule*) Pause *f*

recession [rɪ'seʃən] *s* Rezession *f*

recharge [riː'tʃɑːdʒ] *vt* (*Batterie*) aufladen; **rechargeable** [riː'tʃɑːdʒəbl] *Adj* wieder aufladbar

recipe ['resɪpɪ] *s* Rezept *n* (*for* für)

recipient [rɪ'sɪpɪənt] *s* Empfänger(in) *m(f)*

reciprocal [rɪ'sɪprəkəl] *Adj* gegenseitig

recite [rɪ'saɪt] *vt* vortragen

reckless ['rekləs] *Adj* leichtsinnig; gefährlich

reckon ['rekən] **1.** *vt* schätzen; (*annehmen*) glauben **2.** *vi* **~ with** rechnen mit

reclaim [rɪ'kleɪm] *vt* (*Gepäck*) abholen; (*Steuern etc*) zurückverlangen

recline [rɪ'klaɪn] *vi* sich zurücklehnen; **reclining seat** *s* Liegesitz *m*

recognition [rekəg'nɪʃən] *s* Anerkennung *f*; **in ~ of** in Anerkennung + *Gen*; **recognize** ['rekəgnaɪz] *vt* erkennen; anerkennen

recommend [rekə'mend] *vt*

empfehlen; **recommendation** [rekəmən'deɪʃən] s Empfehlung f

reconcile ['rekənsaɪl] vt versöhnen; (Fakten) (miteinander) vereinbaren

reconsider [ri:kən'sɪdər] vt noch einmal überdenken

reconstruct [ri:kən'strʌkt] vt wieder aufbauen; rekonstruieren

record ['rekɔ:d] 1. s MUS (Schall)platte f; (Bestleistung) Rekord m; **keep a ~ of** Buch führen über + Akk 2. Adj Rekord- 3. [rɪ'kɔ:d] vt aufzeichnen; (auf CD, DVD etc) aufnehmen; **~ed message** Ansage f; recorded delivery s (Brit) **~** per Einschreiben

recorder [rɪ'kɔ:dər] s MUS Blockflöte f; (cassette) **~** (Kassetten)rekorder m; recording [rɪ'kɔ:dɪŋ] s Aufnahme f

recover [rɪ'kʌvər] 1. vt zurückbekommen; (Appetit, Kraft) wiedergewinnen 2. vi sich erholen

recreation [rekrɪ'eɪʃən] s Erholung f; recreational Adj Freizeit-; **~ vehicle** (US) Wohnmobil n

recruit [rɪ'kru:t] 1. s MIL Rekrut(in) m(f); (Verein etc) neues Mitglied 2. vt MIL rekrutieren; (Mitglieder) anwerben; (Mitarbeiter) einstellen; recruitment agency s Personalagentur f

rectangle ['rektæŋgl] s

Rechteck n; **rectangular** [rek'tæŋgʊlər] Adj rechteckig

recuperate [rɪ'ku:pəreɪt] vi sich erholen

recyclable [ri:'saɪkləbl] Adj recycelbar, wieder verwertbar; **recycle** [ri:'saɪkl] vt recyceln, wieder verwerten; **~d paper** Recyclingpapier n; recycling s Recycling n, Wiederverwertung f

red [red] 1. Adj rot 2. **s in the ~** in den roten Zahlen; **red cabbage** s Rotkohl m; **redcurrant** s (rote) Johannisbeere

redeem [rɪ'di:m] vt WIRTSCH einlösen

red-handed [red'hændɪd] Adj **catch sb ~** jdn auf frischer Tat ertappen; **redhead** s Rothaarige(r) mf

redial [ri:'daɪəl] vt, vi nochmals wählen

redirect [ri:daɪ'rekt] vt umleiten; nachsenden

red light [red'laɪt] s (Ampel) rotes Licht; **go through the ~** bei Rot über die Ampel fahren; **red meat** s Rind-, Lamm-, Rehfleisch

redo [ri:'du:] unreg vt nochmals machen

reduce [rɪ'dju:s] vt reduzieren (to auf + Akk, by um); **reduction** [rɪ'dʌkʃən] s Reduzierung f, Ermäßigung f

redundant [rɪ'dʌndənt] Adj überflüssig; **be made ~** entlassen werden

red wine [red'waɪn] s Rotwein *m*

reef [riːf] *s* Riff *n*

reel [riːl] *s* Spule *f*; (*an Angel*) Rolle *f*; **reel off** *vt* herunterrasseln

ref [ref] *s umg* Schiri *m*

refectory [rɪˈfektəri] *s* (*Universität, College*) Mensa *f*

refer [rɪˈfɜːʳ] **1.** *vt* **~ sb to sb/ sth** jdn an jdn/etw verweisen; **~ sth to sb** etw an jdn weiterleiten **2.** *vi* **~ to** sich beziehen auf + *Akk*; (*Buch*) nachschlagen in + *Dat*

referee [refəˈriː] *s* Schiedsrichter(in) *m(f)*; (*Boxen*) Ringrichter *m*; (*Brit, für Bewerbung*) Referenz *f*

reference [ˈrefrəns] *s* Anspielung *f* (*to* auf + *Akk*); (*Bewerbung*) Referenz *f*; (*Buch*) Verweis *m*; **~ (number)** (*auf Dokument*) Aktenzeichen *n*; **with ~ to** mit Bezug auf + *Akk*; **reference book** *s* Nachschlagewerk *n*

referendum (*referenda Pl*) [refəˈrendəm, refəˈrendə] *s* Referendum *n*

refill [ˈriːfɪl] **1.** *vt* [riːˈfɪl] nachfüllen **2.** *s* Ersatzmine *f*

refine [rɪˈfaɪn] *vt* (*Zucker, Salz etc*) raffinieren; (*Qualität, Technik*) verfeinern; **refined** *Adj* (*kultiviert*) fein

reflect [rɪˈflekt] **1.** *vt* reflektieren; *fig* widerspiegeln **2.** *vi* nachdenken (*on* über + *Akk*); **reflection** [rɪˈflekʃən] *s* Spiegelbild *n*; (*gedanklich*) Überlegung *f*

reflex [ˈriːfleks] *s* Reflex *m*

reform [rɪˈfɔːm] **1.** *s* Reform *f* **2.** *vt* reformieren; (*Person*) bessern

refrain [rɪˈfreɪn] *vi* **~ from doing sth** es unterlassen, etw zu tun

refresh [rɪˈfreʃ] *vt* erfrischen; **refreshing** *Adj* erfrischend; **refreshments** *npl* Erfrischungen *Pl*

refrigerator [rɪˈfrɪdʒəreɪtəʳ] *s* Kühlschrank *m*

refuel [riːˈfjʊəl] *vt, vi* auftanken

refuge [ˈrefjuːdʒ] *s* Zuflucht *f* (*from* vor + *Dat*); **take ~** sich flüchten (*from* vor + *Dat, in* in + *Akk*); **refugee** [refjuˈdʒiː] *s* Flüchtling *m*

refund [ˈriːfʌnd] **1.** *s* Rückerstattung *f*; **get a ~ (on sth)** sein Geld (für etw) zurückbekommen **2.** [rɪˈfʌnd] *vt* zurückerstatten

refusal [rɪˈfjuːzəl] *s* Weigerung *f*; **refuse** [ˈrefjuːs] **1.** *s* Müll *m*, Abfall *m* **2.** [rɪˈfjuːz] *vt* ablehnen; **~ sb sth** jdm etw verweigern; **~ to do sth** sich weigern, etw zu tun **3.** *vi* sich weigern

regain [rɪˈgeɪn] *vt* wiedergewinnen, wiedererlangen

regard [rɪˈgɑːd] **1.** *s* **~ with ~ to** in Bezug auf + *Akk*; **in this ~** in dieser Hinsicht; **~s** (*Brief*) mit freundlichen Grüßen; **give my ~s to ...** viele Grüße an ... + *Akk* **2.** *vt* **~ sb/sth as sth** jdn/etw als etw betrachten; **as ~s ...** was ... betrifft; **regarding**

Präp bezüglich + *Gen*; re-
gardless **1.** *Adj* ~ **of** ohne
Rücksicht auf + *Akk* **2.**
Adv trotzdem; **carry on** ~
einfach weitermachen
regime [reɪˈʒiːm] *s* POL Regime *n*
region [ˈriːdʒən] *s* Region *f*,
Gebiet *n*; **regional** *Adj* regional
register [ˈredʒɪstər] **1.** *s* Register *n*; (*Schule*) Namensliste *f* **2.** *vt* registrieren lassen; (*Fahrzeug etc*) anmelden **3.** *vi* (*Kurs, Hotel*) sich anmelden; (*an Universität*)
sich einschreiben; **registered** *Adj* eingetragen; (*Brief*) eingeschrieben; **by ~ post** per Einschreiben;
registration [redʒɪˈstreɪʃən] *s* (*Kurs*) Anmeldung *f*; (*Universität*) Einschreibung *f*, AUTO (polizeiliches)
Kennzeichen; **registration form** *s* Anmeldeformular *n*; **registration number** *s* AUTO (polizeiliches) Kennzeichen; **registry office** [ˈredʒɪstrɪfɪs] *s* Standesamt *n*
regret [rɪˈgret] **1.** *s* Bedauern *n* **2.** *vt* bedauern; **regrettable** *Adj* bedauerlich
regular [ˈregjələr] **1.** *Adj* regelmäßig; (*Größe*) normal **2.** *s* Stammkunde *m*; Stammkundin *f*; (*in Gaststätte*) Stammgast *m*; (*Benzin*) Normalbenzin *n*; **regularly** *Adv* regelmäßig
regulate [ˈregjəleɪt] *vt* regulieren; regeln; **regulation**

[regjʊˈleɪʃən] *s* Vorschrift *f*
rehabilitation [riːəbɪlɪˈteɪʃən] *s* Rehabilitation *f*
rehearsal [rɪˈhɜːsəl] *s* Probe *f*; **rehearse** *vt, vi* proben
reign [reɪn] **1.** *s* Herrschaft *f* **2.** *vi* herrschen (*over* über + *Akk*)
reimburse [riːɪmˈbɜːs] *vt* entschädigen; (*Kosten, Auslagen*) zurückerstatten
reindeer [ˈreɪndɪər] *s* Rentier *n*
reinforce [riːɪnˈfɔːs] *vt* verstärken
reinstate [riːɪnˈsteɪt] *vt* (*Mitarbeiter*) wieder einstellen
reject [ˈriːdʒekt] **1.** *s* WIRTSCH Ausschussartikel *m* **2.** [rɪˈdʒekt] *vt* ablehnen; **rejection** [rɪˈdʒekʃən] *s* Ablehnung *f*
relapse [rɪˈlæps] *s* Rückfall *m*
relate [rɪˈleɪt] **1.** *vt* (*Geschichte*) erzählen; (*Sache etc*) in Verbindung bringen (*to* mit) **2.** *vi* ~ **to** sich beziehen auf + *Akk*; **related** *Adj* verwandt (*to* mit); **relation** [rɪˈleɪʃən] *s* Verwandte(r) *mf*; (*Verbindung*) Beziehung *f*; **relationship** *s* Beziehung *f*, Verhältnis *n*
relative [ˈrelətɪv] **1.** *s* Verwandte(r) *mf* **2.** *Adj* relativ; **relatively** *Adv* relativ, verhältnismäßig
relax [rɪˈlæks] **1.** *vi* sich entspannen; **~!** reg dich nicht auf! **2.** *vt* lockern; **relaxation** [riːlækˈseɪʃən] *s* Ent-

spannung *f;* **relaxed** *Adj* entspannt

release [rɪˈliːs] **1.** *s* Entlassung *f; new/recent ~ (CD)* Neuerscheinung *f* **2.** *vt (Geisel)* freilassen; *(Gefangene)* entlassen; *(Bremse)* lösen; *(Nachricht)* veröffentlichen; *(CD)* herausbringen

relent [rɪˈlent] *vi* nachgeben; **relentless, relentlessly** *Adj, Adv* erbarmungslos; unaufhörlich

relevance [ˈreləvəns] *s* Relevanz *f (to* für); **relevant** *Adj* relevant (*to* für)

reliable, reliably [rɪˈlaɪəbl, -blɪ] *Adj, Adv* zuverlässig; **reliant** [rɪˈlaɪənt] *Adj ~ on* abhängig von

relic [ˈrelɪk] *s* Relikt *n*

relief [rɪˈliːf] *s* Erleichterung *f,* Hilfe *f;* **relieve** [rɪˈliːv] *vt (Schmerzen etc)* lindern; *(Langeweile)* überwinden; *(jdn bei etw)* ablösen; *I'm ~d* ich bin erleichtert

religion [rɪˈlɪdʒən] *s* Religion *f;* **religious** [rɪˈlɪdʒəs] *Adj* religiös

relish [ˈrelɪʃ] **1.** *s (für Essen)* würzige Soße **2.** *vt* genießen; *I don't ~ the thought of getting up early* der Gedanke, früh aufzustehen, behagt mir gar nicht

reluctant [rɪˈlʌktənt] *Adj* widerwillig; *be ~ to do sth* etw nur ungern tun; **reluctantly** *Adv* widerwillig

rely on [rɪˈlaɪ ɒn] *vt* sich verlassen auf + *Akk; (fi-*

nanziell) abhängig sein von

remain [rɪˈmeɪn] *vi* bleiben; *(als Rest)* übrig bleiben; **remainder** *s a.* MATHE Rest *m;* **remaining** *Adj* übrig; **remains** *npl* Überreste *pl*

remark [rɪˈmɑːk] **1.** *s* Bemerkung *f* **2.** *vt ~ that* bemerken, dass; **remarkable, remarkably** *Adj, Adv* bemerkenswert

remedy [ˈremədɪ] *s* Mittel *n (for* gegen)

remember [rɪˈmembə^r] **1.** *vt* sich erinnern an + *Akk; ~ to do sth* daran denken, etw zu tun; *I must ~ that* das muss ich mir merken **2.** *vi* sich erinnern

Remembrance Day

Remembrance Day oder **Remembrance Sunday**, der manchmal auch **Poppy Day** genannt wird, ist der britische Gedenktag für die Gefallenen der beiden Weltkriege und anderer Kriege. Er fällt auf einen Sonntag vor oder nach dem 11. November, da am 11. 11. 1918 der Erste Weltkrieg endete (**Armistice Day**). **Remembrance Day** wird mit einer Schweigeminute, Kranzniederlegungen und dem Tragen von Anstecknadeln in Form einer **Mohnblume (red poppy)** begangen.

remind [rɪ'maɪnd] *vt* ~ **sb**
of/about sb/sth jdn an jdn/
etw erinnern; ~ **sb to do**
sth jdn daran erinnern, etw
zu tun; *that ~s me* dabei
fällt mir ein ...; **reminder** *s*
Mahnung *f*

remnant ['remnənt] *s* Rest *m*

remote [rɪ'məʊt] **1.** *Adj* abgelegen; (*Chance*) gering **2.**
s TV Fernbedienung *f*; **re-**
mote control *s* Fernsteue-
rung *f*, Fernbedienung *f*

removal [rɪ'muːvəl] *s* Entfernung *f*; (*Brit, in neue*
Wohnung) Umzug *m*; **re-**
moval firm *s* (*Brit*) Spedition *f*; **remove** [rɪ'muːv] *vt*
entfernen; (*Deckel*) abnehmen; (*Zweifel*) zerstreuen

rename [riː'neɪm] *vt* umbe-
nennen

renew [rɪ'njuː] *vt* erneuern;
verlängern lassen

renovate ['renəveɪt] *vt* renovieren

renowned [rɪ'naʊnd] *Adj*
berühmt (*for* für)

rent [rent] **1.** *s* Miete *f*; **for** ~
(*US*) zu vermieten **2.** *vt*
(*als Mieter*) mieten; (*als Ei-*
gentümer) vermieten; **~ed**
car Mietwagen *m*; **rent out**
vt vermieten; **rental** **1.** *s*
Miete *f*; (*für Auto etc*)
Leihgebühr *f* **2.** *Adj* Miet-

reorganize [riː'ɔːgənaɪz] *vt*
umorganisieren

rep [rep] *s* WIRTSCH Vertre-
ter(in) *m(f)*

repair [rɪ'peə'] **1.** *s* Reparatur *f* **2.** *vt* reparieren; wie-

der gutmachen

repay [riː'peɪ] *unreg vt* zurückzahlen; ~ **sb for sth**
fig sich bei jdm für etw revanchieren

repeat [rɪ'piːt] **1.** *s* RADIO, TV
Wiederholung *f* **2.** *vt* wiederholen; **repetition** [repə-
'tɪʃən] *s* Wiederholung *f*

replace [rɪ'pleɪs] *vt* ersetzen
(*with durch*); zurückstellen,
zurücklegen; **replacement**
s Ersatz *m*; (*Arbeitsplatz*)
Vertretung *f*

replay ['riːpleɪ] **1.** *s* (*action*)
~ Wiederholung *f* **2.** [riː-
'pleɪ] *vt* (*Spiel*) wiederholen

replica ['replɪkə] *s* Kopie *f*

reply [rɪ'plaɪ] **1.** *s* Antwort
f **2.** *vi* antworten; ~ **to sb/sth**
jdm/auf etw *Akk* antworten
3. *vt* ~ **that** antworten, dass

report [rɪ'pɔːt] **1.** *s* Bericht
m; (*Schule*) Zeugnis *n* **2.** *vt*
berichten; melden; (*bei der*
Polizei) anzeigen **3.** *vi* sich
melden; ~ **sick** sich krank-
melden; **report card** *s* (*US*)
(*Schule*) Zeugnis *n*; **report-**
er *s* Reporter(in) *m(f)*

represent [reprɪ'zent] *vt*
darstellen; (*seine Firma etc*)
vertreten; **representation**
[reprɪzen'teɪʃən] *s* Darstellung *f*; **representative** [rep-
rɪ'zentətɪv] **1.** *s* Vertre-
ter(in) *m(f)*; (*US*) POL Ab-
geordnete(r) *mf* **2.** *Adj*
repräsentativ (*of* für)

reproduce [riːprə'djuːs] **1.**
vt reproduzieren **2.** *vi* BIO
sich fortpflanzen; **repro-**

duction [rɪ:prə'dʌkʃən] s Reproduktion f; BIO Fortpflanzung f

reptile ['reptaɪl] s Reptil n

republic [rɪ'pʌblɪk] s Republik f; **republican 1.** Adj republikanisch **2.** s Republikaner(in) m(f)

repulsive [rɪ'pʌlsɪv] Adj abstoßend

reputation [repjʊ'teɪʃən] s Ruf m

request [rɪ'kwest] **1.** s Bitte f (for um); **on ~** auf Wunsch **2.** vt bitten um

require [rɪ'kwaɪə'] vt brauchen; (als Anforderung) verlangen; **required** Adj erforderlich; **requirement** s Anforderung f; (Job etc) Bedingung f

rerun ['ri:rʌn] s Wiederholung f

rescue ['reskju:] **1.** s Rettung f; **come to sb's ~** jdm zu Hilfe kommen **2.** vt retten

research [rɪ'sɜ:tʃ] **1.** s Forschung f **2.** vi forschen (into über + Akk) **3.** vt erforschen; **researcher** s Forscher(in) m(f)

resemblance [rɪ'zembləns] s Ähnlichkeit f (to mit); **resemble** vi ähneln + Dat

resent [rɪ'zent] vt übel nehmen

reservation [rezə'veɪʃən] s Reservierung f; (Zweifel) Vorbehalt m; **I have a ~** (Hotel) ich habe reserviert; **reserve** [rɪ'zɜ:v] **1.** s Vorrat m (of an + Dat); (Verhal-

ten) Zurückhaltung f; SPORT Reservespieler(in) m(f); (in Landschaft) Naturschutzgebiet n **2.** vt reservieren; **reserved** Adj reserviert

residence ['rezɪdəns] s Wohnsitz m; (in Land, Stadt) Aufenthalt m; **~ permit** Aufenthaltsgenehmigung f; **resident** ['rezɪdənt] s Bewohner(in) m(f), Einwohner(in) m(f)

resign [rɪ'zaɪn] **1.** vt (Amt, Posten) zurücktreten von; (Job) kündigen **2.** vi (von Amt) zurücktreten; (Job) kündigen; **resignation** [rezɪg'neɪʃən] s Rücktritt m, Kündigung f

resist [rɪ'zɪst] vt widerstehen + Dat; **resistance** s Widerstand m (to gegen)

resit [ri:'sɪt] (Brit) **1.** unreg vt wiederholen **2.** ['ri:sɪt] s Wiederholungsprüfung f

resolution [rezə'lu:ʃən] s Vorsatz m; Beschluss m

resolve [rɪ'zɒlv] vt lösen

resort [rɪ'zɔ:t] **1.** s Urlaubsort m; **as a last ~** als letzter Ausweg **2.** vi **~ to** greifen zu; (Gewalt) anwenden

resources [rɪ'sɔ:sɪz] npl (Geld)mittel Pl; (Kohle, Erdöl etc) Bodenschätze Pl

respect [rɪ'spekt] **1.** s Respekt m (for vor + Dat), Rücksicht f (for auf + Akk); **with ~ to** in Bezug auf + Akk; **in this ~** in dieser Hinsicht; **in all due ~** bei allem Respekt **2.** vt respektieren; **respectable** [rɪ-'spektəbl] *Adj* (Person) angesehen; (Gegend) anständig; (Leistung) beachtlich; **respected** [rɪ'spektɪd] *Adj* angesehen

respective [rɪ'spektɪv] *Adj* jeweilig; **respectively** *Adv* **5% and 10%** ~ 5% beziehungsweise 10%

respond [rɪ'spɒnd] *vi* antworten (to auf + Akk), reagieren (to auf + Akk); (auf Behandlung) ansprechen (to auf + Akk); **response** [rɪ'spɒns] *s* Antwort *f*, Reaktion *f*; **in** ~ **to** als Antwort auf + Akk

responsibility [rɪspɒnsə'bɪ-lɪtɪ] *s* Verantwortung *f*; **that's her** ~ dafür ist sie verantwortlich; **responsible** [rɪ'spɒnsəbl] *Adj* verantwortlich (for für); verantwortungsbewusst; (Arbeit) verantwortungsvoll

rest [rest] **1.** *s* (Erholung) Ruhe *f* (Wanderung etc) Pause *f*; (Überbleibsel) Rest *m*; **have** (od **take**) **a** ~ sich ausruhen; Pause machen **2.** *vi* sich ausruhen; (an Baum, Mauer etc) lehnen (on, against an + Dat, gegen)

restaurant ['restərɒnt] *s* Restaurant *n*; **restaurant car** *s* (Brit) Speisewagen *m*

restful ['restful] *Adj* erholsam, ruhig; **restless** ['restləs] *Adj* unruhig

restore [rɪ'stɔ:] *vt* restaurieren; (Ruhe) wiederherstel-

len; (Gebiet) zurückgeben

restrain [rɪ'streɪn] *vt* zurückhalten; ~ **oneself** sich beherrschen

restrict [rɪ'strɪkt] *vt* beschränken (to auf + Akk); **restricted** *Adj* beschränkt; **restriction** [rɪ'strɪkʃən] *s* Einschränkung *f* (on + Gen)

rest room ['restru:m] *s* (US) Toilette *f*

result [rɪ'zʌlt] **1.** *s* Ergebnis *n*, Folge *f*; **as a** ~ **of** infolge + Gen **2.** *vi* ~ **in** führen zu; ~ **from** sich ergeben aus

resume [rɪ'zju:m] *vt* wieder aufnehmen; fortsetzen

résumé ['rezjumeɪ] *s* Zusammenfassung *f*; (US) Lebenslauf *m*

resuscitate [rɪ'sʌsɪteɪt] *vt* wieder beleben

retail ['ri:teɪl] *Adv* im Einzelhandel; **retailer** *s* Einzelhändler(in) *m(f)*

retain [rɪ'teɪn] *vt* behalten; (Hitze) halten

rethink [ri:'θɪŋk] *unreg vt* noch einmal überdenken

retire [rɪ'taɪər] *vi* in den Ruhestand treten; sich zurückziehen; **retired** *Adj* pensioniert; **retirement** *s* Ruhestand *m*; **retirement age** *s* Rentenalter *n*

retrain [ri:'treɪn] *vi* sich umschulen lassen

retreat [rɪ'tri:t] **1.** *s* Rückzug *m* (from aus); Zufluchtsort *m* **2.** *vi* sich zurückziehen

retrieve [rɪ'tri:v] *vt* wiederbekommen; (die Lage etc)

retten; (*Daten*) abrufen

retrospect ['retrəuspekt] *s in* ~ rückblickend

return [rɪ'tɜːn] **1.** *s* Rückkehr *f*; (*von Sache etc*) Rückgabe *f*; (*Profit*) Gewinn *m*; (*Brit, Zug*) Rückfahrkarte *f*; (*Flug*) Rückflugticket *n*; (*Tennis*) Return *m*; *in* ~ als Gegenleistung (*for* für); *many happy* ~*s* (*of the day*) herzlichen Glückwunsch zum Geburtstag! **2.** *vi* zurückkehren; (*Symptome*) wieder auftreten **3.** *vt* zurückgeben; *I* ~*ed his call* ich habe ihn zurückgerufen; **returnable** *Adj* Pfand-; **return flight** *s* (*Brit*) Rückflug *m*; (*beide Strecken*) Hin- und Rückflug *m*; **return key** *s* ɪT Eingabetaste *f*; **return ticket** *s* (*Brit*) Rückfahrkarte *f*; Rückflugticket *n*

reunification [riːjuːnɪfɪ'keɪʃən] *s* Wiedervereinigung *f*; **reunion** [riː'juːnjən] *s* Treffen *n*; **reunite** [riːjuː'naɪt] *vt* wieder vereinigen

reveal [rɪ'viːl] *vt* enthüllen; verraten; **revealing** *Adj* aufschlussreich; (*Kleid*) freizügig

revenge [rɪ'vendʒ] *s* Rache *f*, Revanche *f*; *take* ~ *on sb* (*for sth*) sich an jdm (für etw) rächen

revenue ['revənjuː] *s* Einnahmen *Pl*

reverse [rɪ'vɜːs] **1.** *s* Rück-

seite *f*; Gegenteil *n*; AUTO ~ (*gear*) Rückwärtsgang *m* **2.** *Adj in* ~ *order* in umgekehrter Reihenfolge **3.** *vt* umkehren; (*Beschluss*) umstoßen; (*Auto*) zurücksetzen **4.** *vi* rückwärts fahren

review [rɪ'vjuː] **1.** *s* Rezension *f*; *be under* ~ überprüft werden **2.** *vt* (*Buch, Film etc*) rezensieren; (*Lage, Entscheidung*) überprüfen

revise [rɪ'vaɪz] **1.** *vt* revidieren; (*Text*) überarbeiten; (*Brit, in Schule*) wiederholen **2.** *vi* (*Brit, in Schule*) den Stoff wiederholen; **revision** [rɪ'vɪʒən] *s* (*von Text*) Überarbeitung *f*; (*Brit*) (*Schule*) Wiederholung *f*

revitalize [riː'vaɪtəlaɪz] *vt* neu beleben

revive [rɪ'vaɪv] *vt* (*Person*) wieder beleben; (*Tradition etc*) wieder aufleben lassen

revolt [rɪ'vəʊlt] *s* Aufstand *m*; **revolting** *Adj* widerlich

revolution [revə'luːʃən] *s* POL *fig* Revolution *f*; **revolutionary 1.** *Adj* revolutionär **2.** *s* Revolutionär(in) *m(f)*

revolve [rɪ'vɒlv] *vi* sich drehen (*around* um); **revolver** *s* Revolver *m*; **revolving door** *s* Drehtür *f*

reward [rɪ'wɔːd] **1.** *s* Belohnung *f* **2.** *vt* belohnen; **rewarding** *Adj* lohnend

rewind [riː'waɪnd] *unreg vt* zurückspulen

rheumatism ['ruːmətɪzəm] *s* Rheuma *n*

rhinoceros [raɪˈnɒsərəs] s
Nashorn m

Rhodes [rəʊdz] s Rhodos n

rhubarb [ˈruːbɑːb] s Rhabarber m

rhyme [raɪm] **1.** s Reim m **2.**
vi sich reimen (with auf
+ Akk)

rhythm [ˈrɪðəm] s Rhythmus
m

rib [rɪb] s Rippe f

ribbon [ˈrɪbən] s Band n

rice [raɪs] s Reis m; rice
pudding s Milchreis m

rich [rɪtʃ] **1.** Adj reich; (Essen) schwer **2.** npl the ~ die
Reichen Pl

rickety [ˈrɪkɪtɪ] Adj wackelig

rid [rɪd] (rid, rid) [rɪd] vt get ~ of
sb/sth jdn/etw loswerden

ridden [ˈrɪdn] pp von ride

riddle [ˈrɪdl] s Rätsel n

ride (rode, ridden) [raɪd,
rəʊd, ˈrɪdn] **1.** vt reiten;
(Fahrrad) fahren **2.** vi reiten; (auf Fahrrad) fahren
3. s Fahrt f; (auf Pferd)
(Aus)ritt m; **go for a ~** spazieren fahren; (auf Pferd)
reiten gehen; **take sb for a
~ umg** jdn verarschen; **rider** s Reiter(in) m(f)

ridiculous [rɪˈdɪkjʊləs] Adj
lächerlich; **don't be ~** red
keinen Unsinn!

riding [ˈraɪdɪŋ] **1.** s Reiten n
2. Adj Reit-

rifle [ˈraɪfl] s Gewehr n

right [raɪt] **1.** Adj richtig;
(seitenmäßig) rechte(r, s);
(Beruf etc) passend; **be ~**
(Person) Recht haben;

(Uhr) richtig gehen; **that's
~** das stimmt! **2.** s Recht n
(to auf + Akk); (Seite)
rechte Seite; **the Right** POL
die Rechte; **take a ~** AUTO
rechts abbiegen; **on the ~**
rechts (of von); **to the ~**
nach rechts; rechts (of von)
3. Adv (Richtung) nach
rechts; (ohne Umweg) direkt; (exakt) genau; **turn ~**
AUTO rechts abbiegen; **~ a-
way** sofort; **~ now** im Moment; (gleich) sofort; **right
angle** s rechter Winkel;
right-hand drive 1. s
Rechtssteuerung f **2.** Adj
rechtsgesteuert; **right-
handed** Adj **he is ~** er ist
Rechtshänder; **right-hand
side** s rechte Seite; **on the
~** auf der rechten Seite;
rightly Adv zu Recht; **right
of way s have ~** AUTO Vorfahrt haben; **right wing** s
POL, SPORT rechter Flügel;
right-wing Adj rechts-;
extremist Rechtsradikale(r) mf

rigid [ˈrɪdʒɪd] Adj starr;
streng

rim [rɪm] s Rand m; (Rad)
Felge f

rind [raɪnd] s (Käse) Rinde
f; (Speck) Schwarte f;
(Obst) Schale f

ring (rang, rung) [rɪŋ, ræŋ,
rʌŋ] **1.** vt, vi (Glocke) läuten;
TEL anrufen **2.** s Ring m;
Kreis m; (Zirkus) Manege f;
give sb a ~ TEL jdn anrufen;
ring back vt, vi zurückru-

fen; **ring up** vt, vi anrufen

ringing tone s TEL Rufzeichen n

ring road s (Brit) Umgehungsstraße f

ringtone s Klingelton m

rink [rɪŋk] s Eisbahn f, Rollschuhbahn f

rinse [rɪns] vt spülen

riot ['raɪət] s Aufruhr m

rip [rɪp] **1.** s Riss m **2.** vt zerreißen; **~ sth open** etw aufreißen **3.** vi reißen; **rip off** vi erw übers Ohr hauen; **rip up** vt zerreißen

ripe [raɪp] Adj (Frucht, Obst) reif; **ripen** vi reifen

rip-off ['rɪpɒf] s **that's a ~** umg das ist Wucher

rise (rose, risen) [raɪz, rəʊz, 'rɪzn] **1.** vi aufstehen; (Sonne) aufgehen; (Preise, Temperatur) steigen; (Gelände) ansteigen **2.** s Anstieg m (in + Gen); Gehaltserhöhung f; (zur Macht) Aufstieg m (to zu); (in Gelände) Steigung f; **risen** ['rɪzn] pp von **rise**

risk [rɪsk] **1.** s Risiko n **2.** vt riskieren; **risky** Adj riskant

ritual ['rɪtjʊəl] s Ritual n

rival ['raɪvəl] s Rivale m, Rivalin f (for um); WIRTSCH Konkurrent(in) m(f); **rivalry** s Rivalität f; WIRTSCH, SPORT Konkurrenz f

river ['rɪvər] s Fluss m; **the River Thames** (Brit), **the Thames River** (US) die Themse; **riverside 1.** s Flussufer n **2.** Adj am Flussufer

road [rəʊd] s Straße f; fig Weg m; **on the ~** unterwegs; **roadblock** s Straßensperre f; **roadmap** s Straßenkarte f; **road rage** s aggressives Verhalten im Straßenverkehr; **roadside** s **at** (od **by) the ~** am Straßenrand; **roadsign** s Verkehrsschild n; **road tax** s Kraftfahrzeugsteuer f; **roadworks** npl Straßenarbeiten Pl; **roadworthy** Adj fahrtüchtig

roar [rɔːr] **1.** s Brüllen n, Donnern n **2.** vi brüllen (with vor + Dat)

roast [rəʊst] **1.** s Braten m **2.** Adj **~ beef** Rinderbraten m; **~ chicken** Brathähnchen n; **~ pork** Schweinebraten m; **~ potatoes** Pl im Backofen gebratene Kartoffeln **3.** vt braten

rob [rɒb] vt bestehlen; ausrauben; **robbery** s Raub m

robe [rəʊb] s (US) Morgenrock m; Robe f, Talar m

robin ['rɒbɪn] s Rotkehlchen n

robot ['rəʊbɒt] s Roboter m

rock [rɒk] **1.** s (Material) Stein m; (größer) Felsbrocken m; MUS Rock m; **on the ~s** (Getränk) mit Eis; (Ehe) gescheitert **2.** vt, vi schaukeln; (tanzen) rocken; **rock climbing** s Klettern n

rocket ['rɒkɪt] s Rakete f; (Salat) Rucola f

rocking chair ['rɒkɪŋtʃeər] s Schaukelstuhl m

rocky ['rɒkɪ] Adj felsig; stei-

roughly

nig

rod [rɒd] s *(aus Eisen etc)* Stange f; *(Angeln)* Rute f

rode [rəʊd] *pt von* **ride**

rogue [rəʊg] s Schurke m

role [rəʊl] s Rolle f; **role model** s Vorbild n

roll [rəʊl] **1.** s Rolle f; *(aus Brotteig)* Brötchen n **2.** *vt* rollen; *(Zigarette)* drehen **3.** *vi* rollen; **roll out** *vt* ausrollen; **roll over** *vi* sich umdrehen; **roll up 1.** *vi umg* antanzen **2.** *vt (Teppich)* aufrollen; **roll one's sleeves up** die Ärmel hochkrempeln

roller s *(Locken)*wickler m; **roller coaster** s Achterbahn f; **roller skates** *npl* Rollschuhe *Pl*; **roller-skating** s Rollschuhlaufen n; **rolling pin** s Nudelholz n; **roll-on** *(deodorant)* s Deoroller m

ROM [rɒm] *Akr = read only memory*; ROM m

Roman ['rəʊmən] **1.** *Adj* römisch **2.** s Römer(in) m(f); **Roman Catholic 1.** *Adj* römisch-katholisch **2.** s Katholik(in) m(f)

romance [rəʊ'mæns] s Romantik f, Romanze f

Romania [rəʊ'meɪnɪə] s Rumänien n; **Romanian 1.** *Adj* rumänisch **2.** s Rumäne m, Rumänin f; *(Sprache)* Rumänisch n

romantic [rəʊ'mæntɪk] *Adj* romantisch

roof [ruːf] s Dach n; **roof rack** s Dachgepäckträger

m

rook [rʊk] s *(Schach)* Turm m

room [ruːm] s Zimmer n, Raum m; *(größer)* Saal m; *(Fläche)* Platz m; *fig* Spielraum m; **make ~ for** Platz machen für; **roommate** s Zimmergenosse m, Zimmergenossin f; *(US, in Wohnung)* Mitbewohner(in) m(f); **room service** s Zimmerservice m

root [ruːt] s Wurzel f; **root out** *vt* ausrotten; **root vegetable** s Wurzelgemüse n

rope [rəʊp] s Seil n; **know the ~s** *umg* sich auskennen

rose [rəʊz] **1.** *pt von* **rise 2.** s Rose f

rosé ['rəʊzeɪ] s Rosé(wein) m

rot [rɒt] *vi* verfaulen

rotate [rəʊ'teɪt] **1.** *vt* rotieren lassen **2.** *vi* rotieren

rotation [rəʊ'teɪʃən] s Rotation f; **in ~** abwechselnd

rotten ['rɒtn] *Adj (Ei, Obst etc)* faul; *(Person, Verhalten)* gemein; *(Wetter etc)* scheußlich; *(krank)* elend

rough [rʌf] **1.** *Adj* rau; *(Gelände, Weg)* uneben; *(Person, Worte)* grob; *(Überfahrt)* stürmisch; *(Zeit, Leben)* hart; *(Schätzung etc)* grob; *(Vorstellung)* ungefähr; **~ draft** Rohentwurf m; **I have a ~ idea** ich habe eine ungefähre Vorstellung **2.** *Adv* **sleep ~** im Freien schlafen **3.** *vt* **~ it** primitiv leben; **roughly** *Adv* grob;

(in etwa) ungefähr
round [raʊnd] **1.** *Adj* rund **2.**
  Adv **all** ~ rundherum; *I'll*
  be ~ at 8 ich werde um
  acht Uhr da sein; *the other*
  way ~ umgekehrt **3.** *Präp*
  (umgebend) um (... herum); ~ *(about)* *(in etwa)*
  ungefähr; ~ *the corner* um
  die Ecke; *go ~ the world*
  um die Welt reisen; *she*
  lives ~ here sie wohnt hier
  in der Gegend **4.** *s* Runde
  f; *(Toast)* Scheibe *f*; *it's my*
  ~ die Runde geht auf mich
  5. *vt (Ecke)* biegen um;
  round off *vt* abrunden;
  round up *vt* aufrunden
roundabout 1. *s (Brit)* AUTO
  Kreisverkehr *m*; *(Brit, auf*
  Spielplatz) Karussell *n* **2.**
  Adj umständlich; **round-**
  -the-clock *Adj* rund um die
  Uhr; **round trip** *s* Rundreise *f*; **round-trip ticket** *s*
  (US) Rückfahrkarte *f*;
  (Flug) Rückflugticket *n*
route [ruːt] *s* Route *f*; *(Bus*
  etc) Linie *f*; *fig* Weg *m*
routine [ruːˈtiːn] **1.** *s* Routine *f* **2.** *Adj* Routine-
row [rəʊ] **1.** *s* Reihe *f*; *three*
  times in a ~ dreimal hintereinander **2.** *vt, vi* rudern
  3. [raʊ] *s* Krach *m*; *(Ausei-*
  nandersetzung) Streit *m*
rowboat [ˈrəʊbəʊt] *s (US)*
  Ruderboot *n*
row house [ˈrəʊhaʊs] *s*
  (US) Reihenhaus *n*
rowing [ˈrəʊɪŋ] *s* Rudern *n*;
  rowing boat *s (Brit)* Ru-

derboot *n*; **rowing ma-**
  chine *s* Rudergerät *n*
royal [ˈrɔɪəl] *Adj* königlich;
  royalty *s* Mitglieder *Pl* der
  königlichen Familie; *royal-*
  ties Pl (für Autor, Musi-
  ker) Tantiemen *Pl*
RSPCA *Abk* = *Royal Socie-*
  ty for the Prevention of
  Cruelty to Animals; britischer Tierschutzverein
RSVP *Abk* = *répondez s'il*
  vous plaît; u. A. w. g.
rub [rʌb] *vt* reiben; *(US)*
  einmassieren; **rub in** *vt*
  einmassieren; **rub out** *vt*
  ausradieren
rubber [ˈrʌbə] *s* Gummi *m*;
  (Brit) Radiergummi *m*;
  (US) umg (Kondom) Gummi *m*; **rubber stamp** *s*
  Stempel *m*
rubbish [ˈrʌbɪʃ] *s* Abfall *m*;
  (Unsinn) Quatsch *m*;
  (schlechte Qualität) Mist *m*;
  don't talk ~ red keinen Unsinn!; **rubbish bin** *s* Mülleimer *m*; **rubbish dump** *s*
  Müllabladeplatz *m*
rubble [ˈrʌbl] *s* Schutt *m*
ruby [ˈruːbɪ] *s* Rubin *m*
rucksack [ˈrʌksæk] *s* Rucksack *m*
rude [ruːd] *Adj* unhöflich;
  (Witz) unanständig
rug [rʌg] *s* Teppich *m*; Bett-
  vorleger *m*; *(zum Zude-*
  cken) Wolldecke *f*
rugby [ˈrʌgbɪ] *s* Rugby *n*
rugged [ˈrʌgɪd] *Adj (Küste)*
  zerklüftet; *(Gesichtszüge)*
  markant
ruin [ˈruːɪn] **1.** *s* Ruine *f*; *(fi-*

nanziell etc) Ruin m 2. vt
ruinieren

rule [ru:l] 1. s Regel f; (eines
Herrschers) Herrschaft f;
as a ~ in der Regel 2. vt, vi
regieren; (Richter) ent-
scheiden; **ruler** s Lineal n;
(Person) Herrscher(in) m(f)

rum [rʌm] s Rum m

rumble ['rʌmbl] vi (Magen)
knurren; (Zug etc) rumpeln

rummage ['rʌmɪdʒ] vi ~ (a-
round) herumstöbern

rumor (US), **rumour**
['ru:mə] s Gerücht n

run (ran, run) [rʌn, ræn] 1.
vt laufen; (Wasser, Pro-
gramm etc) laufen lassen;
(als Manager) leiten, führen; (ein Auto etc) unterhalten; **I ran her home** ich
habe sie nach Hause gefah-
ren 2. vi laufen; rennen;
(Bus, Zug) fahren; (Weg)
verlaufen; (Wasser, Pro-
gramm) laufen; (Fluss,
Wasser) fließen; (Farben)
verlaufen; ~ **for President**
für die Präsidentschaft
kandidieren; **be ~ning low**
knapp werden; **my nose is
~ning** mir läuft die Nase;
it ~s in the family es liegt
in der Familie 3. s Lauf m;
(in Auto) Spazierfahrt f;
(Folge, Serie) Reihe f; (auf
Ware) Ansturm m (on auf
+ Akk); (in Strumpfhose)
Laufmasche f; (Kricket,
Baseball) Lauf m; **go for a
~** laufen gehen; (in Auto)
eine Spazierfahrt machen;

in the long ~ auf die Dauer; **on the ~** auf der Flucht
(from vor + Dat); **run a-
bout** vi herumlaufen; **run
away** vi weglaufen; **run
down** vt (Fußgänger etc)
umfahren; (heftig kritisieren) heruntermachen; **be ~**
(erschöpft) abgespannt
sein; **run into** vt (Bekannte)
zufällig treffen; (Problem)
stoßen auf + Akk; **run off**
vi weglaufen; **run out** vi hi-
nausrennen; (Flüssigkeit)
auslaufen; (Frist, Zeit) ablaufen; (Geld, Vorräte) ausgehen; **he ran ~ of money**
ihm ging das Geld aus; **run
over** vt (Fußgänger etc) überfahren; **run up** vt (Summe,
Rechnung) machen

rung [rʌŋ] pp von **ring**

runner ['rʌnə] s Läufer(in)
m(f); **do a ~** umg wegrennen; **runner beans** npl
(Brit) Stangenbohnen Pl

running ['rʌnɪŋ] 1. s SPORT
Laufen n; (Geschäft) Lei-
tung f, Führung f 2. Adj
(Wasser) fließend; ~ **costs**
Betriebskosten Pl; (Auto)
Unterhaltskosten Pl; **3 days**
~ 3 Tage hintereinander

runny ['rʌnɪ] Adj flüssig;
(Nase) laufend

runway ['rʌnweɪ] s Start-
und Landebahn f

rural ['rʊərəl] Adj ländlich

rush [rʌʃ] 1. s Eile f; (auf
Karten etc) Ansturm m
(for auf + Akk); **be in a ~**
es eilig haben; **there's no ~**

es eilt nicht **2.** *vt* hastig
machen; *(Mahlzeit)* hastig
essen; **~ sb to hospital** jdn
auf dem schnellsten Weg
ins Krankenhaus bringen;
don't ~ me dräng mich
nicht **3.** *vi* eilen; **rush hour**
s Hauptverkehrszeit *f*
rusk [rʌsk] *s* Zwieback *m*
Russia [ˈrʌʃə] *s* Rußland *n*;

Russian 1. *Adj* russisch **2.**
s Russe *m*, Russin *f*; *(Sprache)* Russisch *n*
rust [rʌst] **1.** *s* Rost *m* **2.** *vi*
rosten; **rustproof** *Adj* rost-
frei; **rusty** [ˈrʌstɪ] *Adj* rostig
ruthless [ˈruːθlɪs] *Adj* rücksichtslos; schonungslos
rye [raɪ] *s* Roggen *m*

S

sabotage [ˈsæbətɑːʒ] *vt* sabotieren
sachet [ˈsæʃeɪ] *s* Päckchen *n*
sack [sæk] **1.** *s* Sack *m*; **get
the ~** *umg* rausgeschmissen
werden **2.** *vt umg* rausschmeißen
sacred [ˈseɪkrɪd] *Adj* heilig
sacrifice [ˈsækrɪfaɪs] **1.** *s*
Opfer *n* **2.** *vt* opfern
sad [sæd] *Adj* traurig
saddle [ˈsædl] *s* Sattel *m*
sadistic [səˈdɪstɪk] *Adj* sa-
distisch
sadly [ˈsædlɪ] *Adv* leider
safe [seɪf] **1.** *Adj* sicher; in
Sicherheit; vorsichtig; **have
a ~ journey** gute Fahrt! **2.**
s Safe *m*; **safeguard 1.** *s*
Schutz *m* **2.** *vt* schützen
(against vor + *Dat)*; **safely**
Adv sicher; *(ankommen)*
wohlbehalten; *(fahren)* vorsichtig; **safety** *s* Sicherheit
f; **safety belt** *s* Sicherheitsgurt *m*; **safety pin** *s* Sicherheitsnadel *f*

Sagittarius [sædʒɪˈteərɪəs] *s*
ASTR Schütze *m*
Sahara [səˈhɑːrə] *s* **the ~ (Desert)** die (Wüste) Sahara
said [sed] *pt, pp von* **say**
sail [seɪl] **1.** *s* Segel *n*; **set ~**
losfahren *(for* nach) **2.** *vi*
segeln; mit dem Schiff fahren; *(Schiff)* auslaufen *(for*
nach) **3.** *vt (Jacht)* segeln
mit; *(Schiff)* steuern *(for)*;
sailboat *s (US)* Segelboot *n*;
sailing *s* **go ~** segeln gehen; **sailing boat** *s (Brit)*
Segelboot *n*; **sailor** *s* Seemann *m*; Matrose *m*
saint [seɪnt] *s* Heilige(r) *mf*
sake [seɪk] *s* **for the ~ of** um
+ *Gen* ... willen; **for your
~** deinetwegen, dir zuliebe
salad [ˈsæləd] *s* Salat *m*;
salad cream *s (Brit)* majo-
näseartige Salatsoße *f*; **salad
dressing** *s* Salatsoße *f*
salary [ˈsælərɪ] *s* Gehalt *n*
sale [seɪl] *s* Verkauf *m*, Ausverkauf *m*; **for ~** zu verkau-

fen; **sales clerk** s (US) Verkäufer(in) m(f); **salesman** (-men Pl) s Verkäufer m, Vertreter m; **sales rep** s Vertreter(in) m(f); **saleswoman** (-women Pl) s Verkäuferin f, Vertreterin f

saliva [sə'laɪvə] s Speichel m

salmon ['sæmən] s Lachs m

saloon [sə'luːn] s (Schiff) Salon m; (US, Bar) Kneipe f

salt [sɔːlt] 1. s Salz n 2. vt salzen; (Straßen) mit Salz streuen; **salt cellar**, **salt shaker** (US) s Salzstreuer m; **salty** Adj salzig

same [seɪm] 1. Adj **the ~** der/die/das gleiche, die gleichen Pl; der/die/dasselbe, dieselben Pl; **they live in the ~ house** sie wohnen im selben Haus 2. Pron **the ~** der/die/das Gleiche, die Gleichen Pl; der/die/dasselbe, dieselben Pl; **I'll have the ~ again** ich möchte noch mal das Gleiche; **all the ~** trotzdem; **the ~ to you** gleichfalls; **it's all the ~ to me** es ist mir egal 3. Adv **the ~** gleich

sample ['sɑːmpl] 1. s Probe f; (von Stoff) Muster n 2. vt probieren

sanctions ['sæŋkʃənz] npl POL Sanktionen Pl

sanctuary ['sæŋktjʊərɪ] s (Ort) Zuflucht f; (für Tiere) Schutzgebiet n

sand [sænd] s Sand m

sandal ['sændl] s Sandale f

sandwich ['sænwɪdʒ] s Sandwich n

sandy ['sændɪ] Adj sandig; **~ beach** Sandstrand m

sane [seɪn] Adj geistig gesund, normal; (Vorschlag etc) vernünftig

sang [sæŋ] pt von **sing**

sanitary ['sænɪtərɪ] Adj hygienisch; **sanitary napkin** (US), **sanitary towel** s Damenbinde f

sank [sæŋk] pt von **sink**

Santa (**Claus**) ['sæntə('klɔːz)] s der Weihnachtsmann

sarcastic [sɑː'kæstɪk] Adj sarkastisch

sardine [sɑː'diːn] s Sardine f

sari [sɑːrɪ] s Sari m (von indischen Frauen getragenes Gewand)

sat [sæt] pt, pp von **sit**

Sat Abk = **Saturday**; Sa.

satellite ['sætəlaɪt] s Satellit m; **satellite dish** s Satellitenschüssel f

satin ['sætɪn] s Satin m

satisfaction [sætɪs'fækʃən] s Zufriedenheit f; **is that to your ~?** sind Sie damit zufrieden?; **satisfactory** [sætɪs'fæktərɪ] Adj zufrieden stellend; **satisfied** ['sætɪsfaɪd] Adj zufrieden (with mit); **satisfy** ['sætɪsfaɪ] vt zufrieden stellen; (Bedingungen) erfüllen; (Bedürfnis, Nachfrage) befriedigen; **satisfying** Adj befriedigend

Saturday ['sætədeɪ] s Sams-

tag *m*, Sonnabend *m*; →
Tuesday
sauce [sɔːs] *s* Soße *f*;
saucepan *s* Kochtopf *m*;
saucer *s* Untertasse *f*
Saudi Arabia ['saʊdɪə'reɪ-
bɪə] *s* Saudi-Arabien *n*
sauna ['sɔːnə] *s* Sauna *f*
sausage ['sɒsɪdʒ] *s* Wurst *f*;
sausage roll *s mit Wurst*
gefülltes Blätterteigröllchen
savage ['sævɪdʒ] *Adj* brutal;
(Tier) wild
save [seɪv] **1.** *vt* retten
(from von + *Dat)*; *(Geld,
Zeit)* sparen; *(Energie)* schonen; IT speichern; **~ *sb's
life*** jdm das Leben retten
2. *vi* sparen **3.** *s (Fußball)*
Parade *f*; **save up** *vi* sparen *(for* auf + *Akk)*; **saving** *s* Sparen *n*; **~s** *Pl* Ersparnisse *Pl*; **~s account**
s Sparkonto *n*
savory *(US)*, **savoury**
['seɪvərɪ] *Adj* pikant
saw *(sawed, sawn)* [sɔː,
sɔːd, sɔːn] **1.** *vt, vi* sägen **2.**
s Säge *f* **3.** *pt* von *see*;
sawdust *s* Sägemehl *n*
saxophone ['sæksəfəʊn] *s*
Saxophon *n*
say *(said, said)* [seɪ, sed] **1.**
vt sagen *(to sb* jdm); *(Gebet)* sprechen; **what does
the letter ~?** was steht im
Brief?; **the rules ~ that ...**
in den Regeln heißt es,
dass ...; **he's said to be
rich** er soll reich sein **2.** *s*
have a ~ in sth bei etw ein
Mitspracherecht haben **3.**

Adv zum Beispiel; **saying**
s Sprichwort *n*
scab [skæb] *s* Schorf *m*
scaffolding ['skæfəʊldɪŋ] *s*
(Bau)gerüst *n*
scale [skeɪl] *s (Landkarte)*
Maßstab *m*; *(Thermometer)*
Skala *f*; *(Gehälter)* Tarifsys-
tem *n*; MUS Tonleiter *f*;
(Fisch, Reptil) Schuppe *f*;
to ~ maßstab(s)gerecht; **on
a large/small ~** in großem/
kleinem Umfang; **scales**
npl Waage *f*
scalp [skælp] *s* Kopfhaut *f*
scan [skæn] **1.** *vt* genau prüfen; *(schnell lesen)* überfliegen; IT scannen **2.** *s* MED
Ultraschall *m*; **scan in** *vt* IT
einscannen
scandal ['skændl] *s* Skandal
m
Scandinavia [skændɪ'neɪvɪə]
s Skandinavien *n*; **Scandi-
navian 1.** *Adj* skandinavisch
2. *s* Skandinavier(in) *m(f)*
scanner ['skænə] *s* Scanner
m
scapegoat ['skeɪpgəʊt] *s*
Sündenbock *m*
scar [skɑː] *s* Narbe *f*
scarce ['skeəs] *Adj* selten;
(Vorräte) knapp; **scarcely**
Adv kaum
scare ['skeə] **1.** *s* Panik *f* **2.**
vt erschrecken; **be ~d**
Angst haben *(of* von + *Dat)*
scarf *(scarves* *Pl*) [skɑːf,
skɑːvz] *s* Schal *m*; *(auf
Kopf)* Kopftuch *n*
scarlet ['skɑːlət] *Adj* schar-
lachrot; **scarlet fever** *s*

269 scorn

Scharlach *m*
scary ['skeərɪ] *Adj* gruselig
scatter ['skætə] *vt* verstreuen; (*Kies, Saatgut etc*) streuen; (*Demonstranten etc*) auseinander treiben
scene [siːn] *s* Ort *m*; THEAT Szene *f*; (*für Betrachter*) Anblick *m*; **make a ~** eine Szene machen; **scenery** ['siːnərɪ] *s* Landschaft *f*; THEAT Kulissen *Pl*; **scenic** ['siːnɪk] *Adj* (*Gegend*) malerisch; **~ route** landschaftlich schöne Strecke
scent [sent] *s* (*Duftstoff*) Parfüm *n*; (*Geruch*) Duft *m*
sceptical ['skeptɪkəl] *Adj* (*Brit*) skeptisch
schedule ['ʃedjuːl, 'skedʒʊəl] **1.** *s* (*von Veranstaltungen*) Programm *n*; (*bei Arbeit*) Zeitplan *m*; (*Verzeichnis*) Liste *f*; (*US*) Fahr-, Flugplan *m*; **on ~** planmäßig; **be behind ~ with sth** mit etw im Verzug sein **2.** *vt* **the meeting is ~d for next Monday** die Besprechung ist für nächsten Montag angesetzt; **scheduled** *Adj* (*Abfahrt etc*) planmäßig; **~ flight** Linienflug *m*
scheme [skiːm] **1.** *s* Plan *m*, Projekt *n*; (*gegen Person*) Intrige *f* **2.** *vi* intrigieren
scholar ['skɒlə] *s* Gelehrte(r) *mf*; **scholarship** *s* Stipendium *n*
school [skuːl] *s* Schule *f*; (*an Universität etc*) Fachbereich *m*; (*US*) Universität

f; **school bag** *s* Schultasche *f*; **schoolbook** *s* Schulbuch *n*; **schoolboy** *s* Schüler *m*; **schoolgirl** *s* Schülerin *f*; **schoolteacher** *s* Lehrer(in) *m(f)*; **schoolwork** *s* Schularbeiten *Pl*
sciatica [saɪ'ætɪkə] *s* Ischias *m*
science ['saɪəns] *s* Wissenschaft *f*; (*speziell*) Naturwissenschaft *f*; **science fiction** *s* Sciencefiction *f*; **scientific** [saɪən'tɪfɪk] *Adj* wissenschaftlich; **scientist** ['saɪəntɪst] *s* Wissenschaftler(in) *m(f)*; (*speziell*) Naturwissenschaftler(in) *m(f)*
scissors ['sɪzəz] *npl* Schere *f*
scone [skɒn] *s* kleines süßes Hefebrötchen mit oder ohne Rosinen, das mit Butter oder Dickrahm und Marmelade gegessen wird
scoop [skuːp] **1.** *s* (*in Medien*) Exklusivbericht *m*; **a ~ of ice-cream** eine Kugel Eis **2.** *vt* **~ (up)** schaufeln
scooter ['skuːtə] *s* (*Motor*)roller *m*; (*Tret*)roller *m*
scope [skəʊp] *s* Umfang *m*; (*Spielraum*) Möglichkeit *f*
score [skɔː] **1.** *s* SPORT Spielstand *m*, Spielergebnis *n*; (*bei Quiz*) Punktestand *m*; MUS Partitur *f*; **keep (the) ~** mitzählen **2.** *vt* (*Tor*) schießen; (*Punkte*) machen **3.** *vi* (*Punktestand*) mitzählen; **scoreboard** *s* Anzeigetafel *f*
scorn ['skɔːn] *s* Verachtung

f; **scornful** Adj verächtlich
Scorpio (-s Pl) ['skɔːpɪəʊ] s
ASTR Skorpion m
scorpion ['skɔːpɪən] s Skorpion m
Scot [skɒt] s Schotte m,
Schottin f; **Scotch** [skɒtʃ]
1. Adj schottisch **2.** s schottischer Whisky, Scotch m
Scotch tape® s (US) ≈ Tesafilm® m
Scotland ['skɒtlənd] s
Schottland n; **Scotsman**
(-men Pl) s Schotte m;
Scotswoman (-women Pl)
s Schottin f; **Scottish** Adj
schottisch
scout [skaʊt] s Pfadfinder m
scrambled eggs npl Rührei
n
scrap [skræp] **1.** s Stückchen
n, Fetzen m; (Eisen, Metall)
Schrott m **2.** vt verschrotten; (Plan) verwerfen
scrape [skreɪp] **1.** s Kratzer m
2. vt (Auto) schrammen;
(Mauer) streifen; **~ one's
knee** sich das Knie aufschürfen; **scrape through** vi
mit knapper Not bestehen
scrap heap ['skræphiːp] s
Schrotthaufen m; **scrap
metal** s Schrott m; **scrap
paper** s Schmierpapier n
scratch ['skrætʃ] **1.** s Kratzer m; **start from ~** von
vorne anfangen **2.** vt kratzen; (Lackierung etc) zerkratzen; **~ one's arm** sich
am Arm kratzen
scream [skriːm] **1.** s Schrei
m **2.** vi schreien (with vor

+ Dat); **~ at sb** jdn anschreien
screen [skriːn] **1.** s TV, IT
Bildschirm m; FILM Leinwand f **2.** vt (Film) zeigen;
(Bewerber, Gepäck) überprüfen; **screenplay** s Drehbuch n; **screen saver** s IT
Bildschirmschoner m
screw [skruː] **1.** s Schraube f
2. vt vulg (Sex haben mit)
poppen; **~ sth to sth** etw
an etw Akk schrauben; **~
off/on** (Deckel) ab-/aufschrauben; **screw up** vt
(Papier) zusammenknüllen;
(Pläne, Urlaub etc) vermasseln; **screwdriver** s Schraubenzieher m
scribble ['skrɪbl] vt, vi kritzeln
script [skrɪpt] s (Theaterstück) Text m; (Film)
Drehbuch n; (lateinische,
arabische etc) Schrift f
scroll down ['skrəʊldaʊn]
vi IT runterscrollen; **scroll
up** vi IT raufscrollen; **scroll
bar** s IT Scrollbar f
scrub [skrʌb] vt schrubben
scruffy ['skrʌfɪ] Adj vergammelt
scuba-diving ['skuːbədaɪvɪŋ] s Sporttauchen n
sculptor ['skʌlptə] s Bildhauer(in) m(f); **sculpture**
['skʌlptʃə] s KUNST Bildhauerei f; Skulptur f
sea [siː] s Meer n, See f; **seafood** s Meeresfrüchte Pl;
sea front s Strandpromenade f; **seagull** s Möwe f

secure

seal [siːl] **1.** s (*Tier*) Robbe f; (*Stempel*) Siegel n; TECH Verschluss m; (*ringförmig*) Dichtung f **2.** vt versiegeln; (*Briefumschlag*) zukleben
seam [siːm] s Naht f
seaport ['siːpɔːt] s Seehafen m
search [sɜːtʃ] **1.** s Suche f (*for* nach); **do a ~ for** IT suchen nach; **in ~ of** auf der Suche nach (*for* nach) **3.** vi suchen (*for* nach) **3.** vt durchsuchen; **search engine** s IT Suchmaschine f
seashell ['siːʃel] s Muschel f; **seashore** s Strand m; **seasick** Adj seekrank; **seaside** s *at the* ~ am Meer; **seaside resort** s Seebad n
season ['siːzn] **1.** s Jahreszeit f; Saison f; **high/low** ~ Hoch-/Nebensaison f **2.** vt würzen
seasoning s Gewürz n
season ticket s BAHN Zeitkarte f; THEAT Abonnement n; SPORT Dauerkarte f
seat [siːt] **1.** s (*in Theater etc*) Platz m; (*Stuhl*) Sitz m; **take a** ~ setzen Sie sich **2.** vt *the hall ~s 300* der Saal hat 300 Sitzplätze; *please be ~ed* bitte setzen Sie sich; *remain ~ed* sitzen bleiben; **seat belt** s Sicherheitsgurt m
sea view ['siːvjuː] s Seeblick m; **seaweed** s Seetang m
secluded [sɪ'kluːdɪd] Adj abgelegen
second ['sekənd] **1.** Adj

zweite(r, s); *the ~ of June* der zweite Juni **2.** Adv an zweiter Stelle; (*Aufzählung*) zweitens; *he came ~* er ist Zweiter geworden **3.** s Sekunde f; (*Moment*) Augenblick m; ~ (*gear*) der zweite Gang; (*Nachschlag*) zweite Portion; *just a ~* (einen) Augenblick!; **secondary** Adj zweitrangig; ~ *education* höhere Schulbildung f; ~ *school* weiterführende Schule; **second-class 1.** Adj (*Fahrkarte*) zweiter Klasse; ~ *stamp* Briefmarke für nicht bevorzugt beförderte Sendungen **2.** Adv zweiter Klasse; **secondhand** Adj, Adv gebraucht; (*Info*) aus zweiter Hand; **secondly** Adv zweitens; **second-rate** Adj pej zweitklassig
secret ['siːkrət] **1.** s Geheimnis n **2.** Adj geheim; (*Verehrer*) heimlich
secretary ['sekrətrɪ] s Sekretär(in) m(f); (*Regierung*) Minister(in) m(f); **Secretary of State** s (US) Außenminister(in) m(f)
secretive ['siːkrətɪv] Adj geheimnistuerisch; **secretly** ['siːkrətlɪ] Adv heimlich
sect [sekt] s Sekte f
section ['sekʃən] s Teil m; (*von Dokument*) Abschnitt m; (*Firma*) Abteilung f
secure [sɪ'kjuə] **1.** Adj sicher (*from* vor + Dat); (*sicher montiert*) fest **2.** vt be-

festigen; (*Fenster, Tür*) fest
verschließen; (*Hilfe, Geldmittel*) sich sichern; **se-
curely** *Adv* fest; (*gesichert*)
sicher; **security** [sɪˈkjʊərɪ-
tɪ] *s* Sicherheit *f*

sedative [ˈsedətɪv] *s* Beruhigungsmittel *n*

seduce [sɪˈdjuːs] *vt* verführen; **seductive** [sɪˈdʌktɪv]
Adj verführerisch

see (*saw, seen*) [siː, sɔː, siːn]
1. *vt* sehen; (*begreifen*) verstehen; (*zur Kontrolle*)
nachsehen; (*begleiten*) bringen; (*Verwandte etc*) besuchen; (*zwecks Beratung*)
sprechen; **~ the doctor**
zum Arzt gehen; **~ sb
home** jdn nach Hause be-
gleiten; **~ you** tschüs!; **~
you on Friday** bis Freitag!
2. *vi* sehen; (*begreifen*) verstehen; (*zur Kontrolle*)
nachsehen; (*begleiten*) siehst
du!; **we'll ~** mal sehen; **see
about** *vt* sich kümmern
um; **see off** *vt* verabschieden; **see out** *vt* zur Tür
bringen; **see through** *vt*
see sth through etw zu
Ende bringen; **~ sb/sth**
jdn/etw durchschauen; **see
to** *vt* sich kümmern um; **~
it that ...** sich zu, dass ...

seed [siːd] *s* (*Pflanze*) Samen *m*; (*Obst*) Kern *m*;
seedless *Adj* kernlos

seek (*sought, sought*) [siːk,
sɔːt] *vt* suchen; (*Ruhm*)
streben nach; **~ sb's advice** jdn um Rat fragen

seem [siːm] *vi* scheinen; **he
~s (to be) honest** er
scheint ehrlich zu sein

seen [siːn] *pp von* **see**

seesaw [ˈsiːsɔː] *s* Wippe *f*

segment [ˈsegmənt] *s* Teil *m*

seize [siːz] *vt* packen; (*wegnehmen*) beschlagnahmen;
(*Gelegenheit*) ergreifen

seldom [ˈseldəm] *Adv* selten

select [sɪˈlekt] **1.** *Adj* exklusiv **2.** *vt* auswählen; **selection** [sɪˈlekʃən] *s* Auswahl *f*
(*of an + Dat*)

self (*selves Pl*) [self, selvz] *s*
Selbst *n*, Ich *n*; **he's his old
~ again** er ist wieder ganz
der Alte; **self-adhesive** *Adj*
selbstklebend; **self-assured**
s selbstsicher; **self-catering**
Adj für Selbstversorger;
self-centred *Adj* egozen-
trisch; **self-confidence** *s*
Selbstbewusstsein *n*; **self-
-confident** *Adj* selbstbewusst; **self-conscious** *Adj*
befangen, verklemmt; **self-
-contained** *Adj* (*Wohnung*)
separat; **self-control** *s*
Selbstbeherrschung *f*; **self-
-defence** *s* Selbstverteidi-
gung *f*; **self-employed** *Adj*
selbstständig

selfish, selfishly [ˈselfɪʃ, -lɪ]
Adj, Adv egoistisch, selbst-
süchtig

self-pity [selfˈpɪtɪ] *s* Selbst-
mitleid *n*; **self-respect** *s*
Selbstachtung *f*; **self-service 1.** *s* Selbstbedienung *f*
2. *Adj* Selbstbedienungs-

sell (*sold, sold*) [sel, səʊld]

1. *vt* verkaufen; **~ sb sth, ~ sth to sb** jdm etw verkaufen; *do you ~ postcards?* haben Sie Postkarten? 2. *vi* (*Ware*) sich verkaufen; **sell out** *vt* **be sold ~** ausverkauft sein; **sell-by date** *s* Haltbarkeitsdatum *n*

Sellotape® ['seləteɪp] *s* (*Brit*) ≈ Tesafilm® *m*

semi ['semɪ] *s* (*Brit*) Doppelhaushälfte *f*; **semicircle** *s* Halbkreis *m*; **semicolon** *s* Semikolon *n*; **semidetached (house)** *s* (*Brit*) Doppelhaushälfte *f*; **semifinal** *s* Halbfinale *n*

seminar ['semɪnɑːʳ] *s* Seminar *n*

senate ['senət] *s* Senat *m*; **senator** *s* Senator(in) *m(f)*

send (*sent, sent*) [send, sent] *vt* schicken; **~ sb sth, ~ sth to sb** jdm etw schicken; **~ her my best wishes** grüße sie von mir; **send away** 1. *vt* wegschicken 2. *vi* **~ for** anfordern; **send back** *vt* zurückschicken; **send for** *vt* (*Arzt etc*) holen lassen; (*Hilfe etc*) anfordern; **send off** *vt* abschicken

sender ['sendəʳ] *s* Absender(in) *m(f)*

senior ['siːnɪəʳ] 1. *Adj* älter; (*Beamter*) höher; (*Schüler*) älter; *he is ~ to me* er ist mir übergeordnet 2. *s* *he's eight years my ~* er ist acht Jahre älter als ich; **senior citizen** *s* Senior(in) *m(f)*

sensation [sen'seɪʃən] *s* Ge-

fühl *n*, Sensation *f*; **sensational** *Adj* sensationell

sense [sens] 1. *s* Sinn *m*; (*Empfindung*) Gefühl *n*; (*Vernunft*) Verstand *m*; **~ of smell/taste** Geruchs-/Geschmackssinn *m*; **have a ~ of humour** Humor haben; **make ~** einen Sinn ergeben; (*Entscheidung*) Sinn machen; **in a ~** gewissermaßen 2. *vt* spüren; **senseless** *Adj* sinnlos

sensible, sensibly ['sensəbl, -blɪ] *Adj, Adv* vernünftig

sensitive ['sensɪtɪv] *Adj* empfindlich (*to* gegen); sensibel; (*Thema*) heikel

sent [sent] *pt, pp von* **send**

sentence ['sentəns] 1. *s* LING Satz *m*; JUR Strafe *f* 2. *vt* verurteilen (*to* zu)

sentiment ['sentɪmənt] *s* (*zu viel Gefühl*) Sentimentalität *f*; (*persönliche*) Ansicht *f*; **sentimental** [sentɪ'mentl] *Adj* sentimental

separate ['seprət] 1. *Adj* getrennt, separat; einzeln 2. ['sepəreɪt] *vt* trennen (*from* von); **they are ~d** (*Ehepaar*) sie leben getrennt 3. *vi* sich trennen; **separately** *Adv* getrennt; (*behandeln*) einzeln

September [sep'tembəʳ] *s* September *m*; **in ~** im September; **on the 2nd of ~** am 2. September; *at the beginning/in the middle/at the end of ~* Anfang/Mitte/Ende September; *last/next* ~ letzten/nächsten September

septic ['septɪk] *Adj* vereitert

sequel ['si:kwəl] *s* (*Film*) Fortsetzung *f* (*to* von)

sequence ['si:kwəns] *s* Reihenfolge *f*

Serb ['sɜ:b] *s* Serbe *m*, Serbin *f*; **Serbia** ['sɜ:bjə] *s* Serbien *n*

sergeant ['sɑ:dʒənt] *s* Polizeimeister(in) *m(f)*; MIL Feldwebel(in) *m(f)*

serial ['sɪərɪəl] **1.** *s* TV Serie *f*, (*Zeitung*) Fortsetzungsroman *m* **2.** *Adj* IT seriell; ~ *number* Seriennummer *f*

series ['sɪərɪz] *nsing* Reihe *f*, TV, RADIO Serie *f*

serious ['sɪərɪəs] *Adj* ernst; (*Krankheit, Fehler*) schwer; (*Diskussion*) ernsthaft; *are you* ~? ist das dein Ernst?; **seriously** *Adv* ernsthaft; (*verletzt*) schwer; ~? im Ernst?; **take sb** ~ jdn ernst nehmen

sermon ['sɜ:mən] *s* REL Predigt *f*

servant ['sɜ:vənt] *s* Diener(in) *m(f)*; **serve** [sɜ:v] **1.** *vt* (*Kunden*) bedienen; (*Essen*) servieren; (*Land etc*) dienen + *Dat*; (*Strafe*) verbüßen; *I'm being* ~*d* ich werde schon bedient; *it* ~*s him right* es geschieht ihm recht **2.** *vi* dienen (*as* als); (*Tennis*) aufschlagen **3.** *s* (*Tennis*) Aufschlag *m*

server *s* IT Server *m*

service ['sɜ:vɪs] **1.** *s* Bedie-

nung *f*, Dienstleistung *f*; (*Geschirr*) Service *n*; AUTO Inspektion *f*; TECH Wartung *f*; REL Gottesdienst *m*; (*Tennis*) Aufschlag *m*; *train/bus* ~ Zug-/Busverbindung *f*; ~ *not included* „Bedienung nicht inbegriffen" **2.** *vt* AUTO, TECH warten; **service area** *s* Raststätte *f* (*mit Tankstelle*); **service charge** *s* Bedienung *f*; **service provider** *s* IT Provider *m*; **service station** *s* Tankstelle *f*

serving ['sɜ:vɪŋ] *s* Portion *f*

session ['seʃən] *s* Sitzung *f*

set (*set*, *set*) [set] **1.** *vt* (*platzieren*) stellen; (*flach*) legen; (*Dinge*) anordnen; (*Tisch*) decken; (*Falle, Rekord*) aufstellen; (*Zeit, Preis*) festsetzen; (*Uhr*) stellen (*for* auf + *Akk*); ~ *sb a task* jdm eine Aufgabe stellen; ~ *free* freilassen; ~ *a good example* ein gutes Beispiel geben; *the novel is* ~ *in London* der Roman spielt in London **2.** *vi* (*Sonne*) untergehen; (*Zement, Klebstoff*) fest werden; (*Knochen*) zusammenwachsen **3.** *s* (*gleiche Dinge*) Satz *m*; (*Besteck, Möbel*) Garnitur *f*; (*Gruppe von Menschen*) Kreis *m*; RADIO, TV Apparat *m*; (*Tennis*) Satz *m*; THEAT Bühnenbild *n*; FILM (*Film*)kulisse *f* **4.** *Adj* festgelegt; (*in Erwartung etw zu tun*) bereit;

~ meal Menü *n*; **set aside** *vt* (*Geld*) beiseite legen; (*Zeit*) einplanen; **set off 1.** *vi* aufbrechen (*for* nach) **2.** *vt* (*Alarm*) auslösen; (*betonen*) hervorheben; **set out 1.** *vi* aufbrechen (*for* nach) **2.** *vt* (*Stühle etc*) aufstellen; (*Idee etc*) darlegen; **~ to do sth** beabsichtigen, etw zu tun; **set up 1.** *vt* (*Firma*) gründen; (*Zelt, Kamera*) aufbauen; (*Treffen*) vereinbaren **2.** *vi* **~ as a doctor** sich als Arzt niederlassen

setback *s* Rückschlag *m*

settee [se'ti:] *s* Sofa *n*, Couch *f*

setting ['setɪŋ] *s* (*Roman, Film*) Schauplatz *m*; (*von Haus etc*) Umgebung *f*

settle ['setl] **1.** *vt* (*Rechnung, Schulden*) begleichen; (*Streit*) beilegen; (*Frage*) klären; (*Magen*) beruhigen **2.** *vi* **~ (down)** sich einleben; (*psychisch*) sich beruhigen; **settle in** *vi* sich einleben; (*in neuem Job*) sich eingewöhnen; **settlement** *s* (*Schulden*) Begleichung *f*; (*aus Häusern*) Siedlung *f*; **reach a ~** sich einigen

setup ['setʌp] *s* Organisation *f*; (*Umstände*) Situation *f*

seven ['sevn] **1.** *Zahl* sieben **2.** *s* Sieben *f*; **→ eight**; **seventeen** ['sevn'ti:n] **1.** *Zahl* siebzehn **2.** *s* Siebzehn *f*; **→ eight**; **seventeenth** *Adj* siebzehnte(r, s); **→ eighth**; **seventh** ['sevnθ] **1.** *Adj*

siebte(r, s) **2.** *s* Siebtel *n*; **→ eighth**; **seventieth** ['sevntiɪθ] *Adj* siebzigste(r, s); **→ eighth**; **seventy** ['sevntɪ] **1.** *Zahl* siebzig; **~-one** einundsiebzig **2.** *s* Siebzig *f*; **be in one's seventies** in den Siebzigern sein; **→ eight**

several ['sevrəl] *Adj, Pron* mehrere

severe [sɪ'vɪə'] *Adj* (*Lehrer*) streng; (*Strafe*) schwer; (*Schmerz*) stark; (*Winter*) hart; **severely** *Adv* (*bestrafen*) hart; (*verletzen*) schwer

sew (sewed, sewn) [səʊ, səʊd, səʊn] *vt, vi* nähen

sewage ['su:ɪdʒ] *s* Abwasser *n*; **sewer** ['suə'] *s* Abwasserkanal *m*

sewing ['səʊɪŋ] *s* Nähen *n*; **sewing machine** *s* Nähmaschine *f*

sewn [səʊn] *pp von* **sew**

sex [seks] *s* Sex *m*; (*männlich oder weiblich*) Geschlecht *n*; **have ~** Sex haben (*with* mit); **sexism** ['seksɪzəm] *s* Sexismus *m*; **sexist** ['seksɪst] **1.** *Adj* sexistisch **2.** *s* Sexist(in) *m(f)*; **sex life** *s* Sex(ual)leben *n*

sexual ['seksjʊəl] *Adj* sexuell; **~ discrimination/harassment** sexuelle Diskriminierung/Belästigung; **~ intercourse** Geschlechtsverkehr *m*; **sexuality** [seksjʊ'ælɪtɪ] *s* Sexualität *f*

sexy ['seksɪ] *Adj* sexy

Seychelles ['seɪʃelz] *npl*

Seychellen *Pl*

shack [ʃæk] *s* Hütte *f*

shade [ʃeɪd] **1.** *s* (*von Baum etc*) Schatten *m*; (*von Lampe*) (Lampen)schirm *m*; (*Farbenspektrum*) Farbton *m*; **~s** (*US*) Sonnenbrille *f* **2.** *vt* (*gegen Sonnenlicht etc*) abschirmen; (*in Zeichnung*) schattieren

shadow [ˈʃædəʊ] *s* Schatten *m*

shady [ˈʃeɪdɪ] *Adj* schattig; *fig* zwielichtig

shake [ʃeɪk] (*shook, shaken*) [ʃeɪk, ʃʊk, ˈʃeɪkn] **1.** *vt* schütteln; (*emotional; Druckwelle*) erschüttern; **~ hands with sb** jdm die Hand geben; **~ one's head** den Kopf schütteln **2.** *vi* (*Hand, Stimme*) zittern; (*Gebäude*) schwanken; **shake off** *vt* abschütteln; **shaken** [ˈʃeɪkn] *pp von* **shake**; **shaky** [ˈʃeɪkɪ] *Adj* (*Hand, Stimme*) zittrig; (*Stuhl*) wackelig

shall [ʃæl] (*should*) [ʃæl, ʃʊd] *vhilf* werden; (*in Fragen*) sollen; *I ~ do my best* ich werde mein Bestes tun; *~ I come too?* soll ich mitkommen?; *where ~ we go?* wo gehen wir hin?

shallow [ˈʃæləʊ] *Adj* seicht; (*Person*) oberflächlich

shame [ʃeɪm] *s* (*Gefühl*) Scham *f*; (*Tat etc*) Schande *f*; *what a ~* wie schade!; *~ on you* schäm dich!; *it's a ~ that* ... schade, dass ...

shampoo [ʃæmˈpuː] **1.** *s*

Shampoo *n*; *have a ~ and set* sich die Haare waschen und legen lassen **2.** *vt* (*Haare*) waschen; (*Teppich*) schamponieren

shandy [ˈʃændɪ] *s* Radler *n*, Alsterwasser *n*

shan't [ʃɑːnt] *Kontr von* **shall not**

shape [ʃeɪp] **1.** *s* Form *f*, Gestalt *f*; *in the ~ of* in Form + *Gen*; *be in good ~* in guter Verfassung sein; *take ~* Gestalt annehmen **2.** *vt* formen; **-shaped** [ʃeɪpt] *Suffix* -förmig; *heart-~* herzförmig

share [ʃeə*] **1.** *s* Anteil + *Dat* (*in, of* an); FIN Aktie *f* **2.** *vt, vi* teilen; **shareholder** *s* Aktionär(in) *m(f)*

shark [ʃɑːk] *s* Haifisch *m*

sharp [ʃɑːp] **1.** *Adj* scharf; (*Nadel*) spitz; (*Person*) scharfsinnig; (*Schmerz*) heftig; (*Anstieg, Sinken*) abrupt; *C/F ~* MUS Cis/Dis *n* **2.** *Adv* **at 2 o'clock ~** Punkt 2 Uhr; **sharpen** *vt* (*Messer*) schärfen; (*Bleistift*) spitzen; **sharpener** *s* Spitzer *m*

shatter [ˈʃætə*] **1.** *vt* zerschmettern; *fig* zerstören **2.** *vi* zerspringen; **shattered** *Adj* (*erschöpft*) kaputt

shave [ʃeɪv] (*shaved, shaved od shaven*) [ʃeɪv, ʃeɪvd, ˈʃeɪvn] **1.** *vt* rasieren **2.** *vi* sich rasieren **3.** *s* Rasur *f*; *that was a close ~* *fig* das war knapp; **shave off** *vt*

shave one's beard off sich den Bart abrasieren; **shaven** ['ʃeɪvn] **1.** pp von **shave 2.** Adj (Kopf) kahl geschoren; **shaver** s ELEK Rasierapparat m; **shaving brush** s Rasierpinsel m; **shaving foam** s Rasierschaum m

shawl [ʃɔːl] s Tuch n

she [ʃiː] Pron sie

shed (shed, shed) [ʃed] **1.** s Schuppen m **2.** vt (Tränen, Blut) vergießen; (Haare, Blätter) verlieren

she'd [ʃiːd] Kontr von **she had; she would**

sheep (- Pl) [ʃiːp] s Schaf n; **sheepdog** s Schäferhund m; **sheepskin** s Schaffell n

sheer [ʃɪə] Adj (Wahnsinn) rein; (Klippe) steil; (Stoff etc) hauchdünn; **by ~ chance** rein zufällig

sheet [ʃiːt] s Betttuch n; (Papier) Blatt n; (Metall) Platte f; (Glas) Scheibe f

shelf (shelves Pl) [ʃelf, ʃelvz] s Bücherbord n, Regal n; **shelves** Pl Regal n

she'll [ʃiːl] Kontr von **she will; she shall**

shell [ʃel] **1.** s (von Ei, Nuss etc) Schale f; (am Strand) Muschel f **2.** vt (Erbsen, Nüsse) schälen; **shellfish** s (Essen) Meeresfrüchte Pl

shelter ['ʃeltə] **1.** s (vor Regen) Schutz m; (Behausung) Unterkunft f; (Bushaltestelle) Wartehäuschen n **2.** vt schützen (from vor + Dat) **3.** vi sich unterstel-

len; **sheltered** Adj (Platz) geschützt; (Leben) behütet

shelve [ʃelv] vt fig aufschieben; **shelves** Pl von **shelf**

shepherd ['ʃepəd] s Schäfer m; **shepherd's pie** s Hackfleischauflauf mit Decke aus Kartoffelpüree

sherry ['ʃerɪ] s Sherry m

she's [ʃiːz] Kontr von **she is; she has**

shield [ʃiːld] **1.** s Schild m; fig Schutz m **2.** vt schützen (from vor + Dat)

shift [ʃɪft] **1.** s (Wechsel) Veränderung f; (Arbeitszeit) Schichtzeit f; Schichtarbeiter m; Schicht f; (auf Tastatur) Umschalttaste f **2.** vt (Möbel) verrücken; ~ **gear(s)** (US) AUTO schalten **3.** vi sich bewegen; rutschen; **shift key** s Umschalttaste f

shin [ʃɪn] s Schienbein n

shine (shone, shone) [ʃaɪn, ʃɒn] **1.** vi glänzen; (Sonne, Mond) scheinen; (Lampe) leuchten (on (Schuhe) polieren **3.** s Glanz m

shingles ['ʃɪŋglz] nsing MED Gürtelrose f

shiny ['ʃaɪnɪ] Adj glänzend

ship [ʃɪp] **1.** s Schiff n **2.** vt (Waren) versenden; (per Schiff) verschiffen; **shipment** s (Waren) Sendung f; (auf Schiff) Ladung f; **shipwreck** s Schiffbruch m; **shipyard** s Werft f

shirt [ʃɜːt] s Hemd n

shit [ʃɪt] s vulg Scheiße f; ~**!** Scheiße!; **shitty** ['ʃɪtɪ] Adj *umg* beschissen

shiver ['ʃɪvə^r] *vi* zittern (*with vor* + *Dat*)

shock [ʃɔk] **1.** *s* Schock *m*; **be in ~** unter Schock stehen; **get a ~** ELEK einen Schlag bekommen **2.** *vt* schockieren; **shock absorber** *s* Stoßdämpfer *m*; **shocked** *Adj* schockiert (*by* über + *Akk*); **shocking** *Adj* schockierend

shoe [ʃuː] *s* Schuh *m*; **shoelace** *s* Schnürsenkel *m*; **shoe polish** *s* Schuhcreme *f*

shone [ʃɒn] *pt*, *pp* von **shine**

shook [ʃʊk] *pt* von **shake**

shoot [ʃuːt] (*shot, shot*) **1.** *vt* anschießen; erschießen; FILM drehen; *umg* (*Rauschgift*) drücken **2.** *vi* schießen; **~ at sb** auf jdn schießen **3.** *s* (*von Pflanze*) Trieb *m*; **shooting** *s* Schießerei *f*, Erschießung *f*

shop [ʃɒp] **1.** *s* Geschäft *n*, Laden *m* **2.** *vi* einkaufen; **shop assistant** *s* Verkäufer(in) *m(f)*; **shopkeeper** *s* Geschäftsinhaber(in) *m(f)*; **shoplifting** *s* Ladendiebstahl *m*; **shopping** *s* (*Tätigkeit*) Einkaufen *n*; (*das Eingekaufte*) Einkäufe *Pl*; **do the ~** einkaufen; **go ~** einkaufen gehen; **shopping bag** *s* Einkaufstasche *f*; **shopping cart** *s* (*US*) Einkaufswagen *m*; **shopping center** *s* (*US*), **shopping centre** *s* Einkaufszen-

trum *n*; **shopping list** *s* Einkaufszettel *m*; **shopping trolley** *s* (*Brit*) Einkaufswagen *m*; **shop window** *s* Schaufenster *n*

shore [ʃɔː^r] *s* Ufer *n*; **on ~** an Land

short [ʃɔːt] *Adj* kurz; (*Person*) klein; **be ~ of money** knapp bei Kasse sein; **be ~ of time** wenig Zeit haben; **~ of breath** kurzatmig; **cut ~** (*Urlaub*) abbrechen; **we are two ~** wir haben zwei zu wenig; **it's ~ for ...** das ist die Kurzform von ...; **shortage** *s* Knappheit *f* (*of* an + *Dat*); **shortbread** *s* Buttergebäck *n*; **short circuit** *s* Kurzschluss *m*; **shortcoming** *s* Unzulänglichkeit *f*; (*von Person*) Fehler *m*; **shortcut** *s* (*Strecke*) Abkürzung *f*; IT Shortcut *m*; **shorten** *vt* kürzen; (*zeitlich*) abkürzen; **shortlist** *s* **be on the ~** in der engeren Wahl sein; **short-lived** *Adj* kurzlebig; **shortly** *Adv* bald; **shorts** *npl* Shorts *Pl*; **short-sighted** *Adj* kurzsichtig; **short-sleeved** *Adj* kurzärmelig; **short-stay car park** *s* Kurzzeitparkplatz *m*; **short story** *s* Kurzgeschichte *f*; **short-term** *Adj* kurzfristig

shot [ʃɒt] **1.** *pt*, *pp* von **shoot 2.** *s* Schuss *m*; FOTO, KINO Aufnahme *f*; (*Injektion*) Spritze *f*; (*Alkohol*) Schuss *m*

should [ʃʊd] **1.** *pt von* **shall**
2. *vhlf* **I ~ go now** ich sollte jetzt gehen; **you ~n't
have said that** das hättest
du nicht sagen sollen; **that
~ be enough** das müsste
reichen

shoulder [ˈʃəʊldəʳ] *s* Schulter *f*

shouldn't [ˈʃʊdnt] *Kontr
von* **should not**

should've [ˈʃʊdəv] *Kontr
von* **should have**

shout [ʃaʊt] **1.** *s* Schrei *m*,
Ruf *m* **2.** *vt* rufen; (*Befehl*)
brüllen **3.** *vi* schreien; **~ at**
anschreien

shove [ʃʌv] **1.** *vt* (*andere
Leute*) schubsen; (*Gegen-
stand*) schieben **2.** *vi* (*in
Menschenmenge*) drängeln

shovel [ˈʃʌvl] **1.** *s* Schaufel *f*
2. *vt* schaufeln

show [ʃəʊ] (*showed, shown*) [ʃəʊ,
ʃəʊd, ʃəʊn] **1.** *vt* zeigen; **~
sb sth**, **~ sth to sb** jdm etw
zeigen; **~ sb** jdn herein-
führen; **~ sb out** jdn zur
Tür bringen **2.** *s* FILM, THEA-
T Vorstellung *f*; TV Show *f*;
(*Kunst*) Ausstellung *f*;
show off *vi pej* angeben;
show round *vt* herumfüh-
ren; **show sb round the
house/the town** jdm das
Haus/die Stadt zeigen;
show up *vi* auftauchen

shower [ˈʃaʊəʳ] **1.** *s* Dusche
f; (*Regen*) Schauer *m*; **have
(*od take*) a ~** duschen **2.** *vi*
duschen

showing [ˈʃəʊɪŋ] *s* FILM Vorstellung *f*

shown [ʃəʊn] *pp von* **show**

showroom [ˈʃəʊruːm] *s*
Ausstellungsraum *m*

shrank [ʃræŋk] *pt von*
shrink

shred [ʃred] **1.** *s* Fetzen *m* **2.**
vt (*Papier*) (im Reißwolf)
zerkleinern; **shredder** *s*
Reißwolf *m*

shrimp [ʃrɪmp] *s* Garnele *f*

shrink (*shrank, shrunk*)
[ʃrɪŋk, ʃræŋk, ʃrʌŋk] *vi*
schrumpfen; (*Kleidung
beim Waschen*) eingehen

shrivel [ˈʃrɪvl] *vi* ~ (**up**)
schrumpfen; runzlig werden

Shrove Tuesday [ˈʃrəʊv-
ˈtjuːzdeɪ] *s* Fastnachtsdienstag *m*

shrub [ʃrʌb] *s* Busch *m*,
Strauch *m*

shrug [ʃrʌg] *vt, vi* ~ (**one's
shoulders**) mit den Ach-
seln zucken

shrunk [ʃrʌŋk] *pp von*
shrink

shudder [ˈʃʌdəʳ] *vi* schau-
dern; (*Erde*) beben

shuffle [ˈʃʌfl] *vt, vi* (*Karten*)
mischen

shut (*shut, shut*) [ʃʌt] **1.** *vt*
zumachen, schließen;
your mouth *umg* halt den
Mund! **2.** *vi* schließen **3.**
Adj geschlossen; **we're ~**
wir haben geschlossen;
shut down 1. *vt* schließen;
(*Computer*) ausschalten **2.**
vi schließen; (*Computer*)
sich ausschalten; **shut in** *vt*
einschließen; **shut out** *vt*

aussperren; **shut oneself out** sich aussperren; **shut up 1.** vt (Wohnung etc) abschließen; (Person) zum Schweigen bringen → vi den Mund halten; **~!** halt den Mund!; **shutter** s (Fenster)laden m; **shutter release** s Auslöser m

shuttle bus ['ʃʌtlbʌs] s Shuttlebus m

shuttlecock ['ʃʌtlkɔk] s Federball m

shuttle service ['ʃʌtlsɜːvɪs] s Pendelverkehr m

shy [ʃaɪ] Adj schüchtern; (Tier) scheu

Sicily ['sɪsɪlɪ] s Sizilien f

sick [sɪk] Adj krank; (Witz) makaber; **be ~** (Brit, erbrechen) sich übergeben; **be off ~** wegen Krankheit fehlen; **I feel ~** mir ist schlecht; **be ~ of sb/sth** jdn/etw satt haben; **it makes me ~** es ekelt mich an; **sickbag** s Spucktüte f; **sick leave** s **be on ~** krankgeschrieben sein; **sickness** s Krankheit f; (Brit) Übelkeit f

side [saɪd] **1.** s Seite f; (von Straße) Rand m; (von Berg) Hang m; SPORT Mannschaft f; **by my ~** neben mir; **~ by ~** nebeneinander **2.** Adj (Eingang etc) Seiten-; **sideboard** s Anrichte f; **sideboards**, **sideburns** (US) npl Koteletten Pl; **side dish** s Beilage f; **side effect** s Neben-

wirkung f; **side order** s Beilage f; **side road** s Nebenstraße f; **side street** s Seitenstraße f; **sidewalk** s (US) Bürgersteig m; **sideways** Adv seitwärts

sieve [sɪv] s Sieb n

sift [sɪft] vt sieben

sigh [saɪ] vi seufzen

sight [saɪt] s Sehvermögen n, Anblick m; **~s** Pl Sehenswürdigkeiten Pl; **have bad ~** schlecht sehen; **lose ~ of** aus den Augen verlieren; **out of ~** außer Sicht; **sightseeing s go ~** Sehenswürdigkeiten besichtigen; **~ tour** Rundfahrt f

sign [saɪn] **1.** s Zeichen n, Schild n **2.** vt unterschreiben **3.** vi unterschreiben; **~ for sth** den Empfang einer Sache Gen bestätigen; **~ in/out** sich ein-/austragen; **sign up** vi sich einschreiben; MIL sich verpflichten

signal ['sɪgnl] **1.** s Signal n **2.** vi/vt geben

signature ['sɪgnətʃə] s Unterschrift f

significant [sɪg'nɪfɪkənt] Adj bedeutend, wichtig; (statistisch; Ereignis) bedeutsam

sign language ['saɪnlæŋwɪdʒ] s Zeichensprache f; **signpost** s Wegweiser m

silence ['saɪləns] **1.** s Stille f; (von Person) Schweigen n; **~!** Ruhe! **2.** vt zum Schweigen bringen; **silent** Adj still; (Person) schweigsam; **she remained ~** sie schwieg

silk [sɪlk] **1.** s Seide f **2.** Adj Seiden-

silly ['sɪlɪ] Adj dumm, albern; **don't do anything ~** mach keine Dummheiten

silver ['sɪlvə^r] **1.** s Silber n; Silbermünzen Pl **2.** Adj Silber-, silbern; **silver wedding** s silberne Hochzeit

similar ['sɪmɪlə^r] Adj ähnlich (to Dat); **similarity** [sɪmɪ'lærɪti] s Ähnlichkeit f (to mit); **similarly** Adv ebenso

simple ['sɪmpl] Adj einfach; (Kleid, Zimmer) schlicht; **simplify** ['sɪmplɪfaɪ] vt vereinfachen; **simply** Adv einfach; bloß; schlicht

simulate ['sɪmjʊleɪt] vt simulieren

simultaneous, simultaneously [sɪməl'teɪnɪəs, -lɪ] Adj, Adv gleichzeitig

sin [sɪn] **1.** s Sünde f **2.** vi sündigen

since [sɪns] **1.** Adv seitdem; inzwischen **2.** Präp seit + Dat; **ever ~ 1995** schon seit 1995 **3.** Konj (zeitlich) seit, seitdem; (begründend) da, weil; **ever ~ I've known her** seit ich sie kenne; **it's ages ~ I've seen him** ich habe ihn seit langem nicht mehr gesehen

sincere [sɪn'sɪə^r] Adj aufrichtig; **sincerely** Adv aufrichtig; **Yours ~** mit freundlichen Grüßen

sing (sang, sung) [sɪŋ, sæŋ, sʌŋ] vt, vi singen

Singapore [sɪŋə'pɔː^r] s Singapur n

singer ['sɪŋə^r] s Sänger(in) m(f)

single ['sɪŋgl] **1.** Adj (Fall etc) einzig; (nicht doppelt) einfach; (Zimmer etc) Einzel-; (allein stehend) ledig; (Brit, Fahrkarte) einfach **2.** s (Brit) einfache Fahrkarte; MUS Single f; **single out** vt auswählen; **single-handed, single-handedly** Adv im Alleingang; **single parent** s Alleinerziehende(r) mf

singular ['sɪŋgjʊlə^r] s Singular m

sinister ['sɪnɪstə^r] Adj unheimlich

sink (sank, sunk) [sɪŋk, sæŋk, sʌŋk] **1.** vt (Schiff) versenken **2.** vi sinken **3.** s Spülbecken n; (in Bad) Waschbecken n

sip [sɪp] vt nippen an + Dat

sir [sɜː^r] s **yes, ~** ja(, mein Herr); **can I help you, ~?** kann ich Ihnen helfen?; **Sir James** (Titel) Sir James

sister ['sɪstə^r] s Schwester f; (Brit, im Krankenhaus) Oberschwester f; **sister-in-law** (sisters-in-law) s Schwägerin f

sit (sat, sat) [sɪt, sæt] **1.** vi sitzen; (Platz nehmen) sich setzen; (Komitee, Gericht) tagen **2.** vt (Brit, Examen) machen; **sit down** vi sich hinsetzen; **sit up** vi sich aufsetzen

site [saɪt] *s* Platz *m*; *(bei Umbau, Neubau)* Baustelle *f*; *(im Internet)* Site *f*

sitting ['sɪtɪŋ] *s* Sitzung *f*; **sitting room** *s* Wohnzimmer *n*

situated ['sɪtjʊeɪtɪd] *Adj* **be ~ liegen**

situation [sɪtjʊ'eɪʃən] *s* Situation *f*, Lage *f*; *(Arbeit)* Stelle *f*; **'~s vacant/ wanted'** *(Brit)* "Stellenangebote/Stellengesuche"

six [sɪks] **1.** *Zahl* sechs **2.** *s* Sechs *f*; → **eight**; **sixpack** *s* *(Bier etc)* Sechserpack *f*; **sixteen** ['sɪks'tiːn] **1.** *Zahl* sechzehn **2.** *s* Sechzehn *f*; → **eight**; **sixteenth** *Adj* sechzehnte(r, s); → **eighth**; **sixth** [sɪksθ] **1.** *Adj* sechste(r, s); → **eighth**; **~ form** *(Brit)* ≈ Oberstufe *f* **2.** *s* Sechstel *n*; → **eighth**; **sixtieth** ['sɪkst-ɪɪθ] *Adj* sechzigste(r, s); → **eighth**; **sixty** ['sɪkstɪ] **1.** *Zahl* sechzig; **~-one** einundsechzig **2.** *s* Sechzig *f*; **be in one's sixties** in den Sechzigern sein; → **eight**

size [saɪz] *s* Größe *f*; **what are you?** welche Größe haben Sie?; **a ~ too big** eine Nummer zu groß

sizzle ['sɪzl] *vi* brutzeln

skate [skeɪt] *s* Schlittschuh *m*; *(mit Rollen)* Rollschuh *m* **2.** *vi* Schlittschuh laufen; Rollschuh laufen; **skateboard** *s* Skateboard *n*; **skating** *s* Eislauf *m*;

(auf Straße etc) Rollschuhlauf *m*; **skating rink** *s* Eisbahn *f*; Rollschuhbahn *f*

skeleton ['skelɪtn] *s* Skelett *n*

skeptical *s* (US) → **sceptical**

sketch [sketʃ] **1.** *s* Skizze *f*; THEAT Sketch *m* **2.** *vt* skizzieren

ski [skiː] **1.** *s* Ski *m* **2.** *vi* Ski laufen; **ski boot** *s* Skistiefel *m*

skid [skɪd] *vi* AUTO schleudern

skier ['skiːər] *s* Skiläufer(in) *m(f)*; **skiing** *s* Skilaufen *n*; **go ~** Ski laufen gehen; **~ holiday** Skiurlaub *m*; **skiing instructor** *s* Skilehrer(in) *m(f)*

skilful, skilfully ['skɪlful, -fəlɪ] *Adj, Adv* geschickt

ski-lift ['skiːlɪft] *s* Skilift *m*

skill [skɪl] *s* Geschick *n*; *(erlernt)* Fertigkeit *f*; **skilled** *Adj* geschickt *(at, in* in + *Dat)*; *(Arbeiter)* Fach-; *(Arbeit)* fachmännisch

skim [skɪm] *vt* **~ (off)** *(Fett)* abschöpfen; **~ (through)** *(lesend)* überfliegen; **skimmed milk** *s* Magermilch *f*

skin [skɪn] *s* Haut *f*; *(Pelztier)* Fell *n*; *(Frucht)* Schale *f*; **skinny** *Adj* dünn

skip [skɪp] **1.** *vi* hüpfen; *(mit Seil)* Seil springen **2.** *vt* *(Text)* überspringen; *(Mahlzeit)* ausfallen lassen; *(Schule)* schwänzen

ski pants ['skiːpænts] *npl* Skihose *f*; **ski pass** *s* Skipass m; **ski pole** s Skistock m; **ski resort** s Skiort m

skirt [skɜːt] s Rock m

ski run ['skiːrʌn] s (Ski)abfahrt f; **ski stick** s Skistock m; **ski tow** s Schlepplift m

skittle ['skɪtl] s Kegel m; **~s** (Spiel) Kegeln n

skive [skaɪv] vi **~ (off)** (Brit) umg sich drücken; (Schule) schwänzen; blaumachen

skull [skʌl] s Schädel m

sky [skaɪ] s Himmel m; **skydiving** s Fallschirmspringen n; **skylight** s Dachfenster n; **skyscraper** s Wolkenkratzer m

slam [slæm] vt (Tür) zuschlagen; **slam on** vt **slam the brakes on** voll auf die Bremse treten

slander ['slɑːndər] 1. s Verleumdung f 2. vt verleumden

slang [slæŋ] s Slang m

slap [slæp] 1. s Klaps m; (auf Backe) Ohrfeige f 2. vt schlagen; **~ sb's face** jdn ohrfeigen

slash [slæʃ] 1. s Schrägstrich m 2. vt (Gesicht, Reifen etc) aufschlitzen; (Preise) stark herabsetzen

slate [sleɪt] s Schiefer m; (auf Dach) Schieferplatte f

slaughter ['slɔːtər] vt (Tiere) schlachten; (Menschen) abschlachten

Slav [slɑːv] 1. adj slawisch 2. s Slawe m, Slawin f

slave [sleɪv] s Sklave, Sklavin m/f; **slave away** vi

schuften; **slave-driver** s umg Sklaventreiber(in) m(f); **slavery** ['sleɪvərɪ] s Sklaverei f

sleaze [sliːz] s Korruption f; **sleazy** adj (Kneipe, Viertel) zwielichtig

sledge ['sledʒ] s Schlitten m

sleep (slept, slept) [sliːp, slept] 1. vi schlafen 2. s Schlaf m; **put to ~** (Tier) einschläfern; **sleep in** vi ausschlafen; **sleeper** s BAHN Schlafwagenzug m; (Waggon) Schlafwagen m; **sleeping bag** s Schlafsack m; **sleeping car** s Schlafwagen m; **sleeping pill** s Schlaftablette f; **sleepless** adj schlaflos; **sleepy** adj schläfrig; (Ort) verschlafen

sleet [sliːt] s Schneeregen m

sleeve [sliːv] s Ärmel m; **sleeveless** adj ärmellos

sleigh [sleɪ] s (Pferde)schlitten m

slender ['slendər] adj schlank; fig gering

slept [slept] pt, pp von **sleep**

slice [slaɪs] 1. s Scheibe f; (Kuchen etc) Stück n 2. vt **~ (up)** in Scheiben schneiden

slid [slɪd] pt, pp von **slide**

slide (slid, slid) [slaɪd, slɪd] 1. vt gleiten lassen; (Stuhl) schieben 2. vi gleiten; rutschen 3. s FOTO Dia n; (Spielplatz) Rutschbahn f; (Brit, für Haar) Spange f

slight [slaɪt] adj leicht; (Problem, Unterschied)

klein; *not in the ~est* nicht im Geringsten; **slightly** *Adv* etwas; *(verletzt)* leicht

slim [slɪm] **1.** *Adj* schlank; *(Buch)* dünn; *(Chance etc)* gering **2.** *vi* abnehmen

slime [slaɪm] *s* Schleim *m*; **slimy** *Adj* schleimig

sling *(slung, slung)* Schlinge *f* [slɪŋ, slʌŋ] **1.** *vt* werfen **2.** *s (für verletzten Arm)* Schlinge *f*

slip [slɪp] **1.** *s* Flüchtigkeitsfehler *m*; *~ of paper* Zettel *m* **2.** *vt (legen, schieben)* stecken; *~ on/off (Kleidung)* an-/ausziehen; *it ~ped my mind* ich habe es vergessen **3.** *vi (aus)rutschen; **slipper** *s* Hausschuh *m*; **slippery** *Adj (Straße, Weg)* glatt; *(Fisch, Seife)* glitschig; **slip-road** *s (Brit, auf Autobahn)* Auffahrt *f*; *(von Autobahn)* Ausfahrt *f*

slit *(slit, slit)* [slɪt] **1.** *vt* aufschlitzen **2.** *s* Schlitz *m*

slope [sləʊp] **1.** *s* Neigung *f*; *(von Berg)* Hang *m* **2.** *vi (Gelände etc)* schräg sein; **slope down** *vi (Land, Straße)* abfallen; **sloping** *Adj (Dach etc)* schräg

sloppy [ˈslɒpɪ] *Adj (Arbeit, Person etc)* schlampig

slot [slɒt] *s* Schlitz *m*; IT Steckplatz *m*; *we have a ~ free at 2 (Terminkalender)* um 2 ist noch ein Termin frei; **slot machine** *s* Automat *m*, Spielautomat *m*

Slovak [ˈsləʊvæk] **1.** *Adj* slowakisch **2.** *s (Person)* Slo-

wake *m*, Slowakin *f*; *(Sprache)* Slowakisch *n*; **Slovakia** [sləʊˈvækɪə] *s* Slowakei *f*

Slovene [ˈsləʊviːn], **Slovenian** [sləʊˈviːnɪən] **1.** *Adj* slowenisch **2.** *s (Person)* Slowene *m*, Slowenin *f*; *(Sprache)* Slowenisch *n*; **Slovenia** [sləʊˈviːnɪə] *s* Slowenien *n*

slow [sləʊ] *Adj* langsam; *(Geschäfte)* flau; *be ~ (Uhr)* nachgehen; *(Person)* begriffsstutzig sein; **slow down** *vi* langsamer werden; langsamer fahren/gehen; **slowly** *Adv* langsam; **slow motion** *s in ~* in Zeitlupe

slug [slʌɡ] *s* ZOOL Nacktschnecke *f*

slums [slʌmz] *s* Slums *Pl*

slump [slʌmp] **1.** *s* Rückgang *m (in an + Dat)* **2.** *vi (in Sessel etc)* sich fallen lassen; *(Preise)* stürzen

slung [slʌŋ] *pt, pp von* **sling**

slur [slɜː] *s* Verleumdung *f*; **slurred** [slɜːd] *Adj* undeutlich

slush [slʌʃ] *s* Schneematsch *m*; **slushy** *Adj* matschig; *fig* schmalzig

slut [slʌt] *s pej* Schlampe *f*

smack [smæk] **1.** *s* Klaps *m* **2.** *vt ~ sb* jdm einen Klaps geben

small [smɔːl] *Adj* klein; **small ads** *npl (Brit)* Kleinanzeigen *Pl*; **small change** *s* Kleingeld *n*; **small letters** *npl in ~* in Kleinbuchstaben; **smallpox** *s* Pocken *Pl*; **small print** *s the ~* das

Kleingedruckte; **small--scale** *Adj* in kleinem Maßstab; **small talk** *s* Konversation *f*, Smalltalk *m*

smart [smɑːt] *Adj* (*Aussehen*) schick; (*klug*) clever; **smart card** *s* Chipkarte *f*; **smartly** *Adv* (*gekleidet*) schick

smash [smæʃ] **1.** *s* (*von Autos*) Zusammenstoß *m*; (*Tennis*) Schmetterball *m* **2.** *vt* zerschlagen; *fig* (*Rekord etc*) brechen, deutlich übertreffen **3.** *vi* zerbrechen; ~ **into** krachen gegen; **smashing** *Adj umg* toll

smear [smɪə] **1.** *s* (*Tinte, Blut etc*) Fleck *m*; MED Abstrich *m*; *fig* Verleumdung *f* **2.** *vt* schmieren; (*schmutzig machen*) beschmieren *fig* verleumden

smell (*smelt od smelled, smelt od smelled*) [smel, smelt, smeld] **1.** *vt* riechen **2.** *vi* riechen (*of* nach); stinken **3.** *s* Geruch *m*; Gestank *m*; **smelly** *Adj* übel riechend; **smelt** [smelt] *pt*, *pp von* **smell**

smile [smaɪl] **1.** *s* Lächeln *n* **2.** *vi* lächeln; ~ **at sb** jdn anlächeln

smog [smɒg] *s* Smog *m*

smoke [sməʊk] **1.** *s* Rauch *m* **2.** *vt* rauchen; (*Fleisch, Fisch*) räuchern **3.** *vi* rauchen; **smoke alarm** *s* Rauchmelder *m*; **smoked** *Adj* geräuchert; **smoker** *s* Raucher(in) *m(f)*; **smoking** *s* Rauchen *n*; *'no ~'* „Rau-

chen verboten"

smooth [smuːð] **1.** *Adj* glatt; (*Flug, Schiffsüberfahrt*) ruhig; (*Bewegung*) geschmeidig; (*problemlos*) reibungslos; *pej* (*Person*) aalglatt **2.** *vt* glatt streichen; glätten

smoothly *Adv* (*problemlos*) reibungslos; **run** ~ (*Maschine*) ruhig laufen

smudge [smʌdʒ] *vt* verschmieren

smug [smʌg] *Adj* selbstgefällig

smuggle ['smʌgl] *vt* schmuggeln; ~ **in/out** he-rein-/herausschmuggeln

smutty ['smʌtɪ] *Adj* (*Witz, Geschichte*) schmutzig

snack [snæk] *s* Imbiss *m*; **have a** ~ eine Kleinigkeit essen

snail [sneɪl] *s* Schnecke *f*; **snail mail** *s umg* Schneckenpost *f*

snake [sneɪk] *s* Schlange *f*

snap [snæp] **1.** *s* (*Foto*) Schnappschuss *m* **2.** *Adj* (*Entschluss*) spontan **3.** *vt* zerbrechen; (*Seil*) zerreißen **4.** *vi* brechen; (*Seil*) reißen; (*beißen*) schnappen (*at* nach); **snap fastener** *s* (*US*) Druckknopf *m*; **snap-shot** *s* Schnappschuss *m*

snatch [snætʃ] *vt* schnappen

sneak [sniːk] *vi* schleichen; **sneakers** *npl* (*US*) Turnschuhe *Pl*

sneeze [sniːz] *vi* niesen

sniff [snɪf] **1.** *vi* schniefen; (*Hund*) schnüffeln (*at* an

+ *Dat*) **2.** *vt* schnuppern an + *Dat*; (*Klebstoff, Lösungsmittel*) schnüffeln

snob [snɒb] *s* Snob *m*; **snobbish** *Adj* versnobt

snog [snɒg] *vi, vt* knutschen

snooker ['snuːkə^r] *s* Snooker *n*

snoop [snuːp] *vi* ~ (*around*) (herum)schnüffeln

snooze [snuːz] *s, vi* (*have a*) ~ ein Nickerchen machen

snore [snɔː^r] *vi* schnarchen

snorkel ['snɔːkl] *s* Schnorchel *m*; **snorkelling** *s* Schnorcheln *n*

snout [snaʊt] *s* Schnauze *f*

snow [snəʊ] **1.** *s* Schnee *m* **2.** *vi* schneien; **snowball** *s* Schneeball *m*; **snowboard** *s* Snowboard *n*; **snowboarding** *s* Snowboarding *n*; **snowdrift** *s* Schneewehe *f*; **snowflake** *s* Schneeflocke *f*; **snowman** (-**men** *Pl*) *s* Schneemann *m*; **snowplough, snowplow** (*US*) *s* Schneepflug *m*; **snowstorm** *s* Schneesturm *m*; **snowy** *Adj* schneereich; verschneit

snug [snʌg] *Adj* gemütlich

snuggle up ['snʌgl ʌp] *vi* ~ **to sb** sich an jdn ankuscheln

so [səʊ] **1.** *Adv* so; ~ **many/ much** so viele/viel; ~ **do I** ich auch; **I hope** ~ hoffentlich; **30 or** ~ etwa 30; ~ **what?** na und?; **and** ~ **on** und so weiter **2.** *Konj* also, deshalb

soak [səʊk] *vt* durchnässen;

(*Wäsche*) einweichen; **I'm** ~**ed** ich bin durchnässt; **soaking** *Adj* ~ (*wet*) durchnässt

soap [səʊp] *s* Seife *f*; **soap** (*opera*) *s* Seifenoper *f*

sob [sɒb] *vi* schluchzen

sober ['səʊbə^r] *Adj* nüchtern; **sober up** *vi* nüchtern werden

so-called ['səʊ'kɔːld] *Adj* so genannt

soccer ['sɒkə^r] *s* Fußball *m*

sociable ['səʊʃəbl] *Adj* gesellig

social ['səʊʃəl] *Adj* sozial; (*gerne unter Leuten*) gesellig; **socialist 1.** *Adj* sozialistisch **2.** *s* Sozialist(in) *m(f)*; **socialize** *vi* unter die Leute gehen; **social security** *s* (*Brit*) Sozialhilfe *f*; (*US*) Sozialversicherung *f*

society [sə'saɪətɪ] *s* Gesellschaft *f*; Verein *m*

sock [sɒk] *s* Socke *f*

socket ['sɒkɪt] *s* ELEK Steckdose *f*

soda ['səʊdə] *s* (*Sodawasser*) Soda *f*; (*US*) Limo *f*

sofa ['səʊfə] *s* Sofa *n*; **sofa bed** *s* Schlafcouch *f*

soft [sɒft] *Adj* weich; (*Stimme, Musik*) leise; (*Licht*) gedämpft; (*Mensch*) gutmütig; (*Person*) nachgiebig; ~ **drink** alkoholfreies Getränk; **softly** *Adv* sanft; (*sprechen*) leise; **software** *s* IT Software *f*

soil [sɔɪl] *s* Erde *f*, Boden *m*

solar ['səʊlə^r] *Adj* Sonnen-,

Solar-
solarium [sə'lɛərɪəm] s Solarium n
sold [səʊld] pt, pp von **sell**
soldier ['səʊldʒəʳ] s Soldat(in) m(f)
sole [səʊl] **1.** s Sohle f; (Fisch) Seezunge f **2.** vt besohlen **3.** Adj einzig; alleinig; **solely** Adv nur
solemn ['sɒləm] Adj feierlich; (Mensch) ernst
solicitor [sə'lɪsɪtəʳ] s (Brit) Rechtsanwalt m, Rechtsanwältin f
solid ['sɒlɪd] Adj fest; (Gold etc) massiv; (stabil) solide; (Mahlzeit) kräftig; **three hours** = drei volle Stunden
solitary ['sɒlɪtərɪ] Adj einsam; (Haus, Mensch etc) einzeln; **solitude** ['sɒlɪtjuːd] s Einsamkeit f
soluble ['sɒljʊbl] Adj löslich; (Problem) lösbar; **solution** [sə'luːʃən] s Lösung f (to + Gen); **solve** [sɒlv] vt lösen
somber (US), **sombre** ['sɒmbəʳ] Adj düster
some [sʌm] **1.** Adj etwas; einige; ~ **woman** (or **other**) irgendeine Frau; **would you like** ~ **more** (wine)? möchten Sie noch etwas (Wein)? **2.** Pron etwas; einige; ~ **of the team** einige (aus) der Mannschaft **3.** Adv ≈ **50 people** (or **so**) etwa 50 Leute
somebody Pron jemand; ~ (or **other**) irgendjemand; ~

else jemand anders; **someday** Adv irgendwann; **somehow** Adv irgendwie; **someone** Pron → **somebody**; **someplace** Adv (US) → **somewhere**; **something** ['sʌmθɪŋ] **1.** Pron etwas; ~ (or **other**) irgendetwas; ~ **else** etwas anderes; ~ **nice** etwas Nettes; **would you like** ~ **to drink?** möchten Sie etwas trinken? **2.** Adv ≈ **like 20** ungefähr 20; **sometime** Adv irgendwann; **sometimes** Adv manchmal; **somewhat** Adv ein wenig; **somewhere** Adv irgendwo; (gehen etc) irgendwohin; ~ **else** irgendwo anders; irgendwo anders hin; ~ **around 6** ungefähr 6
son [sʌn] s Sohn m
song [sɒŋ] s Lied n
son-in-law (sons-in-law) ['sʌnɪnlɔː] s Schwiegersohn m
soon [suːn] Adv bald; früh; **too** ~ zu früh; **as** ~ **as I** ... sobald ich ...; **as** ~ **as possible** so bald wie möglich; **sooner** Adv (zeitlich) früher; (tun) lieber
soot [sʊt] s Ruß m
soothe [suːð] vt beruhigen; (Schmerzen) lindern
sophisticated [sə'fɪstɪkeɪtɪd] Adj (Person) kultiviert; (Maschine etc) hoch entwickelt; (Plan) ausgeklügelt
soppy ['sɒpɪ] Adj umg rührselig
soprano [sə'prɑːnəʊ] s So-

pran *m*

sore [sɔːʳ] **1.** *Adj* **be ~** weh tun; **have a ~ throat** Halsschmerzen haben *od* haben **2.** *s* wunde Stelle

sorrow ['sɒrəʊ] *s* Kummer *m*

sorry ['sɒrɪ] *Adj* traurig; *(I'm)* **~** Entschuldigung!; **I'm ~** *(bedauernd)* es tut mir leid; **~?** wie bitte?; **I feel ~ for him** er tut mir leid

sort [sɔːt] **1.** *s* Art *f*; **what ~ of film is it?** was für ein Film ist das?; **a ~ of** eine Art + *Gen*; **all ~s of things** alles Mögliche *f*; **a ~ of** umg irgendwie **3.** *vt* sortieren; **everything's ~ed** alles ist geregelt; **sort out** *vt* sortieren; *(Probleme)* lösen

sought [sɔːt] *pt, pp von* **seek**

soul [səʊl] *s* Seele *f*

sound [saʊnd] **1.** *Adj (in guter Verfassung)* gesund; *(Konstruktion etc)* sicher; *(Entscheidung, Rat)* vernünftig; *(Theorie, Annahme)* stichhaltig; *(Prügel, Abreibung)* tüchtig **2.** *Adv* **be ~ asleep** fest schlafen **3.** *s* Geräusch *n*; MUS Klang *m*; TV Ton *m* **4.** *vt* **~ one's horn** hupen **5.** *vi (sich anhören)* klingen *(like* wie*)*; **sound-card** *s* IT Soundkarte *f*; **soundproof** *Adj* schalldicht

soup [suːp] *s* Suppe *f*

sour [saʊəʳ] *Adj* sauer; *fig* mürrisch

source [sɔːs] *s* Quelle *f*; *fig* Ursprung *m*

sour cream [saʊəˈkriːm] *s*

saure Sahne

south [saʊθ] **1.** *s* Süden *m*; **to the ~ of** südlich von **2.** *Adv* nach Süden **3.** *Adj* Süd-; **South Africa** *s* Südafrika *n*; **South African 1.** *Adj* südafrikanisch **2.** *s* Südafrikaner(in) *m(f)*; **South America** *s* Südamerika *n*; **South American 1.** *Adj* südamerikanisch **2.** *s* Südamerikaner(in) *m(f)*; **southbound** *Adj* (in) Richtung Süden; **southern** ['sʌðən] *Adj* Süd-, südlich; **southwards** ['saʊθwədz] *Adv* nach Süden

souvenir [suːvəˈnɪəʳ] *s* Andenken *n (of an* + *Akk)*

sow *(sowed, sown od sowed)* [səʊ, səʊd, səʊn] **1.** *vt* säen; *(Feld)* besäen **2.** [saʊ] *s (Schwein)* Sau *f*

soya bean ['sɔɪəˈbiːn] *s* Sojabohne *f*

soy sauce ['sɔɪˈsɔːs] *s* Sojasoße *f*

spa [spaː] *s* Kurort *m*

space [speɪs] *s* Platz *m*, Raum *m*; *(All)* Weltraum *m*; *(Lücke)* Zwischenraum *m*; *(zum Parken)* Lücke *f*; **space bar** *s* Leertaste *f*; **spacecraft** *(- Pl)* *s* Raumschiff *n*; **space shuttle** *s* Raumfähre *f*

spacing ['speɪsɪŋ] *s* Zeilenabstand *m*; **double ~** zweizeiliger Abstand

spacious ['speɪʃəs] *Adj* geräumig

spade [speɪd] *s* Spaten *m*;

~s (*Karten*) Pik *n*

spaghetti [spəˈgetɪ] *nsing* Spaghetti *Pl*

Spain [speɪn] *s* Spanien *n*

spam [spæm] *s* IT Spam *n*

Spaniard [ˈspænɪəd] *s* Spanier(in) *m(f)*; **Spanish** [ˈspænɪʃ] 1. *Adj* spanisch 2. *s* (*Sprache*) Spanisch *n*

spanner [ˈspænə] *s* (*Brit*) Schraubenschlüssel *m*

spare [speə] 1. *Adj* Ersatz-; **~ part** Ersatzteil *n*; **~ room** Gästezimmer *n*; **~ time** Freizeit *f*; **~ tyre** Ersatzreifen *m* 2. **~** Ersatzteil *n* 3. *vt* (*mit Fragen*) verschonen; **can you ~ (me) a moment?** hätten Sie einen Moment Zeit?

spark [spɑːk] *s* Funke *m*, **sparkle** [ˈspɑːkl] *vi* funkeln; **sparkling wine** *s* Schaumwein *m*, Sekt *m*; **spark plug** [ˈspɑːkplʌg] *s* Zündkerze *f*

sparrow [ˈspærəʊ] *s* Spatz *m*

sparse [spɑːs] *Adj* spärlich; **sparsely** *Adv* **~ populated** dünn besiedelt

spasm [ˈspæzəm] *s* MED Krampf *m*

spat [spæt] *pt, pp von* **spit**

speak [spiːk] (*spoke, spoken*) [spiːk, spəʊk, ˈspəʊkən] 1. *vt* sprechen; **can you ~ French?** sprechen Sie Französisch?; **~ one's mind** seine Meinung sagen 2. *vi* sprechen (*to* mit, zu); (*Rede halten*) reden; **~ing** TEL am Apparat; **so to ~** sozusagen; **speak up** *vi* lauter

sprechen; **speaker** *s* Sprecher(in) *m(f)*; (*vor Publikum*) Redner(in) *m(f)*; (*Stereoanlage*) Lautsprecher *m*

spear [spɪə] *s* Speer *m*

special [ˈspeʃəl] 1. *Adj* besondere(r, s), speziell 2. *s* (*Speisekarte*) Tagesgericht *n*; TV, RADIO Sondersendung *f*; **special delivery** *s* Eilzustellung *f*; **specialist** *s* Spezialist(in) *m(f)*; TECH Fachmann *m*, Fachfrau *f*; MED Facharzt *m*, Fachärztin *f*; **speciality** [speʃɪˈælɪtɪ] *s* Spezialität *f*; **specialize** *vi* sich spezialisieren (*in auf* + *Akk*); **specially** *Adv* besonders; extra; **special offer** *s* Sonderangebot *n*; **specialty** *s* (*US*) → **speciality**

species [ˈspiːʃiːz] *nsing* Art *f*

specific [spəˈsɪfɪk] *Adj* spezifisch; (*präzise*) genau; **specify** [ˈspesɪfaɪ] *vt* genau angeben

specimen [ˈspesɪmən] *s* (*von Gestein, Blut, Urin*) Probe *f*, Exemplar *n*

spectacle [ˈspektəkl] *s* Schauspiel *n*

spectacles *npl* Brille *f*

spectacular [spekˈtækjʊlə] *Adj* spektakulär

spectator [spekˈteɪtə] *s* Zuschauer(in) *m(f)*

sped [sped] *pt, pp von* **speed**

speech [spiːtʃ] *s* Rede *f*, Sprache *f*; **make a ~** eine Rede halten; **speechless** *Adj* sprachlos (*with vor*

+ *Dat*)

speed (*sped od speeded,
sped od speeded*) [spi:d,
sped, 'spi:dɪd] **1.** *vi* rasen;
zu schnell fahren **2.** *s* Geschwindigkeit *f*; (*Film*)
Lichtempfindlichkeit *f*;
speed up 1. *vt* beschleunigen **2.** *vi* schneller werden/
fahren; **speedboat** *s* Rennboot *n*; **speed bump** *s* Bodenschwelle *f*; **speed limit**
s Geschwindigkeitsbegrenzung *f*; **speedometer** [spɪ-
'dɒmɪtəʳ] *s* Tachometer *m*;
speed trap *s* Radarfalle *f*;
speedy *Adj* schnell

spell (*spelt od spelled, spelt
od spelled*) [spel, spelt,
speld] **1.** *vt* buchstabieren;
how do you ~ ...? wie
schreibt man ...? **2.** *s* Weile
f; *a cold/hot ~* ein Kälteeinbruch/eine Hitzewelle;
(*Magie*) Zauber *m*; **spellchecker** *s* ɪᴛ Rechtschreibprüfung *f*; **spelling** *s*
(*Recht*)schreibung *f*; *~ mistake* Schreibfehler *m*

spelt [spelt] *pt, pp von* **spell**

spend (*spent, spent*) [spend,
spent] *vt* (*Geld*) ausgeben
(*on* für); (*Zeit*) verbringen

spent [spent] *pt, pp von*
spend

sperm [spɜ:m] *s* Sperma *n*

sphere [sfɪəʳ] *s* Kugel *f*; *fig*
Sphäre *f*

spice [spaɪs] **1.** *s* Gewürz *n*;
fig Würze *f* **2.** *vt* würzen;
spicy ['spaɪsɪ] *Adj* würzig

spider ['spaɪdəʳ] *s* Spinne *f*

spike [spaɪk] *s* Spitze *f*,
Spike *m*

spill (*spilt od spilled, spilt
od spilled*) [spɪl, spɪlt,
spɪld] *vt* verschütten

spin (*spun, spun*) [spɪn,
spʌn] **1.** *vi* (*Rad etc*) sich
drehen; (*Waschmaschine*)
schleudern; *my head is
~ning* mir dreht sich alles
2. *vt* (*von*) drehen; (*Münze*)
hochwerfen **3.** *s* Drehung *f*

spinach ['spɪnɪtʃ] *s* Spinat *m*

spin-drier *s* ['spɪndraɪəʳ] *s*
Wäscheschleuder *f*

spine [spaɪn] *s* Rückgrat *n*;
(*von Tier, Pflanze*) Stachel
m; (*von Buch*) Rücken *m*

spiral ['spaɪrəl] **1.** *s* Spirale *f*
2. *Adj* spiralförmig; **spiral
staircase** *s* Wendeltreppe *f*

spire ['spaɪəʳ] *s* Turmspitze *f*

spirit ['spɪrɪt] *s* Geist *m*,
Stimmung *f*; (*Tapferkeit*)
Mut *m*; (*Enthusiasmus*)
Elan *m*; *~s Pl* Spirituosen *Pl*

spiritual ['spɪrɪtjʊəl] *Adj*
geistig; ʀᴇʟ geistlich

spit (*spat od spit, spat od spit*)
[spɪt, spæt] **1.** *vi* spucken **2.**
s (*zum Grillen*) (*Brat*)spieß
m; (*im Mund*) Spucke *f*;
spit out *s* ausspucken

spite [spaɪt] *s* Boshaftigkeit
f; *in ~ of* trotz + *Gen*;
spiteful *Adj* boshaft

spitting image ['spɪtɪŋ'ɪ-
mɪdʒ] *s* *he's the ~ of you*
er ist dir wie aus dem Gesicht geschnitten

splash [splæʃ] **1.** *vt* (*jdn,
etw*) bespritzen **2.** *vi* sprit-

zen; planschen

splendid ['splendɪd] *Adj*
herrlich

splinter ['splɪntəʳ] *s* Splitter
m

split (*split, split*) [splɪt] **1.** *vt*
(*Holz etc*) spalten; (*Geld,
Gruppe etc*) teilen **2.** *vi*
(*Felsen etc*) sich spalten **3.**
s (*in Fels etc*) Spalt *m*; (*in
Kleidung*) Riss *m*; *fig* Spaltung *f*; **split up 1.** *vi* (*Partner*) sich trennen **2.** *vt*
(*etw*) aufteilen; **split ends**
npl (*Haar*)spliss *m*; **splitting** *Adj* (*Kopfschmerzen*)
rasend

spoil (*spoiled od spoilt,
spoiled od spoilt*) [spɔɪl,
spɔɪlt] **1.** *vt* verderben;
(*Kind*) verwöhnen **2.** *vi*
(*Nahrungsmittel*) verderben

spoilt [spɔɪlt] *pt, pp von*
spoil

spoke [spəʊk] **1.** *pt von*
speak 2. *s* Speiche *f*

spoken ['spəʊkən] *pp von*
speak

spokesperson (*-people Pl*)
['spəʊkspɜːsən, -piːpl] *s*
Sprecher(in) *m(f)*

sponge [spʌndʒ] *s*
Schwamm *m*; **sponge cake**
s Biskuitkuchen *m*

sponsor ['spɒnsəʳ] **1.** *s*
Sponsor(in) *m(f)* **2.** *vt* unterstützen; sponsern

spontaneous, spontaneously [spɒn'teɪnɪəs, -lɪ]
Adj, Adv spontan

spool [spuːl] *s* Spule *f*

spoon [spuːn] *s* Löffel *m*

sport [spɔːt] *s* Sport *m*;
sports car *s* Sportwagen
m; **sports centre** *s* Sportzentrum *n*; **sportsman**
(*-men Pl*) *s* Sportler *m*;
sportswear *s* Sportkleidung *f*; **sportswoman**
(*-women Pl*) *s* Sportlerin *f*;
sporty *Adj* sportlich

spot [spɒt] **1.** *s* Punkt *m*;
(*Farbe etc*) Fleck *m*; (*Platz*)
Stelle *f*; (*auf Haut*) Pickel
m; **on the ~** vor Ort; (*sofort*) auf der Stelle **2.** *vt* entdecken; erkennen; **spotless**
Adj blitzsauber; **spotlight** *s*
Scheinwerfer *m*; **spotty** *Adj*
(*Gesicht*) pickelig

spouse [spaʊs] *s* Gatte *m*,
Gattin *f*

spout [spaʊt] *s* Schnabel *m*

sprain [spreɪn] *vt* **~ one's
ankle** sich den Knöchel
verstauchen

sprang [spræŋ] *pt von* **spring**

spray [spreɪ] **1.** *s* Spray *n od
m*, Spraydose *f* **2.** *vt* besprühen; (*lackieren*) spritzen

spread (*spread, spread*)
[spred] **1.** *vt* ausbreiten;
(*Neuigkeit, Krankheit*) verbreiten; (*Butter etc*) streichen **2.** *vi* (*Neuigkeit,
Krankheit*) sich verbreiten
3. *s* (*von Krankheit, Religion*) Verbreitung *f*; (*für
Brot*) Aufstrich *m*; **spreadsheet** *s* IT Tabellenkalkulation *f*

spring (*sprang, sprung*)
[sprɪŋ, spræŋ, sprʌŋ] **1.** *vi*
(*hüpfen*) springen **2.** *s*

Frühling *m*; (*in Matratze, Sofa*) Feder *f*; (*von Wasser*) Quelle *f*; **springboard** *s* Sprungbrett *n*; **spring onion** *s* (*Brit*) Frühlingszwiebel *f*; **spring roll** *s* (*Brit*) Frühlingsrolle *f*

sprinkle ['sprɪŋkl] *vt* streuen; (*Flüssigkeit*) sprengen; ~ **sth with sth** etw mit etw bestreuen; **sprinkler** *s* (*für Rasen*) Rasensprenger *m*; (*für Brandfall*) Sprinkler *m*

sprint [sprɪnt] *vi* rennen, SPORT sprinten

sprout [spraʊt] **1.** *s* (*Pflanze*) Trieb *m*; (*Saatgut*) Keim *m*; (**Brussels**) ~**s** *Pl* Rosenkohl *m* **2.** *vi* sprießen

sprung [sprʌŋ] *pp von* **spring**

spun [spʌn] *pt*, *pp von* **spin**

spy [spaɪ] **1.** *s* Spion(in) *m(f)* **2.** *vi* spionieren; ~ **on sb** jdm nachspionieren

squad [skwɒd] *s* SPORT Mannschaft *f*

square [skweəʳ] **1.** *s* Quadrat *n*; (*in Stadt*) Platz *m*; (*Schachbrett etc*) Feld *n* **2.** *Adj* quadratisch; **2 ~ metres** = 2 Quadratmeter; **2 metres ~** = 2 Meter im Quadrat **3.** *vt* **3** ~**d** 3 hoch 2

squash [skwɒʃ] **1.** *s* Fruchtsaftgetränk *n*; SPORT Squash *n*; (*US, Gemüse*) Kürbis *m* **2.** *vt* zerquetschen

squeak [skwiːk] *vi* quietschen; (*Tier*) quieken

squeal [skwiːl] *vi* (*Person*) kreischen (*with* vor + *Dat*)

squeeze [skwiːz] **1.** *vt* drücken; (*Orange*) auspressen **2.** *vi* ~ **into the car** sich in den Wagen hineinzwängen

squid [skwɪd] *s* Tintenfisch *m*

squirrel ['skwɪrəl] *s* Eichhörnchen *n*

St 1. *Abk* = **saint**; St. **2.** *Abk* = **street**; Str.

stab [stæb] *vt* einstechen auf + *Akk*, erstechen; **stabbing** *Adj* (*Schmerz*) stechend

stabilize ['steɪbəlaɪz] **1.** *vt* stabilisieren **2.** *vi* sich stabilisieren

stable ['steɪbl] **1.** *s* Stall *m* **2.** *Adj* stabil

stack [stæk] **1.** *s* Stapel *m* **2.** *vt* ~ (**up**) (auf)stapeln

stadium ['steɪdɪəm] *s* Stadion *n*

staff [stɑːf] *s* Personal *n*; (*Schule*) Lehrkräfte *Pl*

stag [stæg] *s* Hirsch *m*; **stag night** *s* (*Brit*) Junggesellenabschied

stage [steɪdʒ] **1.** *s* THEAT Bühne *f*; (*von Projekt etc*) Stadium *n*; (*einer Reise*) Etappe *f*; **at this** ~ zu diesem Zeitpunkt **2.** *vt* THEAT aufführen, inszenieren; (*Event etc*) veranstalten

stagger ['stægəʳ] **1.** *vi* wanken **2.** *vt* verblüffen; **staggering** *Adj* (*Anblick etc*) umwerfend; (*Betrag, Preis*) Schwindel erregend

stagnant ['stægnənt] *Adj* (*Gewässer*) stehend; **stagnate** [stæg'neɪt] *vi* stagnieren

stain [steɪn] s Fleck m;
stained-glass window s
Buntglasfenster n; **stain-less steel** s rostfreier
Stahl; **stain remover** s
Fleck(en)entferner m
stair [steəʳ] s (Treppen)stufe
f; **~s** Pl Treppe f; **staircase**
s Treppe f
stake [steɪk] s Pfahl m;
(Wette) Einsatz m; FIN An-teil m (in an + Dat); **be at
~** auf dem Spiel stehen
stale [steɪl] Adj (Brot) alt;
(Bier) schal
stalk [stɔːk] s Stiel m 2. vt
sich anpirschen an + Akk;
(jdm) nachstellen + Dat
stall [stɔːl] 1. s (auf Markt)
(Verkaufs)stand m; (Stall)
Box f; **~s** Pl THEAT Parkett
n 2. vt (Motor) abwürgen
3. vi den Motor abwürgen;
(Auto) stehen bleiben
stamina ['stæmɪnə] s
Durchhaltevermögen n
stammer ['stæməʳ] vi, vt
stottern
stamp [stæmp] 1. s Brief-marke f; (auf Dokument)
Stempel m 2. vt (Pass)
stempeln; (Post) frankieren
stand [stænd] (stood, stood)
[stʊd] 1. vi stehen; (bei
Wahl) kandidieren 2. vt (ir-gendwohin) stellen; (jdn,
etw) aushalten; **I can't ~
her** ich kann sie nicht aus-stehen 3. s (auf Markt etc)
Stand m; (in Stadion) Tri-büne f; (für Kleider, Fahr-räder) Ständer m; (für

kleine Sachen) Gestell n;
stand around vi herumste-hen; **stand by 1.** vi sich be-reithalten; danebenstehen
2. vt halten zu; stehen zu;
stand for vt (verkörpern)
stehen für; (tolerieren) hin-nehmen; **stand in for** vt
einspringen für; **stand out**
vi auffallen; **stand up 1.** vi
aufstehen 2. vt versetzen;
stand up for vt sich einset-zen für
standard ['stændəd] **1.** s
Norm f; **~ of living** Le-bensstandard m 2. Adj
Standard-
standardize ['stændədaɪz]
vt vereinheitlichen
stand-by ['stændbaɪ] **1.** s Re-serve f; **on ~** in Bereitschaft
2. Adj (Flug) Standby-;
standing order s (Bank)
Dauerauftrag m; **stand-point** ['stændpɔɪnt] s
Standpunkt m; **standstill**
['stændstɪl] s Stillstand m;
come to a ~ stehen bleiben;
fig zum Erliegen kommen
stank [stæŋk] pt von **stink**
staple ['steɪpl] **1.** s Heft-klammer f 2. vt heften (to
an + Akk); **stapler** s Hef-ter m
star [stɑːʳ] **1.** s Stern m;
(Person) Star m 2. vt **the
film ~s Hugh Grant** der
Film zeigt Hugh Grant in
der Hauptrolle 3. vi die
Hauptrolle spielen
starch [stɑːtʃ] s Stärke f
stare [steəʳ] vi starren; **~ at**

Stars and Stripes

Stars and Stripes heißt die Flagge der USA. Sie besteht aus 50 Sternen, einem für jeden der 50 amerikanischen Bundesstaaten, sowie sieben roten und sechs weißen Streifen, die die 13 ursprünglichen Kolonien symbolisieren.

anstarren

starfish ['stɑːfɪʃ] s Seestern m

star sign ['stɑːsaɪn] s Sternzeichen n

start [stɑːt] **1.** s Anfang m, Beginn m; SPORT Start m; (Sport, vor Verfolgern) Vorsprung m; **from the ~** von Anfang an **2.** vt anfangen; (Motor etc) starten; (Firma etc) gründen; **~ to do sth, ~ doing sth** anfangen, etw zu tun **3.** vi anfangen; (Auto etc) anspringen; (zu Reise) aufbrechen; SPORT starten; (vor Schreck) zusammenfahren; **~ing from Monday** ab Montag; **start off 1.** vi (Diskussion etc) anfangen, beginnen **2.** vi anfangen, beginnen; (zu Reise) aufbrechen; **start up 1.** vi (als Geschäftsmann) anfangen **2.** vt (Auto etc) starten; (Firma) gründen; **starter** s (Brit, Essen) Vorspeise f; AUTO Anlasser m; **starting point** s Ausgangspunkt m

startle ['stɑːtl] vt erschrecken; **startling** Adj überraschend

starve [stɑːv] vi hungern; verhungern; **I'm ~ing** ich habe einen Riesenhunger

state [steɪt] **1.** s Zustand m; POL Staat m; **~ of health/mind** Gesundheits-/Geisteszustand m; **the (United) States** die (Vereinigten) Staaten **2.** Adj Staats-; staatlich **3.** vt erklären; (Namen, Fakten) angeben; **stated** Adj festgesetzt

statement ['steɪtmənt] s Erklärung f; (bei Polizei) Aussage f; (Bank) Kontoauszug m

state-of-the-art [steɪtəvði: 'ɑːt] Adj hochmodern, auf dem neuesten Stand der Technik

static ['stætɪk] Adj konstant

station ['steɪʃən] **1.** s Bahnhof m; (U-Bahn) Station f; (Polizei, Feuerwehr) Wache f; TV, RADIO Sender m **2.** vt MIL stationieren

stationer's ['steɪʃənəz] s ~ (shop) Schreibwarengeschäft n; **stationery** s Schreibwaren Pl

station wagon ['steɪʃənwægən] s (US) Kombiwagen m

statistics [stə'tɪstɪks] nsing Statistik f; (Zahlen) Statistiken Pl

statue ['stætjuː] s Statue f

status ['steɪtəs] s Status m; Ansehen n

Statue of Liberty

Die amerikanische **Frei-heitsstatue (Statue of Liberty)** ist das klassische Wahrzeichen New Yorks. Die knapp 50 Meter hohe und über 200 Tonnen schwere kupferne Statue, die auf einem ebenfalls fast 50 Meter hohen Granitsockel steht, wurde von Auguste Bartholdi und Gustave Eiffel geschaffen und war ein Geschenk der Franzosen an die Amerikaner im Jahr 1884. Die Freiheitsgöttin hält in der rechten Hand als Symbol der Fackel der Freiheit, in der linken Hand die Unabhängigkeitserklärung mit dem historischen Datum 4. Juli 1776, und steht auf den zerbrochenen Ketten der Sklaverei.

stay [steɪ] **1.** *s* Aufenthalt *m* **2.** *vi* bleiben; (*Hotel etc*) wohnen (*with* bei); **~ the night** übernachten; **stay away** *vi* wegbleiben; **~ from sb** sich von jdm fern halten; **stay behind** *vi* zurückbleiben; (*am Arbeitsplatz*) länger bleiben; **stay in** *vi* zu Hause bleiben; **stay out** *vi* (*von zu Hause*) wegbleiben; **stay up** *vi* aufbleiben

steady ['stedɪ] **1.** *Adj* gleichmäßig; stetig; (*Einkom-*

men, *Freundin etc*) fest; (*Arbeitskraft*) zuverlässig; (*Hand*) ruhig; **they've been going ~ for two years** sie sind seit zwei Jahren fest zusammen **2.** *vt* (*Nerven*) beruhigen

steak [steɪk] *s* Steak *n*; (*von Fisch*) Filet *n*

steal (*stole, stolen*) [stiːl, stəʊl, 'stəʊlən] *vt* stehlen

steam [stiːm] **1.** *s* Dampf *m* **2.** *vt* GASTR dämpfen; **steam up** *vi* (*Fenster*) beschlagen; **steamer** *s* GASTR Dampfkochtopf *m*; (*Schiff*) Dampfer *m*

steel [stiːl] **1.** *s* Stahl *m* **2.** *Adj* Stahl

steep [stiːp] *Adj* steil

steeple ['stiːpl] *s* Kirchturm *m*

steer [stɪəʳ] *vt, vi* steuern; lenken; **steering** *s* AUTO Lenkung *f*; **steering wheel** *s* Steuer *n*, Lenkrad *n*

stem [stem] *s* Stiel *m*

step [step] **1.** *s* Schritt *m*; (*von Treppe*) Stufe *f*; (*Handlung*) Maßnahme *f*; **~ by ~** Schritt für Schritt **2.** *vi* treten; **~ this way, please** hier entlang, bitte; **step down** *vi* zurücktreten

stepbrother *s* Stiefbruder *m*; **stepchild** (*-children Pl*) *s* Stiefkind *n*; **stepfather** *s* Stiefvater *m*

stepmother *s* Stiefmutter *f*; **stepsister** *s* Stiefschwester *f*

stereo (*-s Pl*) ['sterɪəʊ] *s* **~ (system)** Stereoanlage *f*

sterile ['sterail] *Adj* steril; **sterilize** ['sterilaiz] *vt* sterilisieren

sterling ['stɜːlɪŋ] *s* FIN **das Pfund Sterling**

stern [stɜːn] **1.** *Adj* streng **2.** *s* Heck *n*

stew [stjuː] *s* Eintopf *m*

steward ['stjuəd] *s* Steward *m*; **stewardess** *s* Stewardess *f*

stick (stuck, stuck) [stɪk, stʌk] **1.** *vt* kleben; (*Nadel etc*) stecken; *umg* (*in die Tasche etc*) tun **2.** *vi* (*Tür etc*) klemmen; (*fest an etw*) haften **3.** *s* Stock *m*; (*Hockey*) Schläger *m*; (*Kreide*) Stück *n*; (*Sellerie, Rhabarber*) Stange *f*; **stick out** *i. vt* **stick one's tongue out (at sb)** (jdm) die Zunge herausstrecken **2.** *vi* (*Zahn, Rippen*) vorstehen; (*Ohren*) abstehen; (*hervorstechen*) auffallen; **stick to** *vt* sich halten an + *Akk*; **sticker** ['stɪkəʳ] *s* Aufkleber *m*; **sticky** ['stɪkɪ] *Adj* klebrig; (*Wetter*) schwül; **~ label** Aufkleber *m*; **~ tape** Klebeband *n*

stiff [stɪf] *Adj* steif

stifle ['staɪfl] *vt* (*Gähnen, Opposition*) unterdrücken; **stifling** *Adj* drückend

still [stɪl] **1.** *Adj* still; (*Getränk*) ohne Kohlensäure **2.** *Adv* (immer) noch; immerhin; (*dasitzen etc*) still; **he ~ doesn't believe me** er glaubt mir immer noch nicht; **keep ~** halt still!;

bigger/better ~ noch größer/besser

stimulate ['stɪmjʊleɪt] *vt* anregen, stimulieren; **stimulating** *Adj* anregend; **stimulus** ['stɪmjʊləs] *s* Anreiz *m*

sting (stung, stung) [stɪŋ, stʌŋ] **1.** *vt* (*mit Stachel*) stechen **2.** *vi* (*Salbe etc*) brennen **3.** *s* (*von Insekt*) Stich *m*

stingy ['stɪndʒɪ] *Adj* umg geizig

stink (stank, stunk) [stɪŋk, stæŋk, stʌŋk] **1.** *vi* stinken (*of* nach) **2.** *s* Gestank *m*

stir [stɜːʳ] *vt* (um)rühren; **stir up** *vt* (*die Menge*) aufhetzen; (*Erinnerungen*) wachrufen; **~ trouble** Unruhe stiften; **stir-fry** *vt* (unter Rühren) kurz anbraten

stitch [stɪtʃ] **1.** *s* (*Nähen*) Stich *m*; (*Stricken*) Masche *f*; **have a ~** Seitenstechen haben; **he had to have ~es** er musste genäht werden; **she had her ~es out** ihr wurden die Fäden gezogen; **be in ~es** umg sich kaputtlachen **2.** *vt* nähen; **stitch up** *vt* (*Wunde etc*) nähen

stock [stɒk] **1.** *s* Vorrat *m* (*of an* + *Dat*); (*an Waren*) Bestand *m*; (*für Suppe*) Brühe *f*; **~s and shares** *Pl* Aktien und Wertpapiere *Pl*; **be in/out of ~** vorrätig/nicht vorrätig sein; **take ~** Inventur machen; *fig* Bilanz ziehen **2.** *vt* (*Waren*) führen; **stock up** *vi* sich eindecken (*on, with* mit)

stockbroker s Börsenmakler(in) m(f)

stock cube s Brühwürfel m

stock exchange s Börse f

stocking ['stɒkɪŋ] s Strumpf m

stock market ['stɒkmɑːkɪt] s Börse f

stole [stəʊl] pt von **steal**; **stolen** ['stəʊlən] pp von **steal**

stomach ['stʌmək] s Magen m, Bauch m; **on an empty ~** auf leeren Magen; **stomach-ache** s Magenschmerzen Pl; **stomach upset** s Magenverstimmung f

stone [stəʊn] 1. s Stein m; (in Obst) Kern m, Stein m; (Gewicht) britische Gewichtseinheit (6,35 kg) 2. Adj Stein-, aus Stein

Stonehenge

Stonehenge ist eine steinzeitliche Kultstätte in der Nähe von Salisbury in Südengland. Sie besteht aus ringförmig angeordneten riesengroßen Steinpfeilern und quer darüber liegenden Steinblöcken. Sie wurde etwa ab 2800 v. Chr. angelegt, und man vermutet, dass die Menschen dort den Lauf von Sonne und Mond beobachtet und mythische Riten abgehalten haben. Heute ist Stonehenge ein Anziehungspunkt für Touristen aus aller Welt.

stony Adj steinig

stood [stʊd] pt, pp von **stand**

stool [stuːl] s Hocker m

stop [stɒp] 1. s Halt m; (für Bus, Zug etc) Haltestelle f; **come to a ~** anhalten 2. vt (Auto etc) anhalten; (einem Missstand) ein Ende machen + Dat; (beenden, einstellen) aufhören lassen; (etw Geplantes) verhindern; (Blutung) stillen; (Motor etc) abstellen; (Zahlungen) einstellen; (Scheck) sperren; ~ **doing sth** aufhören, etw zu tun; ~ **sb (from) doing sth** jdn daran hindern, etw zu tun; ~ **it** hör auf (damit)! 3. vi (Auto) anhalten; (auf Fahrt) Halt machen; (Person, Uhr, Herz) stehen bleiben; (Regen etc) aufhören; (bei jdm über Nacht) bleiben; **stop by** vi vorbeischauen; **stop over** vi Halt machen; übernachten; **stopover** s (auf Reise) Zwischenstation f; **stopper** s Stöpsel m; **stop sign** s Stoppschild n; **stopwatch** s Stoppuhr f

storage ['stɔːrɪdʒ] s Lagerung f; **store** [stɔːʳ] 1. s Vorrat m (of an + Dat); (für Vorräte, Waren) Lager n; (großes Geschäft) Kaufhaus n; (US, kleineres) Geschäft n 2. vt lagern; IT speichern; **storeroom** s Lagerraum m

storey ['stɔːrɪ] s (Brit) Stock m, Stockwerk n

storm [stɔːm] **1.** s Sturm m, Gewitter n **2.** vt, vi stürmen; **stormy** Adj stürmisch

story ['stɔːrɪ] s Geschichte f; (Roman etc) Handlung f; (US) Stock m, Stockwerk n

stout [staut] Adj korpulent; (Schuhe) fest

stove [stəuv] s Herd m, Ofen m

stow [stəu] vt verstauen; **stowaway** s blinder Passagier

straight [streɪt] **1.** Adj gerade; (Haare) glatt; (Person) ehrlich (with zu); umg (sexuell) hetero **2.** Adv direkt; sofort; (trinken) pur; (denken) klar; **~ ahead** geradeaus; **go ~ on** geradeaus weitergehen/weiterfahren; **straightaway** Adv sofort; **straightforward** Adj einfach; (Mensch) aufrichtig

strain [streɪn] **1.** s Belastung f **2.** vt (Augen etc) überanstrengen; (Seil, Beziehung) belasten; (Gemüse, Nudeln) abgießen; **~ a muscle** sich einen Muskel zerren; **strained** Adj (Beziehung) gespannt; **~ muscle** Muskelzerrung f; **strainer** s Sieb n

strand [strænd] **1.** s (aus Wolle) Faden m; (von Haaren) Strähne f **2.** vt: **be (left) ~ed** (Person) festsitzen

strange [streɪndʒ] Adj seltsam; (unbekannt) fremd; **strangely** Adv seltsam; **~ enough** seltsamerweise; **stranger** s Fremde(r) mf

strangle ['stræŋgl] vt erdrosseln

strap [stræp] **1.** s Riemen m; (Kleid) Träger m; (Uhr) Band n **2.** vt (befestigen) festschnallen (to an + Dat); **strapless** Adj trägerlos

strategy ['strætɪdʒɪ] s Strategie f

straw [strɔː] s Stroh n; (für Getränk) Strohhalm m

strawberry s Erdbeere f

stray [streɪ] **1.** s streunendes Tier **2.** Adj streunend **3.** vi streunen

streak [striːk] s Streifen m; (im Haar) Strähne f; (im Charakter) Zug m

stream [striːm] **1.** s Strom m, Bach m **2.** vi strömen

street [striːt] s Straße f; **streetcar** s (US) Straßenbahn f; **street lamp**, **street light** s Straßenlaterne f; **street map** s Stadtplan m

strength [streŋθ] s Kraft f, Stärke f; **strengthen** vt verstärken; fig stärken

strenuous ['strenjʊəs] Adj anstrengend

stress [stres] **1.** s Stress m; (von Wort) Betonung f **2.** vt betonen; (belasten) stressen; **stressed** Adj **~ (out)** gestresst

stretch [stretʃ] **1.** s (Land) Stück n; (Straße, Fluss) Strecke f **2.** vt (Material) dehnen; (Seil, Zeltplane) spannen; (jdn leistungsmäßig) fordern; **~ one's legs** sich die Beine vertreten **3.**

vi (*Person*) sich strecken; (*Gebiet*) sich erstrecken (*to* bis zu); **stretch out 1.** *vt* ausstrecken **2.** *vi* (*Person, Tier*) sich strecken; (*auf Bett*) sich ausstrecken; **stretcher** *s* Tragbahre *f*

strict, strictly [strɪkt, -lɪ] *Adj, Adv* (*Lehrer, Eltern*) streng; (*Anweisung*) genau

strike (*struck, struck*) [straɪk, strʌk] **1.** *vt* (*Streichholz*) anzünden; (*Kopf gegen etw*) stoßen; (*Gold, Erdöl etc*) finden; *it struck me as strange* es kam mir seltsam vor **2.** *vi* streiken; (*Serienmörder*) zuschlagen; (*Uhr*) schlagen **3.** *s* Streik *m*; *be on* ~ streiken; **strike up** *vt* (*Unterhaltung*) anfangen; (*Freundschaft*) schließen; **striking** *Adj* auffallend; (*Ähnlichkeit*) verblüffend

string [strɪŋ] *s* (*für Paket etc*) Schnur *f*; MUS, TENNIS Saite *f*; *the* ~*s Pl* (*im Orchester*) die Streicher *Pl*

strip [strɪp] **1.** *s* Streifen *m*; (*Brit*) Trikot *n* **2.** *vt* (*Kleidung*) ausziehen **3.** *vi* sich ausziehen, strippen

stripe [straɪp] *s* Streifen *m*; **striped** *Adj* gestreift

stripper ['strɪpər] *s* Stripper(in) *m(f)*; (*Abbeizmittel*) Farbentferner *m*

strive (*strove, striven*) [straɪv, strəʊv, 'strɪvn] *vi* ~ *to do sth* bemüht sein, etw zu tun; ~ *for sth* nach

etw streben

stroke [strəʊk] **1.** *s* MED, TENNIS ETC Schlag *m*; (*beim Zeichnen, Malen*) Strich *m* **2.** *vt* streicheln

stroll [strəʊl] **1.** *s* Spaziergang *m* **2.** *vi* spazieren; **stroller** *s* (*US, für Kleinkind*) Buggy *m*

strong [strɒŋ] *Adj* stark; (*gesund*) robust; (*Tisch*) stabil; (*Schuhe*) fest; (*Einfluss*) groß; **strongly** *Adv* stark; (*glauben*) fest; (*gebaut*) stabil

strove [strəʊv] *pt von* **strive**

struck [strʌk] *pt, pp von* **strike**

structural, structurally ['strʌktʃərəl, -lɪ] *Adj* strukturell; **structure** ['strʌktʃər] *s* Struktur *f*; (*Gebäude, Brücke*) Konstruktion *f*, Bau *m*

struggle ['strʌgl] **1.** *s* Kampf *m* (*for um*) **2.** *vi* kämpfen (*for um*); sich abmühen; ~ *to do sth* sich abmühen, etw zu tun

stub [stʌb] *s* (*Zigarette*) Kippe *f*; (*Fahrkarte, Scheck etc*) Abschnitt *m*

stubble ['stʌbl] *s* Stoppeln *Pl*

stubborn ['stʌbən] *Adj* stur

stuck [stʌk] **1.** *pt, pp von* **stick 2.** *Adj be* ~ (*Fenster, Schublade etc*) klemmen; (*bei Arbeit etc*) nicht mehr weiterwissen; *get* ~ (*im Schnee etc*) stecken bleiben

student ['stjuːdənt] *s* Student(in) *m(f)*; (*Schule*)

Schüler(in) *m(f)*

studio (*-s Pl*) ['stju:dɪəʊ] *s* Studio *n*

study ['stʌdɪ] **1.** *s* Untersuchung *f*, Studium *n*; (*Raum*) Arbeitszimmer *n* **2.** *vt, vi* studieren; **~ for an exam** sich auf eine Prüfung vorbereiten

stuff [stʌf] **1.** *s* Zeug *n*; (*Besitztümer*) Sachen *Pl* **2.** *vt* (*in Tasche etc*) stopfen; GASTR füllen; **~ oneself** *umg* sich voll stopfen; **stuffing** *s* GASTR Füllung *f*

stuffy ['stʌfɪ] *Adj* (*Luft etc*) stickig; (*Person*) spießig

stumble ['stʌmbl] *vi* stolpern; (*im Sprechen*) stocken

stun [stʌn] *vt* fassungslos machen; **I was ~ned** ich war fassungslos (*od* völlig überrascht)

stung [stʌŋ] *pt, pp von* **sting**

stunk [stʌŋk] *pp von* **stink**

stunning ['stʌnɪŋ] *Adj* fantastisch; atemberaubend; (*völlig unerwartet*) überwältigend; unfassbar

stupid ['stju:pɪd] *Adj* dumm; **stupidity** [stju:'pɪdɪtɪ] *s* Dummheit *f*

sturdy ['stɜ:dɪ] *Adj* robust; stabil

stutter ['stʌtəʳ] *vi, vt* stottern

stye [staɪ] *s* MED Gerstenkorn *n*

style [staɪl] **1.** *s* Stil *m* **2.** *vt* (*Haare*) stylen; **styling mousse** *s* Schaumfestiger *m*; **stylish** ['staɪlɪʃ] *Adj* elegant

subconscious [sʌb'kɒnʃəs] **1.** *Adj* unterbewusst **2.** *s* **the ~** das Unterbewusstsein

subject ['sʌbdʒɪkt] **1.** *s* Thema *n*; (*in Schule*) Fach *n*; (*Bürger*) Staatsangehörige(r) *mf*; (*in Königreich*) Untertan(in) *m(f)*; LING Subjekt *n*; **change the ~** das Thema wechseln **2.** *Adj* [səb'dʒekt] **be ~ to** abhängen von; (*als Opfer etc*) unterworfen sein + *Dat*

subjective [səb'dʒektɪv] *Adj* subjektiv

sublet [sʌb'let] *unreg vt* untervermieten (*to* an + *Akk*)

submarine [sʌbmə'ri:n] *s* U-Boot *n*

submerge [səb'mɜ:dʒ] **1.** *vt* eintauchen **2.** *vi* tauchen

submit [səb'mɪt] **1.** *vt* (*Bewerbung*) einreichen **2.** *vi* (*aufgeben*) sich ergeben

subordinate [sə'bɔ:dɪnət] **1.** *Adj* untergeordnet (*to* + *Dat*) **2.** *s* Untergebene(r) *mf*

subscribe [səb'skraɪb] *vi* **~ to** (*Zeitung etc*) abonnieren; **subscription** [səb'skrɪpʃən] *s* (*von Zeitung etc*) Abonnement *n*; (*von Verein*) (Mitglieds)beitrag *m*

subsequent ['sʌbsɪkwənt] *Adj* nach(folgend); **subsequently** *Adv* später, anschließend

subside [səb'saɪd] *vi* (*Hochwasser*) zurückgehen; (*Sturm*) sich legen; (*Gebäude*) sich senken

substance ['sʌbstəns] s Substanz f

substantial [səb'stænʃəl] Adj beträchtlich; (Verbesserung) wesentlich; (Mahlzeit) reichhaltig

substitute ['sʌbstɪtjuːt] 1. s Ersatz m; SPORT Ersatzspieler(in) m(f) 2. vt ~ **A for B** B durch A ersetzen

subtitle ['sʌbtaɪtl] s Untertitel m

subtle ['sʌtl] Adj (Unterschied) fein; (Plan) raffiniert

subtract [səb'trækt] vt abziehen (from von)

suburb ['sʌbɜːb] s Vorort m; **suburban** [sə'bɜːbən] Adj vorstädtisch, Vorstadt-

subway ['sʌbweɪ] s (Brit) Unterführung f; (US) BAHN U-Bahn f

succeed [sək'siːd] 1. vi erfolgreich sein; **he ~ed (in doing it)** es gelang ihm(, es zu tun) 2. vt nachfolgen + Dat; **succeeding** Adj nachfolgend; **success** [sək'ses] s Erfolg m; **successful, successfully** Adj, Adv erfolgreich

successive [sək'sesɪv] Adj aufeinander folgend; **successor** s Nachfolger(in) m(f)

such [sʌtʃ] 1. Adj solche(r, s); ~ **a book** so ein Buch, ein solches Buch; **it was** ~ **a success that ...** es war solch ein Erfolg, dass ...; ~ **as** wie 2. Adv so; ~ **a hot**

day so ein heißer Tag 3. Pron **as** ~ als solche(r, s); **suchlike** 1. Adj derartig 2. Pron dergleichen

suck [sʌk] vt lutschen; (Flüssigkeit) saugen; **it** ~**s** umg das ist beschissen

Sudan [suː'dɑːn] s (the) ~ der Sudan

sudden ['sʌdn] Adj plötzlich; **all of a** ~ ganz plötzlich; **suddenly** Adv plötzlich

sue [suː] vt verklagen

suede [sweɪd] s Wildleder n

suffer ['sʌfər] 1. vt erleiden 2. vi leiden; ~ **from** MED leiden an + Dat

sufficient, sufficiently [sə-'fɪʃənt, -lɪ] Adj, Adv ausreichend

suffocate ['sʌfəkeɪt] vt, vi ersticken

sugar ['ʃʊɡər] 1. s Zucker m 2. vt zuckern; **sugary** Adj süß

suggest [sə'dʒest] vt vorschlagen; andeuten; **I** ~ **saying nothing** ich schlage vor, nichts zu sagen; **suggestion** [sə'dʒestʃən] s Vorschlag m; **suggestive** Adj vielsagend; (Witz, Bemerkung) anzüglich

suicide ['suːɪsaɪd] s Selbstmord m

suit [suːt] 1. s Anzug m; (für Frau) Kostüm n; (bei Kartenspiel) Farbe f 2. vt (Termin etc) passen + Dat; (Kleidung, Farben) stehen + Dat; (Klima, Essen) bekommen + Dat; **suitable**

Adj geeignet (*for* für); **suitcase** *s* Koffer *m*

suite [swiːt] *s* (*Zimmerflucht*) Suite *f*; (*Sofa und Sessel*) Sitzgarnitur *f*

sulk [sʌlk] *vi* schmollen; **sulky** *Adj* eingeschnappt

sultana [sʌl'tɑːnə] *s* Sultanine *f*

sum [sʌm] *s* Summe *f*, Betrag *m*; (*im Unterricht*) Rechenaufgabe *f*

summarize ['sʌməraiz] *vt*, *vi* zusammenfassen; **summary** *s* Zusammenfassung *f*

summer ['sʌmə^r] *s* Sommer *m*; **summer camp** *s* (*US*) Ferienlager *n*; **summertime** *s* **in (the)** ~ im Sommer

summit ['sʌmɪt] *s* *a.* POL Gipfel *m*

summon ['sʌmən] *vt* (*Arzt, Feuerwehr etc*) rufen; (*in sein Büro*) zitieren; **summon up** *vt* (*Mut, Kraft*) zusammennehmen

summons ['sʌmənz] *nsing* JUR Vorladung *f*

sumptuous ['sʌmptjuəs] *Adj* luxuriös; (*Essen*) üppig

sun [sʌn] *s* Sonne *f* **2.** *vt* ~ **oneself** sich sonnen

Sun *Abk* = **Sunday**; So.

sunbathe *vi* sich sonnen; **sunbed** *s* Sonnenbank *f*; **sunblock** *s* Sunblocker *m*; **sunburn** *s* Sonnenbrand *m*; **sunburnt** *Adj* **be/get** ~ einen Sonnenbrand haben/bekommen

sundae ['sʌndeɪ] *s* Eisbecher *m*

Sunday ['sʌndɪ] *s* Sonntag *m*; → **Tuesday**

sung [sʌŋ] *pp von* **sing**

sunglasses ['sʌnɡlɑːsɪz] *npl* Sonnenbrille *f*; **sunhat** *s* Sonnenhut *m*

sunk [sʌŋk] *pp von* **sink**

sunlamp ['sʌnlæmp] *s* Höhensonne *f*; **sunlight** *s* Sonnenlicht *n*; **sunny** ['sʌnɪ] *Adj* sonnig; **sun protection factor** *s* Lichtschutzfaktor *m*; **sunrise** *s* Sonnenaufgang *m*; **sunroof** *s* AUTO Schiebedach *n*; **sunscreen** *s* Sonnenschutzmittel *n*; **sunset** *s* Sonnenuntergang *m*; **sunshade** *s* Sonnenschirm *m*; **sunshine** *s* Sonnenschein *m*; **sunstroke** *s* Sonnenstich *m*; **suntan** *s* (Sonnen)bräune *f*; ~ **lotion** (*od* **oil**) Sonnenöl *n*

super ['suːpə^r] *Adj* *umg* toll

superb [suː'pɜːb, -lɪ] *Adj, Adv* ausgezeichnet

superficial [suːpə'fɪʃəl, -ɪ] *Adj, Adv* oberflächlich

superfluous [suː'pɜːfluəs] *Adj* überflüssig

superior [suː'pɪərɪə^r] **1.** *Adj* besser (*to* als); (*beruflich*) höher gestellt (*to* als), höher **2.** *s* Vorgesetzte(r) *mf*

supermarket ['suːpəmɑːkɪt] *s* Supermarkt *m*

supersonic [suːpə'sɒnɪk] *Adj* Überschall-

superstitious [suːpə'stɪʃəs] *Adj* abergläubisch

supervise ['su:pəvaɪz] vt beaufsichtigen; **supervisor** ['su:pəvaɪzə] s Aufsicht f; (Universität) Doktorvater m

supper ['sʌpə'] s Abendessen n; (später) Imbiss m

supplement ['sʌplɪmənt] **1.** s Zuschlag m; (von Zeitung) Beilage f **2.** vt ergänzen; **supplementary** [sʌplɪ'mentərɪ] Adj zusätzlich

supplier [sə'plaɪə'] s Lieferant(in) m(f); **supply** [sə'plaɪ] **1.** vt (als Händler) liefern; (Getränke, Musik etc) sorgen für; ~ **sb with sth** jdn mit etw versorgen **2.** s Vorrat m (of an + Dat)

support [sə'pɔ:t] **1.** s Unterstützung f; TECH Stütze f **2.** vt tragen, stützen; (Familie) ernähren, unterhalten; (Partei) unterstützen; **he ~s Manchester United** er ist Manchester-United-Fan

suppose [sə'pəuz] vt annehmen; **I ~ so** ich denke schon; **I ~ not** wahrscheinlich nicht; **you're not ~d to smoke here** du darfst hier nicht rauchen; **supposedly** [sə'pəuzɪdlɪ] Adv angeblich

suppress [sə'pres] vt unterdrücken

surcharge ['sɜːtʃɑːdʒ] s Zuschlag m

sure [ʃuə'] **1.** Adj sicher; **I'm (not)** ~ ich bin mir (nicht) sicher; **make** ~ **you lock up** vergiss nicht abzuschließen **2.** Adv ~**!** klar!; **surely** Adv ~ **you don't mean it?** das

ist nicht dein Ernst, oder?

surf [sɜːf] **1.** s Brandung f **2.** vi SPORT surfen **3.** vt ~ **the Internet** im Internet surfen

surface ['sɜːfɪs] **1.** s Oberfläche f **2.** vi auftauchen

surfboard ['sɜːfbɔːd] s Surfbrett n; **surfer** s Surfer(in) m(f); **surfing** s Surfen n

surgeon ['sɜːdʒən] s Chirurg(in) m(f); **surgery** ['sɜːdʒərɪ] s Operation f; (von Arzt) Praxis f, Sprechzimmer n; Sprechstunde f; **have** ~ operiert werden

surname ['sɜːneɪm] s Nachname m

surpass [sɜː'pɑːs] vt übertreffen

surprise [sə'praɪz] **1.** s Überraschung f **2.** vt überraschen; **surprising** Adj überraschend; **surprisingly** Adv überraschenderweise, erstaunlicherweise

surrender [sə'rendə'] **1.** vi sich ergeben (to + Dat) **2.** vt (Waffen, Pass) abgeben

surround [sə'raund] vt umgeben; umringen; **surrounding 1.** Adj umliegend **2.** s ~s Pl Umgebung f

survey [s'sɜːveɪ] **1.** s Umfrage f; (über Literatur etc) Überblick m (of über + Akk); (Land) Vermessung f **2.** [sɜː'veɪ] vt überblicken; (Land) vermessen

survive [sə'vaɪv] vt, vi überleben

suspect [s'sʌspekt] **1.** s Verdächtige(r) mf **2.** Adj verdächtig **3.** [sə'spekt] vt verdächtigen (of + Gen), vermuten

suspend [sə'spend] vt (von Arbeit, Amt) suspendieren; (Zahlung) vorübergehend einstellen; (Spieler) sperren; (befestigen) aufhängen; **suspender** s (Brit) Strumpfhalter m; **~s** Pl (US) Hosenträger Pl

suspense [sə'spens] s Spannung f

suspicious [sə'spɪʃəs] Adj misstrauisch (of sb/sth jdm/etw gegenüber); verdächtig

swallow ['swɒləʊ] **1.** s (Vogel) Schwalbe f **2.** vt, vi schlucken

swam [swæm] pt von **swim**

swamp [swɒmp] s Sumpf m

swan [swɒn] s Schwan m

swap [swɒp] vt, vi tauschen; **~ sth for sth** etw gegen etw eintauschen

sway [sweɪ] vi schwanken

swear (swore, sworn) [sweəʳ, swɔːʳ, swɔːn] vi schwören; fluchen; **~ at sb** jdn beschimpfen; **swear by** vt schwören auf + Akk

sweat [swet] **1.** s Schweiß m **2.** vi schwitzen; **sweater** s Pullover m; **sweaty** Adj verschwitzt

swede [swiːd] s Steckrübe f

Swede [swiːd] s Schwede m, Schwedin f; **Sweden** s Schweden n; **Swedish 1.** Adj schwedisch **2.** s (Sprache) Schwedisch n

sweep (swept, swept) [swiːp,

swept] vt, vi kehren, fegen

sweet [swiːt] **1.** s (Brit) Bonbon n; (Dessert) Nachtisch m **2.** Adj süß; lieb; **sweet-and-sour** Adj süßsauer; **sweetcorn** s Mais m; **sweeten** s süßen; **sweetener** s Süßstoff m

swell (swelled, swollen od swelled) [swel, sweld, 'swəʊlən] **1.** vi, v (**up**) (an)schwellen **2.** Adj (US) umg toll; **swelling** s MED Schwellung f

sweltering ['sweltərɪŋ] Adj (Hitze) drückend

swept [swept] pt, pp von **sweep**

swift, swiftly [swɪft] Adj, Adv schnell

swim (swam, swum) [swɪm, swæm, swʌm] **1.** vi schwimmen **2.** s **go for a ~** schwimmen gehen; **swimmer** s Schwimmer(in) m(f); **swimming** s Schwimmen n; **go ~** schwimmen gehen; **swimming cap** s (Brit) Badekappe f; **swimming costume** s (Brit) Badeanzug m; **swimming pool** s Schwimmbad n, Swimmingpool m; **swimming trunks** npl (Brit) Badehose f; **swimsuit** s Badeanzug m

swindle ['swɪndl] vt betrügen (out of um)

swine [swaɪn] s Schwein n

swing (swung, swung) [swɪŋ, swʌŋ] **1.** vt, vi schwingen **2.** s Schaukel f

swipe [swaɪp] vt (Kreditkar-

taboo

te etc) durchziehen; *umg (stehlen)* klauen; **swipe card** s Magnetkarte f
Swiss [swɪs] **1.** Adj schweizerisch **2.** s Schweizer(in) m(f)
switch [swɪtʃ] **1.** s ELEK Schalter m **2.** vt wechseln; **~ sth for sth** etw gegen etw eintauschen **3.** vi wechseln *(to* zu); **switch off** vi abschalten, ausschalten; **switch on** vt anschalten, einschalten; **switchboard** s TEL Vermittlung f
Switzerland ['swɪtsələnd] s die Schweiz
swivel ['swɪvl] **1.** vi sich drehen **2.** vt drehen
swollen ['swəʊlən] **1.** pp von **swell 2.** Adj geschwollen; *(Bauch)* aufgebläht
swop [swɒp] → **swap**
sword [sɔ:d] s Schwert n
swore [swɔ:ʳ] pt von **swear**
sworn [swɔ:n] pp von **swear**
swum [swʌm] pp von **swim**
swung [swʌŋ] pt, pp von **swing**

syllable ['sɪləbl] s Silbe f
symbol ['sɪmbəl] s Symbol n; **symbolic** [sɪm'bɒlɪk] Adj symbolisch; **symbolize** vt symbolisieren
symmetrical [sɪ'metrɪkəl] Adj symmetrisch
sympathetic [sɪmpə'θetɪk] Adj mitfühlend; verständnisvoll; **sympathize** ['sɪmpəθaɪz] vi mitfühlen *(with* sb mit jdm); **sympathy** ['sɪmpəθɪ] s Mitleid n; *(Todesfall)* Beileid n; *(Einfühlvermögen)* Verständnis n
symphony ['sɪmfənɪ] s Sinfonie f
symptom ['sɪmptəm] s Symptom n
synagogue ['sɪnəgɒg] s Synagoge f
synthetic [sɪn'θetɪk] Adj synthetisch
Syria ['sɪrɪə] s Syrien f
syringe [sɪ'rɪndʒ] s Spritze f
system ['sɪstəm] s System n; **systematic** [sɪstə'mætɪk] Adj systematisch

T

tab [tæb] s *(von Kleidung)* Aufhänger m; IT Tabulator m; **pick up the ~** *umg* die Rechnung übernehmen
table ['teɪbl] s Tisch m; *(Liste)* Tabelle f; **~ of contents** Inhaltsverzeichnis n; **tablecloth** s Tischdecke f; **tablespoon** s Servierlöffel

m, Esslöffel m
tablet ['tæblət] s Tablette f
table tennis ['teɪblˌtenɪs] s Tischtennis n; **table wine** s Tafelwein m
tabloid ['tæblɔɪd] s Boulevardzeitung f
taboo [tə'bu:] **1.** s Tabu n **2.** Adj tabu

tack [tæk] s (kleiner Nagel) Stift m; (US) Reißzwecke f

tackle ['tækl] **1.** s SPORT Angriff m; (zum Angeln etc) Ausrüstung f **2.** vt in Angriff nehmen; SPORT angreifen; (verbal) zur Rede stellen (about wegen)

tact [tækt] s Takt m; **tactful, tactfully** Adj, Adv taktvoll; **tactic(s)** s (Pl) Taktik f; **tactless, tactlessly** Adj, Adv taktlos

tag [tæg] s Schild n, Etikett n

tail [teɪl] s Schwanz m; **heads or ~s?** Kopf oder Zahl?; **tailback** s (Brit) Rückstau m; **taillight** s AUTO Rücklicht n

tailor ['teɪlə*] s Schneider(in m(f)

tailpipe ['teɪlpaɪp] s (US) AUTO Auspuffrohr n

Taiwan [taɪ'wæn] s Taiwan n

take (took, taken) [teɪk, tuk, 'teɪkn] vt nehmen; mitnehmen; (irgendwohin) bringen; (subtrahieren) abziehen (from von); (Person, Tier) fassen; (Preis, Auszeichnung etc) bekommen; (Zug, Taxi etc) nehmen, fahren mit; (Reise, Spaziergang, Kurs, Prüfung, Foto) machen; (Bad) nehmen; (Telefonat) entgegennehmen; (Entscheidung, Vorkehrungen) treffen; (Risiko) eingehen; (Rat, Arbeit) annehmen; (Tabletten) nehmen; (Hitze, Schmerzen)

ertragen; (Nachricht etc) aufnehmen; (vom Volumen) Platz haben für; **I'll ~ it** (beim Shopping) ich nehme es; **how long does it ~?** wie lange dauert es?; **~s 4 hours** man braucht 4 Stunden; **I ~ it that ...** ich nehme an, dass ...; **~ place** stattfinden; **take after** vt nachschlagen + Dat; **take along** vt mitnehmen; **take apart** vt auseinander nehmen; **take away** vt wegnehmen (from sb jdm); (subtrahieren) abziehen (from von); **take back** vt zurücknehmen; zurückbringen; **take down** vt abnehmen; (Namen, Notizen) aufschreiben; **take in** vt (Bedeutung etc) begreifen; (jdn bei sich) aufnehmen; (täuschen) hereinlegen; (berücksichtigen) einschließen; (eine Party etc auch noch) mitnehmen; **take off 1.** vi (Flugzeug) starten **2.** vt (Kleider) ausziehen; (Hut, Deckel) abnehmen; (von Summe, Preis) abziehen; **take a day off** sich einen Tag freinehmen; **take on** vt (Aufgabe, Verantwortung) übernehmen; (Personal) einstellen; SPORT antreten gegen; **take out** vt herausnehmen; (Person, Hund) ausführen; (Versicherung) abschließen; (Geld vom Konto) abheben; (Buch von Bücherei) ausleihen;

take over 1. *vt* übernehmen 2. *vi* **he took over (from me)** er hat mich abgelöst; take to *vt* ich mag sie/es; ~ **doing sth** anfangen, etw zu tun; take up *vt* (*Teppich etc*) hochnehmen; (*Dinge: Platz*) einnehmen; (*Zeit*) in Anspruch nehmen; (*Hobby*) anfangen mit; (*neue Stelle*) antreten; (*Angebot*) annehmen

takeaway

Häufiger als in Deutschland findet man in Großbritannien Lokale, die Essen zum Mitnehmen anbieten. Oft sind es auch einfache Schnellküchen, in deren ‚Verkaufsraum' man das fertig verpackte warme Essen bekommt und bezahlt. Besonders häufig sind **Chinese** und **Indian takeaways. Chinese takeaway** bezeichnet dabei zum einen das Lokal selbst, zum anderen aber auch das Gericht, das man sich dort holt.

taken ['teɪkn] 1. *pp von* **take** 2. *Adj* (*Sitzplatz*) besetzt; **be ~ with** angetan sein von
takeoff ['teɪkɒf] *s* FLUG Start *m*; takeout (*US*) → **takeaway**; takeover *s* WIRTSCH Übernahme *f*
tale [teɪl] *s* Geschichte *f*
talent ['tælənt] *s* Talent *n*;

talented *Adj* begabt
talk [tɔ:k] 1. *s* Gespräch *n*; (*Geschwätz*) Gerede *n*; (*vor Publikum*) Vortrag *m* 2. *vi* sprechen, reden; sich unterhalten; ~ **to** (*od* **with**) **sb** (*about sth*) mit jdm (über etw *Akk*) sprechen 3. *vt* sprechen; (*Unsinn*) reden; (*Politik, Geschäfte*) reden über + *Akk*; ~ **sb into doing/out of doing sth** jdn überreden/jdm ausreden, etw zu tun; talk over *vt* besprechen
talkative *Adj* gesprächig
tall [tɔ:l] *Adj* groß; (*Gebäude, Baum*) hoch
tame [teɪm] 1. *Adj* zahm 2. *vt* (*Tier*) zähmen
tampon ['tæmpɒn] *s* Tampon *m*
tan [tæn] 1. *s* (Sonnen)bräune *f*; **get/have a ~** braun werden/sein 2. *vi* braun werden
tangerine [tændʒə'ri:n] *s* Mandarine *f*
tango ['tæŋgəʊ] *s* Tango *m*
tank [tæŋk] *s* Tank *m*; (*für Fische*) Aquarium *n*; MIL Panzer *m*
tanker ['tæŋkər] *s* (*Schiff*) Tanker *m*; (*Fahrzeug*) Tankwagen *m*
tanned [tænd] *Adj* braun
Tanzania [tænzə'nɪə] *s* Tansania *n*
tap [tæp] 1. *s* (*für Wasser*) Hahn *m* 2. *vt, vi* klopfen; ~ **sb on the shoulder** jdm auf die Schulter klopfen; tap-dance *vi* steppen
tape [teɪp] *s* (*zum Kleben*)

Klebeband n; (für Aufnahmen) Tonband n; (Audio-, Videokassette) Kassette f; (Videokassette mit bestimmter Aufnahme) Video n **2.** vt aufnehmen; **tape up** vt (Paket etc) zukleben; **tape measure** s Maßband n; **tape recorder** s Tonbandgerät n

tapestry ['tæpɪstrɪ] s Wandteppich m

tap water ['tæpwɔːtə^r] s Leitungswasser n

tar [tɑː^r] s Teer m

target ['tɑːgɪt] s Ziel n, Zielscheibe f

tariff ['tærɪf] s Preisliste f; (Steuer auf Importe) Zoll m

tart [tɑːt] s (Obst)kuchen m; (Obst)törtchen n; umg, pej (Frau) Nutte f; Schlampe f

tartan ['tɑːtən] s Schottenkaro n

tartar(e) sauce ['tɑːtəsɔːs] s Remouladensoße f

task [tɑːsk] s Aufgabe f, Pflicht f

Tasmania [tæz'meɪnɪə] s Tasmanien n

taste [teɪst] **1.** s Geschmack m, Geschmackssinn m; (ein bisschen von etw) Kostprobe f; **it has a strange** ~ es schmeckt komisch **2.** vt schmecken; probieren **3.** vi (Essen, Getränk) schmecken (of nach); **tasteful**, **tastefully** Adj, Adv geschmackvoll; **tasteless**, **tastelessly** Adj, Adv geschmacklos; **tasty** Adj

schmackhaft

taught [tɔːt] pt, pp von **teach**

Taurus ['tɔːrəs] s ASTR Stier m

tax [tæks] **1.** s Steuer f (on auf + Akk) **2.** vt besteuern; **taxation** [tæk'seɪʃən] s Besteuerung f; **tax bracket** s Steuerklasse f; **tax-free** Adj steuerfrei

taxi ['tæksɪ] **1.** s Taxi n **2.** vi (Flugzeug) rollen; **taxi rank** (Brit), **taxi stand** s Taxistand m

tax return ['tæksrɪ'tɜːn] s Steuererklärung f

tea [tiː] s Tee m; (nachmittags) ≈ Kaffee und Kuchen; (abends) frühes Abendessen; **teabag** s Teebeutel m; **tea break** s (Tee)pause f

teach (taught, taught) [tiːtʃ, tɔːt] **1.** vt unterrichten; ~ **sb (how) to dance** jdm das Tanzen beibringen **2.** vi unterrichten; **teacher** s Lehrer(in) m(f)

team [tiːm] s SPORT Mannschaft f, Team n; **teamwork** s Teamarbeit f

teapot ['tiːpɒt] s Teekanne f

tear [tɪə^r] s Träne f

tear (tore, torn) [teə^r, tɔ^r, tɔːn] **1.** vt zerreißen; ~ **a muscle** sich einen Muskel zerren **2.** s Riss m; **tear down** vt (Haus) abreißen; **tear up** vt (Papier) zerreißen

tearoom ['tiːrʊm] s Café, in dem in erster Linie Tee serviert wird

tease [tiːz] vt (jdn) necken

(*about* wegen)

teaspoon *s* Teelöffel *m*; **tea towel** *s* Geschirrtuch *n*

technical ['teknɪkəl] *Adj* technisch; Fach-; **technically** *Adv* technisch; **technique** [tek'niːk] *s* Technik *f*

techno ['teknəʊ] *s* Techno *m*

technology [tek'nɒlədʒɪ] *s* Technologie *f*

tedious ['tiːdɪəs] *Adj* langweilig

teen(age) ['tiːn(eɪdʒ)] *Adj* Teenager-; **teenager** *s* Teenager *m*; **teens** [tiːnz] *npl* **in one's ~** im Teenageralter

teeth [tiːθ] *Pl von* **tooth**

teetotal ['tiː'təʊtl] *Adj* abstinent

telephone ['telɪfəʊn] **1.** *s* Telefon *n* **2.** *vi* telefonieren **3.** *vt* anrufen; **telephone book** *s* Telefonbuch *n*; **telephone booth**, **telephone box** (*Brit*) *s* Telefonzelle *f*; **telephone call** *s* Telefonanruf *m*; **telephone directory** *s* Telefonbuch *n*; **telephone number** *s* Telefonnummer *f*

telephoto lens ['telɪfəʊtəʊ-'lenz] *s* Teleobjektiv *n*

telescope ['telɪskəʊp] *s* Teleskop *n*

television ['telɪvɪʒən] *s* Fernsehen *n*; **television set** *s* Fernsehapparat *m*

tell [tel] (*told, told*) **1.** *vt* sagen (*sb sth* jdm etw); erzählen; (*die Wahrheit*) sagen; (*den Unterschied*) erkennen; (*Geheimnis*) verraten; **~ sb about sth** jdm

von etw erzählen; **~ sth from sth** etw von etw unterscheiden **2.** *vi* wissen; **tell apart** *vt* unterscheiden; **tell off** *vt* schimpfen

telling *Adj* aufschlussreich

telly ['telɪ] *s* (*Brit*) *umg* Glotze *f*; **on (the) ~** in der Glotze

temp [temp] **1.** *s* Aushilfskraft *f* **2.** *vi* als Aushilfskraft arbeiten

temper ['tempər] *s* Wut *f*, Laune *f*; **lose one's ~** die Beherrschung verlieren; **temperamental** [tempərə'mentl] *Adj* launisch

temperature ['temprɪtʃər] *s* Temperatur *f*; MED Fieber *n*; **have a ~** Fieber haben

temple ['templ] *s* Tempel *m*; ANAT Schläfe *f*

tempo (*-s Pl*) ['tempəʊ] *s* Tempo *n*

temporarily ['tempərərɪlɪ] *Adv* vorübergehend; **temporary** ['tempərərɪ] *Adj* vorübergehend; provisorisch

tempt [tempt] *vt* in Versuchung führen; **temptation** [temp'teɪʃən] *s* Versuchung *f*; **tempting** *Adj* verlockend

ten [ten] **1.** *Zahl* zehn **2.** *s* Zehn *f*; → **eight**

tenant ['tenənt] *s* Mieter(in) *m(f)*, Pächter(in) *m(f)*

tend [tend] *vi* **~ to do sth** dazu neigen, etw zu tun; **~ towards** neigen zu; **tendency** ['tendənsɪ] *s* Tendenz *f*

tender ['tendər] *Adj* zärtlich; empfindlich; (*Fleisch*) zart

tendon ['tendən] *s* Sehne *f*

Tenerife [tenəˈriːf] s Teneriffa n

tenner ['tenə] s (Brit) umg Zehnpfundschein m

tennis ['tenɪs] s Tennis n; **tennis court** s Tennisplatz m; **tennis racket** s Tennisschläger m

tenor [tenə] s Tenor m

tense [tens] Adj angespannt; gespannt; **tension** ['tenʃən] s Spannung f; (psychisch) Anspannung f

tent [tent] s Zelt n

tenth [tenθ] **1.** Adj zehnte(r, s) **2.** s Zehntel n; → **eighth**

tent peg ['tentpeg] s Hering m; **tent pole** s Zeltstange f

term [tɜːm] s (in Schule, Uni) Trimester n; (Wort) Ausdruck m; **~s** Pl Bedingungen Pl; **be on good ~s with sb** mit jdm gut auskommen; **come to ~s with sth** sich mit etw abfinden; **in the long/short ~** langfristig/kurzfristig; **in ~s of ...** was ... betrifft

terminal ['tɜːmɪnl] **1.** s (von Bus etc) Endstation f; FLUG Terminal m; IT Terminal n; ELEK POL m **2.** Adj MED unheilbar; **terminally** Adv (krank) unheilbar

terminate ['tɜːmɪneɪt] **1.** vt (Vertrag) lösen; (Schwangerschaft) abbrechen **2.** vi (Zug, Bus) enden

terrace ['terəs] s Häuserreihe f, Terrasse f; **terraced** Adj (Garten) terrassenförmig angelegt; **terraced house** s

(Brit) Reihenhaus n

terrible ['terəbl] Adj schrecklich

terrific [təˈrɪfɪk] Adj fantastisch

terrify ['terɪfaɪ] vt erschrecken; **be terrified** schreckliche Angst haben (of vor + Dat)

territory ['terɪtərɪ] s Gebiet n

terror ['terə] s Schrecken m; POL Terror m; **terrorism** s Terrorismus m; **terrorist** s Terrorist(in) m(f)

test [test] **1.** s Test m; (Schule) Klassenarbeit f; (Führerschein) Prüfung f; **put to the ~** auf die Probe stellen **2.** vt testen; (Schule) prüfen

Testament ['testəmənt] s **the Old/New ~** das Alte/Neue Testament

test-drive ['testdraɪv] vt Probe fahren

testicle ['testɪkl] s Hoden m

testify ['testɪfaɪ] vi JUR aussagen

test tube ['testtjuːb] s Reagenzglas n

tetanus ['tetənəs] s Tetanus m

text [tekst] **1.** s Text m; (von Brief etc) Wortlaut m; (übers Handy) SMS f **2.** vt (SMS-Nachricht) simsen, SMSen; **~** jdm simsen, jdm eine SMS schicken; **I'll ~ it to you** ich schicke es dir per SMS

textbook s Lehrbuch n

texting ['tekstɪŋ] s SMS-Messaging n; **text message**

s SMS f

texture ['tekstʃər] s Beschaffenheit f

Thailand ['taɪlənd] s Thailand n

Thames [temz] s Themse f

than [ðæn] Präp, Konj als; **bigger/faster ~ me** größer/schneller als ich

thank [θæŋk] vt danken + Dat; **~ you** danke; **~ you very much** vielen Dank; **thankful** Adj dankbar; **thankfully** Adv zum Glück; **thankless** Adj undankbar; **thanks** npl Dank m; **~** danke!; **~ to** dank + Gen

Thanksgiving

Thanksgiving fällt auf den vierten Donnerstag im November und ist einer der wichtigsten Feiertage in den USA. Er soll daran erinnern, wie die Pilgerväter (**Pilgrim Fathers**) die gute Ernte im Jahre 1621 feierten. Heute ist **Thanksgiving** neben Weihnachten das wichtigste Fest der Amerikaner, an dem die Familien zusammenkommen. Traditionell isst man **turkey** (**Truthahn**) mit **stuffing** (**Füllung**) und **sweet potatoes** (**Süßkartoffeln**) sowie **pumpkin pie** (**Kürbistorte**) zum Nachtisch.

that [ðæt, ðət] 1. Adj der/die/das; jene(r, s); **who's ~**

woman? wer ist die Frau?; **I like ~ one** ich mag das da 2. Pron das; (im Relativsatz) der/die/das, die Pl; **~ is very good** das ist sehr gut; **the wine ~ I drank** der Wein, den ich getrunken habe; **~ is (to say)** das heißt 3. Pron **I think ~ ...** ich denke, dass ... 4. Adv so; **~** so gut

that's [ðæts] Kontr von **that is; that has**

thaw [θɔː] 1. vi tauen; (Eingefrorenes) auftauen 2. vt auftauen lassen

the [ðə, ðiː] Art der/die/das, die Pl; **Henry ~ Eighth** Heinrich der Achte; **by ~ hour** pro Stunde; **~ ... ~ better** je ..., desto besser

theater (US), theatre ['θɪətər] s Theater n; (für Vorlesungen etc) Saal m

theft [θeft] s Diebstahl m

their [ðeər] Adj ihr; **they cleaned ~ teeth** sie putzten sich die Zähne; **someone has left ~ umbrella here** jemand hat seinen Schirm hier vergessen; **theirs** Pron ihre(r, s); **it's ~** es gehört ihnen; **a friend of ~** ein Freund von ihnen; **someone has left ~ here** jemand hat sie hier liegen lassen

them [ðem, ðəm] Pron (direktes Objekt) sie; (indirektes Objekt) ihnen; **do you know ~?** kennst du sie?; **can you help ~?** kannst du ihnen helfen?;

it's ~ sie sind's; *if anyone has a problem you should help* ~ wenn jemand ein Problem hat, solltest du ihm helfen

theme [θiːm] *s* Thema *n*; MUS Motiv *n*; ~ *song* Titelmusik *f*

themselves [ðəmˈselvz] *Pron* sich; *they hurt* ~ sie haben sich verletzt; *they* ~ *were not there* sie selbst waren nicht da; *they did it* ~ sie haben es selbst gemacht; *(all) by* ~ allein

then [ðen] **1.** *Adv (zu jener Zeit)* damals; *(danach)* dann; *(also doch)* also; *(außerdem)* ferner; *from* ~ *on* von da an; *by* ~ bis dahin **2.** *Adj* damalig; *our* ~ *boss* unser damaliger Chef

theoretical, theoretically [θɪəˈretɪkəl, -ɪ] *Adj, Adv* theoretisch

theory [ˈθɪərɪ] *s* Theorie *f*; *in* ~ theoretisch

therapy [ˈθerəpɪ] *s* Therapie *f*

there [ðeəʳ] *Adv* dort; dorthin; ~ *is/are* es gibt; *it's o-ver* ~ es ist da drüben; ~ *you are (bei Übergabe)* bitte schön; thereabouts *Adv* so ungefähr; therefore *Adv* daher, deshalb

thermometer [θəˈmɒmɪtəʳ] *s* Thermometer *n*

Thermos® [ˈθɜːməs] *s* ~ *(flask)* Thermosflasche® *f*

these [ðiːz] *Pron, Adj* diese; ~ *are not my books* das sind nicht meine Bücher

thesis *(theses Pl)* [ˈθiːsɪs, ˈθiːsiːz] *s* Doktorarbeit *f*

they [ðeɪ] *Pron Pl* sie; *(die Leute in Allgemeinen)* man; *(in Bezug auf unbestimmte Person)* er/sie; ~ *are rich* sie sind reich; ~ *say that ...* man sagt, dass ...; *if anyone looks at this,* ~ *will see that ...* wenn sich jemand dies ansieht, wird er erkennen, dass ...

they'd [ðeɪd] *Kontr von* **they had; they would**

they'll [ðeɪl] *Kontr von* **they will; they shall**

they've [ðeɪv] *Kontr von* **they have**

thick [θɪk] *Adj* dick; *(Nebel etc)* dicht; *(Flüssigkeit)* dickflüssig; umg *(blöd)* dumm; thicken *vi (Nebel etc)* dichter werden; *(Soße)* dick werden

thief *(thieves Pl)* [θiːf, θiːvz] *s* Dieb(in) *m(f)*

thigh [θaɪ] *s* Oberschenkel *m*

thimble [ˈθɪmbl] *s* Fingerhut *m*

thin [θɪn] *Adj* dünn

thing [θɪŋ] *s* Ding *n*, Sache *f*; *how are* ~*s?* wie geht's?; *I can't see a* ~ ich kann nichts sehen

think *(thought, thought)* [θɪŋk, θɔːt] *vt, vi* denken; meinen; *I* ~ *so* ich denke schon; *I don't* ~ *so* ich glaube nicht; think about *vt* denken an + *Akk*, nachdenken über + *Akk*; *(meinen)* halten von; think of *vt*

thrombosis

denken an + *Akk*; (*Idee, Vorschlag etc*) sich ausdenken; (*beurteilen*) halten von; (*an Namen etc*) sich erinnern an + *Akk*; **think over** *vt* überdenken; **think up** *vt* sich ausdenken

third [θɜ:d] **1.** *Adj* dritte(r, s) **2.** *s* Drittel *n*; **in ~ (gear)** im dritten Gang; → **eighth**; **thirdly** *Adv* drittens; **third-party insurance** *s* Haftpflichtversicherung *f*

thirst [θɜ:st] *s* Durst *m* (*for* nach); **thirsty** *Adj* **be ~** Durst haben

thirteen ['θɜ:'ti:n] **1.** *Zahl* dreizehn **2.** *s* Dreizehn *f*; → **eight**; **thirteenth** *Adj* dreizehnte(r, s); → **eighth**; **thirtieth** ['θɜ:tɪɪθ] *Adj* dreißigste(r, s); → **eighth**; **thirty** ['θɜ:tɪ] **1.** *Zahl* dreißig; **~-one** einunddreißig **2.** *s* Dreißig *f*; **be in one's thirties** in den Dreißigern sein; → **eighth**

this [ðɪs] **1.** *Adj* diese(r, s); **~ morning** heute Morgen **2.** *Pron* das, dies; **~ is Mark** (*Telefon*) hier spricht Mark

thistle ['θɪsl] *s* Distel *f*

thorn [θɔ:n] *s* Dorn *m*, Stachel *m*

thorough ['θʌrə] *Adj* gründlich; **thoroughly** *Adv* gründlich; (*zustimmen etc*) völlig

those [ðəʊz] **1.** *Pron* die da, jene; **~ who** diejenigen, die **2.** *Adj* die, jene

though [ðəʊ] **1.** *Konj* ob-

wohl; **as ~** als ob **2.** *Adv* aber

thought [θɔ:t] **1.** *pt, pp* von **think 2.** *s* Gedanke *m*, Überlegung *f*; **thoughtful** *Adj* rücksichtsvoll; aufmerksam; (*Blick*) nachdenklich; **thoughtless** *Adj* rücksichtslos, gedankenlos

thousand ['θaʊzənd] *Zahl* **(one) ~, a ~** tausend; **five ~** fünftausend; **~s of** Tausende von

thrash [θræʃ] *vt* verprügeln; (*besiegen*) vernichtend schlagen

thread [θred] **1.** *s* Faden *m* **2.** *vt* einfädeln; auffädeln

threat [θret] *s* Drohung *f*, Bedrohung *f* (*to* für); **threaten** *vt* bedrohen; **threatening** *Adj* bedrohlich

three [θri:] **1.** *Zahl* drei **2.** *s* Drei *f*; → **eight**; **three-dimensional** *Adj* dreidimensional; **three-quarters** *npl* drei Viertel *Pl*

threshold ['θreʃhəʊld] *s* Schwelle *f*

threw [θru:] *pt* von **throw**

thrifty ['θrɪftɪ] *Adj* sparsam

thrilled [θrɪld] *Adj* **be ~ (with sth)** sich (über etw *Akk*) riesig freuen; **thrilling** *Adj* aufregend

thrive [θraɪv] *vi* gedeihen (*on* bei); *fig* florieren

throat [θrəʊt] *s* Hals *m*, Kehle *f*

throbbing ['θrɒbɪŋ] *Adj* (*Schmerz*) pochend

thrombosis [θrɒm'bəʊsɪs] *s*

Thrombose f

throne [θrəʊn] s Thron m

through [θru:] **1.** *Präp* durch; (*zeitlich*) während + *Gen*; (*aufgrund von*) aus, durch; (*US, als Zeitspanne*) bis **2.** *Adv* durch; **put sb ~** TEL jdn verbinden (*to* mit) **3.** *Adj* (*Fahrkarte, Zug*) durchgehend; **~ flight** Direktflug m; **be ~ with sth** mit jdm/etw fertig sein;

throughout [θru:'aʊt] **1.** *Präp* (*örtlich*) überall in + *Dat*; (*zeitlich*) überall + *Gen*; **~ the night** die ganze Nacht hindurch **2.** *Adv* überall; die ganze Zeit

throw (*threw, thrown*) [θrəʊ, θru:, θrəʊn] **1.** *vt* werfen; abwerfen; (*Party*) geben **2.** *s* Wurf m; **throw away** *vt* wegwerfen; **throw in** *vt* (*gratis*) dazugeben; **throw out** *vt* wegwerfen; (*Person*) hinauswerfen (*of* aus); **throw up** *vt, vi umg* sich übergeben

thrown [θrəʊn] *pp von* **throw**

thru (*US*) → **through**

thrush [θrʌʃ] s Drossel f

thrust (*thrust, thrust*) [θrʌst] *vt, vi* stoßen

thruway ['θru:weɪ] s (*US*) Schnellstraße f

thumb [θʌm] **1.** s Daumen m **2.** *vt* **~ a lift** per Anhalter fahren; **thumbtack** s (*US*) Reißzwecke f

thunder ['θʌndə^r] **1.** s Donner m **2.** *vi* donnern; **thunderstorm** s Gewitter n

Thur(s) *Abk* = **Thursday**; Do.

Thursday ['θɜ:zdɪ] s Donnerstag m; → **Tuesday**

thus [ðʌs] *Adv* so; (*deshalb*) somit, also

thyme [taɪm] s Thymian m

Tibet [tɪ'bet] s Tibet n

tick [tɪk] **1.** s (*Brit*) Häkchen n **2.** *vt* (*Namen etc*) abhaken; (*Kästchen etc*) ankreuzen **3.** *vi* (*Uhr*) ticken

ticket ['tɪkɪt] s (*Fahr*)karte f; (*für Flug*) Flugschein m, Ticket n; (*Theater etc*) (Eintritts)karte f; (*an Ware*) (Preis)schild n; (*Lotterie*) Los n; (*Parkplatz*) Parkschein m; (*Falschparken*) Strafzettel m; **ticket collector, ticket inspector** (*Brit*) s Fahrkartenkontrolleur(in) m(f); **ticket machine** s Fahrscheinautomat m, Parkscheinautomat m; **ticket office** s BAHN Fahrkartenschalter m; THEAT Kasse f

tickle ['tɪkl] *vt* kitzeln; **ticklish** ['tɪklɪʃ] *Adj* kitzlig

tide [taɪd] s Gezeiten Pl; **the ~ is in/out** es ist Flut/Ebbe

tidy ['taɪdɪ] **1.** *Adj* ordentlich **2.** *vt* aufräumen; **tidy up** *vt, vi* aufräumen

tie [taɪ] **1.** s Krawatte f; SPORT Unentschieden n; (*Beziehung*) Bindung f **2.** *vt* (*fest machen*) binden (*to* an + *Akk*); (*Hände etc*) zusammenbinden; (*Knoten*) machen; **tie down** *vt* fest-

binden (*to* an + *Dat*); *fig*
binden; **tie up** *vt* (*Tier*)
anbinden; (*Paket*) verschnüren; (*Schnürsenkel*) binden;
(*Boot*) festmachen
tiger ['taɪgə] *s* Tiger *m*
tight [taɪt] **1.** *Adj* (*Kleidung*)
eng; (*Knoten*) fest; (*Deckel
etc*) fest sitzend; (*Kontrolle*)
streng; (*zeitlich*) knapp;
(*Zeitplan*) eng **2.** *Adv*
(*schließen*) fest; (*ziehen*)
stramm; **hold ~** festhalten!;
tighten *vt* (*Schraube*) anziehen; (*Gürtel*) enger machen; (*Kontrolle*) verschärfen; **tights** *npl* (*Brit*)
Strumpfhose *f*
tile [taɪl] *s* Dachziegel *m*;
(*Fußboden, Wand*) Fliese *f*
till [tɪl] **1.** *s* Kasse *f* **2.** *Präp,
Konj* → **until**
tilt [tɪlt] **1.** *vt* kippen; (*Kopf*)
neigen **2.** *vi* sich neigen
time [taɪm] **1.** *s* Zeit *f*; (*Gelegenheit*) Mal *n*; MUS Takt
m; **local ~** Ortszeit *f*; **what
~ is it?, what's the ~?** wie
spät ist es?, wie viel Uhr ist
es?; **take one's ~** (**over sth**)
sich (bei etw) Zeit lassen;
have a good ~ Spaß haben;
in two weeks' ~ in zwei
Wochen; **at ~s** manchmal;
at the same ~ gleichzeitig;
all the ~ die ganze Zeit; **by
the ~ he ...** bis er ...; (*zurückliegend*) als er ...; **for
the ~ being** vorläufig; **in ~**
rechtzeitig; **on ~** pünktlich;
the first ~ das erste Mal;
this ~ diesmal; **five ~s** fünf-

mal; **five ~s six** fünf mal
sechs; **four ~s a year** viermal im Jahr; **three at a ~**
drei auf einmal **2.** *vt* (*mit
Stoppuhr*) stoppen; **you ~d
that well** das hast du gut
getimt; **time difference** *s*
Zeitunterschied *m*; **timer** *s*
Timer *m*, Schaltuhr *f*; **time-
-saving** *Adj* Zeit sparend;
time switch *s* Schaltuhr *f*;
timetable *s* Fahrplan *m*;
(*Schule*) Stundenplan *m*;
time zone *s* Zeitzone *f*
timid ['tɪmɪd] *Adj* ängstlich
timing ['taɪmɪŋ] *s* Timing *n*
tin [tɪn] *s* Blech *n*; (*Brit*)
Dose *f*; **tinfoil** *s* Alufolie *f*;
tinned [tɪnd] *Adj* (*Brit*) aus
der Dose; **tin opener** *s*
(*Brit*) Dosenöffner *m*
tinsel ['tɪnsəl] *s* ≈ Lametta *n*
tint [tɪnt] *s* (*Farb*)ton *m*; Tönung *f*; **tinted** *Adj* getönt
tiny ['taɪnɪ] *Adj* winzig
tip [tɪp] **1.** *s* Trinkgeld *n*;
(*Hinweis*) Tipp *m*; (*spitzes
Ende*) Spitze *f*; (*Zigarette*)
Filter *m*; (*Brit*) Müllkippe *f*
2. *vt* Trinkgeld geben + *Dat*;
tip over *vt, vi* umkippen
tipsy ['tɪpsɪ] *Adj* beschwipst
tiptoe ['tɪptəʊ] *s* **on ~** auf
Zehenspitzen
tire ['taɪə] **1.** *s* (*US*) → **tyre**
2. *vt* müde machen **3.** *vi*
müde werden; **tired** *Adj*
müde; **be ~ of doing sth**
es satt haben, etw zu tun;
tireless, tirelessly *Adv* unermüdlich; **tiresome** *Adj*
lästig; **tiring** *Adj* ermüdend

tissue

tissue ['tɪʃuː] s ANAT Gewebe n; (aus Zellstoff) Papier(taschen)tuch n; **tissue paper** s Seidenpapier n

tit [tɪt] s (Vogel) Meise f; umg (Busen) Titte f

title ['taɪtl] s Titel m

to [tuː, tə] Präp zu; (mit Namen etc) nach; (Entfernung) bis; (mit Verb im Infinitiv) zu; **Rome/Switzerland** nach Rom/in die Schweiz; **I've been ~ London** ich war schon mal in London; **go ~ town/~ the theatre** in die Stadt/ins Theater gehen; **from Monday ~ Thursday** von Montag bis Donnerstag; **he came ~ say sorry** er kam, um sich zu entschuldigen; **20 minutes ~ 4** 20 Minuten vor 4; **they won by 4 goals ~ 3** sie haben mit 4 zu 3 Toren gewonnen

toad [təʊd] s Kröte f; **toadstool** s Giftpilz m

toast [təʊst] **1.** s Toast m; **a piece** (od **slice**) **of ~** eine Scheibe Toast; **propose a ~ to sb** einen Toast auf jdn ausbringen **2.** vt (Brot) toasten; (bei Feier) trinken auf + Akk; **toaster** s Toaster m

tobacco (-es Pl) [tə'bækəʊ] s Tabak m; **tobacconist's** [tə'bækənɪsts] s (shop) Tabakladen m

toboggan [tə'bɒgən] s Schlitten m

today [tə'deɪ] Adv heute; **a week ~** heute in einer Wo-

che; **~'s newspaper** die Zeitung von heute

toddler ['tɒdlə²] s Kleinkind n

toe [təʊ] s Zehe f, Zeh m; **toenail** s Zehennagel m

toffee ['tɒfɪ] s Karamellbonbon n

together [tə'geðə²] Adv zusammen; **I tied them ~** ich habe sie zusammengebunden

toilet ['tɔɪlət] s Toilette f; **go to the ~** auf die Toilette gehen; **toilet bag** s Kulturbeutel m; **toilet paper** s Toilettenpapier n; **toiletries** ['tɔɪlətrɪz] npl Toilettenartikel Pl; **toilet roll** s Rolle f Toilettenpapier

token ['təʊkən] s Marke f; (in Kasino) Spielmarke f; (als Geschenk) Gutschein m; (Gegenstand, der etw ausdrückt) Zeichen n

Tokyo ['təʊkɪəʊ] s Tokio n

told [təʊld] pt, pp von **tell**

tolerant ['tɒlərənt] Adj tolerant (of gegenüber); **tolerate** ['tɒləreɪt] vt tolerieren; ertragen

toll [təʊl] s Gebühr f; **toll-free** [,ˈfriː] Adv (US) TEL gebührenfrei; **toll road** s gebührenpflichtige Straße

tomato (-es Pl) [tə'mɑːtəʊ] s Tomate f; **tomato juice** s Tomatensaft m; **tomato sauce** s Tomatensoße f; (Brit) Tomaten(ket)schup m od n

tomb [tuːm] s Grabmal n;

tombstone s Grabstein m

tomorrow [tə'mɒrəʊ] Adv morgen; ~ **morning** morgen früh; ~ **evening** morgen Abend; **the day after** ~ übermorgen; **a week (from)** ~/~ **week** morgen in einer Woche

ton [tʌn] s (Brit) Tonne f (1016 kg); (US) Tonne f (907 kg); ~**s of books** umg eine Menge Bücher

tone [təʊn] s Ton m; **toner** ['təʊnə] s (Drucker) Toner m; **toner cartridge** s Tonerpatrone f

tongs [tɒŋz] npl Zange f; (für Haare) Lockenstab m

tongue [tʌŋ] s Zunge f

tonic ['tɒnɪk] s MED Stärkungsmittel n; ~ **(water)** Tonic n

tonight [tə'naɪt] Adv heute Abend; heute Nacht

tonsils ['tɒnslz] s Mandeln Pl; **tonsillitis** [tɒnsɪ'laɪtɪs] s Mandelentzündung f

too [tuː] Adv zu; (ebenfalls) auch; ~ **fast** zu schnell; ~ **much/many** zu viel/viele; **me** ~ ich auch; **she liked it** ~ ihr gefiel es auch

took [tʊk] pt von **take**

tool [tuːl] s Werkzeug n; **toolbar** s IT Symbolleiste f; **toolbox** s Werkzeugkasten m

tooth (teeth) [tuːθ, tiːθ] s Zahn m; **toothache** s Zahnschmerzen Pl; **toothbrush** s Zahnbürste f; **toothpaste** s Zahnpasta f; **toothpick** s Zahnstocher m

top [tɒp] 1. s Spitze f; (Berg) Gipfel m; (Baum) Krone f; (Straße) oberes Ende; (Tube, Schreibstift) Kappe f; (Kiste etc) Deckel m; (Bikini) Oberteil n; (Kleidungsstück) Top n; **at the ~ of the page** oben auf der Seite; **at the ~ of the league** an der Spitze der Liga; **on** ~ oben; **on** ~ **of** auf + Dat; (als Dreingabe etc) zusätzlich zu; **over the** ~ übertrieben 2. Adj (Stockwerk etc) oberste(r, s); (Preis etc) höchste(r, s); (beste(r, s)) Spitzen-; (Schüler etc) beste(r, s) 3. vt übersteigen; übertreffen; (in Liga) an erster Stelle stehen in + Dat; ~**ped with cream** mit Sahne obendrauf; **top up** vt auffüllen; **can I top you up?** darf ich dir nachschenken?

topic ['tɒpɪk] s Thema n; **topical** Adj aktuell

topless ['tɒpləs] Adj, Adv oben ohne

topping ['tɒpɪŋ] s Belag m, Garnierung f

torch [tɔːtʃ] s (Brit) Taschenlampe f

tore [tɔːʳ] pt von **tear**

torment [tɔː'ment] vt quälen

torn [tɔːn] pp von **tear**

tornado (-es Pl) [tɔː'neɪdəʊ] s Tornado m

torrential [tə'renʃəl] Adj (Regen) sintflutartig

tortoise ['tɔːtəs] s Schildkröte f

torture ['tɔːtʃər] **1.** *s* Folter *f*; *fig* Qual *f* **2.** *vt* foltern

Tory ['tɔːrɪ] (*Brit*) *s* Tory *m*, Konservative(r) *mf*

toss [tɒs] **1.** *vt* (*Ball etc*) werfen; (*Salat*) anmachen; **~ a coin** eine Münze werfen **2.** *s* **I don't give a ~** *umg* ist mir scheißegal

total ['təʊtl] **1.** *s* Gesamtsumme *f*; **a ~ of 30** insgesamt 30; **in ~** insgesamt **2.** *Adj* total; Gesamt- **3.** *vt* sich belaufen auf + *Akk*; **totally** *Adv* total

touch [tʌtʃ] **1.** *s* Berührung *f*, Tastsinn *m*; (*von Ironie*, *Traurigkeit*) Spur *f*; **be/keep in ~ with sb** mit jdm in Verbindung stehen/bleiben; **get in ~ with sb** sich mit jdm in Verbindung setzen **2.** *vt* berühren; (*emotional*) bewegen; **touch on** *vt* (*Thema*) berühren; **touchdown** *s* FLUG Landung *f*; **touching** *Adj* rührend; **touch screen** *s* Touchscreen *m*; **touchy** *Adj* empfindlich, zickig

tough [tʌf] *Adj* hart; (*Material*) robust; (*Fleisch*) zäh

tour ['tʊər] **1.** *s* Tour *f* (*of* durch); Rundgang *m* (*of* durch); (*Popgruppe etc*) Tournee *f* **2.** *vt* eine Tour/einen Rundgang/eine Tournee machen durch **3.** *vi* (*Urlaub etc*) umherreisen; **tour guide** *s* Reiseleiter(in) *m(f)*

tourism ['tʊərɪzəm] *s* Tourismus *m*, Fremdenverkehr

m; **tourist** *s* Tourist(in) *m(f)*; **tourist guide** *s* (*Buch*) Reiseführer *m*; (*Person*) Fremdenführer(in) *m(f)*; **tourist office** *s* Fremdenverkehrsamt *n*

tournament ['tʊənəmənt] *s* Turnier *n*

tour operator ['tʊərɒpəreɪtər] *s* Reiseveranstalter *m*

tow [təʊ] *vt* abschleppen; (*Anhänger etc*) ziehen

towards [tə'wɔːdz] *Präp* **~ me** mir entgegen, auf mich zu; **we walked ~ the station** wir gingen in Richtung Bahnhof; **my feelings ~ him** meine Gefühle ihm gegenüber

towel ['taʊəl] *s* Handtuch *n*

tower ['taʊər] *s* Turm *m*; **tower block** *s* (*Brit*) Hochhaus *n*

town [taʊn] *s* Stadt *f*; **town center** (*US*), **town centre** (*Brit*) *s* Stadtmitte *f*, Stadtzentrum *n*; **town hall** *s* Rathaus *n*

towrope ['təʊrəʊp] *s* Abschleppseil *n*; **tow truck** *s* (*US*) Abschleppwagen *m*

toxic ['tɒksɪk] *Adj* giftig, Gift-

toy [tɔɪ] *s* Spielzeug *n*; **toy with** *vt* spielen mit; **toyshop** *s* Spielwarengeschäft *n*

trace [treɪs] **1.** *s* Spur *f*; **without ~** spurlos **2.** *vt* ausfindig machen; **tracing paper** *s* Pauspapier *n*

track [træk] *s* (*von Tier*, *Reifen etc*) Spur *f*; (*Pfad*) Weg *m*; BAHN Gleis *n*; (*auf CD*)

Stück n; **keep/lose ~ of sb/ sth** jdn/etw im Auge behalten/aus dem Augen verlieren; **track down** vt ausfindig machen; **tracksuit** s Trainingsanzug m

tractor ['træktə^r] s Traktor m

trade [treɪd] **1.** s Handel m, Geschäft n; (Beruf, Gewerbe) Handwerk n **2.** vi handeln (in mit) **3.** vt tauschen (for gegen); **trademark** s Warenzeichen n; **tradesman** (-men Pl) s (Händler) Geschäftsmann m; (Arbeiter) Handwerker m; **trade(s) union** s (Brit) Gewerkschaft f

tradition [trə'dɪʃən] s Tradition f; **traditional, traditionally** Adj, Adv traditionell

traffic ['træfɪk] s Verkehr m, pej (mit Drogen) Handel m (in mit); **traffic circle** s (US) Kreisverkehr m; **traffic jam** s Stau m; **traffic lights** npl Verkehrsampel f; **traffic warden** s (Brit) ≈ Politesse f

tragedy ['trædʒədɪ] s Tragödie f; **tragic** ['trædʒɪk] Adj tragisch

trail [treɪl] **1.** s Spur f; (Pfad) Weg m **2.** vt (Verbrecher) verfolgen; (Wohnwagen etc) schleppen; (Spur etc) hinter sich herziehen; SPORT zurückliegen hinter + Dat **3.** vi (auf dem Boden etc) schleifen; SPORT weit zurückliegen; **trailer** s Anhänger m; (US) Wohnwa-

gen m; FILM Trailer m

train [treɪn] **1.** s BAHN Zug m **2.** vt (Mitarbeiter etc) ausbilden; SPORT trainieren **3.** vi SPORT trainieren; **~ as** (od **to be**) **a teacher** eine Ausbildung als Lehrer machen; **trained** Adj ausgebildet; **trainee** s Auszubildende(r) mf; Praktikant(in) m(f); **trainer** s SPORT Trainer(in) m(f); **~s** (Brit) Turnschuhe Pl; **training** s Ausbildung f; SPORT Training n; **train station** s Bahnhof m

tram ['træm] s (Brit) Straßenbahn f

tramp [træmp] s Landstreicher(in) m(f)

tranquillizer ['træŋkwɪlaɪzə^r] s Beruhigungsmittel n

transaction s Geschäft n

transatlantic ['trænzət'læntɪk] Adj transatlantisch; **~ flight** Transatlantikflug m

transfer ['trænsfə^r] **1.** s (Geld) Überweisung f; (US) Umsteigekarte f **2.** [træns'fɜ:^r] vt (Geld) überweisen (to sb an jdn); (Patient) verlegen; (Mitarbeiter) versetzen; SPORT transferieren **3.** vi (bei Reise) umsteigen; **transferable** [træns-'fɜ:rəbl] Adj übertragbar

transform [træns'fɔ:m] vt umwandeln; **transformation** [trænsfə'meɪʃən] s Umwandlung f

transfusion [træns'fju:ʒən] s Transfusion f

transistor [træn'zɪstə^r]

Transistor *m*

transition [trænˈzɪʃən] *s* Übergang *m* (*from ... to* von ... zu)

translate [trænzˈleɪt] *vt, vi* übersetzen; **translation** [trænzˈleɪʃən] *s* Übersetzung *f*; **translator** *s* Übersetzer(in) *m(f)*

transmission [trænzˈmɪʃən] *s* TV, RADIO Übertragung *f*; AUTO Getriebe *n*

transparent [trænsˈpærənt] *Adj* durchsichtig

transplant [trænsˈplɑːnt] MED **1.** *vt* transplantieren **2.** [ˈtrænsplɑːnt] *s* Transplantation *f*

transport [ˈtrænspɔːt] **1.** *s* Beförderung *f*; *public ~* öffentliche Verkehrsmittel *Pl* **2.** [trænsˈpɔːt] *vt* befördern, transportieren; **transportation** [trænspɔːˈteɪʃən] *s → transport*

trap [træp] **1.** *s* Falle *f* **2.** *vt* *be ~ped* (*im Schnee, in Job etc*) festsitzen

trash [træʃ] *s* Schund *m*; (*US, Müll*) Abfall *m*; **trash can** *s* (*US*) Abfalleimer *m*; **trashy** *Adj* Schund-

traumatic [trɔːˈmætɪk] *Adj* traumatisch

travel [ˈtrævl] **1.** *s* Reisen *n* **2.** *vi* reisen **3.** *vt* (*Entfernung*) zurücklegen; (*Land*) bereisen; **travel agency**, **travel agent** *s* Reisebüro *n*; **traveler** (*US*) *→* **traveller**; **traveler's check** (*US*) *→* **traveller's cheque** (*US*), travel-

ler *s* Reisende(r) *mf*; **traveller's cheque** *s* (*Brit*) Reisescheck *m*

tray [treɪ] *s* Tablett *n*; (*für Post etc*) Ablage *f*; (*Drucker, Kopiergerät*) Fach *n*

tread [tred] *s* (*Reifen*) Profil *n*; **tread on** (*trod, trodden*) [tred, trod, ˈtrɒdən] *vt* treten auf + *Akk*

treasure [ˈtreʒə^r] **1.** *s* Schatz *m* **2.** *vt* schätzen

treat [triːt] **1.** *s* besondere Freude; *it's my ~* das geht auf meine Kosten **2.** *vt* behandeln; **~ sb** (*to sth*) jdn (*zu etw*) einladen; **~ one-self to sth** sich etw leisten; **treatment** [ˈtriːtmənt] *s* Behandlung *f*

treaty [ˈtriːti] *s* Vertrag *m*

tree [triː] *s* Baum *m*

tremble [ˈtrembl] *vi* zittern

tremendous [trəˈmendəs] *Adj* gewaltig; *umg* toll

trench [trentʃ] *s* Graben *m*

trend [trend] *s* Tendenz *f*, Mode *f*, Trend *m*; **trendy** *Adj* trendig

trespass [ˈtrespəs] *vi* *'no ~ing'* „Betreten verboten"

trial [ˈtraɪəl] *s* JUR Prozess *m*; (*Test*) Versuch *m*; **trial period** *s* Probezeit *f*

triangle [ˈtraɪæŋgl] *s* Dreieck *n*; MUS Triangel *f*; **triangular** [traɪˈæŋgjʊlə^r] *Adj* dreieckig

tribe [traɪb] *s* Stamm *m*

trick [trɪk] **1.** *s* Trick *m*; Streich *m* **2.** *vt* hereinlegen

tricky [ˈtrɪki] *Adj* schwierig;

(Lage) verzwickt

trifle ['traɪfl] s Kleinigkeit f; *(Brit)* GASTR Trifle n

trigger ['trɪgə] **1.** s *(von Gewehr)* Abzug m **2.** vt ~ *(off)* auslösen

trim [trɪm] **1.** vt *(Haare)* nachschneiden; *(Nägel)* schneiden; *(Hecke)* stutzen **2.** s *just a* ~, *please* nur etwas nachschneiden, bitte; **trimmings** npl Verzierungen Pl; Zubehör n; GASTR Beilagen Pl

trip [trɪp] **1.** s Reise f; *(kurz)* Ausflug m **2.** vi stolpern *(over* über + Akk)

triple ['trɪpl] **1.** Adj dreifach **2.** Adv ~ *the price* dreimal so teuer **3.** vi sich verdreifachen; **triplets** ['trɪplɪts] npl Drillinge Pl

tripod ['traɪpɒd] s Stativ n

trite [traɪt] Adj banal

triumph ['traɪʌmf] s Triumph m

trivial ['trɪvɪəl] Adj trivial

trod [trɒd] pt von **tread**

trodden pp von **tread**

trolley ['trɒlɪ] s *(Brit, Supermarkt)* Einkaufswagen m; *(Gepäck)* Kofferkuli m; *(Servieren)* Teewagen m

trombone [trɒm'bəʊn] s Posaune f

troops [tru:ps] npl MIL Truppen Pl

trophy ['trəʊfɪ] s Trophäe f

tropical ['trɒpɪkl] Adj tropisch

trouble ['trʌbl] **1.** s Schwierigkeiten Pl, Sorgen Pl;

(Anstrengung) Mühe f; *(Aufruhr)* Unruhen Pl; MED Beschwerden Pl; **be in** ~ in Schwierigkeiten sein; **get into** ~ Ärger bekommen; **make** ~ Schwierigkeiten machen **2.** vt beunruhigen; stören; **sorry to** ~ **you** ich muss dich leider kurz stören; **troubled** Adj beunruhigt; **trouble-free** Adj problemlos; **troublemaker** s Unruhestifter(in) m(f); **troublesome** Adj lästig

trousers ['traʊzəz] npl Hose f; **trouser suit** s *(Brit)* Hosenanzug m

trout [traʊt] s Forelle f

truck [trʌk] s Lastwagen m; *(Brit)* BAHN Güterwagen m; **trucker** s *(US)* Lastwagenfahrer(in) m(f)

true [tru:] Adj wahr; echt; **come** ~ wahr werden

truly ['tru:lɪ] Adv wirklich; **Yours** ~ *(am Briefende)* mit freundlichen Grüßen

trump [trʌmp] s Trumpf m

trumpet ['trʌmpɪt] s Trompete f

trunk [trʌŋk] s *(von Baum)* Stamm m; ANAT Rumpf m; *(von Elefant)* Rüssel m; *(großer Koffer)* Überseekoffer m; *(US)* AUTO Kofferraum m; **trunks** npl *(swimming)* ~ Badehose f

trust [trʌst] **1.** s Vertrauen n *(in* zu) **2.** vt vertrauen + Dat; **trusting** Adj vertrauensvoll; **trustworthy** Adj vertrauenswürdig

truth [truːθ] s Wahrheit f;
 truthful Adj ehrlich; (Aussage) wahrheitsgemäß
try [traɪ] **1.** s Versuch m **2.** vt
 versuchen; ausprobieren;
 (Essen etc) probieren; JUR
 vor Gericht stellen; (Geduld etc) auf die Probe stellen **3.** vi versuchen; sich bemühen; **try on** vt anprobieren; **try out** vt ausprobieren
T-shirt [ˈtiːʃɜːt] s T-Shirt n
tub [tʌb] s Becher m
tube [tjuːb] s Rohr n; (aus
 Gummi etc) Schlauch m;
 (Zahnpasta) Tube f; **the
 Tube** (London) die U-Bahn
tube station [ˈtjuːbsteɪʃən]
 s U-Bahn-Station f

tuck [tʌk] vt (etw in etw) stecken; **tuck in 1.** vt (Hemd)
 in die Hose stecken; (Person) zudecken **2.** vi (beim
 Essen) zulangen
Tue(s) Abk = **Tuesday**; Di.
Tuesday [ˈtjuːzdɪ] s Dienstag m; **on ~** (am) Dienstag;
 on ~s dienstags; **this/last/
 next ~** diesen/letzten/
 nächsten Dienstag; **(on) ~
 morning/afternoon/evening** (am) Dienstag Morgen/Nachmittag/Abend; **every ~** jeden Dienstag; **a
 week on ~/~ week** Dienstag in einer Woche
tug [tʌg] vt ziehen **2.** vi
 ziehen (at an + Dat)
tuition [tjuːˈɪʃən] s Unterricht m; (US) Studiengebühren Pl; **~ fees** Pl Studiengebühren Pl

tulip [ˈtjuːlɪp] s Tulpe f
tumble [ˈtʌmbl] vi fallen;
 tumble dryer s Wäschetrockner m
tummy [ˈtʌmɪ] s umg Bauch
 m
tumor (US), **tumour**
 [ˈtjuːmər] s Tumor m
tuna [ˈtjuːnə] s Thunfisch m
tune [tjuːn] s Melodie f;
 be in/out of ~ (Instrument)
 gestimmt/verstimmt sein;
 (Sänger) richtig/falsch singen **2.** vt (Instrument) stimmen; (Radio etc) einstellen
 (to auf + Akk)
Tunisia [tjuːˈnɪzɪə] s Tunesien n

tunnel [ˈtʌnl] s Tunnel m;
 Unterführung f
turbulence [ˈtɜːbjʊləns] s
 FLUG Turbulenzen Pl; **turbulent** Adj stürmisch
Turk [tɜːk] s Türke m, Türkin f
turkey [ˈtɜːkɪ] s Truthahn m
Turkey [ˈtɜːkɪ] s die Türkei
Turkish 1. Adj türkisch **2.** s
 Türkisch n
turmoil [ˈtɜːmɔɪl] s Aufruhr
 m
turn [tɜːn] **1.** s Drehung f;
 (einer Aufführung) Nummer f; **make a left ~** nach
 links abbiegen; **at the ~ of
 the century** um die Jahrhundertwende; **it's your ~**
 du bist dran; **in ~, by ~s**
 abwechselnd; **take ~s** sich
 abwechseln **2.** vt drehen;
 umdrehen; (um Ecke) biegen um; (Seite) umblättern;

(umändern) verwandeln *(into* in + *Akk)* **3.** *vi* sich drehen; sich umdrehen; *(Fahrer, Auto etc)* abbiegen; *(Zustand verändern)* werden; *(Wetter)* umschlagen; ~ **into sth** sich in etw *Akk* verwandeln; ~ **cold/ green** kalt/grün werden; ~ **left/right** links/rechts abbiegen; **turn away 1.** *vt (jdn, etw)* abweisen **2.** *vi* sich umdrehen; **turn down** *vt (Angebot etc)* ablehnen; *(Fernseher etc)* leiser stellen; *(Heizung)* kleiner stellen; **turn off 1.** *vi* abbiegen **2.** *vt (Gerät)* ausschalten; *(Hahn)* abdrehen; *(Maschine, den Strom)* abstellen; **turn on** *vt (Gerät)* einschalten; *(Wasserhahn)* aufdrehen; *(Maschine, den Strom)* anstellen; *umg (Aussehen etc)* anmachen, antörnen; **turn out 1.** *vt (das Licht)* ausmachen; *(seine Taschen)* leeren **2.** *vi* sich entwickeln; **as it turned out** wie sich herausstellte; **turn over 1.** *vt* onto other side, umdrehen; *(Seite)* umblättern **2.** *vi* sich umdrehen; *(Auto)* sich überschlagen; TV umschalten *(to* auf + *Akk)*; **turn round 1.** *vt* umdrehen **2.** *vi* sich umdrehen; *(unterwegs)* umkehren; **turn to** *vi* sich zuwenden + *Dat*; **turn up 1.** *vi*

auftauchen **2.** *vt (Radio etc)* lauter stellen; *(Heizung)* höher stellen; **turning** *s* Abzweigung *f*; **turning point** *s* Wendepunkt *m*

turnip ['tɜːnɪp] *s* Rübe *f*

turnover ['tɜːnəʊvəʳ] *s* FIN Umsatz *m*

turnpike ['tɜːnpaɪk] *s (US)* gebührenpflichtige Autobahn

turquoise ['tɜːkwɔɪz] *Adj* türkis

turtle ['tɜːtl] *s (Brit)* Wasserschildkröte *f*; *(US)* Schildkröte *f*

tutor ['tjuːtəʳ] *s* Privatlehrer(in) *m(f)*; *(Brit, an Universität)* Tutor(in) *m(f)*

tuxedo *(-s Pl)* [tʌkˈsiːdəʊ] *s (US)* Smoking *m*

TV ['tiːˈviː] **1.** *s* Fernsehen *n*; *(Gerät)* Fernseher *m*; **watch** ~ fernsehen; **on** ~ im Fernsehen **2.** *Adj* Fernseh-; ~ **programme** Fernsehsendung *f*

tweed [twiːd] *s* Tweed *m*

tweezers ['twiːzəz] *npl* Pinzette *f*

twelfth [twelfθ] *Adj* zwölfte(r, s); → **eighth; twelve** [twelv] **1.** *Zahl* zwölf **2.** *s* Zwölf *f*; → **eight**

twentieth ['twentɪɪθ] *Adj* zwanzigste(r, s); → **eighth; twenty** ['twentɪ] **1.** *Zahl* zwanzig; **~one** einundzwanzig **2.** *s* Zwanzig *f*; **be in one's twenties** in den Zwanzigern sein; → **eight**

twice [twaɪs] *Adv* zweimal;

~ **as much/many** doppelt
so viel/viele

twig [twɪg] s Zweig m

twilight ['twaɪlaɪt] s Dämmerung f

twin [twɪn] **1.** s Zwilling m
2. Adj Zwillings-; ~ **beds**
zwei Einzelbetten

twinkle ['twɪŋkl] vi funkeln

twin room ['twɪn'ruːm] s
Zweibettzimmer n; **twin
town** s Partnerstadt f

twist [twɪst] vt drehen, winden; (Wahrheit) verdrehen;
I've ~ed my ankle ich bin
mit dem Fuß umgeknickt

two [tuː] **1.** Zahl zwei; **break
sth in** ~ etw in zwei Teile
brechen **2.** ~ Zwei f; **the ~
of them** die beiden; →

eight; **two-dimensional**
Adj zweidimensional; fig
oberflächlich; **two-piece**
Adj zweiteilig; **two-way**
Adj ~ **traffic** Gegenverkehr

type [taɪp] s Typ m; Art f;
Schrift(art) f; **he's not my** ~
er ist nicht mein Typ; **typeface** s Schrift(art) f; **type-
writer** s Schreibmaschine f

typhoid ['taɪfɔɪd] s Typhus m

typhoon [taɪ'fuːn] s Taifun m

typical ['tɪpɪkəl] Adj typisch
(of für)

typing error ['taɪpɪŋerəʳ] s
Tippfehler m

tyre [taɪəʳ] s (Brit) Reifen
m; **tyre pressure** s Reifendruck m

Tyrol [tɪ'rəʊl] s **the** ~ Tirol n

U

UFO ['juːfəʊ] Akr = **uniden-
tified flying object**; Ufo n

Uganda [juː'gændə] s Uganda n

ugly ['ʌglɪ] Adj hässlich;
(übel) schlimm

UHT Abk = **ultra-heat
treated**; ~ **milk** H-Milch f

UK Abk = **United Kingdom**

Ukraine [juː'kreɪn] s **the** ~
die Ukraine

ulcer ['ʌlsəʳ] s Geschwür n

ultimate ['ʌltɪmət] Adj letz-
te(r, s); (Autorität) höchs-
te(r, s); **ultimately** Adv
letzten Endes; schließlich;
ultimatum [ʌltɪ'meɪtəm] s

Ultimatum n

ultra- ['ʌltrə] Präfix ultra-

ultrasound ['ʌltrəsaʊnd] s
MED Ultraschall m

umbrella [ʌm'brelə] s
Schirm m

umpire ['ʌmpaɪəʳ] s Schieds-
richter(in) m(f)

umpteen ['ʌmptiːn] Zahl
umg zig; ~ **times** zigmal

un- [ʌn] Präfix un-

UN nsing Abk = **United Nations**; UNO f

unable [ʌn'eɪbl] Adj **be** ~ **to
do sth** etw nicht tun können

unacceptable [ʌnə'ksept-
əbl] Adj unannehmbar

unaccustomed [ʌnəˈkʌstəmd] *Adj* **be ~ to sth** etw nicht gewohnt sein

unanimous, unanimously [juːˈnænɪməs, -lɪ] *Adj, Adv* einmütig

unattached [ʌnəˈtætʃt] *Adj* ungebunden

unattended [ʌnəˈtendɪd] *Adj* unbeaufsichtigt

unauthorized [ʌnˈɔːθəraɪzd] *Adj* unbefugt

unavailable [ʌnəˈveɪləbl] *Adj* nicht erhältlich; (*Person*) nicht erreichbar

unavoidable [ʌnəˈvɔɪdəbl] *Adj* unvermeidlich

unaware [ʌnəˈweəʳ] *Adj* **be ~ of sth** sich einer Sache *Gen* nicht bewusst sein; **I was ~ that ...** ich wusste nicht, dass ...

unbalanced [ʌnˈbælənst] *Adj* unausgewogen

unbearable [ʌnˈbeərəbl] *Adj* unerträglich

unbeatable [ʌnˈbiːtəbl] *Adj* unschlagbar

unbelievable [ʌnbɪˈliːvəbl] *Adj* unglaublich

uncertain [ʌnˈsɜːtən] *Adj* unsicher

uncle [ˈʌŋkl] *s* Onkel *m*

uncomfortable [ʌnˈkʌmfətəbl] *Adj* unbequem

unconditional [ʌnkənˈdɪʃnl] *Adj* bedingungslos

unconscious [ʌnˈkɒnʃəs] *Adj* MED bewusstlos; **be ~ of sth** sich einer Sache *Gen* nicht bewusst sein; **unconsciously** *Adv* unbewusst

uncover [ʌnˈkʌvəʳ] *vt* aufdecken

undecided [ʌndɪˈsaɪdɪd] *Adj* unschlüssig

undeniable [ʌndɪˈnaɪəbl] *Adj* unbestreitbar

under [ˈʌndəʳ] **1.** *Präp* unter + *Dat*; (*mit Bewegung*) unter + *Akk*; **~ an hour** weniger als eine Stunde **2.** *Adv* unten; darunter; **children aged eight and ~** Kinder bis zu acht Jahren; **under-age** *Adj* minderjährig

undercarriage [ˈʌndəkærɪdʒ] *s* Fahrgestell *n*

underdog [ˈʌndədɒg] *s* Unterlegene(r) *mf*, Außenseiter(in) *m(f)*

underdone [ʌndəˈdʌn] *Adj* GASTR nicht gar/durch

underestimate [ʌndərˈestɪmeɪt] *vt* unterschätzen

underexposed [ʌndərɪksˈpəʊzd] *Adj* FOTO unterbelichtet

undergo [ʌndəˈgəʊ] *unreg vt* (*Erfahrung*) durchmachen; (*einer Operation, einem Test*) sich unterziehen + *Dat*

undergraduate [ʌndəˈgrædjuət] *s* Student(in) *m(f)*

underground [ˈʌndəgraʊnd] **1.** *Adj* unterirdisch **2.** *s* (*Brit*) U-Bahn *f*; **underground station** *s* U-Bahn-Station *f*

underlie [ʌndəˈlaɪ] *unreg vt* zugrunde liegen + *Dat*

underline [ʌndəˈlaɪn] *vt* unterstreichen

underlying [ʌndəˈlaɪɪŋ] *Adj*

zugrunde liegend

underneath [ʌndəˈniːθ] **1.** Präp unter + Dat; (mit Bewegung, Richtung) unter + Akk **2.** Adv darunter

underpants [ˈʌndəpænts] npl Unterhose f; **undershirt** s (US) Unterhemd n; **undershorts** npl (US) Unterhose f

understand [ʌndəˈstænd] unreg vt, vi verstehen; **I ~ that ...** (weiß) ich habe gehört, dass ...; (verstehe) ich habe Verständnis dafür, dass ...; **make oneself understood** sich verständlich machen; **understanding** Adj verständnisvoll

undertake [ʌndəˈteɪk] unreg vt (Aufgabe) übernehmen; **~ to do sth** sich verpflichten, etw zu tun; **undertaker** s Leichenbestatter(in) m(f); **~'s** Bestattungsinstitut n

underwater [ʌndəˈwɔːtəˈ] **1.** Adv unter Wasser **2.** Adj Unterwasser-

underwear [ˈʌndəwɛəˈ] s Unterwäsche f

undo [ʌnˈduː] unreg vt (Schnürsenkel etc) aufmachen; (jds Arbeit) zunichte machen; II rückgängig machen

undoubtedly [ʌnˈdaʊtɪdlɪ] Adv zweifellos

undress [ʌnˈdres] **1.** vt ausziehen **2.** vi sich ausziehen

unearth [ʌnˈɜːθ] vt ausgraben; (finden) aufstöbern

unease [ʌnˈiːz] s Unbeha-

gen n; **uneasy** Adj unbehaglich; **I'm ~ about it** mir ist nicht wohl dabei

unemployed [ʌnɪmˈplɔɪd] **1.** Adj arbeitslos **2.** npl **the ~** die Arbeitslosen Pl; **unemployment** [ʌnɪmˈplɔɪmənt] s Arbeitslosigkeit f; **unemployment benefit** s Arbeitslosengeld n

unequal [ʌnˈiːkwəl] Adj ungleich

uneven [ʌnˈiːvən] Adj uneben; (Wettkampf) ungleich

unexpected [ʌnɪkˈspektɪd] Adj unerwartet

unfamiliar [ʌnfəˈmɪljəˈ] Adj **be ~ with sb/sth** jdn/etw nicht kennen

unfasten [ʌnˈfɑːsn] vt aufmachen

unfit [ʌnˈfɪt] Adj ungeeignet (for für); nicht fit

unforeseen [ʌnfɔːˈsiːn] Adj unvorhergesehen

unforgettable [ʌnfəˈgetəbl] Adj unvergesslich

unforgivable [ʌnfəˈgɪvəbl] Adj unverzeihlich

unfortunate [ʌnˈfɔːtʃnət] Adj unglücklich; **it is ~ that** es ist bedauerlich, dass; **unfortunately** Adv leider

unfounded [ʌnˈfaʊndɪd] Adj unbegründet

unhappy [ʌnˈhæpɪ] Adj unglücklich; unzufrieden

unhealthy [ʌnˈhelθɪ] Adj ungesund

unheard-of [ʌnˈhɜːdɒv] Adj gänzlich unbekannt; (schockierend) unerhört

unhitch [ʌn'hɪtʃ] vt (*Anhänger etc*) abkoppeln

unhurt [ʌn'hɜːt] Adj unverletzt

uniform [ju:nɪfɔːm] **1.** s Uniform f **2.** Adj einheitlich

unify [ju:nɪfaɪ] vt vereinigen

unimportant [ʌnɪm'pɔːtənt] Adj unwichtig

uninhabited [ʌnɪn'hæbɪtɪd] Adj unbewohnt

uninstall [ʌnɪn'stɔːl] vt IT deinstallieren

unintentional [ʌnɪn'tenʃənl] Adj unabsichtlich

union [ju:njən] s Vereinigung f; (*politisch*) Union f

unique [ju:'niːk] Adj einzigartig

unit [ju:nɪt] s Einheit f; (*von Maschine, System*) Teil n; (*in Schule*) Lektion f

unite [ju:'naɪt] **1.** vt vereinigen; *the United Kingdom* das Vereinigte Königreich; *the United Nations Pl* die Vereinten Nationen Pl; *the United States (of America) Pl* die Vereinigten Staaten (*von Amerika*) Pl **2.** vi sich vereinigen

universe [ju:nɪvɜːs] s Universum n

university [ju:nɪ'vɜːsɪtɪ] s Universität f

unkind [ʌn'kaɪnd] Adj unfreundlich (*to* zu)

unknown [ʌn'nəʊn] Adj unbekannt (*to* + *Dat*)

unleaded [ʌn'ledɪd] Adj bleifrei

unless [ən'les] Konj es sei denn, wenn ... nicht; *don't do it ... I tell you to* mach das nicht, es sei denn, ich sage es dir; *~ I'm mistaken ...* wenn ich mich nicht irre ...

unlicensed [ʌn'laɪsənst] Adj (*Kneipe*) ohne Lizenz

unlike [ʌn'laɪk] Präp im Gegensatz zu; *it's ~ her to be late* es sieht ihr gar nicht ähnlich, zu spät zu kommen; *unlikely* [ʌn'laɪklɪ] Adj unwahrscheinlich

unload [ʌn'ləʊd] vt ausladen

unlock [ʌn'lɒk] vt aufschlie-

Union Jack

Der Name der Flagge des Vereinigten Königreichs, **Union Jack**, bezieht sich auf die Vereinigung (**union**) Englands und Schottlands im Jahr 1707 sowie auf den Flaggenstaat von Schiffen (**jack staff**). Die Flagge kann man sich aus drei übereinander liegenden Flaggen zusammengesetzt vorstellen, der von **St George** für England (rotes Kreuz auf weißem Hintergrund), der von **St Andrew** für Schottland (zwei diagonale weiße Streifen, die sich auf einem blauen Hintergrund kreuzen) und der von **St Patrick** für Nordirland (zwei diagonale rote Streifen auf weißem Hintergrund).

ßen

unlucky [ʌnˈlʌkɪ] *Adj* unglücklich; *be* ~ Pech haben

unmistakable [ʌnmɪˈsteɪkəbl] *Adj* unverkennbar

unnecessary [ʌnˈnesəsərɪ] *Adj* unnötig

unoccupied [ʌnˈɒkjʊpaɪd] *Adj* frei; leer stehend

unpack [ʌnˈpæk] *vt, vi* auspacken

unpleasant [ʌnˈpleznt] *Adj* unangenehm

unplug [ʌnˈplʌg] *vt* ~ *sth* den Stecker von etw herausziehen

unprecedented [ʌnˈpresɪdəntɪd] *Adj* beispiellos

unpredictable [ʌnprɪˈdɪktəbl] *Adj* unberechenbar

unreasonable [ʌnˈriːznəbl] *Adj* unvernünftig; *(Forderung)* übertrieben

unreliable [ʌnrɪˈlaɪəbl] *Adj* unzuverlässig

unsafe [ʌnˈseɪf] *Adj* nicht sicher; gefährlich

unscrew [ʌnˈskruː] *vt* abschrauben

unskilled [ʌnˈskɪld] *Adj (Arbeiter)* ungelernt

unsuccessful [ʌnsəkˈsesful] *Adj* erfolglos

unsuitable [ʌnˈsuːtəbl] *Adj* ungeeignet *(for* für*)*

until [ʌnˈtɪl] **1.** *Präp* bis; *not* ~ erst; *from Monday* ~ *Friday* von Montag bis Freitag; *he didn't come home* ~ *midnight* er kam erst um Mitternacht nach Hause; ~ *then* bis dahin **2.** *Konj* bis;

she won't come ~ *you invite her* sie kommt erst, wenn du sie einlädst

unusual, unusually [ʌnˈjuːʒʊəl, -ɪ] *Adj, Adv* ungewöhnlich

unwanted [ʌnˈwɒntɪd] *Adj* unerwünscht, ungewollt

unwell [ʌnˈwel] *Adj* krank; *feel* ~ sich nicht wohl fühlen

unwilling [ʌnˈwɪlɪŋ] *Adj* *be* ~ *to do sth* nicht bereit sein, etw zu tun

unwind [ʌnˈwaɪnd] *unreg* **1.** *vt* abwickeln **2.** *vi (abschalten)* sich entspannen

unwrap [ʌnˈræp] *vt* auspacken

unzip [ʌnˈzɪp] *vt* den Reißverschluss aufmachen an + *Dat*; entzippen

up [ʌp] **1.** *Präp* *climb* ~ *a tree* einen Baum hinaufklettern; *go* ~ *the street/the stairs* die Straße entlanggehen/die Treppe hinaufgehen; *further* ~ *the hill* weiter oben auf dem Berg **2.** *Adv* oben; *(Richtung)* nach oben; *(aus dem Bett)* auf; ~ *there* dort oben; ~ *and down (gehen, hüpfen)* auf und ab; *what's* ~? *umg* was ist los?; *up to £100* bis zu 100 Pfund; *what's she* ~ *to?* was macht sie da?; *(bei Plan)* was hat sie vor?; *it's* ~ *to you* das liegt bei dir; *I don't feel* ~ *to it* ich fühle mich dem nicht gewachsen

upbringing [ˈʌpbrɪŋɪŋ] *s* Er-

ziehung f
update [ˈʌpˈdeɪt] **1.** s Aktualisierung f, Update n **2.** vt aktualisieren

upgrade [ʌpˈɡreɪd] vt (Computer) aufrüsten; **we were ~d** das Hotel hat uns ein besseres Zimmer gegeben

upheaval [ʌpˈhiːvəl] s Aufruhr m; POL Umbruch m

uphill [ʌpˈhɪl] Adv bergauf

upon [əˈpɒn] Präp → **on**

upper [ˈʌpəʳ] Adj obere(r, s); Ober-

upright [ˈʌpraɪt] Adj, Adv aufrecht

uprising [ˈʌpraɪzɪŋ] s Aufstand m

uproar [ˈʌprɔːʳ] s Aufruhr m

upset [ʌpˈset] **1.** unreg vt umkippen; (beunruhigen) aufregen; (traurig machen) bestürzen; (beleidigen) kränken; (Pläne) durcheinander bringen **2.** Adj (beunruhigt) aufgeregt; (traurig) bestürzt; (beleidigt) gekränkt; **~ stomach** (beunruhigt) Magenverstimmung f

upside down [ˈʌpsaɪdˈdaʊn] Adv verkehrt herum; fig drunter und drüber; **turn sth ~** (Kiste etc) etw umdrehen/durchwühlen

upstairs [ʌpˈstɛəz] Adv oben; nach oben

up-to-date [ˈʌptəˈdeɪt] Adj modern; aktuell; **keep sb ~** jdn auf dem Laufenden halten

upwards [ˈʌpwədz] Adv nach oben

urban [ˈɜːbən] Adj städtisch, Stadt-

urge [ɜːdʒ] **1.** s Drang m **2.** vt **~ sb to do sth** jdn drängen, etw zu tun; **urgent**, **urgently** [ˈɜːdʒənt, -lɪ] Adj, Adv dringend

urine [ˈjʊərɪn] s Urin m

us [ʌs] Pron uns; **can he help ~?** kann er uns helfen?; **it's ~** wir sind's; **both of ~** wir beide

US, USA nsing Abk = **United States (of America)**; USA Pl

use 1. s [juːs] Gebrauch m, Verwendung f; **in/out of ~** in/außer Gebrauch; **it's no ~ (doing sth)** es hat keinen Zweck(, das zu tun); **it's (of) no ~ to me** das kann ich nicht brauchen **2.** [juːz] vt benutzen, gebrauchen; verwenden; (Methode, Wissen) anwenden; **use up** vt aufbrauchen

used [juːzd] **1.** Adj gebraucht **2.** vhilf **be ~d to sb/sth** an jdn/etw gewöhnt sein; **get ~ to sb/sth** sich an jdn/etw gewöhnen; **she ~d to live here** sie hat früher mal hier gewohnt; **useful** Adj nützlich; **useless** Adj nutzlos; unbrauchbar; (Widerspruch) zwecklos; **user** [ˈjuːzəʳ] s Benutzer(in) m(f); **user-friendly** Adj benutzerfreundlich

usual [ˈjuːʒʊəl] Adj üblich, gewöhnlich; **as ~** wie üblich; **usually** Adv normalerweise

utensil [juːˈtensl] s Gerät n
uterus [ˈjuːtərəs] s Gebärmutter f
utilize [ˈjuːtɪlaɪz] vt verwenden
utmost [ˈʌtməʊst] Adj äu-

ßerst
utter [ˈʌtə] 1. Adj völlig 2. vt von sich geben; **utterly** Adv völlig
U-turn [ˈjuːtɜːn] s AUTO Wende f; **do a ~** wenden

V

vacancy [ˈveɪkənsɪ] s offene Stelle; (Hotel) freies Zimmer; **vacant** [ˈveɪkənt] Adj (Zimmer, Sitz) frei; (Stelle) offen; (Haus) leer stehend; **vacate** [vəˈkeɪt] vt räumen; (Sitz) frei machen
vacation [vəˈkeɪʃən] s (US) Ferien Pl, Urlaub m; (Universität) (Semester)ferien Pl; **go on ~** in Urlaub fahren
vaccinate [ˈvæksɪneɪt] vt impfen; **vaccination** [væksɪˈneɪʃən] s Impfung f; **~ card** Impfpass m
vacuum [ˈvækjʊm] 1. s Vakuum n 2. vt, vi (staub)saugen; **vacuum cleaner** s Staubsauger m
vagina [vəˈdʒaɪnə] s Scheide f
vague [veɪg] Adj vage; (Ähnlichkeit) entfernt; **vaguely** Adv in etwa, irgendwie
vain [veɪn] Adj (Versuch etc) vergeblich; (Mensch) eitel; **vainly** Adv vergeblich
valid [ˈvælɪd] Adj gültig; (Grund etc) stichhaltig
valley [ˈvælɪ] s Tal m
valuable [ˈvæljʊəbl] Adj

wertvoll; (Zeit) kostbar; **valuables** npl Wertsachen Pl
value [ˈvæljuː] 1. s Wert m 2. vt (Freundschaft etc) schätzen; **value added tax** s Mehrwertsteuer f
valve [vælv] s Ventil n
van [væn] s AUTO Lieferwagen m
vanilla [vəˈnɪlə] s Vanille f
vanish [ˈvænɪʃ] vi verschwinden
vanity [ˈvænɪtɪ] s Eitelkeit f; **vanity case** s Schminkkoffer m
vapor (US), **vapour** [ˈveɪpə] s Dunst m, Dampf m
variable [ˈveərɪəbl] Adj unbeständig; (Qualität) unterschiedlich; (Höhe etc) regulierbar; **varied** [ˈveərɪd] Adj vielseitig; (Karriere) bewegt; (Arbeit, Ernährung) abwechslungsreich; **variety** [vəˈraɪətɪ] s Abwechslung f, Vielfalt f (of an + Dat); (Pflanzen, Tiere) Art f; **various** [ˈveərɪəs] Adj verschieden
varnish [ˈvɑːnɪʃ] 1. s Lack m 2. vt lackieren

vest

vary ['veəri] **1.** vt verändern **2.** vi unterschiedlich sein; sich verändern; (Preise etc) schwanken

vase [vɑːz, US veiz] s Vase f

vast [vɑːst] Adj riesig; weit

VAT Abk = **value added tax**, Mehrwertsteuer f, MwSt.

Vatican ['vætikən] s **the ~** der Vatikan

VCR Abk = **video cassette recorder**, Videorekorder m

veal [viːl] s Kalbfleisch n

vegan ['viːgən] s Veganer(in) m(f)

vegetable ['vedʒətəbl] s Gemüse n

vegetarian [vedʒɪ'teəriən] **1.** s Vegetarier(in) m(f) **2.** Adj vegetarisch

vehicle ['viːɪkl] s Fahrzeug n

veil [veil] s Schleier m

vein [vein] s Ader f

Velcro® ['velkrəu] s (Verschluss) Klettband n

velvet ['velvit] s Samt m

vending machine ['vendɪŋməʃiːn] s Automat m

venereal disease [vɪ'nɪərɪəldɪziːz] s Geschlechtskrankheit f

venetian blind [vɪ'niːʃən'blaind] s Jalousie f

Venezuela [vene'zweilə] s Venezuela n

vengeance ['vendʒəns] s Rache f

Venice ['venis] s Venedig n

venison ['venisn] s Rehfleisch n

vent [vent] s Öffnung f

ventilate ['ventileit] vt lüf-

ten; **ventilation** [ventɪ'leiʃən] s Belüftung f; **ventilator** ['ventileitəʳ] s Ventilator m; **be on a ~** künstlich beatmet werden

venture ['ventʃəʳ] **1.** s Unternehmung f; WIRTSCH Unternehmen n **2.** vi (sich) wagen

venue ['venjuː] s Veranstaltungsort m

verb [vɜːb] s Verb n

verdict ['vɜːdɪkt] s Urteil n

verge [vɜːdʒ] **1.** s (Straßen)rand m; **be on the ~ of doing sth** im Begriff sein, etw zu tun **2.** vi **~ on** grenzen an + Akk

verification [verɪfɪ'keiʃən] s Bestätigung f; Überprüfung f; **verify** ['verifai] vt bestätigen; überprüfen

vermin ['vɜːmin] npl Schädlinge Pl, Ungeziefer n

verruca [ve'ruːkə] s Warze f

versatile ['vɜːsətail] Adj vielseitig

verse [vɜːs] s Poesie f; (von Gedicht, Lied) Strophe f

version ['vɜːʃən] s Version f

versus ['vɜːsəs] Präp gegen; im Gegensatz zu

vertical ['vɜːtikəl] Adj senkrecht, vertikal

very ['veri] **1.** Adv sehr; **~ much** sehr **2.** Adj the **~ book I need** genau das Buch, das ich brauche; **at that ~ moment** gerade in dem Augenblick; **at the ~ top** ganz oben; **the ~ best** der/die/das Allerbeste

vest [vest] s (Brit) Unterhemd *n*; (*US*) Weste *f*

vet [vet] *s* Tierarzt *m*, Tierärztin *f*

veto (-es *Pl*) ['viːtəʊ] **1.** *s* Veto *n* **2.** *vt* sein Veto einlegen gegen

via ['vaɪə] *Präp* über + *Akk*

vibrate [vaɪ'breɪt] *vi* vibrieren; **vibration** [vaɪ'breɪʃən] *s* Vibration *f*

vicar ['vɪkə'] *s* Pfarrer(in) *m(f)*

vice [vaɪs] **1.** *s* Laster *n* **2.** *Präfix* Vize-; **~-chairman** stellvertretender Vorsitzender; **~-president** Vizepräsident(in) *m(f)*

vice versa ['vaɪs'vɜːsə] *Adv* umgekehrt

vicinity [vɪ'sɪnɪtɪ] *s* **in the ~** in der Nähe (*of* + *Gen*)

vicious ['vɪʃəs] *Adj* brutal; gemein; **vicious circle** *s* Teufelskreis *m*

victim ['vɪktɪm] *s* Opfer *n*

victory ['vɪktərɪ] *s* Sieg *m*

video (-s *Pl*) ['vɪdɪəʊ] **1.** *Adj* Video- **2.** *s* Video *n*; (*Gerät*) Videorekorder *m* **3.** *vt* (auf Video) aufnehmen; **video camera** *s* Videokamera *f*; **video cassette** *s* Videokassette *f*; **video clip** *s* Videoclip *m*; **video recorder** *s* Videorekorder *m*; **video-tape** **1.** *s* Videoband *n* **2.** *vt* (auf Video) aufnehmen

Vienna [vɪ'enə] *s* Wien *n*

Vietnam [vjet'næm] *s* Vietnam *n*

view [vjuː] **1.** *s* Blick *m* (*of* auf + *Akk*), Aussicht *f*;

(*über etw*) Meinung *f*; **in ~ of** angesichts + *Gen* **2.** *vt* betrachten; (*Haus*) besichtigen; **viewer** *s* (*für Dias*) Diabetrachter *m*; TV Zuschauer(in) *m(f)*; **viewpoint** *s fig* Standpunkt *m*

village ['vɪlɪdʒ] *s* Dorf *n*

villain ['vɪlən] *s* Schurke *m*; (*in Film etc*) Bösewicht *m*

vinegar ['vɪnɪgə'] *s* Essig *m*

vineyard ['vɪnjəd] *s* Weinberg *m*

vintage ['vɪntɪdʒ] *s* (*von Wein*) Jahrgang *m*

violate ['vaɪəleɪt] *vt* (*Rechte, Regeln*) verletzen

violence ['vaɪələns] *s* Gewalt *f*; (*von Person*) Gewalttätigkeit *f*; **violent** *Adj* brutal; (*Tod*) gewaltsam

violet ['vaɪələt] *s* Veilchen *n*; (*Farbe*) Violett *n*

violin [vaɪə'lɪn] *s* Geige *f*, Violine *f*

virgin ['vɜːdʒɪn] *s* Jungfrau *f*

Virgo ['vɜːgəʊ] *s* ASTR Jungfrau *f*

virtual ['vɜːtjʊəl] *Adj* IT virtuell; **virtually** *Adv* praktisch

virtue ['vɜːtjuː] *s* Tugend *f*; **by ~ of** aufgrund + *Gen*; **virtuous** ['vɜːtjʊəs] *Adj* tugendhaft

virus ['vaɪrəs] *s* MED, IT Virus *m*

visa ['viːzə] *s* Visum *n*

visibility [vɪzɪ'bɪlɪtɪ] *s* METEO Sichtweite *f*; **good/poor ~** gute/schlechte Sicht; **visible** ['vɪzəbl] *Adj* sichtbar; sicht-

vulture

lich; **visibly** *Adv* sichtlich
vision ['vɪʒən] *s* Sehvermögen *n*; *(Voraussicht)* Weitblick *m*; *(Traum, Fantasie)* Vision *f*
visit ['vɪzɪt] **1.** *s* Besuch *m*, Aufenthalt *m* **2.** *vt* besuchen; **visiting hours** *npl* Besuchszeiten *Pl*; **visitor** *s* Besucher(in) *m(f)*; **~'s book** Gästebuch *n*
visual ['vɪzjʊəl] *Adj* Seh-, visuell; **visualize** *vt* sich vorstellen; **visually** *Adv* visuell; **~ impaired** sehbehindert
vital ['vaɪtl] *Adj* unerlässlich, wesentlich; *(Moment etc)* entscheidend; **vitality** [vaɪ'tælɪtɪ] *s* Vitalität *f*; **vitally** *Adv* äußerst
vitamin ['vɪtəmɪn] *s* Vitamin *n*
vivid ['vɪvɪd] *Adj* anschaulich; *(Fantasie etc)* lebhaft
V-neck ['viːnek] *s* V-Ausschnitt *m*
vocabulary [vəʊ'kæbjʊlərɪ] *s* Wortschatz *m*, Vokabular *n*
vocal ['vəʊkəl] *Adj* Stimm-; Gesangs-; *(Protest)* lautstark
vocation [vəʊ'keɪʃən] *s* Berufung *f*; **vocational** *Adj* Berufs-
vodka ['vɒdkə] *s* Wodka *m*
voice [vɔɪs] **1.** *s* Stimme *f* **2.** *vt* äußern
void [vɔɪd] **1.** *s* Leere *f* **2.** *Adj* JUR ungültig
volcano *(-es Pl)* [vɒl'keɪnəʊ] *s* Vulkan *m*

volt [vəʊlt] *s* Volt *n*; **voltage** *s* Spannung *f*
volume ['vɒljuːm] *s* Lautstärke *f*; *(Container etc)* Volumen *n*; *(Geschäft etc)* Umfang *m*; *(Buch)* Band *m*; **volume control** *s* Lautstärkeregler *m*
voluntary, voluntarily ['vɒləntərɪ, -ɪlɪ] *Adj, Adv* freiwillig; *(Arbeit)* ehrenamtlich; **volunteer** [vɒlən'tɪə] **1.** *s* Freiwillige(r) *mf* **2.** *vi* sich freiwillig melden
voluptuous [və'lʌptjʊəs] *Adj* sinnlich
vomit ['vɒmɪt] *vi* sich übergeben
vote [vəʊt] **1.** *s* Stimme *f*; *(Vorgang)* Wahl *f*; *(Ausgang)* Abstimmungsergebnis *n*; *(als Bürgerrecht)* Wahlrecht *n* **2.** *vt (bei Abstimmung)* wählen; **they ~d him chairman** sie wählten ihn zum Vorsitzenden **3.** *vi* wählen; **~ for/against sth** für/gegen etw stimmen; **voter** *s* Wähler(in) *m(f)*
voucher ['vaʊtʃə] *s* Gutschein *m*
vow [vaʊ] *s* Gelöbnis *n*
vowel ['vaʊəl] *s* Vokal *m*
voyage ['vɔɪɪdʒ] *s* Reise *f*
vulgar ['vʌlgə] *Adj* vulgär, ordinär
vulnerable ['vʌlnərəbl] *Adj* verwundbar; verletzlich
vulture ['vʌltʃə] *s* Geier *m*

W

wade [weɪd] *vi* waten

wafer ['weɪfər] *s* Waffel *f*; REL Hostie *f*; **wafer-thin** *Adj* hauchdünn

waffle ['wɒfl] *s* Waffel *f*; (*Brit*) *umg* Geschwafel *n*

wag [wæg] *vt* wedeln mit

wage [weɪdʒ] *s* Lohn *m*

waggon (*Brit*), **wagon** ['wægən] *s* Fuhrwerk *n*; (*Brit*) BAHN Waggon *m*; (*US*) AUTO Wagen *m*

waist [weɪst] *s* Taille *f*; **waistcoat** *s* (*Brit*) Weste *f*; **waistline** *s* Taille *f*

wait [weɪt] **1.** *s* Wartezeit *f* **2.** *vi* warten (*for* auf + *Akk*); ~ **and see** abwarten; ~ **a minute** Moment mal!; **wait up** *vi* aufbleiben

waiter *s* Kellner *m*

waiting *s* **'no** ~' „Halteverbot"; **waiting list** *s* Warteliste *f*; **waiting room** *s* MED Wartezimmer *n*; BAHN Wartesaal *m*

waitress *s* Kellnerin *f*

wake (**woke** *od* **waked**, **woken** *od* **waked**) [weɪk, wəʊk, 'wəʊkən] **1.** *vt* wecken **2.** *vi* aufwachen; **wake up 1.** *vt* aufwecken **2.** *vi* aufwachen; **wake-up call** *s* TEL Weckruf *m*

Wales [weɪlz] *s* Wales *n*

walk [wɔːk] **1.** *s* Spaziergang *m*; (*länger*) Wanderung *f*; (*Strecke*) Weg *m*; **go for a** ~ spazieren gehen; ***it's only a five-minute*** ~ es sind nur fünf Minuten zu Fuß **2.** *vi* gehen; spazieren gehen; wandern **3.** *vt* (*Hund*) ausführen; **walking** *s* **go** ~ wandern; **walking shoes** *npl* Wanderschuhe *Pl*

wall [wɔːl] *s* (*in Zimmer*) Wand *f*; (*im Freien*) Mauer *f*

wallet ['wɒlɪt] *s* Brieftasche *f*

wallpaper ['wɔːlpeɪpər] *s* Tapete *f*; IT Bildschirmhintergrund *m* **2.** *vt* tapezieren

walnut ['wɔːlnʌt] *s* Walnuss *f*

waltz [wɔːlts] *s* Walzer *m*

wander ['wɒndər] *vi* herumwandern

want [wɒnt] **1.** *s* Mangel *m* (*of* an + *Dat*), Bedürfnis *n*; **for** ~ **of** aus Mangel an + *Dat* **2.** *vt* wollen; (*benötigen*) brauchen; **he doesn't** ~ **to** er will nicht

WAP phone ['wæpfəʊn] *s* WAP-Handy *n*

war [wɔːr] *s* Krieg *m*

ward [wɔːd] *s* (*in Klinik*) Station *f*; (*Kind*) Mündel *n*

warden ['wɔːdən] *s* Aufseher(in) *m(f)*; (*in Jugendherberge*) Herbergsvater *m*, Herbergsmutter *f*

wardrobe ['wɔːdrəʊb] *s* Kleiderschrank *m*

warehouse ['weəhaʊs] *s* Lagerhaus *n*

warfare ['wɔːfeər] *s* Krieg

m, Kriegsführung *f*
warm [wɔːm] 1. *Adj* warm;
herzlich; **I'm ~** mir ist warm
2. *vt* wärmen; (*Essen*) aufwärmen; **warm over** *vt*
(*US, Essen*) aufwärmen;
warm up 1. *vt* (*Essen*) aufwärmen; (*Zimmer*) erwär-
men 2. *vi* (*Essen, Zimmer*)
warm werden; SPORT sich
aufwärmen; **warmly** *Adv*
warm; herzlich; **warmth** *s*
Wärme *f*, Herzlichkeit *f*
warn [wɔːn] *vt* warnen (*of,
against* vor + *Dat*); **~ sb not
to do sth** jdn davor warnen,
etw zu tun; **warning** *s* Warnung *f*; **warning light** *s*
Warnlicht *n*; **warning triangle** *s* AUTO Warndreieck *n*
warranty ['wɔrəntɪ] *s* Garantie *f*
wart [wɔːt] *s* Warze *f*
wary ['weərɪ] *Adj* vorsichtig;
(*Blick etc*) misstrauisch
was [wɒz, wəz] *pt von* **be**
wash [wɒʃ] 1. *s* **have a ~** sich
waschen; **it's in the ~** es ist
in der Wäsche 2. *vt* wa-
schen; (*Geschirr*) abwa-
schen; **~ the dishes** (das
Geschirr) abwaschen 3. *vi*
sich waschen; **wash off** *vt*
abwaschen; **wash up** *vi*
(*Brit, Geschirr*) abwaschen;
(*US*) sich waschen; **washable** *Adj* waschbar; **washbag**
s (*US*) Kulturbeutel *m*;
washbasin *s* Waschbecken
n; **washcloth** *s* (*US*) Waschlappen *m*; **washer** *s* TECH
Dichtungsring *m*; (*Gerät*)

Waschmaschine *f*; **washing**
s Wäsche *f*; **washing machine** *s* Waschmaschine *f*;
washing powder *s* Waschpulver *n*; **washing-up** *n*
(*Brit*) Abwasch *m*; **do the ~**
abwaschen; **washing-up
liquid** *s* (*Brit*) Spülmittel *n*;
washroom *s* (*US*) Toilette *f*
wasn't ['wɒznt] *Kontr von*
was not
wasp [wɒsp] *s* Wespe *f*
waste [weɪst] 1. *s* Abfall *m*,
Verschwendung *f*; **it's a ~
of time** das ist Zeitver-
schwendung 2. *Adj* über-
schüssig 3. *vt* verschwenden (*on an* + *Akk*); (*Chance*) vertun; **waste bin** *s*
Abfalleimer *m*; **wastepaper basket** *s* Papierkorb *m*
watch [wɒtʃ] 1. *s* (*Armband*)uhr *f* 2. *vt* beobachten; aufpassen auf + *Akk*;
(*Film etc*) sich ansehen; **~
TV** fernsehen 3. *vi* zusehen;
Wache halten; **~ for sb/sth**
nach jdm/etw Ausschau
halten; **~ out** pass auf!;
watchdog *s* Wachhund *m*;
watchful *Adj* wachsam
water ['wɔːtə] 1. *s* Wasser
n; **~s** *Pl* Gewässer *Pl* 2. *vt*
(*Pflanzen*) gießen 3. *vi*
(*Auge*) tränen; **my mouth
is ~ing** mir läuft das Wasser im Mund zusammen;
water down *vt* verdünnen;
watercolor (*US*), **watercolour** *s* Aquarell *n*; (*Farbe*)
Wasserfarbe *f*; **watercress**
s (Brunnen)kresse *f*; **water-**

fall s Wasserfall m; **watering can** s Gießkanne f;
water level s Wasserstand
m; **watermelon** s Wassermelone f; **waterproof** Adj
wasserdicht; **water-skiing** s
Wasserskilaufen n; **water
sports** npl Wassersport m;
watertight Adj wasserdicht;
water wings npl
Schwimmflügel Pl; **watery**
Adj wässerig

wave [weɪv] 1. s Welle f 2.
vt (Fahne etc) schwenken;
(Hand, Fahne) winken mit
3. vi (Person) winken;
(Flagge) wehen; **wavelength** s Wellenlänge f;
wavy ['weɪvɪ] Adj wellig

wax [wæks] s Wachs n; (im
Ohr) Ohrenschmalz n

way [weɪ] s Weg m, Richtung f; (Benehmen) Art f;
**can you tell me the ~ to
... ?** wie kommen ich (am
besten) zu ... ?; **we went
the wrong ~** wir sind in
die falsche Richtung gefahren/gegangen; **lose one's ~**
sich verirren; **make ~ for
sb/sth** jdm/etw Platz machen; **get one's own ~** seinen eigenen Willen durchsetzen;
'**give ~**' AUTO „Vorfahrt
achten"; **the other ~ round**
andersherum; **one ~ or another** irgendwie; **in a ~** in
gewisser Weise; **in the ~** im
Weg; **by the ~** übrigens; **~
in**' „Eingang"; **~ out**'
„Ausgang"; **no ~** umg
kommt nicht infrage!

we [wiː] Pron wir

weak [wiːk] Adj schwach;
weaken 1. vt schwächen 2.
vi schwächer werden

wealth [welθ] s Reichtum
m; **wealthy** Adj reich

weapon ['wepən] s Waffe f

wear (wore, worn) [weəʳ,
wɔːʳ, wɔːn] 1. vt (Kleidung
etc) tragen 2. vi sich abnutzen 3. s ~ **(and tear)** Abnutzung f; **wear off** vi (Gefühl etc) nachlassen; **wear
out** 1. vt abnutzen; (Person) erschöpfen 2. vi sich
abnutzen

weary ['wɪərɪ] Adj müde

weather ['weðəʳ] s Wetter n;
weather forecast s Wettervorhersage f

weave (wove or weaved,
woven or weaved) [wiːv,
wəʊv, 'wəʊvn] vt (Stoff)
weben; (Korb etc) flechten

web [web] s a. fig Netz n; **the
Web** das Web, das Internet;
webcam ['webkæm] s Webcam f; **web page** s Webseite f; **website** s Website f

we'd [wiːd] Kontr von **we
had**; **we would**

Wed Abk = **Wednesday**;
Mi.

wedding ['wedɪŋ] s Hochzeit f; **wedding anniversary** s Hochzeitstag m; **wedding dress** s Hochzeitskleid n; **wedding ring** s
Ehering m; **wedding
shower** s (US) Party für
die zukünftige Braut

wedge [wedʒ] s (unter Tür

etc) Keil *m*; (*Käse etc*) Stück *n*, Ecke *f*

Wednesday ['wenzdeɪ] *s* Mittwoch *m*; → **Tuesday**

wee [wiː] *Adj* (*schott*) klein

weed [wiːd] **1.** *s* Unkraut *n* **2.** *vt* jäten

week [wiːk] *s* Woche *f*; **twice a ~** zweimal in der Woche; **a ~ on Friday/Friday ~** Freitag in einer Woche; **in two ~s' time**, **in two ~s** in zwei Wochen; **weekday** *s* Wochentag *m*; **weekend** *s* Wochenende *n*; **weekly** *Adj*, *Adv* wöchentlich; Wochen-

weep [wiːp] (*wept*, *wept*) [wiːp, wept] *vi* weinen

weigh [weɪ] *vt*, *vi* wiegen; **weigh up** *vt* abwägen; (*Person*) einschätzen; **weight** [weɪt] *s* Gewicht *n*; **lose/put on ~** abnehmen/zunehmen; **weightlifting** *s* Gewichtheben *n*; **weight training** *s* Krafttraining *n*

weird [wɪəd] *Adj* seltsam; **weirdo** ['wɪədəʊ] *s* Spinner(in) *m(f)*

welcome ['welkəm] **1.** *s* Empfang *m* **2.** *Adj* willkommen; (*Nachricht*, *Neuigkeit etc*) angenehm; **~ to London** willkommen in London! **3.** *vt* begrüßen; **welcoming** *Adj* freundlich

welfare ['welfeəʳ] *s* Wohl *n*; (*US*) Sozialhilfe *f*; **welfare state** *s* Wohlfahrtsstaat *m*

well [wel] **1.** *s* Brunnen *m* **2.** *Adj* gesund; **are you ~?**

geht es dir gut?; **feel ~** sich wohl fühlen **3.** *Interj* nun; **~, I don't know** nun, ich weiß nicht **4.** *Adv* gut; **~ done** gut gemacht!; **it may ~ be** das kann wohl sein; **as ~** auch; **~ over 60** weit über 60

we'll [wiːl] *Kontr von* **we will**; **we shall**

well-behaved [welbɪ'heɪvd] *Adj* brav; **well-done** *Adj* (*Steak*) durchgebraten

wellingtons ['welɪŋtənz] *npl* Gummistiefel *Pl*

well-known ['welnəʊn] *Adj* bekannt; **well-off** *Adj* wohlhabend; **well-paid** *Adj* gut bezahlt

Welsh [welʃ] **1.** *Adj* walisisch **2.** *s* (*Sprache*) Walisisch *n*; **the ~** *Pl* die Waliser *Pl*; **Welshman** (*-men Pl*) *s* Waliser *m*; **Welshwoman** (*-women Pl*) *s* Waliserin *f*

went [went] *pt von* **go**

wept [wept] *pt*, *pp von* **weep**

were [wɜː] *pt von* **be**

we're [wɪəʳ] *Kontr von* **we are**

weren't [wɜːnt] *Kontr von* **were not**

west [west] **1.** *s* Westen *m* **2.** *Adv* (*Richtung*) nach Westen **3.** *Adj* West-; **westbound** *Adj* (in) Richtung Westen; **western 1.** *Adj* West-, westlich; **Western Europe** Westeuropa *n* **2.** *s* FILM Western *m*; **West Germany** *s* Westdeutschland *n*; **westwards** ['westwədz]

Adv nach Westen

wet (*wet*, *wet*) [wet] **1.** *vt* ~ **oneself** in die Hose machen **2.** *Adj* nass, feucht; ~ **paint'** „frisch gestrichen"; **wetsuit** *s* Taucheranzug *m*

we've [wiːv] *Kontr von* **we have**

whale [weɪl] *s* Wal *m*

wharf (*-s od* **wharves** *Pl*) [wɔːf, wɔːvz] *s* Kai *m*

what [wɒt] **1.** *Pron, Interj* was; **~'s your name?** wie heißt du?; **~ is the letter about?** worum geht es in dem Brief?; **~ are they talking about?** worüber reden sie?; **~ for?** wozu? **2.** *Adj* welche(r, s); **~ colour is it?** welche Farbe hat es?; *whatever Pron* I'll do **~ you want** ich tue alles, was du willst; **~ he says** egal, was er sagt

what's [wɒts] *Kontr von* **what is**; **what has**

wheat [wiːt] *s* Weizen *m*

wheel [wiːl] **1.** *s* Rad *n*; (*im Auto*) Lenkrad *n* **2.** *vt* (*Fahrrad*) schieben; **wheelchair** *s* Rollstuhl *m*; **wheel clamp** *s* Parkkralle *f*

when [wen] **1.** *Adv* (*in Fragen*) wann; **on the day ~** an dem Tag, als **2.** *Konj* wenn; (*bei Vergangenheit*) als; **~ I was younger** als ich jünger war; *whenever Adv* immer wenn; **come ~ you like** komm wann immer du willst

where [weər] **1.** *Adv* wo; **~**

are you going? wohin gehst du?; **~ are you from?** woher kommst du? **2.** *Konj* wo; **that's ~ I used to live** da habe ich früher gewohnt; **whereabouts** [weərə-'baʊts] **1.** *Adv* wo **2.** ['weərəbaʊts] *npl* Aufenthaltsort *m*; **whereas** [weər-'æz] *Konj* während, wohingegen; **wherever** [weər-'evər] *Konj* wo immer; **~ that may be** wo immer das sein mag

whether ['weðər] *Konj* ob

which [wɪtʃ] **1.** *Adj* welche(r, s); **~ car is yours?** welches Auto gehört dir?; **~ one?** welche(r, s)? **2.** *Pron* (*Frage*) welche(r, s); (*Relativsatz*) der/die/das, die *Pl*; **it rained, ~ upset his plans** es regnete, was seine Pläne durcheinander brachte; *whichever Adj, Pron* welche(r, s) auch immer

while [waɪl] **1.** *s a* ~ eine Weile; **for a ~** eine Zeit lang; **a short ~ ago** vor kurzem **2.** *Konj* während; (*einschränkend*) obwohl

whine [waɪn] *vi* jammern

whip [wɪp] **1.** *s* Peitsche *f* **2.** *vt* peitschen; **~ped cream** Schlagsahne *f*

whirl [wɜːl] *vt, vi* herumwirbeln; **whirlpool** *s* (*in Fluss etc*) Strudel *m*; (*als Sitzbad*) Whirlpool *m*

whisk [wɪsk] **1.** *s* Schneebesen *m* **2.** *vt* (*Sahne etc*) schlagen

widescreen TV

whisker ['wɪskə'] *s* (*von Tier*) Schnurrhaar *n*; **~s** *Pl* (*von Mann*) Backenbart *m*

whisk(e)y ['wɪskɪ] *s* Whisky *m*

whisper ['wɪspə'] *vi*, *vt* flüstern

whistle ['wɪsl] **1.** *s* Pfiff *m*; Pfeife *f* **2.** *vt*, *vi* pfeifen

white [waɪt] **1.** *s* (*von Ei*) Eiweiß *n*; (*von Auge*) Weiße *n* **2.** *Adj* weiß; (*vor Angst*) blass; (*Kaffee*) mit Milch

White House

The White House, eine weiß gestrichene Villa in Washington D.C., ist der offizielle Wohnsitz des amerikanischen Präsidenten. Im weiteren Sinne bezieht sich dieser Begriff auf die amerikanische Regierung im Allgemeinen.

white lie *s* Notlüge *f*; **white meat** *s* helles Fleisch; **white water rafting** *s* Rafting *n*; **white wine** *s* Weißwein *m*

Whitsun ['wɪtsn] *s* Pfingsten *n*

who [hu:] *Pron* (*in Fragen*) wer; (*im Relativsatz*) der/die/das, die *Pl*; **~ did you see?** wen hast du gesehen?; **~ does that belong to?** wem gehört das?; **the people ~ live next door** die Leute, die nebenan wohnen; **whoever** [hu:-

'evə'] *Pron* wer auch immer; **~ you choose** wen auch immer du wählst

whole [həʊl] **1.** *Adj* ganz **2.** *s* Ganze(s) *n*; **the ~ of my family** meine ganze Familie; **on the ~** im Großen und Ganzen; **wholefood** *s* (*Brit*) Vollwertkost *f*; **wholeheartedly** *Adv* voll und ganz; **wholemeal** *Adj* (*Brit*) Vollkorn-; **wholesale** *Adv* im Großhandel; **wholesome** *Adj* gesund; **wholewheat** *Adj* Vollkorn-; **wholly** ['həʊlɪ] *Adv* völlig

whom [hu:m] *Pron* (*in Fragen*) wen; (*im Relativsatz*) den/die/das, die *Pl*; **with ~ did you speak?** mit wem haben Sie gesprochen?

whooping cough ['hu:pɪŋkɒf] *s* Keuchhusten *m*

whose [hu:z] **1.** *Adj* (*in Fragen*) wessen; (*im Relativsatz*) dessen/deren/dessen, deren *Pl* **2.** *Pron* wessen; **~ is this?** wem gehört das?

why [waɪ] *Adv*, *Konj* warum; **that's ~** deshalb

wicked ['wɪkɪd] *Adj* böse; *umg* (*sehr gut*) geil

wide [waɪd] **1.** *Adj* breit; weit; (*Angebot, Auswahl*) groß **2.** *Adv*; **wide-angle lens** *s* Weitwinkelobjektiv *n*; **wide-awake** *Adj* hellwach; **widely** *Adv* weit; **~ known** allgemein bekannt; **widen** *vt* verbreitern; *fig* erweitern; **wide-open** *Adj* weit offen; **widescreen TV** *s*

Breitbildfernseher *m*; **widespread** *Adj* weit verbreitet

widow ['wɪdəʊ] *s* Witwe *f*; **widowed** *Adj* verwitwet; **widower** *s* Witwer *m*

width [wɪdθ] *s* Breite *f*

wife (*wives* *Pl*) [waɪf, waɪvz] *s* (Ehe)frau *f*

wig [wɪg] *s* Perücke *f*

wild [waɪld] **1.** *Adj* wild; (*Emotion etc*) heftig; (*Plan, Idee*) verrückt **2.** *s* **in the ~** in freier Wildbahn; **wildlife** *s* Tier- und Pflanzenwelt *f*; **wildly** *Adv* wild; (*begeistert etc*) maßlos

will [wɪl] **1.** *vhilf* **he/they ~ come** er wird/sie werden kommen; **I won't be back until late** ich komme erst spät zurück; **the car won't start** das Auto will nicht anspringen; **you have some coffee?** möchten Sie eine Tasse Kaffee? **2.** *s* Wille *m*, Wunsch *m*; (*für Todesfall*) Testament *n*; **willing** *Adj* bereitwillig; **be ~ to do sth** bereit sein, etw zu tun; **willingly** *Adv* gern(e)

willow ['wɪləʊ] *s* Weide *f*

wimp [wɪmp] *s* Weichei *n*

win (*won, won*) [wɪn, wɒn] **1.** *vt, vi* gewinnen **2.** *s* Sieg *m*; **win over, win round** *vt* für sich gewinnen

wind (*wound, wound*) [waɪnd, waʊnd] *vt* (*Seil, Verband*) winden; **wind down** *vt* (*Autofenster*) herunterkurbeln; **wind up** *vt* (*Uhr*) aufziehen; (*Autofens-ter*) hochkurbeln; (*Konferenz, Rede*) abschließen; (*Person*) aufziehen, ärgern

wind [wɪnd] *s* Wind *m*; MED Blähungen *Pl*

wind instrument ['wɪndɪn-strʊmənt] *s* Blasinstrument *n*; **windmill** *s* Windmühle *f*

window ['wɪndəʊ] *s* Fenster *n*; (*Bank, Post*® *etc*) Schalter *m*; **windowpane** *s* Fensterscheibe *f*; **window-shopping** *s* **go ~** einen Schaufensterbummel machen; **windowsill** *s* Fensterbrett *n*

windpipe ['wɪndpaɪp] *s* Luftröhre *f*; **windscreen** *s* (*Brit*) Windschutzscheibe *f*; **windscreen wiper** *s* (*Brit*) Scheibenwischer *m*; **windshield** *s* (*US*) Windschutzscheibe *f*; **windshield wiper** *s* (*US*) Scheibenwischer *m*; **windsurfer** *s* Windsurfer(in) *m(f)*; (*Brett*) Surfbrett *n*; **windsurfing** *s* Windsurfen *n*

windy ['wɪndɪ] *Adj* windig

wine [waɪn] *s* Wein *m*; **wine list** *s* Weinkarte *f*; **wine tasting** *s* Weinprobe *f*

wing [wɪŋ] *s* Flügel *m*; (*Brit*) AUTO Kotflügel *m*

wink [wɪŋk] *vi* zwinkern; **~ at sb** jdm zuzwinkern

winner ['wɪnə^r] *s* Gewinner(in) *m(f)*; Sieger(in) *m(f)*; **winning 1.** *Adj* siegreich **2.** *s* ~ *Pl* Gewinn *m*

winter ['wɪntə^r] *s* Winter *m*; **winter sports** *npl* Wintersport *m*; **wint(e)ry** ['wɪntrɪ]

Adj winterlich

wipe [waɪp] *vt* abwischen; ~ **one's nose** sich die Nase putzen; **wipe off** *vt* abwischen; wipe out *vt* vernichten; ausrotten; *(Daten)* löschen

wire ['waɪə'] **1.** *s* Draht *m*; ELEK Leitung *f*; *(US)* Telegramm *n* **2.** *vt* (*Gerät*) anschließen; *(US)* TEL telegrafieren (*sb sth jdm etw*)

wisdom ['wɪzdəm] *s* Weisheit *f*; **wisdom tooth** *s* Weisheitszahn *m*

wise, wisely [waɪz, -lɪ] *Adj, Adv* weise

wish [wɪʃ] **1.** *s* Wunsch *m* (*for* nach); **with best ~es** herzliche Grüße **2.** *vt* wünschen, wollen; ~ **sb good luck/Merry Christmas** jdm viel Glück/frohe Weihnachten wünschen; **I ~ I'd never seen him** ich wünschte, ich hätte ihn nie gesehen

witch [wɪtʃ] *s* Hexe *f*

with [wɪð] *Präp* mit; *(Ursache)* vor + *Dat*; **I'm pleased ~ it** ich bin damit zufrieden; **shiver ~ cold** vor Kälte zittern; **he lives ~ his aunt** er wohnt bei seiner Tante

withdraw [wɪð'drɔː] *unreg* **1.** *vt* zurückziehen; *(Geld)* abheben; *(Aussage)* zurücknehmen **2.** *vi* sich zurückziehen

wither ['wɪðə'] *vi* verwelken

withhold [wɪð'həʊld] *unreg vt* vorenthalten (*from sb* jdm)

within [wɪð'ɪn] *Präp* innerhalb + *Gen*; ~ **walking distance** zu Fuß erreichbar

without [wɪð'aʊt] *Präp* ohne; ~ **asking** ohne zu fragen

withstand [wɪð'stænd] *unreg vt* standhalten + *Dat*

witness ['wɪtnəs] **1.** *s* Zeuge *m*, Zeugin *f* **2.** *vt* Zeuge sein

witty ['wɪtɪ] *Adj* geistreich

wives [waɪvz] *Pl von* **wife**

wobble ['wɒbl] *vi* wackeln; **wobbly** *Adj* wackelig

wok [wɒk] *s* Wok *m*

woke [wəʊk] *pt von* **wake**

woken ['wəʊkn] *pp von* **wake**

wolf (**wolves** *Pl*) [wulf, wulvz] *s* Wolf *m*

woman (**women**) ['wʊmən, wɪmɪn] *s* Frau *f*

womb [wuːm] *s* Gebärmutter *f*

women ['wɪmɪn] *Pl von* **woman**

won [wʌn] *pt, pp von* **win**

wonder ['wʌndə'] **1.** *s* Wunder *m*, Staunen *n* **2.** *vt, vi* sich fragen; **I ~ what/if ...** ich frage mich, was/ob ...;

wonderful, wonderfully *Adj, Adv* wunderbar

won't [wəʊnt] *Kontr von* **will not**

wood [wʊd] *s* Holz *n*; **~s** Wald *m*; **wooden** *Adj* Holz-; *fig* hölzern; **woodpecker** *s* Specht *m*

wool [wʊl] *s* Wolle *f*; **woollen, woolen** *(US)* *Adj* Wollen-

word [wɜːd] **1.** *s* Wort *n*; *(Versprechen)* Ehrenwort *n*,

~s Pl (*Lied, Gedicht*) Text m; **have a ~ with sb** mit jdm sprechen; **in other ~s** mit anderen Worten **2.** vt formulieren; **word processor** s Textverarbeitungsprogramm n

wore [wɔːʳ] pt von **wear**

work [wɜːk] **1.** s Arbeit f; (*künstlerisches etc*) Werk n; **~ of art** Kunstwerk n; **he's at ~** er ist im/auf der Arbeit; **out of ~** arbeitslos **2.** vi arbeiten (*at, on* an + *Dat*); (*Maschine, Plan etc*) funktionieren; (*Medizin*) wirken; (*Plan etc*) klappen **3.** vt (*Maschine*) bedienen; **work out 1.** vi (*Plan etc*) klappen; (*Summe*) aufgehen; (*in Fitnesscenter etc*) trainieren **2.** vt (*Preis etc*) ausrechnen; (*Plan*) ausarbeiten; **work up** vt **get worked up** sich aufregen; **workaholic** [wɜːkəˈhɒlɪk] s Arbeitstier n; **worker** s Arbeiter(in) m(f); **workman** (*-men* Pl) s Handwerker m; **workout** s SPORT Fitnesstraining n, Konditionstraining n; **work permit** s Arbeitserlaubnis f; **workplace** s Arbeitsplatz m; **workshop** s Werkstatt f; (*Treffen*) Workshop m

world [wɜːld] s Welt f; **world championship** s Weltmeisterschaft f; **World War** s ~ **I/II, the First/Second** ~ der Erste/Zweite Weltkrieg; **world-wide** Adj, Adv weltweit; **World Wide**

Web s World Wide Web n

worm [wɜːm] s Wurm m

worn [wɔːn] **1.** pp von **wear** **2.** Adj (*Kleidung*) abgetragen; (*Reifen*) abgefahren; **worn-out** Adj abgenutzt; (*Person*) erschöpft

worried [ˈwʌrɪd] Adj besorgt; **worry** [ˈwʌrɪ] **1.** s Sorge f **2.** vi Sorgen machen + *Dat* **3.** vi sich Sorgen machen (*about* um); **don't ~** keine Sorge!; **worrying** Adj beunruhigend

worse [wɜːs] **1.** Adj Komparativ von **bad**; schlechter; (*Schmerz, Fehler etc*) schlimmer **2.** Adv Komparativ von **badly**; schlechter; **worsen** [ˈwɜːsn] vt verschlechtern **2.** vi sich verschlechtern

worship [ˈwɜːʃɪp] vt anbeten, anhimmeln

worst [wɜːst] **1.** Adj Superlativ von **bad**; schlechteste(r, s); schlimmste(r, s) **2.** Adv Superlativ von **badly**; am schlechtesten **3.** s **the ~ is over** das Schlimmste ist vorbei; **at (the) ~** schlimmstenfalls

worth [wɜːθ] **1.** s Wert m **2.** Adj **it is ~ £50** es ist 50 Pfund wert; **~ seeing** sehenswert; **it's ~ it** es lohnt sich; **worthless** Adj wertlos; **worthwhile** Adj lohnend, lohnenswert; **worthy** [ˈwɜːðɪ] Adj würdig; **be ~ of sth** etw verdienen

would [wʊd] vhilf **if you asked he ~ come** wenn Sie

ihn fragten, würde er kommen; **I ~ have told you, but ...** ich hätte es dir gesagt, aber ...; **~ you like a drink?** möchten Sie etwas trinken?; **he ~n't help me** er wollte mir nicht helfen

wouldn't ['wʊdnt] *Kontr von* **would not**

would've ['wʊdəv] *Kontr von* **would have**

wound *s* [wuːnd] **1.** *s* Wunde *f* **2.** *vt* verwunden; verletzen **3.** [waʊnd] *pt, pp von* **weave**

wove [wəʊv] *pt von* **weave**

woven ['wəʊvn] *pp von* **weave**

wrap [ræp] *vt* (ein)wickeln; **wrap up 1.** *vt* einwickeln **2.** *vi* sich warm anziehen; **wrapping paper** *s* Packpapier *n*; Geschenkpapier *n*

wreath [riːθ] *s* Kranz *m*

wreck [rek] **1.** *s* Wrack *n*; **a nervous ~** ein Nervenbündel **2.** *vt* (*Auto*) zu Schrott fahren; *fig* zerstören; **wreckage** *s* ['rekɪdʒ] *s* Trümmer *Pl*

wrench [rentʃ] *s* Schraubenschlüssel *m*

wrestling ['reslɪŋ] *s* Ringen *n*

wring *out* (*wrong*, *wrong*) ['rɪŋ'aʊt, rʌŋ] *vt* auswringen

wrinkle ['rɪŋkl] *s* Falte *f*

wrist [rɪst] *s* Handgelenk *n*; **wristwatch** *s* Armbanduhr *f*

write (*wrote*, *written*) [raɪt, rəʊt, 'rɪtən] **1.** *vt* schreiben; (*Scheck*) ausstellen **2.** *vi* schreiben; **~ to sb** jdm schreiben; **write down** *vt* aufschreiben; **write off** *vt* (*Schulden, Person*) abschreiben; (*Auto etc*) zu Schrott fahren; **write out** *vt* ausschreiben; (*Scheck*) ausstellen; **write-protected** *Adj* IT schreibgeschützt; **writer** *s* Verfasser(in) *m(f)*, Schriftsteller(in) *m(f)*; **writing** *s* Schrift *f*, Schreiben *n*; **writing paper** *s* Schreibpapier *n*

written ['rɪtən] *pp von* **write**

wrong [rɒŋ] *Adj* falsch; (*moralisch*) unrecht; **you're ~** du hast Unrecht; **what's ~ with your leg?** was ist mit deinem Bein los?; **I dialled the ~ number** ich habe mich verwählt; **don't get me ~** versteh mich nicht falsch; **go ~** schief gehen; **wrongly** *Adv* falsch; zu Unrecht

wrote [rəʊt] *pt von* **write**

WWW *Abk* **= World Wide Web;** WWW

X

xenophobia [zenə'fəʊbɪə] *s* Ausländerfeindlichkeit *f*

XL *Abk* **= extra large;** XL,

übergroß

Xmas ['eksməs] *s* Weihnachten *n*

X-ray ['eksreɪ] **1.** *s* Röntgenaufnahme *f* **2.** *vt* röntgen

xylophone ['zaɪləfəʊn] *s* Xylophon *n*

Y

yacht [jɒt] *s* Jacht *f*; **yachting** *s* Segeln *n*

yard [jɑːd] *s* Hof *m*; (*US*) Garten *m*; (*Längenmaß*) Yard *n* (*0,91 m*)

yawn [jɔːn] *vi* gähnen

yd *Abk* = **yard(s)**

year [jɪəʳ] *s* Jahr *n*; **~s ago** vor Jahren; **a five-year-old** ein(e) Fünfjährige(r); **yearly** *Adj, Adv* jährlich

yearn [jɜːn] *vi* sich sehnen (*for* nach + *Dat*)

yeast [jiːst] *s* Hefe *f*

yell [jel] *vi, vt* schreien; **~ at sb** jdn anschreien

yellow ['jeləʊ] *Adj* gelb; **~ fever** Gelbfieber *n*; **the Yellow Pages®** *Pl* die Gelben Seiten *Pl*

yes [jes] **1.** *Adv* ja; (*Antwort auf verneinte Fragen*) doch; **say ~ to sth** ja zu etw sagen **2.** *s* Ja *n*

yesterday ['jestədeɪ] *Adv* gestern; **the day before ~** vorgestern; **~'s newspaper** die Zeitung von gestern

yet [jet] **1.** *Adv* noch; bis jetzt; (*Frage*) schon; **he hasn't arrived ~** er ist noch nicht gekommen; **have you finished ~?** bist du schon fertig?; **~ again** schon wieder; **as ~** bis jetzt **2.** *Konj* doch

yield [jiːld] **1.** *s* Ertrag *m* **2.** *vt* (*Ergebnis, Ernte*) hervorbringen; (*Profit, Zinsen*) bringen **3.** *vi* nachgeben (*to* + *Dat*); MIL sich ergeben (*to* + *Dat*); **'~'** (*US*) AUTO „Vorfahrt beachten"

yoga ['jəʊgə] *s* Joga *n*

yog(h)urt ['jɒgət] *s* Jog(h)urt *m*

yolk [jəʊk] *s* Eigelb *n*

Yorkshire pudding ['jɔːkʃə 'pʊdɪŋ] *s* gebackener Eierteig zum Roastbeef

you [juː] **1.** *Pron* (*als Subjekt*) du/Sie/ihr; (*als direktes Objekt*) dich/Sie/euch; (*als indirektes Objekt*) dir/Ihnen/ihnen; **~ never can tell**

---

yellow lines

Einfache oder doppelte gelbe Linien (**yellow lines**) am Straßenrand zeigen in Großbritannien ein **Parkverbot** an. Eine einfache Linie bedeutet, dass zu bestimmten Zeiten Parkverbot besteht. Die genauen Zeiten stehen auf einem Schild. Eine doppelte Linie bedeutet, dass zu keiner Zeit geparkt werden darf.

man weiß nie

you'd [juːd] *Kontr von* **you had**; **you would**; **~ better leave** du solltest gehen

you'll [juːl] *Kontr von* **you will**; **you shall**

young [jʌŋ] *Adj* jung; **youngster** ['jʌŋstər] *s* Jugendliche(r) *mf*

your ['jɔːr] *Adj* dein; (*Höflichkeitsform*) Ihr; (*Pl*) euer; (*Höflichkeitsform*) Ihr; **have you hurt ~ leg?** hast du dir das Bein verletzt?

you're ['juər] *Kontr von* **you are**

yours ['jɔːz] *Pron* (*Sg*) deine(r, s); (*Höflichkeitsform*) Ihre(r, s); (*Pl*) eure(r, s); (*Höflichkeitsform*) Ihre(r, s); **is this ~?** gehört das dir/Ihnen?; **a friend of ~** ein Freund von dir/Ihnen;

~ ... (*Briefende*) dein/deine ..., Ihr/Ihre ...

yourself [jɔːˈself] *Pron Sg* dich; (*Höflichkeitsform*) sich; **have you hurt ~?** hast du dich/haben Sie sich verletzt?; **did you do it ~?** hast du es selbst gemacht?; (*all*) **by ~** allein; **yourselves** *Pron Pl* euch; (*Höflichkeitsform*) sich; **have you hurt ~?** habt ihr euch/haben Sie sich verletzt?

youth [juːθ] *s* Jugend *f*; **youth hostel** *s* Jugendherberge *f*

you've [juːv] *Kontr von* **you have**

yucky ['jʌki] *Adj umg* eklig

Yugoslavia [juːgəˈslɑːvjə] *s hist* Jugoslawien *n*

yummy ['jʌmi] *Adj* lecker

Z

zap [zæp] **1.** *vt* IT löschen; (*in Computerspiel*) abknallen **2.** *vi* TV zappen; **zapper** *s* TV Fernbedienung *f*

zebra ['zebrə, *US* 'ziːbrə] *s* Zebra *n*; **zebra crossing** *s* (*Brit*) Zebrastreifen *m*

zero (*-es Pl*) [zɪərəu] *s* Null *f*

zest [zest] *s* Begeisterung *f*

zigzag ['zɪgzæg] **1.** *s* Zickzack *m* **2.** *vi* im Zickzack gehen/fahren

zinc [zɪŋk] *s* Zink *n*

zip [zɪp] **1.** *s* (*Brit*) Reißver-

schluss *m* **2.** *vt* ~ (*up*) den Reißverschluss zumachen; IT zippen; **zip code** *s* (*US*) Postleitzahl *f*; **Zip disk®** *s* IT ZIP-Diskette® *f*; **Zip file®** *s* IT ZIP-Datei® *f*; **zipper** *s* (*US*) Reißverschluss *m*

zodiac ['zəudiæk] *s* Tierkreis *m*; **sign of the ~** Tierkreiszeichen *n*

zone [zəun] *s* Zone *f*, Gebiet *n*; (*in Stadt*) Bezirk *m*

zoo [zuː] *s* Zoo *m*

zoom [zuːm] **1.** *vi* brausen,

sausen **2.** *s* ~ (*lens*) Zoom-
objektiv *n*; **zoom in** *vi* FOTO
heranzoomen (*on* an + *Akk*)

zucchini (-(*s*) *Pl*) [zuːˈkiːnɪ]
s (*US*) Zucchini *f*

A

à *Präp* + *Akk* at ... each; *4 Tickets à 8 Euro* 4 tickets at 8 euros each

A *Abk* = *Autobahn*; ≈ M (Brit), ≈ I (US)

Aal *m* eel

ab 1. *Präp* + *Dat* from; *von jetzt* ~ from now on; *Berlin* ~ *16:30 Uhr* departs Berlin 16.30; ~ *Seite 17* from page 17; ~ *18* (*Alter*) from the age of 18 **2.** *Adv* off; *links* ~ to the left; ~ *und zu* (*od an*) now and then (*od* again); *der Knopf ist* ~ the button has come off

abbauen *vt* (*Zelt*) take down; (*verringern*) reduce

abbeißen *v* bite each

abbestellen *vt* cancel

abbiegen *vi* turn off; (*Straße*) bend; *nach links/rechts* ~ turn left/right; **Abbiegespur** *f* filter lane

Abbildung *f* illustration

abblasen *vt fig* call off

abblenden *vt, vi* AUTO (*die Scheinwerfer*) ~ dip (Brit) (*od* dim (US)) one's headlights; **Abblendlicht** *n* dipped (Brit) (*od* dimmed (US)) headlights *Pl*

abbrechen *vt* break off; (*Gebäude*) pull down; (*aufhören*) stop; (*Computerpro-*

gramm) abort

abbremsen *vi* brake, slow down

abbringen *vt jdn von einer Idee* ~ talk sb out of an idea; *jdn vom Thema* ~ get sb away from the subject; *davon lasse ich mich nicht* ~ nothing will make me change my mind about it

abbuchen *vt* to debit (*von* to)

abdanken *vi* resign

abdrehen 1. *vt* (*Gas, Wasser*) turn off; (*Licht*) switch off **2.** *vi* (*Schiff, Flugzeug*) change course

Abend *m* evening; *am* ~ in the evening; *zu* ~ *essen* have dinner; *heute/morgen/gestern* ~ this/tomorrow/yesterday evening; *guten* ~*!* good evening; **Abendbrot** *n* supper; **Abendessen** *n* dinner; **Abendgarderobe** *f* evening dress (*od* gown); **Abendkasse** *f* box office; **Abendkleid** *n* evening dress (*od* gown); **Abendkurs** *m* evening class; **Abendmahl** *n das* ~ (Holy) Communion; **abends** *Adv* in the evening; *montags* ~ on Monday evenings

Abenteuer *n* adventure;

Abenteuerurlaub m adventure holiday

aber Konj but; (jedoch) however; **oder** ~ alternatively; ~ **ja!** (but) of course; **das ist** ~ **nett von Ihnen** that's really nice of you

abergläubisch Adj superstitious

abfahren vi leave (od depart) (nach for); (Ski) ski down; **Abfahrt** f departure; (von Autobahn) exit; (Ski) descent; (Piste) run; **Abfahrtslauf** m (Ski) downhill; **Abfahrtszeit** f departure time

Abfall m waste; (Müll) rubbish (Brit), garbage (US); **Abfalleimer** m rubbish bin (Brit), garbage can (US)

abfällig Adj disparaging; ~ **von jdm sprechen** make disparaging remarks about sb

abfärben vi (Wäsche) run; fig rub off

abfertigen vt (Pakete) prepare for dispatch; (an der Grenze) clear; **Abfertigungsschalter** m (am Flughafen) check-in desk

abfinden 1. vt pay off 2. vr **sich mit etw** ~ come to terms with sth; **Abfindung** f (Entschädigung) compensation; (von Angestellten) redundancy payment

abfliegen vi (Flugzeug) take off; (Passagier a.) fly off; **Abflug** m departure; (Start) takeoff; **Abflughalle** f departure lounge; **Abflugzeit**

f departure time

Abfluss m drain; (am Waschbecken) plughole (Brit); **Abflussrohr** n waste pipe; (außen) drainpipe

abfragen vt test; IT call up

abführen 1. vi have a laxative effect 2. vt (Steuern, Gebühren) pay; **jdn** ~ **lassen** take sb into custody; **Abführmittel** n laxative

Abgabe f handing in; (von Ball) pass; (Steuer) tax; (einer Erklärung) giving; **abgabenfrei** Adj tax-free; **abgabenpflichtig** Adj liable to tax

Abgase Pl AUTO exhaust fumes Pl; **Abgas(sonder)-untersuchung** f exhaust emission test

abgeben 1. vt (Gepäck, Schlüssel) leave (bei with); (Schularbeit etc) hand in; (Wärme) give off; (Erklärung, Urteil) make 2. vr **sich mit jdm** ~ associate with sb; **sich mit etw** ~ bother with sth

abgebildet Adj **wie oben** ~ as shown above

abgehen vi (Post) go; (Knopf etc) come off; (abgezogen werden) be taken off; (Straße) branch off; **von der Schule** ~ leave school; **sie geht mir ab** I really miss her; **was geht denn hier ab?** umg what's going on here?

abgehetzt Adj exhausted,

shattered

abgelaufen *Adj* (*Pass*) expired; (*Zeit, Frist*) up; **die Milch ist ~** the milk is past its sell-by date

abgelegen *Adj* remote

abgemacht *Interj* OK, it's a deal, that's settled, then

abgeneigt *Adj* **einer Sache ~ sein** be averse to sth; **ich wäre nicht ~, das zu tun** I wouldn't mind doing that

Abgeordnete(r) *mf* Member of Parliament

abgepackt *Adj* prepacked

abgerissen *Adj* **der Knopf ist ~** the button has come off

abgesehen *Adj* **es auf jdn/ etw ~ haben** be after sb/ sth; **~ von** apart from

abgespannt *Adj* (*Person*) exhausted, worn out

abgestanden *Adj* stale; (*Bier*) flat

abgestorben *Adj* (*Pflanze*) dead; (*Finger*) numb

abgestumpft *Adj* (*Person*) insensitive

abgetragen *Adj* (*Kleidung*) worn

abgewöhnen *vt* **jdm etw ~** cure sb of sth; **sich etw ~** give sth up

abhaken *vt* tick off; **das (Thema) ist schon abgehakt** that's been dealt with

abhalten *vt* (*Versammlung*) hold; **jdn von etw ~** (*fernhalten*) keep sb away from sth; (*hindern*) keep sb from sth

abhanden *Adj* **~ kommen** get lost

Abhang *m* slope

abhängen 1. *vt* (*Bild*) take down; (*Anhänger*) uncouple; (*Verfolger*) shake off **2.** *vi* **von jdm/etw ~** depend on sb/sth; **das hängt davon ab, ob ...** it depends (on) whether ...; **abhängig** *Adj* dependent (*von* on)

abhauen 1. *vt* (*abschlagen*) cut off **2.** *vi* *umg* (*verschwinden*) clear off; **hau ab!** get lost!, beat it!

abheben 1. *vt* (*Geld*) withdraw; (*Telefonhörer, Spielkarte*) pick up **2.** *vi* (*Flugzeug*) take off; (*Rakete*) lift off; (*Karten*) cut

abholen *vt* collect; (*am Bahnhof etc*) meet; (*mit dem Auto*) pick up; **Abholmarkt** *m* cash and carry

abhorchen *vt* MED listen to

abhören *vt* (*Vokabeln*) test; (*Telefongespräch*) tap; (*Tonband etc*) listen to

Abitur *n* German school-leaving examination, ≈ A-levels (*Brit*), ≈ High School Diploma (*US*)

abkaufen *vt* **jdm etw ~** buy sth from sb; **das kauf ich dir nicht ab!** *umg* (*glauben*) I don't believe you

abklingen *vi* (*Schmerz*) ease; (*Wirkung*) wear off

abkommen *vi* get away; **von der Straße ~** leave the road; **von einem Plan ~** give up a plan; **vom The-**

ma ~ stray from the point

Abkommen *n* agreement

abkoppeln *vt* (*Anhänger*) unhitch

abkratzen 1. *vt* scrape off **2.** *vi umg* (*sterben*) kick the bucket, croak

abkühlen *vi*, *vr*, *vt* cool down

abkürzen *vt* (*Wort*) abbreviate; *den Weg* ~ take a short cut; **Abkürzung** *f* (*Wort*) abbreviation; (*Weg*) short cut

abladen *vt* unload

Ablage *f* (*für Akten*) tray; (*Aktenordnung*) filing system

Ablauf *m* (*Abfluss*) drain; (*von Ereignissen*) course; (*einer Frist, Zeit*) expiry; **ablaufen** *vi* (*abfließen*) drain away; (*Ereignisse*) happen; (*Frist, Zeit, Pass*) expire

ablegen 1. *vt* put down; (*Kleider*) take off; (*Gewohnheit*) get out of; (*Prüfung*) take, sit; (*Akten*) file away **2.** *vi* (*Schiff*) cast off

ablehnen 1. *vt* reject; (*Einladung*) decline; (*missbilligen*) disapprove of; (*Bewerber*) turn down **2.** *vi* decline

ablenken *vt* distract; *jdn von der Arbeit* ~ distract sb from their work; *vom Thema* ~ change the subject; **Ablenkung** *f* distraction

ablesen *vt* (*Text, Rede*) read; *das Gas/den Strom* ~ read the gas/electricity meter

abliefern *vt* deliver

abmachen *vt* (*entfernen*) take off; (*vereinbaren*) agree; **Abmachung** *f* agreement

abmelden 1. *vt* (*Zeitung*) cancel; (*Auto*) take off the road **2.** *vr* give notice of one's departure; (*im Hotel*) check out; (*vom Verein*) cancel one's membership

abmessen *vt* measure

abnehmen 1. *vt* take off, remove; (*Hörer*) pick up; (*Führerschein*) take away; (*Geld*) get (*jdm out of sb*); (*kaufen, umg: glauben*) buy (*jdm from sb*) **2.** *vi* decrease; (*schlanker werden*) lose weight; TEL pick up the phone; *fünf Kilo* ~ lose five kilos

Abneigung *f* dislike (*gegen* of); (*stärker*) aversion (*gegen* to)

abnutzen *vt*, *vr* wear out

Abonnement *n* subscription; **Abonnent(in)** *m(f)* subscriber; **abonnieren** *vt* subscribe to

abraten *vi jdm von etw* ~ advise sb against sth

abräumen *vt den Tisch* ~ clear the table; *das Geschirr* ~ clear away the dishes; (*Preis etc*) walk off with

Abrechnung *f* settlement; (*Rechnung*) bill

abregen vr umg calm (od cool) down; **reg dich ab!** take it easy

Abreise f departure; **abreisen** vi leave (nach for)

abreißen 1. vt (Haus) pull down; (Blatt) tear off; **den Kontakt nicht ~ lassen** stay in touch **2.** vi (Knopf etc) come off

abrunden vt **eine Zahl nach oben/unten ~** round a number up/down

abrupt Adj abrupt

ABS n Abk = **Antiblockiersystem**; AUTO ABS

Abs. Abk = **Absender**; from

absagen 1. vt cancel, call off; (Einladung) turn down **2.** vi (ablehnen) decline; **ich muss leider ~** I'm afraid I can't come

Absatz m WIRTSCH sales Pl; (neuer Abschnitt) paragraph; (Schuh) heel

abschaffen vt abolish, do away with

abschalten vt, vi a. fig switch off

abschätzen vt estimate; (Lage) assess; **jdn ~** size sb up

abscheulich Adj disgusting

abschicken vt send off

abschieben vt (ausweisen) deport

Abschied m parting; **~ nehmen** say good-bye (von jdm to sb); **Abschiedsfeier** f farewell party

Abschlagszahlung f interim payment

Abschleppdienst m AUTO breakdown service; **abschleppen** vt tow; **Abschleppseil** n towrope; **Abschleppwagen** m breakdown truck (Brit), tow truck (US)

abschließen vt (Tür) lock; (beenden) conclude, finish; (Vertrag, Handel) conclude; **Abschluss** m (Beendigung) close, conclusion; (von Vertrag, Handel) conclusion

abschmecken vt (kosten) taste; (würzen) season

abschminken 1. vr take one's make-up off **2.** vt umg **sich etw ~** get sth out of one's mind

abschnallen vr undo one's seatbelt

abschneiden 1. vt cut off **2.** vi **gut/schlecht ~** do well/badly

Abschnitt m (von Buch, Text) section; (Kontrollabschnitt) stub

abschrauben vt unscrew

abschrecken vt deter, put off

abschreiben vt copy (bei, von from, off); (verloren geben) write off; WIRTSCH (absetzen) deduct

abschüssig Adj steep

abschwächen vt lessen; (Behauptung, Kritik) tone down

abschwellen vi (Entzündung) go down; (Lärm) die down

absehbar *Adj* foreseeable; *in ~er Zeit* in the foreseeable future; **absehen 1.** *vt* (*Ende, Folgen*) foresee **2.** *vi* **von etw ~** refrain from sth

abseits 1. *Adv* out of the way; SPORT offside **2.** *Präp + Gen* away from; **Abseits** *n* SPORT offside; **Abseitsfalle** *f* SPORT offside trap

absenden *vt* send off; (*Post*) post; **Absender(in)** *m(f)* sender

absetzen 1. *vt* (*Glas, Brille etc*) put down; (*aussteigen lassen*) drop (off); WIRTSCH sell; FIN deduct; (*streichen*) drop **2.** *vr* (*sich entfernen*) clear off; (*sich ablagern*) be deposited

Absicht *f* intention; *mit ~* on purpose; **absichtlich** *Adj* intentional, deliberate

absolut *Adj* absolute

abspecken *vi* umg lose weight

abspeichern *vt* IT save

absperren *vt* block (*od* close) off; (*Tür*) lock; **Absperrung** *f* (*Vorgang*) blocking (*od* closing) off; (*Sperre*) barricade

abspielen 1. *vt* (*CD etc*) play **2.** *vr* happen

abspringen *vi* jump down/off; (*von etw Geplantem*) drop out (*von* of)

abspülen *vt* rinse; (*Geschirr*) wash (up)

Abstand *m* distance; (*zeitlich*) interval; *~ halten* keep one's distance

abstauben *vt, vi* dust; umg (*stehlen*) pinch

Abstecher *m* detour

absteigen *vi* (*vom Rad etc*) get off, dismount; (*in Gasthof*) stay (*in + Dat* at)

abstellen *vt* (*niederstellen*) put down; (*Auto*) park; (*ausschalten*) turn (*od* switch) off; (*Missstand, Unsitte*) stop; **Abstellraum** *m* store room

Abstieg *m* (*vom Berg*) descent; SPORT relegation

abstimmen 1. *vi* vote **2.** *vt* (*Termine, Ziele*) fit in (*auf + Akk* with); *Dinge aufeinander ~* coordinate things **3.** *vr* come to an agreement (*od* arrangement)

abstoßend *Adj* repulsive

abstrakt *Adj* abstract

abstreiten *vt* deny

Abstrich *m* MED smear; *~e machen* cut back (*an + Dat* on); (*weniger erwarten*) lower one's sights

Absturz *m* fall; FLUG, IT crash; **abstürzen** *vi* fall; FLUG, IT crash

absurd *Adj* absurd

Abszess *m* abscess

abtauen *vt, vi* thaw; (*Kühlschrank*) defrost

Abtei *f* abbey

Abteil *n* compartment

Abteilung *f* (*in Firma, Kaufhaus*) department; (*in Krankenhaus*) section

abtreiben 1. *vt* (*Kind*) abort **2.** *vi* be driven off course;

MED (*Abtreibung vornehmen*) carry out an abortion; (*Abtreibung vornehmen lassen*) have an abortion; **Abtreibung** f abortion

abtrocknen vt dry

abwarten 1. vt wait for; *das bleibt abzuwarten* that remains to be seen **2.** vi wait

abwärts Adv down

Abwasch m washing-up; **abwaschen** vt (*Schmutz*) wash off; (*Geschirr*) wash (up)

Abwasser n sewage

abwechseln vr alternate; *sich mit jdm ~* take turns with sb; **abwechselnd** Adv alternately; **Abwechslung** f change; *zur ~* for a change

abweisen vt turn away; (*Antrag*) turn down; **abweisend** Adj unfriendly

abwesend Adj absent; **Abwesenheit** f absence

abwiegen vt weigh (out)

abwischen vt (*Gesicht, Tisch etc*) wipe; (*Schmutz*) wipe off

abzählen vt count; (*Geld*) count out

Abzeichen n badge

abzeichnen 1. vt draw, copy; (*Dokument*) initial **2.** vr stand out; fig (*bevorstehen*) loom

abziehen 1. vt take off; (*Bett*) strip; (*Schlüssel*) take out; (*subtrahieren*) take away, subtract **2.** vi go away

Abzug m (*Foto*) print; (*Öffnung*) vent; (*Truppen*) withdrawal; (*Betrag*) deduction; *nach ~ der Kosten* charges deducted; *abzüglich* Präp + Gen minus; *~ 20% Rabatt* less 20% discount

abzweigen 1. vi branch off **2.** vt set aside; **Abzweigung** f junction

Accessoires Pl accessories Pl

ach Interj oh; *~ so!* oh, I see; *~ was!* (*Überraschung*) really?; (*Ärger*) don't say nonsense

Achse f axis; AUTO axle

Achsel f shoulder; (*Achselhöhle*) armpit

acht Zahl eight; *heute in ~ Tagen* in a week('s time), a week from today

Acht f *sich in ~ nehmen* be careful (*vor + Dat*), watch out (*vor + Dat* for); *~ geben* take care (*auf + Akk* of); *etw außer ~ lassen* disregard sth

achte(r, s) Adj eighth; → *dritte*; **Achtel** n (*Bruchteil*) eighth; (*Wein etc*) eighth of a litre; (*Glas Wein*) ≈ small glass

achten 1. vt respect **2.** vi pay attention (*auf + Akk* to)

Achterbahn f big dipper, roller coaster

achthundert Zahl eight hundred; **achtmal** Adv eight times

Achtung 1. f attention;

(Ehrfurcht) respect **2.** Interj look out

achtzehn Zahl eighteen; **achtzehnte(r, s)** Adj eighteenth; → **dritte**; **achtzig** Zahl eighty; **in den ~er Jahren** in the eighties; **achtzigste(r, s)** Adj eightieth

Acker m field

Action f umg action; **Actionfilm** m action film

Adapter m adapter

addieren vt add (up)

Adel m nobility; **adelig** Adj noble

Ader f vein

Adjektiv n adjective

Adler m eagle

adoptieren vt adopt; **Adoption** f adoption; **Adoptiveltern** Pl adoptive parents Pl; **Adoptivkind** n adopted child

Adrenalin n adrenalin

Adressbuch n directory; (persönliches) address book; **Adresse** f address; **adressieren** vt address (an + Akk to)

Advent m Advent

Advent

Der **Advent** wird in englischsprachigen Ländern meist nicht gefeiert. Adventskalender (**advent calendars**), wie in Deutschland üblich, sieht man jedoch immer häufiger. Zudem mehren sich in den Wochen vor Weihnachten die **Christmas parties**, meist im Restaurant oder Pub gefeiert, mal mit Arbeitskollegen, mal mit Freunden oder Bekannten.

Adventskranz m Advent wreath

Adverb n adverb

Aerobic n aerobics Sg

Affäre f affair

Affe m monkey

Afghanistan n Afghanistan

Afrika n Africa; **Afrikaner(in)** m(f) African; **afrikanisch** Adj African

After m anus

Aftershave n aftershave

AG f Abk = **Aktiengesellschaft**; plc (Brit), corp. (US)

Agent(in) m(f) agent; **Agentur** f agency

aggressiv Adj aggressive

Ägypten n Egypt

ah Interj ah, ooh

äh Interj (Sprechpause) er, um; (angeekelt) ugh

aha Interj I see, aha

ähneln 1. vi + Dat be like, resemble **2.** vr be alike (od similar)

ahnen vt suspect; **du ahnst es nicht!** would you believe it?

ähnlich Adj similar (Dat to); **jdm ~ sehen** look like sb; **Ähnlichkeit** f similarity

Ahnung f idea; (Vermutung) suspicion; **keine ~!** no idea; **ahnungslos** Adj unsuspecting

Ahorn m maple

Aids n Aids; **aidskrank** Adj suffering from Aids; **aidspositiv** Adj tested positive for Aids; **Aidstest** m Aids test

Airbag m AUTO airbag; **Airbus** m airbus

Akademie f academy; **Akademiker(in)** m(f) (university) graduate

akklimatisieren vr acclimatize oneself

Akkordeon n accordion

Akku m (storage) battery

Akkusativ m accusative (case)

Akne f acne

Akrobat(in) m(f) acrobat

Akt m act; KUNST nude

Akte f file; **etw zu den ~n legen** a. fig file sth away; **Aktenkoffer** m briefcase

Aktie f share; **Aktiengesellschaft** f public limited company (Brit), corporation (US)

Aktion f (Kampagne) campaign; (Einsatz) operation

Aktionär(in) m(f) shareholder

aktiv Adj active

aktualisieren vt update; **aktuell** Adj (Thema) topical; (modern) up-to-date; (Problem) current; **nicht mehr ~** no longer relevant

Akupunktur f acupuncture

akustisch Adj acoustic; **Akustik** f acoustics Sg

akut Adj acute

AKW n Abk = **Atomkraftwerk**; nuclear power station

Akzent m accent; (Betonung) stress; **mit starkem schottischen ~** with a strong Scottish accent

akzeptieren vt accept

Alarm m alarm; **Alarmanlage** f alarm system; **alarmieren** vt alarm; **die Polizei ~** call the police

Albanien n Albania

Albatros m albatross

albern Adj silly

Albtraum m nightmare

Album n album

Algen Pl algae Pl; (Meeresalgen) seaweed Sg

Algerien n Algeria

Alibi n alibi

Alimente Pl maintenance Sg

Alkohol m alcohol; **alkoholfrei** Adj non-alcoholic; **~es Getränk** soft drink; **Alkoholiker(in)** m(f) alcoholic; **alkoholisch** Adj alcoholic

All n universe

alle(r, s) 1. Indefinitpron all; **~ Passagiere** all passengers; **wir ~** all of us; **~ beide** both of us/you/them; **~ vier Jahre** every four years; **~ 100 Meter** every 100 metres; → **alles 2.** Adv umg (zu Ende) finished

Allee f avenue

allein Adj, Adv alone; (ohne Hilfe) on one's own, by oneself; **nicht ~** (nicht nur) not only; **~ erziehende Mutter** single mother; **~**

stehend single, unmarried;
Alleinerziehende(r) *mf* single mother/father/parent

allerbeste(r, s) *Adj* very best

allerdings *Adv* (*zwar*) admittedly; (*gewiss*) certainly, sure (*US*)

allererste(r, s) *Adj* very first; **zu allererst** first of all

Allergie *f* allergy; **Allergiker(in)** *m(f)* allergy sufferer; **allergisch** *Adj* allergic (*gegen* to)

allerhand *Adj umg* all sorts of; **das ist doch ~!** (*Vorwurf*) that's the limit; ~! (*lobend*) that's pretty good

Allerheiligen *n* All Saints' Day

allerhöchste(r, s) *Adj* very highest; **allerhöchstens** *Adv* at the very most; **allerlei** *Adj* all sorts of; **allerletzte(r, s)** *Adj* very last; **allerwenigste(r, s)** *Adj* very least

alles *Indefinitpron* everything; **~ in allem** in all in all; → **alle**

Alleskleber *m* all-purpose glue

allgemein *Adj* general; **im Allgemeinen** in general

Alligator *m* alligator

alljährlich *Adj* annual

allmählich 1. *Adj* gradual 2. *Adv* gradually

Allradantrieb *m* all-wheel drive

Alltag *m* everyday life; **all-**

täglich *Adj* everyday; (*gewöhnlich*) ordinary; (*tagtäglich*) daily

allzu *Adv* all too

Allzweckreiniger *m* multi-purpose cleaner

Alpen *Pl* **die ~** the Alps *Pl*

Alphabet *n* alphabet; **alphabetisch** *Adj* alphabetical

Alptraum *m* → **Albtraum**

als *Konj* (*vergleichend*) than; (*zeitlich*) when; **das Zimmer ist größer ~ das andere** this room is bigger than the other; **das Essen war billiger ~ ich erwartet hatte** the meal was cheaper than I expected (it to be); ~ **Kind** as a child; **nichts ~** (*Ärger*) nothing but (trouble); **anders ~** different from; **erst ~** only when; ~ **ob** as if

also 1. *Konj* (*folglich*) so, therefore 2. *Adv*, *Interj* so; ~ **gut** (*od* **schön**)! okay then

alt *Adj* old; **wie ~ sind Sie?** how old are you?; **28 Jahre ~** 28 years old; **vier Jahre älter** four years older

Altar *m* altar

Alter *n* age; (*hohes*) old age; **im ~ von** at the age of; **er ist in meinem ~** he's my age

alternativ *Adj* alternative; (*umweltbewusst*) ecologically minded; (*Landwirtschaft*) organic; **Alternative** *f* alternative

Altersheim *n* old people's

home

Altglas n used glass; **Altglascontainer** m bottle bank; **altmodisch** Adj old-fashioned; **Altöl** n used (od waste) oil; **Altpapier** n waste paper; **Altstadt** f old town

Alt-Taste f Alt key

Alufolie f tin (od kitchen) foil

Aluminium n aluminium (Brit), aluminum (US)

Alzheimerkrankheit f Alzheimer's (disease)

am Kontr von an dem; ~ 2. **Januar** on January 2(nd); ~ **Morgen** in the morning; ~ **Strand** on the beach; ~ **Bahnhof** at the station; **was gefällt Ihnen ~ besten?** what do you like best?; ~ **besten bleiben wir hier** it would be best if we stayed here

Amateur(in) m(f) amateur

ambulant Adj outpatient; **kann ich ~ behandelt werden?** can I have it done as an outpatient?; **Ambulanz** f (Krankenwagen) ambulance; (in der Klinik) outpatients' department

Ameise f ant

amen Interj amen

Amerika n America; **Amerikaner(in)** m(f) American; **amerikanisch** Adj American

Ampel f traffic lights Pl

Amphitheater n amphitheatre

Amsel f blackbird

Amt n (Dienststelle) office, department; (Posten) post; **amtlich** Adj official; **Amtszeichen** n TEL dialling tone (Brit), dial tone (US)

amüsant Adj amusing; **amüsieren 1.** vt amuse **2.** vr enjoy oneself, have a good time

an 1. Präp + Dat ~ **der Wand** on the wall; ~ **der Themse** on the Thames; **alles ist ~ seinem Platz** everything is in its place; ~ **einem kalten Tag** on a cold day; ~ **Ostern** at Easter **2.** Präp + Akk ~ **die Tür klopfen** knock at the door; **ans Meer fahren** go to the seaside; ~ **die 40 Grad** (fast) nearly 40 degrees **3.** Adv von ... ~ from ... on; **das Licht/Radio ist ~** the light/radio is on

anal Adj anal

analog Adj analogous; IT analog

Analyse f analysis; **analysieren** vt analyse

Ananas f pineapple

anbaggern vt umg chat up (Brit), come on to (US)

Anbau m LANDW cultivation; (Gebäude) extension; **anbauen** vt LANDW cultivate; (Gebäudeteil) build on

anbehalten vt keep on

anbei Adv enclosed; ~ **sende ich** ... please find enclosed ...

anbeten vt worship

anbieten 1. *vt* offer 2. *vr* volunteer

anbinden *vt* tie up

Anblick *m* sight

anbraten *vt* brown

anbrechen 1. *vt* start; (*Vorräte, Ersparnisse*) break into; (*Flasche, Packung*) open 2. *vi* start; (*Tag*) break; (*Nacht*) fall

anbrennen *vt, vi* burn; *das Fleisch schmeckt angebrannt* the meat tastes burnt

anbringen *vt* (*herbeibringen*) bring; (*befestigen*) fix, attach

Andacht *f* devotion; (*Gottesdienst*) prayers *Pl*

andauern *vi* continue, go on; andauernd *Adj* continual

Andenken *n* memory; (*Gegenstand*) souvenir

andere(r, s) *Adj* (*weitere*) other; (*verschieden*) different; (*folgend*) next; *am ~n Tag* the next day; *von etw/jmd ~m sprechen* talk about sth/sb else; *unter ~m* among other things; andererseits *Adv* on the other hand

ändern 1. *vt* alter, change 2. *vr* change

andernfalls *Adv* otherwise

anders *Adv* differently (*als* from); *jemand/irgendwo ~* someone/somewhere else; *sie ist ~ als ihre Schwester* she's not like her sister; *es geht nicht ~* there's no other way; anders(he)rum *Adv* the other way round; anderswo *Adv* somewhere else

anderthalb *Zahl* one and a half

Änderung *f* change, alteration

andeuten *vt* indicate; (*Wink geben*) hint at

Andorra *n* Andorra

Andrang *m* es herrschte großer ~ there was a huge crowd

androhen *vt jdm etw ~* threaten sb with sth

aneinander *Adv* at/on/to one another (*od* each other); ~ denken think of each other; ~ geraten clash; sich ~ gewöhnen get used to each other; ~ legen put together

Anemone *f* anemone

anerkennen *vt* (*Staat, Zeugnis etc*) recognize; (*würdigen*) appreciate; Anerkennung *f* recognition; (*Würdigung*) appreciation

anfahren 1. *vt* (*fahren gegen*) run into; (*Ort, Hafen*) stop (*od* call) at; (*liefern*) deliver; *jdn ~ fig* (*schimpfen*) jump on sb 2. *vi* start; (*losfahren*) drive off

Anfall *m* MED attack; anfällig *Adj* delicate; (*Maschine*) temperamental; ~ für prone to

Anfang *m* beginning, start; *zu/am ~* to start with; ~ *Mai* at the beginning of

May; **sie ist ~ 20** she's in her early twenties; **anfangen** vt, vi begin, start; **damit kann ich nichts ~** that's no use to me; **Anfänger(in)** m(f) beginner; **anfangs** Adv at first; **Anfangsbuchstabe** m first (od initial) letter

anfassen 1. vt (berühren) touch **2.** vi **kannst du mal mit ~?** can you give me a hand? **3.** vr **sich weich ~** feel soft

Anflug m FLUG approach; (Hauch) trace

anfordern vt demand; **Anforderung** f request (von for); (Anspruch) demand

Anfrage f inquiry

anfreunden vr **sich mit jdm ~** make (od become) friends with sb

anfühlen vr feel; **es fühlt sich gut an** it feels good

Anführungszeichen Pl quotation marks Pl

Angabe f TECH specification; umg (Prahlerei) showing off; (Tennis) serve; **~n** Pl (Auskunft) particulars Pl; **die ~n waren falsch** (Info) the information was wrong; **angeben 1.** vt (Name, Grund) give; (zeigen) indicate; (bestimmen) set **2.** vi umg (prahlen) boast; SPORT serve; **Angeber(in)** m(f) umg show-off; **angeblich** Adj alleged

angeboren Adj inborn

Angebot n offer; WIRTSCH

supply (an + Dat of); **~ und Nachfrage** supply and demand

angebracht Adj appropriate

angebunden Adj **kurz ~** curt

angeheitert Adj tipsy

angehen 1. vt concern; **das geht dich nichts an** that's none of your business; **ein Problem ~** tackle a problem; **was ihn angeht** as far as he's concerned, as for him **2.** vi (Feuer) catch; (beginnen) umg begin; **angehend** Adj prospective

Angehörige(r) mf relative

Angeklagte(r) mf accused, defendant

Angel f fishing rod; (an der Tür) hinge

Angelegenheit f affair, matter

Angelhaken m fish hook; **angeln 1.** vt catch **2.** vi fish; **Angeln** n angling, fishing; **Angelrute** f fishing rod

angemessen Adj appropriate, suitable

angenehm Adj pleasant; **~!** (bei Vorstellung) pleased to meet you; **das ist mir gar nicht ~** I don't like the idea of that

angenommen 1. Adj assumed **2.** Konj **~, es regnet, was machen wir dann?** suppose it rains, what do we do then?

angesehen Adj respected

angesichts Präp + Gen in

view of, considering

Angestellte(r) *mf* employee

angetan *Adj* **von jdm/etw ~ sein** be impressed by (*od* taken with) sb/sth

angewiesen *Adj* **auf jdn/ etw ~ sein** be dependent on sb/sth

angewöhnen *vt* **sich etw ~** get used to doing sth; **Angewohnheit** *f* habit

Angina *f* tonsillitis; **Angina Pectoris** *f* angina

Angler(in) *m(f)* angler

Angora *n* angora

angreifen *vt* attack; (*anfassen*) touch; (*beschädigen*) damage; **Angriff** *m* attack; **etw in ~ nehmen** get started on sth

Angst *f* fear; **~ haben** be afraid (*od* scared) (*vor* + *Dat* of); **jdm ~ machen** scare sb; **ängstigen 1.** *vt* frighten **2.** *vr* worry (*um, wegen* + *Dat* about); **ängstlich** *Adj* nervous; (*besorgt*) worried

anhaben *vt* (*Kleidung*) have on, wear; (*Licht*) have on

anhalten *vi* stop; (*andauern*) continue; **anhaltend** *Adj* continuous; **Anhalter(in)** *m(f)* hitch-hiker; **per ~ fahren** hitch-hike

anhand *Präp* + *Gen* with; **~ von** by means of

anhängen *vt* hang up; BAHN (*Wagen*) couple; (*Zusatz*) add (on); **jdm etw ~ umg** (*unterschieben*) pin sth on sb; **Anhänger** *m* AUTO trai-

ler; (*am Koffer*) tag; (*Schmuck*) pendant; **Anhänger(in)** *m(f)* supporter; **Anhängerkupplung** *f* towbar; **anhänglich** *Adj* affectionate; *pej* clinging

Anhieb *m* **auf ~** straight away; **das kann ich nicht auf ~ sagen** I can't say offhand

anhimmeln *vt* worship, idolize

anhören 1. *vt* listen to **2.** *vr* sound; **das hört sich gut an** that sounds good

Animateur(in) *m(f)* host/ hostess

Anis *m* aniseed

Anker *m* anchor; **ankern** *vt, vi* anchor; **Ankerplatz** *m* anchorage

Ankleidekabine *f* changing cubicle

anklicken *vt* IT click on

anklopfen *vi* knock (*an* + *Akk* on)

ankommen *vi* arrive; **bei jdm gut ~** go down well with sb; **es kommt darauf an** it depends (*ob* or whether); **darauf kommt es nicht an** that doesn't matter

ankotzen *vt vulg* **es kotzt mich an** it makes me sick

ankreuzen *vt* mark with a cross

ankündigen *vt* announce

Ankunft *f* arrival; **Ankunftszeit** *f* arrival time

Anlage *f* (*Veranlagung*) disposition; (*Begabung*) talent; (*Park*) gardens *Pl*, grounds *Pl*; (*zu Brief etc*) enclosure; (*Stereoanlage*) stereo (system); TECH plant; FIN investment

Anlass *m* cause (*zu* for); (*Ereignis*) occasion; *aus diesem ~* for this reason; **anlassen** *vt* (*Motor*) start; (*Licht, Kleidung*) leave on; **Anlasser** *m* AUTO starter; **anlässlich** *Präp* + *Gen* on the occasion of

Anlauf *m* run-up; **anlaufen** *vi* begin; (*Film*) open; (*Fenster*) mist up; (*Metall*) tarnish

anlegen 1. *vt* put (*an + Akk* against/on); (*Schmuck*) put on; (*Garten*) lay out; (*Geld*) invest; (*Gewehr*) aim (*auf + Akk* at); *es auf etw ~ be* out for sth with **2.** *vi* (*Schiff*) berth, dock **3.** *vr sich mit jdm ~ umg* pick a quarrel with sb; **Anlegestelle** *f* moorings *Pl*

anlehnen 1. *vt* lean (*an + Akk* against); (*Tür*) leave ajar **2.** *vr* lean (*an + Akk* against)

anleiern *vt etw ~ umg* get sth going

Anleitung *f* instructions *Pl*

Anliegen *n* matter; (*Wunsch*) request

Anlieger(in) *m(f)* resident; *~ frei* residents only

anlügen *vt* lie to

anmachen *vt* (*befestigen*) attach; (*einschalten*) switch on; (*Salat*) dress; *umg* (*auf-*

reizen) turn on; *umg* (*ansprechen*) chat up (*Brit*), come on to (*US*); *umg* (*beschimpfen*) have a go at

Anmeldeformular *n* application form; (*bei Amt*) registration form; **anmelden 1.** *vt* (*Besuch etc*) announce **2.** *vr* (*beim Arzt etc*) make an appointment; (*bei Amt, für Kurs etc*) register; **Anmeldeschluss** *m* deadline for applications, registration deadline; **Anmeldung** *f* registration; (*Antrag*) application

annähen *vt einen Knopf (an den Mantel) ~* sew a button on (one's coat)

annähernd *Adv* roughly; *nicht ~* nowhere near

Annahme *f* acceptance; (*Vermutung*) assumption; **annehmbar** *Adj* acceptable; **annehmen** *vt* accept; (*Namen*) take; (*Kind*) adopt; (*vermuten*) suppose, assume

Annonce *f* advertisement

anöden *vt umg* bore stiff (*od* silly)

annullieren *vt* cancel

anonym *Adj* anonymous

Anorak *m* anorak

anpacken *vt* (*Problem, Aufgabe*) tackle; *mit ~* lend a hand

anpassen 1. *vt fig* adapt (+ *Dat* to) **2.** *vr* adapt (*an + Akk* to)

anpfeifen *vt* (*Fußballspiel*) *das Spiel ~* start the game;

Anpfiff *m* SPORT (starting) whistle; *(Beginn)* kick-off; *umg (Tadel)* roasting
anprobieren *vt* try on
Anrede *f* form of address

Anrede

Den Unterschied in der Anrede zwischen **Sie** und **du** gibt es im Englischen so nicht. Es wird jeder mit **you** angesprochen. Männer werden mit **Mr (Mr Young)**, verheiratete Frauen mit **Mrs (Mrs Harris)** angesprochen. Bei unverheirateten Frauen bzw. dann, wenn man nicht weiß, ob eine Frau verheiratet ist oder nicht, verwendet man **Ms (Ms Porter)**. Jemanden mit seinem Vornamen anzusprechen, ist in englischsprachigen Ländern sehr viel üblicher als in deutschsprachigen. Auch wenn man im Deutschen noch per Sie wäre, kann im Englischen der Vorname verwendet werden, so beispielsweise häufig unter Arbeitskollegen und auch gegenüber dem Vorgesetzten.

anreden *vt* address
anregen *vt* stimulate; Anregung *f* stimulation; *(Vorschlag)* suggestion
Anreise *f* journey; *der Tag der ~* the day of arrival;

anreisen *vi* arrive
Anreiz *m* incentive
anrichten *vt (Speisen)* prepare; *(Schaden)* cause
Anruf *m* call; Anrufbeantworter *m* answering machine, answerphone; anrufen *vt* TEL call, phone, ring *(Brit)*
ans *Kontr von* an das
Ansage *f* announcement; *(auf Anrufbeantworter)* recorded message; ansagen 1. *vt* announce; **angesagt sein** be recommended; *(modisch sein)* be the in thing; **Spannung ist angesagt** we are in for some excitement 2. *vr* **er sagte sich an** he said he would come
anschaffen *vt* buy
anschauen *vt* look at
Anschein *m* appearance; **dem (od allem) ~ nach ...** it looks as if ...; **den ~ erwecken, hart zu arbeiten** give the impression of working hard; anscheinend 1. *Adj* apparent 2. *Adv* apparently
anschieben *vt* **könnten Sie mich mal ~?** AUTO could you give me a push?
Anschlag *m* notice; *(Attentat)* attack; anschlagen 1. *vt (Plakat)* put up; *(beschädigen)* chip 2. *vi (wirken)* take effect; **mit etw an etw ~** bang sth against sth
anschließen 1. *vt* ELEK, TECH connect *(an + Akk*

Anrufbeantworter

Die Ansage auf einem Anrufbeantworter in Großbritannien könnte folgendermaßen lauten:

This is Canterbury 27 68 70 ('two seven six eight seven oh'). I'm afraid we're not in at the moment. If you'd like to leave a message, please speak after the tone and we'll get back to you as soon as possible.

Sie haben Canterbury 27 68 70 gewählt. Leider ist im Moment niemand zu Hause. Wenn Sie eine Nachricht hinterlassen möchten, sprechen Sie bitte nach dem Tonsignal. Wir werden Sie baldmöglichst zurückrufen.

In den USA könnte man folgenden Text hören:

This is Dave Goldberg. Please leave a message after the beep or send a fax / call me on my cell phone at 359 6071 ('three five nine – six zero seven one'). Thank you for calling.

Dave Goldberg: Bitte hinterlassen Sie nach dem Piepton eine Nachricht oder senden Sie ein Fax / rufen Sie mich auf meinem Handy unter der 359 6071 an. Vielen Dank für Ihren Anruf.

---

to); (*mit Stecker*) plug in **2.** *vi, vr* (*sich*) *an etw* ~ (*Gebäude etc*) adjoin sth; (*zeitlich*) follow sth **3.** *vr* join (*jdm/einer Gruppe* sb/a group); **anschließend 1.** *Adj* adjacent; (*zeitlich*) subsequent **2.** *Adv* afterwards; ~ *an* following; **Anschluss** *m* ELEK, BAHN connection; (*von Wasser, Gas etc*) supply; *im* ~ *an* following; *kein* ~ *unter dieser Nummer* TEL the number you have dialled has not been recognized; **Anschlussflug** *m* connecting flight
anschnallen 1. *vt* (*Skier*)

put on **2.** *vr* fasten one's seat belt
Anschrift *f* address
anschwellen *vi* swell (up)
ansehen *vt* look at; (*bei etw zuschauen*) watch; *jdn/etw als etw* ~ look on sb/sth as sth; *das sieht man ihm an* he looks it
an sein *vi* ~ an
ansetzen 1. *vt* (*Termin*) fix; (*zubereiten*) prepare **2.** *vi* (*anfangen*) start, begin; *zu etw* ~ prepare to do sth
Ansicht *f* (*Meinung*) view, opinion; (*Anblick*) sight; *meiner* ~ *nach* in my opinion; *zur* ~ on approval; **An-**

sichtskarte f postcard

ansonsten Adv otherwise

Anspiel n SPORT start of play; anspielen vi auf etw ~ allude to sth; Anspielung f allusion (auf + Akk to)

ansprechen 1. vt speak to; (gefallen) appeal to 2. vi auf etw ~ (Patient) respond to sth; ansprechend Adj attractive; Ansprechpartner(in) m(f) contact

anspringen vi AUTO start

Anspruch m claim; (Recht) right (auf + Akk to); etw in ~ nehmen take advantage of sth; ~ auf etw haben be entitled to sth; anspruchslos Adj undemanding; (bescheiden) modest; anspruchsvoll Adj demanding

Anstalt f institution

Anstand m decency; anständig Adj decent; fig umg proper; (groß) considerable

anstarren vt stare at

anstatt Präp + Gen instead of

anstecken 1. vt pin on; MED infect; jdn mit einer Erkältung ~ pass one's cold on to sb 2. vr ich habe mich bei ihm angesteckt I caught it from him 3. vi fig be infectious; ansteckend Adj infectious; Ansteckungsgefahr f danger of infection

anstehen vi (in Warteschlange) queue (Brit), stand in

line (US); (erledigt werden müssen) be on the agenda

anstelle Präp + Gen instead of

anstellen 1. vt (einschalten) turn on; (Arbeit geben) employ; (machen) do; was hast du wieder angestellt? what have you been up to now? 2. vr queue (Brit), stand in line (US); umg stell dich nicht so an! stop making such a fuss

Anstoß m impetus; SPORT kick-off; anstoßen 1. vt push; (mit Fuß) kick 2. vi knock, bump; (mit Gläsern) drink (a toast) (auf + Akk to); anstößig Adj offensive; (Kleidung etc) indecent

anstrengen 1. vt strain 2. vr make an effort; anstrengend Adj tiring

Antarktis f Antarctic

Anteil m share (an + Dat in); ~ nehmen an (mitleidig) sympathize with; (sich interessieren) take an interest in

Antenne f aerial

Antibabypille f die ~ the pill; Antibiotikum n MED antibiotic

antik Adj antique

Antilope f antelope

Antiquariat n (für Bücher) second-hand bookshop

Antiquitäten Pl antiques Pl; Antiquitätenhändler(in) m(f) antique dealer

antörnen vt umg turn on

Antrag *m* proposal; POL motion; (*Formular*) application form; **einen ~ stellen auf** make an application for

antreffen *vt* find

antreiben *vt* TECH drive; (*anschwemmen*) wash up; **jdn zur Arbeit ~** make sb work

antreten *vt* **eine Reise ~** set off on a journey

Antrieb *m* TECH drive; (*Motivation*) impetus

antun *vt* **jdm etw ~** do sth to sb; **sich etw ~** (*Selbstmord begehen*) kill oneself

Antwort *f* answer, reply; **um ~ wird gebeten** RSVP (*répondez s'il vous plaît*); **antworten** *vi* answer, reply; **jdm ~** answer sb; **auf etw ~** answer sth

anvertrauen *vt* **jdm etw ~** entrust sb with sth

Anwalt *m*, **Anwältin** *f* lawyer

anweisen *vt* (*anleiten*) instruct; (*zuteilen*) allocate (*jdm etw* sth to sb); **Anweisung** *f* instruction; (*von Geld*) money order

anwenden *vt* use; (*Gesetz, Regel*) apply; **Anwender(in)** *m(f)* user; **Anwendung** *f* use; IT application

anwesend *Adj* present; **Anwesenheit** *f* presence

anwidern *vt* disgust

Anwohner(in) *m(f)* resident

Anzahl *f* number (*an + Dat* of); **anzahlen** *vt* pay a deposit on; **100 Euro ~** pay

100 euros as a deposit; **Anzahlung** *f* deposit

Anzeichen *n* sign; MED symptom

Anzeige *f* (*Werbung*) advertisement; (*elektronisch*) display; (*bei Polizei*) report; **anzeigen** *vt* (*Temperatur, Zeit*) indicate, show; (*elektronisch*) display; (*bekannt geben*) announce; **jdn/einen Autodiebstahl bei der Polizei ~** report sb/a stolen car to the police

anziehen 1. *vt* attract; (*Kleidung*) put on; (*Schraube, Seil*) tighten **2.** *vr* get dressed; **anziehend** *Adj* attractive

Anzug *m* suit

anzüglich *Adj* suggestive

anzünden *vt* light; (*Haus etc*) set fire to

anzweifeln *vt* doubt

Aperitif *m* aperitif

Apfel *m* apple; **Apfelbaum** *m* apple tree; **Apfelkuchen** *m* apple cake; **Apfelmus** *n* apple purée; **Apfelsaft** *m* apple juice; **Apfelsine** *f* orange; **Apfelwein** *m* cider

Apostroph *m* apostrophe

Apotheke *f* chemist's (shop) (*Brit*), pharmacy (*US*); **apothekenpflichtig** *Adj* only available at the chemist's (*od* pharmacy); **Apotheker(in)** *m(f)* chemist (*Brit*), pharmacist (*US*)

Apparat *m* (piece of) apparatus; (*Telefon*) telephone; RADIO, TV set; **am ~!** TEL speaking; **am ~ bleiben** TEL hold the line

Appartement n studio flat (Brit) (od apartment (US))

Appetit m appetite; **guten ~!** bon appétit

Guten Appetit

In englischsprachigen Ländern ist es nicht üblich, vor dem Essen etwas zu sagen, das dem deutschen **Guten Appetit!** entspricht. Gelegentlich hört man jedoch das aus dem Französischen stammende **bon appétit**. Selbst wenn man gemeinsam am Tisch sitzt, ist es nicht unhöflich, einfach mit dem Essen zu beginnen. Im Restaurant sagt die Bedienung häufig **enjoy** oder **enjoy your meal**, wofür man sich mit **thank you** bedankt.

appetitlich Adj appetizing

Applaus m applause

Aprikose f apricot

April m April; → **Juni**; **~, ~!** April fool!; **Aprilscherz** m April fool's joke

apropos Adv by the way; **~ Urlaub ...** while we're on the subject of holidays ...

Aquaplaning n aquaplaning

Aquarell n watercolour

Aquarium n aquarium

Äquator m equator

Araber(in) m(f) Arab; **arabisch** Adj Arab; (Ziffer, Sprache) Arabic; (Meer,

Wüste) Arabian

Arbeit f work; (Stelle) job; (Erzeugnis) piece of work; **arbeiten** vi work; **Arbeiter(in)** m(f) worker; (ungelernt) labourer; **Arbeitgeber(in)** m(f) employer; **Arbeitnehmer(in)** m(f) employee; **Arbeitsamt** n job centre (Brit), employment office (US); **Arbeitserlaubnis** f work permit; **arbeitslos** Adj unemployed; **Arbeitslose(r)** mf unemployed person; **die ~n** Pl the unemployed Pl; **Arbeitslosengeld** n (income--related) unemployment benefit, job-seeker's allowance (Brit); **Arbeitslosenhilfe** f (non-income related) unemployment benefit; **Arbeitslosigkeit** f unemployment; **Arbeitsplatz** m job; (Ort) workplace; **Arbeitsspeicher** m IT main memory; **Arbeitszeit** f working hours Pl; **gleitende ~** flexible working hours Pl, flexitime; **Arbeitszimmer** n study

Archäologe m, **Archäologin** f archaeologist

Architekt(in) m(f) architect; **Architektur** f architecture

Archiv n archives Pl

arg 1. Adj bad; (schrecklich) awful **2.** Adv (sehr) terribly

Argentinien n Argentina

Ärger m annoyance; (stärker) anger; (Unannehmlichkeiten) trouble; **ärger-**

lich *Adj* (*zornig*) angry; (*lästig*) annoying; **ärgern 1.** *vt* annoy **2.** *vr* get annoyed

Argument *n* argument

Arktis *f* Arctic

arm *Adj* poor

Arm *m* arm; (*Fluss*) branch

Armaturenbrett *n* instrument panel; AUTO dashboard

Armband *n* bracelet; **Armbanduhr** *f* (wrist)watch

Armee *f* army

Ärmel *m* sleeve; **Ärmelkanal** *m* (English) Channel

Armut *f* poverty

Aroma *n* aroma; **Aromatherapie** *f* aromatherapy

arrogant *Adj* arrogant

Arsch *m vulg* arse (*Brit*), (*US*); **Arschloch** *n vulg* (*Person*) arsehole (*Brit*), asshole (*US*)

Art *f* (*Weise*) way; (*Sorte*) kind, sort; (*bei Tieren*) species; **nach ~ des Hauses** à la maison; **auf diese ~ (und Weise)** in this way; **das ist nicht seine ~** that's not like him

Arterie *f* artery

artig *Adj* good, well-behaved

Artikel *m* (*Ware*) article, item; (*Zeitung*) article

Artischocke *f* artichoke

Artist(in) *m(f)* (*circus*) performer

Arznei *f* medicine; **Arzt** *m* doctor; **Arzthelfer(in)** *m(f)* doctor's assistant; **Ärztin** *f* (female) doctor; **ärztlich** *Adj* medical; **sich ~ behan-**

deln lassen undergo medical treatment

Asche *f* ashes *Pl*; (*von Zigarette*) ash; **Aschenbecher** *m* ashtray; **Aschermittwoch** *m* Ash Wednesday

Asiat(in) *m(f)* Asian; **asiatisch** *Adj* Asian; **Asien** *n* Asia

Aspekt *m* aspect

Asphalt *m* asphalt

Aspirin® *n* aspirin

Ass *n* (*Karten, Tennis*) ace

Assistent(in) *m(f)* assistant

Ast *m* branch

Asthma *n* asthma

Astrologie *f* astrology; **Astronaut(in)** *m(f)* astronaut; **Astronomie** *f* astronomy

Athen *n* Athens

Äthiopien *n* Ethiopia

Athlet(in) *m(f)* athlete

Atlantik *m* Atlantic (Ocean)

Atlas *m* atlas

atmen *vt, vi* breathe; **Atmung** *f* breathing

Atom *n* atom; **Atombombe** *f*

ASU *f Abk = Abgassonderuntersuchung*; exhaust emission test

Asyl *n* asylum; (*Heim*) home; (*für Obdachlose*) shelter; **Asylant(in)** *m(f)*, **Asylbewerber(in)** *m(f)* asylum seeker

Atelier *n* studio

Atem *m* breath; **atemberaubend** *Adj* breathtaking; **Atembeschwerden** *Pl* breathing difficulties *Pl*; **atemlos** *Adj* breathless; **Atempause** *f* breather

atom bomb; **Atomkraftwerk** *n* nuclear power station; **Atommüll** *m* nuclear waste; **Atomwaffen** *Pl* nuclear weapons *Pl*

Attentat *n* assassination (*auf + Akk* of); (*Versuch*) assassination attempt

Attest *n* certificate

attraktiv *Adj* attractive

Attrappe *f* dummy

ätzend *Adj umg* revolting; (*schlecht*) lousy

au *Interj* ouch; ~ **ja!** yeah

Aubergine *f* aubergine, eggplant (*US*)

auch *Konj* also, too; (*selbst*, *sogar*) even; (*wirklich*) really; **oder** ~ or; **ich** ~ so do I; **ich** ~ **nicht** me neither; **wer/was** ~ **immer** whoever/whatever; **ich gehe jetzt** - **ich** I'm going now - so am I; **das weiß ich** ~ **nicht** I don't know either

audiovisuell *Adj* audiovisual

auf 1. *Präp + Akk od Dat* (*räumlich*) on; ~ **der Reise/ dem Tisch** on the way/the table; ~ **der Post**®**/der Party** at the post office/the party; **etw** ~ **den Tisch stellen** put sth on the table; ~ **Deutsch** in German **2.** *Präp + Akk* (*hinauf*) up; (*in Richtung*) to; (*nach*) after; ~ **eine Party gehen** go to a party; **bis** ~ **ihn** except for him; ~ **einmal** suddenly; (*gleichzeitig*) at once

3. *Adv* (*offen*) open; ~ **sein** *umg* be open; (*Mensch*) be up; ~ **und ab** up and down; ~**!** (*los!*) come on!; ~ **dass** so that

aufatmen *vi* breathe a sigh of relief

aufbauen *vt* (*errichten*) put up; (*schaffen*) build up; (*gestalten*) construct; (*gründen*) found, base (*auf + Akk* on); **sich eine Existenz** ~ make a life for oneself

aufbewahren *vt* keep, store

aufbleiben *vi* (*Tür, Laden etc*) stay open; (*Mensch*) stay up

aufblenden *vi, vt* (*Scheinwerfer*) put one's headlights on full beam

aufbrechen 1. *vt* break open **2.** *vi* burst open; (*gehen*) leave; (*abreisen*) set off; **Aufbruch** *m* departure

aufdrängen 1. *vt* **jdm etw** ~ force sth on sb **2.** *vr* intrude (*jdm* on sb); **aufdringlich** *Adj* pushy

aufeinander *Adv* (*übereinander*) on top of each other; ~ **achten** look after each other; ~ **schießen** shoot at each other; ~ **vertrauen** trust each other; ~ **folgen** follow one another; ~ **prallen** crash into one another

Aufenthalt *m* stay; (*Zug*) stop; **Aufenthaltsgenehmigung** *f* residence permit; **Aufenthaltsraum** *m* lounge aufessen *vt* eat up

auffahren *vi* (*Auto*) run (*od* crash) (*auf + Akk* into); (*herankommen*) drive up; **Auffahrt** *f* (*am Haus*) drive; (*Autobahn*) slip road (*Brit*), ramp (*US*); **Auffahrunfall** *m* rear-end collision; (*mehrere Fahrzeuge*) pile-up

auffallen *vi* stand out; **jdm ~** strike sb; *das fällt gar nicht auf* nobody will notice; **auffallend** *Adj* striking; **auffällig** *Adj* conspicuous; (*Kleidung, Farbe*) striking

auffangen *vt* (*Ball*) catch; (*Stoß*) cushion

auffassen *vt* understand; **Auffassung** *f* view; (*Meinung*) opinion; (*Auslegung*) concept; (*Auffassungsgabe*) grasp

auffordern *vt* (*befehlen*) call upon; (*bitten*) ask

auffrischen *vt* (*Kenntnisse*) brush up

aufführen 1. *vt* THEAT perform; (*in einem Verzeichnis*) list; (*Beispiel*) give 2. *vr* (*sich benehmen*) behave; **Aufführung** *f* THEAT performance

Aufgabe *f* job, task; (*Schule*) exercise; (*Hausaufgabe*) homework

Aufgang *m* (*Treppe*) staircase

aufgeben *vt* (*verzichten auf*) give up; (*Paket*) post; (*Gepäck*) check in; (*Bestellung*) place; (*Inserat*) insert; (*Rätsel, Problem*) set 2. *vi* give up

aufgehen *vi* (*Sonne, Teig*) rise; (*sich öffnen*) open; (*klar werden*) dawn (*jdm* on sb)

aufgelegt *Adj* **gut/schlecht ~** in a good/bad mood

aufgeregt *Adj* excited

aufgeschlossen *Adj* open(-minded)

aufgeschmissen *Adj umg* in a fix

aufgrund, auf Grund *Präp + Gen* on the basis of; (*wegen*) because of

aufhaben 1. *vt* (*Hut etc*) have on; **viel ~** (*Schule*) have a lot of homework to do 2. *vi* (*Geschäft*) be open

aufhalten 1. *vt* (*jdn*) detain; (*Entwicklung*) stop; (*Tür, Hand*) hold open; (*Augen*) keep open 2. *vr* (*wohnen*) live; (*vorübergehend*) stay

aufhängen *vt* hang up

aufheben *vt* (*vom Boden etc*) pick up; (*aufbewahren*) keep

aufholen 1. *vt* (*Zeit*) make up 2. *vi* catch up

aufhören *vi* stop; **~, etw zu tun** stop doing sth

aufklären *vt* (*Geheimnis etc*) clear up; **jdn ~** enlighten sb; (*sexuell*) tell sb the facts of life

Aufkleber *m* sticker

aufkommen *vi* (*Wind*) come up; (*Zweifel, Gefühl*) arise; (*Mode etc*) appear on the scene; *für den Schaden ~*

pay for the damage

aufladen vt load; (Handy etc) charge; **Aufladegerät** n charger

Auflage f edition; (von Zeitung) circulation; (Bedingung) condition

auflassen vt (Hut, Brille) keep on; (Tür) leave open

Auflauf m (Menschen) crowd; (Speise) bake

auflegen 1. vt (CD, Schminke etc) put on; (Hörer) put down **2.** vi TEL leave open

aufleuchten vi light up

auflösen 1. vt (in Flüssigkeit) dissolve **2.** vr (in Flüssigkeit) dissolve; **der Stau hat sich aufgelöst** traffic is back to normal; **Auflösung** f (von Rätsel) solution; (von Bildschirm) resolution

aufmachen 1. vt open; (Kleidung) undo **2.** vr set out (nach for)

aufmerksam Adj attentive; **jdn auf etw ~ machen** draw sb's attention to sth; **Aufmerksamkeit** f attention; (Konzentration) attentiveness; (Geschenk) small token

aufmuntern vt (ermutigen) encourage; (aufheitern) cheer up

Aufnahme f FOTO photo(graph); (einzelne) shot; (in Verein, Krankenhaus etc) admission; (Beginn) beginning; (auf Tonband etc) recording; **Aufnahmeprüfung**

f entrance exam; **aufnehmen** vt (in Krankenhaus, Verein etc) admit; (Musik) record; (beginnen) take up; (in Liste) include; (begreifen) take in; **mit jdm Kontakt ~** get in touch with sb

aufpassen vi (aufmerksam sein) pay attention; (vorsichtig sein) take care; **auf jdn/etw ~** keep an eye on sb/sth

Aufprall m impact; **aufprallen** vi **auf etw ~** hit sth, crash into sth

Aufpreis m extra charge

aufpumpen vt pump up

Aufputschmittel n stimulant

aufräumen vt, vi (Dinge) clear away; (Zimmer) tidy up

aufrecht Adj upright

aufregen 1. vt excite; (ärgern) annoy **2.** vr get worked up; **aufregend** Adj exciting; **Aufregung** f excitement

aufreißen vt (Tüte) tear open; (Tür) fling open; (Person) umg pick up

Aufruf m FLUG, IT call; (öffentlicher) appeal; **aufrufen** vt (auffordern) call upon (zu for); (Namen) call out; FLUG call; IT call up

aufrunden vt (Summe) round up

aufs Kontr von **auf das**

Aufsatz m essay

aufschieben vt (verschieben) postpone; (verzögern)

put off; (*Tür*) slide open

Aufschlag *m* (*bei Preis*) extra charge; (*Tennis*) service; **aufschlagen 1.** *vt* (*öffnen*) open; (*verwunden*) cut open; (*Zelt*) pitch, put up; (*Lager*) set up **2.** *vi* (*Tennis*) serve; *auf etw* ~ (*aufprallen*) hit sth

aufschließen 1. *vt* unlock, open up **2.** *vi* (*aufrücken*) close up

aufschneiden 1. *vt* cut open; (*in Scheiben*) slice **2.** *vi* (*angeben*) boast, show off

Aufschnitt *m* (slices *Pl* of) cold meat; (*bei Käse*) (assorted) sliced cheeses *Pl*

aufschreiben *vt* write down

Aufschrift *f* inscription; (*Etikett*) label

Aufschub *m* (*Verzögerung*) delay; (*Vertagung*) postponement

Aufsehen *n* stir; *großes ~ erregen* cause a sensation; **Aufseher(in)** *m(f)* guard; (*im Betrieb*) supervisor; (*im Museum*) attendant; (*im Park*) keeper

auf sein *vi* → *auf*

aufsetzen 1. *vt* put on; (*Dokument*) draw up **2.** *vi* (*Flugzeug*) touch down

Aufsicht *f* supervision; (*bei Prüfung*) invigilation; *die ~ haben* be in charge

aufspannen *vt* (*Schirm*) put up

aufsperren *vt* (*Mund*) open wide; (*aufschließen*) unlock

aufspringen *vi* jump (*auf* + *Akk* onto); (*hochspringen*) jump up; (*sich öffnen*) spring open

aufstehen *vi* get up; (*Tür*) be open

aufstellen *vt* (*aufrecht stellen*) put up; (*aufreihen*) line up; (*nominieren*) put up; (*Liste, Programm*) draw up; (*Rekord*) set up

Aufstieg *m* (*auf Berg*) ascent; (*Fortschritt*) rise; (*beruflich, im Sport*) promotion

Aufstrich *m* spread

auftanken *vt, vi* (*Auto*) tank up; (*Flugzeug*) refuel

auftauchen *vi* turn up; (*aus Wasser etc*) surface; (*Frage, Problem*) come up

auftauen 1. *vt* (*Speisen*) defrost **2.** *vi* thaw; *fig* (*Person*) unbend

Auftrag *m* WIRTSCH order; (*Arbeit*) job; (*Anweisung*) instructions *Pl*; (*Aufgabe*) task; *im ~ von* on behalf of; **auftragen** *vt* (*Salbe etc*) apply; (*Essen*) serve

auftreten *vi* appear; (*Problem*) come up; (*sich verhalten*) behave; **Auftritt** *m* (*des Schauspielers*) entrance; *fig* (*Szene*) scene

aufwachen *vi* wake up

aufwachsen *vi* grow up

Aufwand *m* expenditure; (*Kosten a.*) expense; (*Anstrengung*) effort; **aufwändig** *Adj* costly; *das ist zu ~* that's too much trouble

aufwärmen vt, vr warm up
aufwärts Adv upwards; **mit etw geht es ~** things are looking up for sth
aufwecken vt wake up
aufwendig Adj → **aufwändig**
aufwischen vt wipe up; (Fußboden) wipe
aufzählen vt list; **Aufzählungszeichen** n bullet
aufzeichnen vt sketch; (schriftlich) jot down; (auf Band etc) record; **Aufzeichnung** f (schriftlich) note; (Tonband etc) recording; (Film) record
aufziehen 1. vt (öffnen) pull open; (Uhr) wind (up); umg (necken) tease; (Kinder) bring up; (Tiere) rear **2.** vi (Gewitter) come up
Aufzug m (Fahrstuhl) lift (Brit), elevator (US); (Kleidung) get-up; THEAT act
Auge n eye; **jdm etw aufs ~ drücken** umg force sth on sb; **ins ~ gehen** go wrong; **unter vier ~n** in private; **etw im ~ behalten** keep sth in mind; **Augenarzt** m, **Augenärztin** f eye specialist, eye doctor (US); **Augenblick** m moment; **im ~ at** the moment; **Augenbraue** f eyebrow; **Augenbrauenstift** m eyebrow pencil; **Augenfarbe** f eye colour; **seine ~** the colour of his eyes; **Augenlid** n eyelid; **Augenoptiker(in)** m(f) optician; **Augentrop-**

fen Pl eyedrops Pl; **Augenzeuge** m, **Augenzeugin** f eyewitness
August m August; → **Juni**
Auktion f auction
aus 1. Präp + Dat (aus dem Innern von) out of; (von ... her) from; (Material) (made) of; **~ Berlin kommen** come from Berlin; **~ Versehen** by mistake; **~ Angst** out of fear **2.** Adv out; (beendet) finished, over; **ein/aus** TECH on/off; **~ sein** umg SPORT be out; (zu Ende) be over; **auf etw ~ sein** be after sth; **von mir ~** (was mich angeht) as far as I'm concerned; **von mir ~!** (mir ist es egal) I don't care; **zwischen uns ist es ~** we're finished; **Aus** n SPORT touch; fig end
ausatmen vi breathe out
ausbauen vt (Haus, Straße) extend; (Motor etc) remove
ausbessern vt repair; (Kleidung) mend
ausbilden vt educate; (Lehrling etc) train; (Fähigkeiten) develop; **Ausbildung** f education; (von Lehrling etc) training; (von Fähigkeiten) development
Ausblick m view; fig outlook
ausbrechen vi break out; **in Tränen ~** burst into tears; **in Gelächter ~** burst out laughing
ausbreiten 1. vt spread (out); (Arme) stretch out **2.**

vr spread

Ausbruch *m* (*Krieg, Seuche etc*) outbreak; (*Vulkan*) eruption; (*Gefühle*) outburst; (*von Gefangenen*) escape

ausbuhen *vt* boo

Ausdauer *f* perseverance; SPORT stamina

ausdehnen *vt* stretch; *fig* (*Macht*) extend

ausdenken *vt* **sich etw ~** come up with sth

Ausdruck 1. *m* (*Ausdrücke Pl*) expression 2. *m* (*Ausdrucke Pl*) (*Computerausdruck*) print-out; **ausdrucken** *vt* IT print (out)

ausdrücken 1. *vt* (*formulieren*) express; (*Zigarette*) put out; (*Zitrone etc*) squeeze 2. *vr* express oneself; **ausdrücklich** 1. *Adj* express 2. *Adv* expressly

auseinander *Adv* (*getrennt*) apart; **~ gehen** (*Menschen*) separate; (*Meinungen*) differ; (*Gegenstand*) fall apart; **~ halten** tell apart; **~ schreiben** write as separate words; **~ setzen** (*erklären*) explain; **sich ~ setzen** (*sich beschäftigen*) look (*mit* at); (*sich streiten*) argue (*mit* with); **Auseinandersetzung** *f* (*Streit*) argument; (*Diskussion*) debate

Ausfahrt *f* (*des Zuges etc*) departure; (*Autobahn, Garage etc*) exit

ausfallen *vi* (*Haare*) fall

out; (*nicht stattfinden*) be cancelled; (*nicht funktionieren*) break down; (*Strom*) be cut off; (*Resultat haben*) turn out; **groß/klein ~** (*Kleidung, Schuhe*) be too big/too small

ausfindig machen *vt* discover

ausflippen *vi* *umg* freak out

Ausflug *m* excursion, outing; **Ausflugsziel** *n* destination

Ausfluss *m* MED discharge

ausfragen *vt* question

Ausfuhr *f* export

ausführen *vt* (*verwirklichen*) carry out; (*Person*) take out; WIRTSCH export; (*darlegen*) explain

ausführlich 1. *Adj* detailed 2. *Adv* in detail

ausfüllen *vt* fill up; (*Fragebogen etc*) fill in (*od* out)

Ausgabe *f* (*Geld*) expenditure; (*IT*) output; (*Buch*) edition; (*Nummer*) issue

Ausgang *m* way out, exit; (*Flugsteig*) gate; (*Ende*) end; (*Ergebnis*) result; „**kein ~**" 'no exit'

ausgeben 1. *vt* (*Geld*) spend; (*austeilen*) distribute; **jdm etw ~** (*spendieren*) buy sb sth 2. *vr* **sich für etw/jdn ~** pass oneself off as sth/sb

ausgebucht *Adj* fully booked

ausgefallen *Adj* (*ungewöhnlich*) unusual

ausgehen *vi* (*abends etc*) go

out; (Benzin, Kaffee etc) run out; (Haare) fall out; (Feuer, Licht etc) go out; (Resultat haben) turn out; **davon ~, dass** assume that; **ihm ging das Geld aus** he ran out of money

ausgelassen Adj exuberant

ausgeleiert Adj worn out

ausgenommen Konj, Präp + Gen od Dat except

ausgerechnet Adv ~ **du** you of all people; ~ **heute** today of all days

ausgeschildert Adj signposted

ausgeschlafen Adj **bist du ~?** have you had enough sleep?

ausgeschlossen Adj (unmöglich) impossible, out of the question

ausgesprochen 1. Adj (absolut) out-and-out; (unverkennbar) marked **2.** Adv extremely; ~ **gut** really good

ausgezeichnet Adj excellent

ausgiebig Adj (Gebrauch) thorough; (Essen) substantial

ausgießen vt (Getränk) pour out; (Gefäß) empty

ausgleichen 1. vt even out **2.** vi SPORT equalize

Ausguss m (Spüle) sink; (Abfluss) outlet

aushalten 1. vt bear, stand; **nicht auszuhalten sein** be unbearable **2.** vi hold out

aushändigen vt jdm etw ~

hand sth over to sb

Aushang m notice

Aushilfe f temporary help; (im Büro) temp

auskennen vr know a lot (bei, mit about); (an einem Ort) know one's way around

auskommen vi **gut/ schlecht mit jdm ~** get on well/badly with sb; **mit etw ~** get by with sth

Auskunft f information; (nähere) details Pl; (Schalter) information desk; TEL (directory) enquiries Sg (kein Artikel, Brit), information (US)

auslachen vt laugh at

ausladen vt (Gepäck etc) unload; **jdn ~** (Gast) tell sb not to come

Auslage f window display; ~**n** Pl (Kosten) expenses

Ausland n foreign countries Pl; **im/ins ~** abroad; **Ausländer(in)** m(f) foreigner; **ausländerfeindlich** Adj hostile to foreigners, xenophobic; **ausländisch** Adj foreign; **Auslandsgespräch** n international call; **Auslandskrankenschein** m health insurance certificate for foreign countries, ≈ E111 (Brit); **Auslandsschutzbrief** m international (motor) insurance cover (documents Pl)

auslassen 1. vt leave out; (Wort etc a.) omit; (überspringen) skip; (Wut, Är-

ger) vent (*an* + *Dat* on) **2.**
vr **sich über etw ~** speak
one's mind about sth

auslaufen *vi* (*Flüssigkeit*)
run out; (*Tank etc*) leak;
(*Schiff*) leave port; (*Vertrag*) expire

auslegen *vt* (*Waren*) display;
(*Geld*) lend; (*Text etc*) interpret; (*technisch ausstatten*) design (*für, auf* + *Akk*
for)

ausleihen *vt* (*verleihen*)
lend; **sich etw ~** borrow
sth

ausloggen *vi* IT log out (*od*
off)

auslösen *vt* (*Explosion, Alarm*) set off; (*hervorrufen*)
cause; **Auslöser** *m* FOTO
shutter release

ausmachen *vt* (*Licht, Radio*) turn off; (*Feuer*) put
out; (*Termin, Preis*) fix;
(*vereinbaren*) agree; (*Anteil
darstellen, betragen*) represent; (*bedeuten*) matter;
**macht es Ihnen etwas
aus, wenn ...?** would you
mind if ...?; **das macht mir
nichts aus** I don't mind

Ausmaß *n* extent

Ausnahme *f* exception; **ausnahmsweise** *Adv* as an exception, just this once

ausnutzen *vt* (*Zeit, Gelegenheit, Einfluss*) use; (*jdn,
Gutmütigkeit*) take advantage of

auspacken *vt* unpack

ausprobieren *vt* try (out)

Auspuff *m* TECH exhaust;

Auspuffrohr *n* exhaust
(pipe); **Auspufftopf** *m* AUTO silencer (*Brit*), muffler
(*US*)

ausrauben *vt* rob

ausräumen *vt* (*Dinge*) clear
away; (*Schrank, Zimmer*)
empty; (*Bedenken*) put
aside

ausrechnen *vt* calculate,
work out

Ausrede *f* excuse

ausreden **1.** *vi* finish speaking **2.** *vt* **jdm etw ~** talk sb
out of sth

ausreichend *Adj* sufficient,
satisfactory; (*Schulnote*) ≈
D

Ausreise *f* departure; **bei
der ~** on leaving the country; **Ausreiseerlaubnis** *f*
exit visa; **ausreisen** *vi*
leave the country

ausreißen **1.** *vt* tear out **2.**
vi come off; *umg* (*davonlaufen*) run away

ausrenken *vt* **sich den Arm
~** dislocate one's arm

ausrichten *vt* (*Botschaft*)
deliver; (*Gruß*) pass on;
(*erreichen*) **ich konnte bei
ihr nichts ~** I couldn't get
anywhere with her; **jdm
etw ~** tell sb sth

ausrufen *vt* (*über Lautsprecher*) announce; **jdn ~ lassen** page sb; **Ausrufezeichen** *n* exclamation mark

ausruhen *vi, vr* rest

Ausrüstung *f* equipment

ausrutschen *vi* slip

ausschalten *vt* switch off;

fig eliminate

Ausschau *f* ~ **halten** look out (*nach* for)

ausscheiden 1. *vt* MED give off, secrete **2.** *vi* leave (*aus etw* sth); SPORT be eliminated

ausschlafen 1. *vi, vr* have a lie-in **2.** *vt* sleep off

Ausschlag *m* MED rash; *den* ~ *geben* fig tip the balance; **ausschlagen 1.** *vt* (*Zahn*) knock out; (*Einladung*) turn down **2.** *vi* (*Pferd*) kick out; **ausschlaggebend** *Adj* decisive

ausschließen *vt* lock out; *fig* exclude; **ausschließlich 1.** *Adv* exclusively **2.** *Präp* + *Gen* excluding

Ausschnitt *m* (*Teil*) section; (*von Kleid*) neckline; (*aus Zeitung*) cutting

Ausschreitungen *Pl* riots *Pl*

ausschütten *vt* (*Flüssigkeit*) pour out; (*Gefäß*) empty

aussehen *vi* look; *krank* ~ look ill; *gut* ~ (*Person*) be good-looking; (*Sache*) be looking good; *es sieht nach Regen aus* it looks like rain; *es sieht schlecht aus* things look bad

aus sein *vi* → **aus**

außen *Adv* outside; *nach* ~ outwards; *von* ~ from (the) outside; **Außenbordmotor** *m* outboard motor; **Außenminister(in)** *m(f)* foreign minister, Foreign Secretary

(*Brit*); **Außenseite** *f* outside; **Außenseiter(in)** *m(f)* outsider; **Außenspiegel** *m* wing mirror (*Brit*), side mirror (*US*)

außer 1. *Präp* + *Dat* (*abgesehen von*) except (*for*); *nichts* ~ nothing but; ~ *Betrieb* out of order; ~ *sich sein* be beside oneself (*vor* with); ~ *Atem* out of breath **2.** *Konj* (*ausgenommen*) except; ~ *wenn* unless; ~ *dass* except; **außerdem** *Konj* besides

äußere(r, s) *Adj* outer, external

außergewöhnlich 1. *Adj* unusual **2.** *Adv* exceptionally; ~ *kalt* exceptionally cold; **außerhalb** *Präp* + *Gen* outside

äußerlich *Adj* external

äußern 1. *vt* express; (*zeigen*) show **2.** *vr* give one's opinion; (*sich zeigen*) show itself

außerordentlich *Adj* extraordinary; **außerplanmäßig** *Adj* unscheduled

äußerst *Adv* extremely; **äußerste(r, s)** *Adj* utmost; (*räumlich*) farthest; (*Termin*) last possible

Äußerung *f* remark

aussetzen 1. *vt* (*Kind, Tier*) abandon; (*Belohnung*) offer; *ich habe nichts daran auszusetzen* I have no objection to it **2.** *vi* (*aufhören*) stop; (*Pause machen*) drop out; (*beim Spiel*) miss a turn

Aussicht f (Blick) view; (Chance) prospect; **aussichtslos** Adj hopeless; **Aussichtsplattform** f observation platform; **Aussichtsturm** m observation tower

Aussiedler(in) m(f) émigré (person of German descent from Eastern Europe)

ausspannen 1. vi (erholen) relax **2.** vt **er hat ihm die Freundin ausgespannt** umg he's nicked his girlfriend

aussperren 1. vt lock out **2.** vr lock oneself out

Aussprache f (von Wörtern) pronunciation; (Gespräch) (frank) discussion; **aussprechen 1.** vt pronounce; (äußern) express **2.** vr talk (über + Akk about) **3.** vi (zu Ende sprechen) finish speaking

ausspülen vt rinse (out)

Ausstattung f (Ausrüstung) equipment; (Einrichtung) furnishings Pl; (von Auto) fittings Pl

ausstehen 1. vt endure; **ich kann ihn nicht ~** I can't stand him **2.** vi (noch nicht da sein) be outstanding

aussteigen vi get out (aus of); **aus dem Bus/Zug ~** get off the bus/train; **Aussteiger(in)** m(f) dropout

ausstellen vt display; (auf Messe, in Museum etc) exhibit; umg (ausschalten)

switch off; (Scheck etc) make out; (Pass etc) issue; **Ausstellung** f exhibition

aussterben vi die out

ausstrahlen vt radiate; (Programm) broadcast; **Ausstrahlung** f RADIO, TV broadcast; fig (von Person) charisma

ausstrecken 1. vr stretch out **2.** vt (Hand) reach out (nach for)

aussuchen vt choose

Austausch m exchange; **austauschen** vt exchange (gegen for)

austeilen vt distribute; (aushändigen) hand out

Auster f oyster; **Austernpilz** m oyster mushroom

austragen vt (Post) deliver; (Wettkampf) hold

Australien n Australia; **Australier(in)** m(f) Australian; **australisch** Adj Australian

austrinken 1. vt (Glas) drain; (Getränk) drink up **2.** vi finish one's drink

austrocknen vi dry out; (Fluss) dry up

ausüben vt (Beruf, Sport) practise; (Einfluss) exert

Ausverkauf m sale; **ausverkauft** Adj (Karten, Artikel) sold out

Auswahl f selection, choice (an + Dat of); **auswählen** vt select, choose

auswandern vi emigrate

auswärtig Adj (nicht am/ vom Ort) not local; (aus-

ländisch) foreign; **auswärts** *Adv (außerhalb der Stadt)* out of town; SPORT **~ spielen** play away; **Auswärtsspiel** *n* away match

auswechseln *vt* replace; SPORT substitute

Ausweg *m* way out

ausweichen *vi* get out of the way; **jdm/einer Sache ~** move aside for sb/sth; *fig* avoid sb/sth

Ausweis *m (Personalausweis)* identity card, ID; *(für Bibliothek etc)* card; **ausweisen 1.** *vt* expel **2.** *vr* prove one's identity; **Ausweiskontrolle** *f* ID check; **Ausweispapiere** *Pl* identification documents *Pl*

auswendig *Adv* by heart

auswuchten *vt* AUTO *(Räder)* balance

auszahlen 1. *vt (Summe)* pay (out); *(Person)* pay off **2.** *vr* be worth it

auszeichnen 1. *vt (ehren)* honour; WIRTSCH price **2.** *vr* distinguish oneself

ausziehen 1. *vt (Kleidung)* take off **2.** *vr* undress **3.** *vi (aus Wohnung)* move out

Auszubildende(r) *mf* trainee

Auto *n* car; **~ fahren** drive; **Autoatlas** *m* road atlas; **Autobahn** *f* motorway *(Brit)*, freeway *(US)*; **Autobahnauffahrt** *f* motorway access road *(Brit)*, on-ramp *(US)*; **Autobahnausfahrt** *f* motorway exit *(Brit)*, off-

---

Autobahn

Die **Autobahn** heißt in Großbritannien **motorway**, abgekürzt mit **M (M25, M11** etc). Auf allen **motorways** gilt eine Geschwindigkeitsbeschränkung von 70 **mph (miles per hour)**, was ca. 110 km/h entspricht. In den USA spricht man von **highway, freeway** *oder* **interstate**, abgekürzt mit **I (I-70, I-95** etc). Die Geschwindigkeitsbegrenzung variiert von Staat zu Staat, liegt aber meist zwischen 55 und 75 **mph**.

-ramp *(US)*; **Autobahngebühr** *f* toll; **Autobahnkreuz** *n* motorway interchange; **Autobahnring** *m* motorway ring *(Brit)*, beltway *(US)*; **Autobombe** *f* car bomb; **Autofähre** *f* car ferry; **Autofahrer(in)** *m(f)* driver, motorist; **Autofahrt** *f* drive

Autogramm *n* autograph

Automarke *f* make of car

Automat *m* vending machine

Automatik *f* AUTO automatic transmission; **Automatikschaltung** *f* automatic gear change *(Brit)* *(od* shift *(US))*; **Automatikwagen** *m* automatic

automatisch 1. *Adj* automatic **2.** *Adv* automatically

Automechaniker(in) *m(f)*
car mechanic; **Autonum-
mer** *f* registration (*Brit*)
(*od* license (*US*)) number;
Autoradio *n* car radio; **Au-
toreifen** *m* car tyre; **Autoreisezug** *m* Motorail train®
(*Brit*), auto train (*US*); **Autorennen** *n* motor racing;
(*einzelnes Rennen*) motor
race; **Autoschlüssel** *m* car
key; **Autotelefon** *n* car
phone; **Autounfall** *m* car

accident; **Autoverleih** *m*,
Autovermietung *f* car hire
(*Brit*) (*od* rental (*US*));
(*Firma*) car hire (*Brit*) (*od*
rental (*US*)) company; **Au-
towaschanlage** *f* car wash;
Autowerkstatt *f* car repair
shop, garage; **Autozubehör**
n car accessories *Pl*
Avocado *f* avocado
Axt *f* axe
Azubi *m*, *f Akr* = *Auszubil-
dende*; trainee

B

B *Abk* = *Bundesstraße*
Baby *n* baby; **Babybett** *n*
cot (*Brit*), crib (*US*); **Baby-
fläschchen** *n* baby's bottle;
Babynahrung *f* baby food;
Babysitter(in) *m(f)* baby-
sitter; **Babysitz** *m* child
seat; **Babywickelraum** *m*
baby-changing room
Bach *m* stream
Backblech *n* baking tray
Backbord *n* port (side)
Backe *f* cheek
backen *vt, vi* bake
Backenzahn *m* molar
Bäcker(in) *m(f)* baker; **Bä-
ckerei** *f* bakery; (*Laden*)
baker's (shop); **Backofen**
m oven; **Backpulver** *n* baking powder
Backspace-Taste *f* IT back-
space key
Backstein *m* brick
Backwaren *Pl* bread, cakes

and pastries *Pl*
Bad *n* bath; (*Schwimmen*)
swim; (*Ort*) spa; **ein ~ nehmen** have (*od* take) a bath;
Badeanzug *m* swimsuit,
swimming costume (*Brit*);
Badehose *f* swimming
trunks *Pl*; **Badekappe** *f*
swimming cap; **Bademan-
tel** *m* bathrobe; **Bademeis-
ter(in)** *m(f)* pool attendant;
Bademütze *f* swimming
cap; **baden 1.** *vi* have a
bath; (*schwimmen*) swim,
bathe (*Brit*) **2.** *vt* bath
(*Brit*), bathe (*US*)
Baden-Württemberg *n* Baden-Württemberg
Badeort *m* spa; **Badesa-
chen** *Pl* swimming things
Pl; **Badetuch** *n* bath towel;
Badewanne *f* bath (tub);
Badezimmer *n* bathroom
Badminton *n* badminton

baff *Adj* ~ *sein umg* be flabbergasted (*od* gobsmacked)

Bagger *m* excavator; **Baggersee** *m* artificial lake in quarry *etc*, used for bathing

Bahamas *Pl* **die** ~ the Bahamas *Pl*

Bahn *f* (*Eisenbahn*) railway (*Brit*), railroad (*US*); (*Rennbahn*) track; (*für Läufer*) lane; ASTR orbit; **bahnbrechend** *Adj* groundbreaking; **Bahn-Card®** *f* rail card (*allowing 50% or 25% reduction on tickets*); **Bahnfahrt** *f* railway (*Brit*) (*od* railroad (*US*)) journey; **Bahnhof** *m* station; **am** (*od* **auf dem**) ~ at the station; **Bahnlinie** *f* railway (*Brit*) (*od* railroad (*US*)) line; **Bahnpolizei** *f* railway (*Brit*) (*od* railroad (*US*)) police; **Bahnsteig** *m* platform; **Bahnstrecke** *f* railway (*Brit*) (*od* railroad (*US*)) line; **Bahnübergang** *m* level crossing (*Brit*), grade crossing (*US*)

Bakterien *Pl* bacteria *Pl*, germs *Pl*

bald *Adv* (*zeitlich*) soon; (*beinahe*) almost; **bis** ~*!* see you soon (*od* later); **baldig** *Adj* quick, speedy

Balkan *m* **der** ~ the Balkans *Pl*

Balken *m* beam

Balkon *m* balcony

Ball *m* ball; (*Tanz*) dance, ball

Ballett *n* ballet

Ballon *m* balloon

Ballspiel *n* ball game

Ballungsgebiet *n* conurbation

Baltikum *n* **das** ~ the Baltic States *Pl*

Bambus *m* bamboo; **Bambussprossen** *Pl* bamboo shoots *Pl*

banal *Adj* banal; (*Frage, Bemerkung*) trite

Banane *f* banana

Band 1. *m* (*Buch*) volume **2.** *n* (*aus Stoff*) ribbon, tape; (*Fließband*) production line; (*Tonband*) tape; ANAT ligament; **etw auf** ~ **aufnehmen** tape sth **3.** *f* (*Musikgruppe*) band

Bandage *f* bandage; **bandagieren** *vt* bandage

Bande *f* (*Gruppe*) gang

Bänderriss *m* MED torn ligament

Bandscheibe *f* ANAT disc; **Bandwurm** *m* tapeworm

Bank 1. *f* (*Sitzbank*) bench **2.** *f* FIN bank

Bankautomat *m* cash dispenser; **Bankkarte** *f* bank card; **Bankkonto** *n* bank account; **Bankleitzahl** *f* bank sort code; **Banknote** *f* banknote; **Bankverbindung** *f* (*Kontonummer etc*) banking (*od* account) details *Pl*

bar *Adj* ~**es Geld** cash; **etw** (**in**) ~ **bezahlen** pay sth (in) cash

Bar *f* bar

Bär *m* bear

barfuß *Adj* barefoot

Bargeld *n* cash; **bargeldlos** *Adj* non-cash

Barkeeper *m*, **Barmann** *m* barman, bartender (*US*)

barock *Adj* baroque

Barometer *n* barometer

barsch *Adj* brusque

Barsch *m* perch

Barscheck *m* open (*od* uncrossed) cheque

Bart *m* beard; **bärtig** *Adj* bearded

Barzahlung *f* cash payment

Basar *m* bazaar

Baseballmütze *f* baseball cap

Basel *n* Basle

Basilikum *n* basil

Basis *f* basis

Baskenland *n* Basque region

Basketball *m* basketball

Bass *m* bass

basta *Interj* **und damit ~!** and that's that

basteln 1. *vt* make **2.** *vi* make things, do handicrafts

Batterie *f* battery; **batteriebetrieben** *Adj* battery-powered

Bau 1. *m* (*Bauen*) building, construction; (*Aufbau*) structure; (*Baustelle*) building site **2.** *m* (*Baue Pl*) (*Tier*) burrow **3.** *m* (*Bauten Pl*) (*Gebäude*) building; **Bauarbeiten** *Pl* construction work *Sg*; (*Straßenbau*) roadworks *Pl* (*Brit*), roadwork (*US*); **Bauarbeiter(in)**

m(f) construction worker

Bauch *m* stomach; **Bauchnabel** *m* navel; **Bauchredner(in)** *m(f)* ventriloquist; **Bauchschmerzen** *Pl* stomach-ache *Sg*; **Bauchspeicheldrüse** *f* pancreas; **Bauchtanz** *m* belly dance; (*das Tanzen*) belly dancing; **Bauchweh** *n* stomach-ache

Baudenkmal *n* monument

bauen *vt*, *vi* build; TECH construct

Bauer *m* farmer; (*Schach*) pawn; **Bäuerin** *f* farmer; (*Frau des Bauern*) farmer's wife; **Bauernhof** *m* farm

baufällig *Adj* dilapidated; **Baujahr** *n* year of construction; *der Wagen ist ~ 2002* the car is a 2002 model, the car was made in 2002

Baum *m* tree

Baumarkt *m* DIY centre

Baumwolle *f* cotton

Bauplatz *m* building site; **Baustein** *m* (*für Haus*) stone; (*Spielzeug*) brick; *fig* element; *elektronischer ~* chip; **Baustelle** *f* building site; (*bei Straßenbau*) roadworks *Pl* (*Brit*), roadwork (*US*); **Bauteil** *n* prefabricated part; **Bauunternehmer(in)** *m(f)* building contractor; **Bauwerk** *n* building

Bayern *n* Bavaria

beabsichtigen *vt* intend

beachten *vt* (*Aufmerksamkeit schenken*) pay attention to; (*Vorschrift etc*) observe; *nicht* ~ ignore; be-achtlich *Adj* considerable

Beachvolleyball *n* beach volleyball

Beamte(r) *m*, **Beamtin** *f* official; (*Staatsbeamter*) civil servant

beanspruchen *vt* claim; (*Zeit, Platz*) take up; *jdn* ~ keep sb busy

beanstanden *vt* complain about

beantragen *vt* apply for

beantworten *vt* answer

bearbeiten *vt* work; (*Material, Daten*) process; CHEM treat; (*Fall etc*) deal with; (*Buch etc*) revise; *umg* (*beeinflussen wollen*) work on; **Bearbeitungsgebühr** *f* handling (*od* service) charge

beatmen *vt jdn* ~ give sb artificial respiration

beaufsichtigen *vt* supervise; (*bei Prüfung*) invigilate

beauftragen *vt* instruct; *jdn mit etw* ~ give sb the job of doing sth

Becher *m* mug; (*ohne Henkel*) tumbler; (*für Jogurt*) pot; (*aus Pappe*) tub

Becken *n* basin; (*Spüle*) sink; (*zum Schwimmen*) pool; MUS cymbal; ANAT pelvis

bedanken *vr* say thank you; *sich bei jdm für etw* ~ thank sb for sth

Bedarf *m* need (*an* for); WIRTSCH demand (*an* for); *je nach* ~ according to demand; *bei* ~ if necessary;

Bedarfshaltestelle *f* request stop, flag stop (*US*)

bedauerlich *Adj* regrettable; **bedauern** *vt* regret; (*bemitleiden*) feel sorry for; **bedauernswert** *Adj* (*Zustände*) regrettable; (*Mensch*) unfortunate

bedeckt *Adj* covered; (*Himmel*) overcast

bedenken *vt* consider; **Bedenken** *n* (*Überlegen*) consideration; (*Zweifel*) doubt; (*Skrupel*) scruples *Pl*; **bedenklich** *Adj* dubious; (*Zustand*) serious

bedeuten *vt* mean; *jdm nichts/viel* ~ mean nothing/a lot to sb; **bedeutend** *Adj* important; (*beträchtlich*) considerable; **Bedeutung** *f* meaning; (*Wichtigkeit*) importance

bedienen 1. *vt* serve; (*Maschine*) operate **2.** *vr* (*beim Essen*) help oneself; **Bedienung** *f* service; (*Kellner/Kellnerin*) waiter/waitress; (*Verkäufer(in)*) shop assistant; (*Zuschlag*) service (charge); **Bedienungsanleitung** *f* operating instructions *Pl*; **Bedienungshandbuch** *n* instruction manual

Bedingung *f* condition; *unter der* ~, *dass* on condition that; *unter diesen* ~*en* under these circumstances

bedrohen *vt* threaten

Bedürfnis *n* need

beeilen *vr* hurry

beeindrucken *vt* impress

beeinflussen vt influence

beeinträchtigen vt affect

beenden vt end; (fertigstellen) finish

beerdigen vt bury; **Beerdigung** f burial; (Feier) funeral

Beere f berry; (Traubenbeere) grape

Beet n bed

befahrbar Adj passable; SCHIFF navigable; **befahren 1.** vt (Straße) use; (Pass) drive over; (Fluss etc) navigate **2.** Adj **stark/wenig ~** busy/quiet

Befehl m order; IT command; **befehlen 1.** vt order; **jdm ~, etw zu tun** order sb to do sth **2.** vi give orders

befestigen vt fix; (mit Schnur, Seil) attach; (mit Klebestoff) stick

befeuchten vt moisten

befinden vr be

befolgen vt (Rat etc) follow

befördern vt (transportieren) transport; (beruflich) promote; **Beförderung** f transport; (beruflich) promotion; **Beförderungsbedingungen** Pl conditions Pl of carriage

Befragung f questioning; (Umfrage) opinion poll

befreundet Adj friendly; **~ sein** be friends (mit jdm with sb)

befriedigen vt satisfy; **befriedigend** Adj satisfactory; (Schulnote) ≈ C; **Befriedigung** f satisfaction

befristet Adj limited (auf + Akk to)

befruchten vt fertilize; fig stimulate

Befund m findings Pl; MED diagnosis

befürchten vt fear

befürworten vt support

begabt Adj gifted, talented; **Begabung** f talent, gift

begegnen vi meet (jdm sb), meet with (einer Sache Dat sth)

begehen vt (Straftat) commit; (Jubiläum etc) celebrate

begehrt Adj sought-after; (Junggeselle) eligible

begeistern vt fill with enthusiasm; (inspirieren) inspire **2.** vr **sich für etw ~** be/get enthusiastic about sth; **begeistert** Adj enthusiastic

Beginn m beginning; **zu ~** at the beginning; **beginnen** vt, vi start, begin

beglaubigen vt certify; **Beglaubigung** f certification

begleiten vt accompany; **Begleiter(in)** m(f) companion; **Begleitung** f company; MUS accompaniment

beglückwünschen vt congratulate (zu on)

begraben vt bury; **Begräbnis** n burial; (Feier) funeral

begreifen vt understand

Begrenzung f boundary; fig restriction

Begriff m concept; (Vorstel-

Begrüßung

Zur Begrüßung sagt man meist **hello** oder **hi**. Vormittags hört man auch **morning** oder **good morning**. **Good evening** am Abend und **good afternoon** am Nachmittag existieren zwar auch, sie sind jedoch sehr förmlich und werden deshalb nur selten verwendet. Häufig hängt man der Höflichkeit halber eine kurze Frage an die Begrüßung an, was sich dann folgendermaßen anhört:

Morning, Rachel. How are you?
((Guten) Morgen, Rachel. Wie geht's dir?)

– **Great. And you?**
– (Fantastisch. Und dir?)

Hi, Dave. How are things?
(Hi Dave. Wie geht's?)

– **OK. How about you?**
– (Geht schon. Und bei dir?)

---

lung) idea; **im ~ sein, etw zu tun** be on the point of doing sth; **schwer von ~ sein** be slow on the uptake

begründen *vt* (*rechtfertigen*) justify; **Begründung** *f* explanation; (*Rechtfertigung*) justification

begrüßen *vt* greet; (*willkommen heißen*) welcome; **Begrüßung** *f* greeting; (*Empfang*) welcome

behaart *Adj* hairy

behalten *vt* keep; (*im Gedächtnis*) remember; **etw für sich ~** keep sth to oneself

Behälter *m* container

behandeln *vt* treat; **Behandlung** *f* treatment

behaupten **1.** *vt* claim, maintain **2.** *vr* assert oneself; **Behauptung** *f* claim

beheizen *vt* heat

behelfen *vr* **sich mit/ohne etw ~** make do with/without sth

beherbergen *vt* accommodate

beherrschen **1.** *vt* (*Situation, Gefühle*) control; (*Instrument*) master **2.** *vr* control oneself; **Beherrschung** *f* control (*über* + *Akk* of); **die ~ verlieren** lose one's self-control

behilflich *Adj* helpful; **jdm ~ sein** help sb (*bei* with)

behindern *vt* hinder; (*Verkehr, Sicht*) obstruct; **Behinderte(r)** *mf* disabled person; **behindertengerecht** *Adj* suitable for disabled people

Behörde *f* authority; **die ~n** *Pl* the authorities *Pl*

bei *Präp* + *Dat* (*örtlich: in der Nähe von*) near, by;

(zum Aufenthalt) at; *(zeitlich)* at, on; *(während)* during; *(Umstand)* in; **~m Friseur** at the hairdresser's; **~ uns zuhause** at our place; *(in unserem Land)* in our country; **~ Nacht** at night; **~ Tag** by day; **~ Nebel** in fog; **~ Regen findet die Veranstaltung im Saal statt** if it rains the event will take place in the hall; **etw ~ sich haben** have sth on one; **~m Fahren** while driving

beibehalten *vt* keep

Beiboot *n* dinghy

beibringen *vt* **jdm etw ~** *(mitteilen)* break sth to sb; *(lehren)* teach sb sth

beide(s) *Indefinitpron* **meine ~n Brüder** my two brothers, both my brothers; **wir ~** both *(od* the two) of us; **keiner von ~n** neither of them; **alle ~** both (of them); **~s ist sehr schön** both are very nice; **30 ~** *(beim Tennis)* 30 all

beieinander *Adv* together

Beifahrer(in) *m(f)* passenger; **Beifahrerairbag** *m* passenger airbag; **Beifahrersitz** *m* passenger seat

Beifall *m* applause

beige *Adj* beige

Beigeschmack *m* aftertaste

Beil *n* axe

Beilage *f* GASTR side dish; *(Gemüse)* vegetables *Pl*; *(zu Buch etc)* supplement

beiläufig 1. *Adj* casual **2.**

Adv casually

Beileid *n* condolences *Pl*; **(mein) herzliches ~** please accept my sincere condolences

beiliegend *Adj* enclosed

beim *Kontr von* **bei dem**

Bein *n* leg

beinah(e) *Adv* almost, nearly

beinhalten *vt* contain

Beipackzettel *m* instruction leaflet

beisammen *Adv* together; **Beisammensein** *n* get-together

Beischlaf *m* sexual intercourse

beiseite *Adv* aside; **etw ~ legen** *(sparen)* put sth by

Beispiel *n* example; **sich an jdm/etw ein ~ nehmen** take sb/sth as an example; **zum ~** for example

beißen 1. *vt* bite **2.** *vi* bite; *(stechen: Rauch, Säure)* sting **3.** *vr* *(Farben)* clash

Beitrag *m* contribution; *(für Mitgliedschaft)* subscription; *(Versicherung)* premium; **beitragen** *vt, vi* contribute *(zu* to)

bekannt *Adj* well-known; *(nicht fremd)* familiar; **mit jdm ~ sein** know sb; **~ geben** announce; **jdn mit jdm ~ machen** introduce sb to sb; **Bekannte(r)** *mf* friend; *(entfernter)* acquaintance; **bekanntlich** *Adv* as everyone knows; **Bekanntschaft** *f* acquaintance

bekiffen *vr* umg get stoned

beklagen vr complain
Bekleidung f clothing
bekommen 1. vt get; (*erhalten*) receive; (*Kind*) have; (*Zug, Grippe*) catch, get; **wie viel ~ Sie dafür?** how much is that? **2.** vi **jdm ~** (*Essen*) agree with sb; **wir ~ schon** (*bedient werden*) we're being served
beladen vt load
Belag m coating; (*auf Zähnen*) plaque; (*auf Zunge*) fur
belasten vt load; (*Körper*) strain; (*Umwelt*) pollute; fig (*mit Sorgen etc*) worry; WIRTSCH (*Konto*) debit; JUR incriminate
belästigen vt bother; (*stärker*) pester; (*sexuell*) harass; **Belästigung** f annoyance; **sexuelle ~** sexual harassment
belebt Adj (*Straße etc*) busy
Beleg m WIRTSCH receipt; (*Beweis*) proof; **belegen** vt (*Brot*) spread; (*Platz*) reserve; (*Kurs, Vorlesung*) register for; (*beweisen*) prove; **belegt** Adj TEL occupied (*Brit*), busy (*US*); (*Hotel*) full; (*Zunge*) coated; **~es Brötchen** sandwich; **der Platz ist ~** this seat is taken; **Belegzeichen** n TEL engaged tone (*Brit*), busy tone (*US*)
beleidigen vt insult; (*kränken*) offend; **Beleidigung** f insult; JUR slander; (*schriftliche*) libel
beleuchten vt light; (*bestrahlen*) illuminate; fig examine; **Beleuchtung** f lighting; (*Bestrahlung*) illumination
Belgien n Belgium; **Belgier(in)** m(f) Belgian; **belgisch** Adj Belgian
belichten vt expose; **Belichtung** f exposure; **Belichtungsmesser** m light meter
Belieben n (*ganz*) **nach ~** (just) as you wish; **beliebig 1.** Adj **jedes ~e Muster** any pattern; **jeder ~e** anyone **2.** Adv **~ lange** as long as you like; **~ viel** as many (*od* much) as you like; **beliebt** Adj popular
beliefern vt supply
bellen vi bark
Belohnung f reward
Belüftung f ventilation
belügen vt lie to
bemerkbar Adj noticeable; **sich ~ machen** (*Mensch*) attract attention; (*Zustand*) become noticeable; **bemerken** vt (*wahrnehmen*) notice; (*sagen*) remark; **bemerkenswert** Adj remarkable; **Bemerkung** f remark
bemitleiden vt pity
bemühen vr try (hard), make an effort; **Bemühung** f effort
bemuttern vt mother
benachbart Adj neighbouring
benachrichtigen vt inform; **Benachrichtigung** f notification

benachteiligen vt (put at a) disadvantage; (wegen Rasse etc) discriminate against

benehmen vr behave; **Benehmen** n behaviour

beneiden vt envy; **jdn um etw ~** envy sb sth

Beneluxländer Pl Benelux countries Pl

benommen Adj dazed

benötigen vt need

benutzen vt use; **Benutzer(in)** m(f) user; **benutzerfreundlich** Adj user-friendly; **Benutzerhandbuch** n user's guide; **Benutzerkennung** f user ID; **Benutzeroberfläche** f IT user/system interface

Benzin n AUTO petrol (Brit), gas (US)

Benzin

In Großbritannien heißt Benzin **petrol**. Man tankt (**premium**) **unleaded** (Bleifrei), **super unleaded** (Super bleifrei) oder **Diesel** (Diesel). In den USA spricht man von **gasoline**, oder kurz einfach **gas**. Man tankt **regular**, **premium/super/super plus** (Super bleifrei) oder **Diesel** (Diesel). In Großbritannien wird das Benzin in Litern gemessen, in den USA in **gallons** (Gallonen). Eine amerikanische Gallone entspricht ca. 3,8 Litern.

Benzinkanister m petrol (Brit) (od gas (US)) can; **Benzinpumpe** f petrol (Brit) (od gas (US)) pump; **Benzintank** m petrol (Brit) (od gas (US)) tank; **Benzinuhr** f fuel gauge

beobachten vt observe; **Beobachtung** f observation

bequem Adj comfortable; (Ausrede) convenient; (faul) lazy; **machen Sie es sich ~** make yourself at home; **Bequemlichkeit** f comfort; (Faulheit) laziness

beraten 1. vt advise; (besprechen) discuss 2. vr consult; **Beratung** f advice; (bei Arzt etc) consultation

berauben vt rob

berechnen vt calculate; WIRTSCH charge; **berechnend** Adj (Mensch) calculating

berechtigen vt entitle (zu + Dat to); fig justify; **berechtigt** Adj justified; **zu etw ~ sein** be entitled to sth

bereden vt (besprechen) discuss

Bereich m area; (Ressort, Gebiet) field

bereisen vt travel through

bereit Adj ready; **zu etw ~ sein** be ready for sth; **sich ~ erklären, etw zu tun** agree to do sth; **bereiten** vt prepare; (Kummer) cause; (Freude) give; **bereitlegen** vt lay out; **bereitmachen** vr get ready; **bereits** Adv already; **Bereitschaft** f readiness; **~ haben** (*Arzt*) be on call; **bereitstehen** *vi* be ready

bereuen *vt* regret

Berg *m* mountain; (*kleiner*) hill; **in die ~e fahren** go to the mountains; **bergab** *Adv* downhill; **bergauf** *Adv* uphill; **Bergbahn** *f* mountain railway (*Brit*) (*od* railroad (*US*))

bergen *vt* (*retten*) rescue

Bergführer(in) *m(f)* mountain guide; **Berghütte** *f* mountain hut; **bergig** *Adj* mountainous; **Bergkette** *f* mountain range; **Bergschuh** *m* climbing boot; **Bergsteigen** *n* mountaineering; **Bergsteiger(in)** *m(f)* mountaineer; **Bergtour** *f* mountain hike

Bergung *f* (*Rettung*) rescue; (*von Toten, Fahrzeugen*) recovery

Bergwacht *f* mountain rescue service; **Bergwerk** *n* mine

Bericht *m* report; **berichten** *vt*, *vi* report

berichtigen *vt* correct

Bermudadreieck *n* Bermuda triangle; **Bermudainsein** *Pl* Bermuda *Sg*; **Bermudashorts** *Pl* Bermuda shorts *Pl*

Bernstein *m* amber

berüchtigt *Adj* notorious, infamous

berücksichtigen *vt* take into account; (*Antrag, Bewerber*) consider

Beruf *m* occupation; (*akademischer*) profession; (*Gewerbe*) trade; **was sind Sie von ~?** what do you do (for a living)?; **beruflich** *Adj* professional; **Berufsausbildung** *f* vocational training; **Berufsschule** *f* vocational college; **berufstätig** *Adj* employed; **Berufsverkehr** *m* commuter traffic

beruhigen 1. *vt* calm 2. *vr* (*Mensch, Situation*) calm down; **beruhigend** *Adj* reassuring; **Beruhigungsmittel** *n* sedative

berühmt *Adj* famous

berühren 1. *vt* touch; (*gefühlsmäßig bewegen*) move; (*betreffen*) affect; (*flüchtig erwähnen*) mention, touch on 2. *vr* touch

besaufen *vr* *umg* get plastered

beschädigen *vt* damage

beschäftigen 1. *vt* occupy; (*beruflich*) employ 2. *vr* **sich mit etw ~** occupy oneself with sth; (*sich befassen*) deal with sth; **beschäftigt** *Adj* busy, occupied; **Beschäftigung** *f* (*Beruf*) employment; (*Tätigkeit*) occupation; (*geistige*) preoccupation (*mit* with)

Bescheid *m* information; **~ wissen** (*od* know) (*über* + *Akk* about); **ich weiß ~** I know; **jdm ~ geben** (*od* **sagen**) let sb

know
bescheiden *Adj* modest
bescheinigen *vt* certify;
(*bestätigen*) acknowledge;
Bescheinigung *f* certificate; (*Quittung*) receipt
bescheißen *vt* vulg cheat
(*um* out of)
beschimpfen *vt* (*mit Kraftausdrücken*) swear at
Beschiss *m* **das ist ~** vulg
that's a rip-off; **beschissen**
Adj vulg shitty
beschlagnahmen *vt* confiscate
Beschleunigung *f* acceleration;   **Beschleunigungsspur** *f* acceleration lane
beschließen *vt* decide on;
(*beenden*) end; **Beschluss**
m decision
beschränken 1. *vt* limit, restrict (*auf + Akk* to) **2.** *vr*
restrict oneself (*auf + Akk*
to); **Beschränkung** *f* limitation, restriction
beschreiben *vt* describe;
(*Papier*) write on; **Beschreibung** *f* description
beschuldigen *vt* accuse
(*Gen* of); **Beschuldigung** *f*
accusation
beschummeln *vt, vi* umg
cheat (*um* out of)
beschützen *vt* protect (*vor*
+ *Dat* from)
Beschwerde *f* complaint;
~n *Pl* (*Leiden*) trouble *Sg*;
beschweren 1. *vt* weight
down; *fig* burden **2.** *vr*
complain
beschwipst *Adj* tipsy

beseitigen *vt* remove;
(*Problem*) get rid of;
(*Müll*) dispose of; **Beseitigung** *f* removal; (*von
Müll*) disposal
Besen *m* broom
besetzen *vt* (*Haus, Land*)
occupy; (*Platz*) take; (*Posten*) fill; (*Rolle*) cast; **besetzt** *Adj* full; TEL engaged
(*Brit*), busy (*US*); (*Platz*)
taken; (*WC*) engaged; **Besetztzeichen** *n* engaged
tone (*Brit*), busy tone (*US*)
besichtigen *vt* (*Museum*)
visit; (*Sehenswürdigkeit*)
have a look at; (*Stadt*) tour
besiegen *vt* defeat
Besitz *m* possession; (*Eigentum*) property; **besitzen** *vt*
own; (*Eigenschaft*) have;
Besitzer(in) *m(f)* owner
besoffen *Adj* umg plastered
besondere(r, s) *Adj* special;
(*bestimmt*) particular; (*eigentümlich*)   peculiar;
nichts ~s nothing special;
Besonderheit *f* special feature; (*besondere Eigenschaft*) peculiarity; **besonders** *Adv* especially, particularly; (*getrennt*) separately
besorgen *vt* (*beschaffen*)
get (*jdm* for sb); (*kaufen
a.*) purchase; (*erledigen:
Geschäfte*) deal with
besprechen *vt* discuss; **Besprechung** *f* discussion;
(*Konferenz*) meeting
besser *Adj* better; **es geht
ihm ~** he feels better; **~ gesagt** or rather; **~ werden**

improve; **bessern 1.** *vt* improve **2.** *vr* improve; (*Mensch*) mend one's ways; **Besserung** *f* improvement; **gute ~!** get well soon
beständig *Adj* constant; (*Wetter*) settled
Bestandteil *m* component
bestätigen *vt* confirm; (*Empfang, Brief*) acknowledge; **Bestätigung** *f* confirmation; (*von Brief*) acknowledgement
beste(r, s) 1. *Adj* best; **das ~ wäre, wir ...** it would be best if we ... **2.** *Adv* **sie singt am ~n** she sings best; **so ist es am ~n** it's best that way; **am ~n gehst du gleich** you'd better go at once
bestechen *vt* bribe; **Bestechung** *f* bribery
Besteck *n* cutlery
bestehen 1. *vi* be, exist; (*andauern*) last; **~ auf** insist on; **~ aus** consist of **2.** *vt* (*Probe, Prüfung*) pass; (*Kampf*) win
bestehlen *vt* rob
bestellen *vt* order; (*reservieren*) book; (*Grüße, Auftrag*) pass on (*jdm* to sb); (*kommen lassen*) send for; **Bestellnummer** *f* order number; **Bestellung** *f* WIRTSCH order; (*das Bestellen*) ordering
bestens *Adv* very well
bestimmen *vt* determine; (*Regeln*) lay down; (*Tag, Ort*) fix; (*ernennen*) ap-

point; (*vorsehen*) mean (*für* for); **bestimmt 1.** *Adj* definite; (*gewiss*) certain; (*entschlossen*) firm **2.** *Adv* definitely; (*wissen*) for sure; **Bestimmung** *f* (*Verordnung*) regulation; (*Zweck*) purpose
Best.-Nr. *Abk* = **Bestellnummer**; order number
bestrafen *vt* punish
bestrahlen *vt* illuminate; MED treat with radiotherapy
bestreiten *vt* (*leugnen*) deny
Bestseller *m* bestseller
bestürzt *Adj* dismayed
Besuch *m* visit; (*Mensch*) visitor; **~ haben** have visitors/a visitor; **besuchen** *vt* visit; (*Schule, Kino etc*) go to; **Besucher(in)** *m(f)* visitor; **Besuchszeit** *f* visiting hours *Pl*
betäuben *vt* MED anaesthetize; **Betäubungsmittel** *n* anaesthetic
Bete *f* **Rote ~** beetroot
beteiligen 1. *vr* **sich an etw ~** take part in sth, participate in sth **2.** *vt* **jdn an etw ~** involve sb in sth; **Beteiligung** *f* participation; (*Anteil*) share; (*Besucherzahl*) attendance
beten *vi* pray
Beton *m* concrete
betonen *vt* stress; (*hervorheben*) emphasize; **Betonung** *f* stress; *fig* emphasis
Betr. *Abk* = **Betreff**; re
Betracht *m* **in ~ ziehen** take

into consideration; **in ~ kommen** be a possibility; **nicht in ~ kommen** be out of the question; **betrachten** *vt* look at; **~ als** regard as; **beträchtlich** *Adj* considerable

Betrag *m* amount, sum; **betragen 1.** *vt* amount (*od* come) to **2.** *vr* behave

betreffen *vt* concern; (*Regelung etc*) affect; **was mich betrifft** as for me; **betreffend** *Adj* relevant, in question

betreten *vt* enter; (*Bühne etc*) step onto; „**Betreten verboten**" 'keep off/out'

betreuen *vt* look after; (*Reisegruppe, Abteilung*) be in charge of; **Betreuer(in)** *m(f)* (*Pfleger*) carer; (*von Kind*) childminder; (*von Reisegruppe*) groupleader

Betrieb *m* (*Firma*) firm; (*Anlage*) plant; (*Tätigkeit*) operation; (*Treiben*) bustle; **außer ~ sein** be out of order; **in ~ sein** be in operation; **betriebsbereit** *Adj* operational; **Betriebsrat** *m* (*Gremium*) works council; **Betriebssystem** *n* IT operating system

betrinken *vr* get drunk

betroffen *Adj* (*bestürzt*) shaken; **von etw ~ werden/sein** be affected by sth

Betrug *m* deception; JUR fraud; **betrügen** *vt* deceive; JUR defraud; (*Partner*) cheat on; **Betrüger(in)** *m(f)* cheat

betrunken *Adj* drunk

Bett *n* bed; **ins** (*od* **zu**) **~ gehen** go to bed; **das ~ machen** make the bed; **Bettbezug** *m* duvet cover; **Bettdecke** *f* blanket

betteln *vi* beg

Bettlaken *n* sheet

Bettler(in) *m(f)* beggar

Bettsofa *n* sofa bed; **Betttuch** *n* sheet; **Bettwäsche** *f* bed linen; **Bettzeug** *n* bedding

beugen 1. *vt* bend **2.** *vr* bend; (*sich fügen*) submit (*Dat* to)

Beule *f* (*Schwellung*) bump; (*Delle*) dent

beunruhigen *vt*, *vr* worry

beurteilen *vt* judge

Beute *f* (*von Dieb*) booty, loot; (*von Tier*) prey

Beutel *m* bag

Bevölkerung *f* population

bevollmächtigt *Adj* authorized (*zu etw* to do sth)

bevor *Konj* before; **bevorstehen** *vi* (*Schwierigkeiten*) lie ahead; (*Gefahr*) be imminent; **jdm ~** (*Überraschung etc*) be in store for sb; **bevorstehend** *Adj* forthcoming; **bevorzugen** *vt* prefer

bewachen *vt* guard; **bewacht** *Adj* **~er Parkplatz** supervised car park (*Brit*), guarded parking lot (*US*)

bewegen *vt*, *vr* move; **jdn dazu ~, etw zu tun** get sb to do sth; **es bewegt sich etwas** *fig* things are beginning to happen; **Bewegung** f movement; PHYS motion; (*innere*) emotion; (*körperlich*) exercise; **Bewegungsmelder** m sensor (*which reacts to movement*)

Beweis m proof; (*Zeugnis*) evidence; **beweisen** vt prove; (*zeigen*) show

bewerben vr apply (*um* for); **Bewerbung** f application; **Bewerbungsunterlagen** Pl application documents Pl

bewilligen vt allow; (*Geld*) grant

bewirken vt cause, bring about

bewohnen vt live in; **Bewohner(in)** m(f) inhabitant; (*von Haus*) resident

bewölkt Adj cloudy, overcast; **Bewölkung** f clouds Pl

bewundern vt admire; **bewundernswert** Adj admirable

bewusst 1. Adj conscious; (*absichtlich*) deliberate; **sich einer Sache ~ sein** be aware of sth **2.** Adv consciously; (*absichtlich*) deliberately; **bewusstlos** Adj unconscious; **Bewusstlosigkeit** f unconsciousness; **Bewusstsein** n consciousness; **bei ~** conscious

bezahlen vt pay; (*Ware, Leistung*) pay for; **sich bezahlt machen** be worth it **Bezahlung** f payment

bezeichnen vt (*kennzeich-*

Bezahlen

Geht's ans Bezahlen, so muss man häufig erst herausfinden, wie man bezahlen kann. Bargeld entspricht **cash**, die Kreditkarte ist die **credit card**, und Reiseschecks heißen in Großbritannien **traveller's cheques**, in den USA **traveler's checks**. Möchte man fragen, ob man bar oder mit Kreditkarte bezahlen kann, so sagt man **Can I pay cash / by credit card?** oder **Do you accept cash / credit cards?**. Cash zieht man am besten an einem Geldautomaten – **cash machine**, **cashpoint**, **ATM** oder **cash dispenser**.

nen) mark; (*nennen*) call; (*beschreiben*) describe; **Bezeichnung** f (*Name*) name; (*Begriff*) term

beziehen 1. vt (*Bett*) change; (*Haus, Position*) move into; (*Standpunkt*) take up; (*erhalten*) receive; (*Zeitung*) take **2.** vr refer (*auf + Akk* to); **Beziehung** f (*Verbindung*) connection; (*Verhältnis*) relationship; **~en haben** (*vorteilhaft*) have connections (*od* contacts); **in dieser ~** in this respect; **beziehungsweise** Adv or; (*genauer gesagt*) or rather

Bezirk m district

Bezug *m* (*Überzug*) cover; (*von Kopfkissen*) pillowcase; **in ~ auf** with regard to; **bezüglich** *Präp* + *Gen* concerning

bezweifeln *vt* doubt

BH *m* bra

Bhf. *Abk* = **Bahnhof**; station

Biathlon *m* biathlon

Bibel *f* Bible

Biber *m* beaver

Bibliothek *f* library

biegen 1. *vt, vr* bend **2.** *vi* turn (*in* + *Akk* into); **Biegung** *f* bend

Biene *f* bee

Bier *n* beer; **helles ~** ≈ lager (*Brit*), beer (*US*); **dunkles ~** ≈ brown ale (*Brit*), dark beer (*US*); **zwei ~, bitte!** two beers, please; **Biergarten** *m* beer garden; **Bierzelt** *n* beer tent

bieten 1. *vt* offer; (*bei Versteigerung*) bid; **sich etw ~ lassen** put up with sth **2.** *vr* (*Gelegenheit*) present itself (*Dat* to)

Bikini *m* bikini

Bild *n* picture; (*gedankliches*) image; (*Foto*) photo

bilden 1. *vt* form; (*geistig*) educate; (*ausmachen*) constitute **2.** *vr* (*entstehen*) form; (*lernen*) educate oneself

Bilderbuch *n* picture book

Bildhauer(in) *m(f)* sculptor

Bildschirm *m* screen; **Bildschirmschoner** *m* screen saver; **Bildschirmtext** *m*

viewdata, videotext

Bildung *f* formation; (*Wissen, Benehmen*) education; **Bildungsurlaub** *m* educational holiday; (*von Firma*) study leave

Billard *n* billiards *Sg*

billig *Adj* cheap; (*gerecht*) fair

Binde *f* bandage; (*Armbinde*) band; (*Damenbinde*) sanitary towel (*Brit*), sanitary napkin (*US*)

Bindehautentzündung *f* conjunctivitis

binden *vt* tie; (*Buch*) bind; (*Soße*) thicken

Bindestrich *m* hyphen

Bindfaden *m* string

Bindung *f* bond, tie; (*Skibindung*) binding

Bio- *in Zs* bio-; **Biokost** *f* health food; **Biologie** *f* biology; **biologisch** *Adj* biological; (*Anbau*) organic

Birke *f* birch

Birne *f* (*Obst*) pear; ELEK (*light*) bulb

bis 1. *Präp* + *Akk* (*räumlich*, *bis zu/an*) to, as far as; (*zeitlich*, *bis*) until; (*bis spätestens*) by; **Sie haben ~ Dienstag Zeit** you have until (*od* till) Tuesday; **~ Dienstag muss es fertig sein** it must be ready by Tuesday; **~ hierher** this far; **~ in die Nacht** into the night; **~ auf weiteres** until further notice; **~ bald/ gleich!** see you later/soon; **~ auf etw** (*einschließlich*)

including sth; *(ausgeschlos-*
sen) except sth; **~ zu** up to;
von ... ~ ... from ... to ...
2. *Konj (mit Zahlen)* to;
(zeitlich) until, till
Bischof *m* bishop
bisher *Adv* up to now, so
far
Biskuit *n* sponge
Biss *m* bite
bisschen 1. *Adj* **ein ~** a bit
of; **ein ~ Salz/Liebe** a bit
of salt/love; **ich habe kein
~ Hunger** I'm not a bit
hungry **2.** *Adv* **ein ~** a bit;
kein ~ not at all
bissig *Adj (Hund)* vicious;
(Bemerkung) cutting
Bit *n* IT bit
bitte *Interj* please; *(wie)* **~?**
(I beg your) pardon?; **~
(schön)!** *(als Antwort auf
danke)* you're welcome,
that's alright; **hier, ~** here
you are; **Bitte** *f* request;

bitten *vt, vi* ask *(um* for)
bitter *Adj* bitter
Blähungen *Pl* MED wind *Sg*
blamieren 1. *vr* make a fool
of oneself **2.** *vt* **jdn ~** make
sb look a fool
Blankoscheck *m* blank
cheque
Blase *f* bubble; MED blister;
ANAT bladder
blasen *vi* blow; **jdm einen ~**
vulg give sb a blow job
Blasenentzündung *f* cysti-
tis
blass *Adj* pale
Blatt *n* leaf; *(von Papier)*
sheet; **blättern** *vi* IT scroll;
in etw ~ leaf through sth;
Blätterteig *m* puff pastry;
Blattsalat *m* green salad;
Blattspinat *m* spinach
blau *Adj* blue; *umg (betrunken)* plastered; GASTR
boiled; **~es Auge** black
eye; **~er Fleck** bruise:

Bitte

Das deutsche **bitte** wird lediglich in Bitten und Aufforderungen mit **please** übersetzt. So z.B. in **Können Sie mir bitte
sagen, wo ...? – Could you please tell me where ...?** oder
Bitte bleiben Sie am Apparat! – Please hold the line. Gibt
man jemandem etwas und möchte dies durch ein **bitte
(schön)** unterstreichen, so sagt man **here you are, there you
are** oder **there you go.** Das **bitte**, das man auf **danke** äußert,
wird im Englischen mit **that's OK, that's all right, you're
welcome** oder **no problem** ausgedrückt. Hat man etwas
nicht verstanden und möchte wie **bitte?** sagen, so benutzt
man **pardon?, sorry?** oder in den USA auch **excuse me?**,
was durch ein **I didn't get that** (ich habe Sie/das nicht verstanden) ergänzt werden kann.

Blaubeere f bilberry, blueberry; **Blaulicht** n flashing blue light; **blaumachen** vi skip work; (in Schule) skip school; **Blauschimmelkäse** m blue cheese

Blazer m blazer

Blech n sheet metal; (Backblech) baking tray (Brit), cookie sheet (US); **Blechschaden** m AUTO damage to the bodywork

Blei n lead

bleiben vi stay; *lass das ~!* stop it; *das bleibt unter uns* that's (just) between ourselves; *mir bleibt keine andere Wahl* I have no other choice

bleich Adj pale; **bleichen** vt bleach

bleifrei Adj (Benzin) unleaded; **bleihaltig** Adj (Benzin) leaded

Bleistift m pencil

Blende f FOTO aperture

Blick m look; (kurz) glance; (Aussicht) view; *auf den ersten ~* at first sight; *einen ~ auf etw werfen* have a look at sth; **blicken** vi look; *sich ~ lassen* show up

blind Adj blind; (Glas etc) dull; **Blinddarm** m appendix; **Blinddarmentzündung** f appendicitis; **Blinde(r)** mf blind person/man/woman; *die ~n* Pl the blind Pl; **Blindenhund** m guide dog; **Blindenschrift** f braille

blinken vi (Stern, Lichter)

twinkle; (aufleuchten) flash; AUTO indicate; **Blinker** m AUTO indicator (Brit), turn signal (US)

blinzeln vi blink

Blitz m (flash of) lightning; FOTO flash; **blitzen** vi FOTO use a/the flash; *es blitzte und donnerte* there was thunder and lightning; **Blitzlicht** n flash

Block m block; (von Papier) pad; **Blockflöte** f recorder; **Blockhaus** n log cabin; **blockieren 1.** vt block **2.** vi jam; (Räder) lock; **Blockschrift** f block letters Pl

blöd Adj stupid; **blödeln** vi umg fool around

blond Adj blond; (Frau) blonde

bloß 1. Adj (unbedeckt) bare; (alleinig) mere **2.** Adv only; *geh mir ~ aus dem Weg* just get out of my way

blühen vi bloom; fig flourish

Blume f flower; (von Wein) bouquet; **Blumenkohl** m cauliflower; **Blumenladen** m flower shop; **Blumenstrauß** m bunch of flowers; **Blumentopf** m flowerpot; **Blumenvase** f vase

Bluse f blouse

Blut n blood; **Blutbild** n blood count; **Blutdruck** m blood pressure

Blüte f (Pflanzenteil) flower, bloom; (Baumblüte) blossom; fig prime

bluten *vi* bleed

Blütenstaub *m* pollen

Bluter *m* MED haemophiliac; Bluterguss *m* haematoma; (*blauer Fleck*) bruise; Blutgruppe *f* blood group; blutig *Adj* bloody; Blutkonserve *f* unit of stored blood; Blutprobe *f* blood sample; Blutspende *f* blood donation; Bluttransfusion *f* blood transfusion; Blutung *f* bleeding; Blutvergiftung *f* blood poisoning; Blutwurst *f* black pudding (*Brit*), blood sausage (*US*)

BLZ *Abk* = **Bankleitzahl**

Bob *m* bob(sleigh)

Bock *m* (*Reh*) buck; (*Schaf*) ram; (*Gestell*) trestle; SPORT vaulting horse; **ich hab keinen ~ (drauf)** *umg* I don't feel like it

Boden *m* ground; (*Fußboden*) floor; (*von Meer, Fass*) bottom; (*Speicher*) attic; Bodennebel *m* ground mist; Bodenpersonal *n* ground staff; Bodenschätze *Pl* mineral resources *Pl*

Bodensee *m* **der ~** Lake Constance

Body *m* body; Bodybuilding *n* bodybuilding

Bogen *m* (*Biegung*) curve; (*in der Architektur*) arch; (*Waffe, Instrument*) bow; (*Papier*) sheet

Bohne *f* bean; **grüne ~n** *Pl* green (*od* French (*Brit*)) beans *Pl*; **weiße ~n** *Pl* hari-

cot beans *Pl*; Bohnenkaffee *m* real coffee; Bohnensprosse *f* bean sprout

bohren *vt* drill; Bohrer *m* drill

Boiler *m* water heater

Boje *f* buoy

Bolivien *n* Bolivia

Bombe *f* bomb

Bon *m* (*Kassenzettel*) receipt; (*Gutschein*) voucher, coupon

Bonbon *n* sweet (*Brit*), candy (*US*)

Bonus *m* bonus; (*Punktvorteil*) bonus points *Pl*; (*Schadenfreiheitsrabatt*) no--claims bonus

Boot *n* boat; Bootsverleih *m* boat hire (*Brit*) (*od* rental (*US*))

Bord *m* **an ~** (*eines Schiffes*) on board (a ship); **an ~ gehen** (*Schiff*) go on board; (*Flugzeug*) board; **von ~ gehen** disembark; Bordcomputer *m* dashboard computer

Bordell *n* brothel

Bordkarte *f* boarding card

Bordstein *m* kerb (*Brit*), curb (*US*)

borgen *vt* borrow; **jdm etw ~** lend sb sth; **sich etw ~** borrow sth

Börse *f* stock exchange; (*Geldbörse*) purse

bös *Adj* → **böse**; bösartig *Adj* malicious; MED malignant

Böschung *f* slope; (*Uferböschung*) embankment

397   brechen

böse *Adj* bad; *(stärker)* evil;
(Wunde) nasty; *(zornig)* angry; **bist du mir ~?** are you
angry with me?
boshaft *Adj* malicious
Bosnien *n* Bosnia; **Bosnien-
-Herzegowina** *n* Bosnia-
-Herzegowina
böswillig *Adj* malicious
botanisch *Adj* **~er Garten**
botanical gardens *Pl*
Botschaft *f* message; POL
embassy; **Botschafter(in)**
m(f) ambassador
Botsuana *n* Botswana
Bouillon *f* stock
Boutique *f* boutique
Bowle *f* punch
Box *f (Behälter, Pferdebox)*
box; *(Lautsprecher)* spea-
ker; *(bei Autorennen)* pit
boxen *vi* box; **Boxer** *m*
(Hund, Sportler) boxer;
Boxershorts *Pl* boxer
shorts *Pl*; **Boxkampf** *m*
boxing match
Boykott *m* boycott
Brainstorming *n* brain-
storming
Branchenverzeichnis *n* yel-
low pages® *Pl*
Brand *m* fire
Brandenburg *n* Branden-
burg
Brandsalbe *f* ointment for
burns
Brandung *f* surf
Brandwunde *f* burn
Brasilien *n* Brazil
braten *vt* roast; *(auf dem
Rost)* grill; *(in der Pfanne)*
fry; **Braten** *m* roast; *(ro-*

her) joint; **Bratensoße** *f*
gravy; **Brathähnchen** *n*
roast chicken; **Bratkartoffeln** *Pl* fried potatoes *Pl*;
Bratpfanne *f* frying pan;
Bratspieß *m* spit; **Brat-
wurst** *f* fried sausage; *(ge-
grillte)* grilled sausage
Brauch *m* custom
brauchen *vt (nötig haben)*
need *(für, zu* for); *(erfordern)* require; *(Zeit)* take;
(gebrauchen) use; **wie lange wird er ~?** how long
will it take him?; **du
brauchst es nur zu sagen**
you only need to say; **das
braucht (seine) Zeit** it
takes time; **ihr braucht es
nicht zu tun** you don't
have *(od* need) to do it; **sie
hätte nicht zu kommen ~**
she needn't have come
brauen *vt* brew; **Brauerei** *f*
brewery
braun *Adj* brown; *(von Sonne)* tanned; **Bräune** *f*
brownness; *(von Sonne)*
tan; **Bräunungsstudio** *n*
tanning studio
Brause *f (Dusche)* shower;
(Getränk) fizzy drink
(Brit), soda *(US)*
Braut *f* bride; **Bräutigam** *m*
bridegroom
brav *Adj (artig)* good, well-
-behaved
bravo *Interj* well done
brechen 1. *vt* break; *(erbrechen)* bring up; **sich den
Arm ~** break one's arm **2.**
vi break; *(erbrechen)* vomit,

be sick; **Brechreiz** m nausea
Brei m (Breimasse) mush,
pulp; (Haferbrei) porridge;
(für Kinder) pap
breit Adj wide; (Schultern)
broad; **zwei Meter ~** two
metres wide; **Breite** f
breadth; (bei Maßangaben)
width; GEO latitude; **der ~
nach** widthways; **Breiten-
grad** m (degree) of latitude
Bremen n Bremen
Bremsbelag m brake lining;
Bremse f brake; ZOOL
horsefly; **bremsen 1.** vi
brake **2.** vt (Auto) brake;
fig slow down; **Bremsflüssigkeit** f brake fluid;
Bremslicht n brake light;
Bremspedal n brake pedal;
Bremsspur f tyre marks
Pl; **Bremsweg** m braking
distance
brennen v burn; (in Flam-
men stehen) be on fire; **es
brennt!** fire!; **mir ~ die Augen** my eyes are smarting;
das Licht ~ lassen leave
the light on; **Brennholz** n
firewood; **Brennnessel** f
stinging nettle; **Brennspiri-
tus** m methylated spirits
Pl; **Brennstab** m fuel rod;
Brennstoff m fuel
Brett n board; (länger)
plank; (Regal) shelf; (Spiel-
brett) board; **schwarzes ~**
notice board, bulletin board
(US); **~er** Pl (Ski) skis Pl;
Brettspiel n board game
Brezel f pretzel

Brief m letter; **Briefbombe** f
letter bomb; **Brief-
freund(in)** m(f) penfriend,
pen pal; **Briefkasten** m letterbox (Brit), mailbox (US);
Briefmarke f stamp; **Briefpapier** n writing paper;
Brieftasche f wallet; **Brief-
träger(in)** m(f) post-
man/-woman; **Briefum-
schlag** m envelope; **Brief-
waage** f letter scales Pl
Brille f glasses Pl; (Schutzbrille) goggles Pl; **Brillen-
etui** n glasses case
bringen vt (herbringen)
bring; (mitnehmen, vom
Sprecher weg) take; (holen,
herbringen) get, fetch;
THEAT, KINO show; RADIO,
TV broadcast; **~ Sie mir bitte noch ein Bier** could you
bring me another beer,
please?; **jdn nach Hause ~**
take sb home; **jdn dazu ~,
etw zu tun** make sb do sth;
jdn auf eine Idee ~ give sb
an idea
Brise f breeze
Brite m, **Britin** f British person, Briton; **er ist ~** he is
British; **die ~n** the British;
britisch Adj British
Brocken m bit; (größer)
lump, chunk
Brokkoli m broccoli
Brombeere f blackberry
Bronchitis f bronchitis
Bronze f bronze
Brosche f brooch
Brot n bread; (Laib) loaf;
Brotaufstrich m spread;

Brötchen *n* roll; **Brotzeit** *f* (*Pause*) break; (*Essen*) snack; ~ **machen** have a snack

Browser *m* IT browser

Bruch *m* (*Brechen*) breaking; (*Bruchstelle; mit Partei, Tradition etc*) break; MED (*Eingeweidebruch*) rupture, hernia; (*Knochenbruch*) fracture; MATHE fraction; **brüchig** *Adj* brittle

Brücke *f* bridge

Bruder *m* brother

Brühe *f* (*Suppe*) (clear) soup; (*Grundlage*) stock; *pej* (*Getränk*) muck; **Brühwürfel** *m* stock cube

brüllen *vi* roar; (*Stier*) bellow; (*vor Schmerzen*) scream (with pain)

brummen 1. *vi* (*Bär, Mensch*) growl; (*brummeln*) mutter; (*Insekt*) buzz; (*Motor, Radio*) drone **2.** *vt* growl

brünett *Adj* brunette

Brunnen *m* fountain; (*tief*) well; (*natürlich*) spring

Brust *f* breast; (*beim Mann*) chest; **Brustschwimmen** *n* breaststroke; **Brustwarze** *f* nipple

brutal *Adj* brutal

brutto *Adv* gross

BSE *n* *Abk* = **bovine spongiforme Enzephalopathie**; BSE

Bube *m* boy, lad; (*Karten*) jack

Buch *n* book

Buche *f* beech (tree)

buchen *vt* book; (*Betrag*) enter

Bücherei *f* library

Buchfink *m* chaffinch

Buchhalter(in) *m(f)* accountant

Buchhandlung *f* bookshop

Büchse *f* tin (*Brit*), can; **Büchsenfleisch** *n* tinned meat (*Brit*), canned meat; **Büchsenmilch** *f* tinned milk (*Brit*), canned milk; **Büchsenöffner** *m* tin opener (*Brit*), can opener

Buchstabe *m* letter; **buchstabieren** *vt* spell

Bucht *f* bay

Buchung *f* booking; WIRTSCH entry

Buckel *m* hump

bücken *vr* bend down

Buddhismus *m* Buddhism

Bude *f* (*auf Markt*) stall; *umg* (*Wohnung*) pad, place

Büfett *n* sideboard; **kaltes ~** cold buffet

Büffel *m* buffalo

Bügel *m* (*für Kleider*) hanger; (*Steigbügel*) stirrup; (*von Brille*) sidepiece; (*von Skilift*) T-bar; **Bügelbrett** *n* ironing board; **Bügeleisen** *n* iron; **Bügelfalte** *f* crease; **bügelfrei** *Adj* non-iron; **bügeln** *vt, vi* iron

buh *Interj* boo

Bühne *f* stage; **Bühnenbild** *n* set

Bulgare *m*, **Bulgarin** *f* Bulgarian; **Bulgarien** *n* Bulgaria; **bulgarisch** *Adj* Bulgarian; **Bulgarisch** *n* Bulgarian

Bulimie f bulimia

Bulle m bull; *umg* (*Polizist*) cop

Bummel m stroll; **bummeln** vi stroll; (*trödeln*) dawdle; (*faulenzen*) loaf around; **Bummelzug** m slow train

bums *Interj* bang

bumsen vi vulg screw

Bund 1. m (*von Hose, Rock*) waistband; (*Freundschaftsbund*) bond; (*Organisation*) association; POL confederation; *umg* (*Bundeswehr*) the army 2. n bunch; (*von Stroh etc*) bundle

Bundes- *in Zs* Federal; (*auf Deutschland bezogen auch*) German; **Bundesbahn** f German railway company; **Bundeskanzler(in)** m(f) Chancellor; **Bundesland** n state, Land; **Bundesliga** f *erste/zweite ~* First/Second Division; **Bundespräsident(in)** m(f) President; **Bundesrat** m (*in Deutschland*) Upper House (of the German Parliament); (*in der Schweiz*) Council of Ministers; **Bundesregierung** f Federal Government; **Bundesrepublik** f Federal Republic; *Deutschland* Federal Republic of Germany; **Bundesstraße** f ≈ A road (*Brit*), ≈ state highway (*US*); **Bundestag** m Lower House of the German Parliament); **Bundeswehr** f

(German) armed forces *Pl*

Bündnis n alliance

Bungalow m bungalow

Bungeejumping n bungee jumping

bunt 1. *Adj* colourful; (*von Programm etc*) varied; *~e Farben* bright colours 2. *Adv* (*anstreichen*) in bright colours; **Buntstift** m crayon, coloured pencil

Burg f castle

Bürger(in) m(f) citizen; **bürgerlich** *Adj* (*Rechte, Ehe etc*) civil; (*vom Mittelstand*) middle-class; *pej* bourgeois; **Bürgermeister(in)** m(f) mayor; **Bürgersteig** m pavement (*Brit*), sidewalk (*US*)

Büro n office; **Büroklammer** f paper clip

Bürokratie f bureaucracy

Bursche m lad; (*Typ*) guy

Bürste f brush; **bürsten** vt brush

Bus m bus; (*Reisebus*) coach (*Brit*); **Busbahnhof** m bus station

Busch m bush; (*Strauch*) shrub

Busen m breasts *Pl*, bosom

Busfahrer(in) m(f) bus driver; **Bushaltestelle** f bus stop

Businessclass f business class

Busreise f coach tour (*Brit*), bus tour

Bußgeld n fine

Büstenhalter m bra

Busverbindung f bus con-

nection
Butter *f* butter; **Butterbrot** *n* slice of bread and butter; **Buttermilch** *f* buttermilk
Button *m* badge (*Brit*), button (*US*)

b. w. *Abk* = **bitte wenden**; pto
Byte *n* byte
bzw. *Adv Abk* = **beziehungsweise**

C

ca. *Adv Abk* = **circa**; approx
Cabrio *n* convertible
Café *n* café
Cafeteria *f* cafeteria
Call-Center *n* call centre
campen *vi* camp; **Camping** *n* camping; **Campingbus** *m* camper; **Campingplatz** *m* campsite, camping ground (*US*)
Cappuccino *m* cappuccino
Carving *n* (*Ski*) carving; **Carvingski** *m* carving ski
CD *f Abk* = **Compact Disc**; CD; **CD-Brenner** *m* CD burner, CD writer; **CD-Player** *m* CD player; **CD-ROM** *f Abk* = **Compact Disc Read Only Memory**; CD-ROM; **CD-ROM-Laufwerk** *n* CD-ROM drive, **CD-Spieler** *m* CD player
Cello *n* cello
Celsius *n* celsius; **20 Grad ~** 20 degrees Celsius
Cent *m* (*von Dollar und Euro*) cent
Chamäleon *n* chameleon
Champagner *m* champagne
Champignon *m* mushroom
Champions League *f*

Champions League
Chance *f* chance; **die ~n stehen gut** the prospects are good
Chaos *n* chaos; **Chaot(in)** *m(f) umg* disorganized person, scatterbrain; **chaotisch** *Adj* chaotic
Charakter *m* character; **charakteristisch** *Adj* characteristic (*für* of)
Charisma *n* charisma
charmant *Adj* charming
Charterflug *m* charter flight; **chartern** *vt* charter
checken *vt* (*überprüfen*) check; *umg* (*verstehen*) get
Check-in *m* check-in; **Check-in-Schalter** *m* check-in desk
Chef(in) *m(f)* boss; **Chefarzt** *m*, **Chefärztin** *f* senior consultant (*Brit*), medical director (*US*)
Chemie *f* chemistry; **chemisch** *Adj* chemical; **~e Reinigung** dry cleaning
Chemotherapie *f* chemotherapy
Chicoree *m* chicory
Chiffre *f* (*Geheimzeichen*) ci-

pher; (in Zeitung) box number

Chile n Chile

Chili m chilli

China f China; **Chinakohl** m Chinese leaves Pl (Brit), bok choy (US); **Chinarestaurant** n Chinese restaurant; **Chinese** m Chinese; **Chinesin** f Chinese (woman); **sie ist ~** she's Chinese; **chinesisch** Adj Chinese; **Chinesisch** n Chinese

Chip m IT chip; **Chipkarte** f smart card

Chips Pl (Kartoffelchips) crisps Pl (Brit), chips Pl (US)

Chirurg(in) m(f) surgeon

Chlor n chlorine

Choke m choke

Cholera f cholera

Cholesterin n cholesterol

Chor m choir; THEAT chorus

Choreografie f choreography

Christ(in) m(f) Christian; **Christbaum** m Christmas tree; **Christi Himmelfahrt** f the Ascension (of Christ); **Christkind** n baby Jesus; (das Geschenke bringt) ≈ Father Christmas, Santa Claus; **christlich** Adj Christian

Chrom n chrome; CHEM chromium

chronisch Adj chronic

chronologisch 1. Adj chronological **2.** Adv in chronological order

Chrysantheme f chrysan-

themum

circa Adv about, approximately

City f city centre, downtown (US)

Clementine f clementine

clever Adj clever, smart

Clique f group; pej clique; **David und seine ~** David and his lot od crowd

Clown m clown

Club m club; **Cluburlaub** m club holiday (Brit), club vacation (US)

Cocktail m cocktail; **Cocktailtomate** f cherry tomato

Cognac m cognac

Cola f Coke®, cola

Comic m comic strip; (Heft) comic

Compact Disc f compact disc

Computer m computer; **Computerfreak** m computer nerd; **computergesteuert** Adj computer-controlled; **Computergrafik** f computer graphics Pl; **computerlesbar** Adj machine-readable; **Computerspiel** n computer game; **Computertomografie** f computer tomography, scan; **Computervirus** m computer virus

Container m (zum Transport) container; (für Bauschutt etc) skip

Control-Taste f control key

Cookie n IT cookie

cool Adj umg cool

Cornflakes Pl cornflakes Pl

Couch f couch; **Couchtisch** m coffee table
Coupé n coupé
Coupon m coupon
Cousin m cousin; **Cousine** f cousin
Crack m (Droge) crack
Creme f cream; GASTR mousse
Creutzfeld-Jakob-Krankheit f Creutzfeld-Jakob dis-

ease, CJD
Croissant n croissant
Curry 1. m curry powder **2.** n (indisches Gericht) curry; **Currywurst** f fried sausage with ketchup and curry powder
Cursor m IT cursor
Cybercafé n cybercafé; **Cyberspace** m cyberspace

D

da 1. Adv (dort) there; (hier) here; (dann) then; ~ **oben/drüben** up/over there; ~, **wo** where; ~ **sein** be there; **ist jemand ~?** is there anybody there?; **ich bin gleich wieder** ~ I'll be right back; **ist noch Brot ~?** is there any bread left?; **es ist keine Milch mehr** ~ we've run out of milk; ~, **bitte!** there you are; ~ **kann man nichts machen** there's nothing you can do **2.** Konj as

dabei Adv (räumlich) close to it; (zeitlich) at the same time; (obwohl, doch) though; **sie hörte Radio und rauchte** ~ she was listening to the radio and smoking (at the same time); ~ **fällt mir ein ...** that reminds me ...; ~ **kam es zu einem Unfall** this led to an accident; ... **und** ~

hat er gar keine Ahnung ... even though he has no idea; **ich finde nichts** ~ I don't see anything wrong with it; **es bleibt** ~ that's settled; ~ **sein** (anwesend) be present; (beteiligt) be involved; **ich bin** ~**!** count me in; **er war gerade** ~ **zu gehen** he was just (od on the point of) leaving
dabeibleiben vi stick with it; **ich bleibe dabei** I'm not changing my mind
dabeihaben vt **er hat seine Schwester dabei** he's brought his sister; **ich habe kein Geld dabei** I haven't got any money on me
Dach n roof; **Dachboden** m attic, loft; **Dachgepäckträger** m roofrack; **Dachrinne** f gutter
Dachs m badger
Dackel m dachshund
dadurch 1. Adv (räumlich)

through it; (*durch diesen Umstand*) in that way; (*deshalb*) because of that, for that reason **2**. *Konj* **~, dass** because; **~, dass er hart arbeitete** (*indem*) by working hard

dafür *Adv* for it; (*anstatt*) instead; **~ habe ich 50 Euro bezahlt** I paid 50 euros for it; **ich bin ~ zu bleiben** I'm for (*od* in favour of) staying; **~ ist er ja da** that's what he's there for; **er kann nichts ~** he can't help it

dagegen *Adv* against it; (*im Vergleich damit*) in comparison; (*bei Tausch*) for it; **ich habe nichts ~** I don't mind

daheim *Adv* at home

daher 1. *Adv* (*räumlich*) from there; (*Ursache*) that's why **2**. *Konj* (*deshalb*) that's why

dahin *Adv* (*räumlich*) there; (*zeitlich*) then; (*vergangen*) gone; **bis ~** (*zeitlich*) till then; (*örtlich*) up to there; **bis ~ muss die Arbeit fertig sein** the work must be finished by then

dahinter *Adv* behind it

dahinterkommen *vi* find out

Dahlie *f* dahlia

Dalmatiner *m* dalmatian

damals *Adv* at that time, then

Dame *f* lady; (*Karten*) queen; (*Spiel*) draughts *Sg* (*Brit*), checkers *Sg* (*US*);

Damenbinde *f* sanitary towel (*Brit*), sanitary napkin (*US*); **Damenfriseur** *m* ladies' hairdresser; **Damenkleidung** *f* ladies' wear; **Damentoilette** *f* ladies' toilet (*od* restroom (*US*))

damit 1. *Adv* with it; (*begründend*) by that; **was meint er ~?** what does he mean by that?; **genug ~!** that's enough **2**. *Konj* so that

Damm *m* dyke; (*Staudamm*) dam; (*am Hafen*) mole; (*Bahn-, Straßendamm*) embankment

Dämmerung *f* twilight; (*am Morgen*) dawn; (*am Abend*) dusk

Dampf *m* steam; (*Dunst*) vapour; **Dampfbad** *n* Turkish bath; **Dampfbügeleisen** *n* steam iron; **dampfen** *vi* steam

dämpfen *vt* GASTR steam; (*Geräusch*) dampen; (*Begeisterung*) dampen

Dampfer *m* steamer

Dampfkochtopf *m* pressure cooker

danach *Adv* after it; (*zeitlich a.*) afterwards; (*demgemäß*) accordingly; **mir ist nicht ~** I don't feel like it; **~ sieht es aus** that's what it looks like

Däne *m* Dane

daneben *Adv* beside it; (*im Vergleich*) in comparison

Dänemark *n* Denmark; **Dänin** *f* Dane, Danish woman/girl; **dänisch** *Adj* Dan-

Danke – ja, danke – nein, danke

Ganz allgemein heißt **danke** im Englischen **thanks** oder **thank you**. Für **vielen Dank** kann man **thanks a lot** oder **thank you very much** sagen. Wird man beispielsweise gefragt, ob man eine Tasse Tee möchte (**would you like a cup of tea?**), so sagt man entweder **yes, please** (ja, gern, danke) oder **no, thanks / no, thank you** (nein, danke). Im Deutschen genügt ein einfaches **danke**, oft verbunden mit einem Kopfschütteln, um ein Angebot abzulehnen. Im Englischen hingegen kann man das **no** nicht weglassen. Es heißt immer **no, thanks** oder **no, thank you**. Andererseits ist auf **danke** im Englischen (**thanks / thank you**) nicht unbedingt eine Antwort nötig. Es gilt keineswegs als unhöflich, nichts zu sagen.

---

ish; Dänisch n Danish

dank Präp + Dat od Gen thanks to; **Dank** m thanks Pl; **vielen ~!** thank you very much; **jdm ~ sagen** thank sb; **dankbar** Adj (Aufgabe) rewarding; **danke** Interj thank you, thanks; **nein ~!** no, thank you; **~, gerne!** yes, please; **~, gleichfalls!** thanks, and the same to you; **danken** vi jdm für etw ~ thank sb for sth; **nichts zu ~!** you're welcome

dann Adv then; **bis ~!** see you (later); **~ eben nicht** okay, forget it, suit yourself

daran Adv (räumlich) on it; (befestigt) to it; (stoßen) against it; **es liegt ~, dass** ... it's because ...

darauf Adv (räumlich) on it; (zielgerichtet) towards it;

(danach) afterwards; **es kommt ganz ~ an, ob** ... it all depends whether ...; **ich freue mich ~** I'm looking forward to it; **am Tag ~** the next day

darauffolgend Adj (Tag, Jahr) next, following

daraus Adv from it; **was ist ~ geworden?** what became of it?

darin Adv in it; **das Problem liegt ~, dass** ... the basic problem is that ...

Darlehen n loan

Darm m intestine; (Wurstdarm) skin; **Darmgrippe** f gastroenteritis

darstellen vt describe; THEAT play; (beschreiben) describe; **Darsteller(in)** m(f) actor/actress; **Darstellung** f representation; (Beschreibung) description

darüber Adv (räumlich)

above it, over it; *(fahren)* over it; *(mehr)* more; *(währenddessen)* meanwhile; *(sprechen, streiten, sich freuen)* about it

darum *Adv (deshalb)* that's why; **es geht ~, dass ...** the point *(od* thing) is that ...

darunter *Adv (räumlich)* under it; *(dazwischen)* among them; *(weniger)* less; **was verstehen Sie ~?** what do you understand by it?

darunterfallen *vi* be included

das 1. *Art* the; **er hat sich ~ Bein gebrochen** he's broken his leg; **vier Euro ~ Kilo** four euros a kilo **2.** *Demonstrativpron* that (one), this (one); **~ Auto** da that car; **ich nehme ~ da** I'll take that one; **~ heißt** that is; **~ sind Amerikaner** they're American **3.** *Relativpron (Sache)* that, which; *(Person)* who, that; **~ Auto, ~ er kaufte** the car (that *(od* which)) he bought; **~ Mädchen, ~ nebenan wohnt** the girl who *(od* that) lives next door

da sein *vi* → **da**

dass *Konj* that; **so ~** so that; **es sei denn,** unless; **ohne ~ er grüßte** without saying hello

dasselbe *Demonstrativpron* the same

Datei *f* IT file; **Dateimanager** *m* file manager

Daten *Pl* data *Pl;* **Datenbank** *f* database; **Daten-**

missbrauch *m* misuse of data; **Datenschutz** *m* data protection; **Datenträger** *m* data carrier; **Datenverarbeitung** *f* data processing

datieren *vt* date

Dativ *m* dative (case)

Dattel *f* date

Datum *n* date

Datum

Das Datum kann auf verschiedene Arten wiedergegeben werden. So findet man für den 2. Juni 2004 **2 June 2004** oder auch **June 2(nd), 2004,** in Kurzform üblicherweise **2.6.2004** oder **2/6/2004.** Im amerikanischen Englisch ist es allerdings üblich, zuerst den Monat und dann den Tag zu nennen, also **6/2/2004.** Gesprochen heißt es in Großbritannien **the second of June two thousand and four,** in den USA **June second two thousand four.**

Dauer *f* duration; *(Länge)* length; **auf die ~** in the long run; **für die ~ von zwei Jahren** for a period of) two years; **Dauerauftrag** *m* FIN standing order; **dauerhaft** *Adj* lasting; *(Material)* durable; **Dauerkarte** *f* season ticket; **dauern** *vi* last; *(Zeit benötigen)* take; **es hat sehr lange gedauert, bis er ...** it took

deine

him a long time to ...; *wie lange dauert es denn noch?* how much longer will it be?; *das dauert mir zu lange* I can't wait that long; **dauernd 1.** *Adj* lasting; *(ständig)* constant **2.** *Adv* always, constantly; *er lachte ~* he kept laughing; *unterbrich mich nicht ~* stop interrupting me; **Dauerwelle** *f* perm *(Brit)*, permanent *(US)*

Daumen *m* thumb

Daunendecke *f* eiderdown

davon *Adv* of it; *(räumlich)* away; *(weg von)* from it; *(Grund)* because of it; *ich hätte gerne ein Kilo ~* I'd like one kilo of that; *~ habe ich gehört* I've heard of it; *(Geschehen)* I've heard about it; *das kommt ~, wenn ...* that's what happens when ...; *was habe ich ~?* what's the point?; *auf und ~* up and away; **davonlaufen** *vi* run away

davor *Adv* *(räumlich)* in front of it; *(zeitlich)* before; *ich habe Angst ~* I'm afraid of it

dazu *Adv* *(zusätzlich)* on top of that, as well; *(zu diesem Zweck)* for it, for that purpose; *ich möchte Reis ~* I'd like rice with it; *und ~ noch* in addition; *~ fähig sein, etwas zu tun* be capable of doing sth; *wie kam es ~?* how did it happen?; **dazugehö-**

ren *vi* belong to it; **dazu-kommen** *vi* *(zu jdm)* join sb; *kommt noch etwas dazu?* anything else?

dazwischen *Adv* in between; *(Unterschied etc)* between them; *(in einer Gruppe)* among them

dazwischenkommen *vi* *wenn nichts dazwischen-kommt* if all goes well; *mir ist etwas dazwischenge-kommen* something has cropped up

dealen *vi umg (mit Drogen)* deal in drugs; **Dealer(in)** *m(f) umg* dealer, pusher

Deck *n* deck; *an ~* on deck

Decke *f* cover; *(für Bett)* blanket; *(für Tisch)* table-cloth; *(von Zimmer)* ceiling

Deckel *m* lid

decken 1. *vt* cover; *(Tisch)* lay, set **2.** *vr (Interessen)* coincide; *(Aussagen)* correspond **3.** *vi (den Tisch decken)* lay *(od* set*)* the table

Decoder *m* decoder

defekt *Adj* faulty; **Defekt** *m* fault, defect

definieren *vt* define; **Definition** *f* definition

deftig *Adj (Preise)* steep; *ein ~es Essen* a good solid meal

dehnbar *Adj* flexible, elastic; **dehnen** *vt, vr* stretch

Deich *m* dyke

dein *Possessivpron (adjektivisch)* your; **deine(r, s)** *Possessivpron (substantivisch)* yours; of you; **dei-**

netwegen *Adv* (*wegen dir*) because of you; (*dir zuliebe*) for your sake

deinstallieren *vt* (*Programm*) uninstall

Dekolleté *n* low neckline

Dekoration *f* decoration; (*in Laden*) window dressing; **dekorativ** *Adj* decorative; **dekorieren** *vt* decorate; (*Schaufenster*) dress

Delfin *m* dolphin

delikat *Adj* (*lecker*) delicious; (*heikel*) delicate

Delikatesse *f* delicacy

Delle *f umg* dent

Delphin *m* dolphin

dem *Dat Sg von der/das; wie ~ auch sein mag* be that as it may

demnächst *Adv* shortly, soon

Demo *f umg* demo

Demokratie *f* democracy; **demokratisch** *Adj* democratic

demolieren *vt* demolish

Demonstration *f* demonstration; **demonstrieren** *vt, vi* demonstrate

den 1. *Art Akk Sg, Dat Pl von der; sie hat sich ~ Arm gebrochen* she's broken her arm **2.** *Demonstrativpron* him; (*Sache*) that one; *~ hab ich schon ewig nicht mehr gesehen* I haven't seen him in ages **3.** *Relativpron* (*Person*) who, that, whom; (*Sache*) which, that; *der Typ, auf ~ sie steht* the guy (who) she

fancies; *der Berg, auf ~ wir geklettert sind* the mountain (that) we climbed

denkbar 1. *Adj das ist ~* that's possible **2.** *Adv ~ einfach* extremely simple; **denken** *vt, vi* think (*über + Akk* about); *an jdn/etw ~* think of sb/sth; (*sich erinnern, berücksichtigen*) remember sb/sth; *woran denkst du?* what are you thinking about?; *denk an den Kaffee!* don't forget the coffee **2.** *vr* (*sich vorstellen*) imagine; *das kann ich mir ~* I can (well) imagine

Denkmal *n* monument; **Denkmalschutz** *m* monument preservation; *unter ~ stehen* be listed

denn 1. *Konj* for, because **2.** *Adv* then; (*nach Komparativ*) than; *was ist ~?* what's wrong?; *ist das ~ so schwierig?* is it really that difficult?

dennoch *Konj* still, nevertheless

Deo *n*, **Deodorant** *n* deodorant; **Deoroller** *m* roll-on deodorant; **Deospray** *m od n* deodorant spray

Deponie *f* waste disposal site, tip

Depressionen *Pl an ~ leiden* suffer from depression *Sg*; **deprimieren** *vt* depress

der 1. *Art* the; (*Dat*) to the; (*Gen*) of the; *~ arme Marc* poor Marc; *ich habe es ~ Kundin geschickt* I sent it to the client; ~ *Vater ~ Besitzerin* the owner's father **2.** *Demonstrativpron* that (one), this (one); ~ *mit ~ Brille* the one (*od* him) with the glasses; ~ *schreibt nicht mehr* (*Stift etc*) that one doesn't write any more **3.** *Relativpron* (*Person*) who, that; (*Sache*) which, that; *jeder, ~ ...* anyone who ...; *er war ~ erste, ~ es erfuhr* he was the first to know

derart *Adv* so; (*solcher Art*) such; **derartig** *Adj* *ein ~er Fehler* such a mistake, a mistake like that

deren 1. *Demonstrativpron* (*Person*) her; (*Sache*) its; (*Pl*) their **2.** *Relativpron* (*Person*) whose; (*Sache*) of which

dergleichen *Demonstrativpron* *und ~ mehr* and the like, and so on; *nichts ~* no such thing

derjenige *Demonstrativpron* the one; *~, der* (*relativ*) the one who (*od* that)

dermaßen *Adv* so much; (*mit Adj*) so

derselbe *Demonstrativpron* the same (person/thing)

deshalb *Adv* therefore; *~ frage ich ja* that's why I'm asking

Design *n* design; **Designer(in)** *m(f)* designer

Desinfektionsmittel *n* disin-

fectant; **desinfizieren** *vt* disinfect

dessen 1. *Pron, Gen von der, das*; (*Person*) his; (*Sache*) its; *ich bin mir ~ bewusst* I'm aware of the **2.** *Relativpron* (*Person*) whose; (*Sache*) of which

Dessert *n* dessert; *zum* (*od als*) *~* for dessert

destilliert *Adj* distilled

desto *Adv* *je eher, ~ besser* the sooner, the better

deswegen *Konj* therefore

Detail *n* detail; *ins ~ gehen* go into detail

Detektiv(in) *m(f)* detective

deutlich *Adj* clear; (*Unterschied*) distinct

deutsch *Adj* German; **Deutsch** *n* German; *auf ~* in German; *ins ~e übersetzen* translate into German; **Deutsche(r)** *mf* German; **Deutschland** *n* Germany

Devise *f* motto; *~n Pl* FIN foreign currency *Sg*; **Devisenkurs** *m* exchange rate

Dezember *m* December; → *Juni*

dezent *Adj* discreet

d.h. *Abk von das heißt*; i.e. (*gesprochen: that is*)

Dia *n* slide

Diabetes *m* MED diabetes; **Diabetiker(in)** *m(f)* diabetic

Diagnose *f* diagnosis

diagonal *Adj* diagonal

Dialekt *m* dialect

Dialog *m* dialogue; IT dialog

Dialyse

Dialyse f MED dialysis

Diamant m diamond

Diaprojektor m slide projector

Diät f diet; **eine ~ machen** be on a diet; *(anfangen)* go on a diet

dich *Personalpron* you; **~ (selbst)** *(reflexiv)* yourself; **pass auf ~ auf** look after yourself; **reg ~ nicht auf** don't get upset

dicht 1. *Adj* dense; *(Nebel)* thick; *(Gewebe)* close; *(wasserdicht)* watertight; *(Verkehr)* heavy **2.** *Adv* **~ an/bei** close to; **~ bevölkert** densely populated

Dichter(in) m(f) poet; *(Autor)* writer

Dichtung f AUTO gasket; *(Dichtungsring)* washer; *(Gedichte)* poetry

Dichtungsring m TECH washer

dick *Adj* thick; *(Person)* fat; **jdn ~ haben** be sick of sb; **Dickdarm** m colon; **Dickkopf** m stubborn *(od pig-headed)* person; **Dickmilch** f sour milk

die 1. *Art* the; **~ arme Sarah** poor Sarah **2.** *Demonstrativpron (Sg)* that (one), this (one), *(Pl)* those (ones); **~ mit den langen Haaren** the one *(od her)* with the long hair; **ich nehme ~ da** I'll take that one *(od those)* **3.** *Relativpron (Person)* who, that; *(Sache)* which, that; **sie war ~ erste, ~ es**

erfuhr she was the first to know **4.** *Pl von* **der, die, das**

Dieb(in) m(f) thief; **Diebstahl** m theft; **Diebstahlsicherung** f burglar alarm

diejenige *Demonstrativpron* the one; **~, die** *(relativ)* the one who *(od that)*; **~n** *(Pl)* those Pl, the ones Pl

Diele f hall

Dienst m service; **außer ~** retired; **~ haben** be on duty; **der ~ habende Arzt** the doctor on duty

Dienstag m Tuesday; → **Mittwoch**; **dienstags** *Adv* on Tuesdays; → **mittwochs**

Dienstbereitschaft f **~ haben** *(Arzt)* be on call; **Dienstleistung** f service; **dienstlich** *Adj* official; **er ist ~ unterwegs** he's away on business; **Dienstreise** f business trip; **Dienststelle** f department; **Dienstwagen** m company car; **Dienstzeit** f office hours Pl; MIL period of service

diesbezüglich *Adj (formell)* on this matter

diese(r, s) *Demonstrativpron* this (one); *(Pl)* these; **~ Frau** this woman; **~r Mann** this man; **~s Mädchen** this girl; **~ Leute** these people; **ich nehme diese/diesen/dieses** *(hier)* I'll take this one; *(dort)* I'll take that one; **ich nehme ~ Pl** *(hier)* I'll take these (ones); *(dort)* I'll take those (ones)

doch

Diesel m AUTO diesel

dieselbe Demonstrativpron the same; **es sind immer ~** it's always the same people

Dieselmotor m diesel engine; **Dieselöl** n diesel (oil)

diesig Adj hazy, misty

diesmal Adv this time

Dietrich m skeleton key

Differenz f difference

digital Adj digital; **Digital-** in Zs (Kamera, Anzeige etc) digital

Diktat n dictation

Diktatur f dictatorship

Dill m dill

DIN Abk = **Deutsche Industrienorm**; DIN; **~ A4** A4

Ding n thing; **vor allen ~en** above all; **der Stand der ~e** the state of affairs; **das ist nicht mein ~** umg it's not my sort of thing (od cup of tea); **Dingsbums** n umg thingy, thingummybob

Dinosaurier m dinosaur

Diphtherie f diphtheria

Diplom n diploma

Diplomat(in) m(f) diplomat

dir Personalpron (to) you; **hat er ~ geholfen?** did he help you?; **ich werde es ~ erklären** I'll explain it to you; (reflexiv) **wasch ~ die Hände** go and wash your hands; **ein Freund von ~** a friend of yours

direkt 1. Adj direct; (Frage) straight; **~e Verbindung** through service **2.** Adv directly; (sofort) immedi-

ately; **~ am Bahnhof** right next to the station; **Direktflug** m direct flight

Direktor(in) m(f) director; (Schule) headmaster/-mistress (Brit), principal (US)

Direktübertragung f live broadcast

Dirigent(in) m(f) conductor; **dirigieren** vt direct; MUS conduct

Discman® m Discman®

Diskette f disk, diskette; **Diskettenlaufwerk** n disk drive

Diskjockey m disc jockey; **Disko** f umg disco, club, **Diskothek** f discotheque, club

diskret Adj discreet

diskriminieren vt discriminate against

Diskussion f discussion; **diskutieren** vt, vi discuss

Display n display

disqualifizieren vt disqualify

Distanz f distance

Distel f thistle

Disziplin f discipline

divers Adj various

dividieren vt divide (durch by); **8 dividiert durch 2 ist 4** 8 divided by 2 is 4

DJ m Abk = **Diskjockey**; DJ

doch 1. Adv **das ist nicht wahr! — ~!** that's not true — yes it is; **nicht ~!** oh no; **er kommt ~?** he will come, won't he?; **er hat es ~ gemacht** he did it after all; **setzen Sie sich ~** do sit down, please **2.** Konj (aber) but

Doktor(in) m(f) doctor

Dokument n document; **Dokumentarfilm** m documentary (film); **dokumentieren** vt document; **Dokumentvorlage** f IT document template

Dolch m dagger

Dollar m dollar

dolmetschen vt, vi interpret; **Dolmetscher(in)** m(f) interpreter

Dolomiten Pl Dolomites Pl

Dom m cathedral

Domäne f domain, province; IT (Domain) domain

Dominikanische Republik f Dominican Republic

Domino n dominoes Sg

Donau f Danube

Döner m, **Döner Kebab** m doner kebab

Donner m thunder; **donnern** vi **es donnert** it's thundering

Donnerstag m Thursday; → **Mittwoch**; **donnerstags** Adv on Thursdays; → **mittwochs**

doof Adj umg stupid

dopen vt dope; **Doping** n doping; **Dopingkontrolle** f drugs test

Doppel n duplicate; SPORT doubles Sg; **Doppelbett** n double bed; **Doppeldecker** m double-decker; **Doppelhaushälfte** f semi-detached house (Brit), duplex (US); **doppelklicken** vi double-click; **Doppelname** m double-barrelled name; **Dop-**

pelpunkt m colon; **Doppelstecker** m two-way adaptor; **doppelt** Adj double; **in ~er Ausführung** in duplicate; **Doppelzimmer** n double room

Dorf n village

Dorn m BOT thorn

Dörrobst n dried fruit

Dorsch m cod

dort Adv there; **~ drüben** over there; **dorther** Adv from there

Dose f box; (Blechdose) tin (Brit), can; (Bierdose) can

dösen vi doze

Dosenbier n canned beer; **Dosenmilch** f canned milk, tinned milk (Brit); **Dosenöffner** m tin opener (Brit), can opener

Dotter m (egg) yolk

downloaden vt download

Downsyndrom n MED Down's syndrome

Dozent(in) m(f) lecturer

Dr. Abk = **Doktor**

Drache m dragon; **Drachen** m (Spielzeug) kite; SPORT hang-glider; **Drachenfliegen** n hang-gliding; **Drachenflieger(in)** m(f) hang-glider

Draht m wire; **Drahtseilbahn** f cable railway

Drama n drama; **dramatisch** Adj dramatic

dran Adv umg Kontr von **daran**; **gut ~ sein** (reich) be well-off; (glücklich) be fortunate; (gesundheitlich) be well; **schlecht ~ sein** be in a bad way; **wer ist ~?** whose turn is it?; **ich bin ~** it's my turn; **bleib ~!** TEL hang on

Drang m (*Trieb*) urge (*nach* for); (*Druck*) pressure

drängeln vt, vi push

drängen 1. vt (*schieben*) push; (*antreiben*) urge **2.** vi (*eilig sein*) be urgent; (*Zeit*) press; **auf etw ~** press for sth

drankommen vi **wer kommt dran?** who's turn is it?, who's next?

drauf *umg* Kontr von **darauf**; **gut/schlecht ~ sein** be in a good/bad mood

Draufgänger(in) m(f) daredevil

draufkommen vi remember; **ich komme nicht drauf** I can't think of it

draufmachen vi *umg* **einen ~** go on a binge

draußen Adv outside

Dreck m dirt, filth; **dreckig** Adj dirty, filthy

drehen 1. vt, vi turn; (*Zigaretten*) roll; (*Film*) shoot **2.** vr turn; (*um Achse*) rotate; **sich ~ um** (*handeln von*) be about

Drehstrom m three-phase current; **Drehtür** f revolving door; **Drehzahlmesser** m rev counter

drei Zahl three; **~ viertel voll** three-quarters full; **es ist ~ viertel neun** it's a quarter to nine; **Drei** f three; (*Schulnote*) ≈ C;

Dreieck n triangle; **dreieckig** Adj triangular; **dreifach 1.** Adj triple **2.** Adv three times; **dreihundert** Zahl three hundred; **Dreikönigstag** m Epiphany; **dreimal** Adv three times; **Dreirad** n tricycle; **dreispurig** Adj three-lane

dreißig Zahl thirty; **dreißigste(r, s)** Adj thirtieth; → **dritte**

Dreiviertelstunde f **eine ~** three quarters of an hour

dreizehn Zahl thirteen; **dreizehnte(r, s)** Adj thirteenth; → **dritte**

dressieren vt train

Dressing n (salad) dressing **Dressman** m (male) model **Dressur** f training

drin *umg* Kontr von **darin**; in it; **mehr war nicht ~** that was the best I could do

dringen vi (*Wasser, Licht, Kälte*) penetrate (*durch* through, *in + Akk* into); **auf etw ~** insist on sth; **dringend, dringlich** Adj urgent

drinnen Adv inside

dritt Adv **wir sind zu ~** there are three of us; **dritte(r, s)** Adj third; **die Dritte Welt** the Third World; **3. September** 3(rd) September (*gesprochen: the third of September*); **am 3. September** on 3(rd) September, on September 3(rd) (*gesprochen: on the third of Sep-*

tember); **München, den 3. September** Munich, September 3(rd); **Drittel** *n* (*Bruchteil*) third; **drittens** *Adv* thirdly

Droge *f* drug; **drogenabhängig, drogensüchtig** *Adj* addicted to drugs

Drogerie *f* chemist's (*Brit*), drugstore (*US*); **Drogeriemarkt** *m* discount chemist's (*Brit*) (*od* drugstore (*US*))

drohen *vi* threaten (*jdm* sb); **mit etw ~** threaten to do sth

dröhnen *vi* (*Motor*) roar; (*Stimme, Musik*) boom; (*Raum*) resound

Drohung *f* threat

Drossel *f* thrush

drüben *Adv* over there; (*auf der anderen Seite*) on the other side

drüber *umg Kontr von* **darüber**

Druck 1. *m* PHYS pressure; *fig* (*Belastung*) stress; **jdn unter ~ setzen** put sb under pressure **2.** *m* TYPO (*Vorgang*) printing; (*Produkt, Schriftart*) print; **Druckbuchstabe** *m* block letter; **in ~ schreiben** print; **drucken** *vt, vi* print

drücken 1. *vt, vi* (*Knopf, Hand*) press; (*zu eng sein*) pinch; *fig* (*Preise*) push down; **jdm etw in die Hand ~** press sth into sb's hand **2.** *vr* **sich vor etw ~** get out of sth; **drückend** *Adj* oppressive

Drucker *m* IT printer; **Druckertreiber** *m* printer driver

Druckknopf *m* press stud (*Brit*), snap fastener (*US*); **Drucksache** *f* printed matter; **Druckschrift** *f* block letters *Pl*

drunten *Adv* down there

drunter *umg Kontr von* **darunter**

Drüse *f* gland

Dschungel *m* jungle

du *Personalpron* you; **bist es?** is it you?; **wir sind per ~** we're on first-name terms

Dübel *m* Rawlplug®

ducken *vt, vr* duck

Dudelsack *m* bagpipes *Pl*

Duett *n* duet

Duft *m* scent; **duften** *vi* smell nice; **es duftet nach ... ** it smells of ...

dulden *vt* tolerate

dumm *Adj* stupid; **Dummheit** *f* stupidity; (*Tat*) stupid thing; **Dummkopf** *m* idiot

dumpf *Adj* (*Ton*) muffled; (*Erinnerung*) vague; (*Schmerz*) dull

Düne *f* dune

Dünger *m* fertilizer

dunkel *Adj* dark; (*Stimme*) deep; (*Ahnung*) vague; (*rätselhaft*) obscure; (*verdächtig*) dubious; **im Dunkeln tappen** *fig* be in the dark; **dunkelblau** *Adj* dark blue; **dunkelblond** *Adj* light brown; **dunkelhaarig**

Adj dark-haired; **Dunkelheit** *f* darkness

dünn *Adj* thin; (*Kaffee*) weak

Dunst *m* haze; (*leichter Nebel*) mist; CHEM vapour

dünsten *vt* GASTR steam

Duo *n* duo

Dur *n* MUS major (key); *in G~* in G major

durch 1. *Präp + Akk* through; (*mittels*) by; (*Zeit*) during; *~ Amerika reisen* travel across the USA; *er verdient seinen Lebensunterhalt ~ den Verkauf von Autos* he makes his living by selling cars **2.** *Adv* (*Fleisch*) cooked through, well done; *das ganze Jahr ~* all through the year, the whole year long; *darf ich bitte ~?* can I get through, please?

durchaus *Adv* absolutely; *~ nicht* not at all

Durchblick *m* view; *den ~ haben* fig know what's going on; **durchblicken** *vi* look through; *umg* (*verstehen*) understand (*bei etw* sth); *etw ~ lassen* fig hint at sth

Durchblutung *f* circulation

durchbrennen *vi* (*Sicherung*) blow; (*Draht*) burn through; *umg* (*davonlaufen*) run away

durchdacht *Adv* **gut ~** well thought-out

durchdrehen 1. *vt* (*Fleisch*) mince **2.** *vi* (*Räder*) spin;

umg (*nervlich*) crack up

durcheinander *Adv* in a mess; *umg* (*verwirrt*) confused; *~ bringen* mess up; (*verwirren*) confuse; *~ reden* talk all at the same time; *~ trinken* mix one's drinks; **Durcheinander** *n* (*Verwirrung*) confusion; (*Unordnung*) mess

Durchfahrt *f* way through; *„~ verboten!"* 'no thoroughfare'

Durchfall *m* MED diarrhoea

durchfallen *vi* fall through; (*in Prüfung*) fail

durchfragen *vr* ask one's way

durchführen *vt* carry out

Durchgang *m* passage; SPORT round; (*bei Wahl*) ballot; **Durchgangsverkehr** *m* through traffic

durchgebraten *Adj* well done

durchgefroren *Adj* frozen to the bone

durchgehen *vi* go through (*durch etw* sth); (*ausreißen: Pferd*) break loose; (*Mensch*) run away; **durchgehend** *Adj* (*Zug*) through; *~ geöffnet* open all day

durchhalten 1. *vi* hold out **2.** *vt* (*Tempo*) keep up; *etw ~* (*bis zum Schluss*) see sth through

durchkommen *vi* get through; (*Patient*) pull through

durchlassen *vt* (*jdn*) let

through; (*Wasser*) let in
Durchlauf(wasser)erhitzer
m instantaneous water
heater
durchlesen *vt* read through
durchleuchten *vt* X-ray
durchmachen *vt* go
through; (*Entwicklung*)
undergo; **die Nacht ~** make
a night of it, have an all-
-nighter
Durchmesser *m* diameter
Durchreise *f* journey
through; **auf der ~** passing
through; (*Güter*) in transit;
Durchreisevisum *n* transit
visa
durchreißen *vt, vi* tear (in
two)
durchs *Kontr von* **durch
das**
Durchsage *f* announcement
durchschauen *vt* (*jdn,
Lüge*) see through
durchschlagen *vr* struggle
through
durchschneiden *vt* cut (in
two)
Durchschnitt *m* (*Mittelwert*)
average; **im ~** on average;
durchschnittlich 1. *Adj*
average **2.** *Adv* (*im Durchschnitt*) on average
durchsetzen 1. *vt* get
through **2.** *vr* (*Erfolg haben*) succeed; (*sich behaupten*) get one's way
durchsichtig *Adj* transparent, see-through

durchstellen *vt* TEL put
through
durchstreichen *vt* cross out
durchsuchen *vt* search
(*nach* for); **Durchsuchung**
f search
Durchwahl *f* direct dialling;
(*Nummer*) extension
durchziehen *vt* (*Plan*) carry
through
Durchzug *m* draught
dürfen *vt* **etw tun ~** (*Erlaubnis*) be allowed to do sth;
darf ich? may I?; **das darfst
du nicht (tun)!** you mustn't
do that; **was darf es sein?**
what can I do for you?; **er
dürfte schon dort sein** he
should be there by now
dürr *Adj* (*mager*) skinny
Durst *m* thirst; **~ haben** be
thirsty; **durstig** *Adj* thirsty
Dusche *f* shower; **duschen**
vi, vr have a shower;
Duschgel *n* shower gel
Düse *f* nozzle; TECH jet; **Düsenflugzeug** *n* jet (aircraft)
düster *Adj* dark; (*Gedanken,
Zukunft*) gloomy
Dutyfreeshop *m* duty-free
shop
duzen 1. *vt* address as 'du' **2.**
vr **sich ~ (mit jdm)** address
each other as 'du', be on
first-name terms
DVD *f Abk = Digital Versatile Disk*; DVD
dynamisch *Adj* dynamic
Dynamo *m* dynamo

E

Ebbe f low tide

eben 1. Adj level; (glatt) smooth **2.** Adv just; (bestätigend) exactly

ebenfalls Adv also, as well; (Antwort: gleichfalls!) you too; **ebenso** Adv just as; ~ **gut** just as well; ~ **viel** just as much

EC m Abk = **Eurocityzug**

Echo n echo

echt (Leder, Gold) real, genuine; **ein ~er Verlust** a real loss

EC-Karte f ≈ debit card

Ecke f corner; MATHE angle; **an der ~** at the corner; **gleich um die ~** just round the corner; **eckig** Adj rectangular

Economyclass f coach (class), economy class

Ecstasy f (Droge) ecstasy

Efeu m ivy

Effekt m effect

egal Adj **das ist ~** it doesn't matter; **das ist mir ~** I don't care, it's all the same to me; **~ wie teuer** no matter how expensive

egoistisch Adj selfish

ehe Konj before

Ehe f marriage; **Ehefrau** f wife

ehemalig Adj former; **ehemals** Adv formerly

Ehemann m husband; **Ehepaar** n married couple

eher Adv (früher) sooner; (lieber) rather; (mehr) more; **je ~, desto besser** the sooner the better

Ehering m wedding ring

eheste(r, s) Adj (früheste) first **2.** Adv **am ~n** (am wahrscheinlichsten) most likely

Ehre f honour; **ehren** vt honour; **Ehrenwort** n word of honour; **~!** I promise

ehrgeizig Adj ambitious

ehrlich Adj honest

Ei n egg

Eiche f oak (tree); **Eichel** f acorn

Eichhörnchen n squirrel

Eid m oath

Eidechse f lizard

Eierbecher m eggcup; **Eierstock** m ovary; **Eieruhr** f egg timer

Eifersucht f jealousy; **eifersüchtig** Adj jealous (auf + Akk of)

Eigelb n egg yolk

eigen Adj own; (typisch) characteristic (jdm of sb); (eigenartig) peculiar; **eigenartig** Adj peculiar; **Eigenschaft** f quality; CHEM, PHYS property

eigentlich 1. Adj actual, real **2.** Adv actually, really; **was denken Sie sich ~ dabei?** what on earth do you think you're doing?

Eigentum n property; **Eigentümer(in)** m(f) owner; **Eigentumswohnung** f owner-occupied flat (Brit), condominium (US)

eignen vr **sich – für** be suited for; **er würde sich als Lehrer –** he'd make a good teacher

Eilbrief m express letter, special-delivery letter; **Eile** f hurry; **eilen** vi (dringend sein) be urgent; **es eilt nicht** there's no hurry; **eilig** Adj hurried; (dringlich) urgent; **es – haben** be in a hurry

Eimer m bucket

ein Adv **nicht – noch aus wissen** not know what to do; **– aus** (Schalter) on – off

ein(e) Art a; (vor gesprochenem Vokal) an; **– Mann** a man; **– Apfel** an apple; **–e Stunde** an hour; **– Haus** a house; **– (gewisser) Herr Miller** a (certain) Mr Miller; **–es Tages** one day

einander Pron one another, each other

einarbeiten 1. vt train **2.** vr get used to the work

einatmen vt, vi breathe in

Einbahnstraße f one-way street

einbauen vt build in; (Motor etc) install, fit; **Einbauküche** f fitted kitchen

einbiegen vi turn in (into)

einbilden vt **sich etw –** imagine sth

einbrechen vi (in Haus) break in; (Dach etc) fall in, collapse; **Einbrecher(in)** m(f) burglar

einbringen 1. vt (Ernte) bring in; (Gewinn) yield; **jdm etw –** bring (od earn) sb sth **2.** vr **sich in etw –** make a contribution to sth

Einbruch m (Haus) break-in, burglary; **bei – der Nacht** at nightfall

Einbürgerung f naturalization

einchecken vt check in

eincremen vt, vr put some cream on

eindeutig 1. Adj clear, obvious **2.** Adv clearly; **– falsch** clearly wrong

eindringen vi (gewaltsam) force one's way in (in + Akk -to); (einbrechen) break in (in + Akk -to); (Gas, Wasser) get in (in + Akk -to)

Eindruck m impression; **großen – auf jdn machen** make a big impression on sb

eine(r, s) Indefinitpron one; (jemand) someone; **–r meiner Freunde** one of my friends; **–r nach dem andern** one after the other

eineiig Adj (Zwillinge) identical

eineinhalb Zahl one and a half

einerseits Adv on the one hand

einfach 1. Adj (nicht kom-

Einchecken am Flughafen

Beim Einchecken begegnet man häufig den folgenden Fragen und Bitten:

Your ticket, please.	Ihr Ticket, bitte.
May I see your passport, please?	Kann ich bitte Ihren Pass sehen?
How many pieces of luggage have you got / would you like to check in?	Wie viele Gepäckstücke haben Sie / möchten Sie einchecken?
Where would you like to sit?	Wo möchten Sie sitzen?
Would you like a window seat / an aisle seat?	Hätten Sie gerne einen Fensterplatz / einen Gangplatz?
Could anyone have interfered with your luggage?	Haben Sie Ihr Gepäck irgendwann unbeaufsichtigt gelassen?

pliziert) simple; (*Mensch*) ordinary; (*Essen*) plain; (*nicht mehrfach*) single; **~e Fahrkarte** single ticket (*Brit*), one-way ticket (*US*) **2.** *Adv* simply; (*nicht mehrfach*) once

Einfahrt *f* (*Vorgang*) driving in; (*eines Zuges*) arrival; (*Ort*) entrance

Einfall *m* (*Idee*) idea; **einfallen** *vi* (*Licht etc*) fall in; (*einstürzen*) collapse; **mir fiel ein, dass ...** it occurred to him that ...; **ich werde mir etwas ~ lassen** I'll think of something; **was fällt Ihnen ein!** what do you think you're doing?

Einfamilienhaus *n* detached house

einfarbig *Adj* all one colour; (*Stoff etc*) self-coloured

Einfluss *m* influence

einfrieren *vt, vi* freeze

einfügen *vt* fit in; (*zusätzlich*) add; IT insert; **Einfügetaste** *f* IT insert key

Einfuhr *f* import; **Einfuhrbestimmungen** *Pl* import regulations *Pl*

einführen *vt* introduce; (*Ware*) import; **Einführung** *f* introduction

Eingabe *f* (*Dateneingabe*) input; **Eingabetaste** *f* IT return (*od* enter) key

Eingang *m* entrance; **Eingangshalle** *f* entrance hall, lobby (*US*)

eingeben vt (Daten etc) enter, key in

eingebildet Adj imaginary; (eitel) arrogant

Eingeborene(r) mf native

eingehen 1. vi (Sendung, Geld) come in, arrive; (Tier, Pflanze) die; (Stoff) shrink; **auf etw ~** agree to sth; **auf jdn ~** respond to sb **2.** vt (Vertrag) enter into; (Wette) make; (Risiko) take

eingelegt Adj (in Essig) pickled

eingeschaltet Adj (switched) on

eingeschlossen Adj locked in; (inklusive) included

eingewöhnen vr settle in, get used to

eingießen vt pour

eingreifen vi intervene; **Eingriff** m intervention; (Operation) operation

einhalten vt (Versprechen etc) keep

einhängen vt (Telefon) (**den Hörer**) ~ hang up

einheimisch Adj (Produkt, Mannschaft) local; **Einheimische(r)** mf local

Einheit f (Geschlossenheit) unity; (Maß) unit; **einheitlich** Adj uniform

einholen vt (Vorsprung aufholen) catch up with; (Verspätung) make up for; (Rat, Erlaubnis) ask for

Einhorn n unicorn

einhundert Zahl one (od a) hundred

einig Adj (vereint) united;

sich ~ sein agree

einige 1. Indefinitpron Pl some; (mehrere) several **2.** unbest Zahlwort some; **nach ~er Zeit** after some time; **~e hundert Euro** some hundred euros

einigen vr agree (**auf** + Akk on)

einigermaßen Adv fairly, quite; (leidlich) reasonably

einiges Indefinitpron something; (ziemlich viel) quite a bit; (mehreres) a few things; **es gibt noch ~ zu tun** there's still a fair bit to do

Einkauf m purchase; **Einkäufe** (**machen**) (to do one's) shopping; **einkaufen 1.** vt buy **2.** vi go shopping; **Einkaufsbummel** m shopping trip; **Einkaufstasche** f, **Einkaufstüte** f shopping bag; **Einkaufswagen** m shopping trolley (Brit) (od cart (US)); **Einkaufszentrum** n shopping centre (Brit) (od mall (US))

einklemmen vt jam; **er hat sich den Finger eingeklemmt** he got his finger caught

Einkommen n income

einladen vt (jdn) invite; (Gegenstände) load; **jdn zum Essen ~** take sb out for a meal; **ich lade dich ein** (bezahle) it's my treat; **Einladung** f invitation

Einlass m admittance; **~ ab 18 Uhr** doors open at 6 pm; **einlassen** vr **sich mit**

jdm/auf etw ~ get involved with sb/sth

einleben *vr* settle down

einlegen *vt (Film etc)* put in; *(marinieren)* marinate; **eine Pause ~** take a break

einleiten *vt* start; *(Maßnahmen)* introduce; *(Geburt)* induce; **Einleitung** *f* introduction; *(von Geburt)* induction

einleuchten *vi* **jdm** ~ be *(od* become*)* clear to sb; **einleuchtend** *Adj* clear

einloggen *vi* IT log on *(od* in*)*

einlösen *vt (Scheck)* cash; *(Gutschein)* redeem; *(Versprechen)* keep

einmal *Adv* once; *(früher)* before; *(in Zukunft)* some day; *(erstens)* first; **~ im Jahr** once a year; **noch ~** once more, again; **ich war schon ~ hier** I've been here before; **warst du schon ~ in London?** have you ever been to London?; **nicht ~** not even; **auf ~** suddenly; *(gleichzeitig)* at once; *(einmalig geschehend)* single; *(prima)* fantastic

einmischen *vr* interfere *(in + Akk* with*)*

Einnahme *f (Geld)* takings *Pl*; *(von Medizin)* taking; **einnehmen** *vt (Medizin)* take; *(Geld)* take in; *(Standpunkt, Raum)* take up; **jdn für sich ~** win sb over

einordnen 1. *vt* put in order;

(klassifizieren) classify; *(Akten)* file 2. *vr* AUTO get in lane; **sich rechts/links ~** get into the right/left lane

einpacken *vt* pack *(up)*

einparken *vt, vi* park

einplanen *vt* allow for

einprägen *vt* **sich etw ~** remember *(od* memorize*)* sth

einräumen *vt (Bücher, Geschirr)* put away; *(Schrank)* put things in

einreden *vt* **jdm/sich etw ~** talk sb/oneself into *(believing)* sth

einreiben *vt* **sich etw mit etw ~** rub sth into one's skin

einreichen *vt* hand in; *(Antrag)* submit

Einreise *f* entry; **Einreisebestimmungen** *Pl* entry regulations *Pl*; **Einreiseerlaubnis** *f*, **Einreisegenehmigung** *f* entry permit; **einreisen** *vi* enter *(in ein Land* a country*)*; **Einreisevisum** *n* entry visa

einrenken *vt (Arm, Bein)* set

einrichten 1. *vt (Wohnung)* furnish; *(gründen)* establish, set up; *(arrangieren)* arrange 2. *vr (in Haus)* furnish one's home; *(sich vorbereiten)* prepare oneself *(auf + Akk* for*)*; *(sich anpassen)* adapt *(auf + Akk* to*)*; **Einrichtung** *f (Wohnung)* furnishings *Pl*; *(öffentliche Anstalt)* institution; *(Schwimmbad etc)* facility

eins *Zahl* one; **Eins** *f* one;

(*Schulnote*) ≈ A

einsam *Adj* lonely

einsammeln *vt* collect

Einsatz *m* (*Teil*) insert; (*Verwendung*) use; (*Spieleinsatz*) stake; (*Risiko*) risk; MUS entry

einschalten *vt* ELEK switch on

einschätzen *vt* estimate, assess

einschenken *vt* pour

einschiffen *vr* embark (*nach* for)

einschlafen *vi* fall asleep, drop off; *mir ist der Arm eingeschlafen* my arm's gone to sleep

einschlagen 1. *vt* (*Fenster*) smash; (*Zähne, Schädel*) smash in (*Weg, Richtung*) take **2.** *vi* hit (*in etw Akk* sth, *auf jdn* sb); (*Blitz*) strike; (*Anklang finden*) be a success

einschließen *vt* (*jdn*) lock in; (*Gegenstand*) lock away; (*umgeben*) surround; *fig* (*beinhalten*) include; **einschließlich 1.** *Adv* inclusive **2.** *Präp + Gen* including; *von Montag bis ~ Freitag* from Monday up to and including Friday, Monday through Friday (*US*)

einschränken 1. *vt* limit, restrict; (*verringern*) cut down on **2.** *vr* cut down (on expenditure)

einschreiben *vr* register; (*Schule*) enrol; **Einschrei**-

ben *n* registered letter; *etw per ~ schicken* send sth by special delivery

einschüchtern *vt* intimidate

einsehen *vt* (*verstehen*) see; (*Fehler*) recognize; (*Akten*) have a look at

einseitig *Adj* one-sided

einsenden *vt* send in

einsetzen 1. *vt* put in; (*in Amt*) appoint; (*Geld*) stake; (*verwenden*) use **2.** *vi* (*beginnen*) set in; MUS enter, come in **3.** *vr* work hard; *sich für jdn/etw ~* support sb/sth

Einsicht *f* insight; *zu der ~ kommen, dass ...* come to realize that ...

einsperren *vt* lock up

einspielen *vt* (*Geld*) bring in

einspringen *vi* (*aushelfen*) step in (*für* for)

Einspruch *m* objection (*gegen* to)

einspurig *Adj* single-lane

Einstand *m* (*Tennis*) deuce

einstecken *vt* pocket; ELEK (*Stecker*) plug in; (*Brief*) post, mail (*US*); (*mitnehmen*) take; (*hinnehmen*) swallow

einsteigen *vi* (*in Auto*) get in; (*in Bus, Zug, Flugzeug*) get on; (*sich beteiligen*) get involved

einstellen 1. *vt* (*beenden*) stop; (*Geräte*) set; (*Kamera*) focus; (*Sender, Radio*) tune in; (*unterstellen*) put; (*in Firma*) employ, take on 2. *vr* **sich auf jdn/ etw ~** adapt to sb/prepare oneself for sth; **Einstellung** *f* (*von Gerät*) adjustment; (*von Kamera*) focusing; (*von Arbeiter*) taking on; (*Meinung*) attitude

einstürzen *vi* collapse

eintägig *Adj* one-day

eintauschen *vt* exchange (*gegen* for)

eintausend *Zahl* one (*od* a) thousand

einteilen *vt* (*in Teile*) divide (up) (*in + Akk* into); (*Zeit*) organize

eintönig *Adj* monotonous

Eintopf *m* stew

eintragen 1. *vt* (*in eine Liste*) put down, enter 2. *vr* put one's name down, register

eintreffen *vi* happen; (*ankommen*) arrive

eintreten *vi* (*hineingehen*) enter (*in etw Akk* sth); (*in Klub, Partei*) join (*in etw Akk* sth); (*sich ereignen*) occur; **~ für** support; **Eintritt** *m* admission; **~ frei** 'admission free'; **Eintrittskarte** *f* (entrance) ticket; **Eintrittspreis** *m* admission charge

einverstanden 1. *Interj* okay, all right 2. *Adj* **mit etwas ~ sein** agree to sth, accept sth

Einwanderer *m*, **Einwanderin** *f* immigrant; **einwandern** *vi* immigrate

einwandfrei *Adj* perfect, flawless

Einwegflasche *f* non--returnable bottle; **Einwegwaschlappen** *m* disposable flannel (*Brit*) (*od* washcloth (*US*))

einweichen *vt* soak

einweihen *vt* (*Gebäude*) inaugurate, open; **jdn in etw ~** let sb in on sth; **Einweihungsparty** *f* housewarming party

einwerfen *vt* (*Ball, Bemerkung etc*) throw in; (*Brief*) post, mail (*US*); (*Geld*) put in, insert; (*Fenster*) smash

einwickeln *vt* wrap up; *fig* **jdn ~** take sb in

Einwohner(in) *m(f)* inhabitant; **Einwohnermeldeamt** *n* registration office for residents

Einwurf *m* (*Öffnung*) slot; sport throw-in

Einzahl *f* singular

einzahlen *vt* pay in (*auf ein Konto* -to an account)

Einzel *n* (*Tennis*) singles *Sg*; **Einzelbett** *n* single bed; **Einzelfahrschein** *m* single ticket (*Brit*), one-way ticket (*US*); **Einzelgänger(in)** *m(f)* loner; **Einzelhandel** *m* retail trade; **Einzelkind** *n* only child

einzeln 1. *Adj* individual; (*getrennt*) separate; (*einzig*) single; **~ e ...** several ...; some ...; **der/die Einzelne** the individual; **im Einzelnen** in detail 2. *Adv* separately; (*verpacken, aufführen*) individually; **~ ange-**

ben specify; **~ eintreten** enter one by one

Einzelzimmer n single room; **Einzelzimmerzuschlag** m single-room supplement

einziehen 1. vt **den Kopf ~ duck 2.** vi (in ein Haus) move in

einzig 1. Adj only; (einzeln) single; (einzigartig) unique; **kein ~er Fehler** not a single mistake; **das Einzige** the only thing; **der/die Einzige** the only person **2.** Adv only; **die ~ richtige Lösung** the only correct solution; **einzigartig** Adj unique

Eis n ice; (Speiseeis) ice-cream; **~ laufen** skate; **Eisbahn** f ice(-skating) rink; **Eisbär** m polar bear; **Eisbecher** m (ice-cream) sundae; **Eisberg** m iceberg; **Eiscafé** n, **Eisdiele** f ice-cream parlour

Eisen n iron; **Eisenbahn** f railway (Brit), railroad (US); **eisern** Adj iron

eisgekühlt Adj chilled; **Eishockey** n ice hockey; **Eiskaffee** m iced coffee; **eiskalt** Adj ice-cold; (Temperatur) freezing; **Eiskunstlauf** m figure skating; **Eissalat** m iceberg lettuce; **Eisschokolade** f iced chocolate; **Eisschrank** m fridge, ice-box (US); **Eistee** m iced tea; **Eiswürfel** m ice cube; **Eiszapfen**

m icicle

eitel Adj vain

Eiter m pus

Eiweiß n egg white; CHEM, BIO protein

ekelhaft, ek(e)lig Adj disgusting, revolting; **ekeln** vr be disgusted (vor + Dat at)

EKG n Abk = **Elektrokardiogramm**; ECG

Ekzem n MED eczema

Elastikbinde f elastic bandage; **elastisch** Adj elastic

Elch m elk; (nordamerikanischer) moose

Elefant m elephant

elegant Adj elegant

Elektriker(in) m(f) electrician; **elektrisch** Adj electric; **Elektrizität** f electricity; **Elektroauto** n electric car; **Elektrogerät** n electrical appliance; **Elektrogeschäft** n electrical shop; **Elektroherd** m electric cooker; **Elektromotor** m electric motor; **Elektronik** f electronics Sg; **elektronisch** Adj electronic; **Elektrorasierer** m electric razor

Element n element

elend Adj miserable; **Elend** n misery

elf Zahl eleven; **Elf** f SPORT eleven

Elfenbein n ivory

Elfmeter m SPORT penalty (kick)

elfte(r, s) Adj eleventh; → **dritte**

Ell(en)bogen m elbow

Elster *f* magpie

Eltern *Pl* parents *Pl*

EM *f Abk =* **Europameister-schaft**; European Championship(s)

Email *n* enamel

E-Mail *f* IT e-mail; *jdm eine ~ schicken* e-mail sb, send sb an e-mail; *jdm etwas per ~ schicken* e-mail sth to sb; **E-Mail-Adresse** *f* e-mail address; **e-mailen** *vt* e-mail

Emoticon *n* emoticon

emotional *Adj* emotional

Empfang *m* (*Rezeption*; *Veranstaltung*) reception; (*Erhalten*) receipt; *in ~ nehmen* receive; **empfangen** *vt* receive; **Empfänger(in)** **1.** *m(f)* recipient; (*Adressat*) addressee **2.** *m* TECH receiver; **Empfängnisverhütung** *f* contraception; **Empfangshalle** *f* reception area **empfehlen** *vt* recommend; **Empfehlung** *f* recommendation

empfinden *vt* feel; **empfindlich** *Adj* (*Mensch*) sensitive; (*Stelle*) sore; (*reizbar*) touchy; (*Material*) delicate **empört** *Adj* indignant (*über* at)

Ende *n* end; (*Film*, *Roman*) ending; *am ~* at the end; (*schließlich*) in the end; *~ Mai* at the end of May; *~ der Achtzigerjahre* in the late eighties; *sie ist ~ zwanzig* she's in her late twenties; *zu ~* over, fin-

ished; **enden** *vi* end; *der Zug endet hier* this service (*od* train) terminates here; **endgültig** *Adj* final; (*Beweis*) conclusive

Endivie *f* endive

endlich *Adv* at last, finally; (*am Ende*) eventually; **Endspiel** *n* final; (*Endrunde*) finals *Pl*; **Endstation** *f* terminus; **Endung** *f* ending

Energie *f* energy; *~ sparend* energy-saving; **Energiebedarf** *m* energy requirement; **Energieverbrauch** *m* energy consumption

energisch *Adj* (*entschlossen*) forceful

eng 1. *Adj* narrow; (*Kleidung*) tight; *fig* (*Freundschaft*, *Verhältnis*) close; *das wird ~ umg* (*zeitlich*) we're running out of time, it's getting tight **2.** *Adv ~ befreundet sein* be close friends

engagieren 1. *vt* engage **2.** *vr* commit oneself, be committed (*für* to)

Engel *m* angel

England *n* England → *S. 426*; **Engländer(in)** *m(f)* Englishman/-woman; *die ~ Pl* the English *Pl*; **englisch** *Adj* English; GASTR rare; **Englisch** *n* English; *ins ~e übersetzen* translate into English

Enkel *m* grandson; **Enkelin** *f* granddaughter

enorm *Adj* enormous; *fig* tremendous

England

Im Deutschen wird **England (England)** häufig fälschlicherweise für **Großbritannien (Great Britain)** verwendet, und **die Briten (the British)** werden oft fälschlicherweise als **Engländer (the English)** bezeichnet. England ist jedoch nur ein Teil Großbritanniens. Die folgende Übersicht zeigt die korrekte Aufteilung:

Great Britain oder einfach nur **Britain – Großbritannien**	England, Schottland, Wales
The United Kingdom, abgekürzt **the UK – das Vereinigte Königreich**	England, Schottland, Wales, Nordirland
The British Isles – die Britischen Inseln	England, Schottland, Wales, Nordirland, Republik Irland, Isle of Man, Orkney, Kanalinseln, Shetlandinseln

Entbindung f MED delivery

entdecken vt discover; **Entdeckung** f discovery

Ente f duck

entfernen 1. vt remove; IT delete **2.** vr go away; **entfernt** Adj distant; **15 km von X ~** 15 km away from X; **20 km voneinander ~** 20 km apart; **Entfernung** f distance; **aus der ~** from a distance

entführen vt kidnap; **Entführer(in)** m(f) kidnapper; **Entführung** f kidnapping

entgegen 1. Präp + Dat contrary to; **2.** Adv towards; **dem Wind ~** against the wind; **entgegengesetzt** Adj (Richtung) opposite; (Meinung) opposing; **ent-**gegenkommen vi **jdm ~** come to meet sb; fig accommodate sb; **entgegenkommend** Adj (Verkehr) oncoming; fig obliging

entgegnen vt reply (**auf** + Akk to)

entgehen vi **jdm ~** escape sb's notice; **sich etw ~ lassen** miss sth

entgleisen vi BAHN be derailed; fig (Mensch) misbehave

Enthaarungscreme f hair remover

enthalten 1. vt (Behälter) contain; (Preis) include **2.** vr abstain (+ Gen from)

entkoffeiniert Adj decaffeinated

entkommen vi escape

entkorken vt uncork

entlang Präp + Akk od Dat ~ **dem Fluss, den Fluss** ~ along the river; **entlanggehen** vi walk along

entlassen vt (Patient) discharge; (Arbeiter) dismiss

entlasten vt jdn ~ (Arbeit abnehmen) relieve sb of some of his/her work

entmutigen vt discourage

entnehmen vt take (+ Dat from)

entrahmt Adj (Milch) skimmed

entschädigen vt compensate; **Entschädigung** f compensation

entscheiden vt, vi, vr decide; **sich für/gegen etw** ~ decide on/against sth; **wir haben uns entschieden, nicht zu gehen** we decided not to go; **das entscheidet sich morgen** that'll be decided tomorrow; **entscheidend** Adj decisive; (Frage, Problem) crucial; **Entscheidung** f decision

entschließen vr decide (zu, für on Akk), make up one's mind; **Entschluss** m decision

entschuldigen 1. vt excuse **2.** vr apologize; **sich bei jdm für etw** ~ apologize to sb for sth **3.** vi **entschuldige!, ~ Sie!** (vor einer Frage) excuse me; (Verzeihung!) (I'm) sorry, excuse me (US); **Entschuldigung** f apology; (Grund) excuse;

jdn um ~ **bitten** apologize to sb; ~**!** (bei Zusammenstoß) (I'm) sorry, excuse me (US); (vor einer Frage) excuse me; (wenn man etw nicht verstanden hat) (I beg your) pardon?

Entschuldigung

Möchte man sich in Großbritannien für etwas entschuldigen, so sagt man **sorry** (Entschuldigung), **I'm sorry** (Entschuldigung / das tut mir leid) oder **so sorry / I'm really sorry** (das tut mir sehr leid). In den USA würde man **excuse me** oder **pardon me** verwenden. **Entschuldigung** als Einleitung einer Anrede heißt immer **Excuse me, ...: Entschuldigung, können Sie mir sagen, wie ich zum Busbahnhof komme? – Excuse me, can you tell me the way to the bus station, please?**

entsetzlich Adj dreadful, appalling

entsorgen vt dispose of

entspannen 1. vt (Körper) relax; POL (Lage) ease **2.** vr relax; umg chill out; **Entspannung** f relaxation

entsprechen vi + Dat correspond to; (Anforderungen, Wünschen etc) comply with; **entsprechend 1.** Adj appropriate **2.** Adv accord-

ingly **3.** *Präp + Dat* according to, in accordance with
entstehen *vi* (*Schwierigkeiten*) arise; (*gebaut werden*) be built; (*hergestellt werden*) be created
enttäuschen *vt* disappoint; **Enttäuschung** *f* disappointment
entweder *Konj* **~ ... oder ...** either ... or ...; **~ oder!** take it or leave it
entwerfen *vt* (*Möbel, Kleider*) design; (*Plan, Vertrag*) draft
entwerten *vt* devalue; (*Fahrschein*) cancel; **Entwerter** *m* ticket-cancelling machine
entwickeln *vt, vr a.* FOTO develop; (*Mut, Energie*) show, display; **Entwicklung** *f* development; FOTO developing; **Entwicklungshelfer(in)** *m(f)* development worker; **Entwicklungsland** *n* developing country
Entwurf *m* outline; (*Design*) design; (*Vertragsentwurf, Konzept*) draft
entzückend *Adj* delightful, charming
Entzug *m* withdrawal; (*Behandlung*) detox; **Entzugserscheinung** *f* withdrawal symptom
entzünden *vr* catch fire; MED become inflamed; **Entzündung** *f* MED inflammation
Epidemie *f* epidemic
Epilepsie *f* epilepsy

er *Personalpron* (*Person*) he; (*Sache*) it; **er ist's** it's him; **wo ist mein Mantel? ~ ist ...** where's my coat? - it's ...
Erbe 1. *m* heir **2.** *n* inheritance; *fig* heritage; **erben** *vt* inherit; **Erbin** *f* heiress; **erblich** *Adj* hereditary
erbrechen *vt, vr* vomit; **Erbrechen** *n* vomiting
Erbschaft *f* inheritance
Erbse *f* pea
Erdapfel *m* potato; **Erdbeben** *n* earthquake; **Erdbeere** *f* strawberry; **Erde** *f* (*Planet*) earth; (*Boden*) ground; **Erdgas** *n* natural gas; **Erdgeschoss** *n* ground floor (*Brit*), first floor (*US*); **Erdkunde** *f* geography; **Erdnuss** *f* peanut; **Erdöl** *n* (mineral) oil; **Erdrutsch** *m* landslide; **Erdteil** *m* continent
ereignen *vr* happen, take place; **Ereignis** *n* event
erfahren 1. *vt* learn, find out; (*erleben*) experience **2.** *Adj* experienced; **Erfahrung** *f* experience
erfinden *vt* invent; **erfinderisch** *Adj* inventive, creative; **Erfindung** *f* invention
Erfolg *m* success; (*Folge*) result; **~ versprechend** promising; **viel ~!** good luck; **erfolglos** *Adj* unsuccessful; **erfolgreich** *Adj* successful
erforderlich *Adj* necessary
erforschen *vt* explore; (*untersuchen*) investigate

erfreulich *Adj* pleasing, pleasant; (*Nachricht*) good; **erfreulicherweise** *Adv* fortunately

erfrieren *vi* freeze to death; (*Pflanzen*) be killed by frost

Erfrischung *f* refreshment

erfüllen 1. *vt* (*Raum*) fill; (*Bitte, Wunsch etc*) fulfil 2. *vr* come true

ergänzen 1. *vt* (*hinzufügen*) add; (*vervollständigen*) complete 2. *vr* complement one another; **Ergänzung** *f* completion; (*Zusatz*) supplement

ergeben 1. *vt* (*Betrag*) come to; (*zum Ergebnis haben*) result in 2. *vr* surrender; (*folgen*) result (*aus* from) 3. *Adj* devoted; (*demütig*) humble

Ergebnis *n* result

ergreifen *vt* seize; (*Beruf*) take up; (*Maßnahme, Gelegenheit*) take; (*rühren*) move

erhalten *vt* (*bekommen*) receive; (*bewahren*) preserve; **gut ~ sein** be in good condition; **erhältlich** *Adj* available

erheblich *Adj* considerable

erhitzen *vt* heat (up)

erhöhen 1. *vt* raise; (*verstärken*) increase 2. *vr* increase

erholen *vr* recover; (*sich ausruhen*) have a rest; **erholsam** *Adj* restful; **Erholung** *f* recovery; (*Entspannung*) relaxation, rest

erinnern 1. *vt* remind (*an + Akk* of) 2. *vr* remember (*an etw Akk* sth); **Erinnerung** *f* memory; (*Andenken*) souvenir; (*Mahnung*) reminder

erkälten *vr* catch a cold; **erkältet** *Adj* (*stark*) ~ **sein** have a (bad) cold; **Erkältung** *f* cold

erkennen *vt* recognize; (*sehen, verstehen*) see; ~, **dass ...** realize that ...; **erkenntlich** *Adj* **sich ~ zeigen** show one's appreciation

Erker *m* bay

erklären *vt* explain; (*kundtun*) declare; **Erklärung** *f* explanation; (*Aussage*) declaration

erkundigen *vr* enquire (*nach* about)

erlauben *vt* allow, permit; **jdm ~, etw zu tun** allow (*od* permit) sb to do sth; **sich etw ~** permit oneself sth; ~ **Sie(, dass ich rauche)?** do you mind (if I smoke)?; **was ~ Sie sich?** what do you think you're doing?; **Erlaubnis** *f* permission

Erläuterung *f* explanation; (*zu Text*) comment

erleben *vt* experience; (*schöne Tage etc*) have; (*Schlimmes*) go through; (*miterleben*) witness; (*noch miterleben*) live to see; **Erlebnis** *n* experience

erledigen *vt* (*Angelegenheit, Aufgabe*) deal with; *umg* (*erschöpfen*) wear out; *umg* *(ruinieren)* finish; **erledigt** *Adj (beendet)* finished; *(gelöst)* dealt with; *umg (erschöpft)* whacked, knackered *(Brit)*

erleichtert *Adj* relieved

Erlös *m* proceeds *Pl*

ermahnen *vt (warnend)* warn

ermäßigt *Adj* reduced; **Ermäßigung** *f* reduction

ermitteln 1. *vt* find out; *(Täter)* trace **2.** *vi* JUR investigate

ermöglichen *vt* make possible *(Dat* for)

ermorden *vt* murder

ermüdend *Adj* tiring

ermutigen *vt* encourage

ernähren 1. *vt* feed; *(Familie)* support **2.** *vr* support oneself; *sich ~ von* live on; **Ernährung** *f (Essen)* food; **Ernährungsberater(in)** *m(f)* nutritional *(od* dietary) adviser

erneuern *vt* renew; *(restaurieren)* restore; *(renovieren)* renovate; *(auswechseln)* replace

ernst 1. *Adj* serious **2.** *Adv* **jdn/etw ~ nehmen** take sb/ sth seriously; **Ernst** *m* seriousness; *das ist mein ~* I'm quite serious; *im ~?* seriously?; **ernsthaft 1.** *Adj* serious **2.** *Adv* seriously

Ernte *f* harvest; **Erntedankfest** *n* harvest festival *(Brit)*, Thanksgiving (Day) *(US, 4. Donnerstag im November)*; **ernten** *vt* harvest;

(Lob etc) earn

erobern *vt* conquer

eröffnen *vt* open; **Eröffnung** *f* opening

erogen *Adj* erogenous

erotisch *Adj* erotic

erpressen *vt (jdn)* blackmail; *(Geld etc)* extort; **Erpressung** *f* blackmail; *(von Geld)* extortion

erraten *vt* guess

erregen 1. *vt* excite; *(sexuell)* arouse; *(ärgern)* annoy; *(hervorrufen)* arouse **2.** *vr* get worked up; **Erreger** *m* MED germ; *(Virus)* virus

erreichbar *Adj ~ sein* be within reach; *(Person)* be available; *das Stadtzentrum ist zu Fuß/mit dem Wagen leicht ~* the city centre is within easy walking/driving distance; **erreichen** *vt* reach; *(Zug etc)* catch

Ersatz *m* replacement; *(auf Zeit)* substitute; *(Ausgleich)* compensation; **Ersatzreifen** *m* AUTO spare tyre; **Ersatzteil** *n* spare (part)

erscheinen *vi* appear; *(wirken)* seem

erschöpft *Adj* exhausted; **Erschöpfung** *f* exhaustion

erschrecken 1. *vt* frighten **2.** *vi* get a fright; **erschreckend** *Adj* alarming; **erschrocken** *Adj* frightened

erschwinglich *Adj* affordable

ersetzen *vt* replace; *(Auslagen)* reimburse

erst *Adv* first; (*anfangs*) at first; (*nicht früher, nur*) only; (*nicht bis*) not until; ~ **jetzt/gestern** only now/yesterday; ~ **morgen** not until tomorrow; **es ist ~ 10 Uhr** it's only ten o'clock; ~ **recht** all the more; ~ **recht nicht** even less

erstatten *vt* (*Kosten*) refund; (*Bericht*) report (*über* on); **Anzeige gegen jdn ~** report sb to the police

erstaunlich *Adj* astonishing; **erstaunt** *Adj* surprised

erstbeste(r, s) *Adj* **das ~ Hotel** any old hotel; **der Erstbeste** just anyone

erste(r, s) *Adj* first; → **dritte**; **zum ~n Mal** for the first time; **er wurde Erster** he came first; **auf den ~n Blick** at first sight

erstens *Adv* first(ly), in the first place

ersticken *vi* (*Mensch*) suffocate; **in Arbeit ~** be snowed under with work

erstklassig *Adj* first-class

erstmals *Adv* for the first time

erstrecken *vr* extend, stretch (*auf* to); (*über* over))

ertappen *vt* catch

erteilen *vt* (*Rat, Erlaubnis*) give

Ertrag *m* yield; (*Gewinn*) proceeds *Pl*; **ertragen** *vt* (*Schmerzen*) bear, stand; (*dulden*) put up with; **erträglich** *Adj* bearable;

(*nicht zu schlecht*) tolerable

ertrinken *vi* drown

erwachsen *Adj* grown-up; **werden** grow up; **Erwachsene(r)** *mf* adult, grown-up

erwähnen *vt* mention

erwarten *vt* expect; (*warten auf*) wait for; **ich kann den Sommer kaum ~** I can hardly wait for the summer

erwerbstätig *Adj* employed

erwidern *vt* reply; (*Gruß, Besuch*) return

erwischen *vt* *umg* catch (*bei etw* doing sth)

erwünscht *Adj* desired; (*willkommen*) welcome

Erz *n* ore

erzählen *vt* tell (*jdm etw* sth sth); **Erzählung** *f* story, tale

erzeugen *vt* produce; (*Strom*) generate; **Erzeugnis** *n* product

erziehen *vt* bring up; (*geistig*) educate; (*Tier*) train; **Erzieher(in)** *m(f)* educator; (*im Kindergarten*) (nursery school) teacher; **Erziehung** *f* upbringing; (*Bildung*) education

es *Personalpron* (*Sache, im Nom und Akk*) it; (*Baby, Tier*) he/she; *pron* it; ~ **me**; ~ **ist kalt** it's cold; ~ **gibt ...** there is .../there are ...; **ich hoffe** ~ I hope so; **ich kann** ~ I can do it

Escape-Taste *f* IT escape key

Esel *m* donkey

Espresso *m* espresso

essbar *Adj* edible; **essen** *vt*,

vi eat; **zu Mittag/Abend ~** have lunch/dinner; **was gibt's zu ~?** what's for lunch/dinner?; **~ gehen** eat out; **Essen** *n* (*Mahlzeit*) meal; (*Nahrung*) food

Essen

Das Frühstück heißt in Großbritannien und in den USA **breakfast**. Bei den Begriffen **dinner**, **lunch**, **supper** und **tea** ist das etwas schwieriger; sie werden je nach regionaler und sozialer Herkunft der Sprecher unterschiedlich gebraucht. **Dinner** bezeichnet die Hauptmahlzeit, die man abends oder manchmal auch mittags zu sich nimmt. Geläufiger ist es jedoch, mittags von **lunch** zu sprechen. Isst man relativ früh zu Abend, so kann dies in Großbritannien auch als **tea** bezeichnet werden. **Supper** bezeichnet immer ein relativ spätes Abendessen.

Essig *m* vinegar; **Essiggurke** *f* gherkin
Esslöffel *m* dessert spoon; **Esszimmer** *n* dining room
Estland *n* Estonia
Etage *f* floor, storey; **in** (*od* **auf**) **der ersten ~** on the first (*Brit*) (*od* second (*US*)) floor; **Etagenbett** *n* bunk bed
Etappe *f* stage

ethnisch *Adj* ethnic
Etikett *n* label
etliche *Indefinitpron Pl* several, quite a few; **etliches** *Indefinitpron* quite a lot
etwa *Adv* (*ungefähr*) about; (*vielleicht*) perhaps; (*beispielsweise*) for instance
etwas 1. *Indefinitpron* something; (*verneinend*, *fragend*) anything; (*ein wenig*) a little; **~ Neues** something/anything new; **~ zu essen** something to eat; **~ Salz** some salt; **wenn ich noch ~ tun kann ...** if I can do anything else ... **2.** *Adv* a bit, a little; **mehr** a little more
EU *f Abk* = **Europäische Union**; EU
euch *Personalpron* (*Dat*, *Akk von ihr*) you, (to) you; **~** (*selbst*) (*reflexiv*) yourselves; **wo kann ich ~ treffen?** where can I meet you?; **sie schickt es ~** she'll send it to you; **ein Freund von ~** a friend of yours; **setzt ~ bitte** please sit down; **habt ihr ~ amüsiert?** did you enjoy yourselves?
euer *Possessivpron* (*adjektivisch*) your; **~ David** (*am Briefende*) Yours, David; **euere(r, s)** *Possessivpron* → **eure**
Eule *f* owl
eure(r, s) *Possessivpron* (*substantivisch*) yours; **das ist ~** that's yours; **euretwe-**

gen *Adv (wegen euch)* because of you; *(euch zuliebe)* for your sake

Euro *m (Währung)* euro; **Eurocent** *m* eurocent; **Eurocity** *m*, **Eurocityzug** *m* European Intercity train; **Europa** *n* Europe; **Europäer(in)** *m(f)* European; **europäisch** *Adj* European; *Europäische Union* European Union; **Europameister(in)** *m(f)* European champion; *(Mannschaft)* European champions *Pl*; **Europaparlament** *n* European Parliament

Euter *n* udder

evangelisch *Adj* Protestant

eventuell 1. *Adj* possible **2.** *Adv* possibly, perhaps

ewig *Adj* eternal; *er hat ~ gebraucht* it took him ages; **Ewigkeit** *f* eternity

Ex- in *Zs* ex-, former; *~frau* ex-wife; *~minister* former minister

exakt *Adj* precise

Examen *n* exam

Exemplar *n* specimen; *(Buch)* copy

Exil *n* in exile

Existenz *f* existence; *(Unterhalt)* livelihood, living; **existieren** *vi* exist

exklusiv *Adj* exclusive; **exklusive** *Adv*, *Präp + Gen* excluding

exotisch *Adj* exotic

Experte *m*, **Expertin** *f* expert

explodieren *vi* explode; **Explosion** *f* explosion

Export *m* export; **exportieren** *vt* export

Express *m*, **Expresszug** *m* express (train)

Extra *n* extra

extra 1. *Adj umg (gesondert)* separate; *(zusätzlich)* extra **2.** *Adv (gesondert)* separately; *(speziell)* specially; *(absichtlich)* on purpose; *Extra n* extra

extrem 1. *Adj* extreme **2.** extremely; *~ kalt* extremely cold

exzellent *Adj* excellent

Eyeliner *m* eyeliner

F

fabelhaft *Adj* fabulous, marvellous

Fabrik *f* factory

Fach *n* compartment; *(Schulfach, Sachgebiet)* subject; **Facharzt** *m*, **Fachärztin** *f* specialist

Fächer *m* fan

Fachausdruck *m* technical term; **Fachfrau** *f* specialist, expert; **Fachmann** *m* specialist, expert; **Fachwerkhaus** *n* half-timbered house

Fackel *f* torch

fad(e) *Adj (Essen)* bland;

(*langweilig*) dull

Faden *m* thread

fähig *Adj* capable (*zu*, + *Gen* of); **Fähigkeit** *f* ability

Fahndung *f* search

Fahne *f* flag

Fahrausweis *m* ticket; **Fahrausweisautomat** *m* ticket machine; **Fahrausweiskontrolle** *f* ticket inspection

Fahrbahn *f* road; (*Spur*) lane

Fähre *f* ferry

fahren 1. *vt* drive; (*Rad*) ride; (*befördern*) drive, take; **50 km/h ~** drive at (*od* do) 50 kph **2.** *vi* (*sich bewegen*) go; (*Autofahrer*) drive; (*Schiff*) sail; (*abfahren*) leave; **mit dem Auto/Zug ~** go by car/train; **rechts ~!** keep to the right; **Fahrerflucht** *f* **~ begehen** fail to stop after an accident; **Fahrersitz** *m* driver's seat

Fahrgast *m* passenger; **Fahrgeld** *n* fare; **Fahrgemeinschaft** *f* car pool; **Fahrkarte** *f* ticket

---

Fahrkarten

Möchte man einen Einzelfahrschein, so fragt man nach einem **single** oder **one-way ticket**. Eine Rückfahrkarte heißt **return** oder **round-trip ticket** und eine Tagesrückfahrkarte **day re-**

---

turn. Ist man sich noch nicht sicher, wann man zurückfahren möchte, so fragt man nach einem **open return**.

Fahrkartenautomat *m* ticket machine; **Fahrkartenschalter** *m* ticket office

fahrlässig *Adj* negligent

Fahrlehrer(in) *m(f)* driving instructor; **Fahrplan** *m* timetable; **Fahrpreis** *m* fare; **Fahrpreisermäßigung** *f* fare reduction

Fahrrad *n* bicycle; **Fahrradschloss** *n* bicycle lock; **Fahrradverleih** *m* cycle hire (*Brit*) (*od* rental (*US*)); **Fahrradweg** *m* cycle path

Fahrschein *m* ticket; **Fahrscheinautomat** *m* ticket machine; **Fahrscheinentwerter** *m* ticket-cancelling machine

Fahrschule *f* driving school; **Fahrschüler(in)** *m(f)* learner (driver) (*Brit*), student driver (*US*)

Fahrstuhl *m* lift (*Brit*), elevator (*US*)

Fahrt *f* journey; (*kurz*) trip; AUTO drive; **auf der ~ nach London** on the way to London; **nach drei Stunden ~** after travelling for three hours; **gute ~!** have a good trip; **Fahrtkosten** *Pl* travelling expenses *Pl*

fahrtüchtig *Adj* (*Person*) fit to drive; (*Auto*) roadworthy

Fahrtunterbrechung *f*

break in the journey, stop
Fahrverbot *n* ~ **erhalten/haben** be banned from driving; **Fahrzeug** *n* vehicle; **Fahrzeugbrief** *m* (vehicle) registration document; **Fahrzeughalter(in)** *m(f)* registered owner; **Fahrzeugpapiere** *Pl* vehicle documents *Pl*
fair *Adj* fair
Fakultät *f* faculty
Falke *m* falcon
Fall *m* (*Sturz*) fall; (*Sachverhalt, juristisch*) case; **auf jeden** ~, **auf alle Fälle** in any case; (*bestimmt*) definitely; **auf keinen** ~ on no account; **für den** ~, **dass** ... in case ...
Falle *f* trap
fallen *vi* fall; **etw** ~ **lassen** drop sth
fällig *Adj* due
falls *Adv* if; (*für den Fall, dass*) in case
Fallschirm *m* parachute; **Fallschirmspringen** *n* parachuting, parachute jumping; **Fallschirmspringer(in)** *m(f)* parachutist
falsch *Adj* (*unrichtig*) wrong; (*unehrlich, unecht*) false; ~ **verbunden** sorry, wrong number; **fälschen** *vt* forge; **Falschgeld** *n* counterfeit money; **Fälschung** *f* forgery, fake
Faltblatt *n* leaflet
Falte *f* (*Knick*) fold; (*Haut*) wrinkle; (*Rock*) pleat; **falten** *vt* fold; **faltig** *Adj* (*zer-*

**knittert*) creased; (*Haut, Gesicht*) wrinkled
Familie *f* family; **Familienangehörige(r)** *mf* family member; **Familienname** *m* surname; **Familienstand** *m* marital status
Fan *m* fan
fangen **1.** *vt* catch **2.** *vr* (*nicht fallen*) steady oneself; *fig* compose oneself
Fantasie *f* imagination
fantastisch *Adj* fantastic
Farbbild *n* colour photograph; **Farbe** *f* colour; (*zum Malen etc*) paint; (*für Stoff*) dye; **farbecht** *Adj* colourfast; **färben** *vt* colour; (*Stoff, Haar*) dye; **Farbfilm** *m* colour film; **Farbfoto** *n* colour photo; **farbig** *Adj* coloured; **Farbkopierer** *m* colour copier; **Farbstoff** *m* dye; (*für Lebensmittel*) colouring
Farn *m* fern
Fasan *m* pheasant
Fasching *m* carnival, Mardi Gras (*US*); **Faschingsdienstag** *m* Shrove Tuesday, Mardi Gras (*US*)
Faschismus *m* fascism
Faser *f* fibre
Fass *n* barrel; (*Öl*) drum
fassen **1.** *vt* (*ergreifen*) grasp; (*enthalten*) hold; (*Entschluss*) take; (*verstehen*) understand; *nicht zu* ~! unbelievable **2.** *vr* compose oneself; **Fassung** *f* (*Umrahmung*) mount; (*Brille*) frame; (*Lampe*) socket;

(*Wortlaut*) version; (*Beherrschung*) composure; **jdn aus der ~ bringen** throw sb; **die ~ verlieren** lose one's cool

fast *Adv* almost, nearly

fasten *vi* fast; **Fastenzeit** *f* **die ~** (*christlich*) Lent; (*muslimisch*) Ramadan

Fast Food *n* fast food

Fastnacht *f* (*Fasching*) carnival

faul *Adj* (*Obst, Gemüse*) rotten; (*Mensch*) lazy; (*Ausrede*) lame; **faulen** *vi* rot

faulenzen *vi* do nothing, hang around; **Faulheit** *f* laziness

faulig *Adj* rotten; (*Geruch, Geschmack*) foul

Faust *f* fist; **Fausthandschuh** *m* mitten

Fax *n* fax; **faxen** *vi, vt* fax; **Faxgerät** *n* fax machine; **Faxnummer** *f* fax number

FCKW *n Abk* = **Fluorchlorkohlenwasserstoff**, CFC

Februar *m* February; → **Juni**

Fechten *n* fencing

Feder *f* feather; (*Schreibfeder*) (pen-)nib; TECH spring; **Federball** *m* (*Ball*) shuttlecock; (*Spiel*) badminton; **Federung** *f* suspension

Fee *f* fairy

fegen *vi, vt* sweep

fehlen *vi* (*abwesend sein*) be absent; **etw fehlt jdm** sb lacks sth; **was fehlt ihm?** what's wrong with him?; **du fehlst mir** I miss you;

es fehlt an ... there's no ...

Fehler *m* mistake, error; (*Mangel, Schwäche*) fault; **Fehlermeldung** *f* IT error message

Fehlzündung *f* AUTO misfire

Feier *f* celebration; (*Party*) party; **feierlich** *Adj* solemn; **feiern** *vt, vi* celebrate, have a party; **Feiertag** *m* holiday; **gesetzlicher ~** public (*od* bank (*Brit*) *od* legal (*US*)) holiday

feig(e) *Adj* cowardly

Feige *f* fig

Feigling *m* coward

Feile *f* file

fein *Adj* fine; (*vornehm*) refined

Feind(in) *m(f)* enemy; **feindlich** *Adj* hostile

Feinkost *f* delicacies *Pl*; **Feinkostladen** *m* delicatessen

Feinwaschmittel *n* washing powder for delicate fabrics

Feld *n* field; (*Schach*) square; SPORT pitch; **Feldweg** *m* path across the fields

Felge *f* (wheel) rim

Fell *n* fur; (*von Schaf*) fleece

Fels *m*, **Felsen** *m* rock; (*Klippe*) cliff; **felsig** *Adj* rocky

feministisch *Adj* feminist

Fenchel *m* fennel

Fenster *n* window; **Fensterbrett** *n* windowsill; **Fensterladen** *m* shutter; **Fensterplatz** *m* windowseat; **Fensterscheibe** *f* windowpane

Ferien *Pl* holidays *Pl* (*Brit*),

vacation *Sg* (*US*); **~ haben/ machen** be/go on holiday (*Brit*) (*od* vacation (*US*)); **Ferienhaus** *n* holiday (*Brit*) (*od* vacation (*US*)) home; **Ferienkurs** *m* holiday (*Brit*) (*od* vacation (*US*)) course; **Ferienlager** *n* holiday camp (*Brit*), vacation camp (*US*); (*für Kinder im Sommer*) summer camp; **Ferienort** *m* holiday (*Brit*) (*od* vacation (*US*)) resort; **Ferienwohnung** *f* holiday flat (*Brit*), vacation apartment (*US*)

Ferkel *n* piglet

fern *Adj* distant, far-off; **von ~** from a distance; **Fernfrage** *f* remote-control access; **Fernbedienung** *f* remote control; **Ferne** *f* distance; **aus der ~** from a distance

ferner *Adj*, *Adv* further; (*außerdem*) besides

Fernflug *m* long-distance flight; **Ferngespräch** *n* long-distance call; **ferngesteuert** *Adj* remote-controlled; **Fernglas** *n* binoculars *Pl*; **Fernlicht** *n* full beam (*Brit*), high beam (*US*)

fernsehen *vi* watch television; **Fernsehen** *n* television; **im ~** on television; **Fernseher** *m* TV (set); **Fernsehkanal** *m* TV channel; **Fernsehprogramm** *n* (*Sendung*) TV programme; (*Zeitschrift*) TV guide; **Fernsehserie** *f* TV series

Sg; **Fernsehturm** *m* TV tower

Fernstraße *f* major road; **Fernverkehr** *m* long-distance traffic

Ferse *f* heel

fertig *Adj* (*bereit*) ready; (*beendet*) finished; **~ machen** (*beenden*) finish; **jdn ~ machen** (*kritisieren*) give sb hell; (*zur Verzweiflung bringen*) drive sb mad; **sich ~ machen** get ready; **mit etw ~ werden** be able to cope with sth; **auf die Plätze, ~, los!** on your marks, get set, go!; **Fertiggericht** *n* ready meal

fest *Adj* firm; (*Nahrung*) solid; (*Gehalt*) regular; (*Schuhe*) sturdy; (*Schlaf*) sound

Fest *n* party; REL festival

Festbetrag *m* fixed amount

festbinden *vt* tie (*an* + *Dat* to); **festhalten 1.** *vt* hold onto **2.** *vr* hold on (*an* + *Dat* to)

Festival *n* festival

festlegen 1. *vt* fix **2.** *vr* commit oneself

festlich *Adj* festive

festmachen *vt* fasten; (*Termin etc*) fix; **festnehmen** *vt* arrest

Festnetz *n* TEL fixed-line network; **Festplatte** *f* IT hard disk

festsetzen *vt* fix

Festspiele *Pl* festival *Sg*

feststehen *vi* be fixed

feststellen *vt* establish; (*sagen*) remark

Festung f fortress
Festzelt n marquee
Fete f party
fett Adj (dick) fat; (Essen etc) greasy; (Schrift) bold; **Fett** n fat; TECH grease; **fettarm** Adj low-fat; **fettig** Adj fatty; (schmierig) greasy
fetzig Adj umg (Musik) funky
feucht Adj damp; (Luft) humid; **Feuchtigkeit** f dampness; (Luftfeuchtigkeit) humidity; **Feuchtigkeitscreme** f moisturizing cream
Feuer n fire; **haben Sie ~?** have you got a light?; **Feueralarm** m fire alarm; **feuerfest** Adj fireproof; **feuergefährlich** Adj inflammable; **Feuerlöscher** m fire extinguisher; **Feuerwehr** m fire alarm; **Feuertreppe** f fire escape; **Feuerwehr** f fire brigade; **Feuerwerk** n fireworks Pl; **Feuerzeug** n (cigarette) lighter
Fichte f spruce
ficken vt, vi vulg fuck
Fieber n temperature, fever; **~ haben** have a high temperature; **Fieberthermometer** n thermometer
fies Adj umg nasty
Figur f figure; (im Schach) piece
Filet n fillet
Filiale f WIRTSCH branch
Film m film, movie; **filmen** vt, vi film
Filter m filter; **Filterkaffee**

m filter coffee; **filtern** vt filter; **Filterpapier** n filter paper
Filz m felt; **Filzschreiber** m, **Filzstift** m felt(-tip) pen, felt-tip
Finale n SPORT final
Finanzamt n tax office; **finanziell** Adj financial; **finanzieren** vt finance
finden vt find; (meinen) think; **ich finde nichts dabei, wenn ...** I don't see what's wrong with ...; **ich finde es gut/schlecht** I like/don't like it
Finger m finger; **Fingerabdruck** m fingerprint; **Fingernagel** m fingernail
Fink m finch
Finne m, **Finnin** f Finn, Finnish man/woman; **finnisch** Adj Finnish; **Finnisch** n Finnish; **Finnland** n Finland
finster Adj dark; (verdächtig) dubious; (verdrossen) grim; (Gedanke) dark; **Finsternis** f darkness
Firewall f IT firewall
Firma f firm
Fisch m fish; **~e** Pl ASTR Pisces Sg; **fischen** vt, vi fish; **Fischer(in)** m(f) fisherman/-woman; **Fischerboot** n fishing boat; **Fischgericht** n fish dish; **Fischhändler(in)** m(f) fishmonger; **Fischstäbchen** n fish finger (Brit) (od stick (US))
Fisole f French bean
fit Adj fit; **Fitness** f fitness;

Fitnesscenter *n* fitness centre

fix *Adj* (*schnell*) quick; ~ **und fertig** exhausted

fixen *vi umg* shoot up; Fixer(in) *m(f) umg* junkie

FKK *f Abk* = **Freikörperkultur**; nudism; FKK-Strand *m* nudist beach

flach *Adj* flat; (*Gewässer*, *Teller*) shallow; ~**er Absatz** low heel; **Flachbildschirm** *m* flat screen

Fläche *f* area; (*Oberfläche*) surface

Flagge *f* flag

flambiert *Adj* flambé(ed)

Flamme *f* flame

Flasche *f* bottle; **eine ~ sein** *umg* to be useless; **Flaschenöffner** *m* bottle opener; **Flaschenpfand** *n* deposit

flatterhaft *Adj* fickle; flattern *vi* flutter

flauschig *Adj* fluffy

Flaute *f* calm; WIRTSCH recession

Flechte *f* plait; MED scab; BOT lichen; flechten *vt* plait; (*Kranz*) bind

Fleck *m*, Flecken *m* spot; (*Schmutz*) stain; Fleckentferner *m* stain remover; fleckig *Adj* spotted; (*mit Schmutzflecken*) stained

Fledermaus *f* bat

Fleisch *n* flesh; (*Essen*) meat

Fleischbrühe *f* meat stock

Fleischer(in) *m(f)* butcher; Fleischerei *f* butcher's (shop)

Fleisch

Die Fleischsorte wird im Englischen in einigen Fällen anders genannt als das Tier, von dem es stammt. So heißt das Schwein **pig**, Schweinefleisch jedoch **pork**, die Kuh **cow**, Rindfleisch hingegen **beef**. Auch für Kalb (**calf**), Schaf (**sheep**) und Reh (**deer**) trifft dies zu. **Kalbfleisch** ist **veal**, Hammel **mutton** und Reh bzw. Hirsch **venison**. Lediglich bei Geflügel heißen Tier und Fleisch gleich: **Huhn** ist **chicken**, Pute oder Truthahn **turkey** und Ente **duck**.

---

fleißig *Adj* diligent, hard-working

flexibel *Adj* flexible

flicken *vt* mend; **Flickzeug** *n* repair kit

Flieder *m* lilac

Fliege *f* fly; (*Krawatte*) bow tie

fliegen *vt*, *vi* fly

Fliese *f* tile

Fließband *n* conveyor belt; (*als Einrichtung*) production (*od* assembly) line; fließen *vi* flow; fließend *Adj* (*Rede*, *Deutsch*) fluent; (*Übergänge*) smooth; ~(*es*) **Wasser** running water

flippig *Adj umg* eccentric

flirten *vi* flirt

Flitterwochen *Pl* honeymoon *Sg*

Flocke *f* flake

Floh *m* flea; Flohmarkt *m* flea market

Flop *m* flop

Floskel *f* empty phrase

Floß *n* raft

Flosse *f* fin; (Schwimmflosse) flipper

Flöte *f* flute; (Blockflöte) recorder

Fluch *m* curse; fluchen *vi* swear, curse

Flucht *f* flight; flüchten *vi* flee (vor + *Dat* from); flüchtig *Adj* **ich kenne ihn nur ~** I don't know him very well at all; Flüchtling *m* refugee

Flug *m* flight; Flugbegleiter(in) *m(f)* flight attendant; Flugblatt *n* leaflet

Flügel *m* wing; MUS grand piano

Fluggast *m* passenger (on a plane); Fluggesellschaft *f* airline; Flughafen *m* airport; Fluglotse *m* air-traffic controller; Flugnummer *f* flight number; Flugplan *m* flight schedule; Flugplatz *m* airport; (klein) airfield; Flugschein *m* plane ticket; Flugschreiber *m* flight recorder, black box; Flugsteig *m* gate; Flugticket *n* plane ticket; Flugverbindung *f* flight connection; Flugverkehr *m* air traffic; Flugzeit *f* flying time; Flugzeug *n* plane; Flugzeugentführung *f* hijacking

Flunder *f* flounder

Fluor *n* fluorine

Flur *m* hall; (Treppenflur) staircase

Fluss *m* river; (Fließen) flow

flüssig *Adj* liquid; Flüssigkeit *f* liquid

flüstern *vt, vi* whisper

Flut *f* flood; (Gezeiten) high tide; Flutlicht *n* floodlight

Fohlen *n* foal

Föhn *m* hairdryer; (Wind) foehn; föhnen *vt* dry; (beim Friseur) blow-dry

Folge *f* (Reihe, Serie) series *Sg*; (Aufeinanderfolge) sequence; (Fortsetzung eines Romans) instalment; (Fortsetzung einer Fernsehserie) episode; (Auswirkung) result; **~n haben** have consequences; folgen *vi* follow (jdm sb); (gehorchen) obey (jdm sb); **jdm ~ können** fig be able to follow sb; folgend *Adj* following; folgendermaßen *Adv* as follows; folglich *Adv* consequently

Folie *f* foil; (für Projektor) transparency

Fön® *m* → **Föhn**

Fondue *n* fondue

fönen *vt* → **föhnen**

fordern *vt* demand

fördern *vt* promote; (unterstützen) help

Forderung *f* demand

Forelle *f* trout

Form *f* form; (Gestalt) shape; (Gussform) mould; (Backform) baking tin

Am Flughafen und im Flugzeug

Beim Fliegen begegnet man häufig den folgenden Begriffen, Aufforderungen und Aussagen:

Direktflug	**direct flight**
Anschlussflug	**connecting flight**
Sicherheitskontrolle	**security check**
Zoll	**customs**
Ich möchte meinen Flug bestätigen/umbuchen/stornieren.	**I'd like to confirm/change/cancel my flight.**
Letzter Aufruf für Passagier ...	**Last call for passenger ...**
Ihr Flug wird in Kürze geschlossen.	**The gate is about to be closed.**
Die Passagiere des Fluges 6493 nach Edinburgh werden gebeten, sich zum Flugsteig sechs zu begeben.	**Passengers for flight number 6493 to Edinburgh, please proceed to gate number six.**
Bitte halten Sie Ihre Bordkarten bereit.	**Please have your boarding cards ready.**
Schnallen Sie sich bitte an.	**Fasten your seatbelts, please.**
Bringen Sie die Rückenlehne in senkrechte Position.	**Make sure your seat is in an upright position.**

(Brit) (*od* pan *US*)); **in ~ sein** be in good form; **Formalität** *f* formality; **Format** *n* format; **formatieren** *vt* (*Diskette*) format; (*Text*) edit; **formen** *vt* form, shape; **förmlich** *Adj* formal; (*buchstäblich*) real; **formlos** *Adj* informal; **Formular** *n* form; **formulieren** *vt* formulate

forschen *vi* search (*nach* for); (*wissenschaftlich*) (do) research; **Forscher(in)** *m(f)* researcher; **Forschung** *f* research **Förster(in)** *m(f)* forester; (*für Wild*) gamekeeper **fort** *Adv* away; (*verschwunden*) gone; **fortbewegen 1.** *vt* move away **2.** *vr* move; **Fortbildung** *f* further education; (*im Beruf*) further training; **fortfahren** *vi* go away; (*weitermachen*) continue; **fortgehen** *vi* go away; **fortgeschritten** *Adj* advanced; **Fortpflanzung** *f* reproduction

Fortschritt *m* progress; **~e machen** make progress; **fortschrittlich** *Adj* progressive

fortsetzen *vt* continue; **Fortsetzung** *f* continuation; (*folgender Teil*) instalment; **~ folgt** to be continued

Foto 1. *n* photo **2.** *m* (*Fotoapparat*) camera; **Fotograf(in)** *m(f)* photographer; **Fotografie** *f* photography; (*Bild*) photograph; **fotografieren 1.** *vt* photograph **2.** *vi* take photographs; **Fotokopie** *f* photocopy; **fotokopieren** *vt* photocopy

Foul *n* foul

Foyer *n* foyer

Fr. *f Abk = Frau*; Mrs; (*unverheiratet, neutral*) Ms

Fracht *f* freight; SCHIFF cargo; **Frachter** *m* freighter

Frack *m* tails *Pl*

Frage *f* question; **das ist eine ~ der Zeit** that's a matter (*od* question) of time; **das kommt nicht in ~** that's out of the question; **Fragebogen** *m* questionnaire; **fragen** *vt*, *vi* ask; **Fragezeichen** *n* question mark; **fragwürdig** *Adj* dubious

Franken 1. *m* (*Schweizer Währung*) Swiss franc **2.** *n* (*Land*) Franconia

frankieren *vt* stamp; (*maschinell*) frank

Frankreich *n* France; **Franzose** *m*, **Französin** *f* Frenchman/-woman; **die ~n** *Pl* the French *Pl*; **französisch** *Adj* French; **Französisch** *n* French

Frau *f* woman; (*Ehefrau*) wife; (*Anrede*) Mrs; (*unverheiratet, neutral*) Ms; **Frauenarzt** *m*, **Frauenärztin** *f* gynaecologist; **Fräulein** *n* (*junge Dame*) young lady; (*veraltet als Anrede*) Miss

Freak *m umg* freak

frech *Adj* cheeky; **Frechheit** *f* cheek; **so eine ~!** what a cheek

Freeclimbing *n* free climbing

frei *Adj* free; (*Straße*) clear; (*Mitarbeiter*) freelance; **ein**

Ist hier noch frei?

Während man im Deutschen im Zug oder auch im Kino fragt, ob der Platz, auf den man sich setzen möchte, noch frei ist, fragt man im Englischen, ob der Platz bereits besetzt ist. Die Frage könnte auch lauten **Excuse me, is this seat taken?** oder auch **Is anybody sitting here?** Wenn der Platz frei ist, antwortet man dementsprechend mit **no**, wenn er besetzt ist, mit **yes**.

~er Tag a day off; **~e Arbeitsstelle** vacancy; **Zimmer ~** room(s) to let (*Brit*), room(s) for rent (*US*); **im Freien** in the open air

Freibad n open-air (swimming) pool; **freiberuflich** *Adj* freelance; **freig(i)ebig** *Adj* generous; **Freiheit** f freedom; **Freikarte** f free ticket; **freilassen** vt (set) free

freilich *Adv* of course

Freilichtbühne f open-air theatre; **freimachen** vr undress; **freinehmen** vr **sich einen Tag ~** take a day off; **Freisprechanlage** f hands-free phone; **Freistoß** m free kick

Freitag m Friday; → **Mittwoch**; **freitags** *Adv* on Fridays; → **mittwochs**

freiwillig *Adj* voluntary

Freizeit f spare (*od* free) time; **Freizeithemd** n sports shirt; **Freizeitkleidung** f leisure wear; **Freizeitpark** m leisure park

fremd *Adj* (*nicht vertraut*) strange; (*ausländisch*) foreign; (*nicht eigen*) someone else's; **Fremde(r)** *mf* (*Unbekannter*) stranger; (*Ausländer*) foreigner; **Fremdenführer(in)** *m(f)* (tourist) guide; **Fremdenverkehr** m tourism; **Fremdenverkehrsamt** n tourist information office; **Fremdsprache** f foreign language; **Fremdsprachenkenntnisse** *Pl* knowl-

edge *Sg* of foreign languages; **Fremdwort** n foreign word

Frequenz f RADIO frequency

fressen vt, vi (*Tier*) eat; (*Mensch*) guzzle

Freude f joy, delight; **freuen 1.** vt please; **es freut mich, dass ...** I'm pleased that ... **2.** vr be pleased (*über* + *Akk* about); **sich auf etw ~** look forward to sth

Freund m friend; (*in Beziehung*) boyfriend; **Freundin** f friend; (*in Beziehung*) girlfriend; **freundlich** *Adj* friendly; (*liebenswürdig*) kind; **freundlicherweise** *Adv* kindly; **Freundschaft** f friendship

Frieden m peace; **Friedhof** m cemetery; **friedlich** *Adj* peaceful

frieren vt, vi freeze; **ich friere, es friert mich** I'm freezing

Frikadelle f rissole

Frisbeescheibe® f frisbee®

frisch *Adj* fresh; (*lebhaft*) lively; **„~ gestrichen"** 'wet paint'; **sich ~ machen** freshen up; **Frischhaltefolie** f clingfilm® (*Brit*), plastic wrap (*US*); **Frischkäse** m cream cheese

Friseur m, **Friseuse** f hairdresser; **frisieren 1.** vt **jdn ~** do sb's hair **2.** vr do one's hair; **Frisör** m, **Frisöse** f hairdresser

Frist f period; (*Zeitpunkt*) deadline; **innerhalb einer ~ von zehn Tagen** within a

ten-day period; **eine ~ einhalten** meet a deadline;
die ~ ist abgelaufen the
deadline has expired; frist-
los *Adj* **~e Entlassung** dismissal without notice

Frisur *f* hairdo, hairstyle

frittieren *vt* deep-fry

Frl. *f Abk* = **Fräulein**

froh *Adj* happy; **~e Weihnachten!** Merry Christmas

fröhlich *Adj* happy, cheerful

Frontalzusammenstoß *m*
head-on collision

Frosch *m* frog

Frost *m* frost; **bei ~** in frosty
weather; Frostschutzmittel
n anti-freeze

Frottee *n* terry(cloth); frot-
tieren *vt* rub down; Frot-
tier(hand)tuch *n* towel

Frucht *f* fruit; (*Getreide*)
corn; Fruchteis *n* fruit-fla-
voured ice-cream; fruchtig
Adj fruity; Fruchtsaft *m*
fruit juice; Fruchtsalat *m*
fruit salad

früh *Adj, Adv* early; **heute ~**
this morning; **um fünf Uhr ~**
at five (o'clock) in the morning; **~ genug** soon enough;
früher **1.** *Adj* earlier; (*ehemalig*) former **2.** *Adv* formerly, in the past; frühestens *Adv* at the earliest

Frühjahr *n*, Frühling *m*
spring; Frühlingsrolle *f*
spring roll; Frühlingszwiebel *f* spring onion (*Brit*),
scallion (*US*)

Frühschicht *f* **~ haben** be
on the early shift

Frühstück *n* breakfast; frühstücken *vi* have breakfast;
Frühstücksbüfett *n* breakfast buffet

frühzeitig *Adj* early

Frust *m umg* frustration;
frustrieren *vt* frustrate

Fuchs *m* fox

fühlen *vt, vi, vr* feel

führen **1.** *vt* lead; (*Geschäft*)
run; (*Buch*) keep **2.** *vi* lead,
be in the lead **3.** *vr* behave;
Führerschein *m* driving licence (*Brit*), driver's
license (*US*); Führung *f*
leadership; (*eines Unterneh-
mens*) management; MIL
command; (*in Museum,
Stadt*) guided tour; **in ~ liegen** be in the lead

füllen *vt, vr* fill; GASTR stuff

Füller *m*, Füllfederhalter *m*
fountain pen

Füllung *f* filling

Fund *m* find; Fundbüro *n*
lost property office (*Brit*),
lost and found (*US*); Fund-
sachen *Pl* lost property *Sg*

fünf *Zahl* five; Fünf *f* five;
(*Schulnote*) ≈ E; fünfhun-
dert *Zahl* five hundred;
fünfmal *Adv* five times;
fünfte(r, s) *Adj* fifth; →
dritte; Fünftel *n* fifth; fünfzehn *Zahl* fifteen; fünf-
zehnte(r, s) *Adj* fifteenth;
→ **dritte**; fünfzig *Zahl*
fifty; fünfzigste(r, s) *Adj*
fiftieth

Funk *m* radio; **über ~** by radio

Funke *m* spark; funkeln *vi*

sparkle

Funkgerät n radio set;
Funktaxi n radio taxi, radio cab

Funktion f function; **funktionieren** vi work, function

für Präp + Akk for; **was ~ (ein)** ...? what kind (od sort) of ...?; **Tag ~ Tag** day after day

Furcht f fear; **furchtbar** Adj terrible; **fürchten 1.** vt be afraid of, fear **2.** vr be afraid (vor + Dat of); **fürchterlich** Adj awful

füreinander Adv for each other

fürs Kontr von **für das**

Fürst(in) m(f) prince/princess; **Fürstentum** n principality

Furunkel n boil

Furz m vulg fart; **furzen** vi vulg fart

Fuß m foot; (von Glas, Säule etc) base; (von Möbel) leg; **zu ~** on foot; **zu ~ gehen** walk; **Fußball** m football (Brit), soccer

Fußballmannschaft f football (Brit) (od soccer) team; **Fußballplatz** m football (Brit), soccer field (US); **Fußballspiel** n football (Brit) (od soccer)

Fußball

Das Mannschaftsspiel, das man im Deutschen **Fußball** nennt, heißt in Großbritannien **football** bzw. **soccer**. In den USA wird hierfür nur der Begriff **soccer** verwendet. Mit **football** bezeichnen die Amerikaner immer **American football**.

---

match; **Fußballspieler(in)** m(f) footballer (Brit), soccer player; **Fußboden** m floor; **Fußgänger(in)** m(f) pedestrian; **Fußgängerüberweg** m pedestrian crossing (Brit), crosswalk (US); **Fußgängerzone** f pedestrian precinct (Brit) (od zone (US)); **Fußgelenk** n ankle; **Fußpilz** m athlete's foot; **Fußtritt** m kick; **jdm einen ~ geben** give sb a kick, kick sb; **Fußweg** m footpath

futsch Adj umg (kaputt) broken; (zerschlagen) smashed; (weg, verloren) gone

Futter n feed; (Heu etc) fodder; (Stoff) lining; **füttern** vt feed; (Kleidung) line

Fuzzi m umg guy

G

Gabe f gift;
Gabel f fork; **Gabelung** f

fork
gaffen vi gape

Gage f fee

gähnen vi yawn

Galerie f gallery

Galle f gall; (Organ) gall bladder; **Gallenstein** m gallstone

Galopp m gallop; **galoppieren** vi gallop

gammeln vi loaf (od hang around)

Gang m walk; (im Flugzeug) aisle; (Essen, Ablauf) course; (Flur etc) corridor; (Durchgang) passage; AUTO gear; **den zweiten ~ einlegen** change into second (gear); **etw in ~ bringen** get sth going; **Gangschaltung** f gears Pl; **Gangway** f FLUG steps Pl; SCHIFF gangway

Gans f goose; **Gänseblümchen** n daisy; **Gänsehaut** f goose pimples Pl (Brit), goose bumps Pl (US)

ganz 1. Adj whole; (vollständig) complete; **~ Europa** all of Europe; **~ sein** all his money; **den ~en Tag** all day; **die ~e Zeit** all the time 2. Adv quite; (völlig) completely; **es hat mir ~ gut gefallen** I quite liked it; **~ schön viel** quite a lot; **ganztägig** Adj all-day; (Arbeit, Stelle) full-time

gar 1. Adj done, cooked 2. Adv at all; **~ nicht/nichts/keiner** not/nothing/nobody at all; **~ nicht schlecht** not bad at all

Garage f garage

Garantie f guarantee; **garantieren** vt guarantee

Garderobe f (Kleidung) wardrobe; (Abgabe) cloakroom

Gardine f curtain

Garn n thread

Garnele f shrimp

garnieren vt decorate; (Speisen) garnish

Garten m garden; **Gärtner(in)** m(f) gardener; **Gärtnerei** f market garden (Brit), truck farm (US)

Garzeit f cooking time

Gas n gas; **~ geben** AUTO accelerate; fig get a move on; **Gasanzünder** m gas lighter; **Gasheizung** f gas heating; **Gasherd** m gas stove, gas cooker (Brit); **Gaskocher** m camping stove; **Gaspedal** n accelerator, gas pedal (US)

Gasse f alley

Gast m guest; **Gäste haben** have guests; **Gästebett** n spare bed; **Gästebuch** n visitors' book; **Gästehaus** n guest house; **Gästezimmer** n guest room; **gastfreundlich** Adj hospitable; **Gastgeber(in)** m(f) host/hostess; **Gasthaus** n, **Gasthof** m inn; **Gastland** n host country

Gastritis f gastritis

Gastronomie f (Gewerbe) catering trade

Gastspiel n SPORT away game; **Gaststätte** f restaurant; (Trinklokal) pub

(*Brit*), bar; **Gastwirt(in)** *m(f)* landlord/-lady

Gaumen *m* palate

geb. 1. *Adj Abk* = **geboren**; b. **2.** *Adj Abk* = **geborene**, née; → **geboren**

Gebäck *n* pastries *Pl*; (*Kekse*) biscuits *Pl* (*Brit*), cookies *Pl* (*US*)

Gebärmutter *f* womb

Gebäude *n* building

geben 1. *vt*, *vi* give (*jdm etw* sb sth, sth to sb); (*Karten*) deal; **lass dir eine Quittung ~** ask for a receipt **2.** *vt unpers* **es gibt** there is/are; (*in Zukunft*) there will be; **das gibt's nicht** I don't believe it **3.** *vr* (*sich verhalten*) behave, act; **das gibt sich wieder** it'll sort itself out

Gebet *n* prayer

Gebiet *n* area; (*Hoheitsgebiet*) territory; *fig* field

gebildet *Adj* educated; (*belesen*) well-read

Gebirge *n* mountains *Pl*

Gebiss *n* teeth *Pl*; (*künstlich*) dentures *Pl*; **Gebissreiniger** *m* denture tablets *Pl*

Gebläse *n* fan, blower

geboren *Adj* born; **Andrea Jordan, ~e Christian** Andrea Jordan, née Christian

geborgen *Adj* secure, safe

gebrauchen *vt* use; **Gebrauchsanweisung** *f* directions *Pl* for use; **gebraucht** *Adj* used; **etw ~ kaufen** buy sth secondhand; **Ge-**

brauchtwagen *m* secondhand (*od* used) car

Gebühr *f* charge; (*Maut*) toll; (*Honorar*) fee; **gebührenfrei** *Adj* free of charge; (*Telefonnummer*) freefone® (*Brit*), toll-free (*US*); **gebührenpflichtig** *Adj* subject to charges; **~e Straße** toll road

Geburt *f* birth; **gebürtig** *Adj* **er ist ~er Schweizer** he is Swiss by birth; **Geburtsdatum** *n* date of birth; **Geburtsjahr** *n* year of birth; **Geburtsname** *m* birth name; (*einer Frau*) maiden name; **Geburtsort** *m* birthplace; **Geburtstag** *m* birthday; **herzlichen Glückwunsch zum ~!** Happy Birthday; **Geburtsurkunde** *f* birth certificate

Gebüsch *n* bushes *Pl*

Gedächtnis *n* memory; **im ~ behalten** remember

Gedanke *m* thought; **sich über etw ~n machen** think about sth; (*besorgt*) be worried about sth; **Gedankenstrich** *m* dash

Gedeck *n* place setting; (*Speisenfolge*) set meal

Gedenkstätte *f* memorial

Gedicht *n* poem

Gedränge *n* crush, crowd

Geduld *f* patience; **geduldig** *Adj* patient

geehrt *Adj* **Sehr ~er Herr Young** Dear Mr Young

geeignet *Adj* suitable

Gefahr *f* danger; **auf eigene**

~ at one's own risk; **gefährden** vt endanger

gefährlich Adj dangerous

Gefälle n gradient, slope

gefallen vi **jdm** ~ please sb; **er/es gefällt mir** I like him/it; **sich etw** ~ **lassen** put up with sth

Gefallen m favour; **jdm einen** ~ **tun** do sb a favour

Gefängnis n prison

Gefäß n (Behälter) container, receptacle; (ANAT, BOT) vessel

gefasst Adj composed, calm; **auf etw** ~ **sein** be prepared (od ready) for sth

Geflügel n poultry

gefragt Adj in demand

Gefrierbeutel n freezer bag; **Gefrierfach** n freezer compartment; **Gefrierschrank** m (upright) freezer; **Gefriertruhe** f (chest) freezer

Gefühl n feeling

gegebenenfalls Adv if need be

gegen Präp + Akk against; (im Austausch für) (in return) for; ~ **8 Uhr** about 8 o'clock; **Deutschland** ~ **England** Germany versus England; **etwas** ~ **Husten** (Mittel) something for coughs

Gegend f area; **hier in der** ~ around here

gegeneinander Adv against one another

Gegenfahrbahn f opposite lane; **Gegenmittel** n remedy (gegen for); **Gegenrichtung** f opposite direction;

Gegensatz m contrast; **im** ~ **zu** in contrast to; **gegensätzlich** Adj conflicting; **gegenseitig** Adj mutual; **sich** ~ **helfen** help each other

Gegenstand m object; (Thema) subject

Gegenteil n opposite; **im** ~ on the contrary; **gegenteilig** Adj opposite, contrary

gegenüber **1.** Präp + Dat opposite; (zu jdm) to(wards) **2.** Adv opposite; **gegenüberstehen** vt face; (Problemen) be faced with; **gegenüberstellen** vt confront (+ Dat with); fig compare (+ Dat with)

Gegenverkehr m oncoming traffic; **Gegenwart** f present (tense)

Gegner(in) m(f) opponent

Gehalt 1. m contents **2.** n salary

gehässig Adj spiteful, nasty

gehbehindert Adj **sie ist** ~ she can't walk properly

geheim Adj secret; **etw** ~ **halten** keep sth secret; **Geheimnis** n secret; (rätselhaft) mystery; **geheimnisvoll** Adj mysterious; **Geheimnummer** f, **Geheimzahl** f (von Kreditkarte) PIN number

gehen 1. vt, vi **2.** (zu Fuß) walk; (funktionieren) work; **über die Straße** ~ cross the street **2.** vi unpers **wie geht es (dir)** how are you (od things)?; **mir/ihm geht es**

gut I'm/he's (doing) fine; **geht das?** is that possible?; **geht's noch?** can you still manage?; **es geht** not too bad, OK; **es geht um** ... it's about ...

Gehirn n brain; **Gehirnerschütterung** f concussion

Gehör n hearing

gehorchen vi obey (jdm sb)

gehören 1. vi belong (jdm to sb); **wem gehört das Buch?** whose book is this?; **gehört es dir?** is it yours? **2.** vr unpers **das gehört sich nicht** it's not done

Gehweg m pavement (Brit), sidewalk (US)

Geier m vulture

Geige f violin

geil Adj randy (Brit), horny (US); umg (toll) fantastic

Geisel f hostage

Geist m spirit; (Gespenst) ghost; (Verstand) mind; **Geisterbahn** f ghost train, tunnel of horror (US); **Geisterfahrer(in)** m(f) person driving the wrong way on the motorway

geizig Adj stingy

gekonnt Adj skilful

Gel n gel

Gelächter n laughter

geladen Adj loaded, ELEK live; fig furious

gelähmt Adj paralysed

Gelände n land, terrain; (Fabrik, Sportgelände) grounds Pl; (Baugelände) site

Geländer n railing; (Treppengeländer) banister

Geländewagen m off-road vehicle

gelassen Adj calm, composed

Gelatine f gelatine

gelaunt Adj **gut/schlecht ~** in a good/bad mood

gelb Adj yellow; (Ampel) amber, yellow (US); **gelblich** Adj yellowish; **Gelbsucht** f jaundice

Geld n money; **Geldautomat** m cash machine (od dispenser (Brit)), ATM (US); **Geldbeutel** m, **Geldbörse** f purse; **Geldschein** m (bank)note (Brit), bill (US); **Geldstrafe** f fine; **Geldstück** n coin; **Geldwechsel** m exchange of money; **Geldwechselautomat** m, **Geldwechsler** m change machine

Gelee n jelly

Gelegenheit f opportunity; (Anlass) occasion; **gelegentlich 1.** Adj occasional **2.** Adv occasionally

Gelenk n joint

gelernt Adj skilled

gelingen vi succeed; **es ist mir gelungen, ihn zu erreichen** I managed to get hold of him

gelten 1. vt (wert sein) be worth; **jdm viel/wenig ~** mean a lot/not mean much to sb **2.** vi (gültig sein) be valid; (erlaubt sein) be allowed; **etw ~ lassen** accept sth

Gemälde 450

Gemälde n painting, picture

gemäß 1. *Präp + Dat* in accordance with **2.** *Adj* appropriate (*Dat* to)

gemein *Adj* (*niederträchtig*) mean, nasty

Gemeinde f district, community; (*Pfarrgemeinde*) parish; (*Kirchengemeinde*) congregation

gemeinsam 1. *Adj* joint, common **2.** *Adv* together, jointly; *das Haus gehört uns beiden* ~ the house belongs to both of us

Gemeinschaft f community

gemischt *Adj* mixed

Gemüse n vegetables *Pl;* **Gemüsehändler(in)** *m(f)* greengrocer

gemustert *Adj* patterned

gemütlich *Adj* comfortable, cosy; (*Mensch*) good-natured, easy-going; *mach es dir* ~ make yourself at home

genau 1. *Adj* exact, precise **2.** *Adv* exactly, precisely; *in der Mitte* right in the middle; *es mit etw* ~ *nehmen* be particular about sth; ~ *genommen* strictly speaking; *ich weiß es* ~ I know for certain (*or* for sure); *genauso* *Adv* exactly the same (way); ~ *gut/viel/viele Leute* just as well/much/many people (*wie* as)

genehmigen vt approve; *sich etw* ~ indulge in sth; **Genehmigung** f approval

Generalkonsulat n consulate general

Generation f generation

Genf n Geneva; ~*er See* Lake Geneva

genial *Adj* brilliant

Genick n (back of the) neck

Genie n genius

genieren vr feel awkward; *ich geniere mich vor ihm* he makes me feel embarrassed

genießen vt enjoy

Genitiv m genitive (case)

genug *Adv* enough

genügen vi be enough (*jdm* for sb); *danke, das genügt* thanks, that's enough (*od* that will do)

Genuss m pleasure; (*Zusichnehmen*) consumption

geöffnet *Adj* (*Geschäft etc*) open

Geografie f geography

Geologie f geology

Georgien n Georgia

Gepäck n luggage (*Brit*), baggage; **Gepäckabfertigung** f luggage (*Brit*) (*od* baggage) check-in; **Gepäckannahme** f (*zur Beförderung*) luggage (*Brit*) (*od* baggage) office; (*zur Aufbewahrung*) left-luggage office (*Brit*), baggage check-room (*US*); **Gepäckaufbewahrung** f left-luggage office (*Brit*), baggage checkroom (*US*); **Gepäckausgabe** f luggage (*Brit*) (*od* baggage) office; (*am Flughafen*) baggage reclaim; **Gepäckband** n luggage (*Brit*) (*od* baggage)

conveyor; **Gepäckkontrolle**
f luggage (*Brit*) (*od* baggage) check; **Gepäckstück**
n item of luggage (*Brit*)
(*od* baggage (*US*)); **Gepäckträger** m porter; (*an
Fahrrad*) carrier; **Gepäckwagen** m luggage van
(*Brit*), baggage car (*US*)
gepflegt *Adj* well-groomed;
(*Park*) well looked after
gerade **1.** *Adj* straight;
(*Zahl*) even **2.** *Adv* (*genau*)
exactly; (*eben*) just; **warum
~ ich?** why me (*of all people*)?; **~ weil** precisely because; **~ noch** only just; **~
neben** right next to; geradeaus *Adv* straight ahead
Gerät n device, gadget;
(*Werkzeug*) tool; (*Radio,
Fernseher*) set; (*Zubehör*)
equipment
geraten **1.** *pp von* **raten 2.**
vi turn out; **gut/schlecht ~**
turn out well/badly; **an jdn
~** come across sb; **in etw ~**
get into sth
geräuchert *Adj* smoked
geräumig *Adj* roomy
Geräusch n sound; (*unangenehm*) noise
gerecht *Adj* fair; (*Strafe, Belohnung*) just
gereizt *Adj* irritable
Gericht n *JUR* court; (*Essen*)
dish
gering *Adj* small; (*unbedeutend*) slight; (*niedrig*) low;
(*Zeit*) short; **geringfügig** **1.**
Adj slight, minor **2.** *Adv*
slightly

gern(e) *Adv* willingly, gladly;
~ haben, ~ mögen like;
etw ~ tun like doing sth; **~
geschehen** you're welcome
Gerste f barley; **Gerstenkorn** n (*im Auge*) stye
Geruch m smell
Gerücht n rumour
Gerümpel n junk
Gerüst n (*auf Bau*) scaffolding; *fig* framework (*zu* of)
gesamt *Adj* whole, entire;
(*Kosten*) total; (*Werke*)
complete; **Gesamtschule** f
≈ comprehensive school
Gesäß n bottom
Geschäft n business; (*Laden*) shop; (*Geschäftsabschluss*) deal; **geschäftlich**
1. *Adj* commercial **2.** *Adv*
on business; **Geschäftsführer**(*in*) m(f) managing director; (*von Laden*) manager; **Geschäftsmann** m
businessman; **Geschäftsreise** f business trip; **Geschäftszeiten** *Pl* business
(*od* opening) hours *Pl*
geschehen *vi* happen
Geschenk n present, gift;
Geschenkgutschein m gift
voucher; **Geschenkpapier**
n giftwrap
Geschichte f story; (*Sache*)
affair; *HIST* history
geschickt *Adj* skilful
geschieden *Adj* divorced
Geschirr n crockery; (*zum
Kochen*) pots and pans *Pl*;
(*von Pferd*) harness; **~ spülen** do (*od* wash) the
dishes, do the washing-up

(*Brit*); Geschirrspülma-
schine *f* dishwasher; Ge-
schirrspülmittel *n* washing-up liquid (*Brit*), dishwashing liquid (*US*);
Geschirrtuch *n* tea towel
(*Brit*), dish towel (*US*)

Geschlecht *n* sex; LING gender; Geschlechtskrankheit
f sexually transmitted disease, STD; Geschlechts-
verkehr *m* sexual inter-
course

geschlossen *Adj* closed

Geschmack *m* taste; ge-
schmacklos *Adj* tasteless;
Geschmack(s)sache *f* **das
ist** ~ that's a matter of taste;
geschmackvoll *Adj* tasteful

Geschoss *n* (*Stockwerk*)
floor

Geschrei *n* cries *Pl*; *fig* fuss

geschützt *Adj* protected

Geschwätz *n* chatter;
(*Klatsch*) gossip; ge-
schwätzig *Adj* talkative,
gossipy

geschweige *Adv* ~ (*denn*)
let alone

Geschwindigkeit *f* speed;
PHYS velocity; Geschwin-
digkeitsbegrenzung *f*
speed limit

Geschwister *Pl* brothers
and sisters *Pl*

geschwollen *Adj* (*ange-
schwollen*) swollen; (*Rede*)
pompous

Geschwulst *f* growth

Geschwür *n* ulcer

gesellig *Adj* sociable; Gesellschaft *f* society; (*Be-*

Geschwindigkeit

Die Geschwindigkeit wird
in Großbritannien und in
den USA in **Meilen pro
Stunde** berechnet. Eine
Meile entspricht 1,609 km.
Somit entsprechen 50 km/h
in etwa 30 mph (**miles per
hour**), 80 km/h etwa 50
mph usw.

---

gleitung) company

Gesetz *n* law; gesetzlich
Adj legal; gesetzwidrig
Adj illegal

Gesicht *n* face; (*Miene*) expression; **mach doch nicht
so ein** ~! stop pulling such
a face; Gesichtscreme *f*
face cream; Gesichtswas-
ser *n* toner

gespannt *Adj* tense; (*begie-
rig*) eager; **ich bin** ~, **ob** ...
I wonder if ...; **auf etw/jdn
** ~ **sein** look forward to sth/
to seeing sb

Gespenst *n* ghost

gesperrt *Adj* closed

Gespräch *n* talk, conversation; (*Diskussion*) discussion; (*Anruf*) call

Gestalt *f* form, shape;
(*Mensch*) figure

Gestank *m* stench

gestatten *vt* permit, allow; ~
Sie? may I?

Geste *f* gesture

gestehen *vt* confess

gestern *Adv* yesterday; ~
Abend/Morgen yesterday

evening/morning
gestört *Adj* disturbed; (*Rundfunkempfang*) poor
gestreift *Adj* striped
gesund *Adj* healthy; **wieder ~ werden** get better; Gesundheit *f* health; **~!** bless you!

Gesundheit

Bless you steht kurz für **God bless you** (Gott segne dich/Sie!) und entspricht in seiner Verwendung dem deutschen **Gesundheit!**. Es wird allerdings seltener verwendet als im Deutschen. Außerdem bedankt man sich nicht dafür, sondern lächelt nur freundlich.

gesundheitsschädlich *Adj* unhealthy
Getränk *n* drink; Getränkeautomat *m* drinks machine; Getränkekarte *f* list of drinks
Getreide *n* cereals *Pl*, grain
getrennt *Adj* separate; **~ leben** live apart; **~ zahlen** pay separately
Getriebe *n* AUTO gearbox
Getue *n* fuss
geübt *Adj* experienced
Gewähr *f* guarantee
Gewalt *f* (*Macht*) power; (*Kontrolle*) control; (*große Kraft*) force; (*~taten*) violence; **mit aller ~** with all one's might; **gewaltig** *Adj* tremendous; (*Irrtum*) huge

gewandt *Adj* (*flink*) nimble; (*geschickt*) skilful; (*erfahren*) experienced
Gewebe *n* (*Stoff*) fabric; BIO tissue
Gewehr *n* rifle, gun
Geweih *n* antlers *Pl*
gewellt *Adj* (*Haare*) wavy
Gewerbe *n* trade; Gewerbegebiet *n* industrial estate (*Brit*) (*od* park (*US*)); **gewerblich** *Adj* commercial
Gewerkschaft *f* trade union
Gewicht *n* weight; *fig* importance
Gewinn *m* profit; (*bei Spiel*) winnings *Pl*; **gewinnen 1.** *vt* win; (*erwerben*) gain; (*Kohle, Öl*) extract **2.** *vi* win; (*profitieren*) gain; Gewinner(in) *m(f)* winner
gewiss 1. *Adj* certain **2.** *Adv* certainly
Gewissen *n* conscience; **ein gutes/schlechtes ~ haben** have a clear/bad conscience
Gewitter *n* thunderstorm
gewöhnen 1. *vt* **jdn an etw** accustom sb to sth **2.** *vr* **sich an jdn/etw** get used (*od* accustomed) to sb/sth; Gewohnheit *f* habit; (*Brauch*) custom; **gewöhnlich** *Adj* usual; (*durchschnittlich*) ordinary; *pej* common; **wie ~** as usual; **gewohnt** *Adj* usual; **etw ~ sein** be used to sth
Gewölbe *n* vault
Gewürz *n* spice; Gewürznelke *f* clove; **gewürzt** *Adj*

seasoned
Gezeiten Pl tides Pl
Gibraltar n Gibraltar
Gicht f gout
Giebel m gable
gierig Adj greedy
gießen vt pour; (Blumen) water; (Metall) cast; **Gießkanne** f watering can
Gift n poison; **giftig** Adj poisonous
Gigabyte n gigabyte
Gin m gin; **Gin Tonic** m gin and tonic
Gipfel m summit, peak; POL summit; fig (Höhepunkt) height
Gips m a. MED plaster; **Gipsverband** m plaster cast
Giraffe f giraffe
Girokonto n current account (Brit), checking account (US)
Gitarre f guitar
Gitter n bars Pl
glänzen vi a. fig shine; **glänzend** Adj shining; fig brilliant
Glas n glass; (Marmelade) jar; **Glascontainer** m bottle bank; **Glaser(in)** m(f) glazier; **Glasscheibe** f pane (of glass); **Glassplitter** m splinter of glass
Glasur f glaze; GASTR icing
glatt Adj smooth; (rutschig) slippery; (Lüge) downright; **Glatteis** n (black) ice
Glatze f bald head
glauben vt, vi believe (an + Akk in); (meinen) think; **jdm** ~ believe sb

gleich 1. Adj equal; (identisch) same, identical; **es ist mir** ~ it's all the same to me **2.** Adv equally; (sofort) straight away; (bald) in a minute; ~ **groß/alt** the same size/age; ~ **nach/an** right after/at; **Gleichberechtigung** f equal rights Pl; **gleichen 1.** vi **jdm/einer Sache** ~ be like sb/sth **2.** vr be alike; **gleichfalls** Adv likewise; **danke** ~! thanks, and the same to you; **gleichgültig** Adj indifferent; (unbedeutend) unimportant; **gleichmäßig** Adj regular; (Verteilung) even, equal; **gleichzeitig 1.** Adj simultaneous **2.** Adv at the same time
Gleis n track, rails Pl; (Bahnsteig) platform
gleiten vi glide; (rutschen) slide; **Gleitschirmfliegen** n paragliding
Gletscher m glacier
Glied n (Arm, Bein) limb; (Kette) link; (Penis) penis; **Gliedmaßen** Pl limbs Pl
glitschig Adj slippery
glitzern vi glitter; (Sterne) twinkle
Glocke f bell; **Glockenspiel** n chimes Pl
Glotze f umg (TV) box; **glotzen** vi umg stare
Glück n luck; (Freude) happiness; ~ **haben** be lucky; **viel** ~! good luck; **zum** ~ fortunately; **glücklich** Adj lucky; (froh) happy; glück-

licherweise *Adj* fortunately; **Glückwunsch** *m* congratulations *Pl*; **herzlichen ~ zur bestandenen Prüfung** congratulations on passing your exam; **herzlichen ~ zum Geburtstag!** Happy Birthday

Glühbirne *f* light bulb; **glühen** *vi* glow; **Glühwein** *m* mulled wine

GmbH *f Abk =* **Gesellschaft mit beschränkter Haftung**; ≈ Ltd (*Brit*); ≈ Inc (*US*)

Gokart *m* go-kart

Gold *n* gold; **golden** *Adj* gold; *fig* golden; **Goldfisch** *m* goldfish; **Goldmedaille** *f* gold medal; **Goldschmied(in)** *m(f)* goldsmith

Golf **1.** *m* gulf; **der ~ von Biskaya** the Bay of Biscay **2.** *n* golf; **Golfplatz** *m* golf course; **Golfschläger** *m* golf club

Gondel *f* gondola; (*von Seilbahn*) cable-car

gönnen *vt* **ich gönne es ihm** I'm really pleased for him; **sich etw ~** allow oneself sth

gotisch *Adj* Gothic

Gott *m* God; (*Gottheit*) god; **Gottesdienst** *m* service; **Göttin** *f* goddess

Grab *n* grave

graben *vt* dig; **Graben** *m* ditch

Grabstein *m* gravestone

Grad *m* degree; **wir haben 30 ~ Celsius** it's 30 degrees Celsius; **bis zu einem gewissen ~** up to a certain extent

Graf *m* count; (*in Großbritannien*) earl

Graffiti *Pl* graffiti *Sg*

Grafik *f* graph; (*Kunstwerk*) graphic; (*Illustration*) diagram; **Grafikkarte** *f* IT graphics card

Gräfin *f* countess

Gramm *n* gram(me)

Grammatik *f* grammar

Grapefruit *f* grapefruit

Graphik *f* → **Grafik**

Gras *n* grass

grässlich *Adj* horrible

Gräte *f* (fish)bone

gratis *Adj, Adv* free (of charge)

gratulieren *vi* **jdm** (**zu etw**) ~ congratulate sb (on sth); **(ich) gratuliere!** congratulations!

grau *Adj* grey; **grauhaarig** *Adj* grey-haired

grausam *Adj* cruel

gravierend *Adj* (*Fehler*) serious

greifen **1.** *vt* seize; **zu etw ~** *fig* resort to sth **2.** *vi* (*Regel etc*) have an effect (*bei* on)

grell *Adj* harsh

Grenze *f* boundary; (*Staatsgrenze*) border; (*Schranke*) limit; **grenzen** *vi* border (*an* + *Akk* on); **Grenzkontrolle** *f* border control

Grieche *m* Greek; **Griechenland** *n* Greece; **Griechin** *f* Greek; **griechisch** *Adj* Greek; **Griechisch** *n* Greek

Grieß m GASTR semolina

Griff m grip; (Tür etc) handle; griffbereit Adj handy

Grill m grill; (im Freien) barbecue

Grille f cricket

grillen 1. vt grill 2. vi have a barbecue; Grillfest n, Grillfete f barbecue; Grillkohle f charcoal

grinsen vi grin; (höhnisch) sneer

Grippe f flu; Grippeschutzimpfung f flu vaccination

grob Adj coarse; (Fehler, Verstoß) gross; (Einschätzung) rough

Grönland n Greenland

groß 1. Adj big, large; (hoch) tall; fig great; (Buchstabe) capital; (erwachsen) grown-up; im Großen und Ganzen on the whole 2. Adv greatly; großartig Adj wonderful

Großbritannien n (Great) Britain

Großbuchstabe m capital letter

Größe f size; (Länge) height; fig greatness; welche ~ haben Sie? what size do you take?

Großeltern Pl grandparents Pl; Großhandel m wholesale trade; Großmarkt m hypermarket; Großmutter f grandmother; großschreiben vt write with a capital letter; Großstadt f city; Großvater m grandfather; großzügig Adj generous

Grotte f grotto

Grübchen n dimple

Grube f pit

grüezi Interj (schweizerisch) hello

grün Adj green; ~er Salat lettuce; ~e Bohnen French beans; die Bananen sind noch zu ~ the bananas aren't ripe yet

Grund m (Ursache) reason, ground; (von See, Gefäß) bottom; (Grundbesitz) land, property; aus gesundheitlichen Gründen for health reasons; aus diesem ~ for this reason

gründen vt found; Gründer(in) m(f) founder

Grundgebühr f basic charge

gründlich Adj thorough

grundsätzlich Adj fundamental, basic; sie kommt ~ zu spät she's always late; Grundschule f primary school; Grundstück n plot; (Anwesen) estate; (Baugrundstück) site

Grüne(r) mf POL Green; die ~n the Green Party

Gruppe f group; Gruppenermäßigung f group discount; Gruppenreise f group tour

Gruß m greeting; viele Grüße best wishes; Grüße an regards to; mit freundlichen Grüßen Yours sincerely (Brit), Sincerely yours (US); grüßen vt greet; grüß deine Mutter von mir give your mother my regards; Julia

lässt (*euch*) ~ Julia sends (you) her regards
gucken *vi* look
Gulasch *n* goulash
gültig *Adj* valid
Gummi *m od n* rubber; **Gummistiefel** *m* wellington (boot) (*Brit*), rubber boot (*US*)
günstig *Adj* favourable; (*Preis*) good
gurgeln *vi* gurgle; (*im Mund*) gargle
Gurke *f* cucumber; **saure** ~ gherkin
Gurt *m* belt
Gürtel *m* belt; GEO zone; **Gürtelrose** *f* shingles *Sg*
gut 1. *Adj* good; (*Schulnote*) ≈ B; **sehr** ~ very good, excellent; (*Schulnote*) ≈ A; **alles Gute!** all the best **2.** *Adv* well; ~ **gehen** (*gut ausgehen*) go well; **es geht ihm** ~ he's doing fine; **jdm**

~ **tun** do sb good; ~ **aussehend** good-looking; ~ **gelaunt** in a good mood; ~ **gemeint** well meant; **schon** ~**!** it's all right; **mach's** ~**!** take care, bye
Gutachten *n* report; **Gutachter(in)** *m(f)* expert
gutartig *Adj* MED benign
Güter *Pl* goods *Pl*; **Güterzug** *m* goods train
gutgläubig *Adj* trusting
Guthaben *n* (credit) balance
gutmütig *Adj* good-natured
Gutschein *m* voucher; **Gutschrift** *f* credit
Gymnasium *n* ≈ grammar school (*Brit*), ≈ high school (*US*)
Gymnastik *f* exercises *Pl*, keep-fit
Gynäkologe *m*, **Gynäkologin** *f* gynaecologist
Gyros *n* doner kebab

H

Haar *n* hair; **um ein** ~ nearly; **sich die** ~**e schneiden lassen** have one's hair cut; **Haarbürste** *f* hairbrush; **Haarfestiger** *m* setting lotion; **Haargel** *n* hair gel; **haarig** *Adj* hairy; *fig* nasty; **Haarschnitt** *m* haircut; **Haarspange** *f* hair slide (*Brit*), barrette (*US*); **Haarspliss** *m* split ends *Pl*; **Haarspray** *n* hair spray; **Haar-**

trockner *m* hairdryer; **Haarwaschmittel** *n* shampoo
haben *vt*, *vhilf* have; **Hunger/Angst** ~ be hungry/ afraid; **Ferien** ~ be on holiday (*Brit*) (*od* vacation (*US*)); **welches Datum** ~ **wir heute?** what's the date today?; **ich hätte gern** ... I'd like ...; **hätten Sie etwas dagegen, wenn** ...? would you mind if ...?;

was hast du denn? what's the matter (with you)?

Haben n WIRTSCH credit

Habicht m hawk

Hacke f (*im Garten*) hoe; (*Ferse*) heel; **hacken** vt chop; (*Loch*) hack; (*Erde*) hoe; **Hacker(in)** m(f) IT hacker; **Hackfleisch** n mince(d meat) (*Brit*), ground meat (*US*)

Hafen m harbour; (*großer*) port; **Hafenstadt** f port

Hafer m oats Pl; **Haferflocken** Pl rolled oats Pl

Haft f custody; **haftbar** Adj liable, responsible; **haften** vi stick; ~ *für* be liable (*od* responsible) for; **Haftnotiz** f Post-it®; **Haftpflichtversicherung** f third party insurance; **Haftung** f liability

Hagebutte f rose hip

Hagel m hail; **hageln** vi unpers hail

Hahn m cock; (*Wasserhahn*) tap (*Brit*), faucet (*US*); **Hähnchen** n cockerel; GASTR chicken

Hai(fisch) m shark

Haken m hook; (*Zeichen*) tick

halb Adj half; ~ *eins* half past twelve; umg half twelve; *eine* ~*e Stunde* half an hour; ~ *offen* half-open; **Halbfinale** n semifinal; **halbieren** vt halve; **Halbinsel** f peninsula; **Halbjahr** n half-year; **Halbmond** m ASTR half-moon; (*Symbol*) crescent; **Halb-**

pension f half board; **halbtags** Adv (*arbeiten*) part-time; **halbwegs** Adv (*leidlich*) reasonably; **Halbzeit** f half; (*Pause*) half-time; **Hälfte** f half

Halle f hall; **Hallenbad** n indoor (swimming) pool

hallo Interj hello, hi

Halogenlampe f halogen lamp

Hals m neck; (*Kehle*) throat; **Halsband** n (*für Tiere*) collar; **Halsentzündung** f sore throat; **Halskette** f necklace; **Hals-Nasen-Ohren-Arzt** m, **Hals-Nasen--Ohren-Ärztin** f ear, nose and throat specialist; **Halsschmerzen** Pl sore throat Sg; **Halstuch** n scarf

halt 1. Interj stop **2.** Adv *das ist* ~ *so* that's just the way it is; **Halt** m stop; (*fester*) hold; (*innerer*) stability

haltbar Adj durable; (*Lebensmittel*) non-perishable; **Haltbarkeitsdatum** n best--before date

halten 1. vt keep; (*festhalten*) hold; ~ *für* regard as; ~ *von* think of; *den Elfmeter* ~ save the penalty; *eine Rede* ~ give (*od* make) a speech **2.** vi hold; (*frisch bleiben*) keep; (*stoppen*) stop; *zu jdm* ~ stand by sb **3.** vr (*frisch bleiben*) keep

Haltestelle f stop; **Halteverbot** n *hier ist* ~ you can't stop here

Haltung f (*Körper*) posture:

fig attitude; (*Selbstbeherrschung*) composure

Hamburg *n* Hamburg; **Hamburger** *m* GASTR hamburger

Hammelfleisch *n* mutton

Hammer *m* hammer; *fig umg* (*Fehler*) howler

Hämorr(ho)iden *Pl* haemorrhoids *Pl*, piles *Pl*

Hamster *m* hamster

Hand *f* hand; **jdm die ~ geben** shake hands with sb; **zu Händen von** attention; **Handarbeit** *f* (*Schulfach*) handicraft; **~ sein** be handmade; **Handball** *m* handball; **Handbremse** *f* handbrake; **Handbuch** *n* handbook, manual; **Handcreme** *f* hand cream

Handel *m* trade; (*Geschäft*) transaction; **handeln 1.** *vi* act; WIRTSCH trade; **~ von** be about **2.** *vr unpers* **es handelt sich um ...** it's about ...

Handfeger *m* brush; **Handfläche** *f* palm; **Handgelenk** *n* wrist; **handgemacht** *Adj* handmade; **Handgepäck** *n* hand luggage (*Brit*) (*od* baggage)

Händler(in) *m(f)* dealer

handlich *Adj* handy

Handlung *f* act, action; (*von Roman, Film*) plot

Handschellen *Pl* handcuffs *Pl*; **Handschrift** *f* handwriting; **Handschuh** *m* glove; **Handschuhfach** *n* glove compartment; **Handtasche** *f* handbag, purse (*US*);

Handtuch *n* towel; **Handwerk** *n* trade; **Handwerker** *m* workman

Handy *n* mobile (phone), cell phone (*US*)

Hang *m* (*Abhang*) slope; *fig* tendency

Hängematte *f* hammock

hängen 1. *vi* hang; **an der Wand/an der Decke ~** hang on the wall/from the ceiling; **an jdm ~** *fig* be attached to sb; **~ bleiben** get caught (*an + Dat* on); *fig* get stuck **2.** *vt* hang (*an + Akk* on)

Hantel *f* dumbbell

Hardware *f* IT hardware

Harfe *f* harp

harmlos *Adj* harmless

harmonisch *Adj* harmonious

Harn *m* urine; **Harnblase** *f* bladder

hart *Adj* hard; *fig* harsh; **~ gekocht** (*Ei*) hard-boiled; **hartnäckig** *Adj* stubborn

Haschisch *n* hashish

Hase *m* hare

Haselnuss *f* hazelnut

Hass *m* hatred (*auf + Akk, gegen* of), hate; **hassen** *vt* hate

hässlich *Adj* ugly; (*gemein*) nasty

Hast *f* haste, hurry; **hastig** *Adj* hasty

Haube *f* hood; (*Mütze*) cap; AUTO bonnet (*Brit*), hood (*US*)

hauchdünn *Adj* (*Schicht, Scheibe*) wafer-thin

hauen *vt* hit

Haufen *m* pile; **ein ~ Geld** (*viel Geld*) a lot of money

häufig **1.** *Adj* frequent **2.** *Adv* frequently, often

Haupt- in *Zs* main; Hauptbahnhof *m* central (*od* main) station; Haupteingang *m* main entrance; Hauptgericht *n* main course

Häuptling *m* chief

Hauptquartier *n* headquarters *Pl*; Hauptrolle *f* leading role; Hauptsache *f* main thing; hauptsächlich *Adv* mainly, chiefly; Hauptsaison *f* high (*od* peak) season; Hauptsatz *m* main clause; Hauptschule *f* ≈ secondary school (*Brit*), ≈ junior high school (*US*); Hauptstadt *f* capital; Hauptstraße *f* main road; (*im Stadtzentrum*) main street; Hauptverkehrszeit *f* rush hour

Haus *n* house; **nach ~e** home; **zu ~e** at home; **jdn nach ~e bringen** take sb home; Hausarbeit *f* housework; Hausaufgabe *f* (*Schule*) homework; **~n** *Pl* homework *Sg*; Hausbesitzer(in) *m(f)* house owner; (*Vermieter*) landlord/-lady; Hausbesuch *m* home visit; Hausflur *m* hall; Hausfrau *f* housewife; hausgemacht *Adj* homemade; Haushalt *m* household; POL budget

häuslich *Adj* domestic

Hausmann *m* house-husband; Hausmannskost *f* good plain cooking; Hausmeister(in) *m(f)* caretaker (*Brit*), janitor (*US*); Hausnummer *f* house number; Hausschlüssel *m* front-door key; Hausschuh *m* slipper; Haustier *n* pet; Haustür *f* front door

Haut *f* skin; Hautarzt *m*, Hautärztin *f* dermatologist; Hautausschlag *m* skin rash; Hautcreme *f* skin cream; Hautfarbe *f* skin colour

Hawaii *n* Hawaii

Hebamme *f* midwife

Hebel *m* lever

heben *vt* raise, lift

Hebräisch *n* Hebrew

Hecht *m* pike

Heck *n* (*von Boot*) stern; (*von Auto*) rear; Heckantrieb *m* rear-wheel drive

Hecke *f* hedge

Heckklappe *f* tailgate; Heckscheibe *f* rear window; Heckscheibenheizung *f* rear-window defroster

Hefe *f* yeast

Heft *n* notebook, exercise book; (*Ausgabe*) issue

heftig *Adj* violent; (*Kritik, Streit*) fierce

Heftklammer *f* paper clip; Heftpflaster *n* plaster (*Brit*), Band-Aid® (*US*)

Heide *f* heath, moor; Heidekraut *n* heather

Heidelbeere *f* bilberry, blueberry

heidnisch Adj (Brauch) pagan

heikel Adj (Angelegenheit) awkward; (wählerisch) fussy

heil Adj (Sache) in one piece, intact; **heilbar** Adj curable

Heilbutt m halibut

heilen 1. vt cure 2. vi heal

heilig Adj holy; **Heiligabend** m Christmas Eve; **Heilige(r)** mf saint

Heilpraktiker(in) m(f) non--medical practitioner

heim Adv home; **Heim** n home

Heimat f home (town/country)

heimfahren vi drive home; **Heimfahrt** f journey home; **heimisch** Adj (Bevölkerung, Brauchtum) local; (Tiere, Pflanzen) native; **heimkommen** vi come (od return) home

heimlich Adj secret

Heimreise f journey home; **Heimspiel** n SPORT home game; **Heimweg** m way home; **Heimweh** n homesickness; **~ haben** be homesick

Heirat f marriage; **heiraten** 1. vi get married 2. vt marry; **Heiratsantrag** m proposal; **er hat ihr einen ~ gemacht** he proposed to her

heiser Adj hoarse

heiß Adj hot; (Diskussion) heated; **mir ist ~** I'm hot

heißen 1. vi be called; (bedeuten) mean; **ich heiße**

Tom my name is Tom; **wie ~ Sie?** what's your name?; **wie heißt sie mit Nachnamen?** what's her surname?; **wie heißt das auf Englisch?** what's that in English? 3. vi unpers **es heißt (man sagt)** it is said; **es heißt in dem Brief ...** it says in the letter ...; **das heißt** that is

Heißluftherd m fan-assisted oven

heiter Adj cheerful; (Wetter) bright

heizen vt heat; **Heizkissen** m MED heated pad; **Heizkörper** m radiator; **Heizöl** n fuel oil; **Heizung** f heating

Hektar m hectare

Hektik f **nur keine ~!** take it easy; **hektisch** Adj hectic

Held m hero; **Heldin** f heroine

helfen 1. vi help (jdm bei etw sb with sth); (nützen) be of use 2. vi unpers **es hilft nichts, du musst ...** it's no use, you have to ...; **Helfer(in)** m(f) helper; (Mitarbeiter) assistant

hell Adj bright; (Farbe) light; (Hautfarbe) fair; **hellblau** Adj light blue; **hellblond** Adj ash-blond; **hellgelb** Adj pale yellow; **hellgrün** Adj light green; **Hellseher(in)** m(f) clairvoyant

Helm m helmet; **Helmpflicht** f compulsory wearing of helmets

Hemd n shirt

hemmen vt check; (behindern) hamper; **gehemmt sein** be inhibited; Hemmung f (psychisch) inhibition; (moralisch) scruple

Henkel m handle

Henna n henna

Henne f hen

Hepatitis f hepatitis

her Adv here; **wo ist sie ~?** where is she from?; **das ist zehn Jahre ~** that was ten years ago

herab Adv down; **herablassend** Adj (Bemerkung) condescending; **herabsehen** vt **auf jdn ~** look down on sb; **herabsetzen** vt reduce; fig disparage

heran Adv **näher ~!** come closer; **herankommen** vi approach; **~ an** be able to get at; fig be able to get hold of; **heranwachsen** vi grow up

herauf Adv up; **heraufbeschwören** vt evoke; (verursachen) cause; **heraufziehen 1.** vt pull up **2.** vi approach; (Sturm) gather

heraus Adv out; **herauskommen** vi (Geheimnis) find out; (Rätsel) solve; **herausbringen** vt bring out; **herausfinden** vt find out; **herausfordern** vt challenge; **Herausforderung** f challenge; **herausgeben** vt (Buch) edit; (veröffentlichen) publish; **jdm zwei Euro ~** give sb two euros

change; **herausholen** vt get out (aus of); **herauskommen** vi come out; **dabei kommt nichts heraus** nothing will come of it; **herausstellen** vr turn out (als to be); **herausziehen** vt pull out

Herbst m autumn, fall (US)

Herd m cooker, stove

Herde f herd; (Schafe) flock

herein Adv in; **~!** come in; **hereinfallen** vi **wir sind auf einen Betrüger hereingefallen** we were taken in by a swindler; **hereinlegen** vt **jdn ~** fig take sb for a ride

Herfahrt f journey here; **auf der ~** on the way here

Hergang m course (of events); **schildern Sie mir den ~** tell me what happened

Hering m herring

herkommen vi come; **wo kommt sie her?** where does she come from?

Heroin n heroin

Herpes m MED herpes

Herr m (vor Namen) Mr; (Mann) gentleman; (Adliger, Gott) Lord; **mein ~!** sir; **meine ~en!** gentlemen; **Sehr geehrte Damen und ~en** Dear Sir or Madam; **Herrentoilette** f men's toilet, gents

herrichten vt prepare

herrlich Adj marvellous, splendid

Herrschaft f rule; (Macht)

power

herrschen vi rule; (*bestehen*) be

herstellen vt make; (*industriell*) manufacture; Hersteller(in) m(f) manufacturer; Herstellung f production

herüber Adv over

herum Adv around; (*im Kreis*) round; **um etw ~** around sth; **du hast den Pulli falsch ~** you're wearing your sweater inside out; **anders ~** the other way round; herumfahren vi drive around; herumkommen vi **sie ist viel in der Welt herumgekommen** she's been around the world; **um etw ~** (*vermeiden*) get out of sth; herumkriegen vt talk round; herumtreiben vr hang around

herunter Adv down; heruntergekommen Adj (*Gebäude, Gegend*) down-at-heel; (*Person*) down-at-heel; herunterhandeln vt get down; herunterholen vt bring down; herunterkommen vi come down; herunterladen vt IT download

hervor Adv out; hervorbringen vt produce; (*Wort*) utter; hervorheben vt emphasize, stress; hervorragend Adj excellent; hervorrufen vt cause, give rise to

Herz n heart; (*Karten*) hearts Pl; **von ganzem ~en**

wholeheartedly; **sich etw zu ~en nehmen** take sth to heart; Herzanfall m heart attack; Herzbeschwerden Pl heart trouble Sg; herzhaft Adj (*Essen*) substantial; **~ lachen** have a good laugh; Herzinfarkt m heart attack; Herzklopfen n MED palpitations Pl; **ich hatte ~ (vor Aufregung)** my heart was pounding (with excitement); herzkrank Adj **sie ist ~** she's got a heart condition; herzlich Adj (*Empfang, Mensch*) warm; **~en Glückwunsch** congratulations

Herzog(in) m(f) duke/duchess

Herzschlag m heartbeat; (*Herzversagen*) heart failure; Herzschrittmacher m pacemaker

Hessen n Hessen

heterosexuell Adj heterosexual

Hetze f (*Eile*) rush; hetzen vt, vr rush

Heu n hay

heuer Adv this year

heulen vi howl; (*weinen*) cry

Heuschnupfen m hay fever

Heuschrecke f grasshopper; (*größer*) locust

heute Adv today; **~ Abend/früh** this evening/morning; **~ Nacht** tonight; (*letzte Nacht*) last night; **~ in acht Tagen** a week (from) today; **sie hat bis ~ nicht bezahlt** she hasn't paid to this day;

heutig Adj **die ~e Zeitung/ Generation** today's paper/ generation; **heutzutage** Adv nowadays

Hexe f witch; **Hexenschuss** m lumbago

hier Adv here; **~ entlang** this way; **~ bleiben** stay here; **~ lassen** leave here; **ich bin auch nicht von ~** I'm a stranger here myself; **hierher** Adv here; **das gehört nicht ~** that doesn't belong here; **hiermit** Adv with this

hiesig Adj local

Hi-Fi-Anlage f hi-fi (system)

high Adj umg high; **Highlife** n high life; **~ machen** live it up; **Hightech** n high tech

Hilfe f help; **(für Notleidende, finanziell)** aid; **~!** help!; **erste ~ leisten** give first aid; **um ~ bitten** ask for help; **hilflos** Adj helpless; **hilfsbereit** Adj helpful; **Hilfsmittel** n aid

Himbeere f raspberry

Himmel m sky; REL heaven; **Himmelfahrt** f Ascension; **Himmelsrichtung** f direction; **himmlisch** Adj heavenly

hin Adv there; **~ und her** to and fro; **~ und zurück** there and back; **bis zur Mauer ~** up to the wall; **das ist noch lange ~** (zeitlich) that's a long way off

hinab Adv down; **hinabgehen** vi go down

hinauf Adv up; **hinaufgehen** vi, vt go up; **hinaufsteigen** vi climb (up)

hinaus Adv out; **hinausgehen** vi go out; **~ über** exceed; **hinauslaufen** vi run out; **~ auf** come to, amount to; **hinausschieben** vi put off, postpone; **hinauswerfen** vt throw out; **(aus Firma)** fire, sack (Brit); **hinauszögern** vr take longer than expected

hinbringen vt **ich bringe Sie hin** I'll take you there

hindern vt prevent; **jdn daran ~, etw zu tun** stop (od prevent) sb from doing sth; **Hindernis** n obstacle

Hinduismus m Hinduism

hindurch Adv through; **das ganze Jahr ~** throughout the year, all year round; **die ganze Nacht ~** all night (long)

hinein Adv in; **hineingehen** vi go in; **~ in** go into, enter; **hineinpassen** vi fit in; **~ in** fit into

hinfahren 1. vi go there **2.** vt take there; **Hinfahrt** f outward journey

hinfallen vi fall (down)

Hinflug m outward flight

hingehen vi go there; **(Zeit)** pass; **hinhalten** vt hold out; **(warten lassen)** put off

hinken vi limp; **der Vergleich hinkt** the comparison doesn't work

hinlegen 1. vt put down **2.** vr lie down; **hinnehmen** vt fig put up with, take; **Hin-**

reise *f* outward journey; **hinsetzen** *vr* sit down; **hinsichtlich** *Präp* + *Gen* with regard to; **hinstellen 1.** *vt* put (down) **2.** *vr* stand

hinten *Adv* at the back; (*im Auto*) in the back; (*dahinter*) behind

hinter *Präp* + *Dat od Akk* behind; (*nach*) after; ~ **jdm her sein** be after sb; *etw* ~ **sich bringen** get sth over (and done) with; **Hinterachse** *f* rear axle; **Hinterbein** *n* hind leg; **Hinterbliebene(r)** *mf* dependant; **hintere(r, s)** *Adj* rear, back; **hintereinander** *Adv* (*in einer Reihe*) one behind the other; (*hintereinander her*) one after the other; **drei Tage** ~ three days running (*od* in a row); **Hintergedanke** *m* ulterior motive; **hintergehen** *vt* deceive; **Hintergrund** *m* background; **hinterher** *Adv* (*zeitlich*) afterwards; **los, ~!** come on, after him/her/them; **Hinterkopf** *m* back of the head; **hinterlassen** *vt* leave; **jdm eine Nachricht** ~ leave a message for sb; **hinterlegen** *vt* leave (*bei* with)

Hintern *m umg* backside, bum

Hinterradantrieb *m* AUTO rear-wheel drive; **Hinterteil** *n* back (part); (*Hintern*) behind; **Hintertür** *f* back door

hinüber *Adv* over; ~ **sein** *umg* (*kaputt*) be ruined; (*verdorben*) have gone bad; **hinübergehen** *vi* go over

hinunter *Adv* down; **hinuntergehen** *vi, vt* go down; **hinunterschlucken** *vt a. fig* swallow

Hinweg *m* outward journey

hinwegsetzen *vr* **sich über** *etw* ~ ignore sth

Hinweis *m* (*Andeutung*) hint; (*Anleitung*) instruction; **hinweisen** *vi* **jdn auf** *etw* ~ point sth out to sb

hinzu *Adv* in addition; **hinzufügen** *vt* add

Hirn *n* brain; (*Verstand*) brains *Pl*; **Hirnhautentzündung** *f* meningitis

Hirsch *m* deer; (*als Speise*) venison

Hirse *f* millet

Hirte *m* shepherd

historisch *Adj* historical

Hit *m* MUS, IT hit; **Hitliste** *f*, **Hitparade** *f* charts *Pl*

Hitze *f* heat; **hitzebeständig** *Adj* heat-resistant; **Hitzewelle** *f* heatwave; **hitzig** *Adj* hot-tempered; (*Debatte*) heated; **Hitzschlag** *m* heatstroke

HIV *n Abk* = *Human Immunodeficiency Virus*; HIV; **HIV-negativ** *Adj* HIV-negative; **HIV-positiv** *Adj* HIV-positive

H-Milch *f* long-life milk

Hobby *n* hobby

Hobel *m* plane

hoch *Adj* high; (*Baum, Haus*) tall; (*Schnee*) deep;

der Zaun ist drei Meter ~ the fence is three metres high; **~ begabt** extremely gifted; **das ist mir zu ~** that's above my head; **soll sie leben!, sie lebe ~!** three cheers for her; **4 ~ ist 16** 4 squared is 16; **4 ~ 5** 4 to the power of 5

Hoch n METEO high; **hochachtungsvoll** Adv (in Briefen) Yours faithfully; **Hochbetrieb m es herrscht ~** they/we are extremely busy; **Hochdeutsch** n High German; **Hochgebirge** n high mountains Pl; **Hochhaus** n high rise; **hochheben** vt lift (up); **Hochschule** f (Universität) college; university; **Hochsommer** m midsummer; **Hochsprung** m high jump

höchst Adv highly, extremely; **höchste(r, s)** Adj highest; (äußerste) extreme; **höchstens** Adv at the most; **Höchstgeschwindigkeit** f maximum speed

höchstwahrscheinlich Adv very probably

Hochwasser n high water; (Überschwemmung) floods Pl

Hochzeit f wedding; **Hochzeitsnacht** f wedding night; **Hochzeitsreise** f honeymoon; **Hochzeitstag** m wedding day; (Jahrestag) wedding anniversary

hocken vi, vr squat, crouch

Hocker m stool

Hockey n hockey

Hoden m testicle

Hof m (Hinterhof) yard; (Innenhof) courtyard; (Bauernhof) farm; (Königshof) court

hoffen vi hope (auf + Akk for); **ich hoffe es** I hope so; **hoffentlich** Adv hopefully; **~ nicht** I hope not; **Hoffnung** f hope; **hoffnungslos** Adj hopeless

höflich Adj polite; **Höflichkeit** f politeness

hohe(r, s) Adj → hoch

Höhe f height; (Anhöhe) hill; (einer Summe) amount; (Flughöhe) altitude; **Höhenangst** f vertigo; **Höhensonne** f sun lamp

Höhepunkt m (einer Reise) high point; (einer Veranstaltung) highlight; (eines Films; sexuell) climax

höher Adj, Adv higher

hohl Adj hollow

Höhle f cave

holen vt get, fetch; (abholen) pick up; (Atem) catch; **die Polizei ~** call the police; **jdn/etw ~ lassen** send for sb/sth

Holland n Holland; **Holländer(in)** m(f) Dutchman/-woman; **holländisch** Adj Dutch

Hölle f hell

Hologramm n hologram

holperig Adj bumpy

Holunder m elder

Holz n wood; **Holzboden** m wooden floor; **hölzern** Adj wooden; **holzig** Adj (Stängel) woody; **Holzkohle** f charcoal

Homebanking n home banking, online banking; **Homepage** f home page; **Hometrainer** m exercise machine

homöopathisch Adj homeopathic

homosexuell Adj homosexual

Honig m honey; **Honigmelone** f honeydew melon

Honorar n fee

Hopfen m BOT hop; (beim Brauen) hops Pl

hoppla Interj whoops, oops

horchen vi listen (auf + Akk to); (an der Tür) eavesdrop

hören vt, vi (passiv, mitbekommen) hear; (zufällig) overhear; (aufmerksam zuhören; Radio, Musik) listen to; **ich habe schon viel von Ihnen gehört** I've heard a lot about you; **Hörer** m TEL receiver; **Hörer(in)** m(f) listener; **Hörgerät** n hearing aid

Horizont m horizon; **das geht über meinen ~** that's beyond me

Hormon n hormone

Hornhaut f hard skin; (des Auges) cornea

Horoskop n horoscope

Hörsaal m lecture hall; **Hörsturz** m acute hearing loss

Hose f trousers Pl (Brit), pants Pl (US); (Unterhose)

(under)pants Pl; **eine ~** a pair of trousers/pants; **kurze ~** (pair of) shorts Pl; **Hosenanzug** m trouser suit (Brit), pantsuit (US); **Hosenschlitz** m fly, flies (Brit); **Hosentasche** f trouser pocket (Brit), pant pocket (US); **Hosenträger** m braces Pl (Brit), suspenders Pl (US)

Hospital n hospital

Hotdog n od m hot dog

Hotel n hotel; **in welchem ~ seid ihr?** which hotel are you staying at?; **Hoteldirektor(in)** m(f) hotel manager; **Hotelkette** f hotel chain; **Hotelzimmer** n hotel room

Hotline f hot line

Hubraum m cubic capacity

hübsch Adj (Mädchen, Kind, Kleid) pretty; (gut aussehend; Mann, Frau) good-looking, cute

Hubschrauber m helicopter

Huf m hoof; **Hufeisen** n horseshoe

Hüfte f hip

Hügel m hill; **hügelig** Adj hilly

Huhn n hen; GASTR chicken; **Hühnchen** n chicken; **Hühnerauge** n corn; **Hühnerbrühe** f chicken broth

Hülle f cover; (für Ausweis) case; (Zellophan) wrapping

Hummel f bumblebee

Hummer m lobster; **Hummerkrabbe** f king prawn

Humor m humour; **~ haben** have a sense of humour;

humorvoll *Adj* humorous

humpeln *vi* hobble

Hund *m* dog; **Hundeleine** *f* dog lead (*Brit*), dog leash (*US*)

hundert *Zahl* hundred; **hundertprozentig** *Adj, Adv* one hundred per cent; **hundertste(r, s)** *Adj* hundredth

Hündin *f* bitch

Hunger *m* hunger; **~ haben/ bekommen** be/get hungry; **hungern** *vi* go hungry; (*ernsthaft, dauernd*) starve

Hupe *f* horn; **hupen** *vi* sound one's horn

Hüpfburg *f* bouncy castle®; **hüpfen** *vi* hop; (*springen*) jump

Hürde *f* hurdle

Hure *f* whore

hurra *Interj* hooray

husten *vi* cough; **Husten** *m* cough; **Hustenbonbon** *n* cough sweet; **Hustensaft** *m* cough mixture

Hut *m* hat

hüten 1. *vt* look after **2.** *vr* watch out; **sich ~, etw zu tun** take care not to do sth; **sich ~ vor** beware of

Hütte *f* hut, cottage

Hyäne *f* hyena

Hydrant *m* hydrant

hygienisch *Adj* hygienic

Hyperlink *m* hyperlink

Hypnose *f* hypnosis; **Hypnotiseur(in)** *m(f)* hypnotist; **hypnotisieren** *vt* hypnotize

Hypothek *f* mortgage

hysterisch *Adj* hysterical

I

IC *m Abk* = **Intercityzug**; Intercity (train)

ICE *m Abk* = **Intercityexpresszug**; German high-speed train

ich *Personalpron* I; **~ bin's** it's me; **~ nicht** not me; **du und ~** you and me; **hier bin ~!** here I am; **~ Idiot!** stupid me

Icon *n* IT icon

ideal *Adj* ideal; **Ideal** *n* ideal

Idee *f* idea

identifizieren *vt, vr* identify

identisch *Adj* identical

Idiot(in) *m(f)* idiot; **idiotisch** *Adj* idiotic

Idol *n* idol

Idylle *f* idyll; **idyllisch** *Adj* idyllic

Igel *m* hedgehog

ignorieren *vt* ignore

ihm *Personalpron* (*Dat Sg von er/es*) (to) him; (to) it; **wie geht es ~?** how is he?; **ein Freund von ~** a friend of his

ihn *Personalpron* (*Akk Sg von er*) (*Person*) him; (*Sache*) it

ihnen *Personalpron* (*Dat Pl von sie*) (to) them; **wie**

geht es ~? how are they?;
ein Freund von ~ a friend
of theirs

Ihnen *Personalpron (Dat Sg
und Pl von Sie)* (to) you;
wie geht es ~? how are
you?; **ein Freund von ~** a
friend of yours

ihr 1. *Personalpron (2. Person Pl)* you; **~ seid's** it's
you **2.** *Personalpron (Dat
Sg von sie) (Person)* (to)
her; *(Sache)* (to) it; **er
schickte es ~** he sent it to
her; **er hat ~ die Haare geschnitten** he cut her hair;
wie geht es ~? how is
she?; **ein Freund von ~** a
friend of hers **3.** *Possessivpron (adjektivisch) (Sg, Person)* her; *(Sg, Sache)* its;
(Pl) their; **~ Vater** her father; **~ Auto** *(mehrere Besitzer)* their car

Ihr *Possessivpron (adjektivisch)* your; **~(e)** *XY (am
Briefende)* Yours, XY

ihre(r, s) *Possessivpron (substantivisch) (Sg)* hers; *(Pl)*
theirs; **das ist ihre/ih-
rer/ihr(e)s** that's hers; *(Pl)*
that's theirs

Ihre(r, s) *Possessivpron (substantivisch) (Sg)* yours; **das ist Ih-
re/Ihrer/Ihr(e)s** that's yours

ihretwegen 1. *Adv (wegen
ihr)* because of her; *(ihr zuliebe)* for her sake **2.** *Adv
(wegen ihnen)* because of
them; *(ihnen zuliebe)* for
their sake; **Ihretwegen** *Adv
(wegen Ihnen)* because of

you; *(Ihnen zuliebe)* for
your sake

Ikone *f* icon

illegal *Adj* illegal

Illusion *f* illusion; **sich ~en
machen** delude oneself; **il-
lusorisch** *Adj* illusory

Illustration *f* illustration

Illustrierte *f* (glossy) magazine

im *Kontr von in dem*; **~ Bett**
in bed; **~ Fernsehen** on
TV; **~ Radio** on the radio;
~ Bus/Zug on the bus/
train; **~ Januar** in January;
~ Stehen (while) standing
up

Imbiss *m* snack; **Imbissbu-
de** *f* snack bar

Imbussschlüssel *m* hex key

immer *Adv* always; **~ mehr**
more and more; **~ wieder**
again and again; **~ noch**
still; **~ noch nicht** still not;
für ~ forever; **~ wenn ich
...** every time I ...; **~ schö-
ner/trauriger** more and
more beautiful/sadder and
sadder; **was/wer/wo/wann
(auch) ~** whatever/who-
ever/wherever/whenever;
immerhin *Adv* after all;
immerzu *Adv* all the time

Immigrant(in) *m(f)* immigrant

Immobilien *Pl* property *Sg*,
real estate *Sg*; **Immobilien-
makler(in)** *m(f)* estate
agent *(Brit)*, realtor *(US)*

immun *Adj* immune *(gegen*
to); **Immunschwäche** *f* immunodeficiency; **Immun-**

schwächekrankheit f immune deficiency syndrome; Immunsystem n immune system

impfen vt vaccinate; Impfpass m vaccination card; Impfstoff m vaccine; Impfung f vaccination

imponieren vi impress (jdm sb)

Import m import; importieren vt import

impotent Adj impotent

imstande Adj ~ sein be in a position; (fähig) be able

in 1. Präp + Akk in(to); to; ~ die Stadt into town; ~ die Schule gehen go to school 2. Präp + Dat in; (zeitlich) in; (während) during; (innerhalb) within; ~ der Stadt in town; ~ der Schule at school; noch ~ dieser Woche by the end of this week; heute ~ acht Tagen a week (from) today; Dienstag ~ einer Woche a week on Tuesday 3. Adv ~ sein (in Mode sein) be in

inbegriffen Adj included

indem Konj sie gewann, ~ sie mogelte she won by cheating

Inder(in) m(f) Indian

Indianer(in) m(f) American Indian, Native American; indianisch Adj American Indian, Native American

Indien n India

indirekt Adj indirect

indisch Adj Indian

individuell Adj individual

Indonesien n Indonesia

Industrie f industry; Industrie- in Zs industrial

ineinander Adv in(to) one another (od each other)

Infarkt m (Herzinfarkt) heart attack

Infektion f infection; Infektionskrankheit f infectious disease; infizieren 1. vt infect 2. vr be infected

Info f um g info

infolge Präp + Gen as a result of, owing to; infolgedessen Adv consequently

Informatik f computer science; Informatiker(in) m(f) computer scientist

Information f information; Informationsschalter m information desk; informieren 1. vt inform; falsch ~ misinform 2. vr find out (über + Akk about)

infrage Adv das kommt nicht ~ that's out of the question; etw ~ stellen question sth

Infrastruktur f infrastructure

Infusion f infusion

Ingenieur(in) m(f) engineer

Ingwer m ginger

Inhaber(in) m(f) owner; (von Lizenz) holder

Inhalt m contents Pl; (eines Buchs etc) content; MATHE volume; (Flächeninhalt) area; Inhaltsangabe f summary; Inhaltsverzeichnis n table of contents

Initiative f initiative; die ~ ergreifen take the initiative

Injektion *f* injection

inklusive *Adv, Präp* inclusive (*Gen* of)

inkonsequent *Adj* inconsistent

Inland *n* POL, WIRTSCH home; **im ~** at home; GEO inland; **Inlandsflug** *m* domestic flight; **Inlandsgespräch** *n* national call

Inlineskates *Pl* inline skates *Pl*

innen *Adv* inside; **Innenarchitekt(in)** *m(f)* interior designer; **Innenhof** *m* (inner) courtyard; **Innenminister(in)** *m(f)* minister of the interior, Home Secretary (*Brit*); **Innenseite** *f* inside; **Innenspiegel** *m* rearview mirror; **Innenstadt** *f* town centre; (*von Großstadt*) city centre

innere(r, s) *Adj* inner; (*im Körper, inländisch*) internal; **Innere(s)** *n* inside; (*Mitte*) centre; *fig* heart

innerhalb *Adv, Präp* + *Gen* within; (*räumlich*) inside

innerlich *Adj* internal; (*geistig*) inner

innerste(r, s) *Adj* innermost

Innovation *f* innovation

inoffiziell *Adj* unofficial; (*zwanglos*) informal

ins *Kontr von* **in das**

Insasse *m*, **Insassin** *f* AUTO passenger; (*Anstalt*) inmate

insbesondere *Adv* particularly, in particular

Inschrift *f* inscription

Insekt *n* insect, bug (*US*);

Insektenschutzmittel *n* insect repellent; **Insektenstich** *m* insect bite

Insel *f* island

Inserat *n* advertisement

insgesamt *Adv* altogether, all in all

Insider(in) *m(f)* insider

insofern 1. *Adv* in that respect; (*deshalb*) (and) so **2.** *Konj* if; **~ als** in so far as

Installateur(in) *m(f)* (*Klempner*) plumber; (*Elektroinstallateur*) electrician; **installieren** *vt* IT install

Instinkt *m* instinct

Institut *n* institute

Institution *f* institution

Instrument *n* instrument

Insulin *n* insulin

Inszenierung *f* production

intakt *Adj* intact

intellektuell *Adj* intellectual

intelligent *Adj* intelligent; **Intelligenz** *f* intelligence

intensiv *Adj* (*gründlich*) intensive; (*Gefühl, Schmerz*) intense; **Intensivkurs** *m* crash course; **Intensivstation** *f* intensive care unit

interaktiv *Adj* interactive

interessant *Adj* interesting; **Interesse** *n* interest; **~ haben an** be interested in; **interessieren 1.** *vt* interest **2.** *vr* be interested (*für* in)

Interface *n* IT interface

Internat *n* boarding school

international *Adj* international

Internet *n* Internet, Net; **im ~** on the Internet; **im ~**

surfen surf the Net; **Internetcafé** *n* Internetcafé, cybercafé; **Internetfirma** *f* dotcom company; **Internethandel** *m* e-commerce; **Internetseite** *f* web page

interpretieren *vt* interpret (*als as*)

Interpunktion *f* punctuation

Interregio *m* regional train

Interview *n* interview; **interviewen** *vt* interview

intim *Adj* intimate

intolerant *Adj* intolerant

investieren *vt* invest

inwiefern *Adv* in what way; (*in welchem Ausmaß*) to what extent; **inwieweit** *Adv* to what extent

inzwischen *Adv* meanwhile

Irak *m* (*der*) ~ Iraq

Iran *m* (*der*) ~ Iran

Ire *m* Irishman

irgend *Adv* ~ ***so ein Idiot*** some idiot; **wenn** ~ ***möglich*** if at all possible; **irgendein, irgendeine(r, s)** *Indefinitpron* some; (*fragend, im Bedingungssatz; beliebig*) any; **irgendetwas** *Indefinitpron* something; (*fragend, im Bedingungssatz*) anything; **irgendjemand** *Indefinitpron* somebody; (*fragend, im Bedingungssatz*) anybody; **irgendwann** *Adv* sometime; (*zu beliebiger Zeit*)

any time; **irgendwie** *Adv* somehow; **irgendwo** *Adv* somewhere; (*fragend, im Bedingungssatz*) anywhere

Irin *f* Irishwoman; **irisch** *Adj* Irish; **Irland** *n* Ireland

ironisch *Adj* ironic

irre *Adj* crazy, mad; (*toll*) terrific; **Irre(r)** *mf* lunatic; **irreführen** *vt* mislead; **irren** *vi, vr* be mistaken; **wenn ich mich nicht irre** if I'm not mistaken; **irrsinnig** *Adj* mad, crazy; **Irrtum** *m* mistake, error; **irrtümlich 1.** *Adj* mistaken **2.** *Adv* by mistake

Ischias *m* sciatica

Islam *m* Islam; **islamisch** *Adj* Islamic

Island *n* Iceland; **Isländer(in)** *m(f)* Icelander; **isländisch** *Adj* Icelandic; **Isländisch** *n* Icelandic

Isolierband *n* insulating tape; **isolieren** *vt* isolate; ELEK insulate

Isomatte *f* thermomat, karrymat®

Israel *n* Israel; **Israeli** *m, f* Israeli; **israelisch** *Adj* Israeli

IT *f Abk = **Informationstechnologie**;* IT

Italien *n* Italy; **Italiener(in)** *m(f)* Italian; **italienisch** *Adj* Italian; **Italienisch** *n* Italian

J

ja *Adv* yes; **aber ~!** yes, of course; **~, wissen Sie ...** well, you know ...; **~ ich glaube ~** I think so; **~?** *(am Telefon)* hello?; **sag's ihr ~ nicht!** don't you dare tell her; **das sag ich ~** that's what I'm trying to say

Jacht *f* yacht; **Jachthafen** *m* marina

Jacke *f* jacket; *(Wolljacke)* cardigan

Jackett *n* jacket

Jagd *f* hunt; *(Jagen)* hunting; **jagen 1.** *vi* hunt **2.** *vt* hunt; *(verfolgen)* chase; **Jäger(in)** *m(f)* hunter

Jaguar *m* jaguar

Jahr *n* year; **ein halbes ~** six months *Pl*; **Anfang der neunziger ~e** in the early nineties; **mit sechzehn ~en** at (the age of) sixteen; **Jahrestag** *m* anniversary; **Jahreszahl** *f* date, year; **Jahreszeit** *f* season; **Jahrgang** *m (Wein)* year, vintage; **der ~ 1989** *(Personen)* those born in 1989; **Jahrhundert** *n* century; **jährlich** *Adj* yearly, annual; **Jahrmarkt** *m* fair; **Jahrtausend** *n* millennium; **Jahrzehnt** *n* decade

jähzornig *Adj* hot-tempered

Jakobsmuschel *f* scallop

Jalousie *f* (venetian) blind

Jamaika *n* Jamaica

jämmerlich *Adj* pathetic

jammern *vi* moan

Januar *m* January; → **Juni**

Japan *n* Japan; **Japaner(in)** *m(f)* Japanese; **japanisch** *Adj* Japanese; **Japanisch** *n* Japanese

jaulen *vi* howl

jawohl *Adv* yes (of course)

Jazz *m* jazz

je *Adv* ever; *(jeweils)* each; **~ nach** depending on; **~ nachdem** it depends; **~ schneller desto besser** the faster the better

Jeans *f* jeans *Pl*

jede(r, s) 1. *unbest Zahlwort (insgesamt gesehen)* every; *(einzeln gesehen)* each; *(jede(r, s) beliebige)* any; **~s Mal** every time, each time; **~n zweiten Tag** every other day; **bei ~m Wetter** in any weather **2.** *Indefinitpron* everybody; *(jeder Einzelne)* each; **~r von euch/uns** each of you/us; **jedenfalls** *Adv* in any case; **jederzeit** *Adv* at any time; **jedesmal** *Adv* every time

jedoch *Adv* however

jemals *Adv* ever

jemand *Indefinitpron* somebody; *(in Frage und Verneinung)* anybody

Jemen *m* Yemen

jene(r, s) *Demonstrativpron* that (one); *(Pl)* those

jenseits 1. *Adv* on the other side **2.** *Präp + Gen* on the other side of; *fig* beyond

Jetlag *m* jet lag

jetzig *Adj* present

jetzt *Adv* now; **erst ~** only now; **~ gleich** right now; **bis ~** so far, up to now; **von ~ an** from now on

jeweils *Adv* **~ zwei zusammen** two at a time; **zu ~ 5 Euro** at 5 euros each

Job *m* job; **jobben** *vi umg* work, have a job

Jod *n* iodine

Joga *n* yoga

joggen *vi* jog; **Jogging** *n* jogging; **Jogginghose** *f* jogging pants Pl

Jog(h)urt *m od n* yoghurt

Johannisbeere *f* **Schwarze ~** blackcurrant; **Rote ~** redcurrant

Joint *m umg* joint

jonglieren *vi* juggle

Jordanien *n* Jordan

Joule *n* joule

Journalist(in) *m(f)* journalist

Joystick *m* IT joystick

jubeln *vi* cheer

Jubiläum *n* jubilee; *(Jahrestag)* anniversary

jucken 1. *vi* itch **2.** *vt* **es juckt mich am Arm** my arm is itching; **das juckt mich nicht** *umg* I couldn't care less; **Juckreiz** *m* itch

Jude *m*, **Jüdin** *f* Jew; **sie ist**

Jüdin she's Jewish; **jüdisch** *Adj* Jewish

Judo *n* judo

Jugend *f* youth; **Jugendherberge** *f* youth hostel; **jugendlich** *Adj* youthful; **Jugendliche(r)** *mf* young person; **Jugendstil** *m* art nouveau; **Jugendzentrum** *n* youth centre

Jugoslawien *n* (*hist*) Yugoslavia

Juli *m* July; → **Juni**

jung *Adj* young

Junge *m* boy

Junge(s) *n* young animal; **die ~n** *Pl* the young *Pl*

Jungfrau *f* virgin; ASTR Virgo

Junggeselle *m* bachelor

Juni *m* June; **im ~** in June; **am 4. ~** on 4(th) June, on June 4(th) (*gesprochen: on the fourth of June*); **Anfang/Mitte/Ende ~** at the beginning/in the middle/at the end of June; **letzten/nächsten ~** last/next June

Jupiter *m* Jupiter

Jura *ohne Artikel* (*Studienfach*) law; **~ studieren** study law; **Jurist(in)** *m(f)* lawyer; **juristisch** *Adj* legal

Justiz *f* justice; **Justizminister(in)** *m(f)* minister of justice

Juwel *n* jewel; **Juwelier(in)** *m(f)* jeweller

Jux *m* joke, lark

K

Kabel n ELEK wire; (stark) cable; **Kabelfernsehen** n cable television

Kabeljau m cod

Kabine f cabin; (im Schwimmbad) cubicle

Kabrio n convertible

Kachel f tile; **Kachelofen** m tiled stove

Käfer m beetle, bug (US)

Kaff n dump, hole

Kaffee m coffee; ~ **kochen** make some coffee; **Kaffeekanne** f coffeepot; **Kaffeelöffel** m coffee spoon; **Kaffeemaschine** f coffee maker (od machine); **Kaffeetasse** f coffee cup

Käfig m cage

kahl Adj (Mensch, Kopf) bald; (Baum, Wand) bare

Kahn m boat; (Lastkahn) barge

Kai m quay

Kaiser m emperor; **Kaiserin** f empress; **Kaiserschnitt** m MED caesarean (section)

Kajak n kayak

Kajüte f cabin

Kakao m cocoa; (Getränk) (hot) chocolate

Kakerlake f cockroach

Kaki f kaki

Kaktee f, **Kaktus** m cactus

Kalb n calf; **Kalbfleisch** n veal; **Kalbsbraten** m roast veal; **Kalbsschnitzel** n veal cutlet; (paniert) escalope of veal

Kalender m calendar; (Taschenkalender) diary

Kalk m lime; (in Knochen) calcium

Kalorie f calorie; **kalorienarm** Adj low-calorie

kalt Adj cold; **mir ist (es)** ~ I'm cold; **kaltblütig** Adj cold-blooded; **Kälte** f cold; (fig) coldness

Kambodscha n Cambodia

Kamel n camel

Kamera f camera

Kamerad(in) m(f) friend; (als Begleiter) companion; **Kamerafrau** f, **Kameramann** m camerawoman/-man

Kamille f camomile; **Kamillentee** m camomile tea

Kamin m (außen) chimney; (innen) fireplace

Kamm m comb; (Berg) ridge; (Hahn) crest; **kämmen** vr **sich** ~, **sich die Haare** ~ comb one's hair

Kampf m fight; (Schlacht) battle; (Wettbewerb) contest; fig (Anstrengung) struggle; **kämpfen** vi fight (für, um for); **Kampfsport** m martial art

Kanada n Canada; **Kanadier(in)** m(f) Canadian; **kanadisch** Adj Canadian

Kanal m (Fluss) canal; (Rinne, TV) channel; **der** ~ (Ärmelkanal) the (English)

Channel; **Kanalinseln** Pl
Channel Islands Pl; **Kanaltunnel** m Channel Tunnel

Kanarienvogel m canary

Kandidat(in) m(f) candidate

Kandis(zucker) m rock candy

Känguru n kangaroo

Kaninchen n rabbit

Kanister m can

Kännchen n pot; **ein ~ Kaffee/Tee** a pot of coffee/tea; **Kanne** f (Krug) jug; (Kaffeekanne) pot; (Milchkanne) churn; (Gießkanne) can

Kante f edge

Kantine f canteen

Kanton m canton

Kanu n canoe

Kanzler(in) m(f) chancellor

Kap n cape

Kapelle f (Gebäude) chapel; MUS band

Kaper f caper

kapieren vt, vi umg understand; **kapiert?** got it?

Kapital n capital

Kapitän m captain

Kapitel n chapter

Kappe f cap

Kapsel f capsule

kaputt Adj umg broken; (Mensch) exhausted; **kaputtgehen** vi break; (Schuhe) fall apart; **kaputtmachen** vt break; (jdn) wear out

Kapuze f hood

Karaffe f carafe; (mit Stöpsel) decanter

Karambole f star fruit, carambola

Karamell m caramel, toffee

Karaoke n karaoke

Karat n carat

Karate n karate

Kardinal m cardinal

Karfreitag m Good Friday

kariert Adj checked; (Papier) squared

Karies f (tooth) decay

Karikatur f caricature

Karneval m carnival

Kärnten n Carinthia

Karo n square; (Karten) diamonds Pl

Karosserie f AUTO body(work)

Karotte f carrot

Karpfen m carp

Karriere f career

Karte f card; (Landkarte) map; (Speisekarte) menu; (Eintrittskarte, Fahrkarte) ticket; **mit ~ bezahlen** pay by credit card; **~n spielen** play cards; **die ~n mischen/geben** shuffle/deal the cards

Kartei f card index; **Karteikarte** f index card

Kartenspiel n card game; **Kartentelefon** n cardphone; **Kartenvorverkauf** m advance booking

Kartoffel f potato; **Kartoffelbrei** m mashed potatoes Pl; **Kartoffelchips** Pl crisps Pl (Brit), chips Pl (US); **Kartoffelsalat** m potato salad

Karton m cardboard; (Schachtel) (cardboard) box

Karussell n roundabout (Brit), merry-go-round

Kaschmir m (Stoff) cashmere

Käse m cheese; Käsekuchen m cheesecake; Käseplatte f cheeseboard

Kasino n (Spielkasino) casino

Kasper(l) m Punch; fig clown; Kasperl(e)theater n Punch and Judy show

Kasse f (in Geschäft) till, cash register; (im Supermarkt) checkout; (Geldkasten) cashbox; (Theater) box office; (Kino) ticket office; (Krankenkasse) health insurance; Kassenbon m, Kassenzettel m receipt

Kassette f (small) box; (Tonband) cassette; Kassettenrekorder m cassette recorder

kassieren 1. vt take 2. vi darf ich ~? would you like to pay now?; Kassierer(in) m(f) cashier

Kastanie f chestnut

Kasten m (Behälter) box; (Getränkekasten) crate

Kat m Abk = Katalysator

Katalog m catalogue

Katalysator m AUTO catalytic converter

Katar n Qatar

Katarr(h) m catarrh

Katastrophe f catastrophe, disaster

Kategorie f category

Kater m tomcat; umg (nach zu viel Alkohol) hangover

Kathedrale f cathedral

Katholik(in) m(f) Catholic; katholisch Adj Catholic

Katze f cat

Kauderwelsch n (unverständlich) gibberish

kauen vt, vi chew

Kauf m purchase; (Kaufen) buying; ein guter ~ a bargain; etw in ~ nehmen put up with sth; kaufen vt buy; Käufer(in) m(f) buyer; Kauffrau f businesswoman; Kaufhaus n department store; Kaufmann m businessman; (im Einzelhandel) shopkeeper (Brit), storekeeper (US)

Kaugummi m chewing gum

Kaulquappe f tadpole

kaum Adv hardly, scarcely

Kaution f deposit; JUR bail

Kaviar m caviar

KB n, Kbyte n Abk = Kilobyte; KB

Kebab m kebab

Kegel m skittle; (beim Bowling) pin; MATHE cone; Kegelbahn f bowling alley; kegeln vi play skittles; (bowlen) bowl

Kehle f throat; Kehlkopf m larynx

kehren vt (fegen) sweep

Keilriemen m AUTO fan belt

kein Indefinitpron no, not ... any; ich habe ~ Geld I have no money, I don't have any money; keine(r, s) Indefinitpron (Person) no one, nobody; (Sache) not ... any, none; ~r von ihnen none of them; (bei zwei Personen/Sachen) neither of them; ich will keins

von beiden I don't want either (of them); **keinesfalls** *Adv* on no account, under no circumstances

Keks *m* biscuit (*Brit*), cookie (*US*); **jdm auf den ~ gehen** *umg* get on sb's nerves

Keller *m* cellar; (*Geschoss*) basement

Kellner *m* waiter; **Kellnerin** *f* waitress

Kellner/Kellnerin

Will man einen Kellner oder eine Kellnerin herbeirufen, so zieht man üblicherweise die Aufmerksamkeit durch Augenkontakt und Handzeichen auf sich. Ist die Bedienung in der Nähe, sieht einen jedoch nicht, kann man auch **excuse me** sagen.

Kenia *n* Kenya

kennen *vt* know; **wir ~ uns seit 1990** we've known each other since 1990; **~ lernen** get to know; **sich ~ lernen** get to know each other; (*zum ersten Mal*) meet

Kenntnis *f* knowledge; **seine ~se** his knowledge

Kennwort *n a.* IT password; **Kennzeichen** *n* mark, sign; AUTO number plate (*Brit*), license plate (*US*)

Kerl *m* guy, bloke (*Brit*)

Kern *m* (*Obst*) pip; (*Pfirsich, Kirsche etc*) stone; (*Nuss*) kernel; (*Atomkern*) nu-

cleus; *fig* heart, core

Kernenergie *f* nuclear energy; **Kernkraft** *f* nuclear power; **Kernkraftwerk** *n* nuclear power station

Kerze *f* candle; (*Zündkerze*) plug

Ket(s)chup *m od n* ketchup

Kette *f* chain; (*Halskette*) necklace

keuchen *vi* pant; **Keuchhusten** *m* whooping cough

Keule *f* club; GASTR leg; (*von Hähnchen a.*) drumstick

Keyboard *n* MUS keyboard

Kfz *n Abk* = **Kraftfahrzeug**; **Kfz-Brief** *m* logbook; **Kfz-Steuer** *f* ≈ road tax (*Brit*), vehicle tax (*US*)

Kichererbse *f* chick pea

kichern *vi* giggle

Kickboard® *n* micro scooter

Kicker *m* (*Spiel*) table football (*Brit*), foosball (*US*)

kidnappen *vt* kidnap

Kidney-Bohne *f* kidney bean

Kiefer 1. *m* jaw **2.** *f* pine

Kieme *f* gill

Kies *m* gravel; **Kiesel** *m*, **Kieselstein** *m* pebble

kiffen *vi* umg smoke pot

Kilo *n* kilo; **Kilobyte** *n* kilobyte; **Kilogramm** *n* kilogram; **Kilojoule** *n* kilojoule; **Kilometer** *m* kilometre; **Kilometerstand** *m* ≈ mileage; **Kilowatt** *n* kilowatt

Kind *n* child; **sie bekommt ein ~** she's having a baby; **Kinderarzt** *m*, **Kinderärztin** *f* paediatrician; **Kinderbe-**

treuung f childcare; **Kinderbett** n cot (Brit), crib (US); **Kinderfahrkarte** f child's ticket; **Kindergarten** m nursery school, kindergarten; **Kindergärtnerin** f nursery-school teacher; **Kindergeld** n child benefit; **Kinderkrankheit** f children's illness; **Kinderkrippe** f crèche (Brit), daycare center (US); **Kinderlähmung** f polio; **Kindermädchen** n nanny (Brit), nurse(maid); **kindersicher** Adj childproof; **Kindersicherung** f childproof safety catch; (an Flasche) childproof cap; **Kindersitz** m child seat; **Kinderteller** m (im Restaurant) children's portion; **Kinderwagen** m pram (Brit), baby carriage (US); **Kinderzimmer** n children's (bed)room; **Kindheit** f childhood; **kindisch** Adj childish; **kindlich** Adj childlike

Kinn n chin

Kino n cinema (Brit), movie theater (US); **ins ~ gehen** go to the cinema (Brit) (od to the movies (US))

Kiosk m kiosk

Kippe f umg (Zigarettenstummel) cigarette end, fag end (Brit)

Kirche f church; **Kirchturm** m church tower; (mit Spitze) steeple

Kirmes f fair

Kirsche f cherry; **Kirschto-**

mate f cherry tomato

Kissen n cushion; (Kopfkissen) pillow

Kiste f box; (Truhe) chest

kitschig Adj kitschy, cheesy

kitzelig Adj fig ticklish;

kitzeln vt, vi tickle

Kiwi f (Frucht) kiwi (fruit)

Klage f complaint; JUR lawsuit; **klagen** vi complain (über + Akk about, bei to); **kläglich** Adj wretched

Klammer f (in Text) bracket; (Büroklammer) clip; (Wäscheklammer) peg (Brit), clothespin (US); (Zahnklammer) brace; **Klammeraffe** m (fam) at-sign, @; **klammern** vr cling (an + Akk to)

Klang m sound

Klappbett n folding bed

klappen vi unpers (gelingen) work; **es hat gut geklappt** it went well

klappern vi rattle; (Geschirr) clatter; **Klapperschlange** f rattlesnake

Klappstuhl m folding chair

klar Adj clear; **sich im Klaren sein** be clear (über + Akk about); **alles ~?** everything okay?

klären 1. vt (Flüssigkeit) purify; (Probleme, Frage) clarify **2.** vr clear itself up

Klarinette f clarinet

klarkommen vi **mit etw ~** cope with something; **kommst du klar?** are you managing all right?; **mit jdm ~** get along with sb;

klarmachen vt jdm etw ~ make sth clear to sb; **Klarsichtfolie** f clingfilm (Brit), plastic wrap (US); **klarstellen** vt clarify

Klärung f (von Frage, Problem) clarification

klasse Adj umg great, brilliant

Klasse f class; (Schuljahr) form (Brit), grade (US); **erster ~ reisen** travel first class; **in welche ~ gehst du?** which form (Brit) (od grade (US)) are you in?; **Klassenarbeit** f test; **Klassenlehrer(in)** m(f) class teacher; **Klassenzimmer** n classroom

Klassik f (Zeit) classical period; (Musik) classical music

Klatsch m (Gerede) gossip; **klatschen** vi (schlagen) smack; (Beifall) applaud, clap; (reden) gossip; **klatschnass** Adj soaking (wet)

Klaue f claw; umg (Schrift) scrawl

klauen vt umg pinch

Klavier n piano

Klebeband n adhesive tape; **kleben** vt stick (an + Akk to); (klebrig sein) be sticky; **klebrig** Adj sticky; **Klebstoff** m glue; **Klebstreifen** m adhesive tape

Klecks m blob; (Tinte) blot

Klee m clover

Kleid n dress; **~er** Pl (Kleidung) clothes Pl; **Kleider-**

bügel m coat hanger; **Kleiderschrank** m wardrobe (Brit), closet (US); **Kleidung** f clothing

klein Adj small, little; (Finger) little; **mein ~er Bruder** my little (od younger) brother; **als ich noch ~ war** when I was a little boy/girl; **etw ~ schneiden** chop sth up; **Kleinanzeige** f classified ad; **Kleinbuchstabe** m small letter; **Kleinbus** m minibus; **Kleingeld** n change; **Kleinigkeit** f trifle; (Zwischenmahlzeit) snack; **Kleinkind** n toddler; **kleinschreiben** vt write with a small letter; **Kleinstadt** f small town

Klempner(in) m(f) plumber

klettern vi climb

Klettverschluss m Velcro® fastening

klicken vi a. IT click

Klient(in) m(f) client

Klima n climate; **Klimaanlage** f air conditioning; **klimatisiert** Adj air-conditioned

Klinge f blade

Klingel f bell; **klingeln** vi ring

klingen vi sound

Klinik f clinic; (Krankenhaus) hospital

Klinke f handle

Klippe f cliff; (im Meer) reef; fig hurdle

Klischee n fig cliché

Klo n umg loo (Brit), john (US); **Klobrille** f toilet seat;

Klopapier n toilet paper

klopfen vt, vi knock; (Herz) thump

Kloß m (im Hals) lump; GASTR dumpling

Kloster n (für Männer) monastery; (für Frauen) convent

Klub m club

klug Adj clever

knabbern vt, vi nibble

Knäckebrot n crispbread

knacken vt, vi crack

Knall m bang; **Knallbonbon** n cracker; **knallen** vi bang

knapp Adj (kaum ausreichend) scarce; (Sieg) narrow; **~ bei Kasse sein** be short of money; **~ zwei Stunden** just under two hours

Knautschzone f AUTO crumple zone

kneifen vt, vi pinch; (sich drücken) back out (vor + Dat of)

Kneipe f umg pub (Brit), bar

Knete f umg (Geld) dough; **kneten** vt knead; (formen) mould

knicken vt, vi (brechen) break; (Papier) fold

Knie n knee; **in die ~ gehen** bend one's knees; **Kniebeuge** f knee bend; **Kniegelenk** n knee joint; **Kniekehle** f back of the knee; **knien** vi kneel; **Kniescheibe** f kneecap; **Knieschoner** m, **Knieschützer** m knee pad

knipsen 1. vt punch; FOTO snap 2. vi FOTO take snaps

knirschen vi crunch; **mit den Zähnen ~** grind one's teeth

knitterfrei Adj non-crease; **knittern** vi crease

Knoblauch m garlic; **Knoblauchbrot** n garlic bread; **Knoblauchzehe** f clove of garlic

Knöchel m (Finger) knuckle; (Fuß) ankle

Knochen m bone; **Knochenbruch** m fracture; **Knochenmark** n marrow

Knödel m dumpling

Knopf m button; **Knopfdruck** m auf **~** at the touch of a button; **Knopfloch** n buttonhole

Knospe f bud

knoten vt knot; **Knoten** m knot; MED lump

Know-how n know-how, expertise

knurren vi (Hund) growl; (Magen) rumble; (Mensch) grumble

knusprig Adj crisp; (Keks) crunchy

knutschen vi umg smooch

k. o. Adj SPORT knocked out; fig knackered

Koalition f coalition

Koch m cook; **Kochbuch** n cookery book, cookbook; **kochen** vt, vi cook; (Wasser) boil; (Kaffee, Tee) make; **Köchin** f cook; **Kochlöffel** m wooden spoon; **Kochnische** f kitchenette; **Kochplatte** f hotplate; **Kochrezept** n recipe;

Kochtopf *m* saucepan
Kode *m* code
Köder *m* bait
Koffein *n* caffeine; **koffeinfrei** *Adj* decaffeinated
Koffer *m* (suit)case; **Kofferraum** *m* AUTO boot (*Brit*), trunk (*US*)
Kognak *m* brandy
Kohl *m* cabbage
Kohle *f* coal; (*Holzkohle*) charcoal; (*Geld*) cash, dough; **Kohlehydrat** *n* carbohydrate; **Kohlendioxid** *n* carbon dioxide; **Kohlensäure** *f* (*in Getränken*) fizz; **ohne ~** still, non-carbonated (*US*); **mit ~** sparkling, carbonated (*US*)
Kohlrabi *m* kohlrabi
Kohlrübe *f* swede (*Brit*), rutabaga (*US*)
Koje *f* cabin; (*Bett*) bunk
Kokain *n* cocaine
Kokosnuss *f* coconut
Kolben *m* TECH piston
Kolik *f* colic
Kollaps *m* collapse
Kollege *m*, **Kollegin** *f* colleague
Köln *n* Cologne
Kolonne *f* convoy
Kolumbien *n* Columbia
Koma *n* coma
Kombi *m* estate (car) (*Brit*), station wagon (*US*); **Kombination** *f* combination; (*Folgerung*) deduction; **kombinieren 1.** *vt* combine **2.** *vi* reason; (*vermuten*) guess
Komfort *m* conveniences *Pl*;

(*Bequemlichkeit*) comfort
Komiker(in) *m(f)* comedian, comic; **komisch** *Adj* funny
Komma *n* comma
kommen *vi* come; (*näher kommen*) approach; (*passieren*) happen; (*gelangen, geraten*) get; (*erscheinen*) appear; (*in die Schule, das Gefängnis etc*) go; **zu sich ~** come round (*od* to); **zu etw ~** (*bekommen*) acquire sth; (*Zeit dazu finden*) get round to sth; **wer kommt zuerst?** who's first?; **kommend** *Adj* coming; **~e Woche** next week; **in den ~en Jahren** in the years to come
Kommentar *m* commentary; **kein ~** no comment
Kommilitone *m*, **Kommilitonin** *f* fellow student
Kommissar(in) *m(f)* inspector
Kommode *f* chest of drawers
Kommunikation *f* communication
Kommunion *f* REL communion
Kommunismus *m* communism
Komödie *f* comedy
kompakt *Adj* compact
Kompass *m* compass
kompatibel *Adj* compatible
kompetent *Adj* competent
komplett *Adj* complete
Kompliment *n* compliment; **jdm ein ~ machen** pay sb a compliment; **~!** congratulations
kompliziert *Adj* complicated

Komponist(in) *m(f)* composer

Kompost *m* compost; **Komposthaufen** *m* compost heap

Kompott *n* stewed fruit

Kompresse *f* compress

Kompromiss *m* compromise

Kondition *f* (*Leistungsfähigkeit*) condition; **sie hat eine gute ~** she's in good shape

Konditorei *f* cake shop; (*mit Café*) café

Kondom *n* condom

Konfektionsgröße *f* size

Konferenz *f* conference

Konfession *f* religion; (*christlich*) denomination

Konfetti *n* confetti

Konfirmation *f* REL confirmation

Konflikt *m* conflict

konfrontieren *vt* confront

Kongo *m* Congo

Kongress *m* conference; **der ~** (*Parlament der USA*) Congress

König *m* king; **Königin** *f* queen; **Königinpastete** *f* vol-au-vent; **königlich** *Adj* royal; **Königreich** *n* kingdom

Konkurrenz *f* competition

können *vt*, *vi* be able to, can; (*wissen*) know; **~ Sie Deutsch?** can (*od* do) you speak German?; **ich kann nicht kommen** I can't come; **das kann sein** that's possible; **ich kann nichts dafür** it's not my fault

konsequent *Adj* consistent

konservativ *Adj* conservative

Konserven *Pl* tinned food *Sg* (*Brit*), canned food *Sg*; **Konservendose** *f* tin (*Brit*)

konservieren *vt* preserve; **Konservierungsmittel** *n* preservative

Konsonant *m* consonant

Konsul(in) *m(f)* consul; **Konsulat** *n* consulate

Kontakt *m* contact; **kontaktarm** *Adj* **er ist ~** he lacks contact with other people; **kontaktfreudig** *Adj* sociable; **Kontaktlinsen** *Pl* contact lenses *Pl*

Kontinent *m* continent

Konto *n* account; **Kontoauszug** *m* (bank) statement; **Kontoinhaber(in)** *m(f)* account holder; **Kontonummer** *f* account number; **Kontostand** *m* balance

Kontrabass *m* double bass

Kontrast *m* contrast

Kontrolle *f* control; (*Aufsicht*) supervision; (*Passkontrolle*) passport control; **kontrollieren** *vt* control; (*nachprüfen*) check

Konzentration *f* concentration; **Konzentrationslager** *n* HIST concentration camp; **konzentrieren** *vt*, *vr* concentrate

Konzept *n* rough draft

Konzert *n* concert; (*Stück*) concerto; **Konzertsaal** *m* concert hall

koordinieren vt coordinate

Kopf m head; **Kopfhörer** m headphones Pl; **Kopfkissen** n pillow; **Kopfsalat** m lettuce; **Kopfschmerzen** Pl headache Sg; **Kopfstütze** f headrest; **Kopftuch** n headscarf

Kopie f copy; **kopieren** vt a. IT copy; **Kopierer** m, **Kopiergerät** n copier

Kopilot(in) m(f) co-pilot

Koralle f coral

Koran m REL Koran

Korb m basket; **jdm einen ~ geben** fig turn sb down

Kord m corduroy

Kordel f cord

Korinthe f currant

Kork m cork; **Korken** m cork; **Korkenzieher** m corkscrew

Korn n grain; **Kornblume** f cornflower

Körper m body; **Körperbau** m build; **körperbehindert** Adj disabled; **Körpergeruch** m body odour; **körperlich** Adj physical; **Körperverletzung** f physical injury

korrekt Adj correct

Korrespondent(in) m(f) correspondent; **Korrespondenz** f correspondence

korrigieren vt correct

Kosmetik f cosmetics Pl; **Kosmetikkoffer** m vanity case; **Kosmetiksalon** m beauty parlour

Kost f (Nahrung) food; (Verpflegung) board

kostbar Adj precious; (teu-

er) costly, expensive

kosten 1. vt cost **2.** vt, vi (versuchen) taste; **Kosten** Pl costs, cost; (Ausgaben) expenses Pl; **auf ~ von** at the expense of; **kostenlos** Adj free (of charge); **Kostenvoranschlag** m estimate

köstlich Adj (Essen) delicious; **sich ~ amüsieren** have a marvellous time

Kostprobe f taster; fig sample; **kostspielig** Adj expensive

Kostüm n costume; (Damenkostüm) suit

Kot m excrement

Kotelett n chop, cutlet

Koteletten Pl sideboards Pl (Brit), sideburns Pl (US)

Kotflügel m AUTO wing

kotzen vi vulg puke, throw up

Krabbe f shrimp; (größer) prawn; (Krebs) crab

krabbeln vi crawl

Krach m crash; (andauernd) noise; umg (Streit) row

Kraft f strength; POL, PHYS force; (Fähigkeit) power; **in ~ treten** come into effect; **Kraftausdruck** m swearword; **Kraftfahrzeug** n motor vehicle; **Kraftfahrzeugbrief** m ≈ logbook; **Kraftfahrzeugschein** m vehicle registration document; **Kraftfahrzeugsteuer** f ≈ road tax (Brit), vehicle tax (US); **Kraftfahrzeugversicherung** f car insurance;

kräftig *Adj* strong; *(gesund)* healthy; *(Farben)* intense, strong; **Kraftstoff** *m* fuel; **Kraftwerk** *n* power station

Kragen *m* collar

Krähe *f* crow

Kralle *f* claw; *(Parkkralle)* wheel clamp

Kram *m* stuff

Krampf *m* cramp; *(zuckend)* spasm; **Krampfader** *f* varicose vein

Kran *m* crane

Kranich *m* ZOOL crane

krank *Adj* ill, sick

kränken *vt* hurt

Krankengymnastik *f* physiotherapy; **Krankenhaus** *n* hospital; **Krankenkasse** *f* health insurance; **Krankenpfleger** *m* (male) nurse; **Krankenschein** *m* health insurance certificate; **Krankenschwester** *f* nurse; **Krankenversicherung** *f* health insurance; **Krankenwagen** *m* ambulance; **Krankheit** *f* illness; *(durch Infektion hervorgerufen)* disease

Kränkung *f* insult

Kranz *m* wreath

krass *Adj* crass; *(toll)* wicked

kratzen *vt, vi* scratch; **Kratzer** *m* scratch

kraulen 1. *vi (schwimmen)* do the crawl **2.** *vt (streicheln)* pet

Kraut *n (Kohl)* cabbage; **Kräuter** *Pl* herbs *Pl*; **Kräu-** terbutter *f* herb butter; **Kräutertee** *m* herbal tea; **Krautsalat** *m* coleslaw

Krawatte *f* tie

kreativ *Adj* creative

Krebs *m* ZOOL crab; MED cancer; ASTR Cancer

Kredit *m* credit; **auf ~** on credit; **einen ~ aufnehmen** take out a loan; **Kreditkarte** *f* credit card

Kreide *f* chalk

Kreis *m* circle; *(Bezirk)* district

Kreisel *m (Spielzeug)* top; *(Verkehrskreisel)* roundabout *(Brit)*, traffic circle *(US)*

Kreislauf *m* MED circulation; *fig (der Natur etc)* cycle; **Kreislaufstörungen** *Pl* MED **ich habe ~** I've got problems with my circulation; **Kreisverkehr** *m* roundabout *(Brit)*, traffic circle *(US)*

Kren *m* horseradish

Kresse *f* cress

Kreuz *n* cross; ANAT small of the back; *(Karten)* clubs *Pl*; **mir tut das ~ weh** I've got backache; **Kreuzband** *n* cruciate ligament; **Kreuzfahrt** *f* cruise; **Kreuzgang** *m* cloisters *Pl*; **Kreuzotter** *f* adder; **Kreuzschlüssel** *m* AUTO wheel brace; **Kreuzschmerzen** *Pl* backache *Sg*; **Kreuzung** *f (Verkehrskreuzung)* crossroads *Sg*, intersection; *(Züchtung)* cross; **Kreuzworträtsel** *n*

crossword (puzzle)
kriechen vi crawl; (*unauffällig*) creep; *fig pej* (**vor jdm**) ~ crawl (to sb)

Krieg m war

kriegen vt *umg* get; (*erwischen*) catch; **sie kriegt ein Kind** she's having a baby; **ich kriege noch Geld von dir** you still owe me some money

Krimi m *umg* thriller; **Kriminalität** f criminality; **Kriminalpolizei** f detective force, ≈ CID (*Brit*), ≈ FBI (*US*); **Kriminalroman** m detective novel; **kriminell** *Adj* criminal

Krippe f (*Futterkrippe*) manger; (*Weihnachtskrippe*) crib (*Brit*), crèche (*US*); (*Kinderkrippe*) crèche (*Brit*), daycare center (*US*)

Krise f crisis

Kristall 1. m crystal 2. n (*Glas*) crystal

Kritik f criticism; (*Rezension*) review; **Kritiker(in)** m(f) critic; **kritisch** *Adj* critical

kritzeln vt, vi scribble, scrawl

Kroate m Croat; **Kroatien** n Croatia; **Kroatin** f Croat; **kroatisch** *Adj* Croatian; **Kroatisch** n Croatian

Krokodil n crocodile

Krokus m crocus

Krone f crown

Kröte f toad

Krücke f crutch

Krug m jug; (*Bierkrug*) mug

Krümel m crumb

krumm *Adj* crooked

Kruste f crust

Kruzifix n crucifix

Kuba n Cuba

Kübel m tub; (*Eimer*) bucket

Kubikmeter m cubic metre

Küche f kitchen; (*Kochen*) cooking

Kuchen m cake; **Kuchengabel** f cake fork

Küchenmaschine f food processor; **Küchenpapier** n kitchen roll; **Küchenschrank** m (kitchen) cupboard

Kuckuck m cuckoo

Kugel f ball; MATHE sphere; MIL bullet; (*Weihnachtskugel*) bauble; **Kugellager** n ball bearing; **Kugelschreiber** m (ball-point) pen, biro® (*Brit*); **Kugelstoßen** n shot put

Kuh f cow

kühl *Adj* cool; **Kühlbox** f cool box; **kühlen** vt cool; **Kühler** m AUTO radiator; **Kühlerhaube** f AUTO bonnet (*Brit*), hood (*US*); **Kühlschrank** m fridge, refrigerator; **Kühltasche** f cool bag; **Kühltruhe** f freezer

Kuhstall m cowshed

Küken n chick

Kuli m *umg* (*Kugelschreiber*) pen, biro® (*Brit*)

Kulisse f scenery

Kult m cult; **Kultfigur** f cult figure

kurzfristig

Kultur f culture; (*Lebens-form*) civilization; Kultur-beutel m toilet bag (*Brit*), washbag; kulturell Adj cultural

Kümmel m caraway seeds Pl

Kummer m grief, sorrow

kümmern 1. vr *sich um jdn ~* look after sb; *sich um etw ~* see to sth 2. vt concern; *das kümmert mich nicht* that doesn't worry me

Kumpel m umg mate, pal

Kunde m customer; Kun-dendienst m after-sales (*od* customer) service; Kunden(kredit)karte f storecard, chargecard; Kun-dennummer f customer number

kündigen 1. vi hand in one's notice; (*Mieter*) give notice that one is moving out; *jdm ~* give sb his/her notice; (*Vermieter*) give sb notice to quit 2. vt cancel; (*Vertrag*) terminate; *jdm die Stellung ~* give sb his/her notice; Kündigung f (*Arbeitsverhältnis*) dismissal; (*Vertrag*) termination; (*Abonnement*) cancellation; (*Frist*) notice

Kundin f customer; Kund-schaft f customers Pl

künftig Adj future

Kunst f art; (*Können*) skill; Kunstausstellung f art exhibition; Kunstgewerbe n arts and crafts Pl; Künst-ler(in) m(f) artist; künstle-

risch Adj artistic

künstlich Adj artificial

Kunststoff m synthetic material; Kunststück n trick; Kunstwerk n work of art

Kupfer n copper

Kuppel f dome

kuppeln vi AUTO operate the clutch; Kupplung f coupling; AUTO clutch

Kur f course of treatment; (*am Kurort*) cure

Kür f SPORT free programme

Kurbel f winder

Kürbis m pumpkin

Kurierdienst m courier service

Kurort m health resort

Kurs m course; FIN rate; (*Wechselkurs*) exchange rate

kursiv 1. Adj italic 2. Adv in italics

Kursleiter(in) m(f) course tutor; Kursteilnehmer(in) m(f) (course) participant

Kurve f curve; (*Straßenkurve*) bend; kurvenreich Adj (*Straße*) winding

kurz Adj short; (*zeitlich a.*) brief; ~ *vorher/darauf* shortly before/after; *kannst du ~ kommen?* could you come here for a minute?; ~ *gesagt* in short; kurzärme-lig Adj short-sleeved; kür-zen vt cut short; (*in der Länge*) shorten; (*Gehalt*) reduce; kurzerhand Adv on the spot; kurzfristig Adj short-term; *das Kon-zert wurde ~ abgesagt* the concert was called off at short notice; **Kurzge-schichte** f short story; **kürzlich** Adv recently; **Kurznachrichten** Pl news summary Sg; **Kurzparkzone** f short-stay (Brit) (od short-term US) parking zone; **Kurzschluss** m ELEK short circuit; **kurzsichtig** Adj short-sighted; **Kurzurlaub** m short holiday (Brit), short vacation (US)

Kusine f cousin

Kuss m kiss; **küssen** vt, vr kiss

Küste f coast; (Ufer) shore; **Küstenwache** f coastguard

Kutsche f carriage; (ge-schlossene) coach

Kuvert n envelope

Kuvertüre f coating

Kuwait n Kuwait

KZ n Abk = **Konzentra-tionslager**; HIST concentration camp

L

Labor n lab

Labyrinth n maze

lächeln vi smile; **Lächeln** n smile; **lachen** vi laugh; **lächerlich** Adj ridiculous

Lachs m salmon

Lack m varnish; (Farblack) lacquer; (an Auto) paint; **lackieren** vt varnish; (Auto) spray; **Lackschaden** m scratch (on the paintwork)

Ladegerät n (battery) charger; **laden** vt a. IT load; (einladen) invite; (Handy etc) charge

Laden m shop; (Fensterladen) shutter; **Ladendieb(in)** m(f) shoplifter; **Ladendiebstahl** m shoplifting

Ladung f load; SCHIFF, FLUG cargo

Lage f position, situation

Lager n camp; WIRTSCH warehouse; TECH bearing

Lagerfeuer n campfire; **lagern** vt store

Lagune f lagoon

lahm Adj lame; (langweilig) dull; **lähmen** vt paralyse; **Lähmung** f paralysis

Laib m loaf

Laie m layman

Laken n sheet

Lakritze f liquorice

Lamm n (a. Lammfleisch) lamb

Lampe f lamp; (Glühbirne) bulb; **Lampenfieber** n stage fright; **Lampenschirm** m lampshade

Lampion m Chinese lantern

Land n (Gelände) land; (Nation) country; (Bundesland) state, Land; **auf dem ~(e)** in the country

Landebahn f runway; **landen** vt, vi land

Länderspiel n international

(match)

Landesgrenze f national border, frontier; **Landeswährung** f national currency; **landesweit** Adj nationwide

Landhaus n country house; **Landkarte** f map; **Landkreis** m administrative region, ≈ district

ländlich Adj rural

Landschaft f countryside; (schöne) scenery; KUNST landscape; **Landstraße** f country road, B road (Brit)

Landung f landing; **Landungsbrücke** f, **Landungssteg** m gangway

Landwirt(in) m(f) farmer; **Landwirtschaft** f agriculture, farming; **landwirtschaftlich** Adj agricultural

lang Adj long; (Mensch) tall; **ein zwei Meter ~er Tisch** a table two metres long; **den ganzen Tag ~** all day long; **langärmelig** Adj long-sleeved; **lange** Adv (for) a long time; **ich musste ~ warten** I had to wait (for) a long time; **ich bleibe nicht ~** I won't stay long; **es ist ~ her, dass wir uns gesehen haben** it's a long time since we saw each other; **Länge** f length; GEO longitude

langen vi umg (ausreichen) be enough; umg (fassen) reach (nach for); **mir langt's** I've had enough

Langeweile f boredom

langfristig 1. Adj long-term **2.** Adv in the long term

Langlauf m cross-country skiing

langsam 1. Adj slow **2.** Adv slowly

Langschläfer(in) m(f) late riser

längst Adv **das ist ~ fertig** that was finished a long time ago; **sie sollte ~ da sein** she should have been here long ago; **als sie kam, waren wir ~ weg** when she arrived we had long since left

Langstreckenflug m long-haul flight

Languste f crayfish, crawfish (US)

langweilen vt bore; **ich langweile mich** I'm bored; **langweilig** Adj boring

Laos n Laos

Lappen m cloth, rag; (Staublappen) duster

läppisch Adj silly; (Summe) ridiculous

Laptop m laptop

Lärche f larch

Lärm m noise

Lasche f flap

Laser m laser; **Laserdrucker** m laser printer

lassen vi, vt (erlauben) let; (an einem Ort, in einem Zustand) leave; (aufhören mit) stop; **etw machen ~** have sth done; **sich die Haare schneiden ~** have one's hair cut; **jdn etw machen ~** make sb do sth;

lass das! stop it

lässig *Adj* casual

Last *f* load; (*Bürde*) burden

Laster *n* vice; *umg* truck, lorry (*Brit*)

lästern *vi* **über jdn/etw ~** make nasty remarks about sb/sth

lästig *Adj* annoying; (*Person*) tiresome

Last-Minute-Flug *m* last-minute flight; **Last-Minute-Ticket** *n* last-minute ticket

Lastwagen *m* truck, lorry (*Brit*)

Latein *n* Latin

Laterne *f* lantern; (*Straßenlaterne*) streetlight

Latte *f* slat; SPORT bar

Latz *m* bib; **Lätzchen** *n* bib; **Latzhose** *f* dungarees *Pl*

lau *Adj* (*Wind, Luft*) mild

Laub *n* foliage; **Laubfrosch** *m* tree frog

Lauch *m* leeks *Pl*; **eine Stange ~** a leek; **Lauchzwiebel** *f* spring onions *Pl* (*Brit*), scallions *Pl* (*US*)

Lauf *m* run; (*Wettlauf*) race; (*Entwicklung*) course; **Laufbahn** *f* career; **laufen** *vi, vt* run; (*gehen*) walk; (*funktionieren*) work; **mir läuft die Nase** my nose is running; **was läuft im Kino?** what's on at the cinema?; **wie läuft's so?** how are things?; **laufend** *Adj* running; (*Monat, Ausgaben*) current; **auf dem Laufenden sein/halten** keep/be kept up-to-date; **Läufer** *m* (*Teppich*) rug;

(*Schach*) bishop; **Läufer(in)** *m(f)* SPORT runner; **Laufmasche** *f* ladder (*Brit*), run (*US*); **Laufwerk** *n* IT drive

Laune *f* mood; **gute/schlechte ~ haben** be in a good/bad mood; **launisch** *Adj* moody

Laus *f* louse

lauschen *vi* listen; (*heimlich*) eavesdrop

laut 1. *Adj* loud **2.** *Adv* loudly; (*lesen*) aloud **3.** *Präp + Gen od Dat* according to

läuten *vt, vi* ring

lauter *Adv* umg (*nichts als*) nothing but

Lautsprecher *m* loudspeaker; **Lautstärke** *f* loudness; RADIO, TV volume

lauwarm *Adj* lukewarm

Lava *f* lava

Lavendel *m* lavender

Lawine *f* avalanche

leasen *vt* lease; **Leasing** *n* leasing

leben *vt, vi* live; **wie lange ~ Sie schon hier?** how long have you been living here?; **von ... ~** (*Nahrungsmittel etc*) live on ...; (*Beruf, Beschäftigung*) make one's living from ...; **Leben** *n* life; **lebend** *Adj* living; **lebendig** *Adj* alive; (*lebhaft*) lively; **lebensgefährlich** *Adj* very dangerous; (*Verletzung*) critical; **Lebensgefährte** *m*, **Lebensgefährtin** *f* partner; **Lebenshal-**

tungskosten *Pl* cost *Sg* of living; **lebenslänglich** *Adj* for life; ~ **bekommen** get life; **Lebenslauf** *m* curriculum vitae (*Brit*), CV (*Brit*), resumé (*US*); **Lebensmittel** *Pl* food *Sg*; **Lebensmittelgeschäft** *n* grocer's (shop); **Lebensmittelvergiftung** *f* food poisoning; **lebensnotwendig** *Adj* vital; **Lebensretter(in)** *m(f)* rescuer; **Lebensstandard** *m* standard of living; **Lebenszeichen** *n* sign of life

Leber *f* liver; **Leberfleck** *m* mole; **Leberpastete** *f* liver pâté

Lebewesen *n* living being

lebhaft *Adj* lively; (*Erinnerung, Eindruck*) vivid

Lebkuchen *m* gingerbread

leblos *Adj* lifeless

Leck *n* leak

lecken **1.** *vi* (*Loch haben*) leak **2.** *vt, vi* (*schlecken*) lick

lecker *Adj* delicious, tasty

Leder *n* leather

ledig *Adj* single

leer *Adj* empty; (*Seite*) blank; (*Batterie*) dead; **leeren** *vt, vr* empty; **Leerlauf** *m* (*Gang*) neutral; **Leerung** *f* emptying; (*Briefkasten*) collection

legal *Adj* legal, lawful

legen **1.** *vt* put, place; (*Eier*) lay **2.** *vr* lie down; (*Sturm, Begeisterung*) die down; (*Schmerz, Gefühl*) wear off

leger *Adj* casual

Lehm *m* loam; (*Ton*) clay

Lehne *f* arm(rest); (*Rückenlehne*) back(rest); **lehnen** *vt, vr* lean

Lehrbuch *n* textbook; **Lehre** *f* teaching; (*beruflich*) apprenticeship; (*moralisch*) lesson; **lehren** *vt* teach; **Lehrer(in)** *m(f)* teacher; **Lehrgang** *m* course; **Lehrling** *m* apprentice; **lehrreich** *Adj* instructive

Leibwächter(in) *m(f)* bodyguard

Leiche *f* corpse; **Leichenwagen** *m* hearse

leicht **1.** *Adj* light; (*einfach*) easy, simple; (*Erkrankung*) slight; **jdm ~ fallen** be easy for sb; **es sich ~ machen** take the easy way out **2.** *Adv* (*mühelos, schnell*) easily; (*geringfügig*) slightly; **Leichtathletik** *f* athletics *Sg*; **leichtsinnig** *Adj* careless; (*stärker*) reckless

leid *Adj*; **jdn/etw ~ sein** be tired of sb/sth; **Leid** *n* grief, sorrow; ~ **tun → leidtun**; **leiden** *vi* suffer (*an, unter* + *Dat* from); **ich kann ihn/es nicht ~** I can't stand him/it; **Leiden** *n* suffering; (*Krankheit*) illness

Leidenschaft *f* passion; **leidenschaftlich** *Adj* passionate

leider *Adv* unfortunately; **wir müssen jetzt ~ gehen** I'm afraid we have to go now; ~ **ja/nein** I'm afraid so/not

leidtun *vi* **es tut mir/ihm** I'm/he's sorry; **er tut mir**

I'm sorry for him

leihen vt jdm etw ~ lend sb sth; **sich etw von jdm ~** borrow sth from sb; **Leihwagen** m hire car (Brit), rental car (US)

Leim m glue

Leine f cord; (für Wäsche) line; (Hundeleine) lead (Brit), leash (US)

Leinen n linen; **Leinwand** f KUNST canvas; FILM screen

leise 1. Adj quiet; (sanft) soft **2.** Adv quietly

Leiste f ledge; (Zierleiste) strip; ANAT groin

leisten vt (Arbeit) do; (vollbringen) achieve; **jdm Gesellschaft ~** keep sb company; **sich etw ~** (gönnen) treat oneself to sth; **ich kann es mir nicht ~** I can't afford it

Leistenbruch m hernia

Leistung f performance; (gute) achievement

leiten vt lead; (Firma) run; (in eine Richtung) direct; ELEK conduct

Leiter f ladder

Leiter(in) m(f) (von Geschäft) manager

Leitplanke f crash barrier

Leitung f (Führung) direction; TEL line; (von Firma) management; (Wasserleitung) pipe; (Kabel) cable; **eine lange ~ haben** be slow on the uptake; **Leitungswasser** n tap water

Lektion f lesson

Lektüre f (Lesen) reading; (Lesestoff) reading matter

Lende f (Speise) loin; (vom Rind) sirloin

lenken vt steer; (Blick) direct (auf + Akk towards); **jds Aufmerksamkeit auf etw ~** draw sb's attention to sth; **Lenker** m (von Fahrrad, Motorrad) handlebars Pl; **Lenkrad** n steering wheel; **Lenkradschloss** n steering lock; **Lenkstange** f handlebars Pl

Leopard m leopard

Lepra f leprosy

Lerche f lark

lernen vt, vi learn; (für eine Prüfung) study, revise

lesbisch Adj lesbian

Lesebuch n reader; **lesen** vi, vt read; (ernten) pick; **Leser(in)** m(f) reader; **leserlich** Adj legible; **Lesezeichen** n bookmark

Lettland n Latvia

letzte(r, s) Adj last; (neueste) latest; (endgültig) final; **zum ~n Mal** for the last time; **am ~n Montag** last Monday; **in ~r Zeit** lately, recently; **letztens** Adv (vor kurzem) recently

Leuchte f lamp, light; **leuchten** vi shine; (Feuer, Zifferblatt) glow; **Leuchter** m candlestick; **Leuchtreklame** f neon sign; **Leuchtstift** m highlighter; **Leuchtturm** m lighthouse

leugnen 1. vt deny **2.** vi deny everything

Leukämie f leukaemia

(*Brit*), leukemia (*US*)
Leukoplast® *n* Elastoplast® (*Brit*), Band-Aid® (*US*)
Leute *Pl* people *Pl*
Lexikon *n* encyclopaedia (*Brit*), encyclopedia (*US*)
Libanon *n* **der** ∼ Lebanon
Libelle *f* dragonfly
liberal *Adj* liberal
Libyen *n* Libya
Licht *n* light; **Lichtblick** *m* ray of hope; **lichtempfindlich** *Adj* sensitive to light; **Lichtempfindlichkeit** *f* FOTO speed; **Lichthupe** *f* **die** ∼ **betätigen** flash one's lights; **Lichtjahr** *n* light year; **Lichtmaschine** *f* dynamo; **Lichtschalter** *m* light switch; **Lichtschranke** *f* light barrier; **Lichtschutzfaktor** *m* sun protection factor, SPF
Lichtung *f* clearing
Lid *n* eyelid; **Lidschatten** *m* eyeshadow
lieb *Adj* (*nett*) nice; (*teuer, geliebt*) dear; (*liebenswert*) sweet; **das ist** ∼ **von dir** that's nice of you; **Lieber Herr X** Dear Mr X; **Liebe** *f* love; **lieben** *vt* love; (*sexuell*) make love to; **liebenswürdig** *Adj* kind; **lieber** *Adv* rather; **ich möchte** ∼ **nicht** I'd rather not; **welches ist dir** ∼**?** which one do you prefer?; → **gern, lieb**; **Liebesbrief** *m* love letter; **Liebeskummer** *m* ∼ **haben** be lovesick; **Liebespaar** *n* lovers *Pl*; **liebevoll**

Adj loving; **Liebhaber(in)** *m(f)* lover; **lieblich** *Adj* lovely; (*Wein*) sweet; **Liebling** *m* darling; **Lieblings-** *in Zs* favourite; **liebste(r, s)** *Adj* favourite; **liebsten** *Adv* **am** ∼ **esse ich** ... my favourite food is ...; **am** ∼ **würde ich bleiben** I'd really like to stay
Liechtenstein *n* Liechtenstein
Lied *n* song; REL hymn
liefern *vt* deliver; (*beschaffen*) supply; **Lieferung** *f* delivery
Liege *f* (*beim Arzt*) couch; (*Nottbett*) campbed; (*Gartenliege*) lounger; **liegen** *vi* lie; (*sich befinden*) be; **mir liegt nichts/viel daran** it doesn't matter to me/it matters a lot to me; **woran liegt es nur, dass** ...**?** why is it that ...?; ∼ **bleiben** (*Mensch*) stay lying down; (*im Bett*) stay in bed; (*Ding*) be left (behind); ∼ **lassen** (*vergessen*) leave behind; **Liegestuhl** *m* deck chair; **Liegestütz** *m* press-up (*Brit*), push-up (*US*); **Liegewagen** *m* BAHN couchette car
Lift *m* lift, elevator (*US*)
Liga *f* league, division
light *Adj* (*Cola*) diet; (*fettarm*) low-fat; (*kalorienarm*) low-calorie; (*Zigaretten*) mild
Likör *m* liqueur
lila *Adj* purple

Lilie f lily

Limette f lime

Limo f umg fizzy drink (Brit), soda (US); Limonade f fizzy drink (Brit), soda (US); (mit Zitronengeschmack) lemonade

Limone f lime

Limousine f saloon (car) (Brit), sedan (US); umg limo

Linde f lime tree

lindern vt relieve, soothe

Lineal n ruler

Linie f line; Linienflug m scheduled flight; Linienrichter m linesman; liniert Adj ruled, lined

Linke f left-hand side; (Hand) left hand; POL left (wing); linke(r, s) Adj left; auf der ~n Seite on the left, on the left-hand side; links Adv on the left; ~ abbiegen turn left; ~ von to the left of; ~ oben at the top left; Linksaußen m left winger; Linkshänder(in) m(f) left-hander; linksherum Adv to the left, anticlockwise; Linksverkehr m driving on the left

Linse f lentil; (optisch) lens; Linsensuppe f lentil soup

Lippe f lip; Lipgloss n lip gloss; Lippenstift m lipstick

lispeln vi lisp

List f cunning; (Trick) trick

Liste f list

Litauen n Lithuania

Liter m od n litre

literarisch Adj literary; Literatur f literature

Litschi f lychee, litchi

live Adv RADIO, TV live

Lizenz f licence

Lkw m Abk = Lastkraftwagen; truck, lorry (Brit)

Lob n praise; loben vt praise

Loch n hole; lochen vt punch; Locher m (hole) punch

Locke f curl; locken vt (anlocken) lure; (Haare) curl; Lockenstab m curling tongs Pl (Brit), curling irons Pl (US); Lockenwickler m curler

locker Adj (Schraube, Zahn) loose; (Haltung) relaxed; (Person) easy-going; lockern vt, vr loosen

lockig Adj curly

Löffel m spoon; einen ~ Mehl zugeben add a spoonful of flour

Loge f THEAT box

logisch Adj logical

Lohn m reward; (Arbeitslohn) pay, wages Pl

lohnen vr be worth it; es lohnt sich nicht zu warten it's no use waiting

Lohnerhöhung f pay rise (Brit), pay raise (US); Lohnsteuer f income tax

Lokal n (Gaststätte) restaurant; (Kneipe) pub (Brit), bar

Lokomotive f locomotive

London n London

Lorbeer m laurel; Lorbeerblatt n GASTR bay leaf

los Adj loose; ~**!** go on!; **jdn/
etw ~ sein** be rid of sb/sth;
was ist ~? what's the matter?, what's up?; **dort ist
nichts/viel ~** there's noth-
ing/a lot going on there

Los n (Schicksal) lot, fate;
(Lotterie) ticket

löschen vt (Feuer, Licht)
put out, extinguish; (Durst)
quench; (Tonband) erase;
(Daten, Zeile) delete

lose Adj loose

Lösegeld n ransom

losen vi draw lots

lösen 1. vt (lockern) loosen;
(Rätsel) solve; CHEM dis-
solve; (Fahrkarte) buy **2.** vr
(abgehen) come off; (Zu-
cker etc) dissolve; (Problem, Schwierigkeit) (re)-
solve itself

losfahren vi leave; **losgehen** vi set off; (anfangen)
start; **loslassen** vt let go

löslich Adj soluble

Lösung f (eines Rätsels,
Problems, Flüssigkeit) solution

loswerden vt get rid of

Lotterie f lottery; **Lotto** n
National Lottery; ~ **spielen**
play the lottery

Löwe m ZOOL lion; ASTR
Leo; **Löwenzahn** m dandelion

Luchs m lynx

Lücke f gap

Luft f air; (Atem) breath;
Luftballon m balloon; **luftdicht** Adj airtight; **Luft-
druck** m METEO atmospher-

ic pressure; (in Reifen) air
pressure

lüften vt air; (Geheimnis) reveal

Luftfahrt f aviation; **Luftfeuchtigkeit** f humidity;
Luftfilter m air filter; **Luft-
fracht** f air freight; **Luft-
matratze** f airbed; **Luftpi-
rat(in)** m(f) hijacker; **Luftpost** f airmail; **Luftpumpe**
f (bicycle) pump; **Luftröhre**
f windpipe

Lüftung f ventilation

Luftverschmutzung f air
pollution; **Luftwaffe** f air
force; **Luftzug** m draught
(Brit), draft (US)

Lüge f lie; **lügen** vi lie; **Lüg-
ner(in)** m(f) liar

Luke f hatch

Lumpen m rag

Lunchpaket n packed lunch

Lunge f lungs Pl; **Lungenentzündung** f pneumonia

Lupe f magnifying glass; **etw
unter die ~ nehmen** fig
have a close look at sth

Lust f joy, delight; (Neigung) desire; ~ **auf etw haben** feel like sth; ~ **haben,
etw zu tun** feel like doing
sth

lustig Adj (komisch) amusing, funny; (fröhlich) cheerful

lutschen 1. vt suck **2.** vi ~
an suck; **Lutscher** m lollipop

Luxemburg n Luxembourg

luxuriös Adj luxurious

Luxus m luxury

Lymphdrüse f lymph gland; **Lymphknoten** m lymph node

Lyrik f poetry

M

machbar Adj feasible

machen 1. vt (herstellen, verursachen) make; (tun, erledigen) do; (kosten) be; **das Essen/einen Fehler ~** make dinner/a mistake; **ein Foto ~** take a photo; **was machst du?** what are you doing?; (beruflich) what do you do (for a living)?; **das kann man doch nicht ~!** you can't do that; **das Bett ~** make the bed; **das Zimmer ~** do (od tidy (up)) the room; **was macht das?** (kostet) how much is that?; **das macht zwanzig Euro** that's twenty euros; **einen Spaziergang ~** go for a walk; **Urlaub ~** go on holiday; **eine Pause ~** take a break; **einen Kurs ~** take a course; **das macht nichts** it doesn't matter **2.** vr **sich an die Arbeit ~** get down to work

Macht f power; **mächtig** Adj powerful; (umg) enormous; **machtlos** Adj powerless; **da ist man ~** there's nothing you can do (about it)

Mädchen n girl; **Mädchenname** m maiden name

Made f maggot

Magazin n magazine

Magen m stomach; **Magenbeschwerden** Pl stomach trouble Sg; **Magen-Darm-Infektion** f gastroenteritis; **Magengeschwür** n stomach ulcer; **Magenschmerzen** Pl stomachache Sg

mager Adj (Fleisch, Wurst) lean; (Person) thin; (Käse, Joghurt) low-fat; **Magermilch** f skimmed milk; **Magersucht** f anorexia; **magersüchtig** Adj anorexic

magisch Adj magical

Magnet m magnet

mähen vt, vi mow

mahlen vt grind

Mahlzeit 1. f meal; (für Baby) feed **2.** Interj (guten Appetit) enjoy your meal

mahnen vt urge; **jdn schriftlich ~** send sb a reminder; **Mahngebühr** f fine; **Mahnung** f warning; (schriftlich) reminder

Mai m May; → **Juni**; **Maifeiertag** m May Day; **Maiglöckchen** n lily of the valley; **Maikäfer** m cockchafer

Mail f e-mail; **Mailbox** f IT mailbox; **mailen** vi, vt e-mail

Mais m maize, corn (US); **Maiskolben** m corn cob; GASTR corn on the cob

Majestät f Majesty
Majonäse f mayonnaise
Majoran m marjoram
Make-up n make-up
Makler(in) m(f) broker; (*Immobilienmakler*) estate agent (*Brit*), realtor (*US*)
Makrele f mackerel
Makrone f macaroon
mal *Adv* (*beim Rechnen*) times, multiplied by; (*beim Messen*) by; *umg* (*einmal = früher*) once; (*einmal = zukünftig*) some day; *4 ~ 3 ist 12* 4 times 3 is (*od* equals) twelve; *da habe ich ~ gewohnt* I used to live there; *irgendwann ~ werde ich dort hinfahren* I'll go there one day
Mal n (*Zeitpunkt*) time; (*Markierung*) mark; *jedes ~* every time; *ein paar ~* a few times
Malaria f malaria
Malaysia n Malaysia
Malbuch n colouring book
Malediven *Pl* Maldives *Pl*
malen vt, vi paint; **Maler(in)** m(f) painter; **Malerei** f painting; **malerisch** *Adj* picturesque
Mallorca n Majorca, Mallorca
malnehmen vt multiply (*mit* by)
Malta n Malta
Malz n malt; **Malzbier** n malt beer
Mama f mum(my) (*Brit*), mom(my) (*US*)
man *Indefinitpron* you;

(*förmlich*) one; (*jemand*) someone, somebody; (*die Leute*) they, people *Pl*; *wie schreibt ~ das?* how do you spell that?; *~ sagt, dass ~* they (*od* people) say that ...

managen vt *umg* manage; **Manager(in)** m(f) manager
manche(r, s) *Indefinitpron* (*einige*) some; (*viele*) many; *~r Politiker* many politicians *Pl*, many a politician; **manchmal** *Adv* sometimes
Mandant(in) m(f) client
Mandarine f mandarin, tangerine
Mandel f almond; *~n* ANAT tonsils *Pl*; **Mandelentzündung** f tonsillitis
Manege f ring
Mangel m (*Fehlen*) lack; (*Knappheit*) shortage (*an* + *Dat* of); (*Fehler*) defect, fault; **mangelhaft** *Adj* (*Ware*) faulty; (*Schulnote*) ≈ E
Mango f mango
Manieren *Pl* manners *Pl*
Maniküre f manicure
Manko n deficiency
Mann m man; (*Ehemann*) husband; **Männchen** n *es ist ein ~* (*Tier*) it's a he; **männlich** *Adj* masculine; BIO male
Mannschaft f SPORT fig team; SCHIFF, FLUG crew
Mansarde f attic
Manschettenknopf m cufflink
Mantel m coat

Mappe f briefcase; (*Aktenmappe*) folder

Maracuja f passion fruit

Marathon m marathon

Märchen n fairy tale

Marder m marten

Margarine f margarine

Marienkäfer m ladybird (*Brit*), ladybug (*US*)

Marihuana n marijuana

Marille f apricot

Marine f navy

marinieren vt marinate

Marionette f puppet

Mark n (*Knochenmark*) marrow; (*Fruchtmark*) pulp

Marke f (*Warensorte*) brand; (*Fabrikat*) make; (*Briefmarke*) stamp; (*Essenmarke*) voucher, ticket; (*aus Metall etc*) disc; (*Messpunkt*) mark

markieren vt mark; **Markierung** f marking; (*Zeichen*) mark

Markise f awning

Markt m market; **auf den ~ bringen** launch; **Markthalle** f covered market; **Marktlücke** f gap in the market; **Marktplatz** m market place; **Marktwirtschaft** f market economy

Marmelade f jam; (*Orangenmarmelade*) marmalade

Marmor m marble; **Marmorkuchen** m marble cake

Marokko n Morocco

Marone f chestnut

Mars m Mars

Marsch m march

Märtyrer(in) m(f) martyr

März m March; → **Juni**

Marzipan n marzipan

Maschine f machine; (*Motor*) engine; **Maschinenbau** m mechanical engineering

Masern Pl MED measles Sg

Maske f mask; **Maskenball** m fancy-dress ball

Maskottchen n mascot

Maß n measure; (*Mäßigung*) moderation; (*Grad*) degree, extent; **~e** (*Person*) measurements; (*Raum*) dimensions; **in gewissem/hohem ~e** to a certain/high degree

Mass f (*Bier*) litre of beer

Massage f massage

Masse f mass; (*von Menschen*) crowd; (*Großteil*) majority; **massenhaft** Adv masses (*od* loads) of; **Massenkarambolage** f pile-up; **Massenmedien** Pl mass media Pl

Masseur(in) m(f) masseur/masseuse

maßgeschneidert Adj (*Kleidung*) made-to-measure

massieren vt massage

mäßig Adj moderate

massiv Adj solid; fig massive

maßlos Adj extreme

Maßnahme f measure, step

Maßstab m rule, measure; fig standard; **im ~ von 1:5** on a scale of 1:5

Mast m mast; ELEK pylon

Material n material; (*Arbeitsmaterial*) materials Pl; **materialistisch** Adj materialistic

Materie f matter
Mathematik f mathematics Sg; **Mathematiker(in)** m(f) mathematician
Matinee f ≈ matinee
Matratze f mattress
Matrose m sailor
Matsch m mud; (Schnee) slush; **matschig** Adj (Boden) muddy; (Schnee) slushy; (Obst) mushy
matt Adj weak; (glanzlos) dull; FOTO matt; (Schach) mate
Matte f mat
Matura f Austrian school-leaving examination, ≈ A-levels (Brit), ≈ High School Diploma (US)
Mauer f wall
Maul n mouth; umg gob; **halt's ~!** shut your face (od gob); **Maulesel** m mule; **Maulkorb** m muzzle; **Maulwurf** m mole
Maurer(in) m(f) bricklayer
Mauritius n Mauritius
Maus f mouse; **Mausefalle** f mousetrap; **Mausklick** m mouse click; **Mauspad** n mouse mat (od pad); **Maustaste** f mouse key (od button)
Maut f toll; **Mautgebühr** f toll; **mautpflichtig** Adj **~e Straße** toll road, turnpike (US); **Mautstelle** f tollbooth, tollgate; **Mautstraße** f toll road, turnpike (US)
maximal Adv **ihr habt ~ zwei Stunden Zeit** you've got two hours at (the)

most; **~ vier Leute** a maximum of four people
Mayonnaise f → **Majonäse**
Mazedonien n Macedonia
MB n, **Mbyte** n Abk = **Megabyte**; MB
Mechanik f mechanics Sg; (Getriebe) mechanics Pl; **Mechaniker(in)** m(f) mechanic; **mechanisch** Adj mechanical; **Mechanismus** m mechanism
meckern vi (Ziege) bleat; umg (schimpfen) moan
Mecklenburg-Vorpommern n Mecklenburg-Western Pomerania
Medaille f medal
Medien Pl media Pl
Medikament n medicine
Meditation f meditation; **meditieren** vi meditate
medium Adj (Steak) medium
Medizin f medicine (gegen for); **medizinisch** Adj medical
Meer n sea; **am ~** by the sea; **Meerenge** f straits Pl; **Meeresfrüchte** Pl seafood Sg; **Meeresspiegel** m sea level; **Meerrettich** m horseradish; **Meerschweinchen** n guinea pig
Megabyte n megabyte
Mehl n flour; **Mehlspeise** f sweet dish made from flour, eggs and milk
mehr 1. Indefinitpron more; **~ will ich nicht ausgeben** I don't want to spend any more, that's as much as I

want to spend; **was willst du ~?** what more do you want? **2.** *Adv* **immer ~ (Leute)** more and more (people); **~ als fünf Minuten** more than five minutes; **es ist kein Brot ~ da** there's no bread left; **nie ~** never again; **mehrdeutig** *Adj* ambiguous; **mehrere** *Indefinitpron* several; **mehreres** *Indefinitpron* several things; **mehrfach** *Adj* multiple; *(wiederholt)* repeated; **Mehrfachstecker** *m* multiple plug; **Mehrheit** *f* majority; **mehrmals** *Adv* repeatedly; **mehrsprachig** *Adj* multilingual; **Mehrwertsteuer** *f* value added tax, VAT; **Mehrzahl** *f* majority; *(Plural)* plural

meiden *vt* avoid

Meile *f* mile

mein *Possessivpron (adjektivisch)* my; **meine(r, s)** *Possessivpron (substantivisch)* mine

meinen *vt, vi (glauben, der Ansicht sein)* think; *(sagen)* say; *(sagen wollen, beabsichtigen)* mean; **das war nicht so gemeint** I didn't mean it like that

meinetwegen *Adv (wegen mir)* because of me; *(mir zuliebe)* for my sake; *(von mir aus)* as far as I'm concerned

Meinung *f* opinion; **meiner ~ nach** in my opinion; **Meinungsumfrage** *f* opinion

poll; **Meinungsverschiedenheit** *f* disagreement *(über about)*

Meise *f* tit; **eine ~ haben** *umg* be crazy

Meißel *m* chisel

meist *Adv* mostly; **meiste(r, s)** *Indefinitpron* most; **die ~n (Leute)** most people; **die ~ Zeit** most of the time; **das ~ (davon)** most of it; **die ~n von ihnen** most of them; **meistens** *Adv* mostly; *(zum größten Teil)* for the most part

Meister(in) *m(f)* master; SPORT champion; **Meisterschaft** *f* championship; **Meisterwerk** *n* masterpiece

melden 1. *vt* report **2.** *vr* report *(bei* to); *(Schule)* put one's hand up; *(freiwillig)* volunteer; *(auf etw, am Telefon)* answer; **Meldung** *f* announcement; *(Bericht)* report; IT message

Melodie *f* tune, melody

Melone *f* melon

Memoiren *Pl* memoirs *Pl*

Menge *f* quantity; *(Menschen)* crowd; **eine ~ (große Anzahl)** a lot (+ *Gen* of)

Meniskus *m* meniscus

Mensa *f* canteen, cafeteria (US)

Mensch *m* human being, man; *(Person)* person; **kein ~** nobody; **~!** *(bewundernd)* wow!; *(verärgert)* bloody hell!; **Menschenmenge** *f* crowd; **Menschenrechte** *Pl* human rights *Pl*; **Men-**

schenverstand *m* **gesunder** ~ common sense; **Menschheit** *f* humanity, mankind; **menschlich** *Adj* human; (*human*) humane **Menstruation** *f* menstruation **Mentalität** *f* mentality, mindset **Menthol** *n* menthol **Menü** *n* set meal; IT menu

---

Menü

Ein **Menü** im Restaurant ist ein **set meal**. Es besteht aus **starter** oder **hors d'oeuvre** (**Vorspeise**), **main course/dish** (**Hauptgericht**) und **dessert** (**Nachtisch**). Ein 3- oder 4-gängiges **Menü** ist ein **three-course** bzw. **four-course meal**. Der englische Begriff **menu** bedeutet hingegen **Speisekarte**.

Menüleiste *f* IT menu bar **Merkblatt** *n* leaflet; **merken** *vt* (*bemerken*) notice; **sich etw** ~ remember sth; **Merkmal** *n* feature **Merkur** *m* Mercury **merkwürdig** *Adj* odd **Messbecher** *m* measuring jug **Messe** *f* fair; REL mass **messen** **1.** *vt* measure; (*Temperatur, Puls*) take **2.** *vr* compete **Messer** *n* knife **Messing** *n* brass **Metall** *n* metal **Meteorologe** *m*, **Meteorolo**-

gin *f* meteorologist **Meter** *m od n* metre; **Metermaß** *n* tape measure **Methode** *f* method **Metzger(in)** *m(f)* butcher; **Metzgerei** *f* butcher's (shop) **Mexiko** *n* Mexico **MEZ** *f Abk* = **mitteleuropäische Zeit**; CET **miau** *Interj* miaow **mich** *Personalpron* me; ~ (**selbst**) (*reflexiv*) myself; **stell dich hinter** ~ stand behind me; **ich fühle** ~ **wohl** I feel fine **Miene** *f* look, expression **mies** *Adj* *umg* lousy **Miesmuschel** *f* mussel **Mietauto** *n* → **Mietwagen**; **Miete** *f* rent; **mieten** *vt* rent; (*Auto*) hire (*Brit*), rent (*US*); **Mieter(in)** *m(f)* tenant; **Mietshaus** *n* block of flats (*Brit*), apartment house (*US*); **Mietvertrag** *m* rental agreement; **Mietwagen** *m* hire car (*Brit*), rental car (*US*); **sich einen** ~ **nehmen** hire (*Brit*) (*od* rent (*US*)) a car **Migräne** *f* migraine **Mikrofon** *n* microphone **Mikrowelle** *f*, **Mikrowellenherd** *m* microwave (oven) **Milch** *f* milk; **Milch-eis** *n* ice--cream (*made with milk*); **Milchkaffee** *m* milky coffee; **Milchpulver** *n* powdered milk; **Milchreis** *m* rice pudding; **Milchshake** *m* milk shake; **Milchstraße** *f* Milky Way

mild *Adj* mild; (*Richter*) lenient; (*freundlich*) kind

Militär *n* military, army

Milliarde *f* billion; **Milligramm** *n* milligram; **Milliliter** *m* millilitre; **Millimeter** *m* millimetre; **Million** *f* million; **Millionär(in)** *m(f)* millionaire

Milz *f* spleen

Minderheit *f* minority

minderjährig *Adj* underage

minderwertig *Adj* inferior

Mindest- in *Zs* minimum; **mindeste(r, s)** *Adj* least; **mindestens** *Adv* at least

Mine *f* mine; (*Bleistift*) lead; (*Kugelschreiber*) refill

Mineralwasser *n* mineral water

Minibar *f* minibar; **Minigolf** *n* miniature golf, crazy golf (*Brit*)

minimal *Adj* minimal

Minimum *n* minimum

Minirock *m* miniskirt

Minister(in) *m(f)* minister; **Ministerium** *n* ministry; **Ministerpräsident(in)** *m(f)* (*von Bundesland*) minister President (*Prime Minister of a Bundesland*)

minus *Adv* minus; **Minus** *n* deficit; **im ~ sein** be in the red; (*Konto*) be overdrawn

Minute *f* minute

Minze *f* mint

mir *Personalpron* (to) me; **kannst du ~ helfen?** can you help me?; **kannst du es ~ erklären?** can you ex-

plain it to me?; **ich habe ~ einen neuen Rechner gekauft** I bought (myself) a new computer; **ein Freund von ~** a friend of mine

mischen *vt* mix; (*Karten*) shuffle; **Mischung** *f* mixture (*aus* of)

missachten *vt* ignore; **Missbrauch** *m* abuse; (*falscher Gebrauch*) misuse; **missbrauchen** *vt* misuse (*zu* for); (*sexuell*) abuse; **Misserfolg** *m* failure; **Missgeschick** *n* (*Panne*) mishap; **misshandeln** *vt* ill-treat

Mission *f* mission

misslingen *vi* fail; **misstrauen** *vt + Dat* distrust; **Misstrauen** *n* mistrust, suspicion (*gegenüber* of); **misstrauisch** *Adj* distrustful; (*argwöhnisch*) suspicious; **Missverständnis** *n* misunderstanding; **missverstehen** *vt* misunderstand

Mist *m* *umg* rubbish; (*von Kühen*) dung; (*als Dünger*) manure

Mistel *f* mistletoe

mit 1. *Präp + Dat* with; (*mittels*) by; **~ der Bahn** by train; **~ der Kreditkarte bezahlen** pay by credit card; **~ 10 Jahren** at the age of 10; **wie wär's ~ ...?** how about ...? **2.** *Adv* along, too; **wollen Sie ~?** do you want to come along?

Mitarbeiter(in) *m(f)* (*Angestellter*) employee

mitbekommen *vt* *umg* (*auf-*

schnappen) catch; (hören) hear; (verstehen) get

mitbenutzen vt share

Mitbewohner(in) m(f) (in Wohnung) flatmate (Brit), roommate (US)

mitbringen vt bring along; **Mitbringsel** n small present

miteinander Adv with one another; (gemeinsam) together

miterleben vt see (with one's own eyes)

Mitesser m blackhead

Mitfahrgelegenheit f lift, ride (US); **Mitfahrzentrale** f agency for arranging lifts

mitgeben vt **jdm etw** ~ give sb sth (to take along)

Mitgefühl n sympathy

mitgehen vi go/come along

mitgenommen Adj worn out, exhausted

Mitglied n member

mithilfe Präp + Gen ~ **von** with the help of

mitkommen vi come along; (verstehen) follow

Mitleid n pity; ~ **haben mit** feel sorry for

mitmachen **1.** vt take part in **2.** vi take part

mitnehmen vt take along; (anstrengen) wear out, exhaust

mitschreiben **1.** vi take notes **2.** vt take down

Mitschüler(in) m(f) schoolmate

mitspielen vi (in Mannschaft) play; (bei Spiel) join

in; **in einem Film/Stück** ~ act in a film/play

Mittag m midday; **gestern** ~ at midday yesterday, yesterday lunchtime; **zu** ~ **essen** have lunch; **Mittagessen** n lunch; **mittags** Adv at lunchtime, at midday; **Mittagspause** f lunch break

Mitte f middle; ~ **Juni** in the middle of June; **sie ist** ~ **zwanzig** she's in her mid-twenties

mitteilen vt **jdm etw** ~ inform sb of sth; **Mitteilung** f notification

Mittel n means Sg; (Maßnahme, Methode) method; MED remedy (gegen for)

Mittelalter n Middle Ages Pl; **mittelalterlich** Adj medieval; **Mittelamerika** n Central America; **Mitteleuropa** n Central Europe; **Mittelfeld** n midfield; **Mittelfinger** m middle finger; **mittelmäßig** Adj mediocre; **Mittelmeer** n Mediterranean (Sea); **Mittelohrentzündung** f inflammation of the middle ear; **Mittelpunkt** m centre; **im** ~ **stehen** be the centre of attention

mittels Präp + Gen by means of

Mittelstürmer(in) m(f) striker, centre-forward

mitten Adv in the middle; ~ **auf der Straße/in der Nacht** in the middle of the street/night

Mitternacht f midnight

mittlere(r, s) *Adj* middle;
(*durchschnittlich*) average
mittlerweile *Adv* meanwhile
Mittwoch *m* Wednesday;
(*am*) ~ on Wednesday;
(*am*) ~ *Morgen/Nachmittag/Abend* (on) Wednesday
morning/afternoon/evening;
diesen/letzten/nächsten ~
this/last/next Wednesday;
jeden ~ every Wednesday;
~ *in einer Woche* a week
on Wednesday/Wednesday
week; **mittwochs** *Adv* on
Wednesdays; ~ *abends* (*jeden Mittwochabend*) on
Wednesday evenings
mixen *vt* mix; **Mixer** *m* (*Küchengerät*) blender
mobben *vt* harass (*od* bully)
(at work)
Möbel *n* piece of furniture;
die ~ *Pl* the furniture *Sg*;
Möbelwagen *m* removal
van
mobil *Adj* mobile; **Mobiltelefon** *n* mobile phone
möblieren *vt* furnish
Mode *f* fashion
Model *n* model
Modell *n* model
Modem *n* IT modem
Mode(n)schau *f* fashion
show
Moderator(in) *m(f)* presenter
modern *Adj* modern; (*modisch*) fashionable; **modisch** *Adj* fashionable
Modus *m* IT mode; *fig* way
Mofa *n* moped
mogeln *vi* cheat

mögen *vt, vi* like; *ich möchte* ... I would like ...; *ich
möchte lieber bleiben* I'd
rather stay; *möchtest du
lieber Tee oder Kaffee?*
would you prefer tea or
coffee?
möglich *Adj* possible; *so
bald wie* ~ as soon as possible; **möglicherweise** *Adv*
possibly; **Möglichkeit** *f*
possibility; **möglichst** *Adv*
as ... as possible
Mohn (*Blume*) poppy;
(*Samen*) poppy seed
Möhre *f*, **Mohrrübe** *f* carrot
Mokka *m* mocha
Moldawien *n* Moldova
Molkerei *f* dairy
Moll *n* minor (key); *a*~ A
minor
mollig *Adj* cosy; (*dicklich*)
plump
Moment *m* moment; *im* ~ at
the moment; *einen* ~ *bitte!*
just a minute; **momentan
1.** *Adj* momentary **2.** *Adv*
at the moment
Monaco *n* Monaco
Monarchie *f* monarchy
Monat *m* month; *sie ist im
dritten* ~ (*schwanger*) she's
three months pregnant;
monatlich *Adj*, *Adv*
monthly; ~ *100 Euro zahlen*
pay 100 euros a month (*od*
every month); **Monatskarte**
f monthly season ticket
Mönch *m* monk
Mond *m* moon; **Mondfinsternis** *f* lunar eclipse
Mongolei *f* die ~ Mongolia

Monitor m IT monitor
monoton Adj monotonous
Monsun m monsoon
Montag m Monday; → **Mittwoch**; **montags** Adv on Mondays; → **mittwochs**
Montenegro n Montenegro
Monteur(in) m(f) fitter; **montieren** vt assemble, set up
Monument n monument
Moor n moor
Moos n moss
Moped n moped
Moral f (Werte) morals Pl; **moralisch** Adj moral
Mord m murder; **Mörder(in)** m(f) murderer/murderess
morgen Adv tomorrow; → **früh** tomorrow morning
Morgen m morning; **am** ~ in the morning; **Morgenmantel** m dressing gown; **Morgenmuffel** m **er ist ein** ~ he's not a morning person
morgens Adv in the morning; **um 3 Uhr** ~ at 3 (o'clock) in the morning, at 3 am
Morphium n morphine
morsch Adj rotten
Mosaik n mosaic
Mosambik n Mozambique
Moschee f mosque
Moskau n Moscow
Moskito m mosquito; **Moskitonetz** n mosquito net
Moslem m, **Moslime** f Muslim
Most m (unfermented) fruit juice; (Apfelwein) cider
Motel n motel
motivieren vt motivate

Motor m engine; ELEK motor; **Motorboot** n motorboat; **Motoröl** n engine oil; **Motorhaube** f bonnet (Brit), hood (US); **Motorrad** n motorbike, motorcycle; **Motorradfahrer(in)** m(f) motorcyclist; **Motorroller** m (motor) scooter; **Motorschaden** m engine trouble
Motte f moth
Motto n motto
Mountainbike n mountain bike
Möwe f (sea)gull
Mücke f midge; (tropische) mosquito; **Mückenstich** m mosquito bite
müde Adj tired
muffig Adj (Geruch) musty; (Gesicht, Mensch) grumpy
Mühe f trouble, pains Pl; **sich große ~ geben** go to a lot of trouble
Mühle f mill; (Kaffeemühle) grinder
Mull m muslin; MED gauze
Müll m rubbish (Brit), garbage (US); **Müllabfuhr** f rubbish (od garbage US) disposal
Mullbinde f gauze bandage
Müllcontainer m waste container; **Mülleimer** m rubbish bin (Brit), garbage can (US); **Mülltonne** f dustbin (Brit), garbage can (US); **Müllwagen** m dustcart (Brit), garbage truck (US)
multikulturell Adj multicultural

Multimedia- *in Zs* multimedia

Multiple-Choice-Verfahren *n* multiple choice

multiple Sklerose *f* multiple sclerosis

Multiplexkino *n* multiplex (cinema)

multiplizieren *vt* multiply (*mit* by)

Mumie *f* mummy

Mumps *m* mumps *Sg*

München *n* Munich

Mund *m* mouth; *halt den ~!* shut up; **Mundart** *f* dialect; **Munddusche** *f* dental water jet

münden *vi* flow (*in + Akk* into)

Mundgeruch *m* bad breath; **Mundharmonika** *f* mouth organ

mündlich *Adj* oral

Mundschutz *m* mask; **Mundwasser** *n* mouthwash

Munition *f* ammunition

Münster *n* minster, cathedral

munter *Adj* lively

Münzautomat *m* vending machine; **Münze** *f* coin; **Münzeinwurf** *m* slot; **Münzrückgabe** *f* coin return; **Münztelefon** *n* pay phone; **Münzwechsler** *m* change machine

murmeln *vt*, *vi* murmur, mutter

Murmeltier *n* marmot

mürrisch *Adj* sullen, grumpy

Muschel *f* mussel; (*~schale*) shell

Museum *n* museum

Musical *n* musical

Musik *f* music; **musikalisch** *Adj* musical; **Musiker(in)** *m(f)* musician; **Musikinstrument** *n* musical instrument; **musizieren** *vi* play music

Muskat *m* nutmeg

Muskel *m* muscle; **Muskelkater** *m ~ haben* be stiff; **Muskelriss** *m* torn muscle; **Muskelzerrung** *f* pulled muscle; **muskulös** *Adj* muscular

Müsli *n* muesli

Muslim(in) *m(f)* Muslim

Muss *n* must

müssen *vi* must, have to; *er hat gehen ~* he (has) had to go; *sie müsste schon längst hier sein* she should have arrived long time ago; *du musst es nicht tun* you don't have to do it, you needn't do it; *ich muss mal* I need to got to the loo (*Brit*), I have to go to the bathroom (*US*)

Muster *n* (*Dessin*) pattern, design; (*Probe*) sample

Mut *m* courage; *jdm ~ machen* encourage sb; *mutig* *Adj* brave, courageous

Mutter 1. *f* mother **2.** *f* (*Schraubenmutter*) nut; **Muttersprache** *f* mother tongue; **Muttertag** *m* Mother's Day; **Mutti** *f* mum(my) (*Brit*), mom(my) (*US*)

mutwillig *Adj* deliberate

Mütze *f* cap

Myanmar *n* Myanmar

N

na *Interj* ~ **also!**, ~ **bitte!** see?, what did I tell you?; ~ **ja** well; ~ **und?** so what?

Nabel *m* navel

nach *Präp + Dat* (*zeitlich*) after; (*in Richtung*) to; (*gemäß*) according to; ~ **zwei Stunden** after two hours, two hours later; **es ist fünf** ~ **sechs** it's five past (*od* after *US*) six; **der Zug** ~ **London** the train for (*od* to) London; ~ **rechts/links** to the right/left; ~ **Hause/oben/hinten/unten** up/back/down; ~ **und** ~ gradually

nachahmen *vt* imitate

Nachbar(in) *m(f)* neighbour; **Nachbarschaft** *f* neighbourhood

nachdem *Konj* after; (*weil*) since; **je** ~ (**ob/wie**) depending on (whether/how)

nachdenken *vi* think (*über* + *Akk* about); **nachdenklich** *Adj* thoughtful

nacheinander *Adv* one after another (*od* the other)

Nachfolger(in) *m(f)* successor

nachforschen *vt* investigate

Nachfüllpack *m* refill pack

nachgeben *vi* give in (*jdm* to sb)

nachgehen *vi* follow (*jdm* sb); (*erforschen*) inquire (*einer Sache Dat* into sth);

die Uhr geht (**zehn Minuten**) **nach** this watch is (ten minutes) slow

nachher *Adv* afterwards; **bis** ~**!** see you later

Nachhilfe *f* extra tuition

nachholen *vt* catch up with; (*Versäumtes*) make up for

nachkommen *vi* follow; **einer Verpflichtung** ~ fulfil an obligation

nachlassen 1. *vt* (*Summe*) take off **2.** *vi* decrease, ease off; (*schlechter werden*) deteriorate; **nachlässig** *Adj* negligent, careless

nachlaufen *vi* run after, chase (*jdm* sb)

nachmachen *vt* imitate, copy (*jdm etw* sth from sb); (*fälschen*) counterfeit

Nachmittag *m* afternoon; **heute** ~ this afternoon; **am** ~ in the afternoon; **nachmittags** *Adv* in the afternoon; **um 3 Uhr** ~ at 3 (o'clock) in the afternoon, at 3 pm

Nachnahme *f* cash on delivery; **per** ~ COD

Nachname *m* surname

Nachporto *n* excess postage

nachprüfen *vt* check

nachrechnen *vt* check

Nachricht *f* (piece of) news *Sg*; (*Mitteilung*) message; **Nachrichten** *Pl* news *Sg*

Nachsaison *f* off-season

nachschauen 1. vi jdm ~ gaze after sb **2.** vt (prüfen) check
nachschicken vt forward
nachschlagen vt look up
nachsehen vt (prüfen) check
nachsenden vt forward
Nachspeise f dessert
nächste(r, s) Adj next; (nächstgelegen) nearest
Nacht f night; **in der ~** during the night; (bei Nacht) at night; **Nachtclub** m nightclub; **Nachtdienst** m night duty; **~ haben** (Apotheke) be open all night
Nachteil m disadvantage
Nachtflug m night flight; **Nachthemd** n (für Damen) nightdress; (für Herren) nightshirt
Nachtigall f nightingale
Nachtisch m dessert, sweet (Brit), pudding (Brit)

Nachtisch

Nachtisch kann im Englischen mit **dessert, pudding** oder **sweet** übersetzt werden. Im Restaurant begegnet man nach dem Hauptgericht häufig der Frage **Any sweets or coffees?** Man kann dann entweder noch mal die Karte verlangen (**Could we have the menu again, please?**), gleich bestellen (**One espresso, one cappuccino, please. – Bitte einen Es-** presso und einen Cappuccino.) oder dankend ablehnen (**Nothing for me, thank you. – Für mich nichts mehr. Vielen Dank.**).

Nachtleben n nightlife
nachträglich Adv ~ **alles Gute zum Geburtstag!** Happy belated birthday
nachts Adv at night; **um 11 Uhr ~** at 11 (o'clock) at night, at 11 pm; **um 2 Uhr ~** at 2 (o'clock) in the morning, at 2 am; **Nachtschicht** f night shift; **Nachttisch** m bedside table; **Nachtzug** m night train
Nachweis m proof
Nachwirkung f after-effect
nachzahlen 1. vi pay extra **2.** vt **20 Euro ~** pay 20 euros extra
nachzählen vt check
Nacken m (nape of the) neck
nackt Adj naked; (Tatsachen) plain, bare; **Nacktbadestrand** m nudist beach
Nadel f needle; (Stecknadel) pin
Nagel m nail; **Nagelfeile** f nail-file; **Nagellack** m nail varnish (od polish); **Nagellackentferner** m nail-varnish (od nail-polish) remover; **Nagelschere** f nail scissors Pl
nah(e) 1. Adj, Adv (räumlich) near(by); (zeitlich) near; (Verwandte, Freunde) close; **jdm ~e gehen** upset

sb; **~e liegen** be obvious **2.**
Präp + *Dat* near (to), close
to; **Nähe** f (*Umgebung*) vicinity; **in der ~** nearby; **in
der ~ von** near to
nähen *vt, vi* sew
nähere(r, s) *Adj* (*Erklärung,
Erkundigung*) more de-
tailed; **die ~ Umgebung**
the immediate area; **Nähe-
re(s)** *n* details *Pl*; **nähern**
vr approach
nahezu *Adv* virtually, almost
Nähmaschine f sewing machine; **Nähnadel** f (sewing)
needle
nahrhaft *Adj* nourishing, nutritious; **Nahrung** f food;
Nahrungsmittel *n* food
Naht f seam; MED stitches
Pl, suture; TECH join
Nahverkehr *m* local traffic
Nähzeug *n* sewing kit
naiv *Adj* naive
Name *m* name
nämlich *Adv* that is to say,
namely; (*denn*) since
Napf *m* bowl, dish
Narbe f scar
Narkose f anaesthetic
Narzisse f narcissus
naschen *vt, vi* nibble
Nase f nose; **Nasenbluten** *n*
nosebleed; **~ haben** have a
nosebleed; **Nasenloch** *n*
nostril; **Nasentropfen** *Pl*
nose drops *Pl*
Nashorn *n* rhinoceros
nass *Adj* wet; **Nässe** f wet-
ness; **nässen** *vi* (*Wunde*)
weep

Nation f nation; **national**
Adj national; **National-
feiertag** *m* national holiday; **Nationalhymne** f national anthem; **Nationalität**
f nationality; **National-
mannschaft** f national
team; **Nationalspieler(in)**
m(f) international (player)
NATO f *Abk* = **North Atlantic Treaty Organization**;
NATO, Nato
Natur f nature; **Naturkost** f
health food; **natürlich 1.**
Adj natural **2.** *Adv* naturally; (*selbstverständlich*) of
course; **Naturpark** *m* nature
reserve; **Naturschutz** *m*
conservation; **Naturschutzgebiet** *n* nature reserve;
Naturwissenschaft f (natural) science; **Naturwissen-
schaftler(in)** *m(f)* scientist
Navigationssystem *n* AUTO
navigation system
n. Chr. *Abk* = **nach Christus**; AD
Nebel *m* fog, mist; **neblig**
Adj foggy, misty; **Nebel-
scheinwerfer** *m* foglamp;
Nebelschlussleuchte f AU-
TO rear foglight
neben *Präp* + *Akk od Dat*
next to; (*außer*) apart from,
besides; **nebenan** *Adv* next
door; **nebenbei** *Adv* at the
same time; (*außerdem*) ad-
ditionally; (*beiläufig*) incidentally; **nebeneinander**
Adv side by side; **Neben-
fach** *n* subsidiary subject
nebenher *Adv* (*zusätzlich*)

besides; *(gleichzeitig)* at the same time; *(daneben)* alongside

Nebenkosten *Pl* extra charges *Pl*, extras *Pl*; **nebensächlich** *Adj* minor; **Nebensaison** *f* low season; **Nebenstelle** *f (Telefon)* extension; **Nebenstraße** *f* side street; **Nebenwirkung** *f* side effect

neblig *Adj* foggy, misty

necken *vt* tease

Neffe *m* nephew

negativ *Adj* negative; **Negativ** *n* FOTO negative

nehmen *vt* take; **jdm etw ~** take sth (away) from sb; **den Bus/Zug ~** take the bus/train; **jdn/etw ernst ~** take sb/sth seriously

neidisch *Adj* envious

neigen *vi* **zu etw ~** tend towards sth; **Neigung** *f (des Geländes)* slope; *(Tendenz)* inclination; *(Vorliebe)* liking

nein *Adv* no

Nektarine *f* nectarine

Nelke *f* carnation; *(Gewürz)* clove

nennen *vt* name; *(mit Namen)* call

Neonlicht *n* neon light; **Neonröhre** *f* neon tube

Nepal *n* Nepal

Neptun *m* Neptune

Nerv *m* nerve; **jdm auf die ~en gehen** get on sb's nerves; **nerven** *vt* **jdn ~** *umg* get on sb's nerves; **Nervenzusammenbruch** *m*

nervous breakdown; **nervös** *Adj* nervous

Nest *n* nest; *pej (Ort)* dump

nett *Adj* nice; *(freundlich)* kind; **sei so ~ und ...** do me a favour and ...

netto *Adv* net

Netz *n* net; *(System)* network; *(Stromnetz)* mains, power *(US)*; **Netzanschluss** *m* mains connection; **Netzwerk** *n* IT network

neu *Adj* new; *(Sprache, Geschichte)* modern; **die ~esten Nachrichten** the latest news; **Neubau** *m* new building; **neuerdings** *Adv* recently; **Neuerung** *f* innovation; *(Reform)* reform

Neugier *f* curiosity; **neugierig** *Adj* curious *(auf + Akk* about); **ich bin ~, ob ...** I wonder whether *(od* if) ...

Neuheit *f* novelty; **Neuigkeit** *f* news *Sg*; **Neujahr** *n* New Year; **prosit ~!** Happy New Year; **neulich** *Adv* recently, the other day

neun *Zahl* nine; **neunhundert** *Zahl* nine hundred; **neunmal** *Adv* nine times; **neunte(r, s)** *Adj* ninth; → **dritte; Neuntel** *n* ninth; **neunzehn** *Zahl* nineteen; **neunzehnte(r, s)** *Adj* nineteenth; → **dritte; neunzig** *Zahl* ninety; **in den ~er Jahren** in the nineties; **Neunzigerjahre** *Pl* nineties *Pl*; **neunzigste(r, s)** *Adj* ninetieth

neureich *Adj* nouveau riche

Neurologe m, **Neurologin** f neurologist; **Neurose** f neurosis; **neurotisch** Adj neurotic

Neuseeland n New Zealand

Neustart m IT restart, reboot

neutral Adj neutral

neuwertig Adj nearly new

Nicaragua n Nicaragua

nicht 1. Adv not; **er kommt ~** (überhaupt nicht) he doesn't come; (diesmal) he isn't coming; **sie wohnt ~ mehr hier** she doesn't live here any more; **gar ~** not at all; **ich kenne ihn auch ~** I don't know him either; **noch ~** not yet; **~ berühren!** do not touch **2.** Präf non-

Nichte f niece

Nichtraucher(in) m(f) non--smoker; **Nichtraucherzone** f non-smoking area

nichts Indefinitpron nothing; **ich habe ~ gesagt** I didn't say anything; **~ sagend** meaningless; **macht ~** never mind

Nichtschwimmer(in) m(f) non-swimmer

nicken vi nod

Nickerchen n nap

nie Adv never; **~ wieder** (od **mehr**) never again; **fast ~** hardly ever

nieder 1. Adj (niedrig) low; (gering) inferior **2.** Adv down; **niedergeschlagen** Adj depressed; **Niederlage** f defeat

Niederlande Pl Netherlands Pl; **Niederländer(in)** m(f)

Dutchman/Dutchwoman f

niederländisch Adj Dutch; **Niederländisch** n Dutch

Niederlassung f branch

Niederösterreich n Lower Austria; **Niedersachsen** n Lower Saxony

Niederschlag m METEO precipitation; (Regen) rainfall

niedlich Adj sweet, cute

niedrig Adj low

niemals Adv never

niemand Indefinitpron nobody, no one; **ich habe ~en gesehen** I haven't seen anyone; **~ von ihnen** none of them

Niere f kidney; **Nierensteine** Pl kidney stones Pl

nieseln vi unpers drizzle; **Nieselregen** m drizzle

niesen vi sneeze

Niete f (Los) blank; pej (Mensch) failure; TECH rivet

Nigeria n Nigeria

Nikotin n nicotine; **nikotinarm** Adj low in nicotine

Nilpferd n hippopotamus

nippen vi sip; **an etw ~** sip sth

nirgends Adv nowhere

Nische f niche

Nitrat n nitrate

Niveau n level; **sie hat ~** she's got class

nobel Adj (großzügig) generous; umg (luxuriös) classy, posh

Nobelpreis m Nobel Prize

noch 1. Adv still; (außerdem) else; **wer kommt ~?** who else is coming?; ~ *nie* never; ~ *nicht* not yet; *immer* ~ still; ~ *einmal* (once) again; ~ *am selben Tag* that (very) same day; ~ *besser/mehr/jetzt* even better/more/now; *wie heißt sie* ~? what's her name again?; ~ *ein Bier, bitte* another beer, please **2.** *Konj* nor; **nochmal(s)** *Adv* again, once more

Nominativ *m* nominative (case)

Nonne *f* nun

Non-Stop-Flug *m* nonstop flight

Nord north; **Nordamerika** *n* North America; **Norddeutschland** *n* Northern Germany; **Norden** *m* north; **Nordeuropa** *n* Northern Europe; **Nordirland** *n* Northern Ireland; **nordisch** *Adj* (*Völker, Sprache*) Nordic; **Nordkorea** *n* North Korea; **nördlich** *Adj* northern; (*Kurs, Richtung*) northerly; **Nordost(en)** *m* northeast; **Nordpol** *m* North Pole; **Nordrhein-Westfalen** *n* North Rhine-Westphalia; **Nordsee** *f* North Sea; **nordwärts** *Adv* north, northwards; **Nordwest(en)** *m* northwest; **Nordwind** *m* north wind

nörgeln *vi* grumble

Norm *f* norm; (*Größenvorschrift*) standard

normal *Adj* normal; **normalerweise** *Adv* normally

Norwegen *n* Norway; **Norweger(in)** *m(f)* Norwegian; **norwegisch** *Adj* Norwegian; **Norwegisch** *n* Norwegian

Not *f* need; (*Armut*) poverty; (*Elend*) hardship; (*Bedrängnis*) trouble; **zur** ~ if necessary; (*gerade noch*) just about

Notar(in) *m(f)* public notary

Notarzt *m*, **Notärztin** *f* emergency doctor; **Notarztwagen** *m* emergency ambulance; **Notausgang** *m* emergency exit; **Notbremse** *f* emergency brake; **Notdienst** *m* emergency service, after-hours service; **notdürftig** *Adj* scanty; (*behelfsmäßig*) makeshift

Note *f* (*in Schule*) mark, grade (*US*) MUS note

Notebook *n* IT notebook

Notfall *m* emergency; **notfalls** *Adv* if necessary

notieren *vt* note down

nötig *Adj* necessary; **etw** ~ **haben** need sth

Notiz *f* note; **Notizblock** *m* notepad; **Notizbuch** *n* notebook

notlanden *vi* make a forced (*od* emergency) landing; **Notruf** *m* emergency call; **Notrufnummer** *f* emergency number; **Notrufsäule** *f* emergency telephone

notwendig *Adj* necessary

Nougat *m od n* nougat

November *m* November; → **Juni**

Notrufnummer

Die **Notrufnummer** in Großbritannien ist **999** (**nine, nine, nine**). Die entsprechende einheitliche Notrufnummer in den USA lautet **911** (**nine, one, one**).

Nr. *Abk* = *Nummer*; No., no.
Nu *m* **im ~** in no time
nüchtern *Adj* sober; (*Magen*) empty
Nudel *f* noodle; **~n** *Pl* (*italienische*) pasta *Sg*; Nudelsuppe *f* noodle soup
null *Zahl* zero; TEL **O** (*Brit*), zero (*US*); **~ Fehler** no mistakes; **~ Uhr** midnight; Null *f* nought, zero; *pej* (*Mensch*) dead loss; Nulltarif *m* **zum ~** free of charge
Nummer *f* number; nummerieren *vt* number; Num-

mernschild *n* AUTO number plate (*Brit*), license plate (*US*)
nun **1.** *Adv* now; **von ~ an** from now on **2.** *Interj* well; **~ gut!** all right, then; **es ist ~ mal so** that's the way it is
nur *Adv* only; **nicht ~ ..., sondern auch ...** not only ..., but also ...
Nürnberg *n* Nuremberg
Nuss *f* nut; Nussknacker *m* nutcracker
Nutte *f* umg tart
nutz, nütze *Adj* **zu nichts ~ sein** be useless; nutzen, nützen **1.** *vt* use (*zu etw* for sth); **was nützt es?** what use is it? **2.** *vi* be of use; **das nützt nicht viel** that doesn't help much; Nutzen *m* usefulness; (*Gewinn*) profit; nützlich *Adj* useful
Nylon *n* nylon

O

o *Interj* oh
Oase *f* oasis
ob *Konj* if, whether; **so als ~** as if; **und ~!** you bet
obdachlos *Adj* homeless
oben *Adv* (*am oberen Ende*) at the top; (*obenauf*) on (the) top; (*im Haus*) upstairs; (*in einem Text*) above; **da ~** up there; **von ~ bis unten** from top to bottom; **siehe ~** see above

Ober *m* waiter
obere(r, s) *Adj* upper, top
Oberfläche *f* surface; oberflächlich *Adj* superficial; Obergeschoss *n* upper floor
oberhalb *Adv*, *Präp* + *Gen* above
Oberkörper *m* upper body; Oberlippe *f* upper lip; Oberösterreich *n* Upper Austria; Oberschenkel *m*

thigh
oberste(r, s) *Adj* very top, topmost
Oberteil *n* top; **Oberweite** *f* bust/chest measurement
Objekt *n* object
objektiv *Adj* objective
Objektiv *n* lens
obligatorisch *Adj* compulsory, obligatory
Oboe *f* oboe
Observatorium *n* observatory
Obst *n* fruit; **Obstkuchen** *m* fruit tart; **Obstsalat** *m* fruit salad
obwohl *Konj* although
Ochse *m* ox
ocker *Adj* ochre
öd(e) *Adj* waste; *fig* dull
oder *Konj* or; **~ aber** or else; **er kommt doch, ~?** he's coming, isn't he?
Ofen *m* oven; (*Heizofen*) heater; (*Kohleofen*) stove; (*Herd*) cooker, stove; **Ofenkartoffel** *f* baked (*od* jacket) potato
offen **1.** *Adj* open; (*aufrichtig*) frank; (*Stelle*) vacant **2.** *Adv* frankly; **~ gesagt** to be honest
offenbar *Adj* obvious; **offensichtlich** *Adj* evident, obvious
öffentlich *Adj* public; **Öffentlichkeit** *f* (*Leute*) public
offiziell *Adj* official
offline *Adv* IT offline
öffnen *vt, vr* open; **Öffner** *m* opener; **Öffnung** *f* opening; **Öffnungszeiten** *Pl* opening

times *Pl*
oft *Adv* often; **schon ~** many times; **öfter** *Adv* more often (*od* frequently); **öfters** *Adv* often, frequently
ohne *Konj*, *Präp* + *Akk* without; **~ weiteres** without a second thought; (*sofort*) immediately; **~ mich** count me out
Ohnmacht *f Pl* unconsciousness; **in ~ fallen** faint; **ohnmächtig** *Adj* unconscious; **sie ist ~** she has fainted
Ohr *n* ear; (*Gehör*) hearing
Öhr *n* eye
Ohrenarzt *m*, **Ohrenärztin** *f* ear specialist; **Ohrenschmerzen** *Pl* earache; **Ohrentropfen** *Pl* ear drops *Pl*; **Ohrfeige** *f* slap (in the face); **Ohrläppchen** *n* earlobe; **Ohrringe** *Pl* earrings *Pl*
oje *Interj* oh dear
okay *Interj* OK, okay
Ökoladen *m* health food store; **ökologisch** *Adj* ecological; **~e Landwirtschaft** organic farming
ökonomisch *Adj* economic; (*sparsam*) economical
Ökosystem *n* ecosystem
Oktober *m* October; → **Juni**
Öl *n* oil; **Ölbaum** *m* olive tree; **ölen** *vt* oil; TECH lubricate; **Ölfarbe** *f* oil paint; **Ölfilter** *m* oil filter; **Ölgemälde** *n* oil painting; **Ölheizung** *f* oil-fired central heating; **ölig** *Adj* oily
oliv *Adj* olive-green; **Olive** *f*

olive; **Olivenöl** *n* olive oil

Ölsardine *f* sardine in oil; **Ölteppich** *m* oil slick; **Ölwechsel** *m* oil change

Olympiade *f* Olympic Games *Pl*; **olympisch** *Adj* Olympic

Oma *f*, **Omi** *f* grandma, gran(ny)

Omelett *n*, **Omelette** *f* omelette

Omnibus *m* bus

onanieren *vi* masturbate

Onkel *m* uncle

online *Adv* IT online

OP *m Abk* = **Operationssaal**; operating theatre (*Brit*) (*od* room (*US*))

Opa *m*, **Opi** *m* grandpa, grandad

Openairkonzert *n* open-air concert

Oper *f* opera; (*Gebäude*) opera house

Operation *f* operation

Operette *f* operetta

operieren 1. *vi* operate **2.** *vt* operate on

Opernsänger(in) *m(f)* opera singer

Opfer *n* sacrifice; (*Mensch*) victim; **ein ~ bringen** make a sacrifice

Opium *n* opium

Opposition *f* opposition

Optiker(in) *m(f)* optician

optimal *Adj* optimal, optimum

optimistisch *Adj* optimistic

oral *Adj* oral; **Oralverkehr** *m* oral sex

orange *Adj* orange; **Orange** *f* orange; **Orangenmarmelade** *f* marmalade; **Orangensaft** *m* orange juice

Orchester *n* orchestra

Orchidee *f* orchid

Orden *m* REL order; MIL decoration

ordentlich 1. *Adj* (*anständig*) respectable; (*geordnet*) tidy, neat **2.** *Adv* properly

ordinär *Adj* common, vulgar; (*Witz*) dirty

ordnen *vt* sort out; **Ordner** *m* (*bei Veranstaltung*) steward; (*Aktenordner*) file;

Ordnung *f* order; (*Geordnetsein*) tidiness; (**geht**) **in ~!** (that's) all right

Oregano *m* oregano

Organ *n* organ; (*Stimme*) voice

Organisation *f* organization

organisieren 1. *vt* organize; *umg* (*beschaffen*) get hold of **2.** *vr* organize

Organismus *m* organism

Orgasmus *m* orgasm

Orgel *f* organ

Orgie *f* orgy

orientalisch *Adj* oriental

orientieren *vr* get one's bearings; **Orientierung** *f* orientation; **Orientierungssinn** *m* sense of direction

original *Adj* original; (*echt*) genuine; **Original** *n* original; **Originalfassung** *f* original version

originell *Adj* original; (*komisch*) witty

Orkan *m* hurricane

Ort *m* place; (*Dorf*) village

Orthopäde *m*, Orthopädin *f* orthopaedist

örtlich *Adj* local; Ortschaft *f* village, small town; Ortsgespräch *n* local call; Ortstarif *m* local rate; Ortszeit *f* local time

Ost east; Ostdeutschland *n* (*als Landesteil*) Eastern Germany; HIST East Germany; Osten *m* east

Osterei *n* Easter egg; Osterglocke *f* daffodil; Osterhase *m* Easter bunny; Ostermontag *m* Easter Monday; Ostern *n* Easter; **an** (*od* **zu**) **~** at Easter; **frohe ~** Happy Easter

Österreich *n* Austria; Österreicher(in) *m(f)* Austrian; österreichisch *Adj* Austrian

Ostersonntag *m* Easter Sunday

Osteuropa *n* Eastern Europe; Ostküste *f* east coast; östlich *Adj* eastern; (*Kurs, Richtung*) easterly; Ostsee *f* **die ~** the Baltic (Sea); Ostwind *m* east(erly) wind

Otter *m* otter

out *Adj umg* out; outen *vt* out

oval *Adj* oval

Overheadprojektor *m* overhead projector

Ozean *m* ocean; **der Stille ~** the Pacific (Ocean)

Ozon *n* ozone; Ozonloch *n* hole in the ozone layer; Ozonschicht *f* ozone layer; Ozonwerte *Pl* ozone levels *Pl*

P

paar *Adj* **ein ~** a few; **ein ~ Mal** a few times; **ein ~ Äpfel** some apples

Paar *n* pair; (*Ehepaar*) couple

pachten *vt* lease

Päckchen *n* package; (*Zigaretten*) packet; (*zum Verschicken*) small parcel; packen *vt* pack; (*fassen*) grasp, seize; *umg* (*schaffen*) manage; *fig* (*fesseln*) grip; Packpapier *n* brown paper; Packung *f* packet, pack (*US*); Packungsbeilage *f* package insert

Pädagoge *m*, Pädagogin *f* teacher; pädagogisch *Adj* educational

Paddel *n* paddle; Paddelboot *n* canoe; paddeln *vi* paddle

Paket *n* parcel; (*Postpaket*) parcel; IT package; Paketbombe *f* parcel bomb

Pakistan *n* Pakistan

Palast *m* palace

Palästina *n* Palestine; Palästinenser(in) *m(f)* Palestinian

Palatschinken *Pl* filled pan-

cakes Pl

Palette f *(von Maler)* palette; *(Ladepalette)* pallet; *(Vielfalt)* range

Palme f palm (tree); **Palmsonntag** m Palm Sunday

Pampelmuse f grapefruit

pampig Adj umg *(frech)* cheeky; *(breiig)* gooey

Panda(bär) m panda

panieren vt GASTR coat with breadcrumbs; **paniert** Adj breaded

Panik f panic

Panne f AUTO breakdown; *(Missgeschick)* slip; **Pannendienst** m, **Pannenhilfe** f breakdown *(od rescue)* service

Pant(h)er m panther

Pantoffel m slipper

Pantomime f mime

Panzer m MIL tank

Papa m dad(dy), pa *(US)*

Papagei m parrot

Papaya f papaya

Papier n paper; **~e** Pl *(Ausweispapiere)* papers Pl; *(Dokumente, Urkunden)* papers Pl, documents Pl; **Papierkorb** m wastepaper basket; IT recycle bin; **Papiertaschentuch** n *(paper)* tissue; **Papiertonne** f paper bank

Pappbecher m paper cup; **Pappe** f cardboard; **Pappkarton** m cardboard box; **Pappteller** m paper plate

Paprika m *(Gewürz)* paprika; *(Schote)* pepper

Papst m pope

Paradeiser m tomato

Paradies n paradise

Paragliding n paragliding

Paragraph m paragraph; JUR section

parallel Adj parallel

Paranuss f Brazil nut

Parasit m parasite

parat Adj ready; **etw ~ haben** have sth ready

Pärchen n couple

Parfüm n perfume

Park m park; **Parkanlage** f park; *(um Gebäude)* grounds Pl; **Parkbank** f park bench

Parkdeck n parking level; **parken** vt, vi park

Parkett n parquet flooring; THEAT stalls Pl *(Brit)*, parquet *(US)*

Parkhaus n multi-storey car park *(Brit)*, parking garage *(US)*

parkinsonsche Krankheit f Parkinson's disease

Parkkralle f AUTO wheel clamp; **Parklicht** n parking light; **Parklücke** f parking space; **Parkplatz** m *(für ein Auto)* parking space; *(für mehrere Autos)* car park *(Brit)*, parking lot *(US)*; **Parkscheibe** f parking disc; **Parkscheinautomat** m pay point; *(Parkscheinausgabegerät)* ticket machine; **Parkuhr** f parking meter; **Parkverbot** n *(Stelle)* no-parking zone; **hier ist ~** you can't park here

Parlament n parliament

Parmesan m Parmesan

(cheese)

Partei f party

Parterre n ground floor (*Brit*), first floor (*US*)

Partitur f MUS score

Partizip n participle

Partner(in) m(f) partner; **Partnerschaft** f partnership; **eingetragene ~** civil partnership; **Partnerstadt** f twin town

Party f party; **Partymuffel** m party pooper; **Partyservice** m catering service

Pass m pass; (*Ausweis*) passport

passabel Adj reasonable

Passagier m passenger

Passamt n passport office; **Passbild** n passport photo

passen vi (*Größe*) fit; (*Farbe*, *Stil*) go (*zu* with); (*auf Frage*) pass; **passt (es) dir morgen?** does tomorrow suit you?; **das passt mir gut** that suits me fine; **passend** Adj suitable; (*zusammenpassend*) matching; (*angebracht*) fitting; (*Zeit*) convenient

passieren vi happen

passiv Adj passive

Passkontrolle f passport control

Passwort n password

Paste f paste

Pastete f (*warmes Gericht*) pie; (*Pastetchen*) vol-au-vent; (*ohne Teig*) pâté

Pastor(in) m(f) minister, vicar

Pate m godfather; **Paten-**

kind n godchild

Patient(in) m(f) patient

Patin f godmother

Patrone f cartridge

Patsche f (*Bedrängnis*) mess; **patschnass** Adj soaking wet

pauschal Adj (*Kosten*) inclusive; (*Urteil*) sweeping; **Pauschale** f, **Pauschalgebühr** f flat rate (charge); **Pauschalpreis** m flat rate; (*für Hotel*, *Reise*) all-inclusive price; **Pauschalreise** f package tour

Pause f break; THEAT interval; (*Kino etc*) intermission; (*Innehalten*) pause

Pavian m baboon

Pavillon m pavilion

Pay-TV n pay-per-view television, pay TV

Pazifik m Pacific (Ocean)

PC m Abk = **Personalcomputer**; PC

Pech n fig bad luck; **~ haben** be unlucky; **~ gehabt!** tough (luck)

Pedal n pedal

Pediküre f pedicure

Peeling n (facial/body) scrub

peinlich Adj (*unangenehm*) embarrassing, awkward; (*genau*) painstaking; **es war mir sehr ~** I was totally embarrassed

Peitsche f whip

Pelikan m pelican

Pellkartoffeln Pl potatoes Pl boiled in their skins

Pelz m fur; **pelzig** Adj (*Zun-**

ge) furred
pendeln *vi (Zug, Bus)* shuttle; *(Mensch)* commute; **Pendelverkehr** *m* shuttle traffic; *(für Pendler)* commuter traffic; **Pendler(in)** *m(f)* commuter
Penis *m* penis
Pension *f (Geld)* pension; *(Ruhestand)* retirement; *(für Gäste)* guesthouse, B&B; **pensioniert** *Adj* retired
Peperoni *f* chilli
per *Präp + Akk* by, per; *(pro)* per; *(bis)* by
perfekt *Adj* perfect
Periode *f* period
Perle *f a. fig* pearl
perplex *Adj* dumbfounded
Person *f* person; **ein Tisch für drei ~en** a table for three; **Personal** *n* staff, personnel; **Personalausweis** *m* identity card; **Personalien** *Pl* particulars *Pl*; **Personenschaden** *m* injury to persons; **persönlich 1.** *Adj* personal; *(auf Briefen)* private **2.** *Adv* personally; *(selbst)* in person; **Persönlichkeit** *f* personality
Peru *n* Peru
Perücke *f* wig
pervers *Adj* perverted
pessimistisch *Adj* pessimistic
Pest *f* plague
Petersilie *f* parsley
Petroleum *n* paraffin *(Brit)*, kerosene *(US)*
Pfad *m* path; **Pfadfinder** *m*

boy scout; **Pfadfinderin** *f* girl guide
Pfahl *m* post, stake
Pfand *n* security; *(Flaschenpfand)* deposit; *(im Spiel)* forfeit; **Pfandflasche** *f* returnable bottle
Pfanne *f* (frying) pan
Pfannkuchen *m* pancake
Pfarrei *f* parish; **Pfarrer(in)** *m(f)* priest
Pfau *m* peacock
Pfeffer *m* pepper; **Pfefferkuchen** *m* gingerbread; **Pfefferminze** *f* peppermint; **Pfefferminztee** *m* peppermint tea; **Pfeffermühle** *f* pepper mill; **Pfefferstreuer** *m* pepper pot
Pfeife *f* whistle; *(für Tabak, von Orgel)* pipe; **pfeifen** *vt, vi* whistle
Pfeil *m* arrow
Pferd *n* horse; **Pferdeschwanz** *m (Frisur)* ponytail; **Pferdestall** *m* stable
Pfifferling *m* chanterelle
Pfingsten *n* Whitsun, Pentecost *(US)*; **Pfingstmontag** *m* Whit Monday; **Pfingstsonntag** *m* Whit Sunday, Pentecost *(US)*; **Pfingstrose** *f* peony
Pfirsich *m* peach
Pflanze *f* plant; **pflanzen** *vt* plant; **Pflanzenfett** *n* vegetable fat
Pflaster *n (für Wunde)* plaster, Band Aid® *(US)*; *(Straßenpflaster)* road surface, pavement *(US)*
Pflaume *f* plum

Pflege f care; (Krankenpflege) nursing; (von Autos, Maschinen) maintenance; pflegebedürftig Adj in need of care; pflegeleicht Adj easy-care; fig easy to handle; pflegen vt look after; (Kranke) nurse; (Beziehungen) foster; (Fingernägel, Gesicht) take care of; (Daten) maintain; Pflegepersonal n nursing staff; Pflegeversicherung f long-term care insurance

Pflicht f duty; SPORT compulsory section; pflichtbewusst Adj conscientious; Pflichtfach n (Schule) compulsory subject

pflücken vt pick

Pforte f gate; Pförtner(in) m(f) porter

Pfosten m post

Pfote f paw

pful Interj ugh

Pfund n pound

pfuschen vi umg be sloppy

Pfütze f puddle

Phantasie f → Fantasie; phantastisch Adj → fantastisch

Phase f phase

Philippinen Pl Philippines Pl

Philosophie f philosophy

Photo n → Foto

pH-neutral Adj pH-balanced; pH-Wert m pH-value

Physalis f physalis

Physik f physics Sg

physisch Adj physical

Pianist(in) m(f) pianist

Pickel m pimple; (Werkzeug) pickaxe

Picknick n picnic; ein ~ machen have a picnic

piepsen vi chirp

piercen vt sich die Nase ~ lassen have one's nose pierced; Piercing n (body) piercing

pieseln vi umg pee

Pik n (Karten) spades Pl

pikant Adj spicy

Pilger(in) m(f) pilgrim; Pilgerfahrt f pilgrimage

Pille f pill; sie nimmt die ~ she's on the pill

Pilot(in) m(f) pilot

Pilz m (essbar) mushroom; (giftig) toadstool; MED fungus

PIN f PIN (number)

pingelig Adj umg fussy

Pinguin m penguin

Pinie f pine; Pinienkern m pine nut

pink Adj shocking pink

pinkeln vi umg pee

Pinsel m (paint)brush

Pinzette f tweezers Pl

Pistazie f pistachio

Piste f (Ski) piste; FLUG runway

Pistole f pistol

Pixel n IT pixel

Pizza f pizza; Pizzaservice m pizza delivery service; Pizzeria f pizzeria

Pkw m Abk = Personenkraftwagen; car

Plakat n poster

Plan m plan; (Karte) map; planen vt plan

Planet m planet; Planetarium *n* planetarium

planmäßig *Adj* scheduled

Plan(t)schbecken *n* paddling pool; **plan(t)schen** *vi* splash around

Planung *f* planning

Plastik 1. *f* sculpture **2.** *n* (*Kunststoff*) plastic; **Plastikfolie** *f* plastic film; **Plastiktüte** *f* plastic bag

Platin *n* platinum

platsch *Interj* splash

platt *Adj* flat; *umg* (*überrascht*) flabbergasted; *fig* (*geistlos*) flat, boring

Platte *f* FOTO, TECH, GASTR plate; (*Steinplatte*) flag; (*Schallplatte*) record; **Plattenspieler** *m* record player

Plattform *f* platform; **Plattfuß** *m* flat foot; (*Reifen*) flat (tyre)

Platz *m* place; (*Sitzplatz*) seat; (*freier Raum*) space, room; (*in Stadt*) square; (*Sportplatz*) playing field; **nehmen Sie ~** please sit down, take a seat; **ist dieser ~ frei?** is this seat taken?

Plätzchen *n* spot; (*Gebäck*) biscuit

platzen *vi* burst; (*Bombe*) explode

Platzkarte *f* seat reservation; **Platzreservierung** *f* seat reservation; **Platzverweis** *m* **er erhielt einen ~** he was sent off; **Platzwunde** *f* laceration, cut

plaudern *vi* chat, talk

pleite *Adj umg* broke; **Pleite** *f* (*Bankrott*) bankruptcy;

umg (*Reinfall*) flop

Plombe *f* lead seal; (*Zahnfüllung*) filling; **plombieren** *vt* (*Zahn*) fill

plötzlich 1. *Adj* sudden **2.** *Adv* suddenly, all at once

plumps *Interj* thud; (*in Flüssigkeit*) plop

Plural *m* plural

plus *Adv* plus; **fünf ~ sieben ist zwölf** five plus seven is (*od* are) twelve; **zehn Grad ~** ten degrees above zero; **Plus** *n* plus; FIN profit; (*Vorteil*) advantage

Plüsch *m* plush

Pluto *m* Pluto

Po *m umg* bottom, bum

Pocken *Pl* smallpox *Sg*

poetisch *Adj* poetic

Pointe *f* punch line

Pokal *m* goblet; SPORT cup

pökeln *vt* pickle

Pol *m* pole

Pole *m* Pole; **Polen** *n* Poland

Police *f* (*insurance*) policy

polieren *vt* polish

Polin *f* Pole, Polish woman

Politik *f* politics *Sg*; (*eine bestimmte*) policy; **Politiker(in)** *m(f)* politician; **politisch** *Adj* political

Politur *f* polish

Polizei *f* police *Pl*; **Polizeibeamte(r)** *m*, **Polizeibeamtin** *f* police officer; **Polizeirevier** *n*, **Polizeiwache** *f* police station; **Polizist(in)** *m(f)* policeman/-woman

Pollen *m* pollen; **Pollenflug** *m* pollen count

polnisch *Adj* Polish; **Polnisch** *n* Polish

Polo *n* polo; **Polohemd** *n* polo shirt

Polterabend *m* party prior to a wedding, at which old crockery is smashed to bring good luck

Polyester *m* polyester

Polypen *Pl* MED adenoids *Pl*

Pommes frites *Pl* chips (*Brit*), French fries *Pl* (*US*)

Pony 1. *m* (*Frisur*) fringe (*Brit*), bangs *Pl* (*US*) **2.** *n* (*Pferd*) pony

Popcorn *n* popcorn

Popmusik *f* pop (music)

populär *Adj* popular

Pore *f* pore

Pornografie *f* pornography

Porree *m* leeks *Pl*; **eine Stange ~** a leek

Portemonnaie, Portmonee *n* purse

Portion *f* portion, helping

Porto *n* postage

Portrait, Porträt *n* portrait

Portugal *n* Portugal; **Portugiese** *m* Portuguese; **Portugiesin** *f* Portuguese; **portugiesisch** *Adj* Portuguese; **Portugiesisch** *n* Portuguese

Portwein *m* port

Porzellan *n* china

Posaune *f* trombone

Position *f* position

positiv *Adj* positive

Post *f* post office; (*Briefe*) post (*Brit*), mail; **Postamt** *n* post office; **Postanweisung** *f* postal order (*Brit*),

money order (*US*); **Postbank** *f* German post office bank; **Postbote** *m*, **-botin** *f* postman/-woman

Posten *m* post, position

Poster *n* poster

Postfach *n* post-office box, PO box; **Postkarte** *f* postcard; **Postleitzahl** *f* postcode (*Brit*), zip code (*US*)

Poststempel *m* postmark

Potenz *f* MATHE power; (*eines Mannes*) potency

PR *f Abk = Public Relations*; PR

prächtig *Adj* splendid

prahlen *vi* boast, brag

Praktikant(in) *m(f)* trainee; **Praktikum** *n* practical training; **praktisch** *Adj* practical; **~er Arzt** general practitioner

Praline *f* chocolate

Prämie *f* (*bei Versicherung*) premium; (*Belohnung*) reward; (*von Arbeitgeber*) bonus

Präservativ *n* condom

Präsident(in) *m(f)* president

Praxis *f* practice; (*Behandlungsraum*) surgery; (*von Anwalt*) office

präzise *Adj* precise, exact

predigen *vt*, *vi* preach; **Predigt** *f* sermon

Preis *m* (*zu zahlen*) price; (*bei Sieg*) prize; **Preisausschreiben** *n* competition

Preiselbeere *f* cranberry

preisgünstig *Adj* inexpensive; **Preisschild** *n* price tag; **Preisträger(in)** *m(f)* prizewinner; **preiswert** Adj inexpensive

Prellung f bruise

Premiere f premiere, first night

Premierminister(in) m(f) prime minister, premier

Presse f press

pressen vt press

prickeln vi tingle

Priester(in) m(f) priest/(woman) priest

Primel f primrose

primitiv Adj primitive

Prinz m prince; **Prinzessin** f princess

Prinzip n principle; **im ~** basically; **aus ~** on principle

privat Adj private; **Privatfernsehen** n commercial television; **Privatgrundstück** n private property; **privatisieren** vt privatize; **Privatquartier** n private accommodation

pro Präp + Akk per; **5 Euro ~ Stück/Person** 5 euros each/per person; **Pro** n pro

Probe f test; (Teststück) sample; THEAT rehearsal; **Probefahrt** f test drive; **eine ~ machen** go for a test drive; **Probezeit** f trial period; **probieren** vt, vi try; (Wein, Speise) taste, sample

Problem n problem

Produkt n product; **Produktion** f production; (produzierte Menge) output; **produzieren** vt produce

Professor(in) m(f) professor

Profi m pro

Profil n profile; (von Reifen, Schuhsohle) tread

Profit m profit; **profitieren** vi profit (von from)

Prognose f prediction; (Wetter) forecast

Programm n programme; IT program; TV channel; **Programmheft** n programme; **programmieren** vt program; **Programmierer(in)** m(f) programmer

Projekt n project

Projektor m projector

Promenade f promenade

Promille n (blood) alcohol level; **0,8 ~** 0.08 per cent; **Promillegrenze** f legal alcohol limit

prominent Adj prominent; **Prominenz** f VIPs Pl, prominent figures Pl; umg (Stars) the glitterati Pl

Propeller m propeller

prosit Interj cheers

Prospekt m leaflet, brochure

prost Interj cheers

Prostituierte(r) mf prostitute

Protest m protest

Protestant(in) m(f) Protestant; **protestantisch** Adj Protestant

protestieren vi protest (gegen against)

Prothese f artificial arm/leg; (Gebiss) dentures Pl

Protokoll n (bei Sitzung) minutes Pl; IT protocol; (bei Polizei) statement

protzen vi show off; **protzig** Adj flashy

Proviant m provisions Pl

Provider *m* IT (service) provider

Provinz *f* province

Provision *f* WIRTSCH commission

provisorisch *Adj* provisional

provozieren *vt* provoke

Prozent *n* per cent

Prozess *m* (*Vorgang*) process; JUR trial; (*Rechtsfall*) (court) case; **prozessieren** *vi* go to law (*mit* against)

Prozession *f* procession

Prozessor *m* IT processor

prüde *Adj* prudish

prüfen *vt* test; (*nachprüfen*) check; Prüfung *f* (*Schule*) exam; (*Überprüfung*) check; **eine ~ machen** (*Schule*) take an exam

Prügelei *f* fight; **prügeln 1.** *vt* beat **2.** *vr* fight

PS **1.** *Abk* = **Pferdestärke**; hp **2.** *Abk* = **Postskript(um)**; PS

pseudo- *Präf* pseudo; Pseudonym *n* pseudonym

pst *Interj* ssh

Psychiater(in) *m(f)* psychiatrist; **psychisch** *Adj* psychological; (*Krankheit*) mental; Psychoanalyse *f* psychoanalysis; Psychologe *m*, Psychologin *f* psychologist; Psychologie *f* psychology; **psychosomatisch** *Adj* psychosomatic; Psychoterror *m* psychological intimidation; Psychotherapie *f* psychotherapy

Pubertät *f* puberty

Publikum *n* audience; SPORT crowd

Pudding *m* blancmange

Pudel *m* poodle

Puder *m* powder; Puderzucker *m* icing sugar

Puerto Rico *n* Puerto Rico

Pulli *m*, Pullover *m* sweater, pullover, jumper (*Brit*)

Puls *m* pulse

Pulver *n* powder; Pulverkaffee *m* instant coffee; Pulverschnee *m* powder snow

Pumpe *f* pump; **pumpen** *vt* pump; *umg* (*verleihen*) lend; *umg* (*sich ausleihen*) borrow

Pumps *Pl* court shoes *Pl* (*Brit*), pumps *Pl* (*US*)

Punk *m* (*Musik, Mensch*) punk

Punkt *m* point; (*bei Muster*) dot; (*Satzzeichen*) full stop (*Brit*), period (*US*); **~ zwei Uhr** at two o'clock sharp

pünktlich *Adj* punctual, on time; Pünktlichkeit *f* punctuality

Punsch *m* punch

Pupille *f* pupil

Puppe *f* doll

pur *Adj* pure; *umg* (*völlig*) sheer; (*Whisky*) neat

Püree *n* puree; (*Kartoffelpüree*) mashed potatoes *Pl*

Puste *f* *umg* puff; **außer ~ sein** be puffed; **pusten** *vi* blow; (*keuchen*) puff

Pute *f* turkey

Putz *m* (*Mörtel*) plaster

putzen *vt* clean; **sich die Nase ~** blow one's nose; **sich die Zähne ~** brush

one's teeth; **Putzfrau** *f*
cleaner; **Putzlappen** *m*
cloth; **Putzmittel** *n* cleaning agent, cleaner

Puzzle *n* jigsaw (puzzle)
Pyjama *m* pyjamas *Pl*
Pyramide *f* pyramid
Python *m* python

Q

Quadrat *n* square; **quadratisch** *Adj* square; **Quadratmeter** *m* square metre
quaken *vi* (*Frosch*) croak;
(*Ente*) quack
Qual *f* pain, agony; (*seelisch*)
anguish; **quälen 1.** *vt* torment **2.** *vr* struggle; (*geistig*) torment oneself; **Quä-
lerei** *f* torture, torment
qualifizieren *vt*, *vr* qualify;
(*einstufen*) label
Qualität *f* quality
Qualle *f* jellyfish
Qualm *m* thick smoke; **qual-
men** *vt*, *vi* smoke
Quantität *f* quantity
Quarantäne *f* quarantine
Quark *m* quark; *umg* (*Unsinn*) rubbish
Quartett *n* quartet; (*Karten-
spiel*) happy families *Sg*
Quartier *n* accommodation
quasi *Adv* more or less
Quatsch *m* *umg* rubbish;

quatschen *vi* *umg* chat
Quecksilber *n* mercury
Quelle *f* spring; (*eines Flus-
ses*) source
quer *Adv* crossways, diago-
nally; (*rechtwinklig*) at
right angles; **Querflöte** *f*
flute; **Querschnitt** *m* cross
section; **querschnittsge-
lähmt** *Adj* paraplegic;
Querstraße *f* side street
quetschen *vt* squash, crush;
MED bruise; **Quetschung** *f*
bruise
Queue *m* (billiard) cue
quietschen *vi* squeal; (*Tür,
Bett*) squeak; (*Bremsen*)
screech
Quirl *m* whisk
quitt *Adj* quits, even
Quitte *f* quince
Quittung *f* receipt
Quiz *n* quiz
Quote *f* rate; WIRTSCH quota

R

Rabatt *m* discount
Rabbi *m*, **Rabbiner** *m*
rabbi

Rabe *m* raven
Rache *f* revenge, vengeance
Rachen *m* throat

rächen 1. *vt* avenge **2.** *vr* take (one's) revenge (*an* + *Dat* on)

Rad *n* wheel; (*Fahrrad*) bike; **~ fahren** cycle; *mit dem ~ fahren* go by bike

Radar *m od n* radar; **Radarfalle** *f* speed trap; **Radarkontrolle** *f* radar speed check

radeln *vi umg* cycle; **Radfahrer(in)** *m(f)* cyclist; **Radfahrweg** *m* cycle track (*od* path)

Radicchio *m* (*Salatsorte*) radicchio

radieren *vt* rub out, erase; **Radiergummi** *m* rubber (*Brit*), eraser; **Radierung** *f* KUNST etching

Radieschen *n* radish

radikal *Adj* radical

Radio *n* radio; *im ~* on the radio

radioaktiv *Adj* radioactive

Radiologe *m*, **Radiologin** *f* radiologist

Radiowecker *m* radio alarm (clock)

Radkappe *f* AUTO hub cap

Radler(in) *m(f)* cyclist

Radler *n* ≈ shandy

Radlerhose *f* cycling shorts *Pl*; **Radrennen** *n* cycle racing; (*einzelnes Rennen*) cycle race; **Radtour** *f* cycling tour; **Radweg** *m* cycle track (*od* path)

raffiniert *Adj* crafty, cunning; (*Zucker*) refined

Rafting *n* white water rafting

Ragout *n* ragout

Rahm *m* cream

rahmen *vt* frame; **Rahmen** *m* frame

Rakete *f* rocket

rammen *vt* ram

Rampe *f* ramp

ramponieren *vt umg* damage, batter

Ramsch *m* junk

ran *umg Kontr von* **heran**

Rand *m* edge; (*von Brille, Tasse etc*) rim; (*auf Papier*) margin; (*Schmutzrand, unter Augen*) ring; *fig* verge, brink

randalieren *vi* (go on the) rampage

Rang *m* rank; (*in Wettbewerb*) place; THEAT circle

ranzig *Adj* rancid

Rap *m* MUS rap; **rappen** *vi* MUS rap; **Rapper(in)** *m(f)* MUS rapper

rar *Adj* rare, scarce

rasant *Adj* quick, rapid

rasch *Adj* quick

rascheln *vi* rustle

rasen *vi* (*sich schnell bewegen*) race; (*toben*) rave; *gegen einen Baum ~* crash into a tree

Rasen *m* lawn

rasend *Adj* (*vor Wut*) furious

Rasenmäher *m* lawnmower

Rasierapparat *m* razor; (*elektrischer*) shaver; **Rasiercreme** *f* shaving cream; **rasieren** *vt, vr* shave; **Rasierer** *m* shaver; **Rasiergel** *n* shaving gel; **Rasierklinge**

f razor blade; **Rasiermesser** *n* (cutthroat) razor; **Rasierpinsel** *m* shaving brush; **Rasierschaum** *m* shaving foam

Rasse *f* race; (*Tiere*) breed

Rassismus *m* racism; **Rassist(in)** *m(f)* racist; **rassistisch** *Adj* racist

Rast *f* rest, break; **~ machen** have a rest (*od* break); **Raststätte** *f* AUTO service area; (*Gaststätte*) motorway (*Brit*) (*od* highway (*US*)) restaurant

Rasur *f* shave

Rat *m* (piece of) advice; **um ~ fragen** ask for advice

Rate *f* instalment; **etw auf ~n kaufen** buy sth in instalments (*Brit*), buy sth on the instalment plan (*US*)

raten *vt, vi* guess; (*empfehlen*) advise (*jdm* sb)

Rathaus *n* town hall

Ration *f* ration

ratlos *Adj* at a loss, helpless; **ratsam** *Adj* advisable

Rätsel *n* puzzle; (*Worträtsel*) riddle; **das ist mir ein ~** it's a mystery to me; **rätselhaft** *Adj* mysterious

Ratte *f* rat

rau *Adj* rough, coarse; (*Wetter*) harsh

Raub *m* robbery; (*Beute*) loot, booty; **rauben** *vt* steal; **jdm etw ~** rob sb of sth; **Räuber(in)** *m(f)* robber; **Raubkopie** *f* pirate copy; **Raubmord** *m* robbery with murder; **Raub-** tier *n* predator; **Raubüberfall** *m* mugging; **Raubvogel** *m* bird of prey

Rauch *m* smoke; (*Abgase*) fumes *Pl*; **rauchen** *vt, vi* smoke; **Raucher(in)** *m(f)* smoker

Räucherlachs *m* smoked salmon; **räuchern** *vt* smoke

rauchig *Adj* smoky; **Rauchmelder** *m* smoke detector; **Rauchverbot** *n* smoking ban; **hier ist ~** there's no smoking here

rauf *Adj* ~ **rau**; **Rauhreif** *m* → **Raureif**

Raum *m* space; (*Zimmer, Platz*) room; (*Gebiet*) area

räumen *vt* clear; (*Wohnung, Platz*) vacate; (*wegbringen*) shift, move; (*in Schrank etc*) put away

Raumfähre *f* space shuttle; **Raumfahrt** *f* space travel; **Raumschiff** *n* spacecraft, spaceship; **Raumsonde** *f* space probe; **Raumstation** *f* space station

Raupe *f* caterpillar

Raureif *m* hoarfrost

raus *umg Kontr von* **heraus, hinaus**; **~!** (get) out!

Rausch *m* intoxication; **einen ~ haben/kriegen** be/get drunk; **Rauschgift** *n* drug; **Rauschgiftsüchtige(r)** *mf* drug addict

rausfliegen *vi umg* be kicked out

raushalten *vr umg* **halt du dich da raus!** you (just) keep out of it

räuspern *vr* clear one's throat

rausschmeißen *vt umg* throw out

Razzia *f* raid

reagieren *vi* react (*auf* + *Akk* to); **Reaktion** *f* reaction

real *Adj* real; **realisieren** *vt* (*merken*) realize; (*verwirklichen*) implement; **realistisch** *Adj* realistic; **Realität** *f* reality; **Reality-TV** *n* reality TV

Realschule *f* ≈ secondary school, junior high (school) (*US*)

rebellieren *vi* rebel

Rebhuhn *n* partridge

rechnen 1. *vt, vi* calculate; ~ *mit* expect; (*bauen auf*) count on **2.** *vr* pay off, turn out to be profitable; **Rechner** *m* calculator; (*Computer*) computer; **Rechnung** *f* calculation(s); WIRTSCH bill (*Brit*), check (*US*); **die ..., bitte!** can I have the bill, please?; **das geht auf meine** ~ this is on me

recht 1. *Adj* (*richtig, passend*) right; **mir soll's ~ sein** it's alright by me; **mir ist es** ~ I don't mind **2.** *Adv* really, quite; (*richtig*) right(ly); **ich weiß nicht** ~ I don't really know; **es geschieht ihm** ~ it serves him right

Recht *n* right; JUR law; ~ **haben** be right; **jdm** ~ **geben** agree with sb

Rechte *f* right-hand side; (*Hand*) right hand; POL right (wing); **rechte(r, s)** *Adj* right; **auf der ..n Seite** on the right, on the right-hand side

Rechteck *n* rectangle; **rechteckig** *Adj* rectangular

rechtfertigen 1. *vt* justify **2.** *vr* justify oneself

rechtlich *Adj* legal; **rechtmäßig** *Adj* legal, lawful

rechts *Adv* on the right; ~ **abbiegen** turn right; ~ **von** to the right of; ~ **oben** at the top right

Rechtsanwalt *m*, **-anwältin** *f* lawyer

Rechtschreibung *f* spelling

Rechtshänder(in) *m(f)* right-hander; **rechtsherum** *Adv* to the right, clockwise; **rechtsradikal** *Adj* POL extreme right-wing

Rechtsschutzversicherung *f* legal costs insurance

Rechtsverkehr *m* driving on the right

rechtswidrig *Adj* illegal

rechtwinklig *Adj* right-angled; **rechtzeitig 1.** *Adj* timely **2.** *Adv* in time

recyceln *vt* recycle; **Recycling** *n* recycling

Redakteur(in) *m(f)* editor; **Redaktion** *f* editing; (*Leute*) editorial staff; (*Büro*) editorial office(s)

Rede *f* speech; (*Gespräch*) talk; **eine ~ halten** make a speech; **reden 1.** *vi* talk, speak **2.** *vt* say; (*Unsinn etc*) talk; Redewendung *f* idiom; Redner(in) *m(f)* speaker

reduzieren *vt* reduce

Referat *n* paper; **ein ~ halten** give a paper (*über* + *Akk* on)

reflektieren *vt* reflect

Reform *f* reform; Reformhaus *n* health food shop; reformieren *vt* reform

Regal *n* shelf; (*Möbelstück*) shelves *Pl*

Regel *f* rule; MED period; regelmäßig *Adj* regular; regeln *vt* regulate, control; (*Angelegenheit*) settle; Regelung *f* regulation

Regen *m* rain; Regenbogen *m* rainbow; Regenmantel *m* raincoat; Regenschauer *m* shower; Regenschirm *m* umbrella; Regenwald *m* rainforest; Regenwurm *m* earthworm

Regie *f* direction

regieren *vt*, *vi* govern, rule; Regierung *f* government; (*von Monarch*) reign

Region *f* region; regional *Adj* regional

Regisseur(in) *m(f)* director

regnen *vi unpers* rain; regnerisch *Adj* rainy

regulär *Adj* regular; regulieren *vt* regulate, adjust

Reh *n* deer; (*Fleisch*) venison

Reibe *f*, Reibeisen *n* grater; reiben *vt* rub; GASTR grate; reibungslos *Adj* smooth

reich *Adj* rich

Reich *n* empire; (*eines Königs*) kingdom

reichen **1.** *vi* reach; (*genügen*) be enough, be sufficient (*jdm* for sb) **2.** *vt* hold out; (*geben*) pass, hand; (*anbieten*) offer

reichhaltig *Adj* ample, rich; reichlich *Adj* (*Trinkgeld*) generous; (*Essen*) ample; ~ **Zeit** ≈ plenty of time; Reichtum *m* wealth

reif *Adj* ripe; (*Mensch, Urteil*) mature

Reif **1.** *m* (*Raureif*) hoarfrost **2.** *m* (*Ring*) ring, hoop

reifen *vi* mature; (*Obst*) ripen

Reifen *m* ring, hoop; (*von Auto*) tyre; Reifendruck *m* tyre pressure; Reifenpanne *f* puncture; Reifenwechsel *m* tyre change

Reihe *f* row; (*von Tagen etc*) umg (*Anzahl*) series *Sg*; **der ~ nach** one after the other; **er ist an der ~** it's his turn; Reihenfolge *f* order, sequence; Reihenhaus *n* terraced house (*Brit*), row house (*US*)

Reiher *m* heron

rein **1.** umg Kontr von **herein, hinein 2.** *Adj* pure; (*sauber*) clean

Reinfall *m* umg letdown; reinfallen *vi* umg **auf etw ~** fall for sth

reinigen *vt* clean; Reinigung *f* cleaning; (*Geschäft*) (dry) cleaner's; Reinigungsmittel n cleaning agent, cleaner

reinlegen vt jdn ~ take sb for a ride

Reis m rice

Reise f journey; (auf Schiff) voyage; Reiseapotheke f first-aid kit; Reisebüro n travel agent's; Reisebus m coach; Reiseführer(in) m(f) (Mensch) courier; (Buch) guide(book); Reisegepäck n luggage (Brit), baggage; Reisegesellschaft f (Veranstalter) tour operator; Reiseleiter(in) m(f) courier; reisen vi travel; ~ nach go to; Reisende(r) mf traveller; Reisepass m passport; Reisescheck m traveller's cheque; Reisetasche f holdall (Brit), carryall (US); Reiseveranstalter m tour operator; Reiseverkehr m holiday traffic; Reiseversicherung f travel insurance; Reiseziel n destination

reißen vt, vi tear; (ziehen) pull, drag

Reißnagel m drawing pin (Brit), thumbtack (US); Reißverschluss m zip (Brit), zipper (US); Reißzwecke f drawing pin (Brit), thumbtack (US)

reiten vt, vi ride; Reiter(in) m(f) rider

Reiz m stimulus; (angenehm) charm; (Verlockung) attraction; reizen vt stimulate; (unangenehm) annoy; (ver-locken) appeal to, attract; reizend Adj charming; Reizung f irritation

Reklamation f complaint

Reklame f advertising; (im Fernsehen) commercial

reklamieren vi complain (wegen about)

Rekord m record

relativ 1. Adj relative 2. Adv relatively

relaxen vi relax

Religion f religion; religiös Adj religious

Remoulade f tartar sauce

Renaissance f renaissance, revival; HIST Renaissance

rennen vt, vi run; Rennen n running; (Wettbewerb) race; Rennrad n racing bike

renommiert Adj famous, noted (wegen, für for)

renovieren vt renovate; Renovierung f renovation

rentabel Adj profitable

Rente f pension; Rentenversicherung f pension scheme

Rentier n reindeer

rentieren vr pay, be profitable

Rentner(in) m(f) pensioner, senior citizen

Reparatur f repair; Reparaturwerkstatt f repair shop; AUTO garage; reparieren vt repair

Reportage f report; Reporter(in) m(f) reporter

Republik f republic

Reservat n nature reserve; Reserve f reserve; Reservekanister *m* spare can; **Reserverad** *n* AUTO spare wheel; **Reservespieler(in)** *m(f)* reserve; **reservieren** *vt* reserve; **Reservierung** *f* reservation

resignieren *vi* give up; resigniert *Adj* resigned

Respekt *m* respect; **respektieren** *vt* respect

Rest *m* rest, remainder; (*Überreste*) remains *Pl*

Restaurant *n* restaurant

restaurieren *vt* restore

restlich *Adj* remaining

Resultat *n* result

retten *vt* save, rescue

Rettich *m* radish (*large white or red variety*)

Rettung *f* rescue; (*Hilfe*) help; **Rettungsdienst** *m* ambulance service; **Rettungsboot** *n* lifeboat; **Rettungshubschrauber** *m* rescue helicopter; **Rettungsring** *m* lifebelt, life preserver (*US*); **Rettungswagen** *m* ambulance

Reue *f* remorse; (*Bedauern*) regret

revanchieren *vr* (*für Hilfe etc*) return the favour

Revolution *f* revolution

Rezept *n* GASTR recipe; MED prescription; **rezeptfrei** *Adj* over-the-counter, non-prescription

Rezeption *f* (*im Hotel*) reception

rezeptpflichtig *Adj* available only on prescription

Rhabarber *m* rhubarb

Rhein *m* Rhine; **Rheinland-Pfalz** *n* Rhineland-Palatinate

Rheuma *n* rheumatism

Rhythmus *m* rhythm

richten 1. *vt* (*lenken*) direct (*auf + Akk* to); (*Waffe, Kamera*) point (*auf + Akk* at); *Brief, Anfrage* address (*an + Akk* to) 2. *vr* **sich ~ nach** (*Regel etc*) keep to; (*Mode, Beispiel*) follow; (*abhängen von*) depend on

Richter(in) *m(f)* judge

Richtgeschwindigkeit *f* recommended speed

richtig 1. *Adj* right, correct; (*echt*) proper; **etw ~ stellen** correct sth 2. *Adv* umg (*sehr*) really

Richtlinie *f* guideline

Richtung *f* direction; (*Tendenz*) tendency

riechen *vt, vi* smell; **nach etw ~** smell of sth

Riegel *m* bolt; GASTR bar

Riese *m* giant; **Riesengarnele** *f* king prawn; **riesengroß** *Adj* gigantic, huge; **Riesenrad** *n* big wheel; **riesig** *Adj* enormous, huge

Riff *n* reef

Rind *n* cow; (*Bulle*) bull; GASTR beef; **~er** *Pl* cattle *Pl*

Rinde *f* (*Baum*) bark; (*Käse*) rind; (*Brot*) crust

Rinderbraten *m* roast beef; **Rindfleisch** *n* beef

Ring *m* ring; (*Straße*) ring road; **Ringfinger** *m* ring finger; **ringsherum** *Adv* round about

Rippe f rib

Risiko n risk; *auf eigenes ~* at one's own risk; **riskant** Adj risky; **riskieren** vt risk

Riss m tear; (*in Mauer, Tasse etc*) crack; **rissig** Adj cracked; (*Haut*) chapped

Ritter m knight

Rivale m, **Rivalin** f rival

Robbe f seal

Roboter m robot

robust Adj robust

Rock m skirt

Rockmusik f rock (music)

Rodelbahn f toboggan run; **rodeln** vi toboggan

Roggen m rye; **Roggenbrot** n rye bread

roh Adj raw; (*Mensch*) coarse, crude; **Rohkost** f raw vegetables and fruit Pl

Rohr n pipe; **Röhre** f tube; (*Backröhre*) oven; **Rohrzucker** m cane sugar

Rohstoff m raw material

Rokoko n rococo

Rolle f roll; THEAT role

rollen vt, vi roll

Roller m scooter

Rollerskates Pl roller skates Pl

Rollkragenpullover m polo-neck (*Brit*) (*od* turtleneck (*US*)) sweater; **Rollladen** m, **Rollo** m (roller) shutters Pl; **Rollschuh** m roller skate; **Rollstuhl** m wheelchair; **rollstuhlgerecht** Adj suitable for wheelchairs; **Rolltreppe** f escalator

Roman m novel

Romantik f romance; romantisch Adj romantic

römisch-katholisch Adj Roman Catholic

röntgen vt X-ray; **Röntgenaufnahme** f, **Röntgenbild** n X-ray; **Röntgenstrahlen** Pl X-rays Pl

rosa Adj pink

Rose f rose

Rosenkohl m (Brussels) sprouts Pl

Rosé(wein) m rosé (wine)

rosig Adj rosy

Rosine f raisin

Rosmarin m rosemary

Rost m rust; (*zum Braten*) grill, gridiron; **Rostbratwurst** f grilled sausage; **rosten** vi rust; **rösten** vt roast, grill; (*Brot*) toast; **rostfrei** Adj rustproof; (*Stahl*) stainless; **rostig** Adj rusty

rot Adj red; *~ werden* blush; *~e Karte* red card; *~e Be(e)te* beetroot; *bei Rot über die Ampel fahren* jump the lights; *das Rote Kreuz* the Red Cross

Röteln Pl German measles Sg

rothaarig Adj red-haired

rotieren vi rotate

Rotkehlchen n robin; **Rotkohl** m, **Rotkraut** n red cabbage; **Rotlichtviertel** n red-light district; **Rotwein** m red wine

Rouge n rouge

Route f route

Routine f experience; (*Trott*) routine

Rubbellos *n* scratchcard; **rubbeln** *vt* rub

Rübe *f* turnip; **Gelbe ~** carrot; **Rote ~** beetroot

rüber *umg* *Kontr von* **herüber, hinüber**

Rubin *m* ruby

rücken *vt, vi* move; **könntest du ein bisschen ~?** could you move over a bit?

Rücken *m* back; **Rückenlehne** *f* back(rest); **Rückenmark** *n* spinal cord; **Rückenschmerzen** *Pl* backache *Sg*; **Rückenschwimmen** *n* backstroke; **Rückenwind** *m* tailwind

Rückerstattung *f* refund; **Rückfahrkarte** *f* return ticket (*Brit*), round-trip ticket (*US*); **Rückfahrt** *f* return journey; **Rückfall** *m* relapse; **Rückflug** *m* return flight; **Rückgabe** *f* return; **rückgängig** *Adj* **etw ~ machen** cancel sth; **Rückgrat** *n* spine, backbone; **Rückkehr** *f* return; **Rücklicht** *n* rear light; **Rückreise** *f* return journey; **auf der ~** on the way back

Rucksack *m* rucksack, backpack; **Rucksacktourist/in** *m(f)* backpacker

Rückschritt *m* step back; **Rückseite** *f* back; **siehe ~** see overleaf

Rücksicht *f* consideration; **~ nehmen auf** show consideration for; **rücksichtslos** *Adj* inconsiderate; (*Fahren*) reckless; **rücksichtsvoll** *Adj* considerate

Rücksitz *m* back seat; **Rückspiegel** *m* AUTO rear-view mirror; **Rückvergütung** *f* refund; **rückwärts** *Adv* backwards, back; **Rückwärtsgang** *m* AUTO reverse (gear); **Rückweg** *m* return journey, way back; **Rückzahlung** *f* repayment; **Rückzieher** *m* **einen ~ machen** back out

Ruder *n* oar; (*Steuer*) rudder; **Ruderboot** *n* rowing boat (*Brit*), rowboat (*US*); **rudern** *vt, vi* row

Ruf *m* call, cry; (*Ansehen*) reputation; **rufen** *vt, vi* call; (*schreien*) cry; **Rufnummer** *f* telephone number

Ruhe *f* rest; (*Ungestörtheit*) peace, quiet; (*Gelassenheit, Stille*) calm; (*Schweigen*) silence; **lass mich in ~!** leave me alone; **ruhen** *vi* rest; **Ruhestand** *m* retirement; **im ~ sein** be retired; **Ruhetag** *m* closing day; **montags ~ haben** be closed on Mondays

ruhig *Adj* quiet; (*bewegungslos*) still; (*Hand*) steady; (*gelassen*) calm

Ruhm *m* fame, glory

Rührei *n* scrambled egg(s); **rühren 1.** *vt* move; (*umrühren*) stir **2.** *vr* move; (*sich bemerkbar machen*) say something; **rührend** *Adj* touching, moving

Ruine *f* ruin; **ruinieren** *vt* ruin

rülpsen vi burp, belch

rum umg Kontr von **herum**

Rum m rum

Rumänien n Romania

Rummel m (Trubel) hustle and bustle; (Jahrmarkt) fair; (Medienrummel) hype; **Rummelplatz** m fairground

rumoren vi **es rumort in meinem Bauch/Kopf** my stomach is rumbling/my head is spinning

Rumpf m ANAT trunk; FLUG fuselage; SCHIFF hull

Rumpsteak n rump steak

rund 1. Adj round **2.** Adv (etwa) around; ~ **um etw** (a)round sth; **Runde** f round; (in Rennen) lap; **Rundfahrt** f tour (durch of); **Rundfunk** m (Rundfunkanstalt) broadcasting service; **im** ~ on the radio; **Rundgang** m tour (durch

of); (von Wächter) round; **Rundreise** f tour (durch of)

runter umg Kontr von **herunter, hinunter**; **runterscrollen** vt IT scroll down

runzeln vt **die Stirn** ~ frown; **runzelig** Adj wrinkled

ruppig Adj gruff

Ruß m soot

Russe m Russian

Rüssel m (Elefant) trunk; (Schwein) snout

Russin f Russian; **russisch** Adj Russian; **Russisch** n Russian; **Russland** n Russia

Rüstung f (Ritterrüstung) armour; (Waffen) armaments Pl

Rutsch m **guten** ~ (**ins neue Jahr**)! Happy New Year; **Rutschbahn** f, **Rutsche** f slide; **rutschen** vi slide; (ausrutschen) slip; **rutschig** Adj slippery

rütteln vt, vi shake

S

s. Abk = **siehe**; see; **S.** Abk = **Seite**; p.

Saal m hall; (für Sitzungen) room

Saarland n Saarland

sabotieren vt sabotage

Sache f thing; (Angelegenheit) affair, business; (Frage) matter; **bei der** ~ **bleiben** keep to the point; **sachkundig** Adj competent; **Sachlage** f situation;

sachlich Adj (objektiv) objective; (nüchtern) matter-of-fact; (inhaltlich) factual; **sächlich** Adj LING neuter; **Sachschaden** m material damage

Sachsen n Saxony; **Sachsen-Anhalt** n Saxony-Anhalt

sacht(e) Adv softly, gently

Sachverständige(r) mf expert

Sack m sack; pej (Mensch) bastard, bugger; **Sackgasse** f dead end, cul-de-sac

Safe m safe

Safer Sex m safe sex

Safran m saffron

Saft m juice; **saftig** Adj juicy

Sage f legend

Säge f saw

sagen vt, vi say (jdm to sb), tell (jdm sb); **wie sagt man ... auf Englisch?** what's ... in English?; **ich will dir mal was ~** let me tell you something

sägen vt, vi saw

Sahne f cream; **Sahnetorte** f gateau

Saison f season; **außerhalb der ~** out of season

Saite f string

Sakko n jacket

Salami f salami

Salat m salad; (Kopfsalat) lettuce; **Salatbar** f salad bar; **Salatschüssel** f salad bowl; **Salatsoße** f salad dressing

Salbe f ointment

Salbei m sage

Salmonellenvergiftung f salmonella (poisoning)

Salsamusik f salsa (music)

Salto m somersault

Salz n salt; **salzarm** Adj low-salt; **salzen** vt salt; **salzig** Adj salty; **Salzkartoffeln** Pl boiled potatoes Pl; **Salzstange** f pretzel stick; **Salzstreuer** m salt cellar (Brit) (od shaker (US));

Salzwasser n salt water

Samba f samba

Samen m seed; (Sperma) sperm

sammeln vt collect; **Sammlung** f collection

Samstag m Saturday; → **Mittwoch**; **samstags** Adv on Saturdays; → **mittwochs**

samt Präp + Dat (along) with, together with

Samt m velvet

sämtliche(r, s) Adj all (the)

Sanatorium n sanatorium (Brit), sanitarium (US)

Sand m sand

Sandale f sandal

sandig Adj sandy; **Sandkasten** m sandpit (Brit), sandbox (US); **Sandstrand** m sandy beach

sanft Adj soft, gentle

Sänger(in) m(f) singer

Sangria f sangria

sanieren vt redevelop; (Gebäude) renovate; (Betrieb) restore to profitability

sanitär Adj sanitary; **~e Anlagen** Pl sanitation

Sanitäter(in) m(f) ambulance man, paramedic

Sardelle f anchovy

Sarg m coffin

Satellit m satellite; **Satellitenfernsehen** n satellite TV; **Satellitenschüssel** f umg satellite dish

satt Adj full; (Farbe) rich, deep; **~ sein** (gesättigt) be full; **~ machen** be filling; **jdn/etw ~ sein** (od **haben**) be fed up with sb/sth

Sattel *m* saddle

Saturn *m* Saturn

Satz *m* LING sentence; MUS movement; (*Tennis*) set; (*Kaffee*) grounds *Pl*; (*Sprung*) jump; WIRTSCH rate

Sau *f* sow; *pej* (*Mensch*) dirty bugger

sauber *Adj* clean; (*ironisch*) fine; **~ machen** clean; **Sauberkeit** *f* cleanness; (*von Person*) cleanliness; **säubern** *vt* clean

saublöd *Adj* *umg* really stupid, dumb

Sauce *f* sauce; (*zu Braten*) gravy

Saudi-Arabien *n* Saudi Arabia

sauer *Adj* sour; CHEM acid; *umg* (*verärgert*) cross; **saurer Regen** acid rain; **Sauerkirsche** *f* sour cherry; **Sauerkraut** *n* sauerkraut; **säuerlich** *Adj* slightly sour; **Sauerrahm** *m* sour cream; **Sauerstoff** *m* oxygen

saufen 1. *vt* drink; *umg* (*Mensch*) knock back **2.** *vi* drink; *umg* (*Mensch*) booze

saugen *vt*, *vi* suck; (*mit Staubsauger*) vacuum, hoover (*Brit*); **Säugetier** *n* mammal; **Säugling** *m* infant, baby

Säule *f* column, pillar

Saum *m* hem; (*Naht*) seam

Sauna *f* sauna

Säure *f* acid

Saustall *m* pigsty; **Sauwetter** *n* **was für ein ~** *umg*

what lousy weather

Saxophon *n* saxophone

S-Bahn *f* suburban railway; **S-Bahn-Haltestelle** *f*, **S-Bahnhof** *m* suburban (train) station

scannen *vt* scan; **Scanner** *m* scanner

schäbig *Adj* shabby

Schach *n* chess; (*Stellung*) check; **Schachbrett** *n* chessboard; **Schachfigur** *f* chess piece; **schachmatt** *Adj* checkmate

Schacht *m* shaft

Schachtel *f* box

schade *Interj* what a pity

Schädel *m* skull; **Schädelbruch** *m* fractured skull

schaden *vi* damage, harm (*jdm sb*); **das schadet nichts** it won't do any harm; **Schaden** *m* damage; (*Verletzung*) injury; (*Nachteil*) disadvantage; **einen ~ verursachen** cause damage; **Schadenersatz** *m* compensation, damages *Pl*; **schadhaft** *Adj* faulty; (*beschädigt*) damaged; **schädigen** *vt* damage; (*jdn*) do harm to, harm; **schädlich** *Adj* harmful (*für* to); **Schadstoff** *m* harmful substance; **schadstoffarm** *Adj* low-emission

Schaf *n* sheep; **Schäfer** *m* shepherd; **Schäferhund** *m* Alsatian (*Brit*), German shepherd; **Schäferin** *f* shepherdess

schaffen 1. *vt* create; (*Platz*)

make **2.** vt (erreichen) manage, do; (erledigen) finish;
(Prüfung) pass; **jdm zu ~
machen** cause sb trouble
Schaffner(in) *m(f)* (in Bus)
conductor/conductress;
BAHN guard
Schafskäse *m* sheep's
(milk) cheese
schal Adj (Getränk) flat
Schal *m* scarf
Schale f skin; (abgeschält)
peel; (Nuss, Muschel, Ei)
shell; (Geschirr) bowl, dish
schälen 1. vt peel; (Tomate,
Mandel) skin; (Erbsen,
Eier, Nüsse) shell; (Getrei-
de) husk **2.** vr peel
Schall *m* sound; **Schall-
dämpfer** *m* AUTO silencer
(Brit), muffler (US);
Schallplatte f record
Schalotte f shallot
schalten 1. vt switch **2.** vi
AUTO change gear; **Schalter**
m (auf Post®, Bank) coun-
ter; (an Gerät) switch;
Schalterhalle f main hall;
Schalthebel *m* gear lever
(Brit) (od shift (US));
Schaltjahr *n* leap year;
Schaltknüppel *m* gear le-
ver (Brit) (od shift (US));
Schaltung f gear change
(Brit), gearshift (US)
Scham f shame; (Schamge-
fühl) modesty; **schämen** vr
be ashamed
Schande f disgrace
Schanze f ski jump
Schar f (von Vögeln) flock;
(Menge) crowd; **in ~en** in

droves
scharf Adj (Messer; Kritik)
sharp; (Essen) hot; **auf etw
~ sein** umg be keen on sth
Schärfe f sharpness; (Stren-
ge) rigour; FOTO focus
Scharlach *m* MED scarlet fever
Scharnier *n* hinge
Schaschlik *m od n* (shish)
kebab
Schatten *m* shadow; **30
Grad im ~** 30 degrees in
the shade; **schattig** Adj
shady
Schatz *m* treasure; (Mensch)
love
schätzen vt (abschätzen) estimate; (Gegenstand) value;
(würdigen) value, esteem;
(vermuten) reckon; **Schätzung** f estimate; (das
Schätzen) estimation; (von
Wertgegenstand) valuation;
schätzungsweise Adv
roughly, approximately
schauen vi look; **ich schau
mal, ob ...** I'll go and have
a look whether ...; **schau,
dass ...** see (to it) that ...
Schauer *m* (Regen) shower;
(Schreck) shudder
Schaufel f shovel; **~ und
Besen** dustpan and brush;
schaufeln vt shovel
Schaufenster *n* shop window
Schaukel f swing; **schaukeln** vi rock; (mit Schaukel) swing; **Schaukelstuhl**
m rocking chair
Schaum *m* foam; (Seifen-

schaum) lather; (*Bierschaum*) froth; **Schaumbad** *n* bubble bath; **schäumen** *vi* foam; **Schaumfestiger** *m* styling mousse; **Schaumgummi** *m* foam (rubber); **Schaumwein** *m* sparkling wine

Schauplatz *m* scene

Schauspiel *n* spectacle; THEAT play; **Schauspieler(in)** *m(f)* actor/actress

Scheck *m* cheque; **Scheckheft** *n* chequebook; **Scheckkarte** *f* cheque card

Scheibe *f* disc; (*von Brot, Käse etc*) slice; (*Glasscheibe*) pane; **Scheibenwischer** *m* AUTO windscreen (*od* windshield (*US*)) wiper

Scheich *m* sheik(h)

Scheide *f* ANAT vagina

scheiden *vt* (*trennen*) separate; **sich ~ lassen** get a divorce; **sie hat sich von ihm ~ lassen** she divorced him; **Scheidung** *f* divorce

Schein *m* light; (*Anschein*) appearance; (*Geld*) (bank)note; **scheinbar** *Adj* apparent; **scheinen** *vi* (*Sonne*) shine; (*den Anschein haben*) seem; **Scheinwerfer** *m* floodlight; THEAT spotlight; AUTO headlight

Scheiß- *in Zs vulg* damned, bloody (*Brit*); **Scheiße** *f vulg* shit, crap; **scheißegal** *Adj vulg* **das ist mir ~** I don't give a damn (*od* toss); **scheißen** *vi vulg* shit

Scheitel *m* parting (*Brit*), part (*US*)

scheitern *vi* fail (*an + Dat* because of)

Schellfisch *m* haddock

Schema *n* scheme, plan; (*Darstellung*) diagram

Schenkel *m* thigh

schenken *vt* give; **er hat es mir geschenkt** he gave it to me (as a present); **sich etw ~** *umg* (*weglassen*) skip sth

Scherbe *f* broken piece, fragment

Schere *f* scissors *Pl*; (*groß*) shears *Pl*; **eine ~** a pair of scissors/shears

Scherz *m* joke

scheu *Adj* shy

scheuen 1. *vr* **sich ~ vor** be afraid of, shrink from **2.** *vt* shun **3.** *vi* (*Pferd*) shy

scheuern *vt* scrub; **jdm eine ~** *umg* slap sb in the face

Scheune *f* barn

scheußlich *Adj* dreadful

Schi *m* → **Ski**

Schicht *f* layer; (*in Gesellschaft*) class; (*in Fabrik etc*) shift

schick *Adj* stylish, chic

schicken 1. *vt* send **2.** *vr* (*sich beeilen*) hurry up

Schickimicki *m umg* trendy

Schicksal *n* fate

Schiebedach *n* AUTO sunroof; **schieben** *vt, vi* push; **die Schuld auf jdn ~** put the blame on sb; **Schiebetür** *f* sliding door

Schiedsrichter(in) *m(f)* referee; (*Tennis*) umpire

schief 1. *Adj* crooked **2.** *Adv*

crooked(ly); **~ gehen** *umg* go wrong

schielen *vi* squint

Schienbein *n* shin

Schiene *f* rail; MED splint

schießen 1. *vt* shoot; (*Ball*) kick; (*Tor*) score; (*Foto*) take **2.** *vi* shoot (*auf + Akk* at)

Schiff *n* ship; (*in Kirche*) nave; **Schifffahrt** *f* shipping; **Schiffsreise** *f* voyage

schikanieren *vt* harass; (*Schule*) bully

Schild 1. *m* (*Schutz*) shield **2.** *n* sign; **was steht auf dem ~?** what does the sign say?

Schilddrüse *f* thyroid gland

schildern *vt* describe

Schildkröte *f* tortoise; (*Wasserschildkröte*) turtle

Schimmel *m* mould; (*Pferd*) white horse; **schimmeln** *vi* go mouldy

schimpfen 1. *vt* tell off **2.** *vi* (*sich beklagen*) complain; **mit jdm ~** tell sb off; **Schimpfwort** *n* swearword

Schinken *m* ham

Schirm *m* (*Regenschirm*) umbrella; (*Sonnenschirm*) parasol, sunshade

Schlacht *f* battle; **schlachten** *vt* slaughter; **Schlachter(in)** *m(f)* butcher; **Schlachtfeld** *n* battlefield

Schlaf *m* sleep; **Schlafanzug** *m* pyjamas *Pl*; **Schlafcouch** *f* bed settee

Schläfe *f* temple

schlafen *vi* sleep; **schlaf gut!** sleep well; **hast du gut geschlafen?** did you sleep all right?; **er schläft noch** he's still asleep; **~ gehen** go to bed

schlaff *Adj* slack; (*kraftlos*) limp; (*erschöpft*) exhausted

Schlafgelegenheit *f* place to sleep; **Schlaflosigkeit** *f* sleeplessness; **schläfrig** *Adj* sleepy; **Schlafsack** *m* sleeping bag; **Schlaftablette** *f* sleeping pill; **Schlafwagen** *m* sleeping car, sleeper; **Schlafzimmer** *n* bedroom

Schlag *m* blow; ELEK shock; **Schlagader** *f* artery; **Schlaganfall** *m* MED stroke; **schlagartig** *Adj* sudden; **Schlagbohrmaschine** *f* hammer drill

schlagen 1. *vt* hit; (*besiegen*) beat; (*Sahne*) whip **2.** *vi* (*Herz*) beat; (*Uhr*) strike; **mit dem Kopf gegen etw ~** bang one's head against sth **3.** *vr* fight

Schläger *m* SPORT bat; (*Tennis*) racket; (*Golf*) (golf) club; (*Hockey*) hockey stick; (*Mensch*) brawler; **Schlägerei** *f* fight, brawl

schlagfertig *Adj* quick-witted; **Schlagloch** *n* pothole; **Schlagsahne** *f* whipping cream; (*geschlagen*) whipped cream; **Schlagzeile** *f* headline; **Schlagzeug** *n* drums *Pl*; (*in Orchester*) percussion

Schlamm *m* mud

schlampig *Adj umg* sloppy

Schlange f snake; (von Menschen) queue (Brit), line (US); ~ stehen queue (Brit), stand in line (US)

schlank Adj slim

schlapp Adj limp

Schlappe f umg setback

schlau Adj clever, smart; (raffiniert) crafty, cunning

Schlauch m hose; (in Reifen) inner tube; Schlauchboot n rubber dinghy

schlecht 1. Adj bad; mir ist ~ I feel sick; jdn ~ machen run sb down; die Milch ist ~ the milk has gone off 2. Adv badly; es geht ihm ~ he's having a hard time; (gesundheitlich) he's not feeling well; (finanziell) he's pretty hard up

schleichen vi creep

Schleier m veil

Schleife f IT, FLUG, ELEK loop; (Band) bow

Schleim m slime; MED mucus; Schleimer m umg creep; Schleimhaut f mucous membrane

schlendern vi stroll

schleppen vt drag; (Auto, Schiff) tow; (tragen) lug; Schlepplift m ski tow

Schleswig-Holstein n Schleswig-Holstein

Schleuder f catapult; (für Wäsche) spin-dryer; schleudern 1. vt hurl; (Wäsche) spin-dry 2. vi AUTO skid; Schleudersitz m ejector seat

schleunigst Adv straight away

schlicht Adj simple, plain

schlichten vt (Streit) settle

schließen vt, vi, vr close, shut; (beenden) close; (Freundschaft, Ehe) enter into; (folgern) infer (aus from); Schließfach n locker

schließlich Adv finally; (schließlich doch) after all

schlimm Adj bad; schlimmer Adj worse; schlimmste(r, s) Adj worst; schlimmstenfalls Adv at (the) worst

Schlips m tie

Schlitten m sledge, toboggan; (mit Pferden) sleigh; Schlittenfahren n tobogganing

Schlittschuh m ice skate; ~ laufen ice-skate

Schlitz m slit; (für Münze) slot; (an Hose) flies Pl

Schloss n lock; (Burg) castle

Schlosser(in) m(f) mechanic

Schlucht f gorge, ravine

schluchzen vi sob

Schluckauf m hiccups Pl; schlucken vt, vi swallow

schlüpfrig Adj slippery; fig (Witz) risqué

schlürfen vt, vi slurp

Schluss m end; (Schlussfolgerung) conclusion; am ~ at the end; mit jdm ~ machen finish (od split up) with sb

Schlüssel m a. fig key; Schlüsselbein n collarbone; Schlüsselblume f cowslip; Schlüsselbund m bunch of keys; **Schlüsselloch** n keyhole

Schlussfolgerung f conclusion; **Schlusslicht** n tail-light; *fig* tail-ender; **Schlusspfiff** m final whistle; **Schlussverkauf** m clearance sale

schmal Adj narrow; (Mensch, Buch etc) slim

Schmalz n dripping, lard

schmatzen vi eat noisily

schmecken vt, vi taste (nach of); **es schmeckt ihm** he likes it; **lass es dir ~!** bon appétit

Schmeichelei f flattery; **schmeichelhaft** Adj flattering; **schmeicheln** vi jdm ~ flatter sb

schmeißen vt umg chuck, throw

schmelzen vt, vi melt

Schmerz m pain; (Trauer) grief; **~en haben** be in pain; **~en im Rücken haben** have a pain in one's back; **schmerzen** vt, vi hurt; **Schmerzensgeld** n compensation; **schmerzhaft**, **schmerzlich** Adj painful; **Schmerzmittel** n painkiller; **schmerzstillend** Adj painkilling; **Schmerztablette** f painkiller

Schmetterling m butterfly

schmieden vt forge; (Pläne) make

schmieren 1. vt smear; (ölen) lubricate, grease; (bestechen) bribe 2. vt, vi (unsauber schreiben)

scrawl; **Schmiergeld** n umg bribe; **schmierig** Adj greasy; **Schmiermittel** n lubricant; **Schmierpapier** n scrap paper

Schminke f make-up; **schminken** vr put one's make-up on

schmollen vi sulk

Schmuck m jewellery (Brit), jewelry (US); (Verzierung) decoration; **schmücken** vt decorate

schmuggeln vt, vi smuggle

schmunzeln vi smile

schmusen vi (kiss and) cuddle

Schmutz m dirt, filth; **schmutzig** Adj dirty

Schnabel m beak, bill; (Ausguss) spout

Schnake f mosquito

Schnäppchen n umg bargain; **schnappen 1.** vt (fangen) catch **2.** vi nach Luft ~ gasp for breath; **Schnappschuss** m FOTO snap(shot)

Schnaps m schnapps

schnarchen vi snore

schnaufen vi puff, pant

Schnauzbart m moustache; **Schnauze** f snout, muzzle; (Ausguss) spout; (Mund) trap; **die ~ voll haben** have had enough

schnäuzen vr blow one's nose

Schnecke f snail; **Schneckenhaus** n snail's shell

Schnee m snow; **Schneeball** m snowball; **Schneebrille** f snow goggles Pl; **Schnee-flocke** f snowflake; **Schneeglöckchen** n snow-drop; **Schneegrenze** f snowline; **Schneekanone** f snow thrower; **Schneekette** f AUTO snow chain; **Schneemann** m snowman; **Schneematsch** m slush; **Schneepflug** m snow-plough; **Schneeregen** m sleet; **Schneesturm** m snowstorm, blizzard; **Schneetreiben** n light blizzards Pl; **Schneewehe** f snowdrift

Schneide f edge; (Klinge) blade; **Schneiden** 1. vt cut; **sich die Haare ~ lassen** have one's hair cut 2. vr cut oneself; **Schneider(in)** m(f) tailor; (für Damenmode) dressmaker; **Schneidezahn** m incisor

schneien vi unpers snow

schnell 1. Adj quick, fast 2. Adv quickly, fast; **mach ~!** hurry up; **Schnelldienst** m express service; **Schnellhefter** m loose-leaf binder; **Schnellimbiss** m snack bar; **Schnellstraße** f expressway

schneuzen vr → **schnäuzen**

Schnitt m cut; (Schnittpunkt) intersection; (Querschnitt) (cross) section; (Durchschnitt) average; **Schnittblume** f cut flower; **Schnitte** f slice; (belegt) sandwich; **Schnittkäse** m cheese slices Pl; **Schnitt-**

lauch m chives Pl; **Schnittstelle** f IT interface; **Schnittwunde** f cut, gash

Schnitzel n (Papier) scrap; GASTR escalope

schnitzen vt carve

Schnorchel m snorkel; **schnorcheln** vi go snorkelling, snorkel; **Schnorcheln** n snorkelling

schnüffeln vi sniff

Schnuller m dummy (Brit), pacifier (US)

Schnulze f (Film, Roman) weepie

Schnupfen m cold

schnuppern vi sniff

Schnur f string, cord; ELEK lead; **schnurlos** Adj (Telefon) cordless

Schnurrbart m moustache

schnurren vi purr

Schnürschuh m lace-up (shoe); **Schnürsenkel** m shoelace

Schock m shock; **unter ~ stehen** be in a state of shock; **schockieren** vt shock

Schokolade f chocolate; **Schokoriegel** m chocolate bar

Scholle f (Fisch) plaice; (Eis) ice floe

schon Adv already; **ist er ~ da?** is he here yet?; **warst du ~ einmal da?** have you ever been there?; **ich war ~ einmal da** I've been there before; **~ damals** even then; **~ 1999** as early (od as long ago) as 1999

schön Adj beautiful; (nett)

Schrubber

nice; (*Frau*) beautiful, pretty; (*Mann*) beautiful, handsome; (*Wetter*) fine; **~e Grüße** best wishes; **~es Wochenende** have a nice weekend

schonen 1. *vt* (*pfleglich behandeln*) look after **2.** *vr* take it easy

Schönheit *f* beauty

Schonkost *f* light diet

Schöpfung *f* creation

Schoppen *m* glass (of wine)

Schorf *m* scab

Schorle *f* spritzer

Schornstein *m* chimney; **Schornsteinfeger(in)** *m(f)* chimney sweep

Schoß *m* lap

Schotte *m* Scot, Scotsman; **Schottin** *f* Scot, Scotswoman; **schottisch** *Adj* Scottish, Scots; **Schottland** *n* Scotland

schräg *Adj* slanting; (*Dach*) sloping; (*Linie*) diagonal; *umg* (*unkonventionell*) wacky

Schrank *m* cupboard; (*Kleiderschrank*) wardrobe (*Brit*), closet (*US*)

Schranke *f* barrier

Schrankwand *f* wall unit

Schraube *f* screw; **schrauben** *vt* screw; **Schraubenschlüssel** *m* spanner; **Schraubenzieher** *m* screwdriver; **Schraubverschluss** *m* screw top, screw cap

Schreck *m*, **Schrecken** *m* terror; (*Angst*) fright; **jdm einen ~ einjagen** give sb a fright; **schreckhaft** *Adj* jumpy; **schrecklich** *Adj* terrible, dreadful

Schrei *m* scream; (*Ruf*) shout

Schreibblock *m* writing pad; **schreiben** *vt, vi* write; (*buchstabieren*) spell; **wie schreibt man ...?** how do you spell ...?; **Schreiben** *n* writing; (*Brief*) letter; **Schreibfehler** *m* spelling mistake; **schreibgeschützt** *Adj* (*Diskette*) write-protected; **Schreibtisch** *m* desk; **Schreibwaren** *Pl* stationery *Sg*; **Schreibwarenladen** *m* stationer's

schreien *vt, vi* scream; (*rufen*) shout

Schreiner(in) *m(f)* joiner; **Schreinerei** *f* joiner's workshop

Schrift *f* (*Handschrift*) handwriting; (*Schriftart*) typeface; (*Schrifttyp*) font; **schriftlich 1.** *Adj* written **2.** *Adv* in writing; **würden Sie uns das bitte ~ geben?** could we have that in writing, please?; **Schriftsteller(in)** *m(f)* writer

Schritt *m* step; **~ für ~** step by step; **Schrittgeschwindigkeit** *f* walking speed; **Schrittmacher** *m* MED pacemaker

Schrott *m* scrap metal; *fig* rubbish

schrubben *vi, vt* scrub; **Schrubber** *m* scrubbing brush

schrumpfen vi shrink
Schubkarren m wheelbarrow; **Schublade** f drawer
schubsen vt shove, push
schüchtern Adj shy
Schuh m shoe; **Schuhcreme** f shoe polish; **Schuhgeschäft** n shoe shop; **Schuhgröße** f shoe size; **Schuhlöffel** m shoehorn; **Schuhsohle** f sole
Schulabschluss m school-leaving qualification
schuld Adj **wer ist ~ daran?** whose fault is it?; **er ist ~** it's his fault, he's to blame; **Schuld** f guilt; (Verschulden) fault; **~ haben** be to blame (an + Dat for); **er hat ~** it's his fault; **schulden** vt owe (jdm etw sb sth); **Schulden** Pl debts Pl; **~ haben** be in debt; **~ machen** run up debts; **seine ~ bezahlen** pay off one's debts; **schuldig** Adj guilty (an + Dat of); (gebührend) due; **jdm etw ~ sein** owe sb sth
Schule f school; **in der ~** at school; **in die ~ gehen** go to school; **Schüler(in)** m(f) (jüngerer) pupil; (älterer) student; **Schüleraustausch** m school exchange; **Schulfach** n subject; **Schulferien** Pl school holidays Pl (Brit) (od vacation (US)); **schulfrei** Adj **morgen ist ~** there's no school tomorrow; **Schulfreund(in)** m(f) schoolmate; **Schuljahr** n school year; **Schulkennt-**

nisse Pl **~ in Französisch** school(-level) French; **Schulklasse** f class; **Schulleiter(in)** m(f) headmaster/headmistress (Brit), principal (US)
Schulter f shoulder
Schulung f training; (Veranstaltung) training course
Schund m trash
Schuppe f (von Fisch) scale; **Schuppen** Pl (im Haar) dandruff Sg
Schürfwunde f graze
Schürze f apron
Schuss m shot; **mit einem ~ Wodka** with a dash of vodka
Schüssel f bowl
Schuster(in) m(f) shoemaker
Schutt m rubble
Schüttelfrost m shivering fit; **schütteln** vt, vr shake
schütten 1. vt pour; (Zucker, Kies etc) tip **2.** vi unpers pour (down)
Schutz m protection (gegen, vor against, from); (Unterschlupf) shelter; **jdn in ~ nehmen** stand up for sb; **Schutzblech** n mudguard
Schütze m (beim Fußball) scorer; ASTR Sagittarius
schützen vt **jdn gegen/vor etw ~** protect sb against/from sth; **Schutzimpfung** f inoculation, vaccination
schwach Adj weak; **~e Augen** poor eyesight Sg; **Schwäche** f weakness; **Schwachstelle** f weak point

Schwager m brother-in-law; **Schwägerin** f sister-in-law

Schwalbe f swallow; (beim Fußball) dive

Schwamm m sponge

Schwan m swan

schwanger Adj pregnant; **im vierten Monat ~ sein** be four months pregnant; **Schwangerschaft** f pregnancy; **Schwangerschaftsabbruch** m abortion; **Schwangerschaftstest** m pregnancy test

schwanken vi sway; (Preise, Zahlen) fluctuate; (zögern) hesitate; (taumeln) stagger

Schwanz m tail; vulg (Penis) cock

Schwarm m swarm; umg (angehimmelte Person) heartthrob; **schwärmen** vi swarm; **~ für** be mad about

schwarz Adj black; **~ sehen** umg be pessimistic (für about); **mir wurde ~ vor Augen** everything went black; **Schwarzarbeit** f illicit work; **schwarzfahren** vi travel without a ticket; **Schwarzfahrer(in)** m(f) fare-dodger; **Schwarzmarkt** m black market; **Schwarzwald** m Black Forest; **schwarzweiß** Adj black and white

schwatzen vi chatter; **Schwätzer(in)** m(f) chatterbox; (Schwafler) gasbag; (Klatschmaul) gossip

schweben vi float; (hoch) soar

Schwede m Swede; **Schweden** n Sweden; **Schwedin** f Swede; **schwedisch** Adj Swedish; **Schwedisch** n Swedish

Schwefel m sulphur

schweigen vi be silent; (nicht mehr reden) stop talking; **Schweigen** n silence

Schwein n pig; umg (Glück) luck; umg (gemeiner Mensch) swine; **Schweinebraten** m roast pork; **Schweinefleisch** n pork; **Schweinerei** f mess; (Gemeinheit) dirty trick

Schweiß m sweat

schweißen vt, vi weld

Schweißfüße Pl sweaty feet Pl

Schweiz f **die ~** Switzerland; **Schweizer(in)** m(f) Swiss; **Schweizerdeutsch** n Swiss German; **schweizerisch** Adj Swiss

Schwelle f doorstep; a. fig threshold

schwellen vi swell (up); **Schwellung** f swelling

schwer **1.** Adj heavy; (schwierig) difficult, hard; (schlimm) bad **2.** Adv (sehr) really; (verletzt etc) seriously, badly; **jdm ~ fallen** be difficult for sb; **Schwerbehinderte(r)** mf severely disabled person; **schwerhörig** Adj hard of hearing

Schwert n sword

Schwester f sister; MED nurse

Schwiegereltern Pl parents-in-law Pl; **Schwiegermutter** f mother-in-law; **Schwiegersohn** m son-in-law; **Schwiegertochter** f daughter-in-law; **Schwievater** m father-in-law

schwierig Adj difficult, hard; **Schwierigkeit** f difficulty; **in ~en kommen** get into trouble; **jdm ~en machen** make things difficult for sb

Schwimmbad n swimming pool; **Schwimmbecken** n swimming pool; **schwimmen** vi swim; (treiben) float; fig (unsicher sein) be all at sea; **Schwimmer(in)** m(f) swimmer; **Schwimmflosse** f flipper; **Schwimmflügel** m water wing; **Schwimmreifen** m rubber ring; **Schwimmweste** f life jacket

Schwindel m dizziness; (Anfall) dizzy spell; (Betrug) swindle; **schwindelfrei** Adj **nicht ~ sein** suffer from vertigo; **~ sein** have a head for heights; **schwindlig** Adj dizzy; **mir ist ~** I feel dizzy

Schwips m **einen ~ haben** be tipsy

schwitzen vi sweat

schwören vt, vi swear; **einen Eid ~** take an oath

schwul Adj gay

schwül Adj close

Schwung m swing; (Triebkraft) momentum; fig (Energie) energy; umg

(Menge) batch; **in ~ kommen** get going

Schwur m oath

scrollen vi IT scroll

sechs Zahl six; **Sechs** f six; (Schulnote) ≈ F; **sechshundert** Zahl six hundred; **sechsmal** Adv six times; **sechste(r, s)** Adj sixth; → **dritte**; **Sechstel** n sixth; **sechzehn** Zahl sixteen; **sechzehnte(r, s)** Adj sixteenth; → **dritte**; **sechzig** Zahl sixty; **in den ~er Jahren** in the sixties; **sechzigste(r, s)** Adj sixtieth

Secondhandladen m secondhand shop

See 1. f sea; **an der ~** by the sea **2.** m lake; **am ~** by the lake; **Seehund** m seal; **Seeigel** m sea urchin; **seekrank** Adj seasick

Seele f soul

Seeleute Pl seamen Pl, sailors Pl

seelisch Adj mental, psychological

Seelöwe m sea lion; **Seemann** m sailor, seaman; **Seemeile** f nautical mile; **Seemöwe** f seagull; **Seepferdchen** n sea horse; **Seerose** f water lily; **Seestern** m starfish; **Seezunge** f sole

Segel n sail; **Segelboot** n yacht; **Segelfliegen** n gliding; **Segelflugzeug** n glider; **segeln** vt, vi sail; **Segelschiff** n sailing ship

sehbehindert Adj partially sighted

sehen vt, vi see; (in bestimmte Richtung) look; **gut/schlecht ~** have good/bad eyesight; **kann ich das mal ~?** can I have a look at it?; **wir ~ uns morgen!** see you tomorrow; **Sehenswürdigkeiten** Pl sights Pl

Sehne f tendon; (an Bogen) string

sehnen vr long (nach for)

Sehnenzerrung f MED pulled tendon

Sehnsucht f longing; **sehnsüchtig** Adj longing

sehr Adv very; (mit Verben) a lot, very much; **zu ~** too much

seicht Adj shallow

Seide f silk

Seife f soap; **Seifenoper** f soap (opera); **Seifenschale** f soap dish

Seil n rope; (Kabel) cable; **Seilbahn** f cable railway

sein vi, vhilf be; **lass das ~!** leave that!; (hör auf) stop that!; **das kann ~** that's possible

sein Possessivpron (adjektivisch) (männlich) his, (weiblich) her, (sächlich) its; **das ist ~e Tasche** that's his bag; **jeder hat ~e Sorgen** everyone has their problems; **seine(r, s)** Possessivpron (substantivisch) (männlich) his, (weiblich) hers; **das ist seiner/seine/seines** that's his/hers; **seinetwegen** Adv (wegen ihm) because of him; (ihm

zuliebe) for his sake

seit Konj (bei Zeitpunkt) since; (bei Zeitraum) for; **er ist ~ Montag hier** he's been here since Monday; **er ist ~ einer Woche hier** he's been here for a week; **~ langem** for a long time; **seitdem** Adv, Konj since

Seite f side; (in Buch) page; **zur ~ gehen** step aside; **Seitensprung** m affair; **Seitenstechen** n (a) stitch; **Seitenstraße** f side street; **Seitenstreifen** m hard shoulder (Brit), shoulder (US); **seitenverkehrt** Adj the wrong way round; **Seitenwind** m crosswind

seither Adv since (then)

seitlich Adj side

Sekretär(in) m(f) secretary

Sekt m sparkling wine

Sekte f sect

Sekunde f second; **Sekundenkleber** m superglue

selbst 1. Pron **ich ~** I ... myself; **du/Sie ~** you ... yourself; **er ~** he ... himself; **sie ~** she ... herself; **wir haben es ~ gemacht** we did it ourselves; **mach es ~** do it yourself; **von ~** by itself; **das versteht sich ja von ~** that goes without saying **2.** Adv even; **~ mir gefiel's** even I liked it

selbständig Adj → **selbstständig**

Selbstauslöser m FOTO self-timer; **Selbstbedienung** f self-service; **Selbstbefriedi-**

gung *f* masturbation;
Selbstbeherrschung *f* self-control; **Selbstbeteiligung** *f* (*einer Versicherung*) excess; **selbstbewusst** *Adj* (self-)confident; **selbstgemacht** *Adj* self-made; **Selbstgespräch** *n* **~e führen** talk to oneself; **selbstklebend** *Adj* self-adhesive; **Selbstkostenpreis** *m* cost price; **Selbstlaut** *m* vowel; **Selbstmord** *m* suicide; **selbstsicher** *Adj* self-assured; **selbstständig** *Adj* independent; (*arbeitend*) self-employed; **selbstverständlich** **1.** *Adj* obvious; **ich halte das für ~** I take that for granted **2.** *Adv* naturally; **Selbstvertrauen** *n* self-confidence

Sellerie *m, f* (*Knollensellerie*) celeriac; (*Stangensellerie*) celery
selten **1.** *Adj* rare **2.** *Adv* seldom, rarely
seltsam *Adj* strange; **~ schmecken/riechen** taste/smell strange
Semester *n* semester; **Semesterferien** *Pl* vacation *Sg*
Seminar *n* seminar
Semmel *f* roll; **Semmelbrösel** *Pl* breadcrumbs *Pl*
Senat *m* senate
senden **1.** *vt* send **2.** *vt* und RADIO, TV broadcast; **Sender** *m* (*TV*) channel; (*Radio*) station; (*Anlage*) transmitter; **Sendung** *f* RADIO, TV broadcasting; (*Pro-*

gramm) programme
Senf *m* mustard
Senior(in) *m(f)* senior citizen; **Seniorenpass** *m* senior citizen's travel pass
senken **1.** *vt* lower **2.** *vr* sink
senkrecht *Adj* vertical
Sensation *f* sensation
sensibel *Adj* sensitive
sentimental *Adj* sentimental
separat *Adj* separate
September *m* September; → **Juni**
Serbien *n* Serbia
Serie *f* series *Sg*
seriös *Adj* (*ernsthaft*) serious; (*anständig*) respectable
Serpentine *f* hairpin (bend)
Serum *n* serum
Server *m* IT server
Service **1.** *n* (*Geschirr*) service **2.** *m* service
servieren *vt, vi* serve
Serviette *f* napkin, serviette
Servolenkung *f* AUTO power steering
Sesam *m* sesame seeds *Pl*
Sessel *m* armchair; **Sessellift** *m* chairlift
Set *m* od *n* set; (*Tischset*) tablemat
setzen **1.** *vt* put; (*Segel*) set **2.** *vr* settle; (*hinsetzen*) sit down; **~ Sie sich doch** please sit down
Seuche *f* epidemic
seufzen *vt, vi* sigh
Sex *m* sex; **sexistisch** *Adj* sexist; **Sexualität** *f* sexuality; **sexuell** *Adj* sexual
Seychellen *Pl* Seychelles *Pl*

sfr *Abk* = **Schweizer Franken**; Swiss franc(s)

Shampoo *n* shampoo

Shorts *Pl* shorts *Pl*

Shuttlebus *m* shuttle bus

sich *Reflexivpron* (*Sg männlich*) himself; (*Sg weiblich*) herself; (*Sg sächlich*) itself; (*Pl*) themselves; (*nach Sie*) yourself; (*nach Sie im Pl*) yourselves; (*unbestimmt, nach man*) oneself; **er hat** ~ **verletzt** he hurt himself; **sie kennen** ~ they know each other; **sie hat** ~ **sehr gefreut** she was very pleased; **er hat** ~ **das Bein gebrochen** he's broken his leg

sicher *Adj* safe (*vor* + *Dat* from); (*gewiss*) certain (*Gen* of); (*zuverlässig*) reliable; (*selbstsicher*) confident; **aber** ~! of course, sure; **Sicherheit** *f* safety; (*Aufgabe von Sicherheitsbeamten*) FIN security; (*Gewissheit*) certainty; (*Selbstsicherheit*) confidence; **mit** ~ definitely; **Sicherheitsabstand** *m* safe distance; **Sicherheitsgurt** *m* seat belt; **sicherheitshalber** *Adv* just to be on the safe side; **Sicherheitsnadel** *f* safety pin; **Sicherheitsvorkehrung** *f* safety precaution; **sicherlich** *Adv* certainly; (*wahrscheinlich*) probably

sichern *vt* secure (*gegen* against); (*schützen*) IT protect; (*Daten*) back up; **Sicherung** *f* (*Sichern*) securing; (*Vorrichtung*) safety device; (*an Waffen*) safety catch; ELEK fuse; IT backup; **die** ~ **ist durchgebrannt** the fuse has blown

Sicht *f* sight; (*Aussicht*) view; **sichtbar** *Adj* visible; **sichtlich** *Adj* evident, obvious; **Sichtverhältnisse** *Pl* visibility *Sg*; **Sichtweite** *f* **in/außer** ~ within/out of sight

sie *Personalpron* (*3. Person Sg*) she; (*3. Person Pl*) they; (*Akk von Sg*) her; (*Akk von Pl*) them; (*für eine Sache*) it; **da ist** ~ **ja** there she is; **da sind** ~ **ja** there they are; **ich kenne** ~ (*Frau*) I know her; (*mehrere Personen*) I know them

Sie *Personalpron* (*Höflichkeitsform, Nom und Akk*) you

Sieb *n* sieve; (*Teesieb*) strainer

sieben *Zahl* seven; **siebenhundert** *Zahl* seven hundred; **siebenmal** *Adv* seven times; **siebte(r, s)** *Adj* seventh; → **dritte**; **Siebtel** *n* seventh; **siebzehn** *Zahl* seventeen; **siebzehnte(r, s)** *Adj* seventeenth; → **dritte**; **siebzig** *Zahl* seventy; **in den** ~**er Jahren** in the seventies; **siebzigste(r, s)** *Adj* seventieth

Siedlung *f* (*Wohngebiet*) housing estate (*Brit*) (*od* development (*US*))

Sieg *m* victory; **siegen** *vi* win; **Sieger(in)** *m(f)* winner; **Siegerehrung** *f* presentation ceremony

siezen *vt* address as 'Sie'

Signal *n* signal

Silbe *f* syllable

Silber *n* silver; **Silberhochzeit** *f* silver wedding; **Silbermedaille** *f* silver medal

Silikon *n* silicone

Silvester *n*, **Silvesterabend** *m* New Year's Eve, Hogmanay (*schott*)

Simbabwe *n* Zimbabwe

simpel *Adj* simple

simultan *Adj* simultaneous

simsen *vt, vi umg* text

Sinfonie *f* symphony; **Sinfonieorchester** *n* symphony orchestra

Singapur *n* Singapore

singen *vt, vi* sing; **richtig/falsch ~** sing in tune/out of tune

Single 1. *f* (*CD*) single **2.** *m* (*Mensch*) single

Singular *m* singular

sinken *vi* sink; (*Preise etc*) fall, go down

Sinn *m* (*Bedeutung*) sense, meaning; ~ **machen** make sense; **das hat keinen ~** it's no use; **sinnlich** *Adj* sensuous; (*erotisch*) sensual; (*Wahrnehmung*) sensory; **sinnlos** *Adj* (*unsinnig*) stupid; (*Verhalten*)

Silvester

In englischsprachigen Ländern ist es nicht üblich, zu Silvester seine eigenen Feuerwerkskörper zu zünden. Man feiert mit Freunden, Nachbarn oder der Familie. In London treffen sich viele Menschen am **Trafalgar Square**. Wenn **Big Ben** um Mitternacht die neue Jahre einläutet, jubeln die Leute und wünschen sich **Happy New Year**. In Schottland, wo man Silvester **Hogmanay** nennt, wird besonders ausgelassen gefeiert. Nach Mitternacht ziehen viele Menschen durch die Straßen, um mit Nachbarn, Freunden, Verwandten, aber auch mit völlig Fremden, auf das neue Jahr anzustoßen. In den USA geht man ebenfalls auf Silvesterpartys, und viele Städte organisieren, genau wie beispielsweise London oder Edinburgh in Großbritannien, ein Feuerwerk. In New York feiert man auf dem **Times Square**, wo alljährlich eine Minute vor Mitternacht langsam eine beleuchtete Kristallkugel (**crystal ball**) herabgelassen wird. Die Zuschauer zählen mit. Ist die Kristallkugel an ihrem Ziel angekommen, wird das Feuerwerk gezündet – ein Spektakel, das landesweit im Fernsehen übertragen wird.

senseless; (*zwecklos*) pointless; (*bedeutungslos*) meaningless; *sinnvoll Adj* meaningful; (*vernünftig*) sensible

Sirup *m* syrup

Sitte *f* custom

Situation *f* situation

Sitz *m* seat; **sitzen** *vi* sit; (*Bemerkung, Schlag*) strike home; (*versunken*) have sunk in; *der Rock sitzt gut* the skirt is a good fit; **Sitzgelegenheit** *f* place to sit down; **Sitzplatz** *m* seat; **Sitzung** *f* meeting

Sizilien *n* Sicily

Skandal *m* scandal

Skandinavien *n* Scandinavia

Skateboard *n* skateboard; **Skateboardfahrer(in)** *m(f)* skateboarder

Skelett *n* skeleton

skeptisch *Adj* sceptical

Ski *m* ski; *~ laufen* (*od fahren*) ski; (*Gelerntes*) have ski suit; **Skibrille** *f* ski goggles *Pl*; **Skifahren** *n* skiing; **Skigebiet** *n* skiing area; **Skihose** *f* skiing trousers *Pl*; **Skikurs** *m* skiing course; **Skiläufer(in)** *m(f)* skier; **Skilehrer(in)** *m(f)* ski instructor; **Skilift** *m* ski-lift

Skinhead *m* skinhead

Skischuh *m* ski boot; **Skispringen** *n* ski jumping; **Skistiefel** *m* ski boot; **Skistock** *m* ski pole; **Skiurlaub** *m* skiing holiday (*Brit*) (*od* vacation (*US*))

Skizze *f* sketch

Skonto *m od n* discount

Skorpion *m* ZOOL scorpion; ASTR Scorpio

Skulptur *f* sculpture

S-Kurve *f* double bend

Slalom *m* slalom

Slip *m* (pair of) briefs *Pl*; **Slipeinlage** *f* panty liner

Slowakei *f* Slovakia; **slowakisch** *Adj* Slovakian; **Slowakisch** *n* Slovakian

Slowenien *n* Slovenia; **slowenisch** *Adj* Slovenian; **Slowenisch** *n* Slovenian

Smiley *m* smiley

Smog *m* smog; **Smogalarm** *m* smog alert

Smoking *m* dinner jacket (*Brit*), tuxedo (*US*)

SMS 1. *n Abk* = **Short Message Service 2.** *f* (*Nachricht*) text message; *ich schicke dir eine ~* I'll text you, I'll send you a text (message)

Snowboard *n* snowboard; **Snowboardfahren** *n* snowboarding; **Snowboardfahrer(in)** *m(f)* snowboarder

so 1. *Adv* so; (*auf diese Weise*) like this; (*ungefähr*) about; *fünf Euro oder ~* five euros or so; *~ ein* such a; *~ ... wie ...* as ... as ...; *und ~ weiter* and so on; *~ genannt* so-called; *~ viel* as much (*wie* as); *~ weit sein* be ready; *~ weit wie* (*od* **als**) *möglich* as far as possible **2.** *Konj* so; (*vor Adjektiv*) as

sobald *Konj* as soon as

Socke f sock
Sodbrennen n heartburn
Sofa n sofa
sofern Konj if, provided (that)
sofort Adv immediately, at once
Softeis n soft ice-cream
Software f software
sogar Adv even; **kalt, ~ sehr kalt** cold, in fact very cold
Sohle f sole
Sohn m son
Soja f soya; **Sojasprossen** Pl bean sprouts Pl
solang(e) Konj as long as
Solarium n solarium
Solarzelle f solar cell
solche(r, s) Demonstrativpron such; **eine ~ Frau, solch eine Frau** such a woman, a woman like that; **~ Sachen** things like that, such things; **ich habe ~ Kopfschmerzen** I've got such a headache; **ich habe ~n Hunger** I'm so hungry
Soldat(in) m(f) soldier
solidarisch Adj showing solidarity
solid(e) Adj solid; (Leben, Mensch) respectable
Soll n FIN debit; (Arbeitsmenge) quota, target
sollen v to be supposed to; (Verpflichtung) shall, ought to; **soll ich?** shall I?; **du solltest besser nach Hause gehen** you'd better go home; **sie soll sehr reich sein** she's said to be very rich; **was soll das?** what's all that about?

Solo n solo
Sommer m summer; **Sommerfahrplan** m summer timetable; **Sommerferien** Pl summer holidays Pl (Brit) (od vacation Sg (US)); **sommerlich** Adj summery; (Sommer-) summer; **Sommerreifen** m normal tyre; **Sommersprossen** Pl freckles Pl; **Sommerzeit** f summertime; (Uhrzeit) daylight saving time
Sonderangebot n special offer; **sonderbar** Adj strange, odd; **Sondermüll** m hazardous waste
sondern Konj but; **nicht nur ..., ~ auch** not only ..., but also
Sonderpreis m special price; **Sonderschule** f special school; **Sonderzeichen** n IT special character
Song m song
Sonnabend m Saturday; → **Mittwoch;** **sonnabends** Adv on Saturdays; → **mittwochs**
Sonne f sun; **sonnen** vr sunbathe; **Sonnenaufgang** m sunrise; **Sonnenblume** f sunflower; **Sonnenbrand** m sunburn; **Sonnenbrille** f sunglasses Pl, shades Pl; **Sonnencreme** f sun cream; **Sonnendach** n (Auto) sunroof; **Sonnendeck** n sun deck; **Sonnenmilch** f suntan lotion; **Sonnenöl** n

spät

suntan oil; **Sonnenschein** *m* sunshine; **Sonnenschirm** *m* parasol, sunshade; **Sonnenstich** *m* sunstroke; **Sonnenstudio** *n* solarium; **Sonnenuhr** *f* sundial; **Sonnenuntergang** *m* sunset; **sonnig** *Adj* sunny

Sonntag *m* Sunday; → *Mittwoch*; **sonntags** *Adv* on Sundays; → *mittwochs*

sonst *Adv* (*außerdem*) else; (*andernfalls*) otherwise, (or) else; (*normalerweise*) normally, usually; ~ *noch etwas?* anything else?; ~ *nichts* nothing else

sooft *Konj* whenever

Sopran *m* soprano

Sorge *f* worry; (*Fürsorge*) care; *sich um jdn* ~*n machen* be worried about sb; **sorgen 1.** *vr* **für jdn** ~ look after sb; **für etw** ~ take care of sth, see to sth **2.** *vr* worry (*um* about); **sorgfältig** *Adj* careful

sortieren *vt* sort (out)

sosehr *Konj* however much

Soße *f* sauce; (*zu Braten*) gravy

Soundkarte *f* IT sound card

Souvenir *n* souvenir

soviel *Konj* as far as

soweit *Konj* as far as

sowie *Konj* (*wie auch*) as well as; (*sobald*) as soon as

sowohl *Konj* ~ ... *als* (*od wie*) *auch* both ... and

sozial *Adj* social; **Sozialhilfe** *f* income support (*Brit*), welfare (aid) (*US*); **Sozia-** lismus *m* socialism; **Sozialversicherung** *f* social security; **Sozialwohnung** *f* council flat (*Brit*), state-subsidized apartment (*US*)

Soziologie *f* sociology

sozusagen *Adv* so to speak

Spachtel *m* spatula

Spag(h)etti *Pl* spaghetti *Sg*

Spalte *f* crack; (*Gletscher*) crevasse; (*in Text*) column

spalten *vt*, *vr* split

Spange *f* clasp; (*Haarspange*) hair slide (*Brit*), barrette (*US*)

Spanien *n* Spain; **Spanier(in)** *m(f)* Spaniard; **spanisch** *Adj* Spanish; **Spanisch** *n* Spanish

spannen 1. *vt* (*straffen*) tighten **2.** *vi* be tight

spannend *Adj* exciting, gripping; **Spannung** *f* tension; ELEK voltage; *fig* suspense

Sparbuch *n* savings book; (*Konto*) savings account; **sparen** *vt*, *vi* save

Spargel *m* asparagus; **Spargelsuppe** *f* asparagus soup

Sparkasse *f* savings bank; **Sparkonto** *f* savings account

spärlich *Adj* meagre; (*Bekleidung*) scanty

sparsam *Adj* economical; **Sparschwein** *n* piggy bank

Spaß *m* joke; (*Freude*) fun; *es macht mir* ~ I enjoy it, it's (great) fun; *viel* ~*!* have fun

spät *Adj*, *Adv* late; *zu* ~

kommen be late

Spaten m spade

später Adj, Adv later; **spätestens** Adv at the latest; **Spätvorstellung** f late-night performance

Spatz m sparrow

spazieren vi stroll; walk; ~ **gehen** go for a walk; **Spaziergang** m walk

Specht m woodpecker

Speck m bacon fat; (durchwachsen) bacon

Spedition f (für Umzug) removal firm

Speiche f spoke

Speichel m saliva

Speicher m (Dachboden) attic; IT memory; **speichern** vt IT store; (sichern) save

Speise f food; (Gericht) dish; **Speisekarte** f menu; **Speiseröhre** f gullet, oesophagus; **Speisesaal** m dining hall; **Speisewagen** m dining car

Spende f donation; **spenden** vt donate, give

spendieren vt jdm etw ~ treat sb to sth

Sperre f barrier; (Verbot) ban; **sperren** vt block; SPORT suspend; (verbieten) ban; **Sperrstunde** f closing time; **Sperrung** f closing

Spesen Pl expenses Pl

spezialisieren vr specialize (auf + Akk in); **Spezialist(in)** m(f) specialist; **Spezialität** f specialty (Brit), specialty (US); **speziell 1.** Adj special **2.** Adv

especially

Spiegel m mirror; **Spiegelei** n fried egg (sunny-side up (US)); **spiegelglatt** Adj very slippery; **Spiegelreflexkamera** f reflex camera

Spiel n game; (Tätigkeit) play(ing); (Karten) pack, deck; **Spielautomat** m (ohne Geldgewinn) gaming machine; (mit Geldgewinn) slot machine; **spielen** vt, vi play; (um Geld) gamble; THEAT perform, act; **Klavier** ~ play the piano; **spielend** Adv easily; **Spieler(in)** m(f) player; (um Geld) gambler; **Spielfeld** n (für Fußball, Hockey) field; (für Basketball) court; **Spielfilm** m feature film; **Spielkasino** n casino; **Spielplatz** m playground; **Spielraum** m room to manoeuvre; **Spielregel** f rule; **sich an die ~n halten** stick to the rules; **Spielsachen** Pl toys Pl; **Spielverderber(in)** m(f) spoilsport; **Spielzeug** n toys Pl; (einzelnes) toy

Spieß m spear; (Bratspieß) spit; **Spießer(in)** m(f) square, stuffy type; **spießig** Adj square, uncool

Spikes Pl SPORT spikes Pl; AUTO studs Pl

Spinat m spinach

Spinne f spider; **spinnen** vt, vi spin; (Unsinn reden) talk rubbish; (verrückt sein) be crazy; **du spinnst!**

you must be mad; **Spinn-**
webe f cobweb

Spion(in) m(f) spy; **spionie-**
ren vi spy; fig snoop
around

Spirale f spiral; MED coil

Spirituosen Pl spirits Pl,
liquor Sg (US)

Spiritus m spirit

spitz Adj (Nase, Kinn)
pointed; (Bleistift, Messer)
sharp; (Winkel) acute; **Spit-**
ze f point; (von Finger, Nase) tip; (Bemerkung) taunt,
dig; (erster Platz) lead;
(Gewebe) lace; **Spitzenge-**
schwindigkeit f top speed;
Spitzer m pencil sharpener; **Spitzname** m nickname

Spliss m split ends Pl

sponsern vt sponsor; **Spon-**
sor(in) m(f) sponsor

spontan Adj spontaneous

Sport m sport; **~ treiben** do
sport; **Sportanlage** f sports
grounds Pl; **Sportart** f
sport; **Sportbekleidung** f
sportswear; **Sportgeschäft**
n sports shop; **Sporthalle** f
gymnasium, gym; **Sportleh-**
rer(in) m(f) sports instructor; (Schule) PE teacher;
Sportler(in) m(f) sports-
man/-woman; **sportlich** Adj
sporting; (Mensch) sporty;
Sportplatz m playing field;
Sportverein m sports club;
Sportwagen m sports car

Sprache f language; (Sprechen) speech; **Sprachen-**
schule f language school;

Sprachkurs m language
course; **Sprachunterricht**
m language teaching

Spray m od n spray

Sprechanlage f intercom;
sprechen vt, vi speak (jdn,
mit jdm to sb); (sich unterhalten) talk (mit to) (über,
von about); **~ Sie**
Deutsch? do you speak
German?; **kann ich bitte**
mit David ~? (am Telefon)
can I speak to David,
please?; **Sprecher(in)** m(f)
speaker; (Ansager) an-
nouncer; **Sprechstunde** f
consultation; (Arzt) surgery
hours Pl; (Anwalt etc) office hours Pl; **Sprechzim-**
mer n consulting room

Sprichwort n proverb

Springbrunnen m fountain
springen vi jump; (Glas)
crack; (mit Kopfsprung)
dive

Sprit m umg (Benzin) petrol
(Brit), gas (US)

Spritze f (Gegenstand) syringe; (Injektion) injection;
(an Schlauch) nozzle; **sprit-**
zen 1. vt spray; MED inject
2. vi splash; MED give injec-
tions

Spruch m saying

Sprudel m sparkling mineral
water; (süßer) fizzy drink
(Brit), soda (US); **sprudeln**
vi bubble

Sprühdose f aerosol (can);
sprühen vt, vi spray; fig
sparkle; **Sprühregen** m
drizzle

Sprung *m* jump; (*Riss*) crack; **Sprungbrett** *n* springboard; **Sprungschanze** *f* ski jump; **Sprungturm** *m* diving platforms *Pl*

Spucke *f* spit; **spucken** *vt*, *vi* spit

spuken *vi* (*Geist*) walk; **hier spukt es** this place is haunted

Spülbecken *n* sink

Spule *f* spool; ELEK coil

Spüle *f* sink; **spülen** *vt*, *vi* rinse; (*Geschirr*) wash up; (*Toilette*) flush; **Spülmaschine** *f* dishwasher; **Spülmittel** *n* washing-up liquid (*Brit*), dishwashing liquid (*US*); **Spültuch** *n* dishcloth; **Spülung** *f* (*von WC*) flush

Spur *f* trace; (*Fußspur, Radspur*) track; (*Fährte*) trail; (*Fahrspur*) lane; **die ~ wechseln** change lanes

spüren *vt* feel; (*merken*) notice; **Spürhund** *m* sniffer dog

Squash *n* squash; **Squashschläger** *m* squash racket

Sri Lanka *n* Sri Lanka

Staat *m* state; **staatlich** *Adj* state(-); (*vom Staat betrieben*) state-run; **Staatsangehörigkeit** *f* nationality; **Staatsanwalt** *m*, **-anwältin** *f* prosecuting counsel (*Brit*), district attorney (*US*); **Staatsbürger(in)** *m(f)* citizen; **Staatsbürgerschaft** *f* nationality

Stab *m* rod; (*Gitter*) bar; **Stäbchen** *n* (*Essstäbchen*) chopstick; **Stabhochsprung** *m* pole vault

stabil *Adj* stable; (*Möbel*) sturdy

Stachel *m* spike; (*von Tier*) spine; (*von Insekten*) sting; **Stachelbeere** *f* gooseberry; **Stacheldraht** *m* barbed wire; **stachelig** *Adj* prickly

Stadion *n* stadium

Stadt *f* town; (*groß*) city; **in der ~** in town; **Stadtautobahn** *f* urban motorway (*Brit*) od expressway (*US*); **Städtepartnerschaft** *f* twinning; **Stadtführer** *m* (*Heft*) city guide; **Stadtführung** *f* city sightseeing tour; **Stadthalle** *f* municipal hall; **städtisch** *Adj* municipal; **Stadtmauer** *f* city wall(s); **Stadtmitte** *f* town/city centre, downtown (*US*); **Stadtplan** *m* (street) map; **Stadtrand** *m* outskirts *Pl*; **Stadtrundfahrt** *f* city tour

Stahl *m* steel

Stall *m* stable; (*Kaninchen*) hutch; (*Schweine*) pigsty; (*Hühner*) henhouse

Stamm *m* (*Baum*) trunk; (*von Menschen*) tribe; **stammen** *vi* ~ **aus** come from; **Stammgast** *m* regular (guest); **Stammkunde** *m*, **Stammkundin** *f* regular (customer); **Stammtisch** *m* table reserved for regulars

Stand *m* (*Wasser, Benzin*) level; (*Stehen*) standing position; (*Zustand*) state; (*Spielstand*) score; (*auf Messe etc*) stand

Standby-Betrieb *m* stand--by; **Standby-Ticket** *n* stand-by ticket

Ständer *m* (*Gestell*) stand; *umg* (*Erektion*) hard-on

Standesamt *n* registry office

ständig *Adj* permanent; (*ununterbrochen*) constant, continual

Standlicht *n* sidelights *Pl* (*Brit*), parking lights *Pl* (*US*); **Standort** *m* position; **Standpunkt** *m* standpoint; **Standspur** *f* AUTO hard shoulder (*Brit*), shoulder (*US*)

Stange *f* stick; (*Stab*) pole; (*Metall*) bar; (*Zigaretten*) carton

Stapel *m* pile

Star 1. *m* (*Vogel*) starling; MED cataract **2.** *m* (*in Film etc*) star

stark *Adj* strong; (*heftig, groß*) heavy; (*Maßangabe*) thick; **Stärke** *f* strength; (*Dicke*) thickness; (*Wäschestärke, Speisestärke*) starch; **stärken** *vt* strengthen; (*Wäsche*) starch; **Stärkung** *f* strengthening; (*Essen*) refreshment

starr *Adj* stiff; (*unnachgiebig*) rigid; (*Blick*) staring; **starren** *vi* stare

Start *m* start; FLUG takeoff; **Startbahn** *f* runway; **starten** *vt, vi* start; FLUG take off;

Startmenü *n* IT start menu

Station *f* (*Haltestelle*) stop; (*Bahnhof*) station; (*im Krankenhaus*) ward; **stationär** *Adj* stationary; **~e Behandlung** in-patient treatment; **jdn ~ behandeln** treat sb as an in-patient

Statistik *f* statistics *Pl*

Stativ *n* tripod

statt *Konj, Präp* + *Gen od Dat* instead of; **~ zu arbeiten** instead of working

stattfinden *vi* take place

stattlich *Adj*

Statue *f* statue

Statusleiste *f*, **Statuszeile** *f* IT status bar

Stau *m* (*im Verkehr*) (traffic) jam; **im ~ stehen** be stuck in a traffic jam

Staub *m* dust; **~ wischen** dust; **staubig** *Adj* dusty; **staubsaugen** *vt, vi* vacuum, hoover (*Brit*); **Staubsauger** *m* vacuum cleaner, hoover® (*Brit*); **Staubtuch** *n* duster

Staudamm *m* dam

staunen *vi* be astonished (*über* + *Akk* at)

Stausee *m* reservoir; **Stauung** *f* (*von Wasser*) damming-up; (*von Blut, Verkehr*) congestion

Stauwarnung *f* traffic report

Steak *n* steak

stechen *vt, vi* (*mit Nadel etc*) prick; (*mit Messer*) stab; (*mit Finger*) poke; (*Biene*) sting; (*Mücke*) bite; (*Sonne*) burn; (*Kartenspiel*) trump; **Stechen** n sharp pain, stabbing pain; **Stechmücke** f mosquito

Steckdose f socket; **stecken 1.** vt put; (*Nadel*) stick; (*beim Nähen*) pin **2.** vi (*festsitzen*) be stuck; (*Nadeln*) be (sticking); **der Schlüssel steckt** the key is in the door; **Stecker** m plug; **Stecknadel** f pin

Steg m bridge

stehen 1. vi stand (*zu* by); (*sich befinden*) be; (*stillstehen*) have stopped; **was steht im Brief?** what does it say in the letter?; **jdm** (**gut**) ~ suit sb; ~ **bleiben** (*Uhr*) stop; ~ **lassen 2.** vi unpers **wie steht's?** SPORT what's the score?

Stehlampe f standard lamp (*Brit*), floor lamp (*US*)

stehlen vt steal

Stehplatz m (*im Konzert etc*) standing ticket

Steiermark f Styria

steif Adj stiff

steigen vi (*Preise, Temperatur*) rise; (*klettern*) climb

steigern vt, vr increase

Steigung f incline, gradient

steil Adj steep; **Steilhang** m steep slope; **Steilküste** f steep coast

Stein m stone; **Steinbock** m ZOOL ibex; ASTR Capricorn; **Steinbutt** m turbot; **steinig** Adj stony; **Steinschlag** m falling rocks Pl

Stelle f place, spot; (*Arbeit*) post, job; (*Amt*) office; **ich**

an deiner ~ if I were you; **stellen 1.** vt put; (*Uhr etc*) set (*auf* + *Akk* to); (*zur Verfügung stellen*) provide **2.** vr (*bei Polizei*) give oneself up; **sich schlafend** ~ pretend to be asleep; **Stellenangebot** n job offer, vacancy; **stellenweise** Adv in places; **Stellplatz** m parking space; **Stellung** f position; **zu etw** ~ **nehmen** comment on sth; **Stellvertreter(in)** m(f) representative; (*amtlich*) deputy

Stempel m stamp; **stempeln** vt stamp; (*Briefmarke*) cancel

sterben vi die

Stereoanlage f stereo (system)

steril Adj sterile; **sterilisieren** vt sterilize

Stern m star; **Sternbild** n constellation; (*Sternzeichen*) star sign, sign of the zodiac; **Sternfrucht** f star fruit; **Sternschnuppe** f shooting star; **Sternwarte** f observatory; **Sternzeichen** n star sign, sign of the zodiac; **welches** ~ **bist du?** what's your star sign?

stets Adv always

Steuer 1. n AUTO steering wheel **2.** f tax; **Steuerberater(in)** m(f) tax adviser; **Steuerbord** n starboard; **Steuererklärung** f tax declaration; **steuerfrei** Adj tax-free; (*Waren*) duty-free; **Steuerknüppel** m control

column; FLUG, IT joystick;
steuern vt, vi steer; (Flugzeug) pilot; (Entwicklung,
Tonstärke) IT control;
steuerpflichtig Adj tax-
able; **Steuerung** f AUTO
steering; (Vorrichtung) con-
trols Pl; FLUG piloting; fig
control

Stich m (von Insekt) sting;
(von Mücke) bite; (durch
Messer) stab; (beim Nähen)
stitch; (Färbung) tinge;
(Kartenspiel) trick; KUNST
engraving; **Stichprobe** f
spot check

sticken vt, vi embroider
Sticker m sticker
Stickerei f embroidery
stickig Adj stuffy, close
Stiefbruder m stepbrother
Stiefel m boot
Stiefmutter f stepmother
Stiefmütterchen n pansy
Stiefschwester f stepsister;
Stiefsohn m stepson; **Stief-
tochter** f stepdaughter;
Stiefvater m stepfather
Stiege f steps Pl
Stiel m handle; peg; stalk;
ein Eis am ~ an ice lolly
(Brit), a Popsicle® (US)
Stier m ZOOL bull; ASTR Tau-
rus; **Stierkampf** m bull-
fight; **Stierkämpfer(in)**
m(f) bullfighter
Stift m (aus Holz) peg; (Na-
gel) tack; (zum Schreiben)
pen; (Farbstift) crayon;
(Bleistift) pencil
Stil m style
still Adj quiet; (unbewegt)

still
stillen vt (Säugling) breastfeed
stillhalten vi keep still; **Still-
leben** n still life; **stillstehen** vi stand still
Stimme f voice; (bei Wahl)
vote
stimmen vi be right;
stimmt! that's right; **hier
stimmt was nicht** there's
something wrong here;
stimmt so! (beim Bezahlen) keep the change
Stimmung f mood; (Atmosphäre) atmosphere
stinken vi stink (nach of)
Stipendium n scholarship;
(als Unterstützung) grant
Stirn f forehead; **Stirnhöhle**
f sinus
Stock 1. m stick; BOT stock
2. m (Stockwerke Pl) floor,
storey; **Stockbett** n bunk
bed; **Stöckelschuhe** Pl
high-heels; **Stockwerk** n
floor; **im ersten ~** on the
first floor (Brit), on the
second floor (US)
Stoff m (Gewebe) material;
(Materie) matter; (von
Buch etc) subject (matter);
umg (Rauschgift) stuff
stöhnen vi groan (vor with)
stolpern vi stumble, trip
stolz Adj proud
stopp Interj stop! (Moment mal!) hang on a min-
ute; **stoppen** vt, vi stop;
(mit Uhr) time; **Stopp-
schild** n stop sign; **Stoppuhr** f stopwatch

Stöpsel *m* plug; (*für Fla-schen*) stopper

Storch *m* stork

stören *vt* disturb; (*behin-dern*) interfere with; **darf ich dich kurz ~?** can I trouble you for a minute?; **stört es dich, wenn ...?** do you mind if ...?

stornieren *vt* cancel

Störung *f* disturbance; (*in der Leitung*) fault

Stoß *m* (*Schub*) push; (*Schlag*) blow; (*mit Fuß*) kick; (*Haufen*) pile; **Stoß-dämpfer** *m* shock absorber

stoßen **1.** *vt* (*mit Druck*) shove, push; (*mit Schlag*) knock; (*mit Fuß*) kick; (*an-stoßen*) bump **2.** *vr* bang oneself

Stoßstange *f* AUTO bumper

stottern *vt, vi* stutter

Strafe *f* punishment; SPORT penalty; (*Gefängnisstrafe*) sentence; (*Geldstrafe*) fine; **strafen** *vt* punish; **Straf-raum** *m* penalty area; **Strafstoß** *m* penalty kick; **Straftat** *f* (criminal) of-fence; **Strafzettel** *m* ticket

Strahl *m* ray, beam; (*Wasser*) jet; **strahlen** *vi* radiate; *fig* beam

Strähne *f* strand; (*weiß, ge-färbt*) streak

Strand *m* beach; **am ~ on** the beach; **Strandcafé** *n* beach café

strapazieren *vt* (*Material*) be hard on; (*Mensch, Kräf-te*) be a strain on

Straße *f* road; (*in der Stadt*) street; **Straßenarbeiten** *Pl* roadworks *Pl* (*Brit*), road repairs *Pl* (*US*); **Straßen-bahn** *f* tram (*Brit*), street-car (*US*); **Straßencafé** *n* pavement café (*Brit*), side-walk café (*US*); **Straßen-fest** *n* street party; **Stra-ßenglätte** *f* slippery roads *Pl*; **Straßenrand** *m* **am ~** at the roadside; **Straßen-schild** *n* street sign; **Stra-ßensperre** *f* roadblock; **Straßenverhältnisse** *Pl* road conditions *Pl*

Strategie *f* strategy

Strauch *m* bush, shrub

Strauß **1.** *m* bunch; (*als Ge-schenk*) bouquet **2.** *m* (*Vo-gel*) ostrich

Strecke *f* route; (*Entfer-nung*) distance; BAHN line

strecken *vt, vr* stretch

streckenweise *Adv* (*teilwei-se*) in parts; (*zeitweise*) at times

Streich *m* trick, prank

streicheln *vt* stroke

streichen *vt* (*anmalen*) paint; (*durchstreichen*) delete; (*nicht genehmigen*) cancel

Streichholz *n* match; **Streichholzschachtel** *f* matchbox; **Streichkäse** *m* cheese spread

Streifen *m* (*Linie*) stripe; (*Stück*) strip; (*Film*) film

Streifenwagen *m* patrol car

Streik *m* strike; **streiken** *vi* be on strike

Streit *m* argument (*um, we-*

gen about, over); **streiten**
vi, vr argue (*um, wegen*
about, over)

streng *Adj* (*Blick*) severe;
(*Lehrer*) strict; (*Geruch*)
sharp

Stress *m* stress; **stressen** *vt*
stress (out); **stressig** *Adj*
umg stressful

Stretching *n* SPORT stretching exercises *Pl*

streuen *vt* scatter

Strich *m* (*Linie*) line; **Stri-
cher** *m umg* (*Strichjunge*)
rent boy (*Brit*), boy prostitute; **Strichkode** *m* bar
code; **Stricherin** *n umg*
(*Strichmädchen*) hooker;
Strichpunkt *m* semicolon

Strick *m* rope

stricken *vt, vi* knit; **Strickjacke** *f* cardigan; **Stricknadel**
f knitting needle

Stripper(in) *m(f)* stripper;
Striptease *m* striptease

Stroh *n* straw; **Strohdach** *n*
thatched roof; **Strohhalm**
m (drinking) straw; **Stroh-
hut** *m* straw hat

Strom *m* river; *fig* stream;
ELEK current; **Stroman-
schluss** *m* connection;
Stromausfall *m* power failure

strömen *vi* stream, pour;
Strömung *f* current

Stromzähler *m* electricity
meter

Strophe *f* verse

Strudel *m* (*in Fluss*) whirlpool; (*Gebäck*) strudel

Struktur *f* structure; (*von*
Material) texture

Strumpf *m* (*Damenstrumpf*)
stocking; (*Socke*) sock;
Strumpfhose *f* (pair of)
tights *Pl* (*Brit*), pantyhose
(*US*)

Stück *n* piece; (*etwas*) bit;
(*Zucker*) lump; THEAT play

Student(in) *m(f)* student;
Studentenausweis *m* student card; **Studenten-
wohnheim** *n* hall of residence (*Brit*), dormitory
(*US*); **Studienabschluss** *m*
qualification (*at the end of
a course of higher educa-
tion*); **Studienfahrt** *f* study
trip; **Studienplatz** *m* uni-
versity/college place; **studieren** *vt, vi* study; **Studium** *n* studies *Pl*; *während
seines ~s* while he is/
was studying

Stufe *f* step; (*Entwicklungs-
stufe*) stage

Stuhl *m* chair

stumm *Adj* silent; MED
dumb

stumpf *Adj* blunt; (*teil-
nahmslos, glanzlos*) dull;
stumpfsinnig *Adj* dull

Stunde *f* hour; (*Unterricht*)
lesson; *eine halbe ~* half an
hour; **Stundenkilometer** *m*
80 ~ 80 kilometres an hour;
stundenlang *Adv* for hours;
Stundenplan *m* timetable;
stündlich *Adj* hourly

Stuntman *m* stuntman;
Stuntwoman *f* stuntwoman

stur *Adj* stubborn; (*stärker*)
pigheaded

Sturm m storm; **stürmen** vi (Wind) blow hard; (rennen) storm; **Stürmer(in)** m(f) striker, forward; **Sturmflut** f storm tide; **stürmisch** Adj stormy; fig tempestuous; (Zeit) turbulent; (Liebhaber) passionate; (Beifall, Begrüßung) tumultuous; **Sturmwarnung** f gale warning

Sturz m fall; POL overthrow; **stürzen** 1. vt (werfen) hurl; POL overthrow; (umkehren) overturn 2. vi fall; (rennen) dash; **Sturzhelm** m crash helmet

Stute f mare

Stütze f support; (Hilfe) help; umg (Arbeitslosenunterstützung) dole (Brit), welfare (US)

stutzig Adj perplexed, puzzled; (misstrauisch) suspicious

Styropor® n polystyrene (Brit), styrofoam (US)

subjektiv Adj subjective

Substanz f substance

subtrahieren vt subtract

Subvention f subsidy; **subventionieren** vt subsidize

Suche f search (nach for); **auf der ~ nach etw sein** be looking for sth; **suchen** 1. vt look for; II search 2. vi look, search (nach for); **Suchmaschine** f IT search engine

Sucht f mania; MED addiction; **süchtig** Adj addicted; **Süchtige(r)** mf addict

Süd south; **Südafrika** n South Africa; **Südamerika** n South America; **Süddeutschland** n Southern Germany; **Süden** m south; **im ~ Deutschlands** in the south of Germany; **Südeuropa** n Southern Europe; **Südkorea** n South Korea; **südlich** Adj southern; (Kurs, Richtung) southerly; **Südost(en)** m southeast; **Südpol** m South Pole; **Südstaaten** Pl (der USA) the Southern States Pl, the South Sg; **südwärts** Adv south, southwards; **Südwest(en)** m southwest; **Südwind** m south wind

Sultanine f sultana

Sülze f jellied meat

Summe f sum; (Gesamtsumme) total

summen vi, vt hum; (Insekt) buzz

Sumpf m marsh; (subtropischer) swamp; **sumpfig** Adj marshy

Sünde f sin

super Adj umg super, great; **Super** n (Benzin) four star (petrol) (Brit), premium (US); **Supermarkt** m supermarket

Suppe f soup; **Suppengrün** n bunch of herbs and vegetables for flavouring soup; **Suppenwürfel** m stock cube

Surfbrett n surfboard; **surfen** vi surf; **im Internet ~** surf the Internet; **Sur-**

fer(in) *m(f)* surfer
Surrealismus *m* surrealism
süß *Adj* sweet; **süßen** *vt* sweeten; **Süßigkeit** *f* (*Bonbon etc*) sweet (*Brit*), candy (*US*); **süßsauer** *Adj* sweet-and-sour; **Süßspeise** *f* dessert; **Süßstoff** *m* sweetener; **Süßwasser** *n* fresh water
Sweatshirt *n* sweatshirt
Swimmingpool *m* (swimming) pool
Sylvester *n* → **Silvester**
Symbol *n* symbol; **Symbolleiste** *f* IT toolbar
Symmetrie *f* symmetry; **symmetrisch** *Adj* symmetrical
sympathisch *Adj* nice; **jdn**

~ finden like sb
Symphonie *f* symphony
Symptom *n* symptom (*für* of)
Synagoge *f* synagogue
synchronisiert *Adj* (*Film*) dubbed; **Synchronstimme** *f* dubbing voice
Synthesizer *m* MUS synthesizer
Synthetik *f* synthetic (fibre); **synthetisch** *Adj* synthetic
Syrien *n* Syria
System *n* system; **systematisch** *Adj* systematic; **Systemsteuerung** *f* IT control panel
Szene *f* scene

T

Tabak *m* tobacco; **Tabakladen** *m* tobacconist's
Tabelle *f* table
Tablett *n* tray
Tablette *f* tablet, pill
Tabulator *m* tabulator, tab
Tacho(meter) *m* AUTO speedometer
Tafel *f a.* MATHE table; (*Anschlagtafel*) board; (*Wandtafel*) blackboard; (*Gedenktafel*) plaque; **eine ~ Schokolade** a bar of chocolate
Tag *m* day; (*Tageslicht*) daylight; **guten ~!** good morning/afternoon; **am ~** during the day; **sie hat ihre ~e** she's got her period; **eines**

~es one day; **Tagebuch** *n* diary; **tagelang** *Adj* for days (on end); **Tagesanbruch** *m* daybreak; **Tagesausflug** *m* day trip; **Tagescreme** *f* day cream; **Tagesgericht** *n* dish of the day; **Tageskarte** *f* (*Fahrkarte*) day ticket; **die ~** (*Speisekarte*) today's menu; **Tageslicht** *n* daylight; **Tagesordnung** *f* agenda; **Tagestour** *f* day trip; **Tageszeitung** *f* daily newspaper; **täglich** *Adj, Adv* daily; **tags(über)** *Adv* during the day; **Tagung** *f* conference
Tai Chi *n* tai chi

Taille f waist; **tailliert** Adj fitted

Taiwan n Taiwan

Takt m (Taktgefühl) tact; MUS time; **Taktik** f tactics Pl

Tal n valley

Talent n talent; **talentiert** Adj talented

Talkmaster(in) m(f) talk-show host; **Talkshow** f talkshow

Tampon n tampon

Tandem n tandem

Tang m seaweed

Tank m tank; **Tankanzeige** f fuel gauge; **Tankdeckel** m fuel cap; **tanken** vi get some petrol (Brit) (od gas (US)); FLUG refuel; **Tanker** m (oil) tanker; **Tankstelle** f petrol station (Brit), gas station (US)

Tanne f fir; **Tannenzapfen** m fir cone

Tansania n Tanzania

Tante f aunt; **Tante-Emma-Laden** m corner shop (Brit), grocery store (US)

Tanz m dance; **tanzen** vt, vi dance; **Tänzer(in)** m(f) dancer; **Tanzfläche** f dance floor; **Tanzkurs** m dancing course; **Tanzlehrer(in)** m(f) dancing instructor; **Tanzstunde** f dancing lesson

Tapete f wallpaper; **tapezieren** vt, vi wallpaper

Tarif m tariff, (scale of) fares/charges Pl

Tasche f bag; (Hosentasche) pocket; (Handtasche) bag (Brit), purse (US); Ta-

schen- in Zs pocket; **Taschenbuch** n paperback; **Taschendieb(in)** m(f) pickpocket; **Taschengeld** n pocket money; **Taschenlampe** f torch (Brit), flashlight (US); **Taschenmesser** n penknife; **Taschenrechner** m pocket calculator; **Taschentuch** n handkerchief

Tasse f cup; **eine ~ Kaffee** a cup of coffee

Tastatur f keyboard; **Taste** f button; (von Klavier, Computer) key; **Tastenkombination** f IT shortcut; **Tastentelefon** n push-button telephone

Tat f action

Tatar n raw minced beef

Täter(in) m(f) culprit

Tätigkeit f activity; (Beruf) occupation

tätowieren vt tattoo; **Tätowierung** f tattoo (an + Dat on)

Tatsache f fact; **tatsächlich 1.** Adj actual **2.** Adv really

Tau 1. n (Seil) rope **2.** m dew

taub Adj deaf

Taube f pigeon; (Friedenssymbol) dove

taubstumm Adj deaf-and-dumb; **Taubstumme(r)** mf deaf-mute

tauchen 1. vt dip **2.** vi dive; SCHIFF submerge; **Tauchen** n diving; **Taucher(in)** m(f) diver; **Taucheranzug** m diving (od wet) suit; **Taucherbrille** f diving goggles Pl; **Tauchermaske** f diving mask; **Tauchkurs** *m* diving course

tauen *vi unpers* thaw

Taufe *f* baptism; **taufen** *vt* baptize; (*nennen*) christen

taugen *vi* be suitable (*für* for); **nichts ~** be no good

Tausch *m* exchange; **tauschen** *vt* exchange, swap

täuschen 1. *vt* deceive **2.** *vi* be deceptive **3.** *vr* be wrong; **täuschend** *Adj* deceptive; **Täuschung** *f* deception; (*optisch*) illusion

tausend *Zahl* a thousand; **vier~** four thousand; **~ Dank!** thanks a lot; **tausendmal** *Adv* a thousand times; **tausendste(r, s)** *Adj* thousandth; **Tausendstel** *n* (*Bruchteil*) thousandth

Tauwetter *n* thaw

Taxi *n* taxi; **Taxifahrer(in)** *m(f)* taxi driver; **Taxistand** *m* taxi rank (*Brit*), taxi stand (*US*)

Taxis

Die großen, meist schwarzen Taxis, die man in London und anderen britischen Großstädten sieht, heißen (**black**) **cabs**. Sie können vom Straßenrand aus herangewinkt oder auch telefonisch bzw. per Internet bestellt werden. Daneben gibt es zahlreiche Taxiunternehmen, deren Taxis (**minicabs**) ausschließlich telefonisch oder per Internet an-

gefordert werden können. In den USA kann man sich New York gar nicht ohne seine über 12.000 gelben Taxis (**NYC taxi cabs**) vorstellen. Diese kann man durch Handzeichen vom Straßenrand aus stoppen, was man als **hailing** bezeichnet.

Team *n* team; **Teamarbeit** *f* team work; **teamfähig** *Adj* able to work in a team

Technik *f* technology; (*angewandte*) engineering; (*Methode*) technique; **Techniker(in)** *m(f)* engineer; SPORT, MUS technician; **technisch** *Adj* technical

Techno *m* MUS techno

Teddybär *m* teddy bear

Tee *m* tea; **Teebeutel** *m* teabag; **Teekanne** *f* teapot; **Teelöffel** *m* teaspoon

Teer *m* tar

Teesieb *n* tea strainer; **Teetasse** *f* teacup

Teich *m* pond

Teig *m* dough; **Teigwaren** *Pl* pasta *Sg*

Teil 1. *m* part; (*Anteil*) share; **zum ~** partly **2.** *n* part; (*Bestandteil*) component; **teilen** *vt, vr* divide; (*mit jdm*) share (*mit* with); **20 durch 4 ~** divide 20 by 4

Teilnahme *f* participation (*an + Dat* in); **teilnehmen** *vi* take part (*an + Dat* in); **Teilnehmer(in)** *m(f)* participant

teils *Adv* partly; **teilweise**

Adv partially, in part; **Teilzeit** *f* **~ arbeiten** work part-time

Teint *m* complexion

Telefon *n* telephone; **Telefonanruf** *m*, **Telefonat** *n* (tele)phone call; **Telefonanschluss** *m* telephone connection; **Telefonauskunft** *f* directory enquiries *Pl (Brit)*, directory assistance *(US)*; **Telefonbuch** *n* telephone directory; **Telefongebühren** *Pl* telephone charges *Pl*; **Telefongespräch** *n* telephone conversation; **telefonieren** *vi* **ich telefoniere gerade (mit ...)** I'm on the phone (to ...); **telefonisch** *Adj* tele-

phone; *(Benachrichtigung)* by telephone; **Telefonkarte** *f* phonecard; **Telefonnummer** *f* (tele)phone number; **Telefonrechnung** *f* phone bill; **Telefonverbindung** *f* telephone connection; **Telefonzelle** *f* phone box *(Brit)*, phone booth

Telegramm *n* telegram; **Teleobjektiv** *n* telephoto lens; **Teleshopping** *n* teleshopping; **Teleskop** *n* telescope

Teller *m* plate

Tempel *m* temple

Temperament *n* temperament; *(Schwung)* liveliness; **temperamentvoll** *Adj* lively

Temperatur *f* temperature;

Telefonieren

Ruft man in englischsprachigen Ländern privat jemanden an, so meldet sich die Person am anderen Ende nicht mit dem Namen, sondern meist mit einem leicht fragenden **Hello?**. Manche Leute melden sich auch mit ihrer Telefonnummer. Ist man sich nicht sicher, ob der gewünschte Gesprächspartner am Apparat ist, so fragt man **Is this Steve?** oder **Am I talking to Steve?**. Ist man sich bereits sicher, dass man nicht den gewünschten Gesprächspartner am Apparat hat, so fragt man **Could I speak to Steve, please?**. Wenn man möchte, kann man sich vorher vorstellen: **Hi, this is Sarah. Could I speak to Steve, please?**. Es wird jedoch nicht als unhöflich empfunden, wenn man dies nicht tut. Möchte der Gesprächspartner wissen, mit wem es zu tun hat, so fragt er **Who's speaking?**. Darauf kann man immer noch erklären, wer man ist. Sobald man dies getan hat, wird man entweder hören **Just a moment, I'll get him.** – **Einen Moment bitte. Ich hole ihn.** oder **I'm sorry, he's not in. Can I take a message?** – Es tut mir leid, er ist nicht zu Hause. Kann ich ihm etwas ausrichten?.

Telefonnummern

Die Ziffern in Telefonnummern werden meist in Zweier- oder Dreiergruppen zusammengefasst. Dies gilt sowohl für Großbritannien als auch für die USA. Null entspricht in Großbritannien **oh**, in den USA **zero**. Zwei gleiche Ziffern werden **double-two** (22), **double-five** (55) etc. ausgesprochen. Eine sechsstellige Telefonnummer wie 765 311 kann auch in Dreiergruppen, also **seven six five – three double one** gesprochen werden.

bei ~en von 30 Grad at temperatures of 30 degrees
Tempo n (*Geschwindigkeit*) speed; **Tempolimit** n speed limit
Tempotaschentuch® n (*Papiertaschentuch*) (paper) tissue, ≈ Kleenex®
Tendenz f tendency; (*Absicht*) intention
Tennis n tennis; **Tennisball** m tennis ball; **Tennisplatz** m tennis court; **Tennisschläger** m tennis racket; **Tennisspieler(in)** m(f) tennis player; **Tennisturnier** n tennis tournament
Tenor m tenor
Teppich m carpet; **Teppichboden** m (wall-to-wall) carpet

Termin m (*Zeitpunkt*) date; (*Frist*) deadline; (*Arzttermin etc*) appointment
Terminal n IT, FLUG terminal
Terminkalender m diary; **Terminplaner** m (*in Buchform*) personal organizer, Filofax®; (*Taschencomputer*) personal digital assistant, PDA
Terrasse f terrace; (*hinter einem Haus*) patio
Terror m terror; **Terroranschlag** m terrorist attack; **terrorisieren** vt terrorize; **Terrorismus** m terrorism; **Terrorist(in)** m(f) terrorist
Tesafilm® m ≈ sellotape® (*Brit*), ≈ Scotch tape® (*US*)
Test m test
Testament n will; **das Alte/Neue ~** the Old/New Testament
testen vt test; **Testergebnis** n test results Pl
Tetanus m tetanus; **Tetanusimpfung** f (anti-)tetanus injection
teuer Adj expensive, dear (*Brit*)
Teufel m devil; **Teufelskreis** m vicious circle
Text m text; (*Liedertext*) words Pl, lyrics Pl; **Textmarker** m highlighter; **Textverarbeitung** f word processing
Thailand n Thailand
Theater n theatre; umg fuss; **ins ~ gehen** go to the theatre; **Theaterkasse** f box office; **Theaterstück** n

(stage) play

Theke f (*Schanktisch*) bar; (*Ladentisch*) counter

Thema n subject, topic; **kein ~!** no problem

Themse f Thames

Theologie f theology

theoretisch Adj theoretical; **~ stimmt das** that's right in theory; **Theorie** f theory

Therapeut(in) m(f) therapist; **Therapie** f therapy; **eine ~ machen** undergo therapy

Thermalbad n thermal bath; (*Ort*) thermal spa; **Thermometer** n thermometer; **Thermoskanne®** f Thermos® (flask); **Thermostat** m thermostat

These f theory

Thron m throne

Thunfisch m tuna

Thüringen n Thuringia

Thymian m thyme

Tick m tic; (*Eigenart*) quirk; (*Fimmel*) craze; **ticken** vi tick; **er tickt nicht ganz richtig** he's off his rocker

Ticket n (plane) ticket

Tiebreak m (*Tennis*) tie break(er)

tief Adj deep; (*Ausschnitt, Ton, Sonne*) low; **2 Meter ~** 2 metres deep; **Tief** n METEO low; (*seelisch*) depression; **Tiefdruck** m METEO low pressure; **Tiefe** f depth; **Tiefgarage** f underground car park (*Brit*) (*od* garage (*US*)); **tiefgekühlt** Adj frozen; **Tiefkühlfach** n freezer compartment; **Tiefkühlkost** f frozen food; **Tiefkühltruhe** f freezer; **Tiefpunkt** m low

Tier n animal; **Tierarzt** m, **Tierärztin** f vet; **Tiergarten** m zoo; **Tierhandlung** f pet shop; **Tierheim** n animal shelter; **tierisch 1.** Adj animal **2.** Adv ung really; **~ ernst** deadly serious; **ich hatte ~ Angst** I was dead scared; **Tierkreiszeichen** n sign of the zodiac; **Tierpark** m zoo; **Tierquälerei** f cruelty to animals; **Tierschützer(in)** m(f) animal rights campaigner; **Tierversuch** m animal experiment

Tiger m tiger

timen vt time; **Timing** n timing

Tinte f ink; **Tintenfisch** m cuttlefish; (*klein*) squid; (*achtarmig*) octopus; **Tintenfischringe** Pl calamari Pl

Tipp m tip; **tippen** vt, vi tap; ung (*schreiben*) type; ung (*raten*) guess

Tirol n Tyrol

Tisch m table; **Tischdecke** f tablecloth; (*Arbeit*) joinery; **Tischtennis** n table tennis; **Tischtennisschläger** m table-tennis bat

Titel m title; **Titelbild** n cover picture; **Titelmusik** f theme music; **Titelverteidiger(in)** m(f) defending champion

Toast *m* toast; **toasten** *vt* toast; **Toaster** *m* toaster
Tochter *f* daughter
Tod *m* death; **Todesopfer** *n* casualty; **Todesstrafe** *f* death penalty; **todkrank** *Adj* terminally ill; *(sehr krank)* seriously ill; **tödlich** *Adj* deadly, fatal; *er ist ~ verunglückt* he was killed in an accident; **todmüde** *Adj umg* dead tired; **todsicher** *Adj umg* dead certain
Tofu *m* tofu, bean curd
Toilette *f* toilet, restroom *(US)*; **Toilettenpapier** *n* toilet paper

---

Toilette

Für **Toilette** gibt es zahlreiche Begriffe im Englischen. Die neutrale Bezeichung im britischen Englisch ist **toilet**. Umgangssprachlich sagt man in Großbritannien auch **loo**. Förmliche Begriffe sind **lavatory** und **WC**, die allerdings sehr selten verwendet werden. In den USA bezeichnet **lavatory** einen Raum mit Toilette und Waschbecken, insbesondere im Flugzeug. Private Toiletten heißen im amerikanischen Englisch **bathroom**. Öffentliche Toiletten heißen in Großbritannien **public toilets** oder **public conveniences**, in den USA **washroom** oder **restroom**. In Lokalen verwendet man

---

Ladies für die Damentoilette bzw. **Gents** für die Herrentoilette.

---

toi, toi, toi *Interj* good luck
tolerant *Adj* tolerant *(gegen of)*
toll *Adj* mad; *(Treiben)* wild; *umg (großartig)* great; **Tollwut** *f* rabies *Sg*
Tomate *f* tomato; **Tomatenmark** *n* tomato purée *(Brit)* *(od* paste *(US))*; **Tomatensaft** *m* tomato juice
Tombola *f* raffle, tombola *(Brit)*
Ton 1. *m (Erde)* clay **2.** *m (Töne Pl) (Laut)* sound; MUS note; *(Redeweise)* tone; *(Farbton, Nuance)* shade
tönen 1. *vi* sound **2.** *vt* shade; *(Haare)* tint
Toner *m* toner; **Tonerkassette** *f* toner cartridge
Tonne *f (Fass)* barrel; *(Gewicht)* tonne, metric ton
Tontechniker(in) *m(f)* sound engineer
Tönung *f* hue; *(für Haar)* rinse
Top *n* top
Topf *m* pot
Töpfer(in) *m(f)* potter; **Töpferei** *f* pottery; *(Gegenstand)* piece of pottery
Tor *n* gate; SPORT goal; *ein ~ schießen* score a goal; **Torhüter(in)** *m(f)* goalkeeper
torkeln *vi* stagger
Torlinie *f* goal line
Tornado *m* tornado

Torpfosten m goalpost; Torschütze m, Torschützin f (goal)scorer

Torte f cake; (Obsttorte) flan; (Sahnetorte) gateau

Torwart(in) m(f) goalkeeper

tot Adj dead; ~er Winkel blind spot

total Adj total, complete; Totalschaden m complete write-off

Tote(r) mf dead man/woman; (Leiche) corpse; töten vt, vi kill; Totenkopf m skull

totlachen vr kill oneself laughing

Toto m od n pools Pl

totschlagen vt beat to death; die Zeit ~ kill time

Touchscreen m touch screen

Toupet n toupee

Tour f trip; (Rundfahrt) tour

Tourismus m tourism; Tourist(in) m(f) tourist; touristisch Adj tourist; pej touristy

traben vi trot

Tournee f tour

Tracht f (Kleidung) traditional costume

Tradition f tradition; traditionell Adj traditional

Trafik f tobacconist's

tragbar Adj portable

träge Adj sluggish, slow

tragen vt carry; (Kleidung, Brille, Haare) wear; (Namen, Früchte) bear; Träger m (an Kleidung) strap; Tragflügelboot n hydrofoil

tragisch Adj tragic; Tragö-

die f tragedy

Trainer(in) m(f) trainer, coach; trainieren vt, vi train; (jdn a.) coach; (Übung) practise; Training n training; Trainingsanzug m tracksuit

Traktor m tractor

Trambahn f tram (Brit), streetcar (US)

trampen vi hitchhike; Tramper(in) m(f) hitchhiker

Träne f tear; tränen vi water; Tränengas n teargas

Transfusion f transfusion

Transitverkehr m transit traffic; Transitvisum n transit visa

Transplantation f transplant; (Hauttransplantation) graft

Transport m transport; transportieren vt transport

Transvestit m transvestite

Traube f (einzelne Beere) grape; (ganze Frucht) bunch of grapes; Traubensaft m grape juice; Traubenzucker m glucose

trauen 1. vi jdm/einer Sache ~ trust sb/sth 2. vr dare 3. vt marry; sich ~ lassen get married

Trauer f sorrow; (für Verstorbenen) mourning

Traum m dream; träumen vt, vi dream (von of, about); traumhaft Adj dreamlike; fig wonderful

traurig Adj sad (über + Akk about)

Trauschein m marriage certificate; Trauung f wedding

ceremony; **Trauzeuge** m, **Trauzeugin** f witness (at wedding ceremony), ≈ best man/maid of honour

Travellerscheck m traveller's cheque

treffen 1. vr meet **2.** vt, vi hit; (Bemerkung) hurt; (begegnen) meet; (Entscheidung) make; (Maßnahmen) take; **Treffen** n meeting; **Treffer** m (Tor) goal; **Treffpunkt** m meeting place

treiben 1. vt drive; (Sport) do **2.** vi (im Wasser) drift; (Pflanzen) sprout; (Tee, Kaffee) be diuretic; **Treiber** m ɪт driver; **Treibhaus** n greenhouse; **Treibstoff** m fuel

trennen 1. vt separate; (teilen) divide **2.** vr separate; **sich von jdm ~** leave sb; **sich von etw ~** part with sth; **Trennung** f separation

Treppe f stairs Pl; (im Freien) steps Pl

Tresen m (in Kneipe) bar; (in Laden) counter

Tresor m safe

Tretboot n pedal boat; **treten 1.** vi step; **~ nach** kick at **2.** vt kick

treu Adj (gegenüber Partner) faithful; (Kunde, Fan) loyal; **Treue** f (eheliche) faithfulness; (von Kunde, Fan) loyalty

Triathlon n triathlon

Tribüne f stand; (Rednertribüne) platform

Trick m trick; **Trickfilm** m cartoon

Trieb m urge; (Instinkt) drive; (an Baum etc) shoot; **Triebwerk** n engine

Trikot n shirt, jersey

trinkbar Adj drinkable; **trinken** vt, vi drink; **einen ~ gehen** go out for a drink; **Trinkgeld** n tip

---

Trinkgeld

Im Allgemeinen hinterlässt man in Restaurants in Großbritannien ein **Trinkgeld** (**tip**) von ca. **10%** der angegebenen Summe. Steht auf der Rechnung bzw. Speisekarte **Service included** (inkl. Bedienung), würde man nur bei besonders gutem Service ein zusätzliches Trinkgeld geben. In den USA ist das anders. Dort lebte die Bedienung fast ausschließlich von den Trinkgeldern. Für Service wird **15%** der Rechnungssumme angesetzt.

Trinkhalm m (drinking) straw; **Trinkschokolade** f drinking chocolate; **Trinkwasser** n drinking water

Trio n trio

Tritt m (Schritt) step; (Fußtritt) kick

Triumph m triumph; **triumphieren** vi triumph (über + Akk over)

trivial Adj trivial

trocken Adj dry; **Trocken-**

heit f dryness; **trockenlegen** vt (*Baby*) change; **trocknen** vt, vi dry; **Trockner** m dryer

Trödel m junk; **Trödelmarkt** m flea market

trödeln vi umg dawdle

Trommel f drum; **Trommelfell** n eardrum; **trommeln** vt, vi drum

Trompete f trumpet

Tropen Pl tropics Pl

Tropf m MED drip; **am ~ hängen** be on a drip; **tröpfeln** vi drip; **es tröpfelt** it's drizzling; **tropfen** vt, vi drip; **Tropfen** m drop; **tropfenweise** Adv drop by drop; **tropfnass** Adj dripping wet; **Tropfsteinhöhle** f stalactite cave

tropisch Adj tropical

Trost m consolation, comfort; **trösten** vt console, comfort; **trostlos** Adj bleak; (*Verhältnisse*) wretched; **Trostpreis** m consolation prize

trotz Präp + Gen od Dat in spite of; **Trotz** m defiance; **trotzdem 1.** Adv nevertheless **2.** Konj although; **trotzig** Adj defiant

trüb Adj dull; (*Flüssigkeit, Glas*) cloudy; fig gloomy

Trüffel f truffle

trügerisch Adj deceptive

Truhe f chest

Trumpf m trump

Trunkenheit f intoxication; **~ am Steuer** drink driving (*Brit*), drunk driving (*US*)

Truthahn m turkey

Tscheche m, **Tschechin** f Czech; **Tschechien** n Czech Republic; **tschechisch** Adj Czech; **Tschechisch** n Czech

Tschetschenien n Chechnya

tschüs(s) Interj bye

T-Shirt n T-shirt

Tube f tube

Tuberkulose f tuberculosis, TB

Tuch n cloth; (*Halstuch*) scarf; (*Kopftuch*) headscarf

tüchtig Adj competent; (*fleißig*) efficient

Tugend f virtue; **tugendhaft** Adj virtuous

Tulpe f tulip

Tumor m tumour

Tümpel m pond

tun 1. vt (*machen*) do; (*legen*) put; **was tust du da?** what are you doing?; **das tut man nicht** you shouldn't do that; **jdm etw ~ (antun)** do sth to sb **2.** vi act; **so ~, als ob** act as if **3.** vr unpers **es tut sich etwas/viel** something/a lot is happening

Tuner m tuner

Tunesien n Tunisia

Tunfisch m tuna

Tunnel m tunnel

Tunte f pej umg fairy

tupfen vt, vi dab; (*mit Farbe*) dot; **Tupfen** m dot

Tür f door; **vor/an der ~** at the door; **an die ~ gehen** answer the door

Türke *m* Turk; Türkei *f* **die ~ Turkey**; Türkin *f* Turk

Türkis *m* turquoise

türkisch *Adj* Turkish; Türkisch *n* Turkish

Turm *m* tower; (*spitzer Kirchturm*) steeple; (*Schach*) rook, castle

turnen *vi* do gymnastics; Turnen *n* gymnastics *Sg*; (*Schule*) physical education, PE; Turner(in) *m(f)* gymnast; Turnhalle *f* gym(nasium); Turnhose *f* gym shorts *Pl*

Turnier *n* tournament

Turnschuh *m* gym shoe, sneaker (*US*)

Türschild *n* doorplate; Tür-

schloss *n* lock

tuscheln *vt, vi* whisper

Tussi *f pej umg* chick

Tüte *f* bag

TÜV *m Akr* = **Technischer Überwachungsverein**; ≈ MOT (*Brit*), vehicle inspection (*US*)

Tweed *m* tweed

Typ *m* type; (*Auto*) model; (*Mann*) guy, bloke

Typhus *m* typhoid

typisch *Adj* typical (*für* of); **ein ~er Fehler** a common mistake; **~ Marcus!** that's just like Marcus; **~ amerikanisch!** that's so American

U

u. a. *Abk* = **und andere(s)**; and others = **unter anderem, unter anderen**; among other things

u. A. w. g. *Abk* = **um Antwort wird gebeten**; RSVP

U-Bahn *f* underground (*Brit*), subway (*US*)

übel *Adj* bad; (*moralisch*) wicked; **mir ist ~** I feel sick; **diese Bemerkung hat er mir ~ genommen** he took offence at my remark; Übelkeit *f* nausea

üben *vt, vi* practise

über *Präp* + *Dat od Akk* (*werfen, springen*) over; (*hoch über*) above; (*quer*

über) across; (*oberhalb von*) above; (*Route*) via; (*betreffend*) about; (*mehr als*) over, more than; **~ das Wochenende** over the weekend

überall *Adv* everywhere

überbacken *f* (*mit Käse*) **~** au gratin; überbelichten *vt* FOTO overexpose; überbieten *vt* outbid; (*übertreffen*) surpass; (*Rekord*) break

Überbleibsel *n* remnant

Überblick *m* overview; *fig* (*in Darstellung*) survey; (*Fähigkeit zu verstehen*) grasp (*über* + *Akk* of)

überbuchen *vt* overbook;

Überbuchung f overbooking

übereinander Adv on top of each other; (sprechen etc) about each other

übereinstimmen vi agree (mit with)

überfahren vt AUTO run over; Überfahrt f crossing

Überfall m (Banküberfall) robbery; MIL raid; (auf jdn) assault; überfallen vt attack; (Bank) raid

überfällig Adj overdue

überfliegen vt fly over; (Buch) skim through

überflüssig Adj superfluous

überfordern vt demand too much of; (Kräfte) overtax; da bin ich überfordert (bei Antwort) you've got me there

Überführung f (Brücke) flyover (Brit), overpass (US)

überfüllt Adj overcrowded

Übergabe f handover

Übergang m crossing; (Wandel, Überleitung) transition; Übergangslösung f temporary solution, stopgap

übergeben 1. vt hand over 2. vr be sick, vomit

Übergepäck n excess baggage; Übergewicht n excess weight; (10 Kilo) ~ haben be (10 kilos) overweight

überglücklich Adj overjoyed; umg over the moon

überhaupt Adv at all; (im Allgemeinen) in general

überheblich Adj arrogant

überholen vt overtake; TECH overhaul; Überholspur f overtaking (Brit) (od passing (US)) lane; überholt Adj outdated

überhören vt miss, not catch; (absichtlich) ignore; überladen 1. vt overload 2. Adj fig cluttered; überlassen vt jdm etw ~ leave sth to sb; überlaufen vi (Flüssigkeit) overflow

überleben vt, vi survive; Überlebende(r) mf survivor

überlegen 1. vt consider; sich etw ~ think about sth; er hat es sich anders überlegt he's changed his mind 2. Adj superior (Dat to); Überlegung f consideration

übermäßig Adj excessive

übermorgen Adv the day after tomorrow

übernächste(r, s) Adj ~ Woche the week after next

übernachten vi spend the night (bei jdm at sb's place); Übernachtung f overnight stay; ~ mit Frühstück bed and breakfast

übernehmen 1. vt take on; (Amt, Geschäft) take over 2. vr take on too much

überprüfen vt check; Überprüfung f check; (Überprüfen) checking

überqueren vt cross

überraschen vt surprise; Überraschung f surprise

überreden vt persuade; er

hat mich überredet he talked me into it

überreichen *vt* hand over

überschätzen *vt* overestimate; **überschlagen 1.** *vt* (*berechnen*) estimate **2.** *vr* somersault; (*Auto*) overturn; (*Stimme*) crack; **überschneiden** *vr* (*Linien etc*) intersect; (*Termine*) clash

Überschrift *f* heading

Überschwemmung *f* flood

übersehen *vt* (*Gelände*) look (out) over; (*nicht beachten*) overlook

übersetzen *vt* translate (*aus* from, *in* + *Akk* into); **Übersetzer(in)** *m(f)* translator; **Übersetzung** *f* translation

Übersicht *f* overall view; (*Darstellung*) survey; **übersichtlich** *adj* clear

überstehen *vt* (*durchstehen*) get over

Überstunden *Pl* overtime *Sg*

überstürzt *adj* hasty

übertragbar *adj* transferable; MED infectious; **übertragen 1.** *vt* transfer (*auf* + *Akk* to); RADIO broadcast; (*Krankheit*) transmit **2.** *vr* spread (*auf* + *Akk* to) **3.** *adj* figurative; **Übertragung** *f* RADIO broadcast; (*von Daten*) transmission

übertreffen *vt* surpass

übertreiben *vt, vi* exaggerate, overdo; **Übertreibung** *f* exaggeration; **übertrieben** *adj* exaggerated, overdone

überwachen *vt* supervise;

(*Verdächtigen*) keep under surveillance

überweisen *vt* transfer; (*Patienten*) refer (*an* + *Akk* to); **Überweisung** *f* transfer; (*von Patienten*) referral

überwiegend *adv* mainly

überwinden 1. *vt* overcome **2.** *vr* make an effort, force oneself

überzeugen *vt* convince; **Überzeugung** *f* conviction

überziehen *vt* (*bedecken*) cover; (*Jacke etc*) put on; (*Konto*) overdraw; *die Betten frisch* ~ change the sheets; **Überziehungskredit** *m* overdraft facility

üblich *adj* usual

übrig *adj* remaining; *ist noch Saft* ~? is there any juice left?; *für jdn etwas* ~ *haben* have a soft spot for sb; *die Übrigen Pl* the rest *Pl*; *im Übrigen* besides; ~ *bleiben* be left (over); **übrigens** *adv* besides; (*nebenbei bemerkt*) by the way

Übung *f* practice; (*im Sport, Aufgabe etc*) exercise

Ufer *n* (*Fluss*) bank; (*Meer, See*) shore; *am* ~ on the bank/shore

Uhr *f* clock; (*am Arm*) watch; *wie viel* ~ *ist es?* what time is it?; *1* ~ 1 o'clock; *20* ~ 8 o'clock, 8 pm; **Uhrzeit** *f* time (of day)

Ukraine *f* die ~ the Ukraine

UKW *Abk* = *Ultrakurzwelle*; VHF

Ulme f elm

Ultrakurzwelle f very high frequency; **Ultraschallaufnahme** f MED scan

um 1. Präp + Akk (räumlich) (a)round; (zeitlich) at; ~ **etw kämpfen** fight for sth **2.** Konj (damit) (in order) to; **zu klug, ~ zu ...** too clever to ... **3.** Adv (ungefähr) about; **die Ferien sind** ~ the holidays are over; **die Zeit ist** ~ time's up; → **umso**

umarmen vt embrace

Umbau m rebuilding; (zu etwas) conversion (zu into); **umbauen** vt rebuild; (zu etwas) convert (zu into)

umblättern vt, vi turn over

umbringen vt kill

umbuchen vi change one's reservation/flight

umdrehen vt, vr turn (round); (umkehren) turn back; **Umdrehung** f turn; PHYS, AUTO revolution

umfahren vt knock down

umfallen vi fall over

Umfang m (Ausmaß) extent; (von Buch) size; (Reichweite) range; MATHE circumference; **umfangreich** Adj extensive

Umfrage f survey

Umgang m company; (mit jdm) dealings Pl; **umgänglich** Adj sociable; **Umgangssprache** f colloquial language, slang

Umgebung f surroundings Pl; (Milieu) environment;

(Personen) people around one

umgehen 1. vi (Gerücht) go round; ~ **(können) mit** (know how to) handle **2.** vt avoid; (Schwierigkeit, Verbot) get round; **Umgehungsstraße** f bypass

umgekehrt 1. Adj reverse; (gegenteilig) opposite **2.** Adv the other way round; **und** ~ and vice versa

umhören vr ask around; **umkehren 1.** vi turn back **2.** vt reverse; **umkippen 1.** vt tip over **2.** vi overturn; fig change one's mind; **umg** (ohnmächtig werden) pass out

Umkleidekabine f changing cubicle (Brit), dressing room (US); **Umkleideraum** m changing room

umleiten vt divert; **Umleitung** f diversion

umrechnen vt convert (in + Akk into); **Umrechnung** f conversion; **Umrechnungskurs** m rate of exchange

Umriss m outline

umrühren vi, vt stir

ums Kontr von **um das**

Umsatz m turnover

umschalten vt switch

Umschlag m cover; (Buch) jacket; MED compress; (Brief) envelope

Umschulung f retraining

umsehen vr look around; (suchen) look out (nach for)

umso *Adv* all the; **~ mehr** all the more; **~ besser** so much the better

umsonst *Adv* (*vergeblich*) in vain; (*gratis*) for nothing

Umstand *m* circumstance; **Umstände** *Pl fig* fuss; *in anderen Umständen sein* be pregnant; *jdm Umstände machen* cause sb a lot of trouble; *unter diesen/keinen Umständen* under these/no circumstances; *unter Umständen* possibly; **umständlich** *Adj* (*Methode*) complicated; (*Ausdrucksweise*) long-winded; (*Mensch*) ponderous

umsteigen *vi* change (trains/buses)

umstellen 1. *vt* (*an anderen Ort*) change round 2. *vr* adapt (*auf + Akk* to); **Umstellung** *f* change; (*Umgewöhnung*) adjustment

Umtausch *m* exchange; **umtauschen** *vt* exchange; (*Währung*) change

Umweg *m* detour

Umwelt *f* environment; **Umweltbelastung** *f* ecological damage; **Umweltschutz** *m* environmental protection; **Umweltschützer(in)** *m(f)* environmentalist; **Umweltverschmutzung** *f* pollution; **umweltverträglich** *Adj* environment-friendly

umwerfen *vt* knock over; *fig* (*ändern*) upset; *fig umg* (*jdn*) flabbergast

umziehen 1. *vt, vr* change 2.

vi move (house); **Umzug** *m* (*Straßenumzug*) procession; (*Wohnungsumzug*) move

unabhängig *Adj* independent; **Unabhängigkeitstag** *m* Independence Day, Fourth of July (*US*)

unabsichtlich *Adv* unintentionally

unangenehm *Adj* unpleasant; **Unannehmlichkeit** *f* inconvenience; **~en** *Pl* trouble *Sg*

unanständig *Adj* indecent; **unappetitlich** *Adj* (*Essen*) unappetizing; (*abstoßend*) off-putting; **unbeabsichtigt** *Adj* unintentional; **unbedeutend** *Adj* insignificant, unimportant; (*Fehler*) slight

unbedingt 1. *Adj* unconditional 2. *Adv* absolutely

unbefriedigend *Adj* unsatisfactory; **unbegrenzt** *Adj* unlimited; **unbekannt** *Adj* unknown; **unbeliebt** *Adj* unpopular; **unbemerkt** *Adj* unnoticed; **unbequem** *Adj* (*Stuhl, Mensch*) uncomfortable; **unbeständig** *Adj* (*Wetter*) unsettled; (*Lage*) unstable; (*Mensch*) unreliable; **unbestimmt** *Adj* indefinite; **unbewusst** *Adj* unconscious; **unbezahlt** *Adj* unpaid; **unbrauchbar** *Adj* useless

und *Konj* and; **~ so weiter** and so on; *na ~?* so what?

undankbar *Adj* (*Person*) ungrateful; (*Aufgabe*) thankless; **undenkbar** *Adj* inconceivable; **undeutlich** *Adj* indistinct; **undicht** *Adj* leaky; **uneben** *Adj* uneven; **unecht** *Adj* (*Schmuck etc*) fake; **unehelich** *Adj* (*Kind*) illegitimate; **unendlich** *Adj* endless; MATHE infinite; **unentbehrlich** *Adj* indispensable; **unentgeltlich** *Adj* free (of charge)

unentschieden *Adj* undecided; **~ enden** SPORT end in a draw

unerfreulich *Adj* unpleasant; **unerlässlich** *Adj* indispensable; **unerträglich** *Adj* unbearable; **unerwartet** *Adj* unexpected; **unfähig** *Adj* incompetent; **~ sein, etw zu tun** be incapable of doing sth; **unfair** *Adj* unfair

Unfall *m* accident; **Unfallstation** *f* casualty ward; **Unfallstelle** *f* scene of the accident; **Unfallversicherung** *f* accident insurance

unfreundlich *Adj* unfriendly

Ungarn *n* Hungary

Ungeduld *f* impatience; **ungeduldig** *Adj* impatient

ungeeignet *Adj* unsuitable

ungefähr 1. *Adj* approximate 2. *Adv* approximately; **~ 10 Kilometer** about 10 kilometres; **wann ~?** about what time?; **wo ~?** whereabouts?

ungefährlich *Adj* harmless; (*sicher*) safe

ungeheuer 1. *Adj* huge 2. *Adv umg* enormously; Un-

geheuer *n* monster

ungehorsam *Adj* disobedient (*gegenüber* to); **ungemütlich** *Adj* unpleasant; (*Mensch*) disagreeable; (*Getränk*) undrinkable; **ungenügend** *Adj* unsatisfactory; (*Schulnote*) ≈ F; **ungepflegt** *Adj* (*Garten*) untended; (*Aussehen*) unkempt; (*Hände*) neglected; **ungerade** *Adj* odd

ungerecht *Adj* unjust; **ungerechtfertigt** *Adj* unjustified; **Ungerechtigkeit** *f* injustice, unfairness

ungern *Adv* reluctantly; **ungeschickt** *Adj* clumsy; **ungeschminkt** *Adj* without make-up; **ungesund** *Adj* unhealthy; **ungewiss** *Adj* uncertain; **ungewöhnlich** *Adj* unusual

Ungeziefer *n* vermin *Pl*

ungezwungen *Adj* relaxed

unglaublich *Adj* incredible

Unglück *n* (*Unheil*) misfortune; (*Pech*) bad luck; (*Unglücksfall*) disaster; **das bringt ~** that's unlucky; **unglücklich** *Adj* unhappy; (*erfolglos*) unlucky; (*unerfreulich*) unfortunate; **unglücklicherweise** *Adv* unfortunately

ungültig *Adj* invalid

ungünstig *Adj* inconvenient

unheilbar *Adj* incurable; **~ krank sein** be terminally ill

unheimlich 1. *Adj* eerie 2. *Adv umg* incredibly

unhöflich Adj impolite
uni Adj plain
Uni f uni
Uniform f uniform
Universität f university
Unkenntnis f ignorance
unklar Adj unclear
Unkosten Pl expenses Pl
Unkraut n weeds Pl
unlogisch Adj illogical
unmissverständlich Adj unambiguous
unmittelbar Adj immediate;
~ **darauf** immediately afterwards
unmöbliert Adj unfurnished
unmöglich Adj impossible
unnötig Adj unnecessary
UNO f Akr = **United Nations Organization**; UN
unordentlich Adj untidy;
Unordnung f disorder
unpassend Adj inappropriate; (Zeit) inconvenient;
unpersönlich Adj impersonal; **unpraktisch** Adj impractical
Unrecht n wrong; **zu** ~ wrongly; ~ **haben, im** ~ **sein** be wrong
unregelmäßig Adj irregular;
unreif Adj unripe; **unruhig** Adj restless; ~ **schlafen** have a bad night
uns Personalpron (Akk, Dat von wir) us, (to) us; ~ (**selbst**) (reflexiv) ourselves; **sehen Sie** ~? can you see us?; **er schickte es** ~ he sent it to us; **lasst** ~ **in Ruhe** leave us alone; **ein Freund von** ~ a friend

of ours; **wir haben** ~ **hingesetzt** we sat down; **wir haben** ~ **amüsiert** we enjoyed ourselves; **wir mögen** ~ we like each other
unscharf Adj FOTO blurred, out of focus
unschlüssig Adj undecided
unschuldig Adj innocent
unser Possessivpron (adjektivisch) our; **unsere(r, s)** Possessivpron (substantivisch) ours; **unseretwegen** Adv (wegen uns) because of us; (uns zuliebe) for our sake
unseriös Adj dubious; **unsicher** Adj (ungewiss) uncertain; (Person, Job) insecure
Unsinn m nonsense
unsterblich Adj immortal; ~ **verliebt** madly in love
unsympathisch Adj unpleasant; **er ist mir** ~ I don't like him
unten Adv below; (im Haus) downstairs; (an der Treppe etc) at the bottom; **nach** ~ down; **unter** Präp + Akk od Dat under, below; (bei Menschen) among; (während) during
Unterarm m forearm
Unterbewusstsein n subconscious
unterbrechen vt interrupt; **Unterbrechung** f interruption; **ohne** ~ nonstop
unterdrücken vt suppress; (Leute) oppress
untere(r, s) Adj lower
untereinander Adv (räumlich) one below the other;

(*gegenseitig*) each other; (*miteinander*) among themselves/yourselves/ourselves
Unterführung f underpass
untergehen vi go down; (*Sonne a.*) set; (*Volk*) perish; (*Welt*) come to an end; (*im Lärm*) be drowned out
Untergeschoss n basement; **Untergewicht** n (**3 Kilo**) ~ **haben** be (3 kilos) underweight; **Untergrund** m foundation; POL underground; **Untergrundbahn** f underground (*Brit*), subway (*US*)
unterhalb Adv, Präp + Gen below; ~ **von** below
Unterhalt m maintenance; **unterhalten 1.** vt maintain; (*belustigen*) entertain **2.** vr talk; (*sich belustigen*) enjoy oneself; **Unterhaltung** f (*Belustigung*) entertainment; (*Gespräch*) talk, conversation
Unterhemd n vest (*Brit*), undershirt (*US*); **Unterhose** f underpants Pl; (*für Damen*) briefs Pl
unterirdisch Adj underground
Unterkiefer m lower jaw
Unterkunft f accommodation
Unterlage f (*Beleg*) document; (*Schreibunterlage*) pad
unterlassen vt **es** ~, **etw zu tun** (*versäumen*) fail to do sth; (*bleiben lassen*) refrain from doing sth
unterlegen Adj inferior (*Dat* to); (*besiegt*) defeated

Unterleib m abdomen
Unterlippe f lower lip
Untermiete f **zur** ~ **wohnen** be a subtenant; **Untermieter(in)** m(f) subtenant
unternehmen vt (*Reise*) go on; (*Versuch*) make; **etwas** ~ **do** something (*gegen* about); **Unternehmen** n undertaking; WIRTSCH company; **Unternehmensberater(in)** m(f) management consultant; **Unternehmer(in)** m(f) entrepreneur
Unterricht m lessons Pl; **unterrichten** vt teach
unterschätzen vt underestimate
unterscheiden 1. vt distinguish (*von* from, *zwischen* between) **2.** vr differ (*von* from)
Unterschenkel m lower leg
Unterschied m difference; **im** ~ **zu dir** unlike you; **unterschiedlich** Adj different
unterschreiben vt sign; **Unterschrift** f signature
Untersetzer m tablemat; (*für Gläser*) coaster
unterste(r, s) Adj lowest, bottom
unterstellen vr take shelter
unterstreichen vt a. fig underline
unterstützen vt support; **Unterstützung** f support
untersuchen vt MED examine; (*Polizei*) investigate; **Untersuchung** f examination; (*polizeiliche*) investigation

Untertasse *f* saucer; **Unterteil** *n* lower part, bottom; **Untertitel** *m* subtitle
untervermieten *vt* sublet
Unterwäsche *f* underwear
unterwegs *Adv* on the way
unterzeichnen *vt* sign
untreu *Adj* unfaithful; **unüberlegt 1.** *Adj* ill-considered **2.** *Adv* without thinking; **unüblich** *Adj* unusual; **unverantwortlich** *Adj* irresponsible
unverbindlich 1. *Adj* not binding; (*Antwort*) noncommittal **2.** *Adv* WIRTSCH without obligation
unverbleit *Adj* unleaded; **unverheiratet** *Adj* unmarried, single; **unvermeidlich** *Adj* unavoidable; **unvernünftig** *Adj* silly; **unverschämt** *Adj* impudent; **unverständlich** *Adj* incomprehensible; **unverträglich** *Adj* (*Essen*) indigestible; **unverzüglich** *Adj* immediate; **unvollständig** *Adj* incomplete; **unvorsichtig** *Adj* careless
unwahrscheinlich 1. *Adj* improbable, unlikely **2.** *Adv* *umg* incredibly
Unwetter *n* thunderstorm
unwichtig *Adj* unimportant
unwiderstehlich *Adj* irresistible
unwillkürlich 1. *Adj* involuntary **2.** *Adv* instinctively
unwohl *Adj* unwell, ill
unzählig *Adj* innumerable, countless

unzerbrechlich *Adj* unbreakable; **unzertrennlich** *Adj* inseparable; **unzufrieden** *Adj* dissatisfied; **unzugänglich** *Adj* inaccessible; **unzumutbar** *Adj* unacceptable; **unzutreffend** *Adj* inapplicable; (*unwahr*) incorrect; **unzuverlässig** *Adj* unreliable
Update *n* IT update
üppig *Adj* (*Essen*) lavish; (*Vegetation*) lush
uralt *Adj* ancient, very old
Uran *n* uranium
Uranus *m* Uranus
Uraufführung *f* premiere
Urenkel *m* great-grandson; **Urenkelin** *f* great-granddaughter; **Urgroßeltern** *Pl* great-grandparents *Pl*; **Urgroßmutter** *f* great-grandmother; **Urgroßvater** *m* great-grandfather
Urheber(in) *m(f)* originator; (*Autor*) author
Urin *m* urine; **Urinprobe** *f* urine specimen
Urkunde *f* document
Urlaub *m* holiday (*Brit*), vacation (*US*); **im ~** on holiday (*Brit*), on vacation (*US*); **in ~ fahren** go on holiday (*Brit*) (*od* vacation (*US*)); **Urlauber(in)** *m(f)* holiday-maker (*Brit*), vacationer (*US*); **Urlaubsort** *m* holiday resort; **urlaubsreif** *Adj* ready for a holiday (*Brit*) (*od* vacation (*US*)); **Urlaubszeit** *f* holiday season (*Brit*), vacation period

(US)

Urologe m, **Urologin** f urologist

Ursache f cause (*für* of); **keine ~!** not at all; (*bei Entschuldigung*) that's all right

Ursprung m origin; **ursprünglich 1.** *Adj* original **2.** *Adv* originally

Urteil n (*Meinung*) opinion; JUR verdict; (*Strafmaß*) sentence; **urteilen** vi judge

Uruguay n Uruguay

Urwald m jungle

USA *Pl* USA *Sg*

User(in) m(f) IT user

usw. *Abk* = **und so weiter**; etc

V

vage *Adj* vague

Vagina f vagina

vakuumverpackt *Adj* vacuum-packed

Valentinstag m St Valentine's Day

Vandalismus m vandalism

Vanille f vanilla

variieren vt, vi vary

Vase f vase

Vater m father; **väterlich** *Adj* paternal; **Vaterschaft** f fatherhood; JUR paternity; **Vatertag** m Father's Day; **Vaterunser** n **das ~** (**beten**) (to say) the Lord's Prayer

V-Ausschnitt m V-neck

v. Chr. *Abk* = **vor Christus**; BC

Veganer(in) m(f) vegan; **Vegetarier(in)** m(f) vegetarian; **vegetarisch** *Adj* vegetarian

Veilchen n violet

Velo n (*schweizerisch*) bicycle

Vene f vein

Venedig n Venice

Venezuela n Venezuela

Ventil n valve

Ventilator m ventilator

Venus f Venus

Venusmuschel f clam

verabreden 1. vt arrange **2.** vr arrange to meet (*mit jdm* sb); **ich bin schon verabredet** I'm already meeting someone; **Verabredung** f arrangement; (*Termin*) appointment; (*zum Ausgehen*) date

verabschieden 1. vt say goodbye to; (*Gesetz*) pass **2.** vr say goodbye

Verabschiedung

Um sich zu **verabschieden**, sagt man **bye**, **bye-bye** oder **good-bye**. Oft hört man auch **see you**, **see you soon** oder **see you later**, was dem deutschen **bis später** oder **bis bald** entspricht.

Take care oder **take care of yourself** hört man ebenfalls häufig beim Abschied. Es ist eine freundliche Floskel für **tschüs**, wie sie sowohl unter Freunden als auch zwischen Geschäftsleuten verwendet wird.

verachten vt despise; **verächtlich** Adj contemptuous; (verachtenswert) contemptible; **Verachtung** f contempt

verallgemeinern vt generalize

Veranda f veranda, porch (US)

veränderlich Adj changeable; **verändern** vt, vr change; **Veränderung** f change

veranlassen vt cause

veranstalten vt organize; **Veranstalter(in)** m(f) organizer; **Veranstaltung** f event; **Veranstaltungsort** m venue

verantworten 1. vt take responsibility for **2.** vr **sich für etw** ~ answer for sth; **verantwortlich** Adj responsible (für for); **Verantwortung** f responsibility (für for)

verärgern vt annoy

verarschen vt umg take the piss out of (Brit), make a sucker out of (US)

Verb n verb

Verband m MED bandage; (Bund) association; Ver-

band(s)kasten m first-aid box; **Verband(s)zeug** n dressing material

verbergen vt, vr hide (vor + Dat from)

verbessern 1. vt improve; (berichtigen) correct **2.** vr improve; (berichtigen) correct oneself; **Verbesserung** f improvement; (Berichtigung) correction

verbiegen vi, vr bend

verbieten vt forbid; **jdm** ~, **etw zu tun** forbid sb to do sth

verbilligt Adj reduced

verbinden 1. vt connect; (kombinieren) combine; MED bandage; **können Sie mich mit ... ~?** TEL can you put me through to ...?; **ich verbinde** TEL I'm putting you through **2.** vt CHEM combine; **Verbindung** f connection

verbleit Adj leaded

Verbot n ban (für, von on); **verboten** Adj forbidden; **es ist ~** it's not allowed; **es ist ~, hier zu parken** you're not allowed to park here; **Rauchen ~** no smoking

verbrannt Adj burnt

Verbrauch m consumption; **verbrauchen** vt use up; **Verbraucher(in)** m(f) consumer

Verbrechen n crime; **Verbrecher(in)** m(f) criminal

verbreiten vt, vr spread

verbrennen vt burn; Verbrennung f burning; (in Motor) combustion

verbringen vt spend

verbunden Adj **falsch ~** sorry, wrong number

Verdacht m suspicion; verdächtig Adj suspicious; verdächtigen vt suspect

verdammt Interj umg damn

verdanken vt **jdm etw ~** owe sth to sb

verdauen vt a. fig digest; Verdauung f digestion

Verdeck n top

verderben 1. vt spoil; (schädigen) ruin; (moralisch) corrupt; **ich habe mir den Magen verdorben** I've got an upset stomach 2. vi (Lebensmittel) go off

verdienen vt earn; (moralisch) deserve; Verdienst 1. m earnings Pl 2. n merit; (Leistung) service (um to sb)

verdoppeln vt double

verdorben Adj spoilt; (geschädigt) ruined; (moralisch) corrupt

verdrehen vt twist; (Augen) roll; **jdm den Kopf ~** fig turn sb's head

verdünnen vt dilute

verdunsten vi evaporate

verdursten vi die of thirst

verehren vt admire; REL worship; Verehrer(in) m(f) admirer

Verein m association; (Klub) club

vereinbaren vt arrange; Vereinbarung f agreement, arrangement

vereinigen vt, vr unite; Vereinigtes Königreich n United Kingdom; Vereinigte Staaten (von Amerika) Pl United States Sg (of America); Vereinigung f union; (Verein) association; Vereinte Nationen Pl United Nations Pl

vereisen vi (Straße) freeze over; (Fenster) ice up 2. vt MED freeze

verfahren 1. vi proceed 2. vr get lost; Verfahren n procedure; TECH method; JUR proceedings Pl

verfallen vi decline; (Fahrkarte etc) expire; **~ in** lapse into; Verfallsdatum n expiry (Brit) od expiration (US) date; (von Lebensmitteln) best-before date

verfärben vr change colour; (Wäsche) discolour

Verfasser(in) m(f) author, writer; Verfassung f condition; POL constitution

verfaulen vi rot

verfehlen vt miss

Verfilmung f film (od screen) version

verfluchen vt curse

verfolgen vt pursue; POL persecute

verfügbar Adj available; verfügen vi **über etw ~** have sth at one's disposal; Verfügung f order; **jdm zur ~ stehen** be at sb's disposal

verführen vt tempt; (sexuell) seduce; verführerisch Adj seductive

vergangen *Adj* past; **~e Woche** last week; **Vergangenheit** *f* past

Vergaser *m* AUTO carburettor

vergeben *vt* forgive (*jdm etw
sb* for sth); **vergebens** *Adv*
in vain; **vergeblich 1.** *Adv*
in vain **2.** *Adj* vain, futile

vergehen 1. *vi* pass **2.** *vr
sich an jdm* ~ indecently
assault sb; **Vergehen** *n* offence

vergessen *vt* forget; **vergesslich** *Adj* forgetful

vergeuden *vt* squander,
waste

vergewaltigen *vt* rape; **Vergewaltigung** *f* rape

vergewissern *vr* make sure

vergiften *vt* poison; **Vergif-
tung** *f* poisoning

Vergissmeinnicht *n* forget-
-me-not

Vergleich *m* comparison;
JUR settlement; **im ~ zu**
compared to (*od* with);
vergleichen *vt* compare
(*mit* to, with)

Vergnügen *n* pleasure; **viel
~!** enjoy yourself; **vergnügt**
Adj cheerful; **Vergnü-
gungspark** *m* amusement
park

vergriffen *Adj* (*Buch*) out of
print; (*Ware*) out of stock

vergrößern *vt* enlarge;
(*Menge*) increase; (*mit Lupe*) magnify; **Vergrößerung**
f enlargement; (*Menge*) increase; (*mit Lupe*) magnifi-
cation; **Vergrößerungsglas**
n magnifying glass

verhaften *vt* arrest

verhalten *vr* behave; **Verhalten** *n* behaviour

Verhältnis *n* relationship
(*zu* with); MATHE ratio; **~se**
Pl circumstances *Pl*, conditions *Pl*; **im ~ von 1 zu 2**
in a ratio of 1 to 2; **verhältnismäßig 1.** *Adj* relative **2.**
Adv relatively

verhandeln *vi* negotiate
(*über etw Akk* sth); **Verhandlung** *f* negotiation

verheimlichen *vt* keep secret (*jdm* from sb)

verheiratet *Adj* married

verhindern *vt* prevent; **sie
ist verhindert** she can't
make it

Verhör *n* interrogation; (*ge-
richtlich*) examination; **verhören 1.** *vt* interrogate;
(*bei Gericht*) examine **2.** *vr*
mishear

verhungern *vi* starve to
death

verhüten *vt* prevent; **Verhü-
tung** *f* prevention; (*mit Pille, Kondom etc*) contraception; **Verhütungsmittel** *n*
contraceptive

verirren *vr* get lost

Verkauf *m* sale; **verkaufen**
vt sell; **zu ~** for sale; **Ver-
käufer(in)** *m(f)* seller; (*beruflich*) salesperson; (*in
Laden*) shop assistant
(*Brit*), salesperson (*US*);
verkäuflich *Adj* for sale

Verkehr *m* traffic; (*Sex*) intercourse; (*Umlauf*) circulation; **verkehren** *vi* (*Bus*

etc) run; **~ mit** associate (*od* mix) with; **Verkehrsampel** *f* traffic lights *Pl*; **Verkehrsamt** *n* tourist information office; **Verkehrsfunk** *m* travel news *Sg*; **Verkehrsinsel** *f* traffic island; **Verkehrsmeldung** *f* traffic report; **Verkehrsmittel** *n* means *Sg* of transport; **öffentliche ~** *Pl* public transport *Sg*; **Verkehrsschild** *n* traffic sign; **Verkehrsunfall** *m* road accident; **Verkehrszeichen** *n* traffic sign

verkehrt *Adj* wrong; **du machst es ~** you're doing it wrong; (*verkehrt herum*) the wrong way round; (*Pullover etc*) inside out

verklagen *vt* take to court

verkleiden 1. *vt, vr* dress up (*als* as) **2.** *vr* dress up (*als* as); (*um unerkannt zu bleiben*) disguise oneself; **Verkleidung** *f* (*Karneval*) fancy dress

verkleinern *vt* reduce; (*Zimmer, Gebiet etc*) make smaller; **verkommen 1.** *vi* deteriorate; (*Mensch*) go downhill **2.** *Adj* (*Haus*) dilapidated; (*moralisch*) depraved; **verkraften** *vt* cope with

verkratzt *Adj* scratched

verkühlen *vr* get a chill

verkürzen *vt* shorten

Verlag *m* publishing company

verlangen 1. *vt* (*fordern*) demand; (*wollen*) want; (*Preis*) ask; (*erwarten*) ask

(*von* of); (*fragen nach*) ask for; (*Pass etc*) ask to see; **~ Sie Herrn X** ask for Mr X **2.** *vi* **~ nach** ask for

verlängern *vt* extend; (*Pass, Erlaubnis*) renew; **Verlängerung** *f* extension; SPORT extra time; (*von Pass, Erlaubnis*) renewal; **Verlängerungsschnur** *f* extension cable; **Verlängerungswoche** *f* extra week

verlassen 1. *vt* leave **2.** *vr* rely (*auf* + *Akk* on) **3.** *Adj* desolate; (*Mensch*) abandoned; **verlässlich** *Adj* reliable

Verlauf *m* course; **verlaufen 1.** *vi* (*Weg, Grenze*) run (*entlang* along); (*zeitlich*) pass; (*Farben*) run **2.** *vr* get lost; (*Menschenmenge*) disperse

verlegen 1. *vt* move; (*verlieren*) mislay; (*Buch*) publish **2.** *Adj* embarrassed; **Verlegenheit** *f* embarrassment; (*Situation*) difficulty

Verleih *m* (*Firma*) hire company (*Brit*), rental company (*US*); **verleihen** *vt* lend; (*vermieten*) hire (out) (*Brit*), rent (out) (*US*); (*Preis, Medaille*) award

verleiten *vt* **jdn dazu ~, etw zu tun** induce sb to do sth

verlernen *vt* forget

verletzen *vt* injure; *fig* hurt; **Verletzte(r)** *mf* injured person; **Verletzung** *f* injury; (*Verstoß*) violation

verlieben *vr* fall in love (*in jdn* with sb); **verliebt** *Adj*

versalzen

in love

verlieren vt, vi lose

verloben vr get engaged (mit to); **Verlobte(r)** mf fiancé/fiancée; **Verlobung** f engagement

verlosen vt raffle; **Verlosung** f raffle

Verlust m loss

vermehren vt, vr multiply; (Menge) increase

vermeiden vt avoid

vermeintlich Adj supposed

vermieten vt rent (out), let (out) (Brit), (Auto) hire (out) (Brit), rent (out) (US); **Vermieter(in)** m(f) landlord/-lady

vermischen vt, vr mix

vermissen vt miss; **vermisst** Adj missing; **jdn als ~ melden** report sb missing

Vermögen n fortune

vermuten vt suppose; (argwöhnen) suspect; **vermutlich 1.** Adj probable **2.** Adv probably; **Vermutung** f supposition; (Verdacht) suspicion

vernachlässigen vt neglect

vernichten vt destroy; **vernichtend** Adj fig crushing; (Blick) withering; (Kritik) scathing

Vernunft f reason; **vernünftig** Adj sensible; (Preis) reasonable

veröffentlichen vt publish

verordnen vt MED prescribe; **Verordnung** f MED order; MED prescription

verpachten vt lease (out)

(an + Akk to)

verpacken vt pack; (einwickeln) wrap up; **Verpackung** f packaging

verpassen vt miss

verpflegen vt feed; **Verpflegung** f feeding; (Kost) food; (in Hotel) board

verpflichten 1. vt oblige; (anstellen) engage **2.** vr commit oneself (etw zu tun to doing sth)

verpfuschen vt umg make a mess of; vulg fuck up

verprügeln vt beat up

verraten 1. vt betray; (Geheimnis) divulge; **aber nicht ~!** but don't tell anyone **2.** vr give oneself away

verrechnen 1. vt ~ **mit** set off against **2.** vr miscalculate; **Verrechnungsscheck** m crossed cheque (Brit), check for deposit only (US)

verregnet Adj rainy

verreisen vi go away (nach to); **sie ist (geschäftlich) verreist** she's away (on business); **verrenken** vt contort; MED dislocate; **sich den Knöchel ~** sprain (od twist) one's ankle; **verringern** vt reduce

verrostet Adj rusty

verrückt Adj mad, crazy; **es macht mich ~** it's driving me mad

versagen vi fail; **Versagen** n failure; **Versager(in)** m(f) failure

versalzen vt put too much salt in/on

versammeln vt, vr assemble, gather; **Versammlung** f meeting

Versand m dispatch; (Abteilung) dispatch department; **Versandhaus** n mail-order company

versäumen vt miss; (unterlassen) neglect; **~, etw zu tun** fail to do sth

verschätzen vr miscalculate

verschenken vt give away; (Chance) waste

verschicken vt send off

verschieben vt (auf später) postpone, put off; (an anderen Ort) move

verschieden Adj different; (mehrere) various; **sie sind ~ groß** they are of different sizes; **Verschiedene** Pl various people/things Pl; **Verschiedenes** various things Pl

verschimmelt Adj mouldy

verschlafen 1. vt sleep through; fig miss 2. vi, vr oversleep

verschlechtern vr deteriorate, get worse; **Verschlechterung** f deterioration

verschließbar Adj lockable; **verschließen** vt close; (mit Schlüssel) lock

verschlimmern 1. vt make worse 2. vr get worse

verschlossen Adj locked; fig reserved

verschlucken 1. vt swallow 2. vr choke (an + Dat on)

Verschluss m lock; (von Kleid) fastener; FOTO shutter; (Stöpsel) stopper

verschmutzen vt get dirty; (Umwelt) pollute

verschnaufen vi **ich muss mal ~** I need to get my breath back

verschneit Adj snow-covered

verschnupft Adj **~ sein** have a cold; umg (beleidigt) be peeved

verschonen vt spare (jdn mit etw sb sth)

verschreiben vt MED prescribe; **verschreibungspflichtig** Adj available only on prescription

verschweigen vt keep secret; **jdm etw ~** keep sth from sb

verschwenden vt waste; **Verschwendung** f waste

verschwiegen Adj discreet; (Ort) secluded

verschwinden vi disappear, vanish; **verschwinde!** get lost!

Versehen n **aus ~** by mistake; **versehentlich** Adv by mistake

versenden vt send off

versetzen 1. vt transfer; (verpfänden) pawn; (bei Verabredung) stand up 2. vr **sich in jdn (od jds Lage) ~** put oneself in sb's place

verseuchen vt contaminate

versichern vt insure; (bestätigen) assure; **versichert sein** be insured; **Versichertenkarte** f health-insurance card; **Versicherung** f insur-

ance; **Versicherungskarte**
f **grüne ~** green card (*Brit*),
insurance document for
driving abroad; **Versiche-**
rungspolice *f* insurance
policy
versinken *vi* sink
versöhnen 1. *vt* reconcile **2.**
vr become reconciled
versorgen 1. *vt* provide, supply (*mit* with); (*Familie*)
look after **2.** *vr* look after
oneself; **Versorgung** *f* provision; (*Unterhalt*) maintenance; (*für Alter etc*) benefit
verspäten *vr* be late; **ver-**
spätet *Adj* late; **Verspä-**
tung *f* delay; (**eine Stunde**)
~ haben be (an hour) late
versprechen 1. *vt* promise
2. *vr* **ich habe mich ver-**
sprochen I didn't mean to
say that
Verstand *m* mind; (*Vernunft*)
(common) sense; **den ~**
verlieren lose one's mind;
verständigen 1. *vt* inform
2. *vr* communicate; (*sich*
einigen) come to an understanding; **Verständigung** *f*
communication; **verständ-**
lich *Adj* understandable;
Verständnis *n* understanding (*für* of); (*Mitgefühl*)
sympathy; **verständnisvoll**
Adj understanding
Verstärker *m* amplifier
verstauchen *vt* sprain
Versteck *n* hiding place; **~**
spielen play hide-and-seek;
verstecken *vt*, *vr* hide (*vor*
+ *Dat* from)

verstehen 1. *vt* understand;
falsch ~ misunderstand **2.**
vr get on (*mit* with)
verstellbar *Adj* adjustable;
verstellen 1. *vt* move;
(*Uhr*) adjust; (*versperren*)
block; (*Stimme, Hand-*
schrift) disguise **2.** *vr* pretend, put on an act
verstopfen *vt* block up; MED
constipate; **Verstopfung** *f*
obstruction; MED constipa-
tion
Verstoß *m* infringement, violation (*gegen* of)
Versuch *m* attempt; (*wissen-*
schaftlich) experiment; **ver-**
suchen *vt* try
vertauschen *vt* exchange;
(*versehentlich*) mix up
verteidigen *vt* defend
verteilen *vt* distribute
Vertrag *m* contract; POL
treaty
vertragen 1. *vt* stand, bear
2. *vr* get along (*with* each
other); (*sich aussöhnen*)
make it up
vertrauen *vi* **jdm/einer Sa-**
che ~ trust sb/sth; **Vertrau-**
en *n* trust (*zu, in* in); **ich**
habe kein ~ zu ihm I don't
trust him; **ich hab's ihm**
im ~ gesagt I told him in
confidence; **vertraulich**
Adj (*geheim*) confidential;
vertraut *Adj* **sich mit etw**
~ machen familiarize oneself with sth
vertreten *vt* represent; (*An-*
sicht) hold; **Vertreter(in)**
m(f) representative

Vertrieb m (*Abteilung*) sales department

verunglücken vi have an accident; **tödlich ~** be killed in an accident

verursachen vt cause

verurteilen vt condemn

verwackeln vt (*Foto*) blur

verwählen vr dial the wrong number

verwalten vt manage; (*behördlich*) administer; **Verwalter(in)** m(f) manager; **Verwaltung** f management; (*amtlich*) administration

verwandt Adj related (*mit* to); **Verwandte(r)** mf relative, relation; **Verwandtschaft** f relationship; (*Menschen*) relations Pl

verwarnen vt warn; SPORT caution

verwechseln vt confuse (*mit* with); (*halten für*) mistake (*mit* for)

verweigern vt refuse

verwenden vt use; **Verwendung** f use

verwirklichen vt realize; **sich selbst ~** fulfil oneself

verwirren vt confuse; **Verwirrung** f confusion

verwöhnen vt spoil

verwunderlich Adj surprising; **Verwunderung** f astonishment

verwüsten vt devastate

verzählen vr miscount

verzehren vt consume

Verzeichnis n (*Liste*) list; (*Katalog*) catalogue; (*in Buch*) index; IT directory

verzeihen vt, vi forgive (*jdm etw* sb for sth); **~ Sie bitte, ...** (*vor Frage etc*) excuse me, ...; **~ Sie die Störung** sorry to disturb you; **Verzeihung** f **~!** sorry; **~, ...** (*vor Frage etc*) excuse me, ...; (*jdn*) um **~ bitten** apologize (to sb)

verzichten vi **auf etw ~** do without sth; (*aufgeben*) give sth up

verziehen 1. vt (*Kind*) spoil; **das Gesicht ~** pull a face 2. vr go out of shape; (*verschwinden*) disappear

verzieren vt decorate

verzögern 1. vt delay 2. vr be delayed; **Verzögerung** f delay

verzweifeln vi despair (*an* of); **verzweifelt** Adj desperate; **Verzweiflung** f despair

Vetter m cousin

vgl. Abk = **vergleiche**; cf

Viagra® n Viagra®

Vibrator m vibrator; **vibrieren** vi vibrate

Video n video; **auf ~ aufnehmen** video; **Videoclip** m video clip; **Videofilm** m video; **Videogerät** n video (recorder); **Videokamera** f video camera; **Videokassette** f video (cassette); **Videorekorder** m video recorder; **Videospiel** n video game; **Videothek** f video library

Vieh n cattle

viel 1. *Indefinitpron* a lot

(of), lots of; **~ Arbeit** a lot of work, lots of work; **~e Leute** a lot of people, lots of people, many people; **zu ~** too much; **zu ~e** too many; **sehr ~** a great deal of; **sehr ~e** a great many; **ziemlich ~, ~e** quite a lot of; **nicht ~** not much, not a lot of; **nicht ~e** not many, not a lot of; **sie sagt nicht ~** she doesn't say a lot; **gibt es ~?** is there much?, is there a lot?; **gibt es ~e?** are there many?, are there a lot? **2.** *Adv* a lot; **er geht ~ ins Kino** he goes a lot to the cinema; **sehr ~** a great deal; **ziemlich ~** quite a lot; **~ besser** much better; **~ teurer** much more expensive; **~ zu ~** far too much

vielleicht *Adv* perhaps; **~ ist sie krank** perhaps she's ill, she might be ill; **weißt du ~, wo er ist?** do you know where he is (by any chance)?

vielmal(s) *Adv* many times; **danke ~s** many thanks; **vielmehr** *Adv* rather; **vielseitig** *Adj* very varied; (*Mensch, Gerät*) versatile

vier *Zahl* four; **auf allen ~n** on all fours; **unter ~ Augen** in private, privately; **Vier** *f* four; (*Schulnote*) ≈ D; **Vierbettzimmer** *n* four-bed room; **Viereck** *n* four-sided figure; (*Quadrat*) square; **viereckig** *Adj* four-sided; (*quadratisch*) square; **vierfach** *Adj* **die ~e Menge**

four times the amount; **vierhundert** *Zahl* four hundred; **viermal** *Adv* four times; **vierspurig** *Adj* four-lane

viert *Adv* **wir sind zu ~** there are four of us; **vierte(r, s)** *Adj* fourth; → **dritte**

Viertel *n* (*Stadtviertel*) quarter, district; (*Bruchteil*) quarter; (*Viertelliter*) quarter-litre; **~ vor/nach drei** a quarter to/past three; **viertel drei** a quarter past two; **drei viertel drei** a quarter to three; **Viertelfinale** *n* quarter-final; **vierteljährlich** *Adj* quarterly; **Viertelstunde** *f* quarter of an hour

vierzehn *Zahl* fourteen; **in ~ Tagen** in two weeks, in a fortnight (*Brit*); **vierzehntägig** *Adj* two-week, fortnightly; **vierzehnte(r, s)** *Adj* fourteenth; → **dritte**; **vierzig** *Zahl* forty; **vierzigste(r, s)** *Adj* fortieth

Vietnam *n* Vietnam

Vignette *f* motorway (*Brit*) (*od* freeway *US*) permit

Villa *f* villa

violett *Adj* purple

Violine *f* violin

Virus *m od n* virus

Visitenkarte *f* card

Visum *n* visa

Vitamin *n* vitamin

Vitrine *f* (glass) cabinet; (*Schaukasten*) display case

Vogel *m* bird; **vögeln** *vi, vt vulg* screw

Voicemail *f* voice mail

Vokal m vowel

Volk n people Pl; (Nation) nation; **Volksfest** n festival; (Jahrmarkt) funfair; **Volkshochschule** f adult education centre; **Volkslied** n folksong; **Volksmusik** f folk music; **volkstümlich** Adj popular; (herkömmlich) traditional; (Kunst) folk

voll Adj full (von of); ~ **machen** fill up; ~ **tanken** fill up; **Vollbremsung** f **eine** ~ **machen** slam on the brakes; **vollends** Adv completely

Vollgas n **mit** ~ at full throttle; ~ **geben** step on it

völlig 1. Adj complete **2.** Adv completely

volljährig Adj of age; **Vollkaskoversicherung** f fully comprehensive insurance; **vollklimatisiert** Adj fully air-conditioned; **vollkommen 1.** Adj perfect; ~ **er Unsinn** complete rubbish **2.** Adv completely

Vollkornbrot n wholemeal (Brit) (od whole wheat (US)) bread

Vollmacht f authority; (Urkunde) power of attorney

Vollmilch f full-fat milk (Brit), whole milk (US); **Vollmilchschokolade** f milk chocolate; **Vollmond** m full moon; **Vollnarkose** f general anaesthetic; **Vollpension** f full board

vollständig Adj complete **Vollwaschmittel** n all-purpose washing powder; **Vollwertkost** f wholefood; **vollzählig** Adj complete

Volt n volt

Volumen n volume

vom Kontr von dem; (räumlich, zeitlich, Ursache) from; **ich kenne sie nur** ~ **Sehen** I only know her by sight

von Präp + Dat (räumlich, zeitlich) from; (statt Gen, bestehend aus) of; (im Passiv) by; **ein Freund** ~ **mir** a friend of mine; ~ **mir aus** umg if you like; ~ **wegen!** no way

voneinander Adv from each other

vor Präp + Dat od Akk (zeitlich) before; (räumlich) in front of; **fünf** ~ **drei** five to three; ~ **2 Tagen** 2 days ago; ~ **Wut/Liebe** with rage/love; ~ **allem** above all

vorangehen vi go ahead; **einer Sache** ~ precede sth; **vorankommen** vi make progress

voraus Adv jdm ~ **sein** be ahead of sb; **im Voraus** in advance; **vorausfahren** vi drive on ahead; **vorausgesetzt** Konj provided (that); **Voraussage** f prediction; (Wetter) forecast; **voraussagen** vt predict; **voraussehen** vt foresee; **voraussetzen** vt assume; **Voraussetzung** f requirement, prerequisite; **voraussichtlich 1.** Adj expected **2.** Adv probably; **vorauszahlen** vt pay in advance

vorbei Adv past, over, finished; **vorbeibringen** vt drop by (od in); **vorbeifahren** vi drive past; **vorbeigehen** vi pass by, go past; (*verstreichen*, *aufhören*) pass; **vorbeikommen** vi drop by; **vorbeilassen** vt *kannst du die Leute ~?* would you let these people pass?; *lässt du mich bitte mal vorbei?* can I get past, please?

vorbereiten 1. vt prepare **2.** vr get ready (*auf*, *für* for); **Vorbereitung** f preparation

vorbestellen vt book in advance; (*Essen*) order in advance; **Vorbestellung** f booking, reservation

vorbeugen vi prevent (*Dat* sth); **vorbeugend** Adj preventive; **Vorbeugung** f prevention

Vorbild n (role) model; **vorbildlich** Adj model, ideal

Vorderachse f front axle; **vordere(r, s)** Adj front; **Vordergrund** m foreground; **Vorderradantrieb** m AUTO front-wheel drive; **Vorderseite** f front; **Vordersitz** m front seat; **Vorderteil** m od n front (part)

vordrängen vr push forward

voreilig Adj hasty, rash; *~e Schlüsse ziehen* jump to conclusions; **voreingenommen** Adj biased

vorenthalten vt *jdm etw ~*

withhold sth from sb

vorerst Adv for the moment

vorfahren vi (*vorausfahren*) drive on ahead; *vor das Haus ~* drive up to the house; *fahren Sie bis zur Ampel vor* drive as far as the traffic lights

Vorfahrt f AUTO right of way; *~ achten* give way (*Brit*), yield (*US*); **Vorfahrtsschild** n (od yield (*US*)) sign; **Vorfahrtsstraße** f major road

Vorfall m incident

vorführen vt demonstrate; (*Film*) show; THEAT perform

Vorgänger(in) m(f) predecessor

vorgehen vi (*vorausgehen*) go on ahead; (*nach vorn*) go forward; (*handeln*) act, proceed; (*Uhr*) be fast; (*Vorrang haben*) take precedence; (*passieren*) go on; **Vorgehen** n procedure

Vorgesetzte(r) mf superior

vorgestern Adv the day before yesterday

vorhaben vt plan; *hast du schon was vor?* have you got anything on?; *ich habe vor, nach Rom zu fahren* I'm planning to go to Rome

vorhalten vt *jdm etw ~* accuse sb of sth

Vorhand f forehand

vorhanden Adj existing; (*erhältlich*) available

Vorhang m curtain

Vorhängeschloss n padlock

Vorhaut f foreskin

vorher Adv before; **zwei Tage ~** two days before; **~ essen wir** we'll eat first; **Vorhersage** f forecast; **vorhersehen** vt foresee

vorhin Adv just now, a moment ago

vorig Adj previous; (Woche etc) last

vorkommen vi (nach vorne kommen) come forward; (geschehen) happen; (scheinen) seem (to sb); **sich dumm ~** feel stupid

Vorlage f model

vorlassen vt **jdn ~** let sb go first

vorläufig Adj temporary

vorlesen vt read out

vorletzte(r, s) Adj last but one; **am ~n Samstag** (on) the Saturday before last

Vorliebe f preference

vormachen vt **kannst du es mir ~?** can you show me how to do it?; **jdm etwas ~** fig (täuschen) fool sb

Vormittag m morning; **am ~** in the morning; **heute ~** this morning; **vormittags** Adv in the morning; **um 9 Uhr ~** at 9 (o'clock) in the morning, at 9 am

vorn(e) Adv in front; **von ~ anfangen** start at the beginning; **nach ~** to the front; **weiter ~** further up; **von ~ bis hinten** from beginning to end

Vorname m first name; **wie heißt du mit ~** what's your first name?

vornehm Adj distinguished; (Benehmen) refined; (fein, elegant) elegant

vornehmen vt **sich etw ~** start on sth; **sich ~, etw zu tun** (beschließen) decide to do sth

vornherein Adv **von ~** from the start

Vorort m suburb

vorrangig Adj priority

Vorrat m stock, supply; **vorrätig** Adj in stock; **Vorratskammer** f pantry

Vorrecht n privilege; **Vorruhestand** m early retirement; **Vorsaison** f early season

Vorsatz m intention; JUR intent; **vorsätzlich** Adj intentional; JUR premeditated

Vorschau f preview; (Film) trailer

Vorschlag m suggestion, proposal; **vorschlagen** vt suggest, propose; **ich schlage vor, dass wir gehen** I suggest we go

vorschreiben vt stipulate; **jdm etw ~** dictate sth to sb

Vorschrift f regulation, rule; (Anweisung) instruction; **vorschriftsmäßig** Adj correct

Vorsicht f care; **~!** look out; (Schild) caution; **~ Stufe!** mind the step; **vorsichtig** Adj careful; **vorsichtshalber** Adv just in case

Vorsorge f precaution; (Vorbeugung) prevention; **Vor-**

sorgeuntersuchung *f* checkup; **vorsorglich** *Adv* as a precaution

Vorspeise *f* starter

vorstellen *vt* (*bekannt machen*) introduce, put forward; (*vor etw*) put in front; **sich etw ~** imagine sth; **Vorstellung** *f* (*Bekanntmachen*) introduction; THEAT performance; (*Gedanke*) idea; **Vorstellungsgespräch** *n* interview

vortäuschen *vt* feign

Vorteil *m* advantage (*gegenüber* over); **die Vor- und Nachteile** the pros and cons; **vorteilhaft** *Adj* advantageous

Vortrag *m* talk (*über* + *Akk* on); (*akademisch*) lecture; **einen ~ halten** give a talk

vorüber *Adv* over; **vorübergehen** *vi* pass; **vorübergehend 1.** *Adj* temporary **2.** *Adv* temporarily, for the time being

Vorurteil *n* prejudice

Vorverkauf *m* advance booking

vorverlegen *vt* bring forward

Vorwahl *f* TEL dialling code (*Brit*), area code (*US*)

Vorwand *m* pretext, excuse; **unter dem ~, dass** with the excuse that

vorwärts *Adv* forward; **~ gehen** *fig* progress; **Vorwärtsgang** *m* AUTO forward gear

vorweg *Adv* in advance; **vorwegnehmen** *vt* anticipate

vorwerfen *vt* **jdm etw ~** accuse sb of sth

vorwiegend *Adv* mainly

Vorwort *n* preface

Vorwurf *m* reproach; **sich Vorwürfe machen** reproach oneself; **jdm Vorwürfe machen** accuse sb; **vorwurfsvoll** *Adj* reproachful

vorzeigen *vt* show

vorzeitig *Adj* premature, early

vorziehen *vt* (*lieber haben*) prefer

vorzüglich *Adj* excellent

vulgär *Adj* vulgar

Vulkan *m* volcano; **Vulkanausbruch** *m* volcanic eruption

W

Waage *f* scales *Pl*; ASTR Libra; **waagerecht** *Adj* horizontal

wach *Adj* awake; **~ werden** wake up; **Wache** *f* guard

Wachs *n* wax

wachsen *vi* grow

wachsen *vt* (*Skier*) wax

Wachstum *n* growth

Wächter(in) *m(f)* guard; (*auf Parkplatz*) attendant

wackelig *Adj* wobbly; *fig* shaky; **Wackelkontakt** *m* loose connection; **wackeln**

vi (*Stuhl*) be wobbly; (*Zahn, Schraube*) be loose; **mit dem Kopf ~** waggle one's head

Wade *f* ANAT calf

Waffe *f* weapon

Waffel *f* waffle; (*Keks, Eiswaffel*) wafer

wagen *vt* risk; **es ~, etw zu tun** dare to do sth

Wagen *m* AUTO car; BAHN carriage; **Wagenheber** *m* jack; **Wagentyp** *m* model, make

Wahl *f* choice; POL election; **wählen 1.** *vt* choose; TEL dial; POL vote for; (*durch Wahl ermitteln*) elect **2.** *vi* choose; TEL dial; POL vote; **Wähler(in)** *m(f)* voter; **wählerisch** *Adj* choosy; **Wahlkampf** *m* election campaign; **wahllos** *Adv* at random; **Wahlwiederholung** *f* redial

Wahnsinn *m* madness; **~!** amazing!; **wahnsinnig 1.** *Adj* insane, mad **2.** *Adv* *umg* incredibly

wahr *Adj* true; **das darf doch nicht ~ sein!** I don't believe it; **nicht ~?** that's right, isn't it?

während 1. *Präp + Gen* during **2.** *Konj* while; **währenddessen** *Adv* meanwhile, in the meantime

Wahrheit *f* truth

wahrnehmbar *Adj* noticeable, perceptible; **wahrnehmen** *vt* perceive

Wahrsager(in) *m(f)* fortune-

-teller

wahrscheinlich 1. *Adj* probable, likely **2.** *Adv* probably; **ich komme ~ zu spät** I'll probably be late; **Wahrscheinlichkeit** *f* probability

Währung *f* currency

Währungen

Für einige Währungen gibt es umgangssprachliche Bezeichnungen, so z.B.:

nickel	5-Cent-Stück (USA und Kanada)
dime	10-Cent-Stück (USA und Kanada)
quarter	25-Cent-Stück (USA und Kanada)
buck	Dollar (USA und Australien)
quid	Pfund (Großbritannien)

Wahrzeichen *n* symbol

Waise *f* orphan

Wal *m* whale

Wald *m(pl)* (*groß*) forest; **Waldbrand** *m* forest fire; **Waldlauf** *m* cross-country run; **Waldsterben** *n* forest dieback

Wales *n* Wales; **Waliser(in)** *m(f)* Welshman/Welshwoman; **walisisch** *Adj* Welsh; **Walisisch** *n* Welsh

Walkman® *m* walkman®, personal stereo

Wallfahrt *f* pilgrimage; **Wall-**

fahrtsort *m* place of pilgrimage

Walnuss *f* walnut

Walross *n* walrus

wälzen 1. *vt* roll; (*Bücher*) pore over; (*Probleme*) deliberate on **2.** *vr* wallow; (*vor Schmerzen*) roll about; (*im Bett*) toss and turn

Walzer *m* waltz

Wand *f* wall

Wandel *m* change; **wandeln** *vt, vr* change

Wanderer *m*, **Wanderin** *f* hiker; **Wanderkarte** *f* hiking map; **wandern** *vi* hike; (*Blick*) wander; (*Gedanken*) stray; **Wanderschuh** *m* walking shoe; **Wanderstiefel** *m* hiking boot; **Wanderung** *f* hike; **eine ~ machen** go on a hike; **Wanderweg** *m* walking (*od* hiking) trail

Wandschrank *m* built-in cupboard (*Brit*), closet (*US*)

Wange *f* cheek

wann *Adv* when; **seit ~ ist sie da?** how long has she been here?; **bis ~ bleibst ihr?** how long are you staying?

Wanne *f* (bath) tub

Wappen *n* coat of arms

Ware *f* product; **~n** goods *Pl*; **Warenhaus** *n* department store; **Warenprobe** *f* sample; **Warensendung** *f* consignment; **Warenzeichen** *n* trademark

warm *Adj* warm; (*Essen*) hot; **~ laufen** warm up; **mir ist es zu ~** I'm too warm;

Wärme *f* warmth; **wärmen 1.** *vt* warm; (*Essen*) warm (*od* to heat) up **2.** *vi* Kleidung, Sonne, be warm **3.** *vr* warm up; (*gegenseitig*) keep each other warm; **Wärmflasche** *f* hot-water bottle

Warnblinkanlage *f* AUTO warning flasher; **Warndreieck** *n* AUTO warning triangle; **warnen** *vt* warn (*vor Dat* about, of); **Warnung** *f* warning

Warteliste *f* waiting list; **warten 1.** *vi* wait (*auf + Akk* for); **warte mal!** wait (*od* hang on) a minute **2.** *vt* TECH service

Wärter(in) *m(f)* attendant

Wartesaal *m*, **Wartezimmer** *n* waiting room

Wartung *f* service; (*das Warten*) servicing

warum *Adv* why

Warze *f* wart

was 1. *Interrogativpron* what; **~ kostet das?** what does it cost?, how much is it?; **~ für ein Auto ist das?** what kind of car is that?; **~ für eine Farbe/Größe?** what colour/size?; *umg* **~?** (*wie bitte?*) what?; **~ ist/ gibt's?** what is it?, what's up? **2.** *Relativpron* **du weißt, ~ ich meine** you know what I mean; **~ (auch) immer** whatever **3.** *Indefinitpron umg* (*etwas*) something; **soll ich dir ~ mitbringen?** do you want

me to bring you anything?
Waschanlage f AUTO car wash; **waschbar** Adj washable; **Waschbecken** n washbasin

Wäsche f washing; (schmutzig) laundry; **in der ~** in the wash; **Wäscheklammer** f clothes peg (Brit) (od pin (US)); **Wäscheleine** f clothesline

waschen 1. vt, vi wash; **Waschen und Legen** shampoo and set 2. vr (have a) wash; **sich die Haare ~** wash one's hair

Wäscherei f laundry; **Wäscheschleuder** f spin-drier; **Wäscheständer** m clothes horse; **Wäschetrockner** m tumble-drier

Waschgelegenheit f washing facilities Pl; **Waschlappen** m flannel (Brit), washcloth (US); umg (Mensch) wet blanket; **Waschmaschine** f washing machine; **Waschmittel** n, **Waschpulver** n washing powder; **Waschraum** m washroom; **Waschsalon** m launderette (Brit), laundromat (US); **Waschstraße** f car wash

Wasser n water; **fließendes ~** running water; **Wasserball** m SPORT water polo; **wasserdicht** Adj watertight; (Uhr etc) waterproof; **Wasserfall** m waterfall; **Wasserfarbe** f watercolour; **wasserfest** Adj watertight, waterproof; **Wasserhahn** m

tap (Brit), faucet (US); **wässerig** Adj watery; **Wasserkessel** m kettle; **Wasserkocher** m electric kettle; **Wasserleitung** f water pipe; **wasserlöslich** Adj water-soluble; **Wassermann** m ASTR Aquarius; **Wassermelone** f water melon; **Wasserrutschbahn** f water chute; **Wasserschaden** m water damage; **wasserscheu** Adj scared of water; **Wasserski** n water-skiing; **Wassersport** m water sports Pl; **Wasserspülung** f flush; **wasserundurchlässig** Adj watertight, waterproof; **Wasserverbrauch** m water consumption; **Wasserversorgung** f water supply; **Wasserwerk** n waterworks Pl

waten vi wade
Watt 1. n GEO mud flats Pl 2. n ELEK watt
Watte f cotton wool; **Wattestäbchen** n cotton bud, Q-tip® (US)
WC n toilet, restroom (US); **WC-Reiniger** m toilet cleaner
Web n IT Web; **Webseite** f IT web page
Wechsel m change; SPORT substitution; **Wechselgeld** n change; **wechselhaft** Adj (Wetter) changeable; **Wechseljahre** Pl menopause Sg; **Wechselkurs** m exchange rate; **wechseln** 1. vt change; (Blicke) exchange;

Geld ~ change some money; (in Kleingeld) get some change; Euro in Pfund ~ change euros into pounds **2.** *vi* change; **kannst du ~?** can you change this?; Wechselstrom *m* alternating current, AC; Wechselstube *f* bureau de change Weckdienst *m* wake-up call service; wecken *vt* wake (up); Wecker *m* alarm clock; Weckruf *m* wake-up call

wedeln *vi* (Ski) wedel; **der**

Hund wedelte mit dem Schwanz the dog wagged its tail weder *Konj* ... **noch** ... neither ... nor ... weg *Adv* away; (los, ab) off; **er war schon ~** he had already left (od gone); **Hände ~** hands off; **weit ~** a long way away (od off) Weg *m* way; (Pfad) path; (Route) route; **jdn nach dem ~ fragen** ask sb the way; **auf dem ~ sein** be on the way

Fragen nach dem Weg

Auf der Suche nach dem richtigen Weg begegnet man häufig den folgenden Fragen und Antworten:

Entschuldigen Sie, wo ist ...?	**Excuse me, could you tell me where ... is?**
Wie komme ich ins Zentrum?	**How do I get downtown (US) / to the city centre (Brit)?**
Wie komme ich zum Bahnhof / zum Busbahnhof?	**How do I get to the station / to the bus station?**
Wie komme ich am schnellsten/billigsten zum Flughafen?	**What's the quickest/cheapest way to get to the airport?**
Tut mir leid, das weiß ich nicht.	**I'm afraid I don't know.**
Diese Richtung. / Sie müssen zurück.	**This way. / You've got to go back.**
Geradeaus. / Nach rechts. / Nach links.	**Straight on. / (To the) Right. / (To the) Left.**
Die erste/zweite Straße links/rechts.	**The first/second (road) on your left/right.**

wegbleiben vi stay away; **wegbringen** vt take away

wegen Präp + Gen od Dat because of

wegfahren vi drive away; (abfahren) leave; (in Urlaub) go away; **Wegfahrsperre** f AUTO (engine) immobilizer; **weggehen** vi go away; **wegkommen** vi get away; fig gut/schlecht ~ come off well/badly; **weglassen** vt leave out; **weglaufen** vi run away; **weglegen** vt put aside; **wegmüssen** vi ich muss weg I've got to go; **wegnehmen** vt take away; **wegräumen** vt clear away; **wegrennen** vi run away; **wegschicken** vt send away; **wegschmeißen** vt throw away; **wegsehen** vi look away; **wegtun** vt put away

Wegweiser m signpost

wegwerfen vt throw away; **Wegwerfflasche** f non-returnable bottle; **wegwischen** vt wipe off; **wegziehen** vt move (away)

weh Adj sore; → **wehtun**

wehen vt, vi blow; (Fahne) flutter

Wehen Pl labour pains Pl

Wehrdienst m military service

wehren vr defend oneself

wehtun vi hurt; **jdm/sich ~** hurt sb/oneself

Weibchen n es ist ein ~ (Tier) it's a she; **weiblich** Adj feminine; BIO female

weich Adj soft; ~ **gekocht** (Ei) soft-boiled; **Weichspüler** m (für Wäsche) (fabric) softener

Weide f (Baum) willow; (Grasfläche) meadow

weigern vr refuse; **Weigerung** f refusal

Weiher m pond

Weihnachten n Christmas; **Weihnachtsabend** m Christmas Eve; **Weihnachtsbaum** m Christmas tree; **Weihnachtsfeier** f Christmas party; **Weihnachtsferien** Pl Christmas holidays Pl (Brit), Christmas vacation Sg (US); **Weihnachtsgeschenk** n Christmas present; **Weihnachtslied** n Christmas carol; **Weihnachtsmann** m Father Christmas, Santa (Claus); **Weihnachtstag** m erster ~ Christmas Day; zweiter ~ Boxing Day; **Weihnachtszeit** f Christmas season

weil Konj because

Weile f while, short time; es kann noch eine ~ dauern it could take some time

Wein m wine; (Pflanze) vine; **Weinbrand** m brandy

weinen vt, vi cry

Weinglas n wine glass; **Weinkarte** f wine list; **Weinkeller** m wine cellar; **Weinprobe** f wine tasting; **Weintraube** f grape

weise Adj wise

Weise f manner, way; auf

diese (**Art und**) ~ this way
weisen *vt* show
Weisheit *f* wisdom; **Weisheitszahn** *m* wisdom tooth
weiß *Adj* white; **Weißbier** *n* ≈ wheat beer; **Weißbrot** *n* white bread; **Weißkohl** *m*, **Weißkraut** *n* (white) cabbage; **Weißwein** *m* white wine
weit 1. *Adj* wide; (*Begriff*) broad; (*Reise, Wurf*) long; (*Kleid*) loose; **wie ~ ist es ...?** how far is it ...?; **so ~ sein** be ready **2.** *Adv* far; **~ verbreitet** widespread; **~ gereist** widely travelled; **~ offen** wide open; **das geht zu ~** that's going too far, that's pushing it
weiter 1. *Adj* (*weiter weg*) farther (away); (*zusätzlich*) further; **~e Informationen** further information *Sg* **2.** *Adv* further; **~!** go on; (*weitergehen!*) keep moving; **~ nichts/niemand** nothing/nobody else; **und so ~** and so on; **Weiterbildung** *f* further training (*od* education); **weiterempfehlen** *vt* recommend; **weitererzählen** *vt* **nicht ~!** don't tell anyone; **weiterfahren** *vi* go on (*nach* to, *bis* as far as); **weitergeben** *vt* pass on; **weitergehen** *vi* go on; **weiterhelfen** *vi* **jdm ~** help sb
weiterhin *Adv* **etw ~ tun** go on doing sth
weitermachen *vt, vi* continue; **weiterreisen** *vi* contin-

ue one's journey
weitgehend 1. *Adj* considerable **2.** *Adv* largely; **weitsichtig** *Adj* long-sighted; *fig* far-sighted; **Weitspringer(in)** *m(f)* long jumper; **Weitsprung** *m* long jump; **Weitwinkelobjektiv** *n* FOTO wide-angle lens
Weizen *m* wheat; **Weizenbier** *n* ≈ wheat beer
welche(r, s) 1. *Interrogativpron* what; (*auswählend*) which (one); **~ Geschmacksrichtung willst du?** which flavour do you want?; **~ ist es?** which (one) is it? **2.** *Relativpron* (*Person*) who; (*Sache*) which, that; **zeig mir, ~r es war** show me which one of them it was **3.** *Indefinitpron umg* some; **hast du Kleingeld? - ja, ich hab' ~s** have you got any change? - yes, I've got some
welk *Adj* withered; **welken** *vi* wither
Welle *f* wave; **Wellengang** *m* waves *Pl*; **starker ~** heavy seas *Pl*; **Wellenlänge** *f* wavelength; **Wellenreiten** *n* surfing; **Wellensittich** *m* budgerigar, budgie
Welpe *m* puppy
Welt *f* world; **auf der ~** in the world; **auf die ~ kommen** be born; **Weltall** *n* universe; **weltbekannt** *Adj*, **weltberühmt** *Adj* world-famous; **Weltkrieg** *m* world war; **Weltmacht** *f* world

power; **Weltmeister(in)** *m(f)* world champion; **Weltmeisterschaft** *f* world championship; (*im Fußball*) World Cup; **Weltraum** *m* space; **Weltreise** *f* trip round the world; **Weltrekord** *m* world record; **Weltstadt** *f* metropolis; **weltweit** *Adj* worldwide, global

wem *Pron, Dat von* **wer**; who ... to, (to) whom; ~ **hast du's gegeben?** who did you give it to?; ~ **gehört es?** who does it belong to?, whose is it?; ~ **auch immer es gehört** whoever it belongs to

wen *Pron, Akk von* **wer**; who, whom; ~ **hast du besucht?** who did you visit?; ~ **möchten Sie sprechen?** who would you like to speak to?; ~ **auch immer du gesprochen hast** whoever you talked to

Wende *f* turning point; (*Veränderung*) change; **die** ~ HIST the fall of the Berlin Wall; **Wendekreis** *m* AUTO turning circle

wenden *vt, vi, vr* turn (round); (*um 180°*) make a U-turn; **sich an jdn** ~ turn to sb; **bitte** ~**!** please turn over, PTO

wenig 1. *Indefinitpron* little; ~**(e)** (*Pl*) few; (*nur*) **ein** (*klein*) ~ (just) a little (bit); **ein** ~ **Zucker** a little bit of sugar, a little sugar; **wir haben** ~ **Zeit** we haven't got

much time; **zu** ~ too little; (*Pl*) too few; **nur** ~ **wissen** only a few know **2.** *Adv* **er spricht** ~ he doesn't talk much; ~ **bekannt** little known; ~ **wenigstens** *Adv* at least

wenn *Konj* (*falls*) if; (*zeitlich*) when; **wennschon** *Adv* **na** ~ so what?

wer 1. *Interrogativpron* who; ~ **war das?** who was that?; ~ **von euch?** which (one) of you? **2.** *Relativpron* anybody/anyone who; ~ **das glaubt, ist dumm** anyone who believes that is stupid; ~ **auch immer** whoever **3.** *Indefinitpron* somebody/ someone; (*in Fragen*) anybody/anyone; **ist da** ~**?** is (there) anybody there?

Werbefernsehen *n* TV commercials *Pl*; **werben 1.** *vt* win; (*Mitglied*) recruit **2.** *vi* advertise; **Werbespot** *m* commercial; **Werbung** *f* advertising

werden 1. *vi* get, become; **alt/müde/reich** ~ get old/ tired/rich; **was willst du** ~**?** what do you want to be? **2.** *vhilf* (*Futur*) will; (*Entschluss*) be going to; (*Passiv*) be; **er wird uns** (*schon*) **fahren** he'll drive us; **ich werde kommen** I'll come; **er wird uns abholen** he's going to pick us up; **wir** ~ **dafür bezahlt** we're paid for it; **es wird gerade diskutiert** it's being discussed

Wickeltisch

werfen vt throw

Werft f shipyard, dockyard

Werk n (Kunstwerk, Buch etc) work; (Fabrik) factory; (Mechanismus) works Pl; **Werkstatt** f workshop; AUTO garage; **Werktag** m working day; **werktags** Adv on weekdays, during the week; **Werkzeug** n tool; **Werkzeugkasten** m toolbox

wert Adj worth; **es ist etwa 50 Euro ~** it's worth about 50 euros; **das ist nichts ~** it's worthless; **Wert** m worth; FIN value; **~ legen auf** attach importance to; **es hat doch keinen ~** (Sinn) it's pointless; **Wertangabe** f declaration of value; **Wertbrief** m insured letter; **Wertgegenstand** m valuable object; **wertlos** Adj worthless; **Wertmarke** f token; **Wertpapiere** Pl securities Pl; **Wertsachen** Pl valuables Pl; **Wertstoff** m recyclable waste; **wertvoll** Adj valuable

Wesen n being; (Natur, Charakter) nature

wesentlich 1. Adj significant; (beträchtlich) considerable **2.** Adv considerably

weshalb Adv why

Wespe f wasp

wessen Pron, Gen von **wer**, whose

West west; **Westdeutschland** n (als Landesteil) Western Germany; HIST West Germany

Weste f waistcoat (Brit), vest (US); (Wollweste) cardigan

Westen m west; **im ~ Englands** in the west of England; **Westeuropa** n Western Europe; **Westküste** f west coast; **westlich** Adj western; (Kurs, Richtung) westerly; **Westwind** m west(erly) wind

weswegen Adv why

Wettbewerb m competition; **Wettbüro** n betting office; **Wette** f bet; **eine ~ abschließen** make a bet; **die ~ gilt!** you're on; **wetten**, vi bet (auf + Akk on); **ich habe mit ihm gewettet, dass ...** I bet him that ...; **ich wette mit dir um 50 Euro** I'll bet you 50 euros; **~, dass?** wanna bet?

Wetter n weather; **Wetterbericht** m, **Wettervorhersage** f weather forecast

Wettkampf m contest; **Wettlauf** m, **Wettrennen** n race

WG f Abk = **Wohngemeinschaft**

Whirlpool® m jacuzzi®

Whisky m (schottischer) whisky; (irischer, amerikanischer) whiskey

wichtig Adj important

wickeln vt (Schnur) wind (um round); (Schal, Decke) wrap (um round); **ein Baby ~** change a baby's nappy (Brit) (od diaper US); **Wickelraum** m baby-changing room; **Wickeltisch** m baby-changing table

Widder *m* ZOOL ram; ASTR Aries *Sg*

wider *Präp + Akk* against

widerlich *Adj* disgusting

widerrufen *vt* withdraw; (*Auftrag, Befehl etc*) cancel

widersprechen *vi* contradict (*jdm* sb); **Widerspruch** *m* contradiction

Widerstand *m* resistance; **widerstandsfähig** *Adj* resistant (*gegen* to)

widerwärtig *Adj* disgusting

widerwillig *Adj* unwilling, reluctant

widmen 1. *vt* dedicate **2.** *vr* **sich jdm/etw** ~ devote oneself to sb/sth; **Widmung** *f* dedication

wie 1. *Adv* how; ~ **viel** how much; ~ **viele Menschen?** how many people?; ~ **geht's?** how are you?; ~ **das?** how come?; ~ **bitte?** pardon?, sorry? (*Brit*) **2.** (**so**) **schön** ~ ... as beautiful as ...; ~ **du weißt** as you know; ~ **ich das hörte** when I heard that; **ich sah,** ~ **er rauskam** I saw him coming out

wieder *Adv* again; ~ **ein(e)** ... another ...; ~ **erkennen** recognize; **etw** ~ **gutmachen** make up for sth; ~ **verwerten** recycle

wiederbekommen *vt* get back

wiederholen *vt* repeat; **Wiederholung** *f* repetition

Wiederhören *n* TEL **auf** ~! goodbye

wiederkommen *vi* come back

wiedersehen *vt* see again; (*wieder treffen*) meet again; **Wiedersehen** *n* reunion; **auf** ~! goodbye

Wiedervereinigung *f* reunification

Wiege *f* cradle; **wiegen** *vt*, *vi* (*Gewicht*) weigh

Wien *n* Vienna

Wiese *f* meadow

Wiesel *n* weasel

wieso *Adv* why

wievielmal *Adv* how often; **wievielte(r, s)** *Adj* **zum** ~**n Mal?** how many times?; **den Wievielten haben wir heute?** what's the date today?; **am Wievielten hast du Geburtstag?** which day is your birthday?

wieweit *Konj* to what extent

wild *Adj* wild

Wild *n* game

wildfremd *Adj* *umg* **ein** ~**er Mensch** a complete (*od* total) stranger; **Wildleder** *n* suede; **Wildpark** *m* game park; **Wildschwein** *n* (wild) boar; **Wildwasserfahren** *n* whitewater canoeing (*od* rafting)

Wille *m* will

willen *Präp + Gen* **um** ... ~ for the sake of ...; **um Himmels** ~! for heaven's sake; (*betroffen*) goodness me

willkommen *Adj* welcome

Wimper *f* eyelash; **Wimperntusche** *f* mascara

Wind *m* wind

Windel f nappy (*Brit*), diaper (*US*)

windgeschützt *Adj* sheltered from the wind; **windig** *Adj* windy; *fig* dubious; **Windjacke** f windcheater; **Windmühle** f windmill; **Windpocken** *Pl* chickenpox *Sg*; **Windschutzscheibe** f AUTO windscreen (*Brit*), windshield (*US*); **Windstärke** f wind force; **Windsurfen** *nt* windsurfing; **Windsurfer(in)** m(f) windsurfer

Winkel m MATHE angle; (*in Raum*) corner

winken vt, vi wave

Winter m winter; **Winterausrüstung** f AUTO winter equipment; **Winterfahrplan** m winter timetable; **winterlich** *Adj* wintry; **Wintermantel** m winter coat; **Winterreifen** m winter tyre; **Winterschlussverkauf** m winter sales *Pl*; **Wintersport** m winter sports *Pl*; **Winterzeit** f (*Uhrzeit*) winter time (*Brit*), standard time (*US*)

winzig *Adj* tiny

wir *Personalpron* we; **~ alle** all of us; **~ drei** the three of us; **~ sind's** it's us; **~ nicht** not us

Wirbel m whirl; (*Trubel*) hurly-burly; (*Aufsehen*) fuss; ANAT vertebra; **Wirbelsäule** f spine

wirken vi be effective; (*erfolgreich sein*) work; (*scheinen*) seem

wirklich *Adj* real; **Wirklichkeit** f reality

wirksam *Adj* effective; **Wirkung** f effect

wirr *Adj* confused; **Wirrwarr** m confusion

Wirsing m savoy cabbage

Wirt m landlord; **Wirtin** f landlady

Wirtschaft f economy; (*Gaststätte*) pub; **wirtschaftlich** *Adj* economic; (*sparsam*) economical

Wirtshaus n pub

wischen vt, vi wipe; **Wischer** m wiper; **Wischlappen** m cloth

wissen vt know; **weißt du schon, ...?** did you know ...?; **woher weißt du das?** how do you know?; **das musst du selbst ~** that's up to you; **Wissen** n knowledge

Wissenschaft f science; **Wissenschaftler(in)** m(f) scientist; (*Geisteswissenschaftler*) academic; **wissenschaftlich** *Adj* scientific; (*geisteswissenschaftlich*) academic

Witwe f widow; **Witwer** m widower

Witz m joke; **mach keine ~e!** you're kidding; **das soll wohl ein ~ sein** you've got to be joking; **witzig** *Adj* funny

wo 1. *Adv* where; **überall, ~ ich hingehe** wherever I go **2.** *Konj* jetzt, **~ du da bist** now that you're here; **~ ich**

dich gerade spreche while I'm talking to you; **woanders** *Adv* somewhere else

wobei *Adv* ~ **mir einfällt ...** which reminds me ...

Woche *f* week; **während** (*od* **unter**) **der** ~ during the week; **einmal die** ~ once a week; **Wochenende** *n* weekend; **am** ~ **at** (*Brit*) (*od on* (*US*)) the weekend; **wir fahren übers** ~ **weg** we're going away for the weekend; **Wochenendhaus** *n* weekend cottage; **Wochenkarte** *f* weekly (season) ticket; **wochenlang** *Adv* for weeks (on end); **Wochenmarkt** *m* weekly market; **Wochentag** *m* weekday; **wöchentlich** *Adj*, *Adv* weekly

Wodka *m* vodka

wodurch *Adv* ~ **unterscheiden sie sich?** what's the difference between them?; ~ **hast du es gemerkt?** how did you notice?; **wofür** *Adv* (*relativ*) for which; (*Frage*) what ... for; ~ **brauchst du das?** what do you need that for?; **woher** *Adv* where ... from; **wohin** *Adv* where ...

wohl *Adv* well; (*behaglich*) at ease, comfortable; (*vermutlich*) probably; (*gewiss*) certainly; **Wohl** *n* **zum** ~**!** cheers; **wohlbehalten** *Adv* safe and sound; **wohlgemerkt** *Adv* mind you; **Wohlstand** *m* prosperity;

affluence

Wohnblock *m* block of flats (*Brit*), apartment house (*US*); **wohnen** *vi* live; **Wohngemeinschaft** *f* shared flat (*Brit*) (*od* apartment (*US*)); **ich wohne in einer** ~ I share a flat (*od* apartment); **wohnhaft** *Adj* resident; **Wohnküche** *f* kitchen-cum-living room; **Wohnmobil** *n* camper, RV (*US*); **Wohnort** *m* place of residence; **Wohnsitz** *m* place of residence; **Wohnung** *f* flat (*Brit*), apartment (*US*); **Wohnungstür** *f* front door; **Wohnwagen** *m* caravan; **Wohnzimmer** *n* living room

Wolf *m* wolf

Wolke *f* cloud; **Wolkenkratzer** *m* skyscraper; **wolkenlos** *Adj* cloudless; **wolkig** *Adj* cloudy

Wolldecke *f* (woollen) blanket; **Wolle** *f* wool

wollen **1.** *vhilf* want; **sie wollte ihn nicht sehen** she didn't want to see him; ~ **wir gehen?** shall we go?; ~ **Sie bitte ...** will (*od* would) you please ...; **2.** *vt* want; **ich will lieber bleiben** I'd prefer to stay; **er will, dass ich aufhöre** he wants me to stop; **ich wollte, ich wäre/hätte ...** I wish I were/had ...; **3.** *vi* want to; **ich will nicht** I don't want to; **was du willst** whatever you like; **ich will nach**

Hause I want to go home; *wo willst du hin?* where do you want to go?; (*wohin gehst du?*) where are you going?

Wolljacke *f* cardigan

womit *Adv* what ... with; *habe ich das verdient?* what have I done to deserve that?

womöglich *Adv* possibly

woran *Adv* ~ *denkst du?* what are you thinking of?; ~ *ist er gestorben?* what did he die of?; ~ *sieht man das?* how can you tell?

worauf *Adv* ~ *wartest du?* what are you waiting for?

woraus *Adv* ~ *ist das gemacht?* what is it made of?

Wort 1. *n* (*Vokabel*) word 2. *n* (*Äußerung*) word; *mit anderen* ~*en* in other words; *jdn beim* ~ *nehmen* take sb at his/her word; **Wörterbuch** *n* dictionary; **wörtlich** *Adj* literal

worüber *Adv* ~ *redet sie?* what is she talking about?

worum *Adv* ~ *geht's?* what is it about?

worunter *Adv* ~ *leidet er?* what is he suffering from?

wovon *Adv* (*relativ*) from which; ~ *redest du?* what are you talking about?; **wozu** *Adv* (*relativ*) to/for which; (*interrogativ*) what ... for/to; (*warum*) why; ~? what for?; ~ *brauchst du das?* what do you need it for?; ~ *soll das gut sein?*

what's it for?

Wrack *n* wreck

wühlen *vi* rummage; (*Tier*) root; (*Maulwurf*) burrow

wund *Adj* sore; **Wunde** *f* wound

Wunder *n* miracle; *es ist kein* ~ it's no wonder; **wunderbar** *Adj* wonderful, marvellous; **Wunderkerze** *f* sparkler; **wundern** 1. *vr* be surprised (*über* + *Akk* at) 2. *vt* surprise; **wunderschön** *Adj* beautiful; **wundervoll** *Adj* wonderful

Wundsalbe *f* antiseptic ointment; **Wundstarrkrampf** *m* tetanus

Wunsch *m* wish (*nach* for); **wünschen** *vt* wish; *sich etw* ~ want sth; *ich wünsche dir alles Gute* I wish you all the best; **wünschenswert** *Adj* desirable

Wurf *m* throw; ZOOL litter

Würfel *m* dice; MATHE cube; **würfeln** 1. *vi* throw (the dice); (*Würfel spielen*) play dice 2. *vt* (*Zahl*) throw; GASTR dice; **Würfelzucker** *m* lump sugar

Wurm *m* worm

Wurst *f* sausage; *das ist mir* ~ *umg* I couldn't care less

Würstchen *n* frankfurter

Würze *f* seasoning, spice

Wurzel *f* root

würzen *vt* season, spice; **würzig** *Adj* spicy

wüst *Adj* (*unordentlich*) chaotic; (*ausschweifend*) wild; (*öde*) desolate; *umg* (*hef-*

tig) terrible
Wüste *f* desert
Wut *f* rage, fury; *ich habe eine ~ auf ihn* I'm really

mad at him; **wütend** *Adj* furious
WWW *n Abk = **World Wide Web***; WWW

X

X-Beine *Pl* knock-knees *Pl*;
x-beinig *Adj* knock-kneed
x-beliebig *Adj* ***ein ~es Buch***

any book (you like)
x-mal *Adv* umpteen times
Xylophon *n* xylophone

Y

Yacht *f* yacht
Yoga *m od n* yoga

Yuppie *m, f* yuppie

Z

Zacke *f* point; *(Säge, Kamm)* tooth; *(Gabel)* prong; **zackig** *Adj* (*Linie etc*) jagged; *umg* (*Tempo*) brisk
zaghaft *Adj* timid
zäh *Adj* tough
Zahl *f* number; **zahlbar** *Adj* payable; **zahlen** *vt, vi* pay; **~ bitte!** could I have the bill *(Brit)* (*od* check *US*) please?; **bar ~** pay cash; **zählen** *vt, vi* count (*auf* + *Akk* on); **~ zu** be one of; **Zahlenschloss** *n* combination lock; **Zähler** *m* counter; *(für Strom, Wasser)* meter; **zahlreich** *Adj* numerous; **Zahlung** *f* pay-

ment
zahm *Adj* tame; **zähmen** *vt* tame
Zahn *m* tooth; **Zahnarzt** *m*, **Zahnärztin** *f* dentist; **Zahnbürste** *f* toothbrush; **Zahncreme** *f* toothpaste; **Zahnersatz** *m* dentures *Pl*; **Zahnfleisch** *n* gums *Pl*; **Zahnfleischbluten** *n* bleeding gums *Pl*; **Zahnfüllung** *f* filling; **Zahnklammer** *f* brace; **Zahnpasta** *f*, **Zahnpaste** *f* toothpaste; **Zahnschmerzen** *Pl* toothache *Sg*; **Zahnseide** *f* dental floss; **Zahnspange** *f* brace; **Zahnstocher** *m* toothpick

Zange f pliers Pl; (Zuckerzange) tongs Pl; ZOOL pincers Pl

zanken vi, vr quarrel

Zäpfchen n ANAT uvula; MED suppository

zapfen vt (Bier) pull; **Zapfsäule** f petrol (Brit) (od gas (US)) pump

zappeln vi wriggle; (unruhig sein) fidget

zappen vi zap, channel-hop

zart Adj soft; (Braten etc) tender; (fein, schwächlich) delicate; **zartbitter** Adj (Schokolade) plain, dark

zärtlich Adj tender, affectionate; **Zärtlichkeit** f tenderness; **~en** Pl hugs and kisses Pl

Zauber m magic; (Bann) spell; **Zauberei** f magic; **Zauberer** m magician; (Künstler) conjuror; **Zauberformel** f (magic) spell; **zauberhaft** Adj enchanting; **Zauberin** f sorceress; **Zauberkünstler(in)** m(f) magician, conjuror; **Zaubermittel** n magic cure; **zaubern** vi do magic; (Künstler) do conjuring tricks; **Zauberspruch** m (magic) spell

Zaun m fence

z. B. Abk = **zum Beispiel**; e.g., eg

Zebra n zebra; **Zebrastreifen** m zebra crossing (Brit), crosswalk (US)

Zechtour f pub crawl

Zecke f tick

Zehe f toe; (Knoblauch

clove; **Zehennagel** m toenail; **Zehenspitze** f tip of the toes

zehn Zahl ten; **Zehnerkarte** f ticket valid for ten trips; **Zehnkampf** m decathlon; **Zehnkämpfer(in)** m(f) decathlete; **zehnmal** Adv ten times; **zehntausend** Zahl ten thousand; **zehnte(r, s)** Adj tenth; → **dritte**; **Zehntel** n tenth

Zeichen n sign; (Schriftzeichen) character; **Zeichenblock** m sketch pad; **Zeichensetzung** f punctuation; **Zeichensprache** f sign language; **Zeichentrickfilm** m cartoon

zeichnen vt, vi draw; **Zeichnung** f drawing

Zeigefinger m index finger; **zeigen** 1. vt show; **sie zeigte uns die Stadt** she showed us around the town; **zeig mal!** let me see 2. vi point (auf + Akk to); 3. vr show oneself; **es wird sich ~** time will tell; **Zeiger** m pointer; (Uhr) hand

Zeile f line

Zeit f time; **ich habe keine ~** I haven't got time; **lass dir ~** take your time; **von ~ zu ~** from time to time; **Zeitansage** f TEL speaking clock (Brit), correct time (US); **Zeitarbeit** f temporary work; **zeitgenössisch** Adj contemporary; modern; **zeitgleich** 1. Adj simultaneous 2. Adv at exactly the

zeitig *Adj* early; **Zeitkarte** *f* season ticket; **zeitlich** *Adj* (*Reihenfolge*) chronological; *es passt ~ nicht* it isn't a convenient time; **Zeitlupe** *f* slow motion; **Zeitplan** *m* schedule; **Zeitpunkt** *m* point in time; **Zeitraum** *m* period (of time) **Zeitschrift** *f* magazine; (*wissenschaftliche*) periodical **Zeitung** *f* newspaper; *es steht in der ~* it's in the paper's; **Zeitungsartikel** *m* newspaper article; **Zeitungskiosk** *m* newspaper stand, **Zeitungsstand** *m* newsstand **Zeitunterschied** *m* time difference; **Zeitverschiebung** *f* time lag; **Zeitvertreib** *m* **zum ~** pass the time; **Zeitzone** *f* time zone **Zelle** *f* cell **Zellophan**® *n* cellophane® **Zelt** *n* tent; **zelten** *vi* camp, go camping; **Zeltplatz** *m* campsite, camping site **Zement** *m* cement **Zentimeter** *m od n* centimetre **Zentner** *m* (metric) hundredweight; (*in Deutschland*) fifty kilos; (*in Österreich und der Schweiz*) one hundred kilos **zentral** *Adj* central; **Zentrale** *f* central office; TEL exchange; **Zentralheizung** *f* central heating; **Zentralverriegelung** *f* AUTO central locking; **Zentrum** *n* centre **zerbrechen** *vt, vi* break; zer-

brechlich *Adj* fragile **Zeremonie** *f* ceremony **zerkleinern** *vt* cut up; (*zerhacken*) chop (up); **zerkratzen** *vt* scratch; **zerlegen** *vt* take to pieces; (*Fleisch*) carve; (*Gerät, Maschine*) dismantle; **zerquetschen** *vt* squash; **zerreißen 1.** *vt* tear to pieces **2.** *vi* tear **zerren 1.** *vt* drag; *sich einen Muskel ~* pull a muscle **2.** *vi* tug (*an* + *Dat* at); **Zerrung** *f* MED pulled muscle **zerschlagen 1.** *vt* smash **2.** *vr* come to nothing **zerschneiden** *vt* cut up **Zerstäuber** *m* atomizer **zerstören** *vt* destroy; **Zerstörung** *f* destruction **zerstreuen 1.** *vt* scatter; (*Menge*) disperse; (*Zweifel etc*) dispel **2.** *vr* (*Menge*) disperse; **zerstreut** *adj* scattered; (*Mensch*) absent-minded; (*kurzfristig*) distracted **zerteilen** *vt* split up **Zertifikat** *n* certificate **Zettel** *m* piece of paper; (*Notizzettel*) note **Zeug** *n* umg stuff; (*Ausrüstung*) gear; *dummes ~* nonsense **Zeuge** *m*, **Zeugin** *f* witness **Zeugnis** *n* certificate; (*Schule*) report; (*Referenz*) reference **zickig** *Adj* umg touchy, bitchy **Zickzack** *m im ~ fahren* zigzag (across the road)

Ziege f goat

Ziegel m brick; (Dach) tile

Ziegenkäse m goat's cheese

ziehen 1. vt draw; (zerren) pull; (Spielfigur) move; (züchten) rear **2.** vi (zerren) pull (an bewegen) move; (Rauch, Wolke etc) drift; **den Tee ~ lassen** let the tea stand **3.** vi unpers **es zieht** there's a draught **4.** vr (Treffen, Rede) drag on

Ziel n (Reise) destination; SPORT finish; (Absicht) goal, aim; **zielen** vi aim (auf + Akk at); **Zielgruppe** f target group; **ziellos** Adj aimless; **Zielscheibe** f target

ziemlich 1. Adj considerable; **ein ~es Durcheinander** quite a mess; **mit ~er Sicherheit** with some certainty **2.** Adv rather, quite; **~ viel** quite a lot

zierlich Adj dainty; (Frau) petite

Ziffer f figure; **arabische/römische ~n** Pl Arabic/Roman numerals Pl; **Zifferblatt** n dial, face

zig Adj umg umpteen

Zigarette f cigarette; **Zigarettenautomat** m cigarette machine; **Zigarettenschachtel** f cigarette packet; **Zigarettenstummel** m cigarette end; **Zigarillo** n cigarillo; **Zigarre** f cigar

Zimmer n room; **haben Sie ein ~ für zwei Personen?** do you have a room for two?; **Zimmerlautstärke** f reasonable volume; **Zimmermädchen** n chambermaid; **Zimmermann** m carpenter; **Zimmerpflanze** f house plant; **Zimmerschlüssel** m room key; **Zimmerservice** m room service; **Zimmervermittlung** f accommodation agency

Zimt m cinnamon

Zink n zinc

Zinn n tin; (legiertes Sg) pewter

Zinsen Pl interest Sg

Zipfel m corner; (spitz) tip; (Hemd) tail; (Wurst) end; umg (Penis) willy

zirka Adv about, approximately

Zirkel m MATHE (pair of) compasses Pl

Zirkus m circus

zischen vi hiss

Zitat n quotation (aus from); **zitieren** vt quote

Zitronat n candied lemon peel; **Zitrone** f lemon; **Zitronenlimonade** f lemonade; **Zitronensaft** m lemon juice

zittern vi tremble (vor + Dat with)

zivil Adj civilian; (Preis) reasonable; **Zivil** n plain clothes Pl; MIL civilian clothes Pl; **Zivildienst** m community service (for conscientious objectors)

zocken vi umg gamble

Zoff m umg trouble

zögerlich Adj hesitant; **zögern** vi hesitate

Zoll m customs Pl; (Abgabe) duty; **Zollabfertigung** f customs clearance; **Zollamt** n customs office; **Zollbeamte(r)** m, **-beamtin** f customs official; **Zollerklärung** f customs declaration; **zollfrei** Adj duty-free; **Zollgebühren** Pl customs duties Pl; **Zollkontrolle** f customs check; **Zöllner(in)** m(f) customs officer; **zollpflichtig** Adj liable to duty

Zone f zone

Zoo m zoo

Zoom m zoom (shot); (Objektiv) zoom (lens)

Zopf m plait (Brit), braid (US)

Zorn m anger; **zornig** Adj angry (über etw about sth, auf jdn with sb)

zu 1. Konj (mit Infinitiv) to **2.** Präp + Dat (bei Richtung, Vorgang) to; (bei Orts-, Zeit-, Preisangabe) at; (Zweck) for; **~r Post® gehen** go to the post office; **~ Hause** at home; **~ Weihnachten** at Christmas; **fünf Bücher ~ 20 Euro** five books at 20 euros each; **~m Fenster herein** through the window; **~ meiner Zeit** in my time **3.** Adv (zu sehr) too; **~ viel** too much; **~ wenig** not enough **4.** Adj umg shut; **Tür ~!** shut the door

zuallererst Adv first of all; **zuallerletzt** Adv last of all

Zubehör n accessories Pl

zubereiten vt prepare; **Zubereitung** f preparation

zubinden vt do (od tie) up

Zucchini Pl courgettes Pl (Brit), zucchini Pl (US)

züchten vt (Tiere) breed; (Pflanzen) grow

zucken vi jerk; (krampfhaft) twitch; **mit den Schultern ~** shrug (one's shoulders)

Zucker m sugar; MED diabetes Sg; **Zuckerdose** f sugar bowl; **zuckerkrank** Adj diabetic; **Zuckerrohr** n sugar cane; **Zuckerwatte** f candy-floss (Brit), cotton candy (US)

zudecken vt cover up

zudrehen vt turn off

zueinander Adv to one another; (mit Verb) together; **~ halten** stick together

zuerst Adv first; (zu Anfang) at first; **~ einmal** first of all

Zufahrt f access; (Einfahrt) drive(way); **Zufahrtsstraße** f access road; (Autobahn) slip road (Brit), ramp (US)

Zufall m chance; (Ereignis) coincidence; **durch ~** by accident; **so ein ~!** what a coincidence; **zufällig 1.** Adj chance **2.** Adv by chance; **weißt du ~, ob …?** do you happen to know whether …?

zufrieden Adj content(ed); (befriedigt) satisfied; **sich mit etw ~ geben** settle for sth; **lass sie ~** leave her alone (od in peace); **sie ist schwer ~ zu stellen** she is

hard to please; **Zufriedenheit** f contentment; (*Be-
friedigtsein*) satisfaction
zufügen vt add (*Dat* to);
**jdm Schaden/Schmerzen
~** cause sb harm/pain
Zug m BAHN train; (*Luft*)
draught; (*Ziehen*) pull;
(*Schach*) move; (*Charakterzug*) trait; (*an Zigarette*)
puff, drag; (*Schluck*) gulp
Zugabe f extra; (*in Konzert
etc*) encore
Zugabteil n train compartment
Zugang m access; **„kein ~!"**
'no entry'
Zugauskunft f train information office/desk; **Zug-
begleiter(in)** m(f) guard
(*Brit*), conductor (*US*)
zugeben vt (*zugestehen*) admit; **zugegeben** Adv admittedly
zugehen 1. vi (*schließen*)
shut; **auf jdn/etw ~** walk
towards sb/sth; **dem Ende
~** be coming to a close **2.**
vi unpers (*sich ereignen*)
happen; **es ging lustig zu**
we/they had a lot of fun
Zügel m rein
Zugführer(in) m(f) guard
(*Brit*), conductor (*US*)
zugig Adj draughty
zügig Adj speedy
Zugluft f draught
Zugpersonal n train staff
zugreifen vi fig seize the opportunity; (*beim Essen*)
help oneself; **~ auf** IT access
Zugrestaurant n dining

car, diner (*US*)
Zugriffsberechtigung f IT
access right
zugrunde Adv **~ gehen** perish; **~ gehen an** (*sterben*)
die of
Zugschaffner(in) m(f) ticket inspector; **Zugunglück** n
train crash
zugunsten Präp + Gen od
Dat in favour of
Zugverbindung f train connection
zuhaben vi be closed
zuhalten vt **sich die Nase ~**
hold one's nose; **sich die
Ohren ~** hold one's hands
over one's ears; **die Tür ~**
hold the door shut
Zuhause n home
zuhören vi listen (*Dat* to);
Zuhörer(in) m(f) listener
zukleben vt seal
zukommen vi come up (*auf
+ Akk* to); **jdm etw ~ lassen** give (*or* send) sb sth;
etw auf sich ~ lassen take
sth as it comes
Zukunft f future; **zukünftig 1.**
Adj future **2.** Adv in future
zulassen vt (*hereinlassen*)
admit; (*erlauben*) permit;
(*Auto*) license; (*nicht
öffnen*) keep shut; **zulässig**
Adj permissible, permitted
zuletzt Adv finally, at last
zuliebe Adv **jdm ~** for sb's
sake
zum Kontr von **zu dem**; **~
dritten Mal** for the third
time; **~ Trinken** for drinking
zumachen 1. vt shut; (*Klei-*

dung) do up **2.** vi shut

zumindest Adv at least

zumuten 1. vr *jdm etw* ~ expect sth of sb **2.** vr *sich zu viel* ~ overdo things

zunächst Adv first of all; ~ *einmal* start with

Zunahme f increase

Zuname m surname, last name

zünden vt, vi AUTO ignite, fire; **Zündholz** n match; **Zündkabel** f AUTO ignition cable; **Zündkerze** f AUTO spark plug; **Zündschloss** n ignition lock; **Zündschlüssel** m ignition key; **Zündung** f ignition

zunehmen 1. vi increase; *(Mensch)* put on weight **2.** vt *5 Kilo* ~ put on 5 kilos

Zunge f tongue; **Zungenkuss** m French kiss

zunichte Adv ~ *machen* ruin

zunutze Adv *sich etw* ~ *machen* make use of sth

zuparken vt block

zur Kontr von *zu der*

zurechtfinden vr find one's way around; **zurechtkommen** vi cope *(mit etw* with sth); **zurechtmachen 1.** vt prepare **2.** vr get ready

Zürich n Zurich

zurück Adv back

zurückbekommen vt get back; **zurückblicken** vi look back *(auf + Akk* at sb); **zurückbringen** vt *(hierhin)* bring back; *(woandershin)* take back; **zurückerstatten** vt refund; **zurückfahren** vi

go back; **zurückgeben** vt give back; **zurückgehen** vi go back; *(zeitlich)* date back *(auf + Akk* to)

zurückhalten 1. vt hold back; *(hindern)* prevent **2.** vr hold back; **zurückhaltend** Adj reserved

zurückholen vt fetch back; **zurückkommen** vi come back; *auf etw* ~ return *(od* get back) to sth; **zurücklassen** vt leave behind; **zurücklegen** vt put back; *(Geld)* put by; *(reservieren)* keep back; *(Strecke)* cover; **zurücknehmen** vt take back; **zurückrufen** vt call back; **zurückschicken** vt send back; **zurückstellen** vt put back; **zurücktreten** vi step back; *(von Amt)* retire; **zurückverlangen** vt *etw* ~ ask for sth back; **zurückzahlen** vt pay back

zurzeit Adv at present

Zusage f promise; *(Annahme)* acceptance; **zusagen 1.** vt promise **2.** vi accept; *jdm* ~ *(gefallen)* appeal to sb

zusammen Adv together

Zusammenarbeit f collaboration; **zusammenarbeiten** vi work together

zusammenbrechen vi collapse; *(psychisch)* break down; **Zusammenbruch** m collapse; *(psychischer)* breakdown

zusammenfassen vt summarize; *(vereinigen)* unite; **Zusammenfassung** f summary

zusammengehören vi belong together; **zusammenhalten** vi stick together

Zusammenhang m connection; **im/aus dem ~** in/out of context; **zusammenhängen** vi be connected; **zusammenhängend** Adj coherent; **Zusammenhang(s)los** Adj incoherent

zusammenklappen vi, vt fold up; **zusammenlegen 1.** vt fold up **2.** vi (Geld sammeln) club together; **zusammennehmen 1.** vt summon up; **alles zusammengenommen** all in all **2.** vr pull oneself together; umg get a grip, get one's act together; **zusammenpassen** vi go together; (Personen) be suited; **zusammenrechnen** vt add up

Zusammensein n get-together

zusammensetzen 1. vt put together **2.** vr sich ~ aus be composed of; **Zusammensetzung** f composition

Zusammenstoß m crash, collision; **zusammenstoßen** vi crash (mit into)

zusammenzählen vt add up; **zusammenziehen** vi (in Wohnung etc) move in together

Zusatz m addition; **Zusatzgerät** n attachment; IT add-on; **zusätzlich 1.** Adj additional **2.** Adv in addition

zuschauen vi watch; **Zu-**schauer(in) m(f) spectator; **die ~** Pl THEAT the audience Sg; **Zuschauertribüne** f stand

zuschicken vt send

Zuschlag m extra charge; (Fahrkarte) supplement; **zuschlagpflichtig** Adj subject to an extra charge; BAHN subject to a supplement

zuschließen vt lock up

zusehen vi watch (jdm sb); (dafür sorgen) make sure

zusichern vt jdm etw ~ assure sb of sth

Zustand m state, condition; **zustande** Adv ~ bringen bring about; ~ kommen come about; **zuständig** Adj (Behörde) relevant; ~ für responsible for

Zustellung f delivery

zustimmen vi agree (Sache Dat to sth, jdm with sb); **Zustimmung** f approval

zustoßen vi fig happen (jdm to sb)

Zutaten Pl ingredients Pl

zutrauen vt jdm etw ~ think sb is capable of sth; **das hätte ich ihm nie zugetraut** I'd never have thought he was capable of it; **ich würde es ihr ~** (etw Negatives) I wouldn't put it past her; **Zutrauen** n confidence (zu in); **zutraulich** Adj trusting; (Tier) friendly

zutreffen vi be correct; ~ **auf** apply to; **Zutreffendes bitte streichen** please delete as applicable

Zutritt *m* entry; *(Zugang)* access; **~ verboten!** no entry
zuverlässig *Adj* reliable; **Zuverlässigkeit** *f* reliability
Zuversicht *f* confidence; **zuversichtlich** *Adj* confident
zuvor *Adv* before; *(zunächst)* first; **zuvorkommen** *vi* **jdm** ~ beat sb to it
Zuwachs *m* increase, growth; *umg (Baby)* addition to the family
zuwider *Adv* **es ist mir** ~ I hate *(od* detest) it
zuzüglich *Präp* + *Gen* plus
Zwang *m (innerer)* compulsion; *(Gewalt)* force; **zwängen** *vt, vr* squeeze *(in* + *Akk* into); **zwanglos** *Adj* informal
zwanzig *Zahl* twenty; **zwanzigste(r, s)** *Adj* twentieth; → **dritte**
zwar *Adv* **und** ~ ... *(genauer)* ..., to be precise; **das ist** ~ **schön, aber** ... it is nice, but ...
Zweck *m* purpose; **zwecklos** *Adj* pointless
zwei *Zahl* two; **Zwei** *f* two; *(Schulnote)* ≈ B; **Zweibettzimmer** *n* twin room; **zweideutig** *Adj* ambiguous; *(unanständig)* suggestive; **zweifach** *Adj, Adv* double
Zweifel *m* doubt; **zweifellos** *Adv* undoubtedly; **zweifeln** *vi* doubt *(an + Dat* sth); **Zweifelsfall** *m* **im** ~ in case of doubt
Zweig *m* branch; **Zweigstelle** *f* branch

zweihundert *Zahl* two hundred; **zweimal** *Adv* twice; **zweisprachig** *Adj* bilingual; **zweispurig** *Adj* AUTO two-lane; **zweit** *Adv* **wir sind zu** ~ there are two of us; **zweite(r, s)** *Adj* second; → **dritte**; **zweitens** *Adv* secondly; *(bei Aufzählungen)* second; **zweitgrößte(r, s)** *Adj* second largest; **Zweitschlüssel** *m* spare key
Zwerg(in) *m(f)* dwarf
Zwetschge *f* plum
zwicken *vt* pinch
Zwieback *m* rusk
Zwiebel *f* onion; *(von Blume)* bulb; **Zwiebelsuppe** *f* onion soup
Zwilling *m* twin; **~e** *Pl* ASTR Gemini *Sg*
zwingen *vt* force
zwinkern *vi* blink; *(absichtlich)* wink
zwischen *Präp* + *Akk od Dat* between; **Zwischenablage** *f* IT clipboard; **zwischendurch** *Adv* in between; **Zwischenlandung** *f* stopover; **Zwischenraum** *m* space; **Zwischenstopp** *m* stopover; **Zwischenzeit** *f* **in der** ~ in the meantime
zwitschern *vt, vi* twitter, chirp
zwölf *Zahl* twelve; **zwölfte(r, s)** *Adj* twelfth; → **dritte**
Zylinder *m* cylinder; *(Hut)* top hat; **Zylinderkopfdichtung** *f* cylinder-head gasket
zynisch *Adj* cynical
Zypern *n* Cyprus

Anhang

Unregelmäßige englische Verben

Die an erster Stelle stehende Form bezeichnet das **present tense (Präsens)**, nach dem ersten Gedankenstrich steht das **past tense (Präteritum)**, nach dem zweiten das **past participle (Partizip Perfekt)**.

arise – arose – arisen
awake – awoke – awoken
be – was, were – been
bear – bore – borne
beat – beat – beaten
become – became – become
begin – began – begun
bend – bent – bent
bet – bet – bet
bid – bid – bid
bind – bound – bound
bite – bit – bitten
bleed – bled – bled
blow – blew – blown
break – broke – broken
breed – bred – bred
bring – brought – brought
build – built – built
burn – burnt, burned – burnt, burned
burst – burst – burst
buy – bought – bought
can – could – been able
cast – cast – cast
catch – caught – caught
choose – chose – chosen
cling – clung – clung
come – came – come
cost – cost – cost
creep – crept – crept
cut – cut – cut

deal – dealt – dealt
dig – dug – dug
do – did – done
draw – drew – drawn
dream – dreamed, dreamt – dreamed, dreamt
drink – drank – drunk
drive – drove – driven
eat – ate – eaten
fall – fell – fallen
feed – fed – fed
feel – felt – felt
fight – fought – fought
find – found – found
flee – fled – fled
fling – flung – flung
fly – flew – flown
forbid – forbade – forbidden
forget – forgot – forgotten
forgive – forgave – forgiven
freeze – froze – frozen
get – got – got, gotten
give – gave – given
go – went – gone
grind – ground – ground
grow – grew – grown
hang – hung – hung
have – had – had
hear – heard – heard
hide – hid – hidden
hit – hit – hit

hold – held – held
hurt – hurt – hurt
keep – kept – kept
kneel – knelt, kneeled – knelt, kneeled
know – knew – known
lay – laid – laid
lead – led – led
lean – leant, leaned – leant, leaned
leap – leapt, leaped – leapt, leaped
learn – learnt, learned – learnt, learned
leave – left – left
lend – lent – lent
let – let – let
lie – lay – lain
light – lit, lighted – lit, lighted
lose – lost – lost
make – made – made
may – might
mean – meant – meant
meet – met – met
mistake – mistook – mistaken
mow – mowed – mown, mowed
must – had to – had to
pay – paid – paid
put – put – put
quit – quit, quitted – quit, quitted
read – read – read
rid – rid – rid
ride – rode – ridden
ring – rang – rung
rise – rose – risen
run – ran – run
saw – sawed – sawn
say – said – said

see – saw – seen
seek – sought – sought
sell – sold – sold
send – sent – sent
set – set – set
sew – sewed – sewn
shake – shook – shaken
shall – should
shave – shaved – shaved, shaven
shed – shed – shed
shine – shone – shone
shoot – shot – shot
show – showed – shown
shrink – shrank – shrunk
shut – shut – shut
sing – sang – sung
sink – sank – sunk
sit – sat – sat
sleep – slept – slept
slide – slid – slid
sling – slung – slung
slit – slit – slit
smell – smelt, smelled – smelt, smelled
sow – sowed – sown, sowed
speak – spoke – spoken
speed – sped, speeded – sped, speeded
spell – spelt, spelled – spelt, spelled
spend – spent – spent
spill – spilt, spilled – spilt, spilled
spin – spun – spun
spit – spat, spit – spat, spit
split – split – split
spoil – spoiled, spoilt – spoiled, spoilt
spread – spread – spread

spring – sprang – sprung
stand – stood – stood
steal – stole – stolen
stick – stuck – stuck
sting – stung – stung
stink – stank – stunk
strike – struck – struck
strive – strove – striven
swear – swore – sworn
sweep – swept – swept
swell – swelled – swollen, swelled
swim – swam – swum
swing – swung – swung
take – took – taken
teach – taught – taught
tear – tore – torn

tell – told – told
think – thought – thought
throw – threw – thrown
thrust – thrust – thrust
tread – trod – trodden
wake – woke, waked – woken, waked
wear – wore – worn
weave – wove, weaved – woven, weaved
weep – wept – wept
wet – wet – wet
win – won – won
wind – wound – wound
wring – wrung – wrung
write – wrote – written

Zahlwörter

Grundzahlen

0	zero, nought [nɔːt] *null*	61	sixty-one *einundsechzig*
1	one *eins*	70	seventy *siebzig*
2	two *zwei*	80	eighty *achtzig*
3	three *drei*	90	ninety *neunzig*
4	four *vier*	100	a *od* one hundred
5	five *fünf*		*(ein)hundert*
6	six *sechs*	101	a hundred and one
7	seven *sieben*		*hundert(und)eins*
8	eight *acht*	200	two hundred
9	nine *neun*		*zweihundert*
10	ten *zehn*	572	five hundred and
11	eleven *elf*		seventy-two
12	twelve *zwölf*		*fünfhundert(und)-*
13	thirteen *dreizehn*		*zweiundsiebzig*
14	fourteen *vierzehn*	1000	a *od* one thousand
15	fifteen *fünfzehn*		*(ein)tausend*
16	sixteen *sechzehn*	1998	*als Jahreszahl:*
17	seventeen *siebzehn*		nineteen (hundred and)
18	eighteen *achtzehn*		ninety-eight *neunzehn-*
19	nineteen *neunzehn*		*hundertachtundneunzig*
20	twenty *zwanzig*	2000	two thousand
21	twenty-one		*zweitausend*
	einundzwanzig	2010	*als Jahreszahl:*
22	twenty-two		two thousand (and) ten
	zweiundzwanzig		*zweitausendzehn*
30	thirty *dreißig*	5044	TEL five 0 [əʊ] *(US a.*
31	thirty-one		*zero)* double four
	einunddreißig		*fünfzig vierundvierzig*
40	forty *vierzig*	1,000,000	a *od* one million
41	forty-one		*eine Million*
	einundvierzig	2,000,000	two million
50	fifty *fünfzig*		*zwei Millionen*
51	fifty-one *einundfünfzig*	1,000,000,000	a *od* one billion
60	sixty *sechzig*		*eine Milliarde*

Ordnungszahlen

1st	first *erste*	**40th**	fortieth *vierzigste*
2nd	second *zweite*	**41st**	forty-first *einundvierzigste*
3rd	third *dritte*	**50th**	fiftieth *fünfzigste*
4th	fourth *vierte*	**51st**	fifty-first *einundfünfzigste*
5th	fifth *fünfte*		
6th	sixth *sechste*	**60th**	sixtieth *sechzigste*
7th	seventh *sieb(en)te*	**61st**	sixty-first *einundsechzigste*
8th	eighth *achte*		
9th	ninth *neunte*	**70th**	seventieth *siebzigste*
10th	tenth *zehnte*	**80th**	eightieth *achtzigste*
11th	eleventh *elfte*	**90th**	ninetieth *neunzigste*
12th	twelfth *zwölfte*	**100th**	(one) hundredth *hundertste*
13th	thirteenth *dreizehnte*		
14th	fourteenth *vierzehnte*	**101st**	hundred and first *hundert(und)erste*
15th	fifteenth *fünfzehnte*		
16th	sixteenth *sechzehnte*	**200th**	two hundredth *zweihundertste*
17th	seventeenth *siebzehnte*		
18th	eighteenth *achtzehnte*	**300th**	three hundredth *dreihundertste*
19th	nineteenth *neunzehnte*		
20th	twentieth *zwanzigste*	**572nd**	five hundred and seventy-second *fünfhundert(und)zweiundsiebzigste*
21st	twenty-first *einundzwanzigste*		
22nd	twenty-second *zweiundzwanzigste*	**1000th**	(one) thousandth *tausendste*
23rd	twenty-third *dreiundzwanzigste*	**1,000,000th**	(one) millionth *millionste*
30th	thirtieth *dreißigste*		
31st	thirty-first *einunddreißigste*		

Britische und amerikanische Maße und Gewichte

1. Längenmaße
1 inch = 2,54 cm
1 foot = 30,48 cm
1 yard = 91,439 cm
1 mile = 1,609 km

2. Flächenmaße
1 square inch = 6,452 cm^2
1 square foot = 929,029 cm^2
1 square yard = 8361,26 cm^2
1 acre = 40,47 a
1 square mile = 258,998 ha

3. Raummaße
1 cubic inch = 16,387 cm^3
1 cubic foot = 0,028 m^3
1 cubic yard = 0,765 m^3
1 register ton = 2,832 m^3

4. Hohlmaße
1 British *od* imperial pint
  = 0,568 l, *US* 0,473 l

1 British *od* imperial quart
  = 1,136 l, *US* 0,946 l
1 British *od* imperial gallon
  = 4,546 l, *US* 3,785 l
1 British *od* imperial barrel
  = 163,656 l, *US* 119,228 l

5. Handelsgewichte
1 grain = 0,065 g
1 ounce = 28,35 g
1 pound = 453,592 g
1 quarter = 12,701 kg
1 hundredweight =
  112 pounds = 50,802 kg
  (= *US* 100 pounds
  = 45,359 kg)
1 ton = 1016,05 kg, *US*
  907,185 kg
1 stone = 14 pounds
  = 6,35kg

Temperatur-Entsprechungen

	°F	°C
Siedepunkt	212°	100°
	194°	90°
	176°	80°
	158°	70°
	140°	60°
	122°	50°
	104°	40°
	86°	30°
	68°	20°
	50°	10°
Gefrierpunkt	32°	0°
	14°	−10°
	0°	−17.8°

Temperatur-Umrechnung

$$°\text{Fahrenheit} = (\tfrac{9}{5} °C) + 32$$
$$°\text{Celsius} = (°F - 32) \cdot \tfrac{5}{9}$$

Englische Währung

£ 1 = 100 pence

Münzen

1 p (a penny)
2 p (two pence)
5 p (five pence)
10 p (ten pence)
20 p (twenty pence)
50 p (fifty pence)
£ 1 (one *od* a pound)
£ 2 (two pounds)

Banknoten

£ 5 (five pounds)
£ 10 (ten pounds)
£ 20 (twenty pounds)
£ 50 (fifty pounds)

Amerikanische Währung

1 $ = 100 cents

Münzen

1 ¢ (one *od* a cent,
a penny)
5 ¢ (five cents, a nickel)
10 ¢ (ten cents, a dime)
25 ¢ (twenty-five cents,
a quarter)
50 ¢ (fifty cents,
a half-dollar)

Banknoten

$ 1 (one *od* a dollar,
umg a buck)
$ 5 (five dollars)
$ 10 (ten dollars)
$ 20 (twenty dollars)
$ 50 (fifty dollars)
$ 100 (one *od* a hundred
dollars)

Wichtige Feiertage in GB und in den USA

(nicht alle sind arbeitsfreie Tage)

1. Januar	**New Year's Day**	Neujahrstag
	Good Friday	Karfreitag
	Easter Monday	Ostermontag
erster Montag im Mai	**May Day Bank Holiday**	
letzter Montag im Mai	**Spring Bank Holiday**	
4. Juli	**Independence Day** *(USA)*	Unabhängigkeitstag
letzter Montag im August	**August Bank Holiday**	freier Tag im August
erster Montag im September	**Labor Day** *(USA)*	Tag der Arbeit
12. Oktober	**Columbus Day** *(USA)*	zum Gedenken an die Landung von Kolumbus auf den Westindischen Inseln
31. Oktober	**Halloween** [ˌhæləʊˈiːn]	Tag vor Allerheiligen
5. November	**Guy Fawkes Night** [ˌgaɪˈfɔːksˌnaɪt]	zur Erinnerung an den versuchten Sprengstoffanschlag auf das Parlamentsgebäude im Jahre 1605
Donnerstag vor dem letzten Sonntag im November	**Thanksgiving Day** *(USA)*	
25. Dezember	**Christmas Day**	1. Weihnachtstag
26. Dezember	**Boxing Day**	2. Weihnachtstag
31. Dezember	**New Year's Eve**	Silvester

Mini-Dolmetscher
für unterwegs

Inhaltsverzeichnis

Das Allerwichtigste 627

Verständigung 628

Smalltalk 628

Unterwegs und über Nacht 630

Shopping 631

Im Restaurant 632

Speisekarte 633

Das Allerwichtigste

Guten Morgen!	**(Good) Morning.** [(gʊd) 'mɔːnɪŋ]
Guten Tag!	**Hello.** [hə'ləʊ]
Guten Abend!	**(Good) Evening.** [(gʊd)_'iːvnɪŋ]
Auf Wiedersehen!	**Goodbye.** [gʊd'baɪ]
..., bitte!	**..., please.** ... [pliːz]
Danke!	**Thank you.** [θæŋk_juː]
Ja.	**Yes.** [jes]
Nein.	**No.** [nəʊ]
Entschuldigung!	**(I'm) Sorry.** [(aɪm) 'sɒrɪ]
In Ordnung!	**OK.** [əʊ'keɪ]
Hilfe!	**Help!** [help]
Rufen Sie schnell einen Arzt!	**Get a doctor, quick!** ['get_ə 'dɒktə 'kwɪk]
Rufen Sie schnell einen Krankenwagen!	**Get an ambulance, quick!** ['get_ən_'æmbjʊləns 'kwɪk]
Wo ist die Toilette?	**Where are the toilets?** ['weər_ə ðə 'tɔɪləts]
Wann?	**When?** [wen]
Was?	**What?** [wɒt]
Wo?	**Where?** [weə]
Hier.	**Here.** [hɪə]
Dort.	**There.** [ðeə]
Rechts.	**On (To) the right.** [ɒn (tə) ðə 'raɪt]
Links.	**On (To) the left.** [ɒn (tə) ðə 'left]
Geradeaus.	**Straight ahead.** ['streɪt_ə'hed]
Haben Sie ...?	**Do you have ...?** [də ju 'hæv ...]
Ich möchte ...	**I'd like ...** [aɪd 'laɪk ...]
Was kostet das?	**How much is that?** ['haʊ mʌtʃ_'ɪz ðæt]

Bitte schreiben Sie mir das auf.	**Could you write that down for me?** [kʊd ju 'raɪt ðæt 'daʊn fə mɪ]
Wo ist …?	**Where is …?** ['weər_ɪz …]
Wo gibt es …?	**Where can I get …?** ['weə kən_aɪ 'get …]
Heute.	**Today.** [tə'deɪ]
Morgen.	**Tomorrow.** [tə'mɒrəʊ]
Ich will nicht.	**I don't want to.** [aɪ dəʊnt 'wɒnt tʊ]
Ich kann nicht.	**I can't.** [aɪ 'kɑːnt]
Einen Moment, bitte!	**One moment, please.** ['wʌn 'məʊmənt pliːz]
Lassen Sie mich in Ruhe!	**Leave me alone!** ['liːv mɪ_ə'ləʊn]

Verständigung

Haben Sie / Hast du verstanden?	**Did you understand that?** [dɪd_ju_ʌndə'stænd ðæt]
Ich *verstehe / habe verstanden.*	**Yes, I understand.** ['jes_aɪ_ʌndə'stænd]
Ich habe das nicht verstanden.	**I didn't understand that.** [aɪ 'dɪdnt_ʌndə'stænd ðæt]
Sagen Sie es bitte noch einmal.	**Could you say it again?** [kʊd ju 'seɪ_ɪt_ə'gen]
Bitte sprechen Sie etwas langsamer.	**Could you speak a bit more slowly, please?** [kʊd_ju 'spiːk_ə bɪt mɔː 'sləʊlɪ pliːz]

Smalltalk

| Wie *heißen Sie / heißt du*? | **What's your name?** ['wɒts_jɔː 'neɪm] |

Ich heiße …	**My name is … [**maɪ 'neɪm̩_ɪz …]
Woher *kommen Sie/kommst du?*	**Where do you come from?** ['weə də juː 'kʌm frɒm]
Ich komme aus …	**I come from … [**aɪ 'kʌm frɒm …]
Deutschland.	**Germany.** ['dʒɜːmənɪ]
Österreich.	**Austria.** ['ɒstrɪə]
der Schweiz.	**Switzerland.** ['swɪtsələnd]
Wie alt *sind Sie/bist du?*	**How old are you?** [haʊ_'əʊld_ə juː]
Ich bin … Jahre alt.	**I'm … [**aɪm …]
Was *machen Sie/machst du* beruflich?	**What do you do for a living?** ['wɒt də juː 'duː fər_ə 'lɪvɪŋ]
Ich bin …	**I'm a(n) … [**aɪm ə(n)_…]
Sind Sie/Bist du zum ersten Mal hier?	**Is this your first time here?** [ɪz 'ðɪs jɔː fɜːst_'taɪm hɪə]
Nein, ich war schon … mal in England.	**No, I've been to England … times.** ['nəʊ aɪv_bɪn tʊ_'ɪŋglənd … 'taɪmz]
Wie lange *sind Sie/bist du* schon hier?	**How long have you been here?** [haʊ 'lɒŋ həv_jʊ 'bɪn hɪə]
Seit … *Tagen/Wochen.*	**(For) … *days/weeks.*** [(fə) … 'deɪz/'wiːks]
Wie lange *sind Sie/bist du* noch hier?	**How much longer are you staying?** ['haʊ mʌtʃ 'lɒŋgər_ə juː 'steɪɪŋ]
Noch *eine Woche/zwei Wochen.*	**Another *week/fortnight.*** [ə'nʌðə 'wiːk/'fɔːtnaɪt]
Wie gefällt es *Ihnen/dir* hier?	**How do you like it here?** ['haʊ də jʊ 'laɪk_ɪt hɪə]
Es gefällt mir sehr gut.	**I like it very much.** [aɪ 'laɪk_ɪt 'verɪ 'mʌtʃ]

Unterwegs und über Nacht

Entschuldigung,
wo ist …?
Excuse me, where's …?
[ɪk'skjuːz mɪ 'weəz …]

Wie komme ich
nach/zu …?
How do I get to …?
['hau du aɪ 'get tu …]

Wie komme ich am
schnellsten/billigsten
zum …
**What's the *quickest/cheapest* way
to get to the …**
['wɒts ðə 'kwɪkəst/'tʃiːpəst weɪ
tə 'get tə ðə/ði …]

Bahnhof? **station?** ['steɪʃn]

Busbahnhof? **bus/coach station?**
['bʌs/'kəʊtʃ steɪʃn]

Flughafen? **airport?** ['eəpɔːt]

Hafen? **port?** [pɔːt]

I'm afraid I *don't know/can't tell you.*
[aɪm ə'freɪd aɪ 'dəʊnt nəʊ/'kɑːnt tel jʊ]
Tut mir leid, das
weiß ich nicht.

Go back. [gəʊ 'bæk] Zurück.

Straight ahead. ['streɪt ə'hed] Geradeaus.

(To the) Right. [(tə ðə) 'raɪt] Nach rechts.

(To the) Left. [(tə ðə) 'left] Nach links.

Für mich ist bei Ihnen
ein Zimmer reserviert.
Mein Name ist …
**You have a room for me. My name is
…** [jʊ 'hæv ə 'ruːm fə mɪ. maɪ
'neɪm ɪz …]

Hier ist meine
Bestätigung.
This is my letter of confirmation.
['ðɪs ɪz maɪ 'letər əv kɒnfə-
'meɪʃn]

Could I have your voucher, please?
[kʊd aɪ 'hæv jɔː 'vaʊtʃə pliːz]
Dürfte ich bitte
Ihren *Voucher/
Gutschein* haben?

Haben Sie ein
*Doppelzimmer/Einzel-
zimmer* frei …
**Do you have a *double/single* room
…** [də jʊ 'hæv ə 'dʌbl/'sɪŋgl ruːm
…]

für *einen Tag/ ... Tage*?	**for *one night/ ... nights*?** [fə 'wʌn 'naɪt/... 'naɪts]
mit *Bad/ Dusche* und WC?	**with (a) *bath/ shower* and toilet?** [wɪð_(ə) 'bɑːθ/'ʃaʊə_ən_'tɔɪlət]

I'm afraid we're fully booked. Wir sind leider aus-
[aɪm_ə'freɪd wɪə 'fʊlɪ 'bʊkt] gebucht.

There's a vacancy *from tomorrow/* *Morgen/ Am* ... wird
***from* ...** ein Zimmer frei.
[ðeəz_ə 'veɪkənsɪ frəm tə'mɒrəʊ/
frəm ...]

Wie viel kostet es ...	**How much is it ...** ['haʊ mʌtʃ_'ɪz_ɪt ...]
mit/ ohne Frühstück?	**with/ without breakfast?** [wɪð/wɪ'ðaʊt 'brekfəst]
mit *Halbpension/* *Vollpension*?	**with *half/ full* board?** [wɪð 'hɑːf/'fʊl 'bɔːd]

Shopping

Wo bekomme ich ...?	**Where can I get ...?** ['weə kən_aɪ 'get ...]

Can I help you (at all)? Kann ich Ihnen
[kən_aɪ 'help_juː (_ət_'ɔːl)] helfen?

Danke, ich sehe mich um.	**I'm just looking, thanks.** [aɪm 'dʒʌst 'lʊkɪŋ 'θæŋks]
Ich werde schon bedient.	**I'm being served, thanks.** [aɪm 'biːɪŋ 'sɜːvd 'θæŋks]
Ich hätte gerne eine Flasche Wasser.	**I'd like a bottle of water.** [aɪd 'laɪk ə 'bɒtl_əv wɔːtə]

I'm afraid we've run out of ... Es tut mir leid, wir
[aɪm_ə'freɪd wiːv rʌn_'aʊt_əv ...] haben keine ... mehr.

Was *kostet/ kosten* ...?	**How much *is/ are* ...?** ['haʊ 'mʌtʃ_ɪz/ə ...]
Das gefällt mir.	**I like it.** [aɪ 'laɪk_ɪt]

Ich nehme es.	**I'll take that.** [aɪl ˈteɪk ðæt]	
Anything else(, Madam/ Sir)? [ˈenɪθɪŋ ˈels (ˈmædəm/ ˈsɜː)]		Darf es sonst noch etwas sein?
Danke, das ist alles.	**That's all, thanks.** [ðæts ˈɔːl ˈθæŋks]	
Kann ich mit dieser Kreditkarte zahlen?	**Can I pay with this credit card?** [kən aɪ ˈpeɪ wɪð ˈðɪs ˈkredɪt kɑːd]	

Im Restaurant

Die *Karte/ Getränke-karte* bitte.	**Could I have the *menu/ wine list*, please?** [ˈkʊd aɪ hæv ðə ˈmen-juː/ ˈwaɪn lɪst pliːz]	
Ich möchte nur eine Kleinigkeit essen.	**I'd just like a snack.** [aɪd ˈdʒʌst laɪk ə ˈsnæk]	
What would you like to drink? [ˈwɒt wʊd juː laɪk tə ˈdrɪŋk]		Was möchten Sie trinken?
Ich möchte ein Glas Rotwein.	**I'll have a glass of red wine, please.** [aɪl ˈhæv ə ˈglɑːs əv ˈred ˈwaɪn pliːz]	
Haben Sie vegetarische Gerichte?	**Do you serve vegetarian dishes?** [də juː ˈsɜːv vedʒəˈteərɪən dɪʃɪz]	
What would you like *as a starter/ for dessert?* [ˈwɒt wʊd juː ˈlaɪk əz ə ˈstɑːtə/ də dɪˈzɜːt]		Was nehmen Sie als *Vorspeise / Nachtisch?*
Danke, ich nehme *keine Vorspeise / keinen Nachtisch.*	**I won't have a *starter/ dessert*, thank you.** [aɪ ˈwəʊnt hæv ə ˈstɑːtə / dɪˈzɜːt ˈθæŋk juː]	
Did you enjoy it? [dɪd juː ɪnˈdʒɔɪ ɪt]		Hat es Ihnen geschmeckt?
Danke, sehr gut.	**It was very nice, thank you.** [ɪt wɒz ˈverɪ ˈnaɪs θæŋk juː]	
Ich möchte zahlen.	**Could I have the bill, please?** [ˈkʊd aɪ hæv ðə ˈbɪl pliːz]	

Speisekarte

Soups – Suppen

bouillabaisse [buːjəˈbes]	Fischsuppe
chicken broth [ˈtʃɪkɪn ˈbrɒθ]	Hühnerbrühe / -suppe
cream of ... soup [kriːm ˌəv ... ˈsuːp]	...cremesuppe
mulligatawny [ˌmʌlɪgəˈtɔːnɪ]	Currysuppe
mushroom soup [ˈmʌʃruːm ˈsuːp]	Champignoncremesuppe
onion soup [ˈʌnjən ˈsuːp]	Zwiebelsuppe

Starters, hors-d'œuvres – Vorspeisen

anchovies [ˈæntʃəvɪz]	Sardellen
garlic bread [ˈgaːlɪk ˈbred]	Knoblauchbrot
jellied eel [ˈdʒelɪd ˈiːl]	Aal in Aspik
melon [ˈmelən]	Melone
olives [ˈɒlɪvz]	Oliven
oysters [ˈɔɪstəz]	Austern
pâté de foie gras [ˈpæteɪ də ˈfwaː ˈgraː]	Gänseleberpastete
prawn cocktail [ˈprɔːn ˈkɒkteɪl]	Krabbencocktail
salad [ˈsæləd]	Salat
mixed – [ˈmɪkst ˈsæləd]	gemischter Salat
smoked salmon [ˈsməʊkt ˈsæmən]	Räucherlachs
vol-au-vent [ˈvɒləʊˈvaː]	Königinpastete

Meat dishes – Fleischgerichte

bacon [ˈbeɪkən]	(Frühstücks)Speck
beef [biːf]	Rindfleisch
chop [tʃɒp]	Kotelett
Cornish pasty [ˈkɔːnɪʃ ˈpæstɪ]	*Teigtasche mit Fleisch, Kartoffeln und Gemüse*

cottage pie ['kɒtɪdʒ 'paɪ]	*gewürfeltes Fleisch in Soße, mit Kartoffelbrei bedeckt und gebacken*
game [geɪm]	Wild
gammon ['gæmən]	*leicht geräucherter Vorderschinken*
lamb [læm]	Lammfleisch
meatballs ['miːtbɔːlz]	Fleischklößchen
mince, minced meat [mɪns, 'mɪnst miːt]	Hackfleisch
mixed grill ['mɪkst 'grɪl]	gemischte Grillplatte
mutton ['mʌtn]	Hammelfleisch
pork [pɔːk]	Schweinefleisch
rabbit ['ræbɪt]	Kaninchen
roast [rəʊst]	Braten
sausages ['sɒsɪdʒɪz]	Würstchen
shepherd's pie ['ʃepədz 'paɪ]	*Auflauf aus Hackfleisch und Kartoffelbrei*
steak au poivre ['steɪk əʊ 'pwɑːvrə]	Pfeffersteak
stew [stjuː]	Fleischeintopf
veal [viːl]	Kalbfleisch
venison ['venɪsən]	Reh

Poultry – Geflügel

chicken ['tʃɪkən]	Huhn, Hähnchen
coq au vin ['kɒk_əʊ 'væn]	Hähnchen in Rotweinsoße
duck [dʌk]	Ente
fowl [faʊl]	Geflügel
giblets ['dʒɪbləts]	Hühnerklein
goose [guːs]	Gans
guinea fowl ['gɪnɪ faʊl]	Perlhuhn
partridge ['pɑːtrɪdʒ]	Rebhuhn
pheasant ['feznt]	Fasan
pigeon ['pɪdʒən]	Taube
quail ['kweɪl]	Wachtel
turkey ['tɜːkɪ]	Pute, Truthahn

Fish – Fisch

bass [bæs]	Seebarsch
cod [kɒd]	Kabeljau
Dover sole ['dəuvə 'səul]	Seezunge
eel [iːl]	Aal
haddock ['hædək]	Schellfisch
halibut ['hælɪbət]	Heilbutt
mackerel ['mækərəl]	Makrele
mullet ['mʌlɪt]	Barbe
plaice [pleɪs]	Scholle
salmon ['sæmən]	Lachs
trout [traut]	Forelle
tuna ['tjuːnə]	Thunfisch
whitebait ['waɪtbeɪt]	Breitling

Seafood – Meeresfrüchte

calamari [kælə'mɑːrɪ]	gebratene Tintenfischringe
clam [klæm]	Venusmuschel
crab [kræb]	Krabbe, Krebs
king prawns ['kɪŋ 'prɔːnz]	Riesengarnelen
lobster ['lɒbstə]	Hummer
mussels ['mʌslz]	Muscheln
oysters ['ɔɪstəz]	Austern
prawns [prɔːnz]	Garnelen
scallops ['skɒləps]	Jakobsmuscheln
squid [skwɪd]	Tintenfisch

Extras – Beilagen

baked potato ['beɪkt pə'teɪtəu]	gebackene Kartoffel
boiled potatoes ['bɔɪld pə'teɪtəuz]	Salzkartoffeln
boiled rice ['bɔɪld 'raɪs]	gekochter Reis
chips [tʃɪps]	Pommes frites
jacket potato ['dʒækɪt pə'teɪtəu]	gebackene Pellkartoffel
mashed potatoes ['mæʃt pə'teɪtəuz]	Kartoffelpüree

636

Vegetables – Gemüse und Salat

asparagus [ə'spærəgəs]	Spargel
baked beans ['beɪkt 'biːnz]	*gebackene Bohnen in Tomatensoße*
bean sprouts ['biːn sprauts]	Sojasprossen
beetroot ['biːtruːt]	rote Beete
Brussels sprouts ['brʌslz 'sprauts]	Rosenkohl
cabbage ['kæbɪdʒ]	Kohl
cauliflower ['kɒlɪflauə]	Blumenkohl
celery ['selərɪ]	Sellerie
chickpeas ['tʃɪkpiːz]	Kichererbsen
chillis ['tʃɪlɪz]	Peperoni
coleslaw ['kəulslɔː]	Krautsalat
corn on the cob ['kɔːn ɒn ðə 'kɒb]	Maiskolben
courgettes [kuə'ʒet]	Zucchini
cucumber ['kjuːkʌmbə]	Gurke
eggplant ['egplɑːnt]	Aubergine
iceberg lettuce ['aɪsbɜːg 'letɪs]	Eissalat
lentils ['lentlz]	Linsen
lettuce ['letɪs]	Kopfsalat
mangetout [mɒndʒ'tuː]	Zuckererbsen
morels ['mɒrəlz]	Morcheln
mushrooms ['mʌʃrumz]	Pilze
onion ['ʌnjən]	Zwiebel
parsnips ['pɑːsnɪps]	Pastinaken
peas [piːz]	Erbsen
peppers ['pepəz]	Paprikaschoten
spinach ['spɪnɪdʒ]	Spinat
spring onions ['sprɪŋ 'ʌnjənz]	Frühlingszwiebeln
swede [swiːd]	Steckrübe
sweetcorn ['swiːtkɔːn]	Mais
tomatoes [tə'mɑːtəuz]	Tomaten

Herbs and Spices – Kräuter und Gewürze

basil ['bæzl]	Basilikum
chives [tʃaɪvz]	Schnittlauch

cinnamon ['sɪnəmən]	Zimt
cloves [kləʊvz]	Nelken
garlic ['gɑːlɪk]	Knoblauch
ginger ['dʒɪndʒə]	Ingwer
horse radish ['hɔːs rædɪʃ]	Meerrettich
nutmeg ['nʌtmeg]	Muskat
parsley ['pɑːslɪ]	Petersilie
pepper ['pepə]	Pfeffer
sage [seɪdʒ]	Salbei
salt [sɔːlt]	Salz
thyme [taɪm]	Thymian

Cheese – Käse

blue cheese ['bluː 'tʃiːz]	Blauschimmelkäse
cheeseboard ['tʃiːzbɔːd]	Käseplatte
cottage cheese ['kɒtɪdʒ 'tʃiːz]	Hüttenkäse
cream cheese ['kriːm 'tʃiːz]	Frischkäse
feta ['fetə]	Schafskäse, Ziegenkäse
Gloucester cheese ['glɒstə 'tʃiːz]	*milder englischer Käse*
mature [mə'tʃʊə]	reif, würzig
mild [maɪld]	mild
Stilton ['stɪltən]	englischer Blauschimmelkäse

Desserts / Sweets – Nachspeisen

apple crumble ['æpl 'krʌmbl]	*Apfeldessert mit Streuseln*
apple pie ['æpl 'paɪ]	(gedeckter) Apfelkuchen
cheese cake ['tʃiːz keɪk]	Käsekuchen (mit Obst)
clotted cream ['klɒtɪd 'kriːm]	Dickrahm
cream ['kriːm]	(Schlag)Sahne
crumpet ['krʌmpɪt]	*getoastetes Hefegebäck, mit Butter bestrichen*
custard ['kʌstəd]	Vanillesoße
fruit salad ['fruːt 'sæləd]	Obstsalat
ice cream ['aɪs 'kriːm]	Eis
meringue [mə'ræŋ]	Baiser

pancake ['pænkeɪk]	Pfannkuchen
scone [skɒn, skəʊn]	*kleiner, runder Kuchen, mit Butter bzw. Dickrahm und Marmelade gegessen*
trifle ['traɪfl]	Trifle (*Biskuitboden in Sherry getränkt, mit Früchten in Wackelpeter, Vanillesoße und Sahne zugedeckt*)

Fruits and Nuts – Obst und Nüsse

almonds ['ɑːməndz]	Mandeln
apple ['æpl]	Apfel
banana [bə'nɑːnə]	Banane
blackcurrants ['blæk'kʌrənts]	schwarze Johannisbeeren
blueberries ['bluːbəriz]	Heidelbeeren
Brazil nuts [brə'zɪl 'nʌts]	Paranüsse
cherries ['tʃerɪz]	Kirschen
chestnuts ['tʃesnʌts]	Kastanien
coconut ['kəʊkəʊnʌt]	Kokosnuss
cranberries ['krænbəriz]	Preiselbeeren
dates [deɪts]	Datteln
figs [fɪgz]	Feigen
gooseberries ['gʊzbəriz]	Stachelbeeren
grapes [greɪps]	Weintrauben
hazelnuts ['heɪzlnʌts]	Haselnüsse
honeydew melon ['hʌnɪdjuː 'melən]	Honigmelone
lemon ['lemən]	Zitrone
melon ['melən]	Melone
orange ['ɒrəndʒ]	Orange
peach [piːtʃ]	Pfirsich
peanuts ['piːnʌts]	Erdnüsse
pear [peə]	Birne
pineapple ['paɪnæpl]	Ananas
pistachios [pɪ'stɑːʃɪəʊz]	Pistazien
plum [plʌm]	Pflaume
raisins ['reɪznz]	Rosinen

raspberries ['rɑːzbəriz]	Himbeeren
redcurrants ['red'kʌrənts]	rote Johannisbeeren
rhubarb ['ruːbɑːb]	Rhabarber
strawberries ['strɔːbəriz]	Erdbeeren
walnuts ['wɔːlnʌts]	Walnüsse

Wine, Champagne – Wein, Sekt

champagne [ʃæm'peɪn]	Champagner, Sekt
dry [draɪ]	trocken
medium ['miːdɪəm]	halbtrocken
port [pɔːt]	Portwein
red wine [red 'waɪn]	Rotwein
rosé ['rəʊzeɪ]	Rosé
sparkling wine ['spɑːklɪŋ waɪn]	Schaumwein, Sekt
sweet [swiːt]	lieblich
white wine ['waɪt 'waɪn]	Weißwein

Beer – Bier

beer [bɪə]	Bier
bitter ['bɪtə]	stark gehopftes Bier
draught beer ['drɑːft bɪə]	Bier vom Fass
lager ['lɑːgə]	helles Bier
stout [staʊt]	dunkles Bier

Other alcoholic drinks –
Andere alkoholische Getränke

cider ['saɪdə]	Apfelwein
gin and tonic ['dʒɪn_ən 'tɒnɪk]	Gin-Tonic
malt whisky ['mɔːlt 'wɪskɪ]	*aus gemälztem Korn gebrannter Whisky*
whisky, Scotch ['wɪskɪ, skɒtʃ]	Whisky

Non-alcoholic drinks – Alkoholfreie Getränke

ginger ale ['dʒɪndʒər_'eɪl]	Ingwerlimonade

juice [dʒuːs]	Saft
milkshake ['mɪlkʃeɪk]	Milchshake
mineral water ['mɪnərəl wɔːtə]	Mineralwasser
sparkling - - ['spɑːklɪŋ 'mɪnərəl wɔːtə]	- mit Kohlensäure
still - - ['stɪl 'mɪnərəl wɔːtə]	- ohne Kohlensäure
orange juice ['ɒrəndʒ dʒuːs]	Orangensaft
tap water ['tæp wɔːtə]	Leitungswasser

Hot drinks – Heiße Getränke

coffee ['kɒfɪ]	Kaffee
white – ['waɪt 'kɒfɪ]	- mit Milch
black – ['blæk 'kɒfɪ]	- ohne Milch
hot chocolate ['hɒt 'tʃɒklət]	heiße Schokolade
tea [tiː]	Tee
- with milk ['tiː wɪð 'mɪlk]	- mit Milch
espresso [e'spresəʊ]	Espresso
double espresso ['dʌbl e'spresəʊ]	doppelter Espresso
cappuccino [kæpʊ'tʃiːnəʊ]	Cappuccino

Erklärung der phonetischen Zeichen

ʌ	come [kʌm]	≈	_Butler_
ɑː	after ['ɑːftəʳ]	≈	_Bahn_
ɑ̃	fiancé [fɪ'ɑ̃nseɪ]	≈	_Ensemble_
æ	flat [flæt]	≈	_Wäsche_
ə	arrival [ə'raɪvəl]	≈	_bitte_
e	men [men]	≈	_hätte_
ɜː	first [fɜːst]	≈	_flirten_
ɪ	city ['sɪtɪ]	≈	_Mitte_
iː	see [siː]	≈	_nie_
ɒ	shop [ʃɒp]	≈	_Gott_
ɔː	course [kɔːs]	≈	_Lord_
ʊ	good [gʊd]	≈	_Mutter_
uː	too [tuː]	≈	_Schuh_
aɪ	night [naɪt]	≈	_weit_
aʊ	now [naʊ]	≈	_blau_
əʊ	home [həʊm]	von	[ə] zu [ʊ] gleiten
eəʳ	air [eəʳ]	≈	_Bär_
ɛə	care [kɛəʳ]	≈	_mehr_
eɪ	eight [eɪt]	≈	_äi_
ɪə	near [nɪəʳ]	≈	_Bier_
ɔɪ	join [dʒɔɪn]	≈	_neu_
ʊə	tour ['tʊəʳ]	≈	_nur_
b	back [bæk]	≈	_Ball_
d	do [duː]	≈	_dann_
f	father ['fɑːðəʳ]	≈	_Farbe_
g	go [gəʊ]	≈	_Geld_
h	house [haʊs]	≈	_haben_
j	yes [jes]	≈	_jetzt_
k	keep [kiːp]	≈	_kalt_
l	low [ləʊ]	≈	_leise_
m	man [mæn]	≈	_Mann_
n	nose [nəʊz]	≈	_Nase_
ŋ	thing [θɪŋ]	≈	_Ding_
p	happy ['hæpɪ]	≈	_Park_
r	room [ruːm]		nicht gerollt, Zunge am Gaumen